Gramática Escolar da Língua Portuguesa

Evanildo Bechara

*Professor Titular e Emérito da Universidade do
Estado do Rio de Janeiro (UERJ) e da
Universidade Federal Fluminense (UFF);
Membro da Academia Brasileira de Letras e
da Academia Brasileira de Filologia;
Sócio correspondente da Academia das Ciências de Lisboa;
Representante brasileiro do novo Acordo Ortográfico*

Gramática Escolar da Língua Portuguesa

3.ª EDIÇÃO REVISTA E ATUALIZADA

Rio de Janeiro, 2020

© 2001 by Evanildo Bechara
© 2010 Editora Nova Fronteira Participações S/A

Direitos de edição da obra em língua portuguesa no Brasil adquiridos pela EDITORA NOVA FRONTEIRA PARTICIPAÇÕES S.A. Todos os direitos reservados. Nenhuma parte desta obra pode ser apropriada e estocada em sistema de banco de dados ou processo similar, em qualquer forma ou meio, seja eletrônico, de fotocópia, gravação etc., sem a permissão do detentor do copirraite.

EDITORA NOVA FRONTEIRA PARTICIPAÇÕES S.A. Av. Rio Branco, 115 — Salas 1201 a 1205 — Centro
20040-004 — Rio de Janeiro — RJ — Brasil
Tel.: (21) 3882-8200

Dados Internacionais de Catalogação na Publicação (CIP)
(Câmara Brasileira do Livro, SP, Brasil)

3. ed.
    Bechara, Evanildo
        Gramática escolar da língua portuguesa / Evanildo Bechara. – 3. ed. – Rio de Janeiro: Nova Fronteira, 2020.

        ISBN 978-85-2093-115-8

    1. Gramática - Português. 2. Português - Gramática - Estudo e ensino. I. Título II. Série.

20-42708   CDD- 469.507

Índices para catálogo sistemático:
1. Gramática : Português: Estudo e ensino 469.507
Aline Graziele Benitez - Bibliotecária - CRB-1/3129

Sumário

Prefácio da 3.ª edição..27
Prefácio da 2.ª edição..28
Prefácio da 1.ª edição..29

Parte I
Oração simples, seus termos e representantes gramaticais 31

Introdução
Fundamentos da teoria gramatical 33
   Há diversos tipos de enunciados 33
   Nem todos os enunciados têm a mesma
      importância para a exposição gramatical......................................33
   Os diversos significados das orações 34
   A importância da oração para a gramática.....................................35
   Sintaxe de concordância 35
   Sintaxe de regência..36
   Sintaxe de colocação 36
   Constituição das unidades: morfologia..37
   Disciplinas das unidades não significativas 37
   Ortoepia, prosódia e ortografia 38
   Disciplina das unidades significativas (lexemas): Lexicologia 38
   Os saberes da competência linguística 38
   Os estratos de estruturação gramatical..39
   Propriedades dos estratos de estruturação
      gramatical 40
   Hipertaxe ou superordenação..41
   Hipotaxe ou subordinação 41
   Parataxe ou coordenação...42
   Antitaxe ou substituição 42
   Juízos de valor...42
   Língua comum e dialeto — Língua exemplar
      ou padrão 44
   O exemplar e o correto 44
   Gramática descritiva e gramática normativa..................................45

Capítulo 1
Sujeito e predicado..46
  Sujeito explícito..46
  Orações sem sujeito..46
  Sujeito simples e composto..47
  Princípios gerais de concordância verbal......................................47
  Posição do predicado e do sujeito 48
  Oração sem sujeito...50
  Sujeito indeterminado..51
  Exercícios de fixação..52

Capítulo 2
Predicado e seus outros termos constitutivos.....................................59
  Predicado simples e complexo 59
  Verbo intransitivo e transitivo..60
  Objeto direto e complementos preposicionados...................................60
  Pontos de contato entre sujeito e objeto direto................................61
  Estratégias para a identificação do sujeito....................................61
  Estratégias para a identificação do objeto direto..............................62
  Objeto direto preposicionado...63
  A preposição como posvérbio 64
  Complementos verbais preposicionados...64
  Complemento relativo e objeto indireto 65
  Passagens no emprego do objeto direto e
    complemento preposicionado 66
  Predicado complexo com dois complementos 66
  Construção especial com objeto indireto..67
  Verbos que admitem dupla ou tripla construção 67
  Os chamados "dativos livres"...68
  Quando o pronome átono pode ser substituído
    pelo pronome tônico preposicionado 69
  O predicativo..70
  Mais um tipo de predicativo..71
  A posição do predicativo...72
  O complemento relativo adverbial (↗ 83)..72
  Complemento de agente da passiva (↗ 299).......................................73
  Exercícios de fixação..74

Capítulo 3
Expansões do nome e do verbo..80
  Noção de adjunto e adjunto adnominal 80

Grupos nominais 82
Adjunto adverbial 83
Complemento relativo e adjunto adverbial 83
As circunstâncias 83
A constituição do adjunto adverbial 84
Complemento nominal 84
Outro termo para a expansão de núcleo: o aposto 86
Aposto e adjunto adnominal 87
Aposto referido a uma oração 87
Vocativo: uma unidade à parte 88
Funções sintáticas e classes de palavras 89
Exercícios de fixação 90

Parte 2
As unidades do enunciado: formas e empregos 95

Capítulo 4
Substantivo 97
Concretos e abstratos 97
Próprios e comuns 98
Passagem de nomes próprios a comuns 99
Contáveis e não contáveis 99
Estrutura interna do substantivo 103
Número 103
A flexão de número dos substantivos 104
    Formação do plural com acréscimo de -s 104
    Formação do plural com acréscimo de -es 104
    Plural de nomes gregos em -n 104
    Plural dos nomes em -ão tônico 105
    Plural dos nomes terminados em -l 107
    Plural dos nomes terminados em -x (= ce) 108
    Palavras que não possuem marca de número 109
    Plurais com alteração de *o* fechado para *o* aberto (metafonia) 109
    Plurais com deslocação do acento tônico 111
    Variações semânticas do significado entre o singular e o plural 111
    Palavras só usadas no plural (*pluralia tantum*) 112
    Plural de nomes próprios 112
    Plural dos nomes estrangeiros não assimilados 113
    Plural dos nomes de letras 114
    Plural dos nomes com o sufixo -zinho 114
    Plural das palavras substantivadas 115

    Plural cumulativo..116
    Plural nos etnônimos 116
    Plural indevido (quando o singular tem valor generalizante).....................117
    Plural dos nomes compostos 117
    Somente o último elemento varia:..117
    Somente o primeiro elemento varia: 118
    Ambos os elementos variam: 119
    Os elementos ficam invariáveis:..120
    Admitem mais de um plural, entre outros: 120
Gênero 121
Inconsistência do gênero gramatical..121
A mudança de gênero 122
O gênero nas profissões femininas...122
Formação do feminino 123
Gênero estabelecido por palavra oculta 127
Mudança de significado na mudança de gênero 128
Gênero de compostos 128
Gêneros que podem oferecer dúvida 129
Aumentativos e diminutivos 130
Aumentativos e diminutivos afetivos 130
Função sintática do substantivo 131
Grafia dos nomes próprios estrangeiros 131
Exercícios de fixação 132
    Substantivo próprio e comum...132
    Coletivo e nome de grupo 133
    Número 133
    Gênero..134
    Gradação: aumentativos e diminutivos 135

Capítulo 5
Adjetivo 136
Locução adjetiva 136
Substantivação do adjetivo 138
Flexões do adjetivo 138
Número do adjetivo 138
Formação do plural dos adjetivos 138
Gênero do adjetivo 140
Formação do feminino dos adjetivos...140
Gradação do adjetivo 141
Alterações gráficas no superlativo absoluto 143

Comparativos e superlativos irregulares 145
Repetição de adjetivo com valor superlativo 147
Comparações em lugar do superlativo 147
Adjetivos diminutivos 147
Posição na sequência dos adjetivos 147
Exercícios de fixação 148
    Número 149
    Gênero 150
    Gradação 150

Capítulo 6
Artigo 152
Emprego do artigo definido 153
Emprego do artigo indefinido 157
O artigo partitivo 159
Exercícios de fixação 159
    Artigo definido 159
    Artigo indefinido 161

Capítulo 7
Pronome 162
Pessoas do discurso 162
Classificação dos pronomes 163
Pronome substantivo e pronome adjetivo 163
Pronome pessoal 163
Pronome oblíquo reflexivo 165
Pronome oblíquo reflexivo recíproco 165
Formas de tratamento 165
Pronomes possessivos 167
Pronomes demonstrativos 167
Pronomes indefinidos 169
Locução pronominal indefinida 170
Pronomes interrogativos 170
Pronomes relativos 171
Pronomes relativos sem antecedente 173
Emprego dos pronomes 173
    Pronome pessoal 173
    Emprego de pronome tônico pelo átono 174
    Emprego e omissão dos pronomes pessoais 175
    Ele como objeto direto 176

Ordem dos pronomes pessoais 176
O pronome *se* na construção reflexa 177
Concorrência de *si* e *ele* na reflexividade 179
Combinação de pronomes átonos 180
Função do pronome átono em construções como *dar-se ao trabalho,
  dar-se ao luxo* 181
Pronome pessoal átono e adjunto adverbial 182
Pronome possessivo 182
Seu e *dele* para evitar confusão 182
Posição do pronome possessivo 183
Possessivo para indicar ideia de aproximação 184
Valores afetivos do possessivo 184
Emprego do pessoal pelo possessivo 185
Possessivo expresso por uma locução 185
O possessivo em referência a um possuidor de sentido indefinido 185
Repetição do possessivo 186
Substituição do possessivo pelo artigo definido 186
O possessivo e as expressões de tratamento do tipo *Vossa Excelência* 187
Pronome demonstrativo 188
Demonstrativos referidos à noção de espaço 188
Demonstrativos referidos à noção de tempo 189
Demonstrativos referidos a nossas próprias palavras 190
Reforço de demonstrativos e pessoais 191
Outros demonstrativos e seus empregos 192
Posição dos demonstrativos 193
Pronome indefinido 194
Empregos e particularidades dos principais indefinidos 194
Pronome relativo 200
Migração de preposição 201
Relativo universal 201
Repetição imprópria 202
Emprego dos relativos *onde, aonde, donde* 203
Exercícios de fixação 204
Pronome pessoal 204
Pronome possessivo 209
Pronome demonstrativo 209
Pronome indefinido 210
Pronome relativo 211

Capítulo 8
Numeral 215
    Leitura dos numerais cardinais 217
    Concordância com numerais 217
    Ordinais 218
    Ordinais e cardinais 219
    Posição do numeral 220
    Leitura de expressões numéricas abreviadas 220
    Multiplicativos 221
    Fracionários 221
    Exercícios de fixação 223

Capítulo 9
Verbo 226
    Considerações gerais 226
    A distinção de verbos nocionais e relacionais ... 226
    Categorias verbais 226
    As pessoas do verbo 227
    Os tempos do verbo 228
        Presente 228
        Pretérito 228
        Futuro 228
    Os modos do verbo 228
        Indicativo 228
        Subjuntivo (conjuntivo) 228
        Condicional 229
        Optativo 229
        Imperativo 229
    As vozes do verbo 229
        Ativa 229
        Passiva 229
        Reflexiva 230
    Voz passiva e passividade 230
    Voz passiva e voz reflexiva 230
    Formas nominais do verbo 231
    Conjugar um verbo 232
    Verbos regulares, irregulares e anômalos 233
    Verbos defectivos e abundantes 234
    Locução verbal. Verbos auxiliares 239
    Auxiliares causativos e sensitivos 242
    Elementos estruturais do verbo: desinências e sufixos verbais 242

Desinências modotemporais...243
Desinências numeropessoais 245
Observações sobre as desinências numeropessoais...........................245
Tempos primitivos e derivados..246
A sílaba tônica nos verbos: formas rizotônicas e arrizotônicas.........249
Alternância vocálica ou metafonia..250
Verbos notáveis quanto à pronúncia ou flexão..................................255
Verbos terminados em -zer, -zir: como *fazer* e *traduzir*.....................259
Variações gráficas na conjugação 259
Verbos em -ear e -iar..260
Quando grafar -ear ou -iar 261
Erros frequentes na conjugação de alguns verbos.............................262
Paradigma dos verbos regulares 264
Conjugação simples..265
   Modo indicativo..265
   Modo subjuntivo...266
   Modo imperativo 267
   Formas nominais 267
Conjugação composta 268
   Modo indicativo..268
   Modo subjuntivo...269
   Formas nominais 269
Conjugação de um verbo pronominal: apiedar-se.............................270
   Modo indicativo..270
   Modo subjuntivo...272
   Modo imperativo 272
   Formas nominais 272
Conjugação de um verbo com pronome oblíquo átono 273
   Modo indicativo..274
   Modo subjuntivo...275
   Modo imperativo 275
   Formas nominais 275
Conjugação dos verbos irregulares 276
   1.ª Conjugação..276
   2.ª Conjugação..277
   3.ª Conjugação..283
Emprego do verbo 287
   Emprego de tempos e modos..287
      Indicativo 287
      Subjuntivo...292

Imperativo 295
Emprego das formas nominais 296
Infinitivo histórico 296
Emprego do infinitivo 296
APÊNDICE
    PASSAGEM DA VOZ ATIVA À PASSIVA E VICE-VERSA 299
Exercícios de fixação 301

CAPÍTULO 10
ADVÉRBIO 310
Combinações com advérbios 311
Advérbio e preposição 311
Locução adverbial 312
Circunstâncias adverbiais 313
O plano "transfrástico" e os advérbios 314
Advérbios de base nominal e pronominal 315
Adverbialização de adjetivos 317
Intensificação gradual dos advérbios 317
Exercícios de fixação 318

CAPÍTULO 11
PREPOSIÇÃO 325
Preposição e significado 326
Unidades convertidas em preposições 328
Locução prepositiva 329
Preposições essenciais e acidentais 329
Acúmulo de preposições 330
Combinação e contração com outras palavras 331
A preposição e sua posição 333
Principais preposições e locuções prepositivas 334
Emprego da preposição 335
    1. A 335
        Emprego do a acentuado (À) 337
        Ocorre a crase nos seguintes casos principais: 338
        Não ocorre a crase nos seguintes casos principais: 339
        A e há 341
        A crase é facultativa nos seguintes casos principais: 341
    2. Até 341
    3. Com 342
    4. Contra 343
    5. De 343

Não ocorre esta preposição nos seguintes principais casos: 346
6. Em 346
7. Entre 348
8. Para 349
9. Por (e per) 349
10. Sobre e Sob 351
Exercícios de fixação 352

Capítulo 12
Conjunção 356
Conector e transpositor 356
Conectores ou conjunções coordenativas 357
Conjunções aditivas 357
Conjunções alternativas...358
Conjunções adversativas..359
Unidades adverbiais que não são conjunções coordenativas 359
Transpositores ou conjunções subordinativas 360
Que e locuções: as chamadas locuções conjuntivas 361
Que excessivo 366
Conjunções e expressões enfáticas 367
Exercícios de fixação 367

Capítulo 13
Interjeição 370
Locução interjetiva 371
Exercícios de fixação 371

Parte 3
Orações complexas e grupos oracionais

Capítulo 14
A subordinação e a coordenação. A justaposição 375
Subordinação: oração complexa 375
Oração complexa e grupos oracionais 376
Que: marca de subordinação oracional 376
Orações complexas de transposição substantiva..............................377
Orações subordinadas resultantes de substantivação: as interrogativas e exclamativas 377
Orações complexas de transposição adjetiva...................................378
1. Orações adjetivas ou de relativo 378
2. O relativo marcado por índice preposicional 379

Orações adjetivas explicativas e restritivas..379
Adjetivação de oração originariamente substantiva 380
Substantivação de oração originariamente adjetiva 381
Mais uma construção de oração já transposta..383
Orações complexas de transposição adverbial 383
As subordinadas adverbiais propriamente ditas...383
Outras particularidades nos transpositores das orações adverbiais 384
As subordinadas adverbiais comparativas e consecutivas 385
Grupos oracionais: a coordenação 386
Os tipos de orações coordenadas e seus conectores 387
Justaposição ou assindetismo..387
A chamada "coordenação distributiva" 388
Orações intercaladas...388
Discurso direto, indireto e indireto livre...390
Particularidades outras das orações transpostas substantivas.......................391
Características da oração subjetiva e predicativa 392
Omissão da conjunção integrante 393
Particularidades sobre as orações transpostas adjetivas.................................394
    Funções sintáticas do relativo das orações adjetivas.................................394
    Pronome relativo sem função na oração em que se encontra...................395
    O que, a que, os que, as que...396
    O de que mais gosto é de 396
    Emprego de *à* em *à que, às que*...397
Outras particularidades das orações adverbiais, incluindo as
    comparativas e consecutivas 397
    1. Causais 397
    2. Comparativas 397
    3. Concessivas...399
    4. Condicionais 400
    5. Conformativas..401
    6. Consecutivas 401
    7. Finais 403
    8. Locativas...403
    9. Modais...404
    10. Proporcionais 404
    11. Temporais 404
        O verbo HAVER (HÁ) e a preposição A em sentido temporal.............405
        QUE depois de advérbio...406
Orações justapostas de valor contextual adverbial 407

Decorrência de subordinadas 407
Concorrência de subordinadas: equipolência interoracional 408
Concorrência de termo + oração subordinada 410
Composição do enunciado 411
Exercícios de fixação 413
    Orações complexas 413
    a) *Substantivas* 416
    b) *Adjetivas* 417
    c) *Adverbiais* 422
    Justaposição 425
        a) *Justapostas e coordenadas sindéticas* 425
        b) *Subordinadas* 425
        b.1) Substantivas 425
        b.2) Adjetivas (*primitivamente substantivas*) 428
        b.3) Adverbiais 428
        c) *Intercaladas* 429

Capítulo 15
As chamadas orações reduzidas 430
Que é oração reduzida 430
Desdobramento das orações reduzidas 431
Orações substantivas reduzidas 432
Orações adjetivas reduzidas 433
Orações adverbiais reduzidas 434
Orações reduzidas fixas 440
Quando o infinitivo não constitui oração reduzida 441
O gerúndio e o particípio não constituem oração reduzida 442
Construções particulares com o infinitivo 442
A omissão do pronome átono em casos como *eu os vi afastar daqui*
em vez de *afastar-se daqui* 445
A posição do sujeito nas orações reduzidas 445
Exercícios de fixação 446

Capítulo 16
As frases: enunciados sem núcleo verbal 449
Oração e frase 449
Frases unimembres: interjeição 450
Etiquetas e rótulos 451
Frases assertivas bimembres 451

Parte 4
Concordância, regência e colocação

CAPÍTULO 17
CONCORDÂNCIA NOMINAL 455
   Considerações gerais 455
   Concordância nominal 457
      A – Concordância de palavra para palavra 457
         1. Há uma só palavra determinada 457
         2. Há mais de uma palavra determinada 457
         3. Há uma só palavra determinada e mais de uma determinante 458
      B – Concordância de palavra para sentido (referência) 458
      C – Outros casos de concordância nominal 459
         1. Um e outro, nem um nem outro, um ou outro 459
         2. Mesmo, próprio, só 460
         3. Menos e somenos 461
         4. Leso 461
         5. Anexo, apenso e incluso 461
         6. Dado e visto 462
         7. Meio (↗ 465) 462
         8. Pseudo e todo 462
         9. Tal e qual 462
         10. Possível 463
         11. A olhos vistos 463
         12. É necessário, é bom, é preciso 463
         13. Adjetivo composto 464
         14. Alguma coisa boa ou alguma coisa de bom 464
         15. Um pouco de luz e uma pouca de luz 464
         16. Concordância do pronome 465
         17. Nós por eu, vós por tu 465
         18. Alternância entre adjetivo e advérbio 465
         19. Particípios que passaram a preposição e advérbios 466
         20. A concordância com numerais 466
         21. A concordância com os adjetivos compostos designativos de nomes de cores 467
   Exercícios de fixação 468

Capítulo 18
Concordância verbal 470
    A – Concordância de palavra para palavra 470
        1. Há sujeito simples 470
        2. Há sujeito composto 470
    B – Concordância de palavra para sentido 471
    C – Outros casos de concordância verbal 472
        1. Sujeito constituído por pronomes pessoais 472
        2. Sujeito ligado por série aditiva enfática 472
        3. Sujeito ligado por *com* 472
        4. Sujeito ligado por *nem... nem* 473
        5. Sujeito ligado por *ou* 473
        6. Sujeito representado por expressão como *a maioria de, a maior parte de* + nome no plural 474
        7. Sujeito representado por *cada um de, nem um de, nenhum de* + plural 474
        8. Concordância do verbo ser 475
        9. A concordância com *mais de um* 477
        10. A concordância com *que de* 478
        11. A concordância com *quais de vós* 478
        12. A concordância com os pronomes relativos 478
        13. A concordância com os verbos impessoais 480
        14. A concordância com *dar* (e sinônimos) aplicado a horas 481
        15. A concordância com o verbo na reflexiva de sentido passivo 481
        16. A concordância na locução verbal 482
        17. A concordância com a expressão *não (nunca)... senão* e sinônimas 482
        18. A concordância com títulos no plural 483
        19. A concordância no aposto 484
        20. A concordância com *haja vista* 484
        21. A concordância do verbo com sujeito oracional 484
        22. Concordância nas expressões de porcentagem 485
        23. Concordância em *Vivam os campeões!* 486
        24. Concordância com *ou seja, como seja* 486
        25. Concordância com *a não ser* 487
        26. Concordância nas expressões *perto de, cerca de* e equivalentes 487
        27. Concordância com a expressão *que é de* 487
        28. Concordância com a expressão *que dirá* 487
        29. Concordância com *bem haja* 488
        30. Concordância em *Já vão, Já vai* 488
    Exercícios de fixação 488

Capítulo 19
Regência 492
    1. A preposição comum a termos coordenados 492
    2. Está na hora da onça beber água 492
    3. Eu gosto de tudo, exceto isso *ou* exceto disso 493
    4. Migrações de preposição 493
    5. Repetição de prefixo e preposição 494
    6. Complementos de termos de regências diferentes 495
    7. Termos preposicionados e pronomes átonos 496
    8. Pronomes relativos preposicionados ou não 496
    9. Verbos a cuja regência se há de atender na língua-padrão 497
    Exercícios de fixação 507

Capítulo 20
Colocação 511
    Sintaxe de colocação ou de ordem 511
    Colocação dos termos na oração e das orações no período 513
    Pronomes pessoais átonos e o demonstrativo O 515
    Critérios para a colocação dos pronomes pessoais átonos e do
        demonstrativo O 516
        1. Em relação a um só verbo 516
        2. Em relação a uma locução verbal 518
    Posições fixas 520
    Exercícios de fixação 520

Apêndice
Figuras de sintaxe. Vícios e anomalias de linguagem 523
    I-Figuras de sintaxe (ou de construção) 523
        1. Elipse 523
        2. Pleonasmo 526
        3. Anacoluto 527
        4. Antecipação ou prolepse 527
        5. Braquilogia 528
        6. Haplologia sintática 528
        7. Contaminação sintática 528
        8. Expressão expletiva ou de realce 529
        9. Anáfora 530
        10. Anástrofe 530
        11. Assíndeto 530
        12. Hipérbato 531
        13. Polissíndeto 531

14. Silepse 531
15. Sínquise 531
16. Zeugma 531
II-Vícios e anomalias de linguagem 532
1. Solecismo 532
2. Barbarismo 532
3. Estrangeirismo 533
Anomalias de linguagem 537
Exercícios de fixação 538

PARTE 5
Estrutura das unidades

Capítulo 21
Elementos estruturais das palavras 545
Morfema 545
Os diversos tipos de morfema: radical e afixos 545
Radical 546
Vogal temática: o tema 546
Morfemas livres e presos 546
Palavras indivisíveis e divisíveis 547
Palavras divisíveis simples e compostas 547
Constituintes imediatos 548
Conceito de radical primário 548
Palavras cognatas: família de palavras 548
Base lexical real e base lexical teórica 549
Afixos: sufixos e prefixos. Interfixos 549
   Sufixos 549
   Prefixos 550
   Interfixos 550
   Vogais e consoantes de ligação 551
   Fenômenos que ocorrem na ligação de elementos mórficos 551
   Morfema zero 552
   Acumulação de elementos mórficos 552
   Neutralização e sincretismo 552
   A intensidade, a quantidade, o timbre e os elementos mórficos ... 553
   Suplementação nos elementos mórficos 553
   A parassíntese 554
   Hibridismo 554
Exercícios de fixação 555

CAPÍTULO 22
RENOVAÇÃO DO LÉXICO 557
   Renovação do léxico: criação de palavras 557
   Conceito de composição e de lexia 558
   A composição é uma transformação sintática em expressão nominal 558
   A derivação 560
   São prefixos e elementos originariamente latinos 561
   São prefixos e elementos originariamente gregos 564
   Correspondência entre prefixos e elementos latinos e gregos 565
   Sufixos 566
      I. Principais sufixos formadores de substantivos 567
      II. Principais sufixos formadores de nomes aumentativos e diminutivos,
          muitas vezes tomados pejorativa ou afetivamente 571
      III. Principais sufixos para formar adjetivos 573
      IV. Principais sufixos para formar verbos 574
      V. Sufixo para formar advérbio 575
   Outros processos de formação de palavras 576
      Formação regressiva (deverbal) 576
      Abreviação 577
      Reduplicação 577
      Conversão 577
      Intensificação 578
      Combinação 578
   Radicais gregos mais usados em português 578
   Radicais latinos mais usados em português 586
   Exercícios de fixação 590

CAPÍTULO 23
LEXEMÁTICA 594
   Significação e designação 594
   A lexemática e as palavras lexemáticas 594
   Estruturas paradigmáticas 595
   Os dois tipos de estruturas primárias 595
   Classe léxica 597
   Estruturas secundárias 598
   Estruturas sintagmáticas: as solidariedades 598
   Alterações semânticas 598
      1) Figuras de palavras 598
      2) Figuras de pensamento 602
   Pequena nomenclatura de outros aspectos semânticos 603
      1. Polissemia 603

2. Homonímia 603
3. Sinonímia.. 604
4. Antonímia... 604
5. Paronímia 605
Exercícios de fixação 605

Parte 6
Fonemas: valores e representações. Ortografia

Capítulo 24
Fonética e Fonologia 611
A) Produção dos sons e classificação dos fonemas 611
Fonema, fone e alofone 611
Fonemas não são letras 611
  Representação na escrita do fonema, fone e alofone............................... 612
Fonética e fonologia 612
Aparelho fonador 613
Como se produzem os fonemas 614
Tipologia dos sons linguísticos 614
Transcrição fonética 616
Vogais e consoantes 618
Classificação das vogais 618
Vogais orais em sílaba tônica 619
Vogais orais em sílaba pretônica 620
Vogais orais em sílaba postônica 621
Vogais nasais 622
Semivogais. Encontros vocálicos: ditongos, tritongos e hiatos 623
Consoantes 627
Classificação das consoantes 627
Encontro consonantal 630
Sílaba... 631
Padrões silábicos 631
Posição da consoante na sílaba 632
Exercícios de fixação 633

Apêndice
Fonética Expressiva ou Fonoestilística 637
Os fonemas com objetivos simbólicos... 637
  Aliteração 637
  Onomatopeia 637
  Vocábulo expressivo 638

Encontros de fonemas que produzem efeito desagradável ao ouvido 638
   Colisão 638
   Eco 638
   Hiato 639
   Cacofonia ou cacófato 639

Capítulo 25
Ortoepia 640
Vogais 640
Consoantes 643
Dígrafo 644
Letra diacrítica 645
Ortografia e ortoepia). 645
Exercícios de fixação 646

Capítulo 26
Prosódia 649
Sílaba 649
Acentuação 650
   Acento de intensidade 650
   Posição do acento tônico 650
   Acento de intensidade e significado da palavra 651
   Acento de insistência e emocional 651
   Acento de intensidade na frase 652
   Vocábulos tônicos e átonos: os clíticos 652
Consequência da próclise 653
Palavras que oferecem dúvidas quanto à posição da sílaba tônica 654
Palavras que admitem dupla prosódia 657
Exercícios de fixação 658

Capítulo 27
Ortografia 661
Conceito e princípios norteadores 661
Sistema ortográfico vigente no Brasil 662
   1. O alfabeto e os nomes próprios estrangeiros e seus derivados ... 662
   2. O *h* inicial e final 664
   3. A homofonia de certos grafemas consonânticos 665
   4. As sequências consonânticas 669
   5. As vogais átonas 670
   6. As vogais nasais 673
   7. Os ditongos 673

8. Os hiatos 674
9. Acentuação gráfica 674
10. O emprego do acento grave 679
11. A supressão dos acentos em palavras derivadas.................................679
12. O trema 679
13. O hífen 680
14. O apóstrofo..687
15. Divisão silábica 689
16. Emprego das iniciais maiúsculas e minúsculas 690
17. Nomes próprios 694
18. Sinais de pontuação: algumas particularidades.................................695
19. Asterisco 695
Exercícios de fixação 696
   Emprego de vogais átonas e do *h*. 696
   Emprego de consoantes 699
   Acentuação tônica 706
   Emprego do hífen 708
   Divisão silábica...709
   Emprego de maiúsculas e minúsculas..709

APÊNDICE I
ALGUMAS NORMAS PARA ABREVIATURAS, SÍMBOLOS E SIGLAS USUAIS 711

APÊNDICE 2
GRAFIA CERTA DE CERTAS PALAVRAS 713

CAPÍTULO 28
PONTUAÇÃO 723
   Os diversos tipos de sinais de pontuação 723
      A pontuação e o entendimento do texto 724
      Ponto 724
      Ponto parágrafo..725
      Ponto de interrogação 725
   Ponto de exclamação...725
   Reticências...726
   Vírgula...727
   Dois-pontos...730
   Ponto e vírgula 731
   Travessão..731
   Parênteses e colchetes 732
   Aspas 732
   Alínea..733

Chave 733
Exercícios de fixação 733

Parte 7
Para além da Gramática

Capítulo 29
Noções elementares de Estilística 739
Estilística 739
Que é estilo nesta conceituação 739
Estilística e Gramática 739
Traço estilístico e erro gramatical 739
Campo da Estilística 740
Exercícios de fixação 741

Capítulo 30
Noções elementares de versificação 744
Poesia e prosa 744
Recitação ou declamação 744
Pausa final. Cavalgamento 745
Versificação 745
   1. Número fixo de sílabas 746
      Como se contam as sílabas de um verso 746
      Só se conta até a última sílaba tônica: versos agudos, graves
         e esdrúxulos 746
      Fenômenos fonéticos correntes na leitura dos versos 746
      O ritmo e a pontuação do verso 747
      Expedientes mais raros na contagem das sílabas 748
   2. Número fixo de sílabas e pausas 748
      Cesura 748
      Versos de uma a doze sílabas 749
   3. Rima: perfeita e imperfeita 751
      Rimas consoantes e toantes 752
      Disposição das rimas 753
   4. Aliteração 754
   5. Encadeamento 754
   6. Paralelismo 755
   7. Estrofação 755
   8. Verso de ritmo livre 756
Exercícios de fixação 756

Capítulo 31
Breve história externa da língua portuguesa 758
Expansão da língua portuguesa 761
A lusofonia e seu futuro 762

Capítulo 32
Compreensão e interpretação de textos 763
Fechando o círculo 763
Os dez mandamentos para análise de textos 763
Compreensão (ou intelecção) e interpretação de texto 764
Três erros capitais na análise de textos 764
    1. Extrapolação 764
    2. Redução 764
    3. Contradição 764
Linguística textual 765
Intertextualidade ou polifonia 766
Tipologia textual 766
    Texto descritivo 766
    Texto narrativo 767
    Texto dissertativo 767
Análise de textos fragmentados 768

Lista de abreviaturas (autores) 773
Índice de assuntos 779
Gabarito dos exercícios 797

Prefácio da 3.ª edição

Esta 3.ª edição da *Gramática Escolar da Língua Portuguesa* vem enriquecida de melhorias e acréscimos, resultantes de uma leitura mais apurada em atenção aos que nela vêm encontrar esclarecimentos sobre fatos gramaticais.

Permanece o objetivo de oferecer o maior número de informações pertinentes, em consonância com a evolução da língua, buscando atender às expectativas de alunos e professores, sem descuidar da boa didática.

Cabe menção especial ao capítulo de Fonética e Fonologia, beneficiado agora com atualizações e exercícios pela colaboração do professor Ricardo Cavaliere. Acrescente-se ainda a cuidadosa leitura crítica da editora Shahira Mahmud.

Continuamos a esperar que esta nova edição siga contribuindo para o aperfeiçoamento dos estudantes de nosso idioma, de forma que possam alcançar seus objetivos culturais e profissionais e desenvolver plenamente sua capacidade de comunicação.

Evanildo Bechara
Rio de Janeiro, abril de 2020

Prefácio da 2.ª edição

Graças ao sucesso alcançado por esta *Gramática Escolar da Língua Portuguesa*, pela benévola acolhida dos professores, alunos e estudiosos do idioma às sucessivas reimpressões, sai esta 2.ª edição enriquecida de mais fatos linguísticos para alargar a competência idiomática dos usuários, melhorada ainda na redação mais clara de algumas passagens e beneficiada por estar posta em consonância com as novas normas do Acordo Ortográfico de 1990, implantado na 5ª. edição do *Vocabulário Ortográfico* da Academia Brasileira de Letras, lançado em 2009.

Os melhoramentos de que se beneficia esta nova edição da *Gramática Escolar* em boa parte vieram da colaboração de colegas, fiéis leitores de nossos trabalhos, entre os quais é de justiça e reconhecimento ressaltar a participação de Mauro Ramos Coelho Neves (este ano tão cedo roubado ao nosso convívio), Márcio Gonçalves Coelho e Shahira Mahmud.

Como confessou certa vez o notável filólogo e linguista alemão Jakob Grimm que escrevia mais para aprender do que para ensinar, continuamos a solicitar sugestões, acréscimos e melhorias na esperança de que esta gramática cada vez mais revele a seus leitores os inúmeros recursos e potencialidades de expressão que a língua portuguesa põe à disposição de seus falantes e escritores. Desde logo lhes manifestamos nossos sinceros agradecimentos.

Evanildo Bechara
Rio de Janeiro, dezembro de 2009

Prefácio da 1.ª edição

Entregamos aos colegas e à mocidade estudiosa de língua portuguesa um livro em que procuramos aliar a modernidade dos estudos de linguagem à necessidade que têm os alunos de um compêndio que os prepare adequadamente para atender às exigências de cultura dos tempos atuais.

A atividade do professor e o preparo dos alunos já não podem deixar para amanhã os compromissos da competição do mundo moderno. O livro hoje tem de oferecer ao leitor o maior número de informações para que possa responder à curiosidade do estudioso. Esconder as possíveis dificuldades do tema para agradar o leitor é fazer-lhe um desserviço, com graves consequências. Portanto, a *Gramática Escolar da Língua Portuguesa*, com a parte expositiva e seus inúmeros exercícios, pretende cumprir este compromisso, sem desrespeitar os imperativos da boa didática.

Para tanto, apoiamo-nos em mestres de reconhecida competência e ouvimos o quanto pudemos da experiência de colegas que atuam em sala de aula. Está claro que ainda esperamos as correções e conselhos da crítica honesta e construtiva.

Se houver necessidade de aprofundar esse ou aquele assunto, tem o leitor à sua disposição a *Moderna Gramática Portuguesa*, de nossa autoria. Esta *Gramática Escolar da Língua Portuguesa* destina-se a alunos das últimas séries do curso fundamental e todo o curso médio.

Na elaboração do texto, contamos com a ajuda de muitas pessoas, entre as quais cabe menção especial aos professores Mauro Ramos Coelho Neves, José Barbosa da Silva e Márcio Gonçalves Coelho; a este último devemos ainda a confecção do levantamento *Grafia certa de certas palavras* e dos *Exercícios de compreensão e interpretação*, assuntos esses sempre presentes em provas de nossa disciplina.

Como testemunho de confiança no futuro da mocidade estudiosa de que certamente tanto espera o Brasil, a *Gramática Escolar da Língua Portuguesa* é dedicada aos nossos netos e à sua geração.

Somos ainda devedores à equipe da Editora Lucerna pelo carinho com que se desvelou para que esta obra saísse com as qualidades gráficas que a distinguem.

Evanildo Bechara
Rio de Janeiro, 15 de outubro de 2001

PARTE I

ORAÇÃO SIMPLES, SEUS TERMOS E REPRESENTANTES GRAMATICAIS

INTRODUÇÃO
Fundamentos da teoria gramatical

CAPÍTULO 1
Sujeito e predicado

CAPÍTULO 2
Predicado e seus outros termos constitutivos

CAPÍTULO 3
Expansões do nome e do verbo

Introdução
Fundamentos da teoria gramatical

Há diversos tipos de enunciados

Toda a nossa atividade comunicativa consiste na construção de enunciados:
As crianças brincam na praça.
A manhã está agradável.
O Prof. Machado foi figura importante para a escolha da minha profissão.
Tal pai, tal filho.
Maria das Dores, outra xícara de café.
Bom dia!
Adeus.

Nem todos os enunciados têm a mesma importância para a exposição gramatical

Dos enunciados acima, todos estão perfeitamente aptos e suficientes aos nossos desejos de comunicação, mas há os que mais de perto interessam à exposição gramatical, porque com mais evidência explicitam as relações gramaticais que as unidades linguísticas guardam entre si. A gramática pouco tem de dizer diante de enunciados como:
Bom dia!
Adeus.

Além de muito depender da situação e do contexto em que se encontram falante e ouvinte, a gramática dirá que *bom* está no masculino singular porque *dia* tem o mesmo gênero e número. Quanto a *Adeus* terá de dizer muito menos, depois de lhe dar a classe gramatical.
Já diante de:
Maria das Dores, outra xícara de café.
Tal pai, tal filho,

a gramática falará das classes de palavra, do gênero e número de *outra* e *tal* referidos, respectivamente, a *xícara, pai* e *filho*, e até esboçará a equivalência de tais enunciados, conforme a situação linguística em que se empenham falante e ouvinte, com:
Maria das Dores, *traga-me* outra xícara de café.

Mas bem poderiam ser outras equivalências:
Maria das Dores, *prepare-me* outra xícara de café.
Maria das Dores, *veja* outra xícara de café.
Maria das Dores, *quero* outra xícara de café.

O mesmo aconteceria com o segundo enunciado:
Tal *é* o pai, tal *é* o filho.
Tal *se parece* o pai, tal *é* (ou *se parece*) o filho.

E ainda haveria outras possibilidades de equivalência para ambos os enunciados, porque lhes falta, para dizer que se trata efetivamente de um único enunciado, e não de outro equivalente, a palavra fundamental: o **verbo**.

Dadas as diversas equivalências possíveis, recomenda-se que, diante de enunciados do tipo de *Bom dia!, Adeus, Tal pai, tal filho,* não se deva subentender nenhum verbo, alterando assim modos de dizer expressivos, naturais e completos por si mesmos.

A tais enunciados completos sem verbo a gramática lhes dá o nome de *frase*. Àqueles enunciados com verbo a gramática chama *oração*.

Os diversos significados das orações

A oração pode transmitir uma declaração do que pensamos, observamos ou sentimos, e neste caso se chama *declarativa* (afirmativa ou negativa):
O dia está agradável.
Joãozinho ainda não chegou.

Pode encerrar uma pergunta sobre algo que desejamos saber, e neste caso se chama *interrogativa*:
O dia está agradável?
Veio hoje o padeiro?
Quem vencerá o jogo?

Pode encerrar uma ordem, súplica, desejo ou pedido para que algo aconteça ou deixe de acontecer, e neste caso se chama *imperativa* (ordem, pedido) ou *optativa* (súplica, desejo):
Sê forte!
Bons ventos o levem!
Queira Deus!

Pode encerrar o nosso estado emotivo de dor, alegria, espanto, surpresa, desdém, e neste caso se chama *exclamativa*:
Ele chegou cedo!
Que susto levei!
Como chove!

Muitas vezes, o predomínio emocional do falante o leva a combinar a oração exclamativa com um dos tipos anteriores. Daí poder aparecer o ponto de interrogação seguido do de exclamação:
Ele chegou cedo?!

As orações exclamativas são normalmente introduzidas por pronomes (*Que susto levei!*) ou advérbios (*Como chove!*), ambos de valor intensivo.

A importância da oração para a gramática

Se um enunciado se expressa sob forma de oração, a gramática tem condições de surpreender nela as relações que existem entre si. A depreensão, descrição e sistematização dessas relações constituem o objeto da investigação da *gramática descritiva*.

Assim, numa oração como:
Marlit deu um livro ao neto,

a gramática reconhece imediatamente duas primeiras grandes unidades, marcadas auditivamente pela unidade de *entonação*, que também garante o ritmo unitário, sem pausa:
Marlit / deu um livro ao neto.

Daí não se poder separar por vírgula a primeira unidade da segunda, interrompendo, assim, a unidade da relação gramatical existente entre ambas.

Também esta unidade da relação gramatical apresenta outros indícios de que se vai ocupar a gramática; o valor lexical ou significativo do verbo *dar* aponta para a referência a uma pessoa capaz de exercer esta ação: dizemos, então, que o verbo se refere a alguém, no caso, a *Marlit*.

Sintaxe de concordância

Esta noção referida implica uma relação gramatical entre as unidades *Marlit* e *deu*, de modo que se *Marlit* é um nome singular e da 3.ª *pessoa gramatical* (a pessoa de quem se fala), também para o singular de 3.ª pessoa irá a forma verbal *deu*. Se a referência fosse feita a um nome no plural ou a mais de uma pessoa, o verbo deveria acomodar-se também no plural:

> Os avós deram um livro ao neto.
> Marlit e o marido deram um livro ao neto.

Esta relação gramatical estabelecida entre a noção significativa do verbo e a pessoa referida chama-se **sintaxe de concordância**, que é um dos fenômenos linguísticos estudados pela gramática.

A própria referência a Marlit é outro fenômeno de que se ocupa nossa disciplina, porque há verbos cuja noção significativa não é referida a ninguém, como ocorre com os verbos chamados *impessoais*: *Choveu ontem*.

Se *deu* aponta para alguém que pratica a ação, já *chove, neva, relampeja, está calor* são noções não referidas, pois não se atribui a ninguém que *chove, neva*, etc. Estes verbos e expressões impessoais interessam à gramática, porque não aparecem no plural, como veremos no lugar próprio. (↗ 50 e 236)

Sintaxe de regência

O verbo *deu*, como centro gramatical donde partem todos os pertences da oração, também se refere ao objeto dado, no caso *um livro*, bem como à pessoa beneficiada por esse ato de dar, no caso *ao neto*.

Tais relações gramaticais pertencem ao fenômeno linguístico chamado **sintaxe de regência**, outro importante capítulo de nossa disciplina.

Sintaxe de colocação

Estabelecidas estas relações gramaticais, também pertence à preocupação de nossa disciplina uma adequação interna da ordem das unidades ao conteúdo de pensamento que se deseja comunicar. Isto leva a gramática a mostrar que o português é uma língua de colocação *livre* dos termos oracionais, mas não *indiferente*: significa que há liberdade de posição dos termos na oração, mas a variedade de posição quase sempre altera o efeito expressivo do enunciado, como nestes exemplos, que não esgotam as colocações possíveis:

> Marlit deu um livro ao neto.
> Deu Marlit um livro ao neto.
> Um livro ao neto deu Marlit.
> Ao neto Marlit deu um livro.

O capítulo da gramática que examina tais possibilidades de posição chama-se **sintaxe de colocação**.

Constituição das unidades: morfologia

Ao lado dessas relações sintáticas (concordância, regência e colocação), é competência da gramática também estudar *como* aparecem e *por que* aparecem as expressões gramaticais das unidades linguísticas. Assim, compete-lhe examinar constituições materiais, isto é, com que formas aparecem no discurso, por exemplo, os pronomes possessivos:

O meu livro ou *Meu livro* (acompanhado ou desacompanhado de artigo, quando o substantivo está expresso no discurso)

mas:

*Meu livro e **o teu*** (sempre acompanhado de artigo, quando o substantivo não está expresso).

Outro exemplo ocorre com a distribuição de formas como *santo* e *são*: a primeira usada, em geral, junto a nomes próprios começados por *vogal* ou *h*, enquanto a segunda só ocorre se o nome começa por *consoante*:

Santo { Antônio / André / Honório

São { José / Cristóvão / Pedro

A parte da gramática que se ocupa da constituição material das unidades linguísticas chama-se *Morfologia* (*morfo* diz respeito à 'forma'). (➚ 545)

A morfologia não só se aplica a formas de unidades isoladas, isto é, de palavras; deve, a rigor, estender-se à morfologia da oração e do enunciado. Assim, a oração subordinada (➚ 375) pode aparecer sob forma desenvolvida ou sob forma reduzida (➚ 430) de infinitivo, gerúndio e particípio:

Enildo disse { *que estaria aqui cedo.* / *estar aqui cedo.*

Também se poderia construir o mesmo enunciado de duas formas diferentes:
Zélia disse *que hoje iria à cidade.*
Zélia disse: "*Hoje vou à cidade.*"

Disciplinas das unidades não significativas

As unidades linguísticas são materialmente constituídas de *fonemas* (vogais, consoantes e semivogais). Embora não sejam dotados de significado, ajudam a constituí-lo nessas unidades linguísticas e a distingui-las entre si, razão por que merecem estudo especial, que é feito em capítulo intitulado **Fonética e Fonologia**.

Ortoepia, prosódia e ortografia

Na representação oral ou escrita das unidades linguísticas, merecem atenção especial a *Ortoepia* (a correta articulação dos fonemas), a *Prosódia* (a correta posição da sílaba tônica da palavra) e a *Ortografia* (a correta maneira de grafar as palavras no texto escrito).

Disciplina das unidades significativas (lexemas): Lexicologia

Sendo a linguagem, mediante as línguas, um código de comunicação entre os homens, é natural que as unidades linguísticas tenham, além de sua expressão material (suas 'formas'), seu *significado*, isto é, seu *conteúdo*.

Este conteúdo faz referência a tudo o que existe no mundo em que vivemos, ou ao mundo exclusivo da gramática.

A referência aos "objetos" do nosso mundo se acha expressa por *lexemas*: unidades representadas pelo que conhecemos por *substantivo, adjetivo, verbo* e *advérbio*. Relacionados a estes estão ainda o *pronome* e o *numeral*.

Já pertencem exclusivamente ao mundo da gramática, na condição de **instrumentos gramaticais** que têm por missão articular, no discurso, as unidades acima enumeradas: o *artigo*, a *preposição*, a *conjunção*, além dos *afixos* (prefixos e sufixos) e das *desinências*.

O conteúdo significativo do substantivo, do adjetivo, do verbo e do advérbio, especialmente o de modo, integra o *Léxico* de uma língua, que se acha registrado no *Dicionário*. A disciplina linguística que estuda o léxico chama-se *Lexicologia*, e a técnica de confecção de um dicionário recebe o nome de *Lexicografia*.

Os saberes da competência linguística

A língua não é o único recurso que usamos para nos expressar. A atividade comunicativa pela linguagem para ser perfeita requer que o falante tenha bom desempenho em três domínios do saber, respectivamente: *saber elocutivo, saber idiomático* e *saber expressivo*.

Consiste o saber elocutivo no saber falar em geral, independentemente da língua em que se manifeste. Consiste em falar em conformidade com: a) os princípios gerais do pensamento; b) o conhecimento das coisas existentes no mundo em que vivemos; c) a interpretação do que uma língua particular (no caso aqui, o português) deixa em aberto.

São exemplos de enunciados que denunciam mau desempenho do saber elocutivo nos casos acima apontados:
a) *Os cinco continentes são quatro: Europa, Ásia e África.*
b) *Chegou a Niterói, capital do Brasil.*
c) *A Polícia e a Justiça são as duas mãos de um mesmo braço.*
d) *Panela velha é que dá bom caldo.*

Consiste o saber idiomático em saber *português*, saber *espanhol*, saber *inglês*, isto é, saber uma língua particular. E saber uma língua é expressar-se em conformidade com o saber tradicional de uma comunidade, com sua norma tradicional.

Isto significa que temos consciência de que **tradicionalmente não se diz em português**:

a) *O de Pedro livro é*   em vez de   *O livro é de Pedro.*
b) *Evaldo gosta exercícios físicos* em vez de   *Evaldo gosta de exercícios físicos.*
c) *Clarice lê dos livros*   em vez de   *Clarice lê os livros.*

Consiste o saber expressivo em saber elaborar o discurso e o texto conforme as circunstâncias, isto é, levando em conta a situação e a pessoa com quem falamos ou a que nos vai ler. Por exemplo, é inadequado apresentar dessa maneira os pêsames a um colega que perdeu o pai:
Meus sentimentos, colega. Só hoje soube que seu pai bateu as botas.

Os estratos de estruturação gramatical

Para bem entendermos e analisarmos as unidades gramaticais é da maior importância levarmos em conta que elas, originariamente, pertencem a um determinado estrato ou camada gramatical, mas que, na organização do discurso, podem transitar de um estrato para outro, o que se reflete na sua função e classificação para a gramática.

Na língua portuguesa, os estratos gramaticais possíveis são, pela ordem ascendente: o *elemento mínimo dotado de significação* (*morfema*), a *palavra gramatical*, o *grupo de palavras*, a *cláusula*, a *oração* e o *texto*:

↑ texto
  oração
  cláusula
  grupo de palavras
  palavra
  morfema

São morfemas *casa-* e *-s* na função gramatical para a formação de *casas*; já *casas*, na oposição *casa/casas*, é uma "palavra gramatical" com sua função "plural", já que *-s* é o "pluralizador" e *casa-* o "pluralizado", e o sintagma[1] inteiro *casas* é "plural".

Em português, a explicação e a especificação são funções do nível do "grupo de palavras" e se expressam mediante a posição do adjetivo. No grupo substantivo + adjetivo: em o *manso boi*, o *vasto oceano*, o adjetivo é explicativo (já que apenas expressa propriedades inerentes a estas classes); no entanto, em o *boi manso*, o adjetivo é "especificativo" (porque serve para opor um boi manso a outros bois que não são mansos). Como no exemplo anterior, *manso* é "explicador" e *boi* o termo "explicado", e o sintagma inteiro o *manso boi* é um "explicativo".

A oposição correspondente às funções "comentário" e "comentado" ocorre no estrato funcional a que se dá o nome convencional "cláusula", que é o estrato que, *no interior de uma só e mesma oração*, estabelece a referida oposição. O chamado "advérbio de oração", que não passa de uma cláusula "comentário", ocorre nesse nível de estruturação. Em *Eu sei certo*, só temos uma oração, sem nenhum comentário, porque significa simplesmente 'eu sei com segurança', 'com certeza'. Já na oração *Certamente, eu sei*, há duas cláusulas: a cláusula comentário *certamente* e a cláusula comentada *eu sei*, e o conteúdo do enunciado oracional é equivalente a 'certamente, eu o sei', 'é certo que eu o sei'. Assim, *certamente* não determina o valor lexical de *eu sei*, mas assegura a realidade mesma do fato de saber.

O estrato gramatical da oração é caracterizado pela função "predicativa". Nela, o sujeito e o predicado são funções sintagmáticas e puramente relacionais: o predicado é o termo "referido" e o sujeito o termo "referente", a função sintagmática é a de "referência" e a unidade resultante é a "predicação referida", que se opõe, neste nível, à "predicação não referida". Em *O aluno estuda* temos uma predicação referida; em *Chove, Faz calor*, uma predicação não referida. Registre-se aqui, de passagem, que a oração dita complexa não constitui um estrato superior da oração. O estrato superior da oração — simples ou complexa — é o *texto*.

No estrato do texto, podemos ter casos como a oposição entre "pergunta não repetida" e "pergunta repetida". Se se pergunta *Você vai bem?*, no nível do texto, isto significa que se faz a pergunta pela primeira vez, ou pela qual não se manifesta se ela se diz pela primeira vez ou não. Mas já em *E você, como vai?* ou *E você vai bem?*, trata-se, sem dúvida, de uma pergunta repetida, porque, depois de uma primeira pergunta, agora se quer saber acerca do nosso interlocutor. Trata-se aqui de uma oposição no nível do discurso ou do texto, e não no nível da oração.

Propriedades dos estratos de estruturação gramatical

São quatro estas propriedades: a *superordenação* (ou *hipertaxe*), a *subordinação* (ou *hipotaxe*), a *coordenação* (ou *parataxe*) e a *substituição* (ou *antitaxe*).

---

[1] Entende-se por sintagma o resultado da combinação de formas mínimas numa unidade linguística superior.

Tais propriedades podem ser assim representadas graficamente:

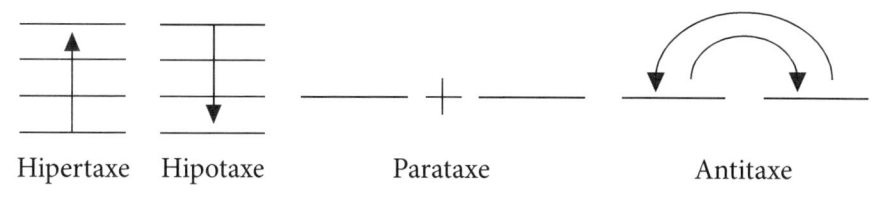

Hipertaxe   Hipotaxe   Parataxe   Antitaxe

Hipertaxe ou superordenação

A hipertaxe é a propriedade pela qual uma unidade de um estrato inferior pode funcionar por si só — isto é, combinando-se com zero — em estratos superiores, podendo chegar até ao estrato do texto e aí opor-se a unidades próprias desse novo estrato. Assim, um morfema pode, em princípio, funcionar como palavra; uma palavra, como grupo de palavras, e assim sucessivamente.

Tomando o exemplo *casa – casas*, o elemento mínimo *casa* funciona como "singular" no nível da palavra gramatical, por oposição a *casas*, por estar "combinado" com zero, isto é, sem morfema explícito. Em *casa – a casa*, a palavra *casa*, já determinada como "singular", funciona no nível do grupo de palavras como "virtual, inatual" — em oposição ao "atual" *a casa*, por se tratar aqui de uma casa conhecida. Em *Certamente! Claro!*, estamos diante de uma superordenação da palavra no nível da cláusula, e desta ao nível da oração e do texto, se estiverem sozinhas.

Pode-se superordenar, no nível da oração e do texto, um morfema, uma palavra morfemática ou até uma palavra, como, por exemplo, ocorre com *sem* na resposta à pergunta do tipo: — *Viajarás com ou sem teus pais?* — *Sem*. Ou então o sufixo *-ção* na resposta diante da dúvida: — *É condenação ou condenamento?* — *Ção*.

Hipotaxe ou subordinação

A hipotaxe é a propriedade oposta à hipertaxe: consiste na possibilidade de uma unidade correspondente a um estrato superior poder funcionar num estrato inferior, ou em estratos inferiores. É o caso de uma oração independente, valendo como texto, passar a funcionar como "membro" de outra oração, particularidade muito conhecida em gramática com o nome de subordinação oracional. O importante é, entretanto, verificar que este tipo de propriedade não fica só aqui, mas tem uma aplicação mais extensa.

As palavras compostas, do tipo de *planalto*, e as perífrases lexicais ('locução ou frase que expressa um conceito'), como *pé de valsa* ('exímio dançarino'), são, do ponto de vista gramatical, subordinações ou hipotaxes de grupos de palavras no nível da palavra; por outro lado, locuções do tipo *por meio de*, *por causa de* funcionam no nível de elementos mínimos (aproximadamente equivalentes a *com*, *por*).

Vista pelo prisma da hipotaxe, percebe-se que a ideia de conceber as "conjunções subordinativas" como elementos que "unem" orações nasce do falso paralelismo entre subordinação (hipotaxe) e coordenação (parataxe). Na realidade, em línguas como o português, as conjunções subordinativas não são mais que morfemas de subordinação ou ainda preposições combinadas com esses morfemas. No português essa marca de subordinação é o *que*: *É preciso que venhas*.

Se se trata de função sintagmática introduzida (no caso de uma palavra ou de um grupo de palavras) por preposição, a chamada conjunção subordinativa é normalmente constituída por essa preposição + *que*: *para acabar / para que acabe*; *antes da* (de a) *guerra começar / antes de que a guerra comece*, etc.

Parataxe ou coordenação

Consiste a parataxe na propriedade mediante a qual duas ou mais unidades de um mesmo estrato funcional podem combinar-se nesse mesmo nível para constituir, *no mesmo estrato*, uma nova unidade suscetível de contrair relações sintagmáticas próprias das unidades simples deste estrato. Portanto, o que caracteriza a parataxe é a circunstância de que unidades combinadas são equivalentes do ponto de vista gramatical, isto é, uma não determina a outra, de modo que a unidade resultante da combinação é também gramaticalmente equivalente à unidade combinada. Não sobem a estrato de estruturação superior. Assim, duas palavras combinadas persistem no nível da palavra e não constituem um "grupo de palavras".

Podem-se coordenar orações que apresentam uma mesma função gramatical, palavras e grupos de palavras de mesmas funções (tais como sujeito, complemento, adjunto) e até preposições e conjunções do estrato de morfemas, como *com* e *sem*, *e* e *ou*.

Antitaxe ou substituição

É a propriedade mediante a qual uma unidade de qualquer estrato gramatical já presente ou virtualmente presente (prevista) na cadeia falada pode ser representada — retomada ou antecipada — por outra unidade de outro ponto da cadeia falada (quer no discurso individual, quer no diálogo), podendo a unidade que substitui ser parte da unidade substituída, com idêntica função ou zero. É o fenômeno muito conhecido no domínio dos pronomes que "substituem" (= representam) lexemas (palavras ou grupos de palavras).

Juízos de valor

Frequentemente se ouve um falante nativo dizer que "isso não é português", ou "isso não se diz assim em português", ou "seria melhor dizer assim em português", o que demonstra que os aspectos de juízos de valor devem merecer especial atenção do falante nativo, bem como do linguista e do gramático. Infelizmente, existe a ideia muito difundida, mas errada, de que o tema não é científico, e, assim desconsiderado, fica sujeito à opinião do capricho de pessoas despreparadas e intransigentes, que "descobrem" erros ou impropriedades inexistentes.

Entende-se por *norma* todo uso que é normal numa variedade de língua (língua funcional), isto é, todo uso que é preferencial e constante entre os falantes e os escritores.

Distinguem-se três tipos de juízos de valor referentes às conformidades do falar com o respectivo saber linguístico: *elocutivo, idiomático* e *expressivo*.

a) Ao saber elocutivo corresponde a *norma da congruência*, isto é, os procedimentos em consonância com os princípios do pensar, do falar "com sentido", autônomos ou independentes dos juízos que se referem à língua particular e ao texto. Neste plano do falar em geral temos não só a norma da *congruência* e da *coerência*, mas ainda a norma de *conduta da tolerância*, já que, muitas vezes, diante de frases "desconexas", a incongruência pode ser anulada pela tradição da língua particular e pela intenção do discurso. Assim, se se diz que *Tudo vai bem entre nós como dois e dois são cinco*, não se interpreta como falar incongruente por conhecerem os falantes o procedimento da anulação metafórica: o que se quer dizer metaforicamente é que nada vai bem entre duas pessoas, como a soma de dois mais dois igual a cinco não está bem.

b) Ao saber idiomático corresponde a *norma da correção*, isto é, a conformidade de falar (em) uma língua particular segundo as normas de falar historicamente determinadas e correntes na comunidade. Sendo uma língua histórica (todo o português) um conjunto de várias línguas comunitárias, haverá mais de uma norma de correção (o português do Brasil, o português de Portugal, o português exemplar, o português comum, o português familiar, o português popular, etc.). O juízo de valor concernente à *correção* é juízo de "suficiência" ou "conformidade" somente em relação ao saber idiomático historicamente determinado numa comunidade.

c) Ao saber expressivo corresponde a *norma de adequação* à constituição de textos levando em conta o falante, o destinatário, o objeto ou a situação, critério mais complexo, e independente do critério de correção em relação à língua particular, e do critério de congruência em relação ao falar em geral. A adequação ao discurso e à constituição de textos pode levar em conta o objeto representado ou o tema (e aí será considerada *adequada* ou *inadequada*), o destinatário (então será considerada *apropriada* ou *inapropriada*) ou a situação ou circunstância (e aí será considerada *oportuna* ou *inoportuna*).

A competência ou saber não se manifesta igualmente em todos os planos linguísticos. Na língua particular ele ocorre com mais frequência no plano idiomático; nos outros planos — no saber elocutivo e principalmente no saber expressivo —, o domínio da competência só se alcança depois de cuidada educação linguística. Muitas vezes se diz que "alguém escreve mal o português", quando na realidade a pessoa quer fazer referência ao saber elocutivo ou ao expressivo, porque escreve sem congruência ou sem coerência, ou ainda com pouca clareza ou propriedade.

Língua comum e dialeto – Língua exemplar ou padrão

Uma língua histórica, como o português, está constituída de várias "línguas" mais ou menos próximas entre si, mais ou menos diferenciadas, mas que não chegam a perder a configuração de que se trata "do português" (e não do galego, ou do espanhol, ou do francês, etc.), quer na convicção de seus falantes nativos, quer na convicção dos falantes de outros idiomas. Há uma *diversidade* na *unidade*, e uma *unidade* na *diversidade*.

Os falantes dessas diversidades, por motivações de ordem política e cultural, tendem a procurar um veículo comum de comunicação que manifeste a unidade que envolve e sedimenta as várias comunidades em questão. Geralmente, nessas condições, se eleva um dialeto — em geral o que apresenta melhores condições políticas e culturais — como veículo de expressão e comunicação que paire sobre as variedades regionais e se apresente como espelho da unidade que deseja refletir o bloco das comunidades irmanadas.

Esta unidade linguística ideal — que nem sempre cala o prestígio de outros dialetos nem afoga localismos linguísticos — chama-se *língua comum*.

No caso de Portugal, o dialeto falado na região Entre Douro e Minho (dialeto interamnense) — sede do governo e da instrução superior — alçou à condição de língua comum. Como a língua comum recebe, em geral, o nome da língua histórica (isto é, daquela que engloba as variedades dialetais de que vimos falando), em nosso caso particular a língua comum é denominada *língua portuguesa* ou, simplesmente, *português*. Isto ocorre em todas as línguas históricas.

Pode-se desenvolver dentro da língua comum um tipo de outra língua comum, mais disciplinada, normatizada idealmente, mediante a eleição de usos fonético-fonológicos, gramaticais e léxicos como padrões exemplares a toda a comunidade e a toda a nação, a serem praticados *em determinadas situações sociais, culturais e administrativas do intercâmbio superior*. É a modalidade a que Coseriu chama *língua exemplar*. Esta uniformidade relativa é mais frequente quando a língua comum é usada em países diferentes. É o que acontece entre nós, onde se registra uma exemplaridade do português do Brasil ao lado de uma exemplaridade do português de Portugal.

O exemplar e o correto

Há de distinguir-se cuidadosamente o *exemplar* do *correto*, porque pertencem a planos conceituais diferentes. Quando se fala do exemplar, fala-se de uma forma eleita entre as várias formas de falar que constituem a língua histórica, razão por que o eleito não é nem correto nem incorreto. É apenas um uso em consonância com a etiqueta social.

Já quando se fala do correto, que é um juízo de valor, fala-se de uma conformidade com tal ou qual língua funcional de qualquer variedade regional, social e de estilo. Por ele se deseja saber se tal fato está em conformidade com um modo de falar, da tradição idiomática de uma comunidade, *fato que pode ou não ser o modo exemplar de uma língua comunitária.*

Cada língua funcional tem sua própria correção, já que se trata de um modo de falar que existe historicamente.

Por exemplo: há variedades de línguas funcionais em que o normal é empregar-se *Hoje é cinco* ou *Cheguei no trabalho*. Nessas variedades tais práticas são *corretas*; todavia, na língua exemplar, a eleição tendeu para *Hoje são cinco* ou *Cheguei ao trabalho*. Confunde conceitos quem considera como *corretas* apenas as duas últimas construções eleitas.

A gramática dita normativa só leva em conta a língua exemplar. Tanto o correto como o exemplar integram a competência linguística geral dos falantes.

Gramática descritiva e gramática normativa

Daí é fácil concluir que não devemos confundir dois tipos de gramática: a *descritiva* e a *normativa*.

A **gramática descritiva** é uma disciplina científica que registra e descreve um sistema linguístico homogêneo e unitário em todos os seus aspectos (fonético-fonológico, morfossintático e léxico), segundo um modelo teórico escolhido para descrição.

Cabe tão somente à **gramática descritiva** registrar como se diz numa língua funcional, numa determinada variedade que integra uma língua histórica: o português do Brasil; o português de Portugal; o português do século XVI ou do século XX; o português de uma comunidade urbana ou rural; o português de Eça de Queirós ou de Machado de Assis, e assim por diante.

Por ser de natureza científica, não está preocupada em estabelecer o que é certo ou errado no nível do saber idiomático.

Cabe à **gramática normativa**, que não é uma disciplina com finalidade científica e sim pedagógica, *elencar os fatos recomendados como modelares da exemplaridade idiomática para serem utilizados em circunstâncias especiais do convívio social.*

A gramática normativa recomenda como se deve falar e escrever segundo o uso e a autoridade dos escritores corretos e dos gramáticos e dicionaristas esclarecidos.

Capítulo I
Sujeito e predicado

Sujeito explícito

Sem verbo não temos oração, já vimos isto. Cabe agora insistir em que a sua natureza semântica (de significado) e sintática (de relação gramatical) determinará se a predicação da oração é referida a um sujeito, ou não. Esta referência se chama *predicado* da oração e o termo referente dessa predicação se chama *sujeito*:

Sujeito	Predicado
Marlit	*deu um livro ao neto.*

Se tivermos verbos como *andar, trabalhar, escrever, dar*, por exemplo, é fácil percebermos que eles fazem naturalmente referência a uma pessoa ou coisa a respeito da qual comunicam algo, isto é, ao seu sujeito:
    Eduardo anda muito pela manhã.
    Daniel e *Filipe* escrevem poesias.

Conhecido o sujeito, ele pode não ser expresso na continuação do enunciado:
    Os meninos já chegaram.   Vieram com os pais.

Dizemos que *vieram* tem seu sujeito léxico oculto. O sujeito léxico está representado por substantivos ou pronomes.

Em português, em geral não são explicitados os sujeitos quando representados por desinências verbais, especialmente de 1.ª e 2.ª pessoas: *Ando* pouco (eu). *Trabalhamos* muito (nós). *Fizeste* os deveres? (tu). *Fizestes* os deveres? (vós).

Quando há ênfase ou oposição de pessoa gramatical, não se recomenda a omissão do pronome sujeito, para maior clareza: Enquanto *eu* estudo, *tu* brincas.

Orações sem sujeito

Já pela mesma natureza semântica e sintática, também é fácil concluirmos que nas seguintes orações não temos predicação referida a nenhum sujeito:
    Chove pouco no Nordeste.

Nunca nevou no Rio de Janeiro.
Faz muito calor aqui.
Já é noite.

Estas orações se dizem *sem sujeito*, e os verbos de predicação não referida se chamam *impessoais*.

Sujeito simples e composto

A predicação referida pode ter sujeito *simples* ou *composto*. Diz-se que o sujeito é simples quando só tiver um *núcleo*. **Núcleo** é o termo fundamental ou básico de uma função linguística. Só com ele, em geral, é que os outros termos da oração contraem a relação gramatical de concordância:
Eduardo anda muito pela manhã.

O sujeito simples pode constituir-se de uma ou mais palavras, mas só terá um núcleo:
O meu ***livro*** de Português *está emprestado*.

Aqui o núcleo é *livro*, pois só a esse substantivo faz referência o predicado *está emprestado*; *o, meu* e *de Português* são acompanhantes do núcleo *livro*, como veremos mais adiante. (↗ 80)
Têm também sujeitos simples as seguintes orações:
O ***calor*** do sol *é insuportável.*
O ***canto*** de nossas aves *encanta a todos.*
Os ***alunos*** do nosso colégio *estiveram no passeio.*

Diz-se que o sujeito é composto quando tiver mais de um núcleo:
Daniel e **Filipe** *escrevem poesias.*
O ***canto*** dos pássaros e a ***riqueza*** da vegetação *encantam os amantes da natureza.*
Nem **Maria** nem as **primas** *chegaram cedo.*

Princípios gerais de concordância verbal

Entre outros alcances que se podem extrair da distinção entre sujeito simples e sujeito composto, um dos mais imediatos é o relacionado à concordância do verbo com o sujeito explícito: *o verbo concorda com o sujeito explícito em pessoa e número*, segundo os seguintes princípios gerais:
a) Sujeito simples constituído por pronome pessoal: o verbo irá para a pessoa e número do sujeito explícito:
Eu quero   *Nós queremos*

Tu queres   *Vós quereis*
Ele quer   *Eles querem*

b) Sujeito simples constituído por substantivo, palavra ou expressão substantivada: o verbo irá para a 3.ª pessoa e para o número em que se achar o núcleo do sujeito, ainda que seja um coletivo: (↗ 99)
     O menino era *nosso vizinho*.
     As meninas *ainda não* chegaram.
     A gente viaja *hoje*.
     Os povos lutam *pela sua liberdade*.

c) Sujeito composto constituído por substantivos: o verbo irá para a 3.ª pessoa do plural, qualquer que seja a sua posição em relação ao verbo:
     O menino e a menina eram *conhecidos*.
     Chegarão *hoje de Lisboa* meu tio e meu primo.

d) Sujeito composto constituído por pronomes pessoais, ou por pronome + substantivo: o verbo irá para a 1.ª pessoa do plural, se houver um pronome de 1.ª pessoa (*eu* ou *nós*); irá para a 2.ª ou 3.ª pessoa do plural, se não houver pronome da 1.ª pessoa; irá para a 3.ª pessoa do plural, se não houver pronome da 1.ª ou da 2.ª pessoa:
     Eu e tu iremos *ao cinema*.
     Eu e ele iremos *ao cinema*.
     Eu e Janete iremos *ao cinema*.
     Nós e ele iremos *ao cinema*.
     Tu e ele irão (ou ireis, hoje mais raro) *ao cinema*.
     Tu e Janete irão (ou ireis, hoje mais raro) *ao cinema*.
     Ele e ela irão *ao cinema*.
     Ele e Janete irão *ao cinema*.

Posição do predicado e do sujeito

Quando tratamos do sujeito composto, aludimos ao fato de poder o sujeito vir antes ou depois do predicado:
     O menino e a menina eram *conhecidos*.
     Chegarão *hoje de Lisboa* **meu tio e meu primo**.
     Você e seu pai *virão para o almoço*?
     Chegarão **você e ela** *para o almoço*?

A língua portuguesa permite esta liberdade na colocação dos termos oracionais, desde que não se mude o conteúdo da mensagem ou não se traga dificuldade na sua interpretação.
     O caçador feriu o leão

não é a mesma coisa de:
O leão feriu o caçador.

Nestas possibilidades de colocação do sujeito e do predicado, entra em ação o nosso saber elocutivo (↗ 43). Assim, pelo que conhecemos das regras do pensar e do saber das coisas, não há possibilidade de outra interpretação em
A floresta iluminava o sol,

pois sabemos que o sol ilumina a floresta, e não o contrário. Mais adiante veremos que também pelo saber idiomático (↗ 43) podemos eliminar dúvidas de interpretação.

A ordem sujeito-predicado chama-se *direta*; a ordem predicado (ou um dos seus componentes)-sujeito chama-se *inversa*.

O texto em poesia apresenta maior frequência de posposição do sujeito ao predicado do que o texto em prosa. Vejamos o 1.º verso do soneto "As pombas", de Raimundo Correia:
"Vai-se *a primeira pomba despertada...*"

Também no Hino Nacional temos ordem inversa:
"Ouviram *do Ipiranga as margens plácidas*
De um povo heroico o brado retumbante."

A ordem direta seria:
As margens plácidas do Ipiranga ouviram o brado retumbante de um povo heroico.

Na prosa, as orações interrogativas e exclamativas apresentam com mais frequência a ordem inversa do que as orações declarativas:
Deves tu cumprir esse dever?
Vença o melhor time!

O emprego da vírgula

Não se separam por vírgula o sujeito e o verbo do predicado:

Os bons alunos merecem os elogios dos colegas.

Se houver separação dos dois termos por intercalação de outros termos, então se poderá usar a vírgula para marcar a sequência interrompida, o que, na leitura, quase sempre vem assinalado por pausa:

Os bons alunos, durante o ano todo, merecem os elogios dos colegas.

É preciso cuidado especial na concordância, quando se pratica a ordem inversa: enunciado primeiro o verbo no singular, esquece-se o falante de que o sujeito vai indicado depois no plural:

Saiu-se (em vez da forma correta ***saíram-se***) mal hoje ***os jogadores*** do meu time. Evite-se este engano.

Oração sem sujeito

Já vimos que a noção expressa pelo verbo como elemento nuclear da oração pode ser referida a um sujeito (*Pedro estuda botânica.*) ou não referida a qualquer sujeito (*Chove. Está calor.*).
Vimos também que, quando se trata de predicação não referida, o verbo se diz *impessoal*. Os principais verbos ou expressões impessoais da língua são:
a) os que denotam fenômenos atmosféricos ou cósmicos como: chover, trovejar, relampejar, nevar, anoitecer, fazer (frio, calor, sol, etc.), estar (frio, quente, etc.), entre outros:
Trovejou muito ontem.
Fez dez graus esta noite.

b) *haver* e *ser* em orações equivalentes às constituídas com *existir*, do tipo de:
Há bons livros.
Eram vinte pessoas no máximo.

c) *haver, fazer* e *ser* nas indicações de tempo:
Há cem anos nasceu meu avô.
Faz cinco anos não aparece aqui.
Era a hora da ceia.
É uma hora.
São duas horas.

d) *bastar, chegar + de* (nas ideias de suficiência):
"*Basta de* comissões! *Basta de* relatórios! *Basta de* vaniloquios!" [AGu]
"Pra isso trabalhava sem férias, *basta de* reflexões." [MAn]
"– *Chega de* caraminholas, ó barata tonta!" [ML]

e) *ir* acompanhado das preposições *em* ou *para* exprimindo o tempo em que algo acontece ou aconteceu:
Vai em dois anos ou pouco mais.

f) *vir, andar* acompanhados das preposições *por* ou *a* exprimindo o tempo em que algo acontece:
"Nesse mesmo dia quando *veio pela tarde...*" [AC]
Andava por uma semana que não comparecia às aulas.

g) *passar* acompanhado da preposição *de* exprimindo tempo:
Já passava de duas horas.

h) *tratar-se* acompanhado da preposição *de* em construções do tipo:
Trata-se de assuntos sérios.

A principal característica dos verbos e expressões impessoais é que (salvo em alguns casos o verbo *ser*) aparecem, na língua exemplar, sempre na 3.ª pessoa do singular. Por isso, são evitadas, na língua exemplar, as seguintes construções com verbo no plural:
Haviam muitas pessoas no baile.
Fazem cinco dias que não chove.
Bastam de histórias.
Já *passavam* de duas horas.

Faz exceção o verbo *ser* em construções do tipo:
É uma hora.
São duas horas.
Eram vinte pessoas no máximo.

Sujeito indeterminado

Não se confundem as construções especiais vistas até agora com aquelas em que o sujeito explícito está representado por um pronome indefinido:
Alguém veio à minha procura.
Todos são meus desconhecidos.
Nem sempre *a gente* é compreendido.

Aproximando-se dessas orações de sujeito explícito constituído por pronomes ou outras expressões indefinidas, mas delas sintaticamente diferentes, estão as orações ditas de *sujeito indeterminado*. Estas não apresentam nenhuma unidade linguística para ocupar a casa ou função de sujeito; há uma referência a sujeito, no conteúdo predicativo, só de maneira indeterminada, imprecisa:
Estão batendo à porta.
Precisa-se de empregados.
Só raramente se assiste a bons filmes.

A língua portuguesa procede de três maneiras na construção de orações com sujeito indeterminado:
a) verbo na 3.ª pessoa do plural sem referência a qualquer termo que, anterior ou seguinte, lhe sirva de sujeito:
Nunca me *disseram* isso.
Onde *puseram* o livro?

b) verbo no infinitivo ou na 3.ª pessoa do singular com valor de 3.ª pessoa do plural, nas mesmas circunstâncias do emprego anterior. Este último uso do singular é menos frequente que o do plural:
É bom *resolver* o problema.
Diz que o fato não aconteceu assim. (diz = dizem)

c) verbo na 3.ª pessoa do singular acompanhado do pronome **se**, originariamente reflexivo, não seguido ou não referido a substantivo que sirva de sujeito do conteúdo predicativo (➚ 59); trata-se de um sujeito indiferenciado, referido à massa humana em geral; dizemos, neste caso, que o **se** é *índice de indeterminação do sujeito ou pronome indeterminador do sujeito:* (➚ 178)
Vive-se bem aqui.
Lê-se pouco entre nós.
Precisa-se de empregados.
É-se feliz.

> **Observações:**
>
> ➥ Divergem os autores na classificação deste tipo de indeterminação com o pronome *se*; para uns, trata-se de oração de sujeito indeterminado, para outros de oração sem sujeito.
>
> ➥ A indeterminação do sujeito nem sempre significa nosso desconhecimento dele; serve também de manobra inteligente de linguagem, quando não nos interessa torná-lo conhecido, como em situações do tipo: Pedro, *disseram-me* que você falou mal de mim.

Outras vezes, o nosso saber do mundo percebe que se trata de uma só pessoa a praticar a ação verbal, mas se usa o plural por ser a norma frequente da indeterminação do sujeito:
Estão batendo à porta.

Exercícios de fixação

I. **Assinale os grupos de palavras que formam oração:**

1) ( ) Os juízes de paz.
2) ( ) Podem retirar-se.
3) ( ) Momentos antes das 7 horas da noite.
4) ( ) Quase sem combinação nem plano assentado.
5) ( ) Foi geral o brado de indignação.
6) ( ) O pessoal do novo gabinete.
7) ( ) À custa de todos os seus bens e sacrifícios de sua pessoa.
8) ( ) Muitos trataram logo de sair.
9) ( ) Uma voz se ouvia.
10) ( ) Fuja!
11) ( ) Soou hora e meia no relógio.
12) ( ) Despedimo-nos.

2. **Separe o sujeito e o predicado das seguintes orações:**
   Modelo: *A terra é formosa.*
   Sujeito   Predicado
   A terra   é formosa

   1) Os homens cor do dia saíram de dentro do pássaro marinho.
   2) Os tucanos tinham fugido do caderno escolar.
   3) Cada qual tinha o seu sol de plumas à cabeça.
   4) Guerreiros agora se debruçam, ombro a ombro, sobre a Serra do Mar.
   5) Eles espiam, com assombro, o dia português.
   6) O marinheiro branco ouve, no gorjeio do pássaro, o idioma semelhante ao seu.
   7) Os dois povos tinham marcado encontro à sombra de tal Serra, nessa manhã sem-par.
   8) Um seguiu a lei do Sol em busca de um tesouro.
   9) O outro veio da Terra à procura da Noite.
   10) Ninguém deve descuidar-se do estudo do seu idioma.

3. **Construa orações que tenham por sujeito as seguintes expressões, e separe o sujeito e o predicado dos cinco primeiros exemplos:**

   1) O Brasil   4) Guerreiros   6) Onças
   2) Vera Cruz   5) A terra   7) Pajés
   3) Santa Cruz

4. **Distribua em três possibilidades o sujeito e o predicado das seguintes orações, observando a clareza do pensamento e a naturalidade do idioma (isto é, não apresentar construções forçadas):**
   Modelo: *Os tucanos tinham fugido do caderno escolar.*
   a) Do caderno escolar tinham fugido os tucanos.
   b) Tinham os tucanos fugido do caderno escolar.
   c) Tinham do caderno escolar fugido os tucanos.

   1) Cada qual tinha o seu sol de plumas à cabeça.
   2) Eles espiam, com assombro, o dia português.
   3) Os homens cor do dia saíram de dentro do pássaro marinho.
   4) Um seguiu a lei do Sol em busca de um tesouro.
   5) O outro veio da Terra à procura da Noite.

5. **Oferecem várias possibilidades de distribuição de seus termos as orações:**
   1) Guerreiros agora se debruçam, ombro a ombro, sobre a Serra do Mar.
   2) O marinheiro branco ouve, no gorjeio do pássaro, o idioma semelhante ao seu.

3) Os dois povos tinham marcado encontro à sombra de tal Serra, nessa manhã sem-par.
   Faça de conta que você é um detetive e descubra qual das três opções oferece maior número de inversões, sem prejudicar o sentido do texto e a naturalidade do idioma.

6. Depois de todos esses exercícios sobre distribuição de termos da oração, você poderá facilmente separar o sujeito e predicado dos seguintes exemplos, convencendo-se de que nem tudo que está no início da oração é sujeito:
   1) Vem o dono da casa.
   2) No fundo das águas a noite estaria.
   3) Não dá o homem conta do tamanho da terra descoberta.
   4) No gorjeio do pássaro o marinheiro branco ouve o idioma.
   5) Em *Martim-Cererê* conta-nos o poeta Cassiano Ricardo a história do Brasil à luz da imaginação do artista.

7. Depois de separar, nas seguintes orações, o sujeito e o predicado, distinga o núcleo do sujeito:
   Modelo: *São excelentes as manhãs de primavera.*
   Sujeito: as manhãs de primavera
   Núcleo do sujeito: manhãs
   Predicado: são excelentes

   1) O vulto de minha mãe apareceu à pequena distância.
   2) Em um ramo de ateira, dois passarinhos brincavam.
   3) Aqueles pobres filhos de pescadores acabaram aterrorizados.
   4) A água, em Miritiba, era colhida em fontes naturais.
   5) Os filhos mais novos foram entregues aos padrinhos.
   6) Os três outros irmãos vivos tiveram vida própria.
   7) Feliciano Gomes de Farias Veras estivera, antes, no Maranhão, no comércio.
   8) O seu tormento de toda a vida foi o conflito entre os parentes.
   9) Ele reclamava contra tudo.
   10) Acabara de chegar o professor de primeiras letras.

8. **Distinga o sujeito simples (S) do composto (C) nas orações que se seguem:**
   1) Os homens não se conhecem.
   2) "A pobreza e a preguiça andam sempre em companhia." [MM]
   3) "O amor e temor de Deus têm por princípio o reconhecimento da sua infinita bondade e justiça." [MM]
   4) O louvor dos tolos e néscios aflige os sábios.
   5) O riso e choro são frequentes vezes contagiosos.
   6) "A razão e não menos a consciência é onerosa a muita gente." [MM]
   7) "Ignorância e preguiça a ninguém enriquecem." [MM]

8) O amor-próprio do tolo é sempre o mais escandaloso.
9) "Os vícios e paixões de uns homens são os elementos da ventura de outros." [MM]
10) Metade das guarnições e os melhores práticos acham-se em terra.
11) Não só o desprezo senão a falsidade nos incomodam.
12) O céu, a terra e o mar apregoam a grandeza divina.
13) Assim o pai como o filho se converteram à fé.
14) Estávamos eu e você numa situação difícil.
15) Não somente os velhos, mas também os moços devem pensar na vida.

9. **Assinale com (X) dentro dos parênteses os trechos que contêm oração de sujeito oculto:**
    1) ( ) Um dia me encontrei sozinho no mato, longe de minha tribo.
    2) ( ) Todas as cabeças se voltaram para o lado.
    3) ( ) Da escuridão surgiu um vulto.
    4) ( ) Encontrei-me num desconhecido lugar.
    5) ( ) Estava eu estirado numa rede.
    6) ( ) Como é teu nome?
    7) ( ) Estávamos em 1554, na aldeia de Piratininga.
    8) ( ) Começou então para mim uma vida nova.
    9) ( ) Chegavam até a casa índios de todas as tribos.
    10) ( ) Um dia Anchieta reuniu os índios mais inteligentes.

10. **Faça a elipse do sujeito das orações destacadas abaixo, mas somente quando isto não provocar confusão de entendimento:**
    1) Quando dei por mim, *eu tinha entrado às cegas numa taba.*
    2) Ele me fez perguntas numa língua *que eu não entendia.*
    3) O homem misterioso avançou pelo meio dos índios *e ele parou na frente do morubixaba.*
    4) Meu vizinho cantava *e eu ouvia a canção.*
    5) O pajé chegou *e ele começou a dançar ao redor do índio.*
    6) Saíste cedo, *mas tu não precisas fazê-lo.*
    7) A moça partia *e eu ficava triste com o fato.*
    8) Quando fomos à praia, *nós vimos nossos vizinhos.*
    9) Saiba *que eu sou capaz de nadar.*
    10) Eu iria embora *se ele não ficasse zangado.*
    11) A mulher do dr. Milton devolveu o vestido. Não gostou. *Porque ele tem isto, ele tem aquilo.*

11. **Assinale com um (X) dentro dos parênteses as orações que contêm sujeito indeterminado:**
    1) ( ) Despediram-se muito cedo os amigos.
    2) ( ) Não se fala nisso.
    3) ( ) Quase atropelam este animal.

4) ( ) Quando se viu este absurdo!
5) ( ) Não se precisa de maus conselhos.
6) ( ) Levaram-me à presença do morubixaba os índios dali.
7) ( ) Não poderemos sair hoje.
8) ( ) Assim não se consegue nada.
9) ( ) Já viste o filme?
10) ( ) Já saíram?

12. **Assinale com um (X) dentro dos parênteses as orações sem sujeito:**
    1) ( ) Não presta para a guerra filho fraco.
    2) ( ) Caminhei todo o dia sem rumo.
    3) ( ) De repente os vaga-lumes levantaram o voo.
    4) ( ) Havia um silêncio de morte na taba.
    5) ( ) Da escuridão surgiu um vulto.
    6) ( ) Estávamos em pleno verão.
    7) ( ) Como havia índios de cabeça dura!
    8) ( ) Eles haviam ido embora.
    9) ( ) Naquela tarde não chovera.
    10) ( ) Fazia calor na taba.

13. **Assinale com um (X) dentro dos parênteses as orações sem sujeito, atentando-se para o fato de que os verbos parecidos na forma estão uns usados como impessoais, outros, não:**
    1) ( ) Todos haviam partido cedo.
    2) ( ) Nunca houve tamanha confusão.
    3) ( ) Havia amanhecido com chuva.
    4) ( ) A febre fizera suar.
    5) ( ) Os guardas anoiteciam em serviço.
    6) ( ) Choveu grito quando ele fez o gol.
    7) ( ) Àquela hora não fazia calor.
    8) ( ) Os justos haverão de vencer.
    9) ( ) Haverá justiça aqui?
    10) ( ) Chovia na hora da partida.

14. **Assinale com um (X) dentro dos parênteses a explicação correta para o fato seguinte:**
    Na oração
    No final haverão de vencer os justos
    sabe-se que o verbo *haver* não é impessoal porque:
    1) ( ) vem antes do verbo *vencer*.
    2) ( ) é verbo que entra na formação de locução verbal.
    3) ( ) está no plural.

15. **Empregue, no espaço em branco, a forma verbal pedida:**
    1) Nunca _____ discussões acaloradas. (*haver* – pret. imperf. ind.)
    2) _____ haver economias no banco. (*dever* – pres. ind.)
    3) Sempre _____ heróis. (*haver* – pret. perf. ind.)
    4) Naquele dia _____ três meses que chegara. (*fazer* – pret. perf. ind.)
    5) _____ razões para essa atitude? (*haver* – fut. pres. ind.)
    6) Os primos _____ anos hoje. (*fazer* – pres. ind.)
    7) _____ pessoas lá embaixo? (*haver* – pres. ind.)
    8) Ainda que _____ (*haver* – pret. imperf. subj.) motivos, não _____ forças para realizar o feito. (*haver* – fut. pret. ind.)
    9) _____ várias pessoas descontentes. (*haver* – pret. imperf. ind.)
    10) Naquela situação não _____ haver duas alternativas. (*poder* – pret. perf. ind.)
    11) Quando saímos, _____ quatro horas. (*ser* – pret. imperf. ind.)

16. **Empregue o verbo na forma indicada, fazendo a concordância de acordo com os princípios estabelecidos. No caso de haver mais de uma possibilidade, use-as:**
    1) _____ cerca de quatro horas de uma formosa tarde de maio. (*ser* – pret. imperf. ind.)
    2) Ali já _____ numerosa multidão. (*haver* – pret. imperf. ind.)
    3) Eu, meu irmão e um primo _____ ver um filme excelente. (*ir* – pret. perf. ind.)
    4) Tu e ele _____ (*poder* – fut. do pres. ind.) assistir a esse filme e certamente _____ dele. (*agradar-se* – fut. do pres. ind.)
    5) _____ naquele momento, por sua mente, a lembrança e a saudade dos tempos de infância. (*passar* – pret. imperf. ind.)
    6) A lembrança e a saudade dos tempos de infância _____ naquele momento por sua mente. (*passar* – pret. imperf. ind.)
    7) Não _____ haver comentários desfavoráveis. (*dever* – pres. ind.)
    8) Com bons argumentos se _____ (*combater* – pres. ind.) os inimigos, se _____ (*quebrar* – pres. ind.) o ferro, se _____ (*domar* – pres. ind.) o fogo, se _____ (*vencer* – pres. ind.) o perigo e se _____ os obstáculos. (*abater* – pres. ind.)
    9) Nós _____ a contemplação do quadro e a beleza que daí irradiava. (*absorver* – pret. imperf. ind.)
    10) _____ três anos que chegara à capital. (*fazer* – pret. imperf. ind.)
    11) _____ uma e meia da tarde. (*ser* – pret. imperf. ind.)

17. **Empregue os verbos indicados entre parênteses, atentando-se para a concordância:**
    1) _____ várias notas erradas. (*haver* – pret. perf. do ind.)
    2) Não _____ restrições para este caso. (*existir* – pres. do ind.)
    3) _____ quinze minutos que todos saíram. (*fazer* – pres. do ind.)

4) _____ haver duas pessoas na sala de espera. (*dever* – fut. do pres.)
5) _____ uma vez dois jovens muito inteligentes. (*ser* – pret. imperf. do ind.)
6) Os primos _____ amanhã quinze anos. (*fazer* – fut. do pres.)
7) Nada teria sido realizado se não _____ suficientes recursos financeiros. (*haver* – imperf. do subj.)
8) No mês passado _____ muitos dias de chuva. (*haver* – pret. perf. do ind.)

18. **Corrija, quando necessário, os seguintes trechos, atentando-se para o emprego, na variante padrão, dos verbos ter e haver:**
    1) Hoje tem aula.
    2) Amanhã teremos agradáveis surpresas.
    3) Tem de haver arrependimentos.
    4) Tiveram início as aulas pelo rádio.
    5) Todos têm o mesmo direito perante a lei.
    6) Teve ontem uma festinha lá em casa.
    7) Ele tinha razão quando reclamou dos colegas.
    8) Nesta redação tem dois erros graves.
    9) Houve falta de três elementos importantes.
    10) Não terá distribuição de prêmios se o diretor chegar atrasado.

Capítulo 2
Predicado e seus outros termos constitutivos

Predicado simples e complexo

A natureza semântico-sintática do verbo pode encerrar-se nele mesmo, em face da sua significação muito definida, como ocorre nas seguintes orações:
Isabel *dorme*.
Henrique *caminha*.
A temperatura *desceu*.
Chove.

Nestes casos, dizemos que é um predicado **simples** ou **incomplexo**.
Se, entretanto, a significação do verbo for muito ampla, torna-se necessário delimitá-la mediante um termo complementar:
Clarice comprou *livros*.
Eduardo viu *o primo*.
Diva gosta *de Teresópolis*.
Márcio assistiu *ao jogo*.

No caso de *Isabel dorme*, o verbo *dorme* tem uma significação muito definida, de modo que sua ação não está referida a nenhum outro termo da oração, a não ser ao seu sujeito *Isabel*.
Já em *Clarice comprou livros*, o verbo *comprou* abre um leque de possibilidades da coisa comprada:

Clarice comprou { *um vestido*. *um carro*. *sapatos*. *um apartamento*.

Desta maneira, torna-se necessário delimitar a coisa comprada: **comprou** *livros* (e não **um vestido**, **um carro**, etc.). A este termo delimitador da significação do verbo chama-se *complemento verbal*, e pode estar, como vimos pelos exemplos acima, não introduzido por preposição pedida pelo verbo (*Clarice comprou livros*; *Eduardo viu* **o primo**) ou estar introduzido por preposição (*Diva gosta de*

*Teresópolis; Márcio assistiu **ao jogo**)*. Em todos estes casos, dizemos que é um **predicado complexo**.

Verbo intransitivo e transitivo

O verbo de significação definida, que não exige complemento verbal, chama-se *intransitivo*: **dorme, caminha, desceu, chove** foram empregados como intransitivos.

O verbo que é empregado acompanhado de complemento verbal chama-se *transitivo*: **comprou, viu, gosta, assistiu** foram empregados como transitivos.

Embora seja um verbo empregado normalmente como intransitivo ou transitivo, a língua permite que um intransitivo possa ser empregado transitivamente ou que um transitivo seja empregado intransitivamente:

Clarice dorme o sono dos inocentes.
Clarice compra no supermercado.

Observe-se que, nestes empregos, o verbo altera um pouco o seu significado; por exemplo, *compra*, neste último exemplo, significa *faz compras* e não propriamente *comprou isso* ou *aquilo*. Assim também em:

Ele não vê. (= é cego)
Já lê. (= deixou de ser analfabeto)

Portanto, é o **emprego** na oração que assinalará se o verbo aparece como intransitivo ou transitivo.

A tradição gramatical chama *transitivo* ao verbo que se acompanha de complemento direto, e *intransitivo* em caso contrário. Mais modernamente, partindo da ideia de que um verbo será transitivo ou intransitivo somente pelo seu emprego, já que este depende da vontade ou intenção comunicativa do falante: *Ele escreveu cartas / Ele não escreve; Chove / Chovem reclamações*, adotamos o critério de *predicação complexa* para o que se acompanha de um limitador da aplicação designativa do verbo que lhe serve de núcleo. Assim, em *O pai levou os filhos ao cinema pela tarde*, *ao cinema* tem função tão limitadora do conteúdo designativo de *levou*, quanto *os filhos*. Já *pela tarde*, no exemplo, não tem o mesmo papel e, por isso, pode ser dispensável à constituição da predicação, o que não ocorre com *ao cinema*. Daí, estendermos a exemplos como *Voltou o padre para casa* o caráter da *transitividade*, funcionando *para casa* como complemento relativo, o que veremos mais adiante.

Objeto direto e complementos preposicionados

O complemento verbal não introduzido por preposição, nos exemplos acima, chama-se *objeto direto*: em *Eduardo viu o primo* — *o primo* é objeto direto.

Ao complemento verbal introduzido por preposição necessária chamaremos, por enquanto, *complemento preposicionado*, do qual falaremos mais adiante; assim, em *Diva gosta de Teresópolis* e *Márcio assistiu ao jogo*, *de Teresópolis* e *ao jogo* são complementos preposicionados.

Dizemos que a preposição é necessária quando a sua não presença ou provoca um uso incorreto da língua ou da modalidade exemplar, ou altera o significado do verbo. A preposição *de* é necessária em *Diva gosta de Teresópolis*, porque, se usarmos sem preposição *Diva gosta Teresópolis*, estaremos cometendo um erro de português, pois se tratará de uma construção anormal em nossa língua, em qualquer das suas variedades.

Já o não emprego da preposição *a* em *Márcio assistiu o jogo* muda, na norma da língua exemplar, o significado do verbo *assistir*. Na norma da língua exemplar, há *assistir ao jogo* 'presenciá-lo', 'vê-lo', e *assistir o doente* 'prestar-lhe assistência', 'socorrê-lo'. Como o verbo está empregado no primeiro significado, deve-se dizer *Márcio assistiu ao jogo*. Nas variedades informal e popular, só há o emprego do verbo *assistir* no significado de 'presenciar', 'ver', e só aparece construído sem preposição *a*: *assistir o jogo, assistir a cena*.

Pontos de contato entre sujeito e objeto direto

Quando, no capítulo anterior, fizemos referência à possibilidade de colocar o sujeito depois do verbo, exemplificamos com a oração:
O caçador feriu o leão

que pode ter invertida a ordem dos termos, com mensagem diferente:
O leão feriu o caçador.

Na língua falada, a maneira de pronunciar esta última oração marca, com uma leve pausa depois de *leão*, que o sujeito é *caçador*, embora venha depois do verbo, lugar que, normalmente, está destinado ao complemento verbal.

Há pontos de contato entre o sujeito e o objeto direto quando, como nos exemplos acima, estão representados por substantivo. O sujeito vem à esquerda do verbo, e o objeto direto à direita:

O caçador   feriu   o leão.
sujeito   obj. direto

Ao lado desta diferença posicional, há estratégias para a identificação destes dois termos oracionais.

Estratégias para a identificação do sujeito

Em primeiro lugar, o sujeito pode ser substituído pelos pronomes sujeitos *ele, ela, eles, elas*, que marcam o gênero e o número do substantivo sujeito:

O caçador   feriu o leão.
Ele   feriu o leão.
Os caçadores   estão na floresta.
Eles   estão na floresta.

Os exemplos acima nos atestam a principal característica do sujeito, que é a concordância em número e pessoa entre ele e o verbo:
Eu fiz   o exercício.
Nós fizemos   o exercício.
O livro está   na estante.
Os livros estão   na estante.

Em segundo lugar, o sujeito responde às perguntas *quem* (se for pessoa) e *que* ou *o que* (se for coisa) feitas **antes** do verbo:
— Quem *feriu o leão?*   — O caçador. (sujeito)
— Que (ou o que) *está na estante?*   — O livro. (sujeito)

Estratégias para a identificação do objeto direto

Em primeiro lugar, o objeto direto pode ser substituído pelos pronomes átonos *o, a, os, as*, que marcam o gênero e o número do substantivo objeto direto:
O caçador   feriu   o leão.   A lei   garantiu   a paz.
sujeito   obj. direto sujeito   obj. direto

O caçador   { feriu-o.   A lei   { garantiu-a.
            { o feriu.   { a garantiu.

Em segundo lugar, na transformação da voz ativa em passiva (↗ 299), o sujeito passa a agente da passiva precedido da preposição *por* (*per* na combinação), e o objeto direto passa a sujeito, à esquerda do verbo:
O caçador feriu o leão.   →   O leão foi ferido pelo caçador.
A lei garantiu a paz.   →   A paz foi garantida pela lei.

Uma terceira estratégia é verificar que o objeto direto responde às perguntas *a quem?* (para pessoa) e *que ou o quê?* (para coisa) feitas **depois** da sequência sujeito + verbo:
O caçador viu o companheiro.
O caçador viu a quem?   →   O companheiro. (obj. direto)
O tiro acertou o muro.
O tiro acertou o quê?   →   O muro. (obj. direto)

Por fim, reconhece-se o objeto direto mediante a transposição (topicalização) do objeto direto para a esquerda do verbo, o que permite, sem ser obrigatória, a presença dos pronomes pessoais *o, a, os, as* junto ao verbo, repetindo o objeto direto transposto:

O caçador viu o lobo. { O lobo o caçador o viu. (ou viu-o)
{ O lobo, viu-o o caçador.

Para o emprego ou não de vírgula, consultar página 727.

Objeto direto preposicionado

Em geral, como vimos, o objeto direto é o complemento verbal não introduzido por preposição. Todavia, às vezes, a preposição aparece sem ser necessária, e assim pode ser dispensada. Diz-se, então, que o objeto direto é *preposicionado*. Eis os principais casos em que isto pode ocorrer:

a) quando o verbo exprime sentimento ou manifestação de sentimento, e o objeto direto designa a pessoa ou ser animado:

Amar *a Deus* sobre todas as coisas.   *Amá-lo sobre todas as coisas.*
Estimava *aos parentes*.   *Estimava-os.*

b) quando se deseja assinalar claramente o objeto direto nas inversões:
Ao leão feriu o caçador.
A Abel matou Caim.

Há três casos em que a preposição junto ao objeto direto é obrigatória:

a) quando está representado por pronome pessoal oblíquo tônico:
Não vejo *a ela* há meses.
Entendemos *a ele* muito bem.

b) quando está representado pela expressão de reciprocidade *um* ao *outro*:
Conhecem-se *um ao outro*.

c) quando o objeto direto é composto, sendo o segundo núcleo representado por substantivo:
Conheço-o e *ao pai*.

Quando há, por ênfase, repetição do objeto direto mediante substantivo, o emprego da preposição antes deste substantivo complemento é facultativo:
Ao mau amigo não o prezo. / *O mau amigo* não o prezo.

A preposição como posvérbio

Às vezes, a preposição que acompanha o objeto direto tem por função dar certo colorido semântico ao verbo:

Chamar *por Nossa Senhora*. (= *chamar para pedir proteção*)
O capitão arrancou *da espada*. (= *tirou-a totalmente da bainha*)
O filho cumpre *com seu dever*. (= *cumpre com zelo o dever que lhe cabe*)
O pai fez *com que o filho entendesse* tais conselhos. (= *ensinou efetivamente*)

À preposição com esta função chama-lhe Antenor Nascentes *posvérbio*.

Complementos verbais preposicionados

A tradição gramatical, confirmada pela *Nomenclatura Gramatical Brasileira*, chama *objeto indireto* a todo complemento verbal introduzido por preposição necessária. Já vimos tais complementos preposicionados exemplificados com:
Diva gosta *de Teresópolis*.
Márcio assistiu *ao jogo*.

A tais exemplos se juntam outros do tipo de:
O escritor dedicou o romance *à sua esposa*.
Certos alunos escrevem poesias *à namorada*.
O jogador reclamou a falta *ao juiz*.

Embora em todos estes exemplos haja um termo introduzido por preposição necessária, a língua parece distingui-los, como veremos a seguir.
Os complementos verbais do primeiro grupo de exemplos se diferenciam:

a) pela delimitação *imediata* da significação ampla do verbo: *gostar de x, assistir a x;*
b) pela possibilidade de acompanhamento por qualquer preposição exigida pela significação do verbo: *de* em *gostar de* indica a "origem" do afeto, *a* em *assistir a* indica "direção" ao ser visualizado, *em* indica "lugar", no exemplo *Marcelinho pôs o livro em cima da mesa*. Por esta razão, já houve quem assinalasse a íntima relação desse complemento preposicionado com a circunstância adverbial que estudaremos mais adiante;
c) pela impossibilidade de se substituir o complemento preposicionado pelo pronome pessoal átono *lhe*: a construção só é possível mediante pronome pessoal tônico *ele, ela, eles, elas* (com marca do gênero e número do substantivo substituído) precedido da preposição pedida pelo verbo: *Diva gosta de*

Teresópolis ➙ *Diva gosta dela* (da cidade); *Márcio assistiu ao jogo* ➙ *Márcio assistiu a ele*. Estariam erradas as comutações: **gosta-lhe, *assistiu-lhe*[1]
Já os complementos verbais preposicionados do segundo grupo de exemplos se distinguem:
a) pela delimitação *mediata* da significação do verbo, já que denota o destinatário ou beneficiário do processo designado pelo conjunto verbo + objeto direto:
O escritor dedicou o romance *à sua esposa*.
O jogador reclamou a falta *ao juiz*.

Observe-se que *à sua esposa* e *ao juiz* não são delimitações imediatas de *dedicou* e *reclamou*, mas do conjunto *dedicou o romance* e *reclamou a falta*; tanto é assim que seriam ininteligíveis, num momento inicial, sem uma fala prévia, as orações *O escritor dedicou à esposa* e *O jogador reclamou ao juiz*.

b) pelo aparecimento exclusivo da preposição ***a*** (raramente *para*) como introdutora de tais complementos verbais: *à sua esposa, ao juiz*.
c) pela possibilidade de se substituir este complemento verbal preposicionado pelo pronome pessoal átono *lhe*, que marca apenas o número do substantivo comutado (*lhe, lhes*): *O escritor dedicou o romance à sua esposa* ➙ *O escritor dedicou-lhe o romance*; *O jogador reclamou a falta ao juiz e ao banderinha* ➙ *O jogador reclamou-lhes a falta*.

Observação:
➥ Quando o significado do verbo tem bem caracterizado o seu objeto direto, este pode ser omitido, de modo que no predicado só aparecerá o complemento preposicionado do segundo grupo. Assim, *escrever* só pode ter como objeto direto *um texto* (*palavra, oração, carta, bilhete*, etc.); por isso, é possível aparecer empregado de forma absoluta, desde que o objeto direto seja conhecido previamente: *O diretor escreveu aos pais*.

Complemento relativo e objeto indireto

Em vista destas diferenças dos complementos verbais preposicionados, preferimos aqui chamar ao complemento do primeiro grupo *complemento relativo* e, ao do segundo, *objeto indireto*.
Estamos diante de complemento relativo em:
Diva gosta de Teresópolis.
Márcio assistiu ao jogo.
Marcelinho pôs o livro na pasta.

---

[1] O uso de * significa que a expressão não está documentada ou é hipotética.

E de objeto indireto em:
O escritor dedicou o romance à sua esposa.
O jogador reclamou a falta ao juiz.

Passagens no emprego do objeto direto e complemento preposicionado

A proximidade da função semântico-sintática do objeto direto e dos complementos em relação ao verbo do predicado preposicionado justifica o fato de que, na história da língua, tenha ocorrido a passagem de objeto direto a complemento preposicionado e vice-versa. Assim ocorria com *socorrer*, que se construía antigamente com preposição (*socorrer aos pobres*) e hoje se constrói com objeto direto (*socorrer os pobres / socorrê-los*).

Esta mudança de construção ocorre hoje entre a norma exemplar e a norma de outras variedades da língua:

Norma do registro exemplar
assistir ao jogo
implicar prejuízo

Norma do registro informal
assistir o jogo
implicar em prejuízo

Mesmo na norma do registro exemplar há a possibilidade de alguns verbos serem construídos indiferentemente com objeto direto ou complemento preposicionado:

ajudar a missa
atender o telefone
chamar românicas essas línguas
presidir a sessão
satisfazer o pedido

ajudar à missa
atender ao telefone
chamar românicas a essas línguas
presidir à sessão
satisfazer ao pedido

Predicado complexo com dois complementos

Já vimos que o objeto indireto integra a função predicativa exercida por verbo + objeto direto:
Evaldo escreveu carta *ao Aníbal.*

Também o objeto indireto pode ocorrer com complemento relativo, de modo que teremos aqui dois complementos verbais preposicionados:

O professor queixou-se   *da turma*   *ao diretor.*
                            (compl. rel.)   *(obj. ind.)*

Mais rara é a concorrência de objeto direto com complemento relativo, caso em que o complemento relativo é, a rigor, complemento do conjunto verbo + objeto direto:

Os rapazes disseram   *verdades*   *da vizinha.*
                       (obj. direto)   *(compl. relativo)*

Construção especial com objeto indireto

Vimos que consideramos objeto indireto somente o complemento preposicionado que suplementa a informação contida no predicado constituído por verbo + objeto direto ou complemento relativo:

O escritor dedicou o romance *à sua esposa.*
O professor queixou-se da turma *ao diretor.*

Todavia, um pequeno número de verbos contraria este princípio que adotamos, podendo, assim, ter objeto indireto comutável por *lhe, lhes* sem a existência de um daqueles complementos verbais:

A notícia não agradou *ao povo.*
A notícia não *lhe* agradou.

Tal sintaxe ocorre com verbos como *agradar, desagradar, pertencer, ocorrer, acontecer, saber* (= sentir sabor), *cheirar* (= sentir o cheiro), *interessar, aparecer, sorrir* (= parecer favoravelmente):

O imóvel pertence *aos herdeiros* (pertence-*lhes*).
Estes fatos *lhe* aconteceram repentinamente.
Isto não *lhe* sabe bem.
O café *lhe* cheira bem.
A sorte *lhe* sorriu esta semana.
Apareceram-*lhe* uns ruídos estranhos.

Verbos que admitem dupla ou tripla construção

Isto ocorre com os seguintes principais verbos:
1) **Avisar:**
   Avisamos a falta d'água ao vizinho.
   Avisamos o vizinho da falta d'água.

2) **Ensinar:**
   O professor ensinou gramática ao aluno.
   O professor ensinou o aluno a estudar gramática.
   O professor ensinou o aluno como se estuda gramática.

3) **Esquecer:**
   Eu esqueci o livro.
   Esqueceu-me o livro.
   Eu me esqueci do livro.

4) **Informar:**
   Informei-lhe isso.
   Informei-o disso.

5) **Lembrar:**
   Lembraste o feriado ao tio.
   Lembraste o tio do feriado.

6) **Requerer:**
   Requeiro à Direção cópia do recibo.
   Requeiro da Direção cópia do recibo.

Os chamados "dativos livres"

Assim são chamadas por alguns estudiosos certas unidades linguísticas que aparecem em geral sob forma pronominal de objeto indireto (dativos em latim), mas que não pertencem à esfera semântico-sintática da função predicativa, e servem para exprimir:

a) a quem aproveita ou prejudica a ação verbal: é o *dativo de interesse*.
   Ele só trabalha *para os seus*.
   Ela ligou-*me* amavelmente a luz.

Este dativo fica muito próximo da circunstância de fim ou proveito (beneficiário).

b) quem tenta captar a benevolência do interlocutor para que se faça ou não se faça algo: é o *dativo ético*, muito comum na conversação.
   Não *me* reprovem esse candidato!
   Ele sempre *te* saiu um grande mentiroso.
   Não *me* mexam nesses papéis!

c) quem é o possuidor: *dativo de posse*.
   Doem-*me* as costas.
   Levaram-*lhe* o carro.

Observação:

➡ Apesar da equivalência na designação a *Doem as minhas costas; Levaram o seu carro*, não se podem analisar tais pronomes como *adjuntos adnominais* (↗ 80), porque a classificação contraria as noções básicas do adjunto: a referência ao substantivo (*costas*; *carro*), já que tais pronomes aludem ao possuidor e não à coisa possuída e, em vista disto, à concordância com *costas* e *carro*: *Levaram-lhe* (singular) *os carros* (plural). Se *lhe* fosse adjunto adnominal de *carros*, teria de ir ao plural, como ocorre com o possessivo *seu* (esse sim, adjunto): *Levaram o seu carro / Levaram os seus carros*.

d) quem tem opinião sobre algo: *dativo de opinião*.
Para mim o culpado não fugiu.
Para nós o culpado é o vizinho.

Quando o pronome átono pode ser substituído pelo pronome tônico preposicionado

O registro formal, principalmente escrito, difere do registro informal, por preferir aquele o uso do pronome átono como complemento verbal em vez do pronome tônico preposicionado, salvo nos casos apontados quando tratamos do objeto direto com preposição obrigatória. (↗ 60)

registro formal
Eu lhe disse a verdade.

registro informal
Eu disse a ela a verdade.

No registro formal o pronome tônico preposicionado só pode aparecer nas seguintes condições:
a) quando se antepõe ao verbo:
A ela sempre disseram não.

b) quando aparece repetindo (pleonasmo ↗ 483) um pronome átono na função de objeto direto ou complemento preposicionado:
Vejo-o *a ele* todas as manhãs. *A ele* vejo-o. (ou *o vejo*)
Deram-me *a mim* todas as oportunidades.
A mim deram-me (ou *me deram*) todas as oportunidades.

c) quando se trata de complemento verbal composto:
Falei *a ele* e ao irmão.
Escrevi *a ti e a ela* sobre o concurso.

d) quando aparece reforçado por *mesmo, próprio, só*, etc.:
Fizeram *a ela mesma* essa pergunta.
Enviaram *a nós próprios* a circular.

e) quando se trata de verbos que se constroem com complemento relativo, por estar na regra geral referida na página 64.
O vizinho gosta *dela*.

O predicativo

Outro tipo de complemento verbal é o **predicativo**, que delimita a natureza semântico-sintática de um reduzido número de verbos: *ser, estar, ficar, parecer, permanecer* e mais alguns, conhecidos como *verbos de ligação*. Às vezes vem introduzido por preposição:

Brasília é a capital.
Minha casa é aquela.
Suas dúvidas são duas.
A situação não está assim.
A casa ficou em ruínas.
A criança parecia triste.
A tarde permaneceu chuvosa.

O predicativo, como todo complemento verbal, aparece, normalmente, à direita do verbo; mas difere dos complementos anteriores pelas características seguintes:
a) é expresso por substantivo, adjetivo, pronome, numeral ou advérbio;
b) concorda com o sujeito em gênero e número, quando flexionável;

O aluno é estudioso.   *A aluna é estudiosa.*
Os alunos são estudiosos.   *As alunas são estudiosas.*

c) é comutado pelo pronome invariável *o*:

O aluno é estudioso.   *O aluno o é.*
A aluna é estudiosa.   *A aluna o é.*
Os alunos são estudiosos.   *Os alunos o são.*
As alunas são estudiosas.   *As alunas o são.*

Como ocorre com os predicados até aqui estudados, pode a predicação com predicativo ser referida a um sujeito — como nos exemplos acima —, ou não:

O aluno é estudioso.   (sujeito: *o aluno*)
É noite.   (oração sem sujeito)
Sou eu.   (oração sem sujeito)

No segundo e terceiro exemplos, não há sujeito; a oração está constituída só pelo predicado, no qual *noite* e *eu* funcionam como predicativo:

Já é noite? — Já o é.
Sou eu. — Sou-o.

Ocorre o mesmo com a expressão das horas, em oração sem sujeito com o predicativo *três horas*, no exemplo:

Já são três horas? — Já o são.

Três horas não poderia funcionar como sujeito, pois não é vernácula a comutação com *elas* (que assinalaria o sujeito, como vimos na página 62): **Elas já são.*

Mais um tipo de predicativo

Além do predicativo que acompanha os chamados verbos de ligação, há outro que acompanha qualquer tipo de verbo, e se refere tanto ao sujeito quanto ao objeto direto, ao complemento relativo e ao objeto indireto (talvez restrito ao verbo *chamar* = dar nome), com os quais também concorda em gênero e número:
O vizinho caminha *preocupado*.
As moças estudaram *silenciosas*.
O trem chegou *atrasado*.
Encontraste a porta *aberta*.
Trata-se da questão como *insolúvel*.
Não lhe chamávamos *professor*.

Observação:

➥ Conforme vimos no exemplo *Trata-se da questão como insolúvel*, o predicativo pode ou não ser precedido de preposição: *O compromisso está **de pé**. Chamaram-lhe* (ou *chamaram-no*) ***de tolo****. O júri tinha o réu **por culpado***.

Os predicativos do segundo tipo diferem dos que acompanham os verbos de ligação porque não são comutáveis pelo pronome invariável *o*:
O vizinho caminha preocupado. / **O vizinho o caminha.* *(comutação impossível)*

Se temos de representar este tipo de predicativo, ele o será mediante um advérbio, como *assim*:
O vizinho caminha preocupado. / *O vizinho caminha assim.*

Esta equivalência justifica a razão de tal tipo de predicativo construir-se muito próximo de advérbios e com estes se confundir, quando no masculino singular:
O vizinho caminha preocupado. / *O vizinho caminha preocupadamente.*

Por isso é que podemos ter a construção com predicativo ao lado da construção com advérbio:
A menina fala rápida. (*rápida*, adjetivo, predicativo do sujeito)
A menina fala rápido. (*rápido*, advérbio, não funcionando como predicativo)
A cerveja que desce redonda. (*redonda*, adjetivo, predicativo do sujeito)
A cerveja que desce redondo. (*redondo,* advérbio, não é predicativo)

Dadas as particularidades deste tipo de predicativo, alguns autores preferem dar-lhe nome especial: *anexo predicativo, predicativo atributivo* ou *atributo predicativo*. Optamos por seguir a tradição e chamá-lo simplesmente **predicativo**.

> **Observação:**
>
> ➥ Uma tradição mais recente na gramática portuguesa, incorporada pela NGB, distingue o predicado em *verbal* (quando constituído por qualquer tipo de verbo, exceto o de ligação), *nominal* (quando se trata de verbo de ligação + predicativo) e *verbo-nominal* (quando se trata de verbo que não seja de ligação + predicativo, isto é, este segundo tipo de predicativo que acabamos de estudar). Não seguimos essa tradição, porque entendemos que toda relação predicativa que se estabelece na oração tem por núcleo um verbo. É esta, por sinal, a lição dos nossos primeiros grandes gramáticos, que não faziam tal distinção, e de notáveis linguistas modernos. (➚ 266)

A posição do predicativo

Quando constituído por substantivo ou pronome, o predicativo pode deslocar-se para antes do verbo, e o sujeito para depois deste:

A capital é Brasília. / *Brasília é a capital,*

em que *Brasília* é, em ambos os casos, sujeito, e *capital*, predicativo.

A deslocação do predicativo tem feito que se mude a análise das duas orações, considerando-se sujeito o que vem sempre antes do verbo: assim, em *A capital é Brasília*, *capital* é sujeito e *Brasília* predicativo, enquanto em *Brasília é a capital*, *Brasília* é o sujeito e *capital*, predicativo.

Ora, a comutação mostra que *Brasília* é sempre sujeito, e *capital* é predicativo, e só este é comutável pelo pronome *o*: *Brasília o é*, e não **A capital o é*.

O complemento relativo adverbial (➚83)

Muitas vezes o complemento relativo, entendido como termo preposicionado que delimita a natureza semântico-sintática do verbo, exprime uma circunstância, como já tínhamos visto no exemplo *Marcelinho pôs o livro na pasta*:

A criança caiu da cadeira.
Os padrinhos acompanharam a jovem a Natal.

Repare-se que os termos *na pasta, da cadeira, a Natal* são obrigatórios à completude da função predicativa:

Marcelinho pôs o livro. (onde?)
A criança caiu. (de onde?)
Os padrinhos acompanharam a jovem. (aonde?)

Alguns autores preferem classificar esses complementos como complementos adverbiais. Repare-se a diferença no exemplo:

Os padrinhos acompanharam a jovem a Natal nas últimas férias.

O termo *a Natal* é obrigatório, mas *nas últimas férias* não o é.

Complemento de agente da passiva (↗299)

Também próximo à noção de circunstância e, portanto, de natureza adverbial, é o chamado *complemento de agente da passiva*, pelo qual se faz referência a quem pratica a ação sobre o sujeito paciente:
O livro foi escrito por Graciliano Ramos.

Voz passiva é a forma que o verbo assume para indicar que seu sujeito sofre a ação por ele indicada. Em nosso exemplo, *o livro*, sujeito de *foi escrito*, não pratica a ação, mas recebe-a, sofre-a; quem a pratica é *Graciliano Ramos*, que, por isso mesmo, se diz *agente da passiva*.

Na chamada *voz ativa*, o agente da passiva passa a sujeito, enquanto o sujeito da passiva passa a objeto direto. Daí, normalmente, essa mudança de voz só ocorrer com o verbo transitivo direto:
O livro foi escrito por Graciliano Ramos (voz passiva) → *Graciliano Ramos escreveu o livro* (voz ativa).

Voz ativa			Voz passiva	
Sujeito	Graciliano Ramos		O livro	**Sujeito**
Verbo	escreveu		foi escrito	**Verbo**
Objeto direto	o livro		por Graciliano Ramos	**Agente da passiva**

O complemento agente da passiva é introduzido pela preposição *por* e, nas formas combinadas com artigo, pela forma antiga *per*: *pelo, pela, pelos, pelas*:
A República foi proclamada *pelo general Deodoro da Fonseca.*

Com verbos que exprimem sentimento, pode aparecer a preposição *de*:
O professor é estimado *de todos.* (ou *por todos*)

Exercícios de fixação

1. **Acrescente às seguintes orações um complemento adequado:**
   1) O poeta fechou _____ .
   2) O imperador fora visitar _____ .
   3) Convidamos _____ .
   4) Os alunos necessitavam _____ .
   5) Todos procuravam _____ .
   6) O marinheiro viu _____ .
   7) A união faz _____ .
   8) O livro pertencia _____ .
   9) Os soldados livram-se _____ .
   10) Absteve-se _____ .
   11) Não havia _____ .
   12) As crianças não ouviram _____ .
   13) Os vizinhos preparam _____ com cuidado.
   14) Os hóspedes não se adaptavam _____ .
   15) Ninguém pode prescindir _____ .

2. Distinga, nos exemplos do exercício anterior, os complementos não preposicionados (NP) e os preposicionados (P).

3. **Distinga, nos seguintes exemplos, os verbos transitivos (VT) dos verbos intransitivos (VI):**
   1) ( ) Voltou o padre para casa.
   2) ( ) O outro caso sucedeu ao padre Scherer.
   3) ( ) Andam os patos sem sapatos.
   4) ( ) Eles buscaram a interpretação da legenda.
   5) ( ) O amigo lhe propôs um problema.
   6) ( ) Mostram-lhe o papel.
   7) ( ) Os tribunos castigavam severamente os soldados mentirosos.
   8) ( ) Começaram logo os assobios e risadas do auditório.
   9) ( ) Ele escreveu em outro papel três palavras de sua língua materna.
   10) ( ) Já vem a noite.
   11) ( ) Tu alegras os justos.
   12) ( ) As andorinhas voavam para o campo.
   13) ( ) Onde está el-rei?
   14) ( ) Desobedeceram às ordens.
   15) ( ) No desenho dela pusera eu todo o cabedal do meu fraco engenho.

4. **Assinale com (V) dentro dos parênteses as orações de predicado sem predicativo e com (N) as de predicado com predicativo:**
   1) ( ) Longamente filosofaram os dois.
   2) ( ) A floresta tinha uma vida noturna muito intensa.
   3) ( ) Na floresta a vida continua pela noite adentro.

4) ( ) Pedrinho andava desconfiado da existência do medo.
5) ( ) Isto é um pesadelo.
6) ( ) Há coisas horríveis?
7) ( ) O coração de Pedrinho diversas vezes pulava de medo.
8) ( ) A mãe do medo é a incerteza.
9) ( ) Aquela filosofia do saci já estava dando dor de cabeça no menino.
10) ( ) Os medrosos são os maiores criadores de coisas.

5. **Divida as orações do exercício n.º 4 em sujeito e predicado, e, neste, quando houver, indique o predicativo:**
   Modelos: *A mãe do medo é a incerteza.*
   O coração de Pedrinho diversas vezes pulava de medo.

Sujeito	Predicado	Predicativo
A mãe do medo	é a incerteza	a incerteza
O coração de Pedrinho	diversas vezes pulava de medo	

6. **Assinale com um (O) dentro dos parênteses as orações de sujeito oculto, com (I) as de sujeito indeterminado e com (SS) as orações sem sujeito:**
   1) ( ) Haverá razão para o medo?
   2) ( ) Por que dizem isso?
   3) ( ) Desconfiamos das histórias dos medrosos.
   4) ( ) Só se houver escuro no mundo.
   5) ( ) Quero conhecer os segredos da noite na floresta.
   6) ( ) Aqui nestas Américas temos também muitas criações do medo.
   7) ( ) Sabiam de tudo erradamente.
   8) ( ) Na casa do coronel contavam muitas histórias de assombração.

7. **Empregue no espaço em branco o verbo na forma pedida:**
   1) Na floresta _____ muitas lendas sobre o medo. (*haver* – pret. imperf. ind.)
   2) Nem sempre se _____ acreditar nessas histórias. (*poder* – fut. pres. ind.)
   3) _____ (*existir* – pres. ind.) essas histórias porque _____ pessoas medrosas. (*haver* – pres. ind.)
   4) _____ três dias que o coronel não nos vinha visitar. (*fazer* – pret. imperf. ind.)
   5) Enquanto _____ (*haver* – fut. subj.) medo, _____ monstros como os que você vai ver. (*haver* – fut. pres. ind.)
   6) As coisas não _____ (*poder* – pres. ind.) ao mesmo tempo existir e não existir; ou _____ (*existir* – pres. ind.) ou não _____ . (*existir* – pres. ind.)

7) Desde que _____ (*haver* – pres. ind.) tantas pessoas medrosas no mundo, _____ haver muitos filhos do medo. (*dever* – pres. ind.)
8) Que horas _____? (*ser* – fut. pres. ind.)
9) _____ poucos minutos para meia-noite. (*faltar* – pret. imperf. ind.)

8. **Numere convenientemente a 2.ª coluna de acordo com as opções 1, 2 ou 3 da 1.ª coluna, tendo em vista as explicações para a concordância do verbo em itálico:**

1.ª coluna
1) O verbo está no singular concordando com o sujeito simples no singular.
2) O verbo está no plural concordando com o sujeito simples no plural.
3) O verbo está no plural concordando com o sujeito composto.

2.ª coluna
( ) Oswaldo Cruz *dedicou*-se aos estudos de higiene desde os tempos de estudante.
( ) Ele *escreveu* e *publicou* monografias de grande importância.
( ) *Foi mobilizado* um verdadeiro exército de mata-mosquitos.
( ) Os habitantes do Rio de Janeiro *assistiram* à guerra dos soldados de Oswaldo Cruz contra o inimigo traiçoeiro.
( ) *Pensam* vocês que Osvaldo Cruz recebeu só aplausos?
( ) Os ignorantes, os invejosos, os perversos *fizeram* tudo para dificultar a campanha saneadora.
( ) O chefe do governo *apoiou* integralmente a orientação do higienista.
( ) O presidente Rodrigues Alves *facultou*-lhe todos os recursos necessários à execução do plano saneador.
( ) Os soldados de Oswaldo Cruz *foram* vencendo o inimigo.
( ) A essa vitória *seguiram*-se outras.
( ) Outro qualquer se *encheria* de vaidade.
( ) Um sábio norte-americano *escreveu* palavras elogiosas a respeito de Oswaldo Cruz.

9. **Complete os parênteses observando o emprego do verbo ora como verbo de ligação (L), ora como transitivo (T), preposicionado ou não, ora intransitivo (I):**
1) ( ) José não estava em casa.
2) ( ) A viúva está sem recursos financeiros.
3) ( ) O Brasil fica na América do Sul.
4) ( ) Não me fica nenhuma dúvida.
5) ( ) Ficávamos tristes com suas palavras.
6) ( ) O tempo virou.
7) ( ) O aluno virou a carteira.
8) ( ) A reunião virou balbúrdia.
9) ( ) Os companheiros viraram o rosto aos parentes.
10) ( ) Todos fizeram careta.

10. **Distinga, nos seguintes exemplos, os predicativos do sujeito e os predicativos do objeto, pondo dentro dos parênteses (S) ou (O), respectivamente:**
    1) ( ) O pobrezinho arquejava cansado.
    2) ( ) Mostrava-se Antônio Vieira assíduo e fervoroso nos estudos.
    3) ( ) Quem me servirá de advogado diante deste juiz?
    4) ( ) A cidade parecia uma mansão de doidos.
    5) ( ) Encontrei José abatido pelo golpe traiçoeiro.
    6) ( ) Chamaram traidor o nosso amigo.
    7) ( ) Todos queriam o ladrão vivo.
    8) ( ) Tão risonhos planos desfizeram-se em pó!
    9) ( ) Ela trazia o irmão ansioso.
    10) ( ) Elegemos o professor diretor do grêmio.
    11) ( ) Tenho Machado de Assis como o melhor escritor brasileiro.
    12) ( ) Você entrou apressado.
    13) ( ) Meu primo casou-se já homem-feito.
    14) ( ) O pai teve as filhas abraçadas por muito tempo.
    15) ( ) Em 1645 foi Vieira ordenado presbítero.

11. **Transforme os predicativos numa só palavra de igual significação:**
    Modelo: *Os alunos estavam **sem atenção** às aulas.* ↦ *Os alunos estavam **desatentos** às aulas.*
    1) Os órfãos não ficaram ao desamparo.
    2) Todos estavam em embaraço.
    3) Os passageiros saíram sem lesão.
    4) Os erros pareciam sem remédio.
    5) Os candidatos permaneceram em dúvida.
    6) As alegrias dos perversos são de curta duração.
    7) Os soldados continuavam sem arma.
    8) Os filhos ficaram sem ânimo.
    9) Os metais são de grande utilidade.
    10) O crime ficou sem castigo.
    11) As brincadeiras pareciam sem graça.
    12) Os moradores do prédio se mantiveram em alvoroço.
    13) A doente ficou sem sentidos.
    14) A moda estava fora de tempo.
    15) O ambiente continuava em silêncio.
    16) Estes alunos eram do nosso tempo.
    17) Os erros eram sem número.
    18) Os inimigos ficaram sem ação.
    19) Com a notícia ela ficou sem fala.
    20) Estas observações são de muita importância.

12. **Transforme o predicado em predicativo formado pelo verbo SER e um nome seu cognato, nos seguintes exemplos:**
    Modelo: *As flores **alegram a vida**.* → *As flores são **a alegria da vida**.*
    1) O ministro punia assim a barbaridade do circo.
    2) Eu devo tudo aos meus pais.
    3) A inveja cobiça os bens.
    4) As flores enfeitam a terra.
    5) Os maus livros perdem a mocidade.
    6) Colombo descobriu a América.
    7) O povo elege os seus representantes.
    8) Os importunos roubam-nos o tempo.
    9) A lisonja corrompe os bons.
    10) Não tem limites a audácia.

13. **Assinale com (CV) dentro dos parênteses as ampliações do predicado que constituem complemento verbal:**
    1) ( ) Viveram sempre ao abrigo da luta pela existência.
    2) ( ) Eles estavam postos ao abrigo.
    3) ( ) Eu cacei por simples recreio.
    4) ( ) Ganhava a vida com a caça.
    5) ( ) Perdia as minhas horas à espera de preás.
    6) ( ) Procurava caça redonda.
    7) ( ) Ele fazia fortuna com a caça.
    8) ( ) Ele não podia atender às encomendas.
    9) ( ) As encomendas chegavam de toda parte.
    10) ( ) Cada dia mais avultavam os pedidos.

14. **Assinale com (C) dentro dos parênteses os verbos acompanhados de objetos compostos e com (B) os verbos biobjetivos (= 2 complementos verbais não compostos):**
    1) ( ) Nunca disse ao companheiro toda a verdade.
    2) ( ) Gostava de bailes e de natação.
    3) ( ) Queixava-se da vida a todos os amigos.
    4) ( ) Anunciava a todos a sua vitória.
    5) ( ) Pedira à polícia a sua cooperação.
    6) ( ) Gostava dos amigos e dos primos.
    7) ( ) Ensinei a grandes e pequenos.
    8) ( ) Lembrei a José a festa do colégio.
    9) ( ) Escrevia a amigos e a não amigos.
    10) ( ) Suplicou clemência ao júri.

15. **Empregue, em vez do pronome possessivo, um pronome pessoal como objeto indireto (dativo livre):**
    Modelo: *Eu conheci **seu** pai.* → *Eu conheci-**lhe** o pai.* (ou *Eu **lhe** conheci o pai.*)

1) Nós observamos seu defeito.
2) O convidado apertou nossas mãos.
3) Os policiais protegem vossas residências.
4) O cenário florido da primavera encanta os nossos olhos.
5) Não tivemos oportunidade de observar os seus inventos.
6) O professor corrigiu as minhas redações.
7) O trabalho excessivo roubou a sua mocidade.
8) A música deleita os nossos ouvidos.
9) Pintava constantemente a casa para garantir a sua conservação.
10) O médico tomou o teu pulso.

16. Indique se o sujeito das seguintes orações é agente (A) ou paciente (P) da ação verbal:
    1) (   ) Nas torres, os atalaias vigiavam atentamente o acampamento.
    2) (   ) Os homens de arma levavam preso Nuno Gonçalves.
    3) (   ) Um arauto saiu ao meio da gente de vanguarda inimiga.
    4) (   ) O arauto voltou ao grosso dos soldados.
    5) (   ) Eu o espero.
    6) (   ) O vento soprava nesse dia com violência.
    7) (   ) A guarda lhe fora encomendada por seu pai.
    8) (   ) Um pássaro erradio corta o espaço.
    9) (   ) A notícia foi sabida de todos.
    10) (   ) O prédio fora destruído pelo incêndio.
    11) (   ) Os convidados não traziam máscaras.
    12) (   ) Os responsáveis foram condenados pelo juiz.
    13) (   ) O livro será lido por todos os alunos.
    14) (   ) Quem trouxe estes livros?
    15) (   ) As suas ordens não foram obedecidas por ninguém.

17. Distinga as orações de verbo na voz passiva (P) das orações de predicado com predicativo (Pr):
    1) (   ) O livro está rasgado.
    2) (   ) A casa foi alugada pelo novo proprietário.
    3) (   ) A cozinheira era estimada de todos.
    4) (   ) Talvez o soldado estivesse ferido.
    5) (   ) O conferencista ficou desiludido.
    6) (   ) A ave foi atacada pelo gato.
    7) (   ) A casa estava cercada pela água.
    8) (   ) O jardim ficou florido.
    9) (   ) A caneta estaria quebrada.
    10) (   ) O almoço está atrasado.

Capítulo 3
Expansões do nome e do verbo

Os adjuntos: adnominais e adverbiais
O complemento nominal. O aposto. O vocativo
A relação entre função sintática e as classes de palavras

Noção de adjunto e adjunto adnominal

Chama-se **adjunto** o termo sintático não obrigatório, cuja missão é ampliar nossa informação ou nosso conhecimento do núcleo que integra o sujeito e o predicado com seus complementos vistos até aqui. Tais unidades de expansão não alteram a função gramatical do núcleo, constituindo com este um *grupo nominal* ou *sintagma nominal* (➚ 84).
Papai é jovem.

Nesta oração, *papai* funciona como sujeito e está constituído por um núcleo substantivo, passível de ser expandido:
Papai é jovem.
O meu papai é jovem.
O meu querido papai é jovem.

No predicado *é jovem*, *jovem* é predicativo e está constituído por um núcleo adjetivo, passível também de ser expandido:
Papai é jovem.
Papai é mais jovem.
Papai é muito mais jovem.

A expansão do núcleo substantivo chama-se *adjunto adnominal* e está fundamentalmente representado por um adjetivo, locução adjetiva ou unidade equivalente, como ocorre em:
Bons ventos o tragam!
Palavra de rei não volta atrás.

Tal adjetivo pode ser acompanhado de determinantes que, englobadamente com ele, se classificam como adjunto adnominal:
Os bons ventos o tragam!
Esses bons ventos o tragam!

Diante de uma construção como *Todos os meus três bons amigos chegaram hoje*, vemos que são vários os determinantes incluídos no adjunto adnominal, ao lado do adjetivo *bons*. Pela sua distribuição no grupo nominal, podem ser divididos em *determinantes* propriamente ditos, *predeterminantes* (os que se põem antes do determinante) e *pós-determinantes* (os que vêm depois do determinante).
Os determinantes estão representados pelo *artigo* e pelo *pronome demonstrativo*:
Os bons amigos viajaram.
Esses velhos livros pertenceram ao avô de João.

Os predeterminantes, à esquerda do determinante, se acham representados pelas palavras que podem receber globalmente o nome de *quantificador* (*algum, alguns de, todo, qualquer, certo, vários, vários de*, etc.), que se enquadram na classe gramatical de pronome indefinido:
Todos os amigos viajaram.
Alguns dos (de + os) amigos viajaram.

Os pós-determinantes, à direita do determinante, se acham representados pelo *pronome possessivo* e *numeral*:
Os *meus* bons amigos viajaram.
Esses *três* bons amigos viajaram.

Nestas combinações funciona muito frequentemente a propriedade de estruturação gramatical chamada *hipotaxe* ou *subordinação*, que consiste em um *grupo de palavras* se degradar à função de *palavra*, no estrato inferior, e, assim, ficar sujeita às combinações desse novo estrato. É o que vamos ver em:
Visitei o jardim zoológico,

em que *o jardim zoológico* funciona como um grupo nominal constituído do determinante (artigo *o*), do núcleo do adjunto adnominal (adjetivo *zoológico*) e do núcleo do objeto direto (substantivo *jardim*). Num segundo momento, esse grupo de palavras *jardim zoológico* pode passar ao estrato inferior de *palavra* e, como tal, ser expandido mediante um novo adjunto adnominal:
Visitei o jardim zoológico *central*.
Visitei o jardim zoológico *da cidade*.

Aqui, *central* e *da cidade* representam expansões do conjunto *jardim zoológico*, e não apenas de *jardim*.
O mesmo fenômeno da hipotaxe aparece em construções do tipo *A situação política atual*, onde o grupo nominal *situação política* se acha expandido pelo adjetivo

atual. Isto explica por que o adjetivo *atual* goza da propriedade de se movimentar dentro do novo adjunto adnominal complexo, o que não ocorre com o adjetivo *política*:

A atual situação política,

ordem mais natural do que *A política situação atual*.

Quando se trata de novo adjunto adnominal constituído por locução adjetiva introduzida por preposição, o deslocamento desta segunda unidade não goza da mesma liberdade, especialmente em prosa:

*Visitei *da cidade* o jardim zoológico.[1]

Já em poesia a inversão é frequente:
Ouviram *do Ipiranga* as margens plácidas
De *um povo heroico* o brado retumbante.

Isto é: As margens plácidas **do Ipiranga** ouviram o brado retumbante **de um povo heroico**.

Por não levarem em conta este fenômeno da hipotaxe ou subordinação, alguns autores condenaram, sem razão, expansões do tipo *a melhor boa vontade, o melhor bom humor,* em que *melhor* modifica os conglomerados *boa vontade* e *bom humor* que se degradaram ao estrato de meras palavras.

Grupos nominais

Os grupos nominais constituídos de *substantivo + adjetivo* podem ter estruturas diferentes:

a) um adjetivo:
   Belos dias em cidades agradáveis

b) um grupo preposicionado equivalente a adjetivo, que pode ou não ter um correspondente signo léxico na língua. Quando o substantivo entra num grupo adjetivado, não concorda em gênero e número com o substantivo núcleo, e, se aparece no plural, não o faz pelo fenômeno da concordância, mas em atenção à realidade comunicada: *copo com defeito / copos com defeito;* mas *copo com defeito / copo com defeitos* (por se querer referir a mais de um defeito existente no copo).
   homem *de coragem* (*corajoso*)
   pão *com manteiga* (*amanteigado*)
   copo *com defeito* (*defeituoso*)
   casa *de Pedro*
   cama *de solteiro*

---

[1] O uso de * significa que a expressão não está documentada ou é hipotética.

c) uma oração transposta à função adjetiva: (↗ 378)
O homem *que tem coragem* é admirado. (*corajoso*)
A casa *que Pedro possui* é espaçosa.

Adjunto adverbial

A expansão do núcleo pode dar-se mediante um adjunto adverbial, representado formalmente por um advérbio ou expressão equivalente. Semanticamente exprime uma circunstância e sintaticamente representa uma expansão do verbo, do adjetivo ou do advérbio.
Paula estudou *muito*.
Antônio chegou *cedo*.
O mar está *muito* azulado.
Bebel dançou *muito* bem.

Complemento relativo e adjunto adverbial

Já vimos (↗ 72) que o complemento relativo pode exprimir uma circunstância:
Marcelinho pôs o livro na pasta,

em que *na pasta* delimita a significação contida na expressão predicativa *pôs o livro*.
A diferença entre este complemento relativo e o adjunto adverbial (termo acessório à predicação) fica patente no exemplo:
Os padrinhos acompanharam a jovem a Natal nas últimas férias.

Repare-se que poderíamos eliminar da oração a circunstância de tempo *nas últimas férias*:
Os padrinhos acompanharam a jovem a Natal.

Tal eliminação não poderíamos fazer com *a Natal*, sem que se ficasse esperando a declaração do local a que foi levada a jovem:
Os padrinhos acompanharam a jovem nas últimas férias.

Dizemos que *nas últimas férias* é um adjunto adverbial, e a *Natal*, um complemento relativo.

As circunstâncias

Chamam-se *circunstâncias* em gramática as unidades linguísticas que, referindo-se à significação do verbo, assinalam o modo, o tempo, o lugar, a causa e outras mais que serão estudadas no capítulo dos advérbios:

Jantamos *ontem* (circunstância de tempo), *no clube* (circunstância de lugar), *na companhia de vários amigos* (circunstância de companhia) *por motivo do aniversário de nosso tio* (circunstância de causa).
Ela trabalhou *com prazer* (circunstância de modo) *para o progresso da empresa* (circunstância de favor ou benefício).

A constituição do adjunto adverbial

O adjunto adverbial, pelos exemplos acima, pode ser expresso por advérbios (*ontem*) ou por locuções adverbiais (*no clube*, etc.).

Os que exprimem intensidade podem, além do verbo, modificar adjetivos e advérbios: Ela é *muito* inteligente. O professor jantou *muito* cedo.

Complemento nominal

O verbo pode passar a ser representado por substantivo, por exemplo:
O ladrão fugiu do presídio

pode passar a uma estrutura derivada do tipo de:
A fuga do ladrão do presídio.

Assim também a oração
O vizinho comprou um quadro célebre

pode passar à estrutura derivada:
A compra de um quadro célebre pelo vizinho.

Neste último exemplo o verbo passa a ser representado pelo substantivo *compra*; o objeto direto (*um quadro célebre*) passa a complemento preposicionado; e o sujeito (*o vizinho*) continua agente.

Tais formas derivadas pela passagem de um verbo a nome (processo chamado *nominalização*) dão ensejo ao aparecimento de um complemento preposicionado desse mesmo substantivo, chamado *complemento nominal*: *do ladrão* e *de um quadro célebre* são complementos nominais de *fuga* e *compra*, respectivamente.

Ocorre complemento nominal também com adjetivos (e advérbios seus derivados):
O jogador mostrou-se responsável pela situação.
Ele é um jovem desejoso de sucesso.
A situação mostrou-se desfavoravelmente a todos.

(*desfavoravelmente*, advérbio derivado do adjetivo *desfavorável*)

> **Observação:**
>
> ➥ Em *perto da casa, longe da casa*, e semelhantes, autores há que consideram *da casa* complemento nominal dos advérbios *perto, longe*, etc. Preferimos ver aqui as locuções prepositivas *perto de, longe de* integrando com o substantivo *casa* uma locução adverbial e, portanto, funcionando como adjunto adverbial.

Nestes casos fica muito patente que os termos preposicionados funcionam como complemento nominal dos adjetivos e do advérbio. Mas, se se trata de substantivo, pode ocorrer dúvida se estamos diante de complemento nominal ou de adjunto adnominal, como veremos daqui a pouco.

Costumam os autores classificar os complementos nominais em *subjetivos* (se o termo preposicionado representa o sujeito do verbo antes da derivação por nominalização: *a fuga do ladrão* ➙ *o ladrão fugiu*) e *objetivos* (se o termo preposicionado representa o complemento do verbo: *a compra do quadro* ➙ *compraram o quadro*).

Dissemos antes que, formalmente, este complemento nominal se assemelha ao adjunto adnominal, quando em ambos temos a estrutura substantivo + preposição + substantivo:

a chegada do trem
a casa do vizinho

A diferença consiste em que o complemento nominal *do trem* em *a chegada do trem* resulta da nominalização de *o trem chegou*, o que não se dá com o adjunto adnominal *do vizinho* em *a casa do vizinho*.

> **Observação:**
>
> ➥ Nada justifica a lição, nos casos onde houver o processo de nominalização, que só considera complemento nominal se se trata de complemento objetivo (*a compra do quadro*), e adjunto adnominal se se trata de complemento subjetivo (*a fuga do ladrão*). Em ambos temos o mesmo procedimento sintático, o que justifica a classificação de ambos como complemento nominal.

Algumas vezes o substantivo pode ser considerado como resultante de nominalização (e aí é tomado abstratamente) — e se acompanha de complemento nominal; noutras, sem a existência de nominalização (e aí é tomado concretamente), caso em que se acompanha de adjunto adnominal. É elucidativo o exemplo lembrado por Rocha Lima, onde temos, no primeiro, complemento e, no segundo, adjunto adnominal:

A plantação de cana (= plantar cana) enriqueceu a economia do país.
Em poucas horas o fogo destruiu toda *a plantação de cana*.

Outro termo para a expansão de núcleo: o aposto

Titio, *irmão do papai*, chega hoje de Porto Alegre.

Temos aqui um termo de natureza substantiva, na expressão *irmão do papai*, que se usa para explicar ou explicitar outro termo de natureza substantiva, *titio*.

A esta expansão explicitadora se dá o nome de *aposto*. Assim, *irmão do papai* funciona como aposto do núcleo *titio*, que se chama *fundamental*.

O aposto pode estar ligado diretamente ao seu fundamental, como em *O rio Amazonas*, e neste caso restringe o conteúdo semântico genérico do fundamental *rio*. Vale como que um modificador de *rio*, sendo substantivo, e não adjetivo.

No primeiro exemplo, *Titio, irmão do papai*, o aposto serve para explicar o conceito do termo fundamental *titio*. Neste caso, separa-se do fundamental por pausa, marcada na escrita por vírgula ou equivalente (como parênteses ou travessão).

Este aposto explicativo pode apresentar valores secundários que merecem descrição especial, como ocorre com os seguintes:

a) Aposto enumerativo

Quando a explicação consiste em desdobrar o fundamental representado por um dos pronomes (ou locuções) *tudo, nada, ninguém, cada um, um e outro*, etc., ou por substantivos:

Tudo — *alegrias, tristezas, preocupações* — ficava estampado logo no seu rosto.
Duas coisas o encorajavam, *a fé na religião e a confiança em si*.

Às vezes este tipo de aposto precede o fundamental:
A matemática, a história, a língua portuguesa, nada tinha segredos para ele.

Em todos estes exemplos, o fundamental (*tudo, coisas, nada*) funciona como sujeito das orações e, por isso, se estabelece a concordância entre ele e o verbo.

Este aposto pode vir precedido das locuções explicativas *isto é, por exemplo, a saber, verbi gratia*[2] (abreviatura: v.g.):
Duas coisas o incomodavam, a saber, *o barulho da rua e o frio intenso*.

b) Aposto distributivo

Quando marca uma distribuição de alusões no período:
Machado de Assis e Gonçalves Dias são os meus escritores preferidos, *aquele na prosa e este na poesia*.
Um no automobilismo, outro no futebol, Senna e Pelé marcaram um período de ouro no esporte brasileiro.

---

[2] A locução latina *verbi gratia* (v.g.) significa "por exemplo".

c) Aposto circunstancial
Quando expressa comparação, tempo, causa, etc., precedido ou não de palavra que marca esta relação, já que este aposto acrescenta um dado a mais acerca do fundamental:
"As estrelas, *grandes olhos curiosos*, espreitavam através da folhagem."
[EQ]
"*Artista* — corta o mármore de Carrara;
Poetisa — tange os hinos de Ferrara." [CAv]

Este tipo de aposto pode ser introduzido por *como, na qualidade de, quando*:
As estrelas, *como grandes olhos curiosos*, espreitavam através da folhagem.
A ti, *na qualidade de general*, compete o comandar.
D. João de Castro, *quando vice-rei da Índia*, empenhou os cabelos da barba.

Aposto e adjunto adnominal

Muitas vezes, em construção do tipo *O rio Amazonas*, a língua permite a alternância do aposto com o adjunto adnominal introduzido pela preposição *de*.
Assim, a norma permite a construção com aposto em:
O rio Amazonas
Colégio Pedro II
A cidade luz

mas com adjunto adnominal em:
Ilha de Marajó
Cidade do Recife
Praça da República

Entre muitos casos, dá-se a alternância: *Colégio Pedro II* (construção mais moderna) e *Colégio de Pedro II* (uso mais antigo).

Aposto referido a uma oração

O aposto pode referir-se a um substantivo ou pronome, mas também ao conteúdo de uma oração inteira:
Todos saíram contentes do cinema, *sinal de bom filme*.

Sinal é o núcleo de *sinal de bom filme*, que funciona como aposto referido a toda a oração.
Como aposto de uma oração inteira costuma aparecer um substantivo como *coisa, razão, motivo, fato, sinal* e equivalente, sempre acompanhado de um adjunto

adnominal, ou de uma oração subordinada adjetiva relativa substantivada pelo artigo *o*:
    O desastre provocou muitas vítimas, *coisa lastimável*.
    Os convidados não foram à festa, *o que deixou o aniversariante frustrado*.

> **Observação:**
>
> ➥ A tradição gramatical entre nós tem considerado neste último caso como pronome demonstrativo (= aquele, aquilo, isto), usado neutralmente, o *o* que precede o *que*, modificado por uma oração adjetiva, em vez de considerar essa mesma oração adjetiva substantivada pelo artigo *o*, como fizemos aqui. Discutiremos o assunto mais adiante. (➚ 152)

Vocativo: uma unidade à parte

Desligado da estrutura da oração e desta separado por curva de entoação exclamativa, o *vocativo* cumpre uma função apelativa de 2.ª pessoa, pois, por seu intermédio, chamamos ou pomos em evidência a pessoa ou coisa a que nos dirigimos:
    José, vem cá!
    Tu, *meu irmão*, precisas estudar!
    Felicidade, onde te escondes?

Algumas vezes vem precedido de *ó*, que a tradição gramatical inclui entre as interjeições, pela sua correspondência material.
    "Deus, *ó Deus*, onde estás que não respondes?" [CAv]

Estes exemplos nos põem diante de algumas particularidades que envolvem o vocativo. Pelo desligamento da estrutura da oração, constitui, por si só, a rigor, uma frase exclamativa à parte ou um fragmento de oração, à semelhança das interjeições. Por outro lado, como no caso de *Tu, meu irmão, precisas estudar!*, às vezes, se aproxima do aposto explicativo, pela razão que vai constituir a particularidade seguinte. Por fim, o vocativo, na função apelativa, está ligado ao imperativo ou conteúdo volitivo da forma verbal, já que, em se tratando de ordem ou manifestação de desejo endereçada à pessoa com quem falamos ou a quem nos dirigimos, presente quase sempre, não há necessidade de marcar gramaticalmente o sujeito. Quando surge a necessidade de explicitá-lo, por algum motivo, aludimos a esse sujeito em forma de vocativo. Assim é que em:
    "Deixa-me! Deixa-me a vagar perdida...
    Tu! — parte! Volve para os lares teus." [CAv]

tu não é o sujeito de *parte*, e sim vocativo, "espécie de aposição à ideia do sujeito, contida no imperativo" [HCv]. Ocorre o mesmo com o substantivo *poeta* em:
    "Vai, *Poeta*..." [CAv]

Pelos exemplos aduzidos até aqui, vê-se que o vocativo pode ser representado por substantivo ou pronome, podendo admitir a presença de expansões (p. ex., de adjuntos adnominais, de orações adjetivas):

"Desce do espaço imenso, *ó águia do oceano!*"

"*Senhor Deus*, que após a noite
Mandas a luz do arrebol,
Que vestes a esfarrapada
Com o manto rico do sol." [CAv]

Na correspondência epistolar, o vocativo vem separado do resto do enunciado por vírgula, enquanto, em textos de outra natureza, costuma aparecer o emprego dos dois-pontos (:) ou do ponto de exclamação (!).

"Rio de Janeiro, 29 de maio.
Meu caro Nabuco,
Há cerca de um mês que esta carta deveria ter seguido." [MA]

Funções sintáticas e classes de palavras

Vimos até aqui ressaltando que as funções sintáticas dos termos da oração se acham representadas normalmente pelas espécies de classes de palavras conhecidas por substantivos, adjetivos, artigos, pronomes, numerais, verbos e advérbios, ou marcadas por instrumentos gramaticais, como é o caso das preposições e conjunções, ou pela sua disposição à esquerda e à direita do verbo, que é o núcleo fundamental da oração.

As funções sempre estão implicadas com os substantivos, adjetivos, pronomes, numerais, verbos e advérbios; por isso é que o "substantivo" (que pode ser representado por nome, pronome, grupo nominal ou oração nominalizada) pode ser o sujeito da oração, assim como o verbo é o núcleo da função de predicado (função predicativa).

Todavia, esta implicação corrente não serve de definição de substantivo. Trata-se apenas de um indício, de um indicativo.

> **Observação:**
> ➡ Uma palavra não é substantivo porque funciona como sujeito; pelo contrário, pode ser sujeito porque é um substantivo ou seu equivalente.

Daí, torna-se importante o conhecimento das diversas classes de palavras existentes na língua portuguesa: *substantivo, adjetivo, pronome, artigo, numeral, verbo, advérbio, preposição e conjunção.*

A tradição gramatical tem incluído aí a *interjeição*; entretanto, a interjeição não é, a rigor, uma *palavra*, mas uma *palavra-frase*, que só por si vale por um conteúdo de pensamento da linguagem emocional.

Exercícios de fixação

1. **Destaque o núcleo do sujeito e do predicado nas seguintes orações:**
   Modelos: a) *O nosso casamento foi depois da vaquejada.*
   b) *Meu pai era pessoa de muito cabedal.*

a) **Sujeito**	b) **Sujeito**
O nosso casamento	Meu pai
Núcleo	**Núcleo**
casamento	pai
Predicado	**Predicado**
foi depois da vaquejada	era pessoa de muito cabedal
Núcleo	**Núcleo**
foi	era

   1) Cesária principiou a história do papagaio.
   2) O caso da novilha se espalhou de repente.
   3) Alexandre num instante virou major.
   4) Todo o mundo por aquelas bandas queria casar comigo.
   5) A festa do nosso casamento durou uma semana.
   6) Não ficou peru nem porco para semente.
   7) Os derradeiros convidados se retiraram.
   8) Ninguém presta atenção a ele.

2. **Separados os núcleos do exercício anterior, dê as classes de palavras dos adjuntos (incluindo os determinantes) adnominais do sujeito:**
   Modelos:
   a) *O nosso casamento foi depois da vaquejada.*
   Sujeito: *O nosso casamento*
   Núcleo: *casamento*
   Adjuntos adnominais de *casamento* → *o*: artigo definido
   nosso: pronome possessivo

   b) *Meu pai era pessoa de muito cabedal.*
   Sujeito: *meu pai*
   Núcleo: *pai*
   Adjunto adnominal de *pai* → *meu*: pronome possessivo

3. **Classifique a circunstância adverbial dos adjuntos adverbiais seguintes, que se encontram nos exemplos do exercício 1:**
   Modelo: *O nosso casamento foi depois da vaquejada.*
   Adjunto adverbial de tempo: *depois da vaquejada.*

   1) O caso da novilha se espalhou de repente.
   2) Alexandre virou major num instante.

3) Todo o mundo por aquelas bandas queria casar comigo.
4) A festa do nosso casamento durou uma semana.
5) Não ficou peru nem porco para semente.

4. **Acrescente a cada exemplo abaixo cinco adjuntos adverbiais diferentes:**
Modelo: *Não pronunciou a leitura.*
                    Pronunciou mal a leitura.
   Pronunciou a leitura.   *Pronunciou a leitura perante todos.*
                    Pronunciou a leitura depois do jantar.
                    Pronunciou a leitura por causa dos pedidos.

   1) Gil os espreitava.
   2) O moço enxugou a lágrima.
   3) Peri saltou.

5. **Responda às seguintes perguntas com uma oração em que apareça um adjunto adverbial correspondente ao advérbio interrogativo usado:**
   Modelo: *Por que saiu depressa?*
             — Saí depressa por causa da chuva.

   1) Quando foi descoberto o Brasil?
   2) Aonde te diriges com teu irmão?
   3) Por que desististe do emprego?
   4) Como conseguiste chegar?
   5) Onde estão morando seus pais?

6. **Assinale os adjuntos adverbiais que ocorrem nos seguintes trechos, classificando-os quanto à circunstância:**
   1) E então nada aqui vem perturbar a quietude do espetáculo.
   2) Nessa noite entrei afoito no salão.
   3) Durante o Império nunca houve questão alguma de raça.
   4) Foi aí na tipografia que eu comecei a corrigir-me.
   5) Ao fim da terceira semana, começaram a faltar as provisões.
   6) Eu cresço, mas ele cresce mais rapidamente do que eu.
   7) A trinta ou quarenta metros da casa, estaco.
   8) Pouco a pouco, a noite vem descendo.
   9) Da esquina da rua, olho ainda, por cima da cerca, a sua folha mais alta.
   10) Olhava-o agora com olhos cheios d'água.

7. **Transforme os adjuntos adverbiais em expressões equivalentes pelo sentido, formadas, primeiro, por adjetivos e, depois, por advérbios:**
   Modelo: *A noite chega **com lentidão**.*
             *A noite chega **lenta**.*
             *A noite chega **lentamente**.*

1) O cientista buscava com avidez a solução do problema.
2) Os rapazes estudam com prazer.[3]
3) A plateia o ouvia com interesse.
4) O tolo fala sem consciência.
5) Os cavalheiros conversavam com discrição.
6) O pulso batia em desordem.
7) As lágrimas corriam em abundância.
8) Poucos fugiram com medo.
9) Elas fizeram o embrulho com rapidez.
10) Acompanhavam os fiéis com fervor a oração dominical.

8. **Use, quando necessário, nos adjuntos adnominais e adverbiais uma preposição, contração ou locução conveniente:**
   Modelo: *Deploraram que ministros vendessem Cristo segunda vez.*
   *Deploraram que ministros vendessem Cristo **pela** segunda vez.*

   1) "Mão direita aberta sobre os olhos, apenas devassava as vacas do curral de Dona Páscoa..." [HC]
   2) "Sim, senhor! — monologava eu, em silêncio, contemplando os pequenos pedaços de chumbo, os olhos fixos neles." [HC]
   3) "Tinha comido farinha e bebido água, a manhã toda." [HC]
   4) "Quem saiu, em 1904, armas em punho, às ruas da cidade?" [RB]
   5) "As duas mães estavam já debruçadas da janela aberta, as mãos dadas, o coração afogado, os olhos nas trevas, o pensamento para o céu." [ML]
   6) "D. Rosa da Silveira tinha vinte e um anos. Era alta, morena, olhos grandes e pretos, testa espaçosa, nariz aquilino, boca larga, beiços quase austríacos..." [TV]

9. **Substitua por pronomes átonos objetivos indiretos os adjuntos adverbiais grifados:**
   Modelos: *Tu não poderás fugir **de mim**.* → *Tu não **me** poderás fugir.*
   *José pôs-se diante **dele**.* → *José pôs-se-**lhe** diante.*

   1) Jamais apareças *diante de nós*.
   2) Sentaram-se *em frente dela*.
   3) Os inimigos caíram *em cima de vós*.
   4) Os pais deram um beijo *na filha*.
   5) Os guardas atiraram *no ladrão*.
   6) O jovem pegava *no pão* com cerimônia.
   7) O automóvel rapidamente avizinhava-se *da cidade*.
   8) O malvado aplicou um desleal pontapé *no adversário*.

---

[3] Não se escreve com i! *Prazeroso, prazerosamente* é que são as formas corretas.

9) O carro bateu *no poste.*
10) Tudo girou *em volta de nós.*

10. Sublinhe o aposto que ocorre nos seguintes exemplos:
1) "Agora nenhum rei está aqui, mas sim o Mestre de Avis, vosso antigo capitão." [AH]
2) O marquês perdera o filho, luz da sua alma e ufania de suas cãs.
3) Iracema, a virgem dos lábios de mel, tinha os cabelos muito negros.
4) Já lhe demos dois presentes, um anel e um relógio.
5) Cinema, rádio, televisão, nada o divertia.
6) "A podenga negra, essa corria pelo aposento viva e inquieta." [AH]
7) Nós, os representantes da turma, o escolhemos como paraninfo.
8) Chegaram os dois convidados, um de automóvel, outro de bonde.
9) Tirou duas notas, a saber: oito e nove.
10) Tudo desapareceu, a febre, a inapetência e a palidez do rosto.

11. Pontue convenientemente o aposto dos seguintes exemplos:
1) Nós representantes desta classe pedimos a vossa atenção.
2) Disse-me duas palavras amargas ruim e traidor.
3) Camões o grande poeta português cantou as glórias lusitanas.
4) O médico atendeu bem aos clientes salvação daquelas pobres criaturas.
5) Deram-nos dois convites a saber um para o baile de máscaras e o outro para o desfile na avenida.
6) Pedro II imperador do Brasil cativou muitos corações graças à sua bondade.
7) Havia na bolsa excelentes frutas por exemplo pêssego, maçã, morango e pera.
8) Um dos grandes livros de Machado de Assis *Memorial de Aires* revela-nos muito da vida do grande autor brasileiro.
9) Em 15 de novembro dia consagrado à nossa República sempre há numerosos festejos.
10) O filho esperança dos pais deve honrá-los e estimá-los.
11) Fiz-lhe um pecúlio de cinco contos os cinco contos achados em Botafogo como um pão para a velhice.

12. Assinale com um (X) dentro dos parênteses os enunciados NÃO analisáveis gramaticalmente.
1) (   ) Que horror!
2) (   ) Avançai!
3) (   ) Como está quente!
4) (   ) Maravilhoso!
5) (   ) Bons ventos o levem!
6) (   ) Santo nome de Deus!
7) (   ) Pelas barbas de meu avô!
8) (   ) Quão bela está a tarde!
9) (   ) Oh! quanta tolice!
10) (   ) Pobre de ti!
11) (   ) Silêncio!
12) (   ) Psiu!
13) (   ) Que belos sonhos!
14) (   ) Bom dia, amigos!

13. **Sublinhe o vocativo nos seguintes exemplos:**
    1) Ó palmeira da serra, continua firme!
    2) De humana piedade foi teu ato, Senhor!
    3) Erguei-a com cautela, ó frágil criatura!
    4) Minha harpa, saudemos este instante.
    5) Esposa querida, minha harpa, vem cá!
    6) Ó mar, o teu rugido é um eco incerto.
    7) Ah! donde tiraste essa voz, majestoso oceano?
    8) Não chores, meu filho.
    9) Ó guerreiros, meus cantos ouvi!
    10) Sabia-o, senhor.

14. **Assinale com um (X) dentro dos parênteses as orações que atendem à concordância verbal da língua exemplar:**
    1) (   ) Vivam os campeões!   5) (   ) Salve os sábios!
    2) (   ) Salve os heróis da pátria!   6) (   ) Vivam os patriotas!
    3) (   ) Viva o rei!   7) (   ) Viva as musas!
    4) (   ) Viva os mestres!   8) (   ) Salve os poetas!

PARTE 2

AS UNIDADES DO ENUNCIADO: FORMAS E EMPREGOS

Capítulo 4
Substantivo

Capítulo 5
Adjetivo

Capítulo 6
Artigo

Capítulo 7
Pronome

Capítulo 8
Numeral

Capítulo 9
Verbo

Apêndice
Passagem da voz ativa à passiva e vice-versa

Capítulo 10
Advérbio

Capítulo 11
Preposição

Capítulo 12
Conjunção

Capítulo 13
Interjeição

Capítulo 4
Substantivo

Substantivo

É a classe de palavra que se caracteriza por significar o que convencionalmente chamamos *objetos substantivos*, isto é, em primeiro lugar, substâncias (*homem, casa, livro*) e, em segundo lugar, quaisquer outros objetos mentalmente apreendidos como substâncias, quais sejam qualidades (*bondade, brancura*), estados (*saúde, doença*), processos (*chegada, entrega, aceitação*). Qualquer palavra tomada materialmente pode substantivar-se (o *se*, o *de*, o *não*, o *porquê*) e estará sujeita às regras de flexão e derivação dos substantivos (os *ses*, os *des*, os *nãos*, os *sins*, os *porquês*). Casos especiais serão tratados mais adiante. (↗115)

Concretos e abstratos

A tradição gramatical divide os substantivos em *concretos* e *abstratos*. Os concretos são *próprios* e *comuns*.

Substantivo concreto é o que designa ser de existência independente: *casa, mar, sol, automóvel, filho, mãe*.

Substantivo abstrato é o que designa ser de existência dependente: *prazer, beijo, trabalho, saída, beleza, cansaço*, cuja existência depende de pessoa ou coisa que dê ou apresente prazer, beijo, trabalho, e assim por diante.

Os substantivos concretos nomeiam pessoas, lugares, animais, vegetais, minerais e coisas.

Os substantivos abstratos designam ação (*beijo, trabalho, saída*), estado (*cansaço, doença, felicidade*) e qualidade (*prazer, beleza*), considerados fora dos seres, como se tivessem existência individual.

É muito frequente o emprego de substantivos abstratos como concretos quando aplicados a nomes de coisas relacionadas com o ato ou qualidade que designam. Quando dizemos que o país precisa de *inteligências*, facilmente percebemos que o substantivo abstrato está usado concretamente, para designar as pessoas inteligentes. Usa-se muito a figura da alegoria para personificar ações ou qualidades. Está-se usando de *alegoria* quando se diz que *A Fortuna bate à sua porta* ou que *A Justiça é cega*.

Próprios e comuns

Dividem-se os substantivos em *próprios* e *comuns*, divisão que pertence a planos diferentes.

Substantivo próprio é o que se aplica a um objeto ou a um conjunto de objetos, mas sempre individualmente.

Por isso cada *João*, cada *Isabel* e cada *Açores* é uma pessoa ou ilha considerada como indivíduo inconfundível para as demais pessoas, pertencem a momentos linguísticos diferentes. Assim, o nome próprio tem um *antes* e um *depois*; um *antes*, por pertencer a uma classe, como os substantivos comuns (como *Açores* pertence à classe das ilhas), para só *depois* designarem individualmente um conjunto de ilhas chamadas *Açores*.

Os substantivos próprios mais importantes são os *antropônimos* e os *topônimos*. Os primeiros se aplicam às pessoas que, em geral, têm *prenome* (nome próprio individual) [João] e *sobrenome* ou *apelido* que situa melhor o indivíduo em função da sua proveniência geográfica [Frei Henrique de *Coimbra*], da sua profissão [*Caeiro*], da sua filiação (patronímico) [*Soares*, filho de Soeiro], de uma qualidade física ou moral [Diogo *Cão*], de uma circunstância de nascimento [*Neto*]).[1]

Os topônimos se aplicam a lugares e acidentes geográficos.

Substantivo comum é o que se aplica a um ou mais objetos particulares que reúnem características comuns inerentes a dada classe: *homem, mesa, livro, cachorro, lua, sol, fevereiro, segunda-feira, papa*.

Os cinco últimos exemplos patenteiam que há substantivos comuns que são nomes individualizados, não como os nomes próprios, mas pelo contexto extralinguístico e pelo nosso saber, que nos diz que, no contexto "natural" nosso, só há uma *lua*, um *sol*, um mês *fevereiro*, e um só dia da semana *segunda-feira*, e, no contexto "cultural", só há um *papa*. Se forem escritos com maiúscula, deve-se o fato à pura convenção ortográfica, e não porque sejam nomes próprios.

> **Observação:**
> ➡ Nomes empregados no plural com referência a uma pluralidade de objetos que individualmente têm o mesmo nome (os *Antônios*, as *Marias*, as *Romas*), ou se aplicam ao conjunto de membros de uma mesma família ou nacionalidade (os *Azevedos*, os *Maias*), ou que significam "entes como..." (os *Tiradentes*, os *Ruis*, os *Pelés*, os *Eldorados*), ou, ainda, aos objetos designados pelos nomes dos autores, fabricantes, produtores (os *Rembrandts*, os *Machados de Assis* e os *Fords*) são na realidade nomes da "classe" e, portanto, substantivos comuns. A inicial maiúscula se explica por convenção ortográfica.

---

[1] Cão, em Diogo Cão, aludia à brancura (latim *canus*) do cabelo e barba. Caeiro, isto é, caieiro 'o que faz cal' ou 'fornece cal'.

Passagem de nomes próprios a comuns

Não nos prendemos apenas à pessoa ou coisa nomeada; observamos-lhes qualidades e defeitos que se podem transferir a um grupo mais numeroso de seres. Os personagens históricos, artísticos e literários pagam o tributo de sua fama com o desgaste do valor individualizante do seu nome próprio que, por isso, passa a comum. Por esta maneira é que aprendemos a ver no *Judas* não só o nome de um dos doze apóstolos, aquele que traiu Jesus; mas também a encarnação mesma do *traidor*, do *amigo falso*, em expressões do tipo: *Fulano é um judas*.

Desta aplicação geral de um nome próprio temos vários outros exemplos: *dom-joão* (homem formoso, galanteador, irresistível às mulheres), *tartufo* (homem hipócrita, devoto falso); *cicerone* (guia de visitantes, dando-lhes informações que lhes interessam); *benjamim* (filho predileto, geralmente o mais moço, o mais jovem membro de uma agremiação; prende-se ao personagem bíblico que foi o último e predileto filho de Jacó); *áfrica* (façanha, proeza; revive as façanhas dos antigos portugueses nessas terras); *boicote* (recusa a relações culturais ou comerciais; do nome do militar irlandês *Boycott*, proprietário de terras que sofreu primeiro essas sanções).

Passam a substantivos comuns os nomes próprios de fabricantes e de lugares onde se fazem ou se fabricam certos produtos: *estradivários* (= violino de Stradivarius), *guilhotina* (de Joseph-Ignace Guilhotin), *macadame* (do engenheiro Mac Adam), *sanduíche* (do conde de Sandwich), *havana* (charuto de Havana; em Portugal *havano*), *champanha* (da região francesa Champagne), *cambraia* (da cidade francesa de Cambray).

Contáveis e não contáveis

Outra subclasse dos objetos substantivos repousa na variedade da sua extensão, que pode ser descontínua ou contínua. No primeiro caso a classe é constituída por objetos que existem isolados, como partes individualmente consideradas, e recebem o nome de **contáveis**: *homem, mulher, casa, livro*, etc.

No segundo caso, refere-se a classe a objetos contínuos, não separados em partes diversas, que podem ser massa ou matéria, ou ainda uma ideia abstrata, e recebem o nome de **não contáveis**: *oceano, vinho, bondade, beleza*. Estes não contáveis constituem em geral os *singularia tantum*, isto é, habitualmente só se usam no singular.

À categoria dos não contáveis pertence o substantivo *coletivo*, que, na forma de singular, faz referência a uma coleção ou conjunto de objetos: *arvoredo, folhagem, casario*. Distingue-se o coletivo do plural de um substantivo contável, pois este alude a uma coleção de objetos considerados individualmente: *árvores, folhas, casas*.

Entre os coletivos há os *universais* (*povo, passarada, casario*) e os *particulares* (*canical, vinhedo, laranjal*). Os coletivos universais não são contáveis e, por isso, só se pluralizam nas condições especiais à classe, enquanto os particulares se contam e podem ser pluralizados.

> **Observação:**
>
> ➥ Não se confundem com os coletivos os *nomes de grupo* (*bando, rebanho, cardume*, etc.), embora assim o faça a gramática tradicional.
>
> Na realidade, os nomes de grupos são nomes de conjunto de objetos contáveis, que se aplicam habitualmente ou a uma espécie definida (*cardume, alcateia, enxame*) ou total ou parcialmente indefinida (*conjunto, grupo, bando: bando de pessoas, de aves, de alunos*). Ao contrário dos coletivos, os nomes de grupos, principalmente os que se referem a espécie indefinida, requerem determinação explícita do tipo de objeto que compõe o conjunto: *um **bando** de pessoas, de adolescentes*, etc.; *um **cardume** de baleias, de sardinhas*, etc. Já não seria possível *um vinhedo de vinhas*.

São coletivos e nomes de grupo usuais:

Para pessoas	
Alcateia, bando, caterva, corja, horda, farândola, malta, quadrilha, récova, súcia, turba:	de ladrões, desordeiros, assassinos, malfeitores ou vadios
Assistência, auditório, concorrência, aglomeração, roda:	de assistentes, ouvintes ou espectadores
Associação, clube, comício, comissão, congresso, conselho, convenção, corporação, grêmio, sociedade:	de pessoas, reunidas para fim comum
Cabido:	de cônegos de uma catedral
Caravana:	de viajantes
Claque, torcida:	de espectadores para aplaudir ou patear
Clientela:	de clientes, de advogados, de médicos, etc.
Comitiva, cortejo, séquito, acompanhamento:	de pessoas que acompanham outra por dever ou cortesia
Comunidade, confraria, congregação, irmandade, ordem:	de religiosos
Concílio, conclave, consistório, sínodo, assembleia:	de párocos ou de outros padres
Coro, conjunto:	de pessoas que cantam juntas
Elenco, trupe:	de artistas de uma companhia, peça ou filme
Equipagem, marinhagem, companha, maruja, tripulação:	de marinheiros
Falange:	de heróis, guerreiros, espíritos
Grei:	de paroquianos, de diocesanos, de evangélicos

Para pessoas

Junta:	de credores, de médicos
Pessoal:	de pessoas de uma fábrica, repartição pública ou escola, loja
Plêiade ou plêiada:	de poetas, artistas, talentos
Ronda:	de policiais que percorrem as ruas velando pela ordem pública
Turma:	de estudantes, trabalhadores, médicos

Para animais

Alcateia:	de lobos, panteras ou outros animais ferozes
Bando, revoada:	de aves, pardais
Cáfila:	de camelos
Cardume, boana, corso (ô), manta:	de peixes ou aquáticos
Colmeia, enxame, cortiço:	de abelhas
Correição, cordão:	de formigas
Fato:	rebanho de cabras
Fauna:	conjunto de animais próprios de uma região
Gado:	conjunto de animais criados nas fazendas
Junta, cingel, jugo, jugada:	de bois
Lote:	de burros, grupos de bestas de carga
Malhada, oviário, rebanho:	de ovelhas
Manada:	de cavalos, de porcos, éguas
Matilha:	de cães
Ninhada:	rodada de pintos
Nuvem, miríade, onda, praga:	de gafanhotos, marimbondos, percevejos
Piara, vara:	de porcos
Rebanho, armento, armentio, grei, maromba:	de bois, ovelhas
Récova, récua:	de cavalgaduras

Para coisas	
Acervo, chorrilho, enfiada:	de asneiras, de tolices. *Acervo* também se aplica aos bens materiais: É grande o *acervo* da Biblioteca Nacional.
Antologia, analecto, crestomatia, coletânea, florilégio, seleta:	de trechos literários ou científicos
Aparelho, baixela, serviço:	de recipientes para servir chá, café, jantar
Armada, esquadra, frota:	de navios de guerra
Bateria, fileira:	de peças de artilharia
Braçada, braçado, buquê, ramo, ramalhete (ê), festão:	de flores
Cacho:	de uvas, de bananas
Cancioneiro:	de canções. É erro empregar o vocábulo como sinônimo de cantor em expressões como *cancioneiros românticos*.
Carrada:	de razões
Chuva, chuveiro, granizo, saraiva, saraivada:	de balas, de pedras, de setas
Coleção:	de selos, de quadros, de medalhas, de moedas, de livros
Constelação:	de estrelas
Cordilheira, cadeia, série:	de montes, de montanhas
Cordoalha, cordame, enxárcia:	de cabos de um navio
Feixe, lio, molho (ó):	de lenha, de capim, de chaves
Fila, fileira, linha:	de cadeiras
Flora:	de plantas de uma determinada região
Galeria:	de quadros, de estátuas
Gavela ou gabela, paveia:	feixe de espigas
Herbário:	coleção de plantas para exposição ou estudo
Hinário:	de hinos
Instrumental:	de instrumentos de orquestra, de qualquer ofício mecânico, de cirurgia
Mobília, mobiliário:	de móveis
Monte, montão:	de pedras, de palha, de lixo
Penca:	de bananas, de laranjas, de chaves
Pilha, ruma:	de livros, de malas, de tábuas
Réstia:	de cebolas, de alhos
Sequência:	série de cartas do mesmo naipe
Troféu:	de bandeiras

> **Observação:** Para outros coletivos e nomes de grupos consulte-se o dicionário.

Estrutura interna do substantivo

A estrutura interna ou constitucional do substantivo (isto é, sua morfologia) consiste no português, em geral, na combinação de um signo lexical expresso pelo radical com signos morfológicos expressos por sufixos, desinências e alternâncias, todos destituídos de existência própria fora dessa combinação. Entre esses elementos que, na flexão, se combinam com o substantivo está a marca de *número*. O substantivo, fora da flexão, pode ser dotado da marca derivacional de gênero: *menino / menina, gato / gata*.

Número

É a categoria gramatical que se refere aos objetos substantivos considerando-os na sua unidade da classe a que pertencem (é o número *singular*) ou no seu conjunto de dois ou mais objetos da mesma classe (é o número *plural*).

Facilmente se pluralizam os substantivos que pertencem ao grupo dos contáveis (*homem – homens; casa – casas*); já os não contáveis, em geral, se usam no singular (*singularia tantum*). Em alguns desses nomes não contáveis, o plural alude a diferentes espécies ou à fragmentação: *vinhos* (o tinto, o branco, o rosê), *mares* e, por consequência, se apresentam com variação semântica. (↗ 115)

Muitas vezes empregamos no singular um substantivo referido ao plural, por exemplo: *Nesta polêmica, lavo a minha* mão; *O olho ardia pelo excesso de fumaça*. Não raro, um termo usado no singular é depois referido no plural: "(...) muita casa antiga, algumas do tempo do rei (...)" [MA].

Em português, o significado gramatical plural é obtido com a presença da desinência pluralizadora *-s* fonologicamente constituída pela consoante sibilante pós-vocálica diante de pausa.[2] O singular se caracteriza pela ausência desta desinência.

A flexão de número, em português, pelo mecanismo da concordância, se estende ao adjetivo (e demais adjuntos do substantivo) e ao verbo, quando este entra em concordância de número com a pessoa do sujeito.

---

[2] "Por morfofonêmica, a sibilante da desinência é surda diante de pausa ou de consoante surda (ex.: livros pretos / livrus pretus /) e sonora diante de vogal ou consoante sonora, sendo que diante de vogal passa a funcionar como pré-vocálica dessa vogal (ex.: livros brancos / livruz brankus /, livros alvos / livruz alvus/)." [MC] Entende-se por *morfofonêmica* a alteração de forma (*morfo*) motivada pelo seu contexto fonológico (*fonêmica*).

A flexão de número dos substantivos

Formação do plural com acréscimo de -s

Forma-se o plural dos substantivos com o acréscimo do morfema pluralizador (desinência do plural) -s, quando terminados explicitamente por:
1 – vogal ou ditongo oral: *livro* ➙ *livros*; *lei* ➙ *leis*; *cajá* ➙ *cajás*.
2 – vogal nasal tônica ou átona: *ímã* ➙ *ímãs*; *irmã* ➙ *irmãs*; *dom* ➙ *dons* (grafando-se ns); *álbum* ➙ *álbuns*; *totem* ➙ *totens* (o plural *tótemes* é da variante *tóteme*).
3 – ditongos nasais -*ãe* (tônicos ou átonos) e -*ão* (átono): *mãe* ➙ *mães*; *bênção* ➙ *bênçãos*; *sótão* ➙ *sótãos*.

> **Observação:**
> ➙ Vários substantivos de origem estrangeira, em geral grega, admitem forma com -*s* final ou sem ele, mas tratados como singular: o/a *diabete* ou o/a *diabetes*; o *cosmo* ou o *cosmos*.

Formação do plural com acréscimo de -es

Quando não está explícita a vogal temática (➚ 546), suprimida no singular, deverá ser restituída para constituir a forma teórica (*ás* ➙ **ase*[3] ➙ *ases*) e depois ser acrescida a desinência -*s*. Isto ocorre quando o singular termina por:
1 – -*s* (em sílaba tônica): *ás* ➙ *ases*; *freguês* ➙ *fregueses*.
    Cós serve para os dois números e ainda possui o plural cumulativo *coses*. (➚ 115)
2 – -*z* (em sílaba tônica): *luz* ➙ *luzes*; *giz* ➙ *gizes*; *cicatriz* ➙ *cicatrizes*; *gravidez* ➙ *gravidezes*.
3 – -*r*: *cor* ➙ *cores*; *elixir* ➙ *elixires*.

Plural de nomes gregos em -n

Nos nomes de origem grega terminados em -*n*, pode-se obter o plural com o acréscimo da desinência -*s*, ou recorrer à forma teórica com a recuperação do -*e* (*abdômen* ➙ **abdomene* ➙ *abdômenes*). Melhor fora dar a estes substantivos feição mais de acordo com o sistema fonológico do português, eliminando o -*n* final ou substituindo-o por -*m* e procedendo-se à formação do plural com o só acréscimo do -*s* (*abdome* ➙ *abdomes*; *pólen* ➙ *polem* ➙ *polens*, grafando -*ns*):

---

[3] Vale lembrar que o asterisco, neste caso, serve para indicar uma forma hipotética, reconstruída teoricamente, sem existência na norma da língua.

certâmen	→	certamens ou certâmenes
dólmen (dolmem)	→	dolmens ou dólmenes
espécimen	→	espécimens ou espécimenes
gérmen	→	germens ou gérmenes
hífen	→	hifens ou hífenes
regímen	→	regimens ou regímenes

Observações:

➥ *Éden* (melhor seria *edem*, que o *Vocabulário Ortográfico* não registra) faz *edens*.

➥ *Cânon*, melhor grafado *cânone*, faz *cânones*.

➥ Recorde-se que são acentuados os paroxítonos em -*n*, e não os em -*ens*. Daí *hífen*, mas *hifens* (sem acento gráfico).

Plural dos nomes em -ão tônico

Os nomes em -*ão* tônico a rigor pertencem à classe dos temas em -*o* ou em -*e*, conforme o plural respectivo: *irmãos* (= irmão + s), *pães* (* = pãe + s), *leões* (* = leõe + s). Para uma descrição coerente, Mattoso propõe que se parta das formas teóricas do plural para se chegar ao tema, suplementadas pelas regras morfofonêmicas pertinentes, no processo de formação de plural.

Destacando-se a vogal temática (que passa a semivogal de ditongo em contato com a vogal anterior), teremos o radical em -õ (*leõ*) e o radical em -ã (*irmã, pã*).

1 – Os substantivos em -õ com tema em -*e* fazem o plural com acréscimo da desinência -*s*:

coração (*coraçõ + e + s) → corações
leão (*leõ + e + s) → leões

Assim, temos os plurais: *questões, melões, razões*, etc.

Este grupo é o mais numeroso e, por isso mesmo, tende, no uso espontâneo, a assimilar outras formas de plural que a língua exemplar nem sempre adota. Neste grupo estão incluídos todos os substantivos abstratos formados com os sufixos -*ção*, -*são* e -*ão* e grande parte de substantivos concretos.

comoção → comoções; adoração → adorações
apreensão → apreensões; compreensão → compreensões
abusão → abusões; visão → visões
caminhão (camião) → caminhões (camiões); barracão → barracões

Este radical teórico em -õ aparece evidente em adjetivos e verbos da mesma família do substantivo, o que é sinal de que este faz o plural em -ões; por exemplo: *leonino* denuncia o plural correto de *leão* → *leões*.

2 – Os substantivos em -ã com tema em -o (*irmão*) fazem o plural com o acréscimo da desinência -s:

| cidadão (cidadã + o + s) → cidadãos |
| irmão (irmã + o + s) → irmãos |

Este radical teórico em -ã aparece evidente em palavras da mesma família: *irmão* (irm**a**nar) e *cidadão* (cidad**a**nia).

3 – Os substantivos em -ã com vogal temática -e (*pã -e* de *pães*) fazem o plural com o acréscimo da desinência -s:

| capitão → (capitã + e + s) → capitães |
| pão → (pã + e + s) → pães |

Dada a confluência das formas do singular num único final -ão (diferençadas no plural, como acabamos de ver), surgem muitas dúvidas no uso do plural, além de alterações que se deram através da história da língua, algumas das quais se mantêm regional ou popularmente. Em geral, é a favor da forma plural -ões, por ser a que encerra maior número de representantes.

Diante do exposto, daremos uma relação dos dois grupos de substantivos em -ão que não fazem o plural mais frequente em -ões:

1. plural em -ães:

alemão → alemães	**catalão** → catalães
cão → cães	**escrivão** → escrivães
capelão → capelães	**pão** → pães
capitão → capitães	**tabelião** → tabeliães

2. plural em -ãos:

chão → chãos	**grão** → grãos
cidadão → cidadãos	**irmão** → irmãos
cristão → cristãos	**mão** → mãos
desvão → desvãos	**pagão** → pagãos
e os paroxítonos em -*ão*: **bênção** → bênçãos	

Muitos substantivos apresentam dois e até três plurais:

alão →	alãos	alões	alães
alazão →	—	alazões	alazães
aldeão →	aldeãos	aldeões	aldeães
anão →	anãos	anões	—
ancião →	anciãos	anciões	anciães
castelão →	castelãos	castelões	—
charlatão →	—	charlatões	charlatães
corrimão →	corrimãos	corrimões	—
cortesão →	cortesãos	cortesões	—
deão →	deãos	deões	deães
ermitão →	ermitãos	ermitões	ermitães
fuão →	fuãos	fuões	—
guardião →	—	guardiões	guardiães
hortelão →	hortelãos	hortelões	—
refrão →	refrãos	—	refrães
rufião →	—	rufiões	rufiães
sacristão →	sacristãos	—	sacristães
sultão →	—	sultões	sultães
truão →	—	truões	truães
verão →	verãos	verões	—
vilão →	vilãos	vilões	vilães
vulcão →	vulcãos	vulcões	—

Plural dos nomes terminados em -l

1 – Plural dos nomes terminados em -al, -el, -ol, -ul.

Nos nomes em -l, temos de partir da forma teórica com restituição da vogal temática -e, acréscimo do pluralizador -s, posterior às regras morfofonêmicas: queda do -l -intermediário e passagem da vogal temática à semivogal (grafada -i).

carnaval	→	*carnavale[4]	→	carnavales	→	carnavaes	→	carnavais	
lençol	→	*lençole	→	lençoles	→	lençoes	→	lençóis	
nível	→	*nívele	→	níveles	→	nívees	→	níveis (átono)[5]	
papel	→	*papele	→	papeles	→	papees	→	papéis (tônico)	
paul	→	*paule	→	paules	→	paues	→	pauis	

Notem-se os casos particulares:
1. *cônsul* e *mal* fazem *cônsules* e *males*.
2. *cal* e *aval* fazem *cales* e *cais*, *avales* (mais comum em Portugal) e *avais*.
3. *real* faz *réis* (padrão monetário antigo) e *reais* (padrão monetário novo).

2 – Plural dos nomes terminados em *-il*.
  a) *-il* com vogal átona: ocorre a passagem do *i* a *e* e posteriormente o mesmo que o caso anterior:

fóssil	→	*fossile	→	*fossele	→	fosseles	→	fóssees	→	fósseis

  b) *-il* com vogal tônica: ocorre o acréscimo do pluralizador *-s* e posterior supressão do *-l,* já que não é necessário recorrer à vogal temática, por não aparecer no plural:

funil	→	*funils	→	funis[6]

Observações:

↪ *Mírtil* faz *mírtiles* e *mírteis*; *móbil* faz *móbiles* e *móbeis*.

↪ *Réptil* e *projétil*, como paroxítonos, fazem *répteis* e *projéteis*; como oxítonos, *reptil* e *projetil* fazem *reptis* e *projetis*.

Plural dos nomes terminados em -x (= ce)

Os terminados em *-x* com o valor de *ce* (final com que podem também ser grafados) não possuem flexão de número. Já as formas variantes em *-ce* fazem o plural normalmente em *-ces*:

---

[4] O uso de * significa que a expressão não está documentada ou é hipotética.
[5] *Mel* e *fel* fazem *meles* ou *méis*, *feles* ou *féis*, respectivamente, sendo que as segundas formas são mais frequentes por seguirem o processo regular.
[6] Mattoso assinala que, tendo em vista a pronúncia distensa brasileira do -l como |w|, passam a ser outras as regras morfofonêmicas: no caso de carnaval, por exemplo, temos a alternância |w| - |y|: |carnavaw| - |carnavays|, e em funil temos a supressão do |w| : |funiw| - |funis|.

o cálix, os cálix (ou *cálice*, pl. *cálices*); *o apêndix, os apêndix* (ou *apêndice*, pl. *apêndices*)

Palavras que não possuem marca de número

Há significantes terminados por -s em sílaba átona (como *lápis, pires*, ou monossílabos como *cais, xis*) que não possuem marca de número, quer no singular, quer no plural, pois se mostram alheios à classe gramatical de número. Cremos ser a melhor lição a de Herculano de Carvalho, segundo a qual não se pode aceitar a doutrina corrente que vê nessas formas um singular que permanece invariável no plural. A pluralidade é marcada pelos adjuntos (artigo, adjetivo, pronome, numeral): *o lápis, os lápis; um pires, dois pires; este xis, estes xis*.
Estão neste caso os terminados em:
1) -s (em sílaba átona; palavras sigmáticas):
   o pires, os pires; o lápis, os lápis; a cútis, as cútis

Simples faz *símplices* ou, o que é mais comum, não varia. *Cós, lais* e *ferrabrás* são mais usados invariáveis, mas possuem o plural *coses, laises* e *ferrabrases*.
2) -x (com o valor de *cs*):
   o tórax, os tórax; o ônix, os ônix; o fax, os fax; a xerox, as xerox (ou *a xérox, as xérox*)

> **Observação:**
> ➥ Alguns nomes com *x* = *cs* possuem a variante em *ce*: *índex* ou *índice*; *ápex* ou *ápice*; *códex* ou *códice*. Os plurais das formas variantes são respectivamente *índices, ápices, códices*.

Plurais com alteração de *o* fechado para *o* aberto (metafonia)[7]

Muitas palavras com *o* fechado tônico, quando passam ao plural, mudam esta vogal para *o* aberto:

| miolo (ô) | ➙ | miolos (ó) | reforço (ô) | ➙ | reforços (ó) |

Dentre as que apresentam esta mudança (chamada metafonia) na vogal tônica lembraremos aqui as mais usuais:

---

[7] Continuamos a apontar o singular como a forma básica em relação ao plural, nestes casos. A gramática histórica, entretanto, nos dá outra versão do fato linguístico.

abrolho	fogo	porco
antolho	forno	porto
aposto	foro	posto
caroço	fosso	povo
corcovo	imposto	reforço
coro	jogo	rogo
corpo	miolo	sobrolho
corvo	mirolho	socorro
despojo	olho	tijolo
destroço	osso	torto
escolho	ovo	troco
esforço	poço	troço (pedaço)

Esta alternância constitui a única marca do feminino em *avô* e formas com ela relacionadas, onde se acha suprimida a desinência -*a*: *avô* – *avó* (< *avoa* < lat. *aviola*). Nos casos de metafonia, o plural é marcado pelo morfema pluralizador -*s* e pelo morfema suprassegmental.

Continuam com *o* fechado no plural:[8]

acordo	esboço	logro
adorno	esposo	morro
almoço	estorvo	repolho
alvoroço	ferrolho	rolo
arroto	fofo	sogro
boda	forro	soldo
bojo	gafanhoto	sopro
bolo	globo	soro
bolso	gorro	toco
cachorro	gosto	toldo
caolho	gozo	topo
coco	horto	torno
contorno	jorro	transtorno

---

[8] Nem sempre a norma brasileira coincide com a norma portuguesa, que pronuncia com *o* aberto em alguns desses plurais.

> **Observações:**
> ➥ Como no caso dos plurais em *-ão* (*-ões, -ães, -ãos*), a inclusão da palavra no grupo dos metafônicos ou não metafônicos apresenta muitas indecisões. A etimologia do latim ou o paralelismo do espanhol nem sempre têm a boa resposta às dúvidas.
> ➥ Não sofrem alteração os nomes próprios e os de família: os *Diogos*, os *Mimosos*, os *Raposos*, os *Portos*.

Plurais com deslocação do acento tônico

Há palavras que, no plural, mudam de sílaba tônica:

ca*rá*ter	→	carac*te*res
*jú*nior	→	juni*o*res
*Jú*piter	→	Ju*pí*teres
*Lú*cifer	→	Lu*cí*feres
*sê*nior	→	seni*o*res

O plural *sorores* é de *soror*, oxítono, o que se estende a *sóror*.

Variações semânticas do significado entre o singular e o plural

Normalmente, o plural guarda o mesmo significado do singular. Isto não acontece, porém, em alguns casos, principalmente se se trata de substantivos abstratos em sentidos contextuais:

bem (o que é bom)	→	**bens** (propriedades)
féria (produto do trabalho diário)	→	**férias** (dias de descanso)

"Onde não se preza *a honra* se desprezam *as honras*." [MM]

Em nomes abstratos como *injustiças, crueldades, gentilezas*, o plural denota ora atos repetidos, ora multiplicidade dos mesmos atos, com certa conotação aumentativa.

Também em nomes concretos pode o plural acusar mudança de significado: *ferro* (metal) → *ferros* (algemas).

Estão nestes casos os nomes quando, no plural, indicam o casal: *os pais* (pai e mãe), *os irmãos* (irmã e irmão), *os reis* (rei e rainha).

Palavras só usadas no plural (*pluralia tantum*)

Eis as principais:

ademanes	endoenças
afazeres	exéquias
alvíssaras	férias (= repouso)
anais	núpcias
arredores	óculos (mas também óculo, no singular, apesar de raro)
avós (antepassados)	trevas
belas-artes, belas-letras	víveres
confins	nomes de naipes: copas, ouros, espadas, paus
costas	

Observação:

➡ Todos estes substantivos levam ao plural seus adjuntos e predicados. Portanto, deve-se dizer: *Quebraram-se os óculos novos*.

Plural de nomes próprios

Os nomes próprios fazem o plural obedecendo às normas dos nomes comuns, e a língua-padrão recomenda que se usem no plural, e não no singular (*Os Maias*, de Eça de Queiroz; *Os Cigarras e os Formigas*, de Maria Clara Machado, etc.):

"O fidalgo dos *Vitos Alarcões* tratou da cabeça na cama, uns quinze dias." [CBr]

" (...) seria um garfo meritório do tronco dos *Parmas d'Eça*, ao qual ele Rui de Nelas se glorificava de ser estranho?" [CBr]

"D. Garcia pagou caro por isso: os *Silvas* comandaram uma grande rebelião (...)." [CSi]

Todavia, não é raro o uso do singular na língua literária:

"Os brasileiros do sul, os *Correia de Sá*, perdiam muito do encanto dessas obras (...)." [GA]

Observações:

➡ Em se tratando de nomes compostos, ambos os termos vão ao plural — caso mais comum — ou só o primeiro: os *Vitos Alarcões*, os *Albuquerques Maranhão*.

➡ Quando entre os termos aparece a preposição *de*, só o primeiro vai ao plural: *os Correias de Sá*.

➡ Não se flexiona o nome próprio em aposição, geralmente designativo de marcas ou especificação: *Comprou dois automóveis Ford; Escreveu uma crônica de guerra* sobre os aviões *Mirage*. (Já sem aposição: Comprou dois *Fords*; "[...] ele está morando na Barra, tem quatro *Pajeros* e dois *Mercedes* na garagem, vai pro trabalho de helicóptero..." [JU].)

Plural dos nomes estrangeiros não assimilados

Os nomes estrangeiros que se adaptaram ao sistema fonológico do português têm o seu plural consoante as normas vigentes: *clube* ➙ *clubes; dólar* ➙ *dólares; repórter* ➙ *repórteres; abajur* ➙ *abajures; ultimato* ➙ *ultimatos; memorando* ➙ *memorandos; confete* ➙ *confetes*.

Os não assimilados pelo nosso idioma tomam duas direções: a) terminam com -s, sem pretender coincidir com as regras do plural da língua originária, ou b) regulam-se pelas normas da língua estrangeira, o que, em geral, é o procedimento recomendado na língua-padrão e nos textos científicos.

Do primeiro caso temos:
films, leaders, ladys, dandys, lieds, blitzes, habitats (proparoxítono), sendo que os dois primeiros já se naturalizaram em filme e líder.

Do segundo temos, entre os latinismos:

campus	➙	campi (o *campus*, os *campi*), etc.		
corpus	➙	corpora	pro labore	➙	pro laboribus
curriculum	➙	curricula	memorandum	➙	memoranda

que podem ser aportuguesados, quando possível, no singular, em: campo, corpo (raro), currículo, pró-labore e memorando.

Entre os gregos cabe citar:

| logos | ➙ | logoi | ônoma | ➙ | onômata | topos | ➙ | topoi |

Entre os anglicismos:

dandy	➙	dandies	penny	➙	pennies ou pence
lady	➙	ladies	sportman	➙	sportmen

Entre os germanismos:

| blitz | ➙ | blitze | leitmotiv | ➙ | leitmotive | lied (/ lid /) | ➙ | lieder |

Também constitui desvio usar-se *lieder* como singular.

Os escritores procuram, na medida do possível, acertar o passo; assim é que José Lins do Rego usou *lieds* nesta passagem de *Gordos e Magros* (1942): "Goethe ia ao povo para sentir a força dos *lieds*, a música que dorme na alma popular." Em

Poesia e Vida (1945) já se pautava pela norma alemã: "Destruindo Mozart, uma grande Alemanha desapareceria; a Alemanha dos *lieder*, dos violinos gemendo por debaixo das macieiras em flor (...)."

Os nomes italianos em *-i* já estão no plural, quando flexionados (*o confetto* → *os confetti*), mas isto não impediu que um escritor correto como Latino Coelho fizesse o plural com acréscimo do *-s*: "Portugal não primou nas invenções admiráveis da ciência: não teve Newtons nem Platões. Não meneou com galhardo luzimento o escopro ou o pincel: não teve Rafaéis, nem *Buonarottis*." [*apud* SS] Também de *lápis-lazúli* temos o plural *lápis-lazúlis*. A prevalecer a norma da língua exemplar, pode-se dizer que se trata de um elemento funcional pertencente ao sistema português reservado aos plurais estrangeiros não assimilados.

Os nomes próprios estrangeiros fazem o plural com o acréscimo de *–s* final: *Mozarts, Verdis, Kennedys, Darwins.*

Plural dos nomes de letras

Os nomes de letras vão normalmente ao plural, de acordo com as normas gerais.
Escreve com todos os *efes* e *erres.*
Coloquemos os pingos nos *is.*

N.B.: o *xis*, os *xis*. (➔ 115)
Podemos ainda indicar o plural das letras com a duplicação da sua forma: *ff, rr, ii.*
Este processo ocorre em muitas abreviaturas:
E.E.U.U. (Estados Unidos, também representado por EUA, Estados Unidos da América, e ainda U.S.A., United States of America.)
Observação: Sobre o plural em abreviaturas, ver página 711.

Plural dos nomes com o sufixo -zinho

Põem-se no plural os dois elementos e suprime-se o *s* do substantivo, consoante a regra ortográfica oficial:

animalzinho	=	animal + zinho	→	animai(s) + zinhos	→ animaizinhos
coraçãozinho	=	coração + zinho	→	coraçõe(s) + zinhos	→ coraçõezinhos
florzinha	=	flor + zinha	→	flore(s) + zinhas	→ florezinhas
papelzinho	=	papel + zinho	→	papéi(s) + zinhos	→ papeizinhos
pazinha	=	pá + zinha	→	pá(s) + zinhas	→ pazinhas

Observação:

➔ Se o sufixo não tem tem z- inicial, só se faz o plural do sufixo: *lapisinho – lapisinhos; luzinha – luzinhas; cuscuzinho – cuscuzinhos; rapazinho – rapazinhos; pazinha* (curta paz) *– pazinhas.* Se o radical permitir indiferentemente *-zinho* ou *-inho*, haverá duplicidade de procedimento de plural: *florzinha – florezinhas / florinha – florinhas; mulherzinha – mulherezinhas; mulherinha – mulherinhas.*

Com esta sistematização, evitaremos plurais de difícil explicação morfológica, do tipo de *pazezinhas* (curtas pazes), *rapazezinhos, luzezinhas* e assemelhados.

Nota ortográfica: Os sufixos diminutivos *-inho* (*-ito*, etc.), *-zinho* (*-zito*, etc.) têm hoje uma distribuição regular, conforme o final da palavra básica:
a) se termina por vogal átona ou consoante (exceto *-s* e *-z*), a escolha é materialmente indiferente, mas o uso faz as suas opções, além de aparecerem nuanças de sentido contextuais: *corpo* → *corpinho* (com queda da vogal temática) / *corpozinho* (a forma básica intacta); *flor* → *florinha / florzinha; mulher* → *mulherinha / mulherzinha;*
b) se termina por vogal tônica, nasal ou ditongo, é de emprego obrigatório *-zinho* (*-zito*, etc.); *boné* → *bonezinho; siri* → *sirizinho; álbum* → *albunzinho; bem* → *benzinho; rei* → *reizinho.*
N.B.: Com *-zinho* evitam-se hiatos do tipo *irmãinha, raioíto,* etc.;
c) se termina em *-s* ou *-z*, o emprego normal é com *-inho* (*-ito*, etc.), repudiando-se *-zinho* (*-zito*, etc.) e ficando intacta a palavra básica: *lapisinho* (lápis + inho), *cuscuzinho* (cuscuz + inho), *japonesinho* (japonês + inho), *rapazinho* (rapaz + inho), *cartazinho* (cartaz + inho), exatamente como escrevemos *lapiseira* (lápis + eira), *lapisar* (lápis + ar), *lapisada* (lápis + ada), etc.
N.B.: Assim, não há razão para se escrever *lapizinho, onibuzinho,* etc.
Estabelecem-se até oposições léxicas e fonológicas (já que se guardam os acentos das palavras básicas): *cartazinho* (= cartàz + inho), *cartazinha* (= càrta + zinha), *rapazinho* (= rapàz + inho); *rapazinho* (= ràpa + zinho); *masinho* (= mas + inho), *mazinha* (= mà + zinha) [veja-se o exemplo dado por Oiticica: *Você escreveu aí na pedra um masinho que ninguém percebe* (trata-se da conjunção *mas*)]. Às vezes há convergências gráficas: *pazinha* (paz + inha) e *pazinha* (pà + zinha); o contexto e a pronúncia dissolverão os diferentes significados.
N.B.: A norma acolheu algumas divergências à regra, como, por exemplo: *barzinhos, colherzinhas, sinhorzinhos.*

Plural das palavras substantivadas

Qualquer palavra, grupo de palavras, oração ou texto pode substantivar-se, isto é, passar a substantivo, que, tomado materialmente, isto é, como designação de sua própria forma externa, vale por um substantivo masculino e singular:
o *sim,* o *não,* o *quê,* o *pró,* o *contra,* o *h.*

Peras é feminino.
Os homens é o sujeito da oração.

Tais palavras vão normalmente ao plural:
os *sins,* os *nãos,* os *quês,* os *prós,* os *contras,* os *hh* (agás).

Enquadram-se neste caso os nomes que exprimem número, quando aludem aos algarismos.
No seu boletim há três *setes* e dois *oitos.*
Tire a prova dos *noves.*
Há dois *quatros* a mais e *três onzes* a menos nessas parcelas.

Fazem exceção os terminados em -*s* (*dois, três, seis*), -*z* (*dez*) e *mil,* que são invariáveis, embora, tomado materialmente, *dez* também possa fazer *dezes,* ainda que mais raro:
Quatro *seis* e cinco *dez.*

Vale lembrar que, enquanto numerais propriamente ditos, não vão ao plural, como em:
Os *quatro cantos* da sala (e não: os *quatros cantos*).

Plural cumulativo

Alguns nomes possuem duas formas: uma, básica, singular e outra, flexionada em plural, que passa a valer como se singular fora: *o ananá, os ananás; o lilá, os lilás.*

ananá	→	ananás
eiró (iró)	→	eirós (irós)
filhó	→	filhós
ilhó	→	ilhós
lilá	→	lilás

Observações:

➥ *Cós* fica invariável ou tem plural *coses.*

➥ Passando a forma plural a ser empregada como um singular (*o ananás, o lilás,* etc.), por semelhança de singulares em -*ós* (*retrós,* por exemplo), admite um novo plural, chamado cumulativo, por esquecimento da etapa de pluralização: *o ananás, os ananases; o eirós, os eiroses; o filhós, os filhoses; o ilhós, os ilhoses; o lilás, os lilases.*

Plural nos etnônimos

Etnônimo é o nome que se aplica à denominação dos povos, das tribos, das castas ou de agrupamentos outros em que prevalece o conceito de etnia. Estes nomes utilizados na língua comum admitem a forma plural, como todos os outros: *os brasileiros, os portugueses, os espanhóis, os botocudos, os tupis, os tamoios,* etc. Por convenção internacional de etnólogos, está há anos acertado que, em trabalhos científicos, os etnônimos que não sejam de origem vernácula ou nos quais não haja elementos vernáculos não são alterados na forma plural, sendo a flexão indicada pelo artigo plural: *os tupi, os nambiquara, os caiuá, os tapirapé, os bântu, os somáli*, etc.

Plural indevido (quando o singular tem valor generalizante)

Modernamente se vem usando o plural onde melhor caberia o singular, por se referir a unidade, quando esta tiver efeito generalizante, como ocorre em exemplos do tipo:

As pessoas foram julgadas por *sua índole* (e não: *suas índoles*).
Foram discriminados em razão da cor *de sua pele* (e não: *de suas peles*).
O pássaro voava acima *da nossa cabeça* (e não: *das nossas cabeças*).
O pesquisador estudou *o cérebro* dos fetos (e não: *os cérebros*).
A babá limpava *o nariz* das crianças (e não: *os narizes*).
Envergonhados, abaixaram *a cabeça* (e não: *as cabeças*).

Plural dos nomes compostos

Merece especial atenção o plural dos nomes compostos, uma vez que as dúvidas e vacilações são frequentes. A questão envolve dificuldades de ordem ortográfica (uso ou não do hífen) e de ordem gramatical. Torna-se imperiosa uma sistematização que venha pôr simplificação ou minorar as dúvidas ainda existentes, mesmo com as últimas propostas dos *Acordos ortográficos*. Sem pretendermos esgotar o assunto, apresentamos os seguintes critérios:

Somente o último elemento varia:

a) nos compostos grafados ligadamente:

fidalgo	→	fidalgos
girassol	→	girassóis
madressilva	→	madressilvas
mandachuva	→	mandachuvas
pontapé	→	pontapés
vaivém	→	vaivéns

b) nos compostos com as formas adjetivas *grão, grã* e *bel*:

grão-prior	→	grão-priores
grã-cruz	→	grã-cruzes
bel-prazer	→	bel-prazeres

c) nos compostos de tema verbal ou palavra invariável seguida de substantivo ou adjetivo:

furta-cor	→	furta-cores
beija-flor	→	beija-flores
abaixo-assinado	→	abaixo-assinados
alto-falante	→	alto-falantes
vice-rei	→	vice-reis
ex-diretor	→	ex-diretores
ave-maria	→	ave-marias

d) nos compostos de três ou mais elementos, não sendo o 2.º elemento uma preposição:

bem-te-vi	→	bem-te-vis

e) nos compostos de emprego onomatopeico em que há repetição total ou parcial da primeira unidade:

lenga-lenga	→	lenga-lengas
reco-reco	→	reco-recos
tique-taque	→	tique-taques
zum-zum	→	zum-zuns

Somente o primeiro elemento varia:

a) nos compostos onde haja preposição, clara ou oculta:

cavalo-vapor (= de, a vapor)	→	cavalos-vapor
cana-de-açúcar	→	canas-de-açúcar
jararaca-de-cauda-branca	→	jararacas-de-cauda-branca

b) nos compostos de dois substantivos, em que o segundo exprime a ideia de *fim, semelhança*, ou limita a significação do primeiro:

aço-liga	→	aços-liga
bomba-relógio	→	bombas-relógio
caneta-tinteiro	→	canetas-tinteiro
carta-bomba	→	cartas-bomba
cidade-satélite	→	cidades-satélite
decreto-lei	→	decretos-lei
elemento-chave	→	elementos-chave
fruta-pão	→	frutas-pão
homem-rã	→	homens-rã
licença-prêmio	→	licenças-prêmio
manga-rosa	→	mangas-rosa (= de casca rosada)
navio-escola	→	navios-escola (= para escola)
peixe-boi	→	peixes-boi
público-alvo	→	públicos-alvo
salário-família	→	salários-família
pombo-correio	→	pombos-correio
tatu-bola	→	tatus-bola

Observação:

➡ Os compostos incluídos neste último caso também admitem a flexão dos dois elementos: *aços-ligas, bombas-relógios, canetas-tinteiros, cidades-satélites, decretos-leis,* etc.

Ambos os elementos variam:

a) nos compostos de dois *substantivos*, de um *substantivo* e um *adjetivo* ou de um *adjetivo* e um *substantivo*:

amor-perfeito	→	amores-perfeitos
cabra-cega	→	cabras-cegas
gentil-homem	→	gentis-homens
guarda-civil	→	guardas-civis
guarda-mor	→	guardas-mores
lugar-comum	→	lugares-comuns
salário-mínimo	→	salários-mínimos
segunda-feira	→	segundas-feiras

> **Observação:**
> ➡ *Lugar-tenente* faz o plural *lugar-tenentes*.

b) nos compostos de temas verbais repetidos: (↗ 545)

corre-corre	→	corres-corres
pula-pula	→	pulas-pulas
ruge-ruge	→	ruges-ruges

> **Observação:**
> ➡ Os compostos incluídos neste último caso também admitem o plural flexionando-se apenas o segundo elemento: *corre-corres, pula-pulas, ruge-ruges*.

Os elementos ficam invariáveis:

a) nas frases substantivas:

a estou-fraca (ave)	→	as estou-fraca
o não sei que diga	→	os não sei que diga
o disse me disse	→	os disse me disse
o bumba meu boi	→	os bumba meu boi
o fora da lei	→	os fora da lei

b) nos compostos de tema verbal e palavra invariável:

o bota-fora	→	os bota-fora
o pisa-mansinho	→	os pisa-mansinho
o cola-tudo	→	os cola-tudo

c) nos compostos de dois temas verbais de significado oposto:

| o leva e traz | → | os leva e traz |
| o vai-volta | → | os vai-volta |

Admitem mais de um plural, entre outros:

guarda-marinha	→	guardas-marinha ou guardas-marinhas[9]
padre-nosso	→	padres-nossos ou padre-nossos
salvo-conduto	→	salvos-condutos ou salvo-condutos

---

[9] Rejeita-se, sem razão, o plural *guarda-marinhas*.

Gênero

A nossa língua conhece dois gêneros para o substantivo: o *masculino* e o *feminino*. São masculinos os nomes a que se pode antepor o artigo *o* (*o linho, o sol, o clima, o poeta, o grama, o pente, o raio, o prazer, o filho, o beijo*) e são femininos os nomes a que se pode antepor o artigo *a* (*a linha, a lua, a grama, a ponte, a poetisa, a filha, a dor*). Só que esta determinação genérica não se manifesta no substantivo da mesma maneira que está representada no adjetivo ou no pronome, isto é, pelo processo da flexão, mas por derivação. (➚ 560)

A aproximação da função cumulativa derivativa de *-a* como atualizador léxico e como morfema se manifesta tanto em *barca* de *barco*, *saca* de *saco*, *fruta* de *fruto*, *mata* de *mato*, *ribeira* de *ribeiro*, etc., quanto em *gata* de *gato*, porque dá "ao tema de que entra a fazer parte a capacidade de significar uma classe distinta de objetos, que em geral constituem uma espécie do gênero designado pelo tema primário" [HC] :
barco / barca (barco grande)
jarro / jarra (um tipo especial de jarro)
lobo / loba (a fêmea do animal chamado lobo)

Esta função semântica está fora do domínio da flexão. A analogia material da flexão de gênero do adjetivo é que levou a gramática a pôr no mesmo plano *belo / bela* e *menino / menina*.

Este fato explica por que na manifestação do gênero no substantivo, entre outros processos, existe a indicação por meio de sufixo nominal: *conde / condessa*; *galo / galinha*; *ator / atriz*; *embaixador / embaixatriz*, etc.

Inconsistência do gênero gramatical

A distinção do gênero nos substantivos só tem fundamento na tradição fixada pelo uso e pela norma; nada justifica serem, em português, masculinos *lápis, papel, bolo* e femininos *caneta, folha e bola*.

Mesmo nos seres animados, as formas de masculino ou de feminino podem não determinar a diversidade de sexo, como ocorre com os substantivos chamados *epicenos* (aplicados a animais irracionais), cuja função semântica é só apontar para a espécie: *a cobra, a lebre, a formiga, o tatu, o colibri, o jacaré*, ou os substantivos aplicados a pessoas, denominados *comuns de dois*, distinguidos pela concordância: *o / a* **estudante**; *este / esta* **consorte**; *reconhecido / reconhecida* **mártir**, ou ainda os substantivos de um só gênero, denominados *sobrecomuns*, aplicados a pessoas cuja referência a homem ou a mulher só se depreende pela referência do contexto: *o* **algoz**, *o* **carrasco**, *o* **cônjuge**.

> **Observação:**
> ➥ Toda palavra substantivada é considerada como masculina (o *a*, o *sim*, o *não*, etc.):
> "Não tem santo que me faça mencionar *os issos*. *Os aquilos*, então, nem pensar." (João Ubaldo Ribeiro, *O Globo*, 21/8/2005).

A mudança de gênero

Aproximações semânticas entre palavras (sinônimos, antônimos), a influência da terminação, o contexto léxico em que a palavra funciona, e a própria fantasia que moldura o universo do falante, tudo isto representa alguns dos fatores que determinam a mudança do gênero gramatical dos substantivos. Na variedade temporal da língua, do português antigo ao contemporâneo, muitos substantivos passaram a ter gêneros diferentes. Alguns sem deixar vestígios, outros, ao contrário, como *mar*, hoje masculino, mas o antigo gênero continua presente em *preamar* (*prea* = *plena, cheia*) e *baixa-mar*.

O gênero nas profissões femininas

A presença, cada vez mais justamente acentuada, da mulher nas atividades profissionais que até bem pouco eram exclusivas ou quase exclusivas do homem tem exigido que as línguas — não só o português — adaptem o seu sistema gramatical a estas novas realidades. Já correm vitoriosos faz muito tempo femininos como *mestra, professora, médica, advogada, engenheira, psicóloga, filóloga, juíza*, entre tantos outros.

As convenções sociais e hierárquicas criaram usos particulares que nem sempre são unanimemente adotados na língua comum. Todavia já se aceita a distinção, por exemplo, entre a *Cônsul* (senhora que dirige um Consulado) e a *Consulesa* (esposa do Cônsul); a *Embaixadora* (senhora que dirige uma Embaixada) e a *Embaixatriz* (esposa do Embaixador). Já para *senador* vigoram indiferentemente as formas de feminino *senadora* e *senatriz* para a mulher que exerce o cargo político ou para a esposa do senador, regra que também poucos gramáticos e lexicógrafos estendem a *consulesa* e *embaixatriz*.

Na hierarquia militar, parece não haver uma regra generalizada para denominar as mulheres da profissão. Correm com maior frequência os empregos:

a cabo Ester Silva, *a sargento* Andreia, *a primeiro-tenente* Denise, *a tenente-coronel* Ana, *a contra-almirante* médica Dalva, etc.

Na linguagem jurídica, as petições iniciais vêm com o masculino com valor generalizante, dada a circunstância de não se saber quem examinará o processo, se juiz ou juíza.

Meritíssimo Senhor Juiz
Excelentíssimo Senhor Desembargador

No futebol feminino já se vai dizendo, por exemplo, a *quarta-zagueira*.
Note-se, por fim, que algumas formas femininas podem não vingar por se revestirem de sentido pejorativo: *chefa, caba*, por exemplo.

Observações:

➥ O substantivo *presidente* é de dois gêneros, portanto podemos dizer: *o presidente, a presidente*. O feminino *a presidenta* também é aceito, pois a língua permite as duas formas em referência a mulheres que assumem a presidência. O uso não só atende a princípios gramaticais. A estética e a eufonia são fatores permanentes nas escolhas dos usuários. O repertório lexical que regula ocorrências nos mostra, até o momento, a presença de *a presidente* com mais frequência do que *a presidenta*. Com *vice* a forma vitoriosa é *presidente*, sobre *presidenta*. A tentativa de dar forma feminina a nomes uniformes tem ocorrido em outras línguas. Os franceses criaram *chefesse*, que o filólogo Brunot considerava horrível.

➥ O feminino de *papa* é *papisa*, forma normalmente usada no sentido de 'profissional que se destaca e ganha notoriedade por sua competência', por exemplo: *Constanza Pascolato é conhecida como* a papisa *da moda*. No sentido de 'líder supremo de religião ou igreja', também é possível o uso do feminino, caso uma mulher ocupe esta posição.

➥ O feminino de *cacique* é *cacica*, para designar a 'mulher que é chefe temporal de tribo indígena'. Se considerarmos *cacique* um substantivo de dois gêneros, poderemos aceitar também a forma *cacique* para os dois gêneros: *o cacique* Raoni, *a cacique* Jurema.

Formação do feminino

Os substantivos que designam pessoas e animais manifestam o gênero e apresentam, quase sempre, duas formas diferentes: uma para indicar os seres do sexo masculino e outra para os seres do sexo feminino.

Podemos distinguir, na manifestação do feminino, os seguintes processos:

A) Mudança ou acréscimo de sufixo ao radical, suprimindo a vogal temática: *mestre* ➛ *mestr*(e) + a ➛ *mestra*.

1 – os terminados em -*o* mudam o -*o* em -*a*:

aluno – aluna
filho – filha
gato – gata
menino – menina

2 – os terminados em -*e* ou ficam invariáveis, ou acrescentam -*a* depois de suprimir a vogal temática: *alfaiate* ➛ *alfaiat*(e) + a ➛ *alfaiata*.

São uniformes:
amante, cliente, constituinte, doente, habitante, inocente, ouvinte, servente, etc.

São biformes:

alfaiate – alfaiata governante – governanta hóspede – hóspeda infante – infanta monge – monja parente – parenta presidente – presidenta	Também aparecem como uniformes.

3 – os terminados em *-or* têm geralmente o feminino com a forma em *-a*:

doutor	–	doutora
professor	–	professora

Observação:

➥ Incluem-se aqui os terminados em *-eira*: *arrumadeira, lavadeira, faladeira* (a par de *faladora*).

4 – os terminados em vogal atemática (tônica), *-s, -l, -z* têm a forma feminina em *-a*, sem qualquer alteração morfofonêmica:

guri	–	guria
peru	–	perua
freguês	–	freguesa
português	–	portuguesa
oficial	–	oficiala
zagal	–	zagala
juiz	–	juíza

5 – os terminados em *-ão* (dada a confluência no singular e permanência de formas diferençadas no plural, como já vimos) (➚ 105) apresentam os seguintes casos:
  a) quando este final pertence a nomes de tema em *-o* (transformado em semivogal do ditongo nasal), tem suprimida normalmente esta vogal, é acrescido de *-a* e há posterior fusão por crase: (➚ 679)

irmão ➙ irmã(o) + a ➙ *irmãa* ➙ *irmã* (por crase)
alemão ➙ alemã(o) + a ➙ *alemãa* ➙ *alemã*[10]
saxão ➙ saxã(o) + a ➙ *saxãa* ➙ *saxã*
bretão ➙ bretã(o) + a ➙ *bretãa* ➙ *bretã*

---

[10] Mattoso prefere ver aqui um exemplo de morfema subtrativo, dizendo que ocorre a supressão da vogal temática sem adjunção de desinência: irmão ➙ irmã(o) ➙ irmã. Dada a raridade de ocorrência de morfema subtrativo em português, e, pelo contrário, a frequência da regra morfofonêmica de crase, optamos pela lição acima.

b) quando *-ão* corresponde à forma teórica *-õ*, tal qual ocorre com o plural, há desnasalação da vogal temática e acréscimo de *-a*, que favorece o aparecimento de hiato:

leitão (radical teórico *leitõ*, cf. o plural *leitões*) → *leito*(m) + *a* → *leitoa*

bom → *bo*(m) + *a* → *boa*[11]

c) quando *-ão* é sufixo derivacional aumentativo, a nasalidade desenvolve o fonema de transição /n/:

valentão (radical teórico *valentõ*, cf. pl. *valentões*) → *valento* + *n* + *a* → *valentona*

folião → *foliona*

6 – os terminados em sufixo derivacional *-eu* suprimem a vogal temática (aqui sob forma de semivogal do ditongo), acrescentam *-a* e, ao se obter o hiato *ea*, desenvolvem normalmente o ditongo /ey/ e conhecem posterior passagem do *e* fechado a aberto /εy/ (passagem que não se dá em todo o território onde se fala a língua, como, por exemplo, em Portugal): *europeu* → *europe*(u) + *a* → *europea* → *europeia* → *europeia*.

Assim procedem: *ateu, egeu, filisteu, giganteu, pigmeu*.

Fazem exceção: *judeu* → *judia, sandeu* → *sandia*.

7 – os que manifestam o feminino por meio dos sufixos derivacionais *-esa, -essa, -isa, -ina, -triz*:

abade – abadessa	mandarim – mandarina
alcaide – alcaidessa (ou alcaidina)	etíope – etiopisa
ator – atriz	felá – felaína
barão – baronesa	herói – heroína
bispo – episcopisa	imperador – imperatriz
conde – condessa	jogral – jogralesa
condestável – condestabelesa	maestro – maestrina (também maestra)
cônego – canonisa	papa – papisa
cônsul – consulesa	píton – pitonisa
czar – czarina[12]	poeta – poetisa[13]
diácono – diaconisa	príncipe – princesa
doge – dogesa, dogaresa, dogaressa	prior – priora, prioresa
druida – druidesa, druidisa [OB]	profeta – profetisa
duque – duquesa	sacerdote – sacerdotisa
embaixador – embaixatriz (embaixadora)	visconde – viscondessa
landgrave – landgravina	

---

[11] *Ladra* não efetiva a flexão feminina morfológica de *ladrão*. Suas flexões são *ladroa* e *ladrona*.
[12] Também grafado: *tzar – tzarina*.
[13] Mais modernamente, usa-se a forma *poeta* aplicada a *poetisa*.

Não se enquadram nos casos precedentes:

avô – avó	raja ou rajá – râni ou rani
capiau – capioa	rapaz – rapariga
dom – dona	rei – rainha
galo – galinha	réu – ré
grou – grua	silfo – sílfide
ilhéu – ilhoa	sultão – sultana
marajá – marani	tabaréu – tabaroa
pierrô – pierrete	

B) Feminino com palavras diferentes para um e outro sexo (*heterônimos*):
1 – nomes de pessoas:

cavaleiro – amazona	marido – mulher
cavalheiro – dama	padrasto – madrasta
confrade – confreira	padre – madre
compadre – comadre	padrinho – madrinha
frade – freira	pai – mãe
frei – sóror, soror, sor	patriarca – matriarca
genro – nora	rico-homem – rica-dona
homem – mulher	

2 – nomes de animais:

bode – cabra	carneiro – ovelha
boi – vaca	cavalo – égua
burro – besta	veado – cerva (é), veada
cão – cadela	zangão, zângão – abelha

C) Feminino com auxílio de outra palavra:
  Há substantivos que têm uma só forma para os dois sexos:
    estudante, consorte, mártir, amanuense, constituinte, escrevente, herege, intérprete, etíope (ao lado de *etiopisa*) (➚ 125), *ouvinte, nigromante, servente, vidente, penitente.*

São por isso chamados *comuns de* (ou *a*) *dois.* Tais substantivos distinguem o sexo pela anteposição de *o* (para o masculino) e *a* (para o feminino):

o camarada	–	a camarada
o estudante	–	a estudante
o mártir	–	a mártir

Incluem-se neste grupo os nomes de família:
"(...) redarguiu colérica a *Pacheco* (...)." [CBr]

Os nomes terminados em *-ista* e muitos terminados em *-e* são comuns de dois:
o capitalista – a capitalista; o doente – a doente

Também nomes próprios terminados em *-i* (antigamente ainda *-y*) são comuns tanto a homens como a mulheres:
Darci, Juraci, Eli

Enquadram-se neste grupo os nomes de animais para cuja distinção de sexo empregamos as palavras substantivas *macho* e *fêmea*, usadas como adjetivos. A estes substantivos (p. ex.: onça, cobra, jacaré, etc.) damos o nome de *epicenos*:
cobra macho; jacaré fêmea

Podemos ainda servir-nos de outro recurso:
o macho da cobra; a fêmea do jacaré

D) Sobrecomuns:
São nomes de um só gênero gramatical que se aplicam, indistintamente, a homens e mulheres:[14]
o algoz, o carrasco, o cônjuge, a criatura, a criança, o ente, o indivíduo, a pessoa, o ser, o soprano, a testemunha, o verdugo, a vítima

Gênero estabelecido por palavra oculta

São masculinos os nomes de rios, mares, montes, ventos, lagos, pontos cardeais, meses, navios, por subentendermos estas denominações:
o (rio) *Amazonas, o* (oceano) *Atlântico, o* (vento) *bóreas, o* (lago) *Ládoga, o* (mês) *abril, o* (porta-avião) *Minas Gerais*.

Por isso são normalmente femininos os nomes de cidades, ilhas:
a bela (cidade) *Petrópolis, a movimentada* (ilha) *Governador*.

Nas denominações de navios, depende do termo subentendido: *o* (transatlântico) *Argentina, a* (corveta) *Belmonte, a* (canhoneira) *Tijuca*, etc. De modo geral, os grandes transatlânticos são todos masculinos, em vista deste substantivo oculto, embora muitos tenham nomes femininos: "Embarcou *no Lusitânia* e foi para Lisboa." [MBa]

---

[14] Embora esta seja a norma exemplar, o idioma não está fechado a feminizações expressivas, especialmente em nível coloquial e popular, com reflexos em estilizações literárias: *a carrasca, a verduga, a pássara*, etc.

Notem-se os seguintes gêneros:
o (vinho) *champanha* (e não *a* champanha!), *o* (vinho) *madeira, o* (charuto) *havana, o* (café) *moca, o* (gato) *angorá, o* (cão) *terra-nova.*

Mudança de significado na mudança de gênero

Há substantivos que são masculinos ou femininos, conforme o significado com que se achem empregados:

a cabeça (parte do corpo)	–	o cabeça (o chefe)
a capital (cidade principal)	–	o capital (dinheiro, bens)
a gênesis (origem)	–	o Gênesis (primeiro livro do Velho Testamento)
a língua (órgão muscular; idioma)	–	o língua (o intérprete)
a lotação (capacidade de um carro, navio, sala, etc.)	–	o lotação (forma abreviada de autolotação)
a moral (parte da filosofia; moral de um fato; conclusão)	–	o moral (conjunto de nossas faculdades morais; ânimo)
a rádio (a estação)	–	o rádio (o aparelho)
a voga (moda; popularidade)	–	o voga (o remador)

Gênero de compostos

Os compostos são uma espécie de construção sintática abreviada, de modo que, se são constituídos por substantivos biformes, o determinante (a 2.ª unidade) concorda com o gênero do determinado e é responsável pelo gênero do composto: a *batata-rainha* (e não a batata-rei), a *ponta-seca* (instrumento de corte).

Nos compostos de unidades uniformes, é evidente que não se dá a concordância do 2.º elemento, mas o gênero do composto continua se regulando pela 1.ª unidade: *a cobra-capelo, o pau-paraíba, a fruta-pão.*

Neste último caso, dá-se com frequência a perda da noção do composto (tratado como palavra base), o que facilita que o gênero do composto se regule pela 2.ª unidade: *o pontapé*, e a indecisão entre o povo se é *a fruta-pão* (o normal), se *o fruta-pão* (com esquecimento do composto).

Se o composto está constituído de tema verbal e substantivo, a regra é o composto ter o gênero masculino singular: *o tira-teima(s), o arranca-rabo, o trava-língua, o trava-conta(s).*

Contrariamente ao gênio da língua e por imitação inglesa, passou-se a usar de compostos em que o determinante, invariável, ocupa o primeiro lugar, e o determinado, o segundo, ficando o gênero do composto regulado por este último elemento: *a ferrovia, a aeromoça*. Segundo Martinz de Aguiar, por esta porta é que nos chegou o masculino de *o cólera-morbo* (*morbo*, latino, é masculino) e, na forma reduzida, *o cólera*, e não por influência francesa. A passagem ao hoje mais usual e aceito *a cólera-morbo*, *a cólera*, se deveu à analogia com o processo regular no português.

Gêneros que podem oferecer dúvida

a) São masculinos:
Os nomes de letra de alfabeto, clã, champanha, coma (estado de inconsciência) dó, eclipse, formicida, grama (unidade de peso), hosana, jângal (jângala), lança-perfume, milhar, orbe, pijama, proclama, saca-rolhas, sanduíche, telefonema, organismo.

b) São femininos:
Aguardente, alcunha, alcíone, alface, análise, anacruse, bacanal, cal, cólera (= ira, ímpeto), coma (cabeleira e vírgula), dinamite, elipse, fácies, fama, faringe, fênix, filoxera, fruta-pão, gesta (= façanha), igarité, juriti, libido, musse, nuance (nuança), polé, sentinela, síndrome, tíbia, variante e os nomes terminados em -*gem* (exceção de *personagem* que pode ser masculino ou feminino).[15]

c) São indiferentemente masculinos ou femininos:
Ágape, caudal, componente (masculino no Brasil e feminino em Portugal), crisma, diabete(s), laringe (mais usado no feminino), ordenança (= soldado), pampa, personagem, renque, suéter.

> **Observação:**
> ➡ Mais modernamente, *soprano* distingue pelo artigo se se trata de masculino ou feminino: o soprano (homem), a soprano (mulher).

Mais de um feminino — Além dos já apontados no decorrer do capítulo, lembraremos ainda os mais usuais:

aldeão	– aldeã, aldeoa	melro	– mélroa, melra
anfitrião	– anfitriã, anfitrioa	motor	– motora, motriz (adj.)
deus	– deusa, deia (poét.)	pardal	– pardoca, pardaloca, pardaleja
diabo	– diaba, diabra, diáboa	parvo	– párvoa, parva
elefante	– elefanta, elefoa, aliá[16]	polonês	– polonesa, polaca
javali	– javalina, gironda	varão	– varoa, virago
ladrão	– ladra, ladrona, ladroa	vilão	– vilã, viloa

---

[15] O substantivo *personagem* é de dois gêneros. Podemos dizer *a personagem* ou *o personagem* tanto para o sexo masculino quanto para o feminino: *a personagem* Bentinho ou *o personagem* Bentinho; *a personagem* Capitu ou *o personagem* Capitu.
[16] *Elefoa* e *aliá* não têm aprovação geral e, assim, devem ser evitados.

> **Observação:**
> ➥ As orações, os grupos de palavras, as palavras e suas partes tomadas materialmente são consideradas como do número singular e do gênero masculino: É bom *que estudes; o sim; o não; o re-; o mea-culpa*, etc. (➚ 115)

Aumentativos e diminutivos

Os substantivos apresentam-se com a sua significação aumentada ou diminuída, auxiliados por sufixos derivacionais:
   homem – homenzarrão – homenzinho

A NGB, confundindo flexão com derivação, estabelece dois graus de significação do substantivo:
a) aumentativo: *homenzarrão*
b) diminutivo: *homenzinho*

A derivação gradativa do substantivo se realiza por dois processos, numa prova evidente de que estamos diante de derivação, e não de flexão:
a) sintético – consiste no acréscimo de um final especial chamado sufixo derivacional aumentativo ou diminutivo: *homenzarrão, homenzinho*;
b) analítico – consiste no emprego de uma palavra de aumento ou diminuição (grande, enorme, pequeno, etc.) junto ao substantivo: *homem grande, homem pequeno*.

A flexão se processa de modo sistemático, coerente e obrigatório em toda uma classe homogênea, fato que não ocorre na derivação.

Aumentativos e diminutivos afetivos

Fora da ideia de tamanho, as formas aumentativas e diminutivas podem traduzir o nosso desprezo, a nossa crítica, o nosso pouco caso para certos objetos e pessoas, sempre em função da significação lexical da base, auxiliados por uma entoação especial (eufórica, crítica, admirativa, lamentativa, etc.) e os entornos que envolvem falante e ouvinte:
   poetastro, politicalho, livreco, padreco, coisinha, issozinho

Dizemos então que os substantivos estão em sentido *pejorativo*.
A ideia de pequenez se associa facilmente à de carinho que transparece nas formas diminutivas das seguintes bases léxicas:
   paizinho, mãezinha, queridinha

Função sintática do substantivo

Quanto à função sintática, o substantivo exerce por excelência a função de sujeito (ou seu núcleo) da oração e, no domínio da constituição do predicado, agente da passiva, aposto, as funções de objeto direto, complemento relativo, objeto indireto, predicativo, adjunto adnominal e adjunto adverbial. Em geral, na função de sujeito, de predicativo, de aposto e de objeto direto dispensa o substantivo estar acompanhado de qualquer outro elemento; nas outras, acompanha-se de preposição: gosta *de Clarice*, escreveu *à Isabel*, homem *de coragem*, dançou *com prazer*.

Grafia dos nomes próprios estrangeiros

As ciências, as artes, a cultura em geral, e o contato intenso entre nações fazem circular uma multiplicidade de nomes próprios estrangeiros, quer antropônimos, quer topônimos. A tradição literária — mais lusitana que brasileira — prefere, quando possível, aportuguesar, nos antropônimos, o prenome, deixando intacto o sobrenome: *Emílio Zola, Ernesto Renan, Renato Descartes, Antônio Meillet, Frederico Diez*. Todavia, também é possível a manutenção integral do nome estrangeiro: *Antoine Meillet, John Milton, Juan de Mena*.

Há outros que tradicionalmente são mantidos intactos: *William Shakespeare, Johann Wolfgang von Goethe, Giovanni Boccaccio, Wolfgang Amadeus Mozart*.

Particular atenção merecem os nomes latinos que, por imitação francesa, aparecem incorretamente com a terminação *-us* do nominativo, quando deveriam ter *-o*: *Bruto* (e não *Brutus*), *Júnio* (e não *Junius*), *Quintílio* (e não *Quintilius*). [MBa]

Mais facilmente aportuguesáveis, especialmente em Portugal, são os topônimos, quando já correram entre escritores desde os séculos XV e XVI. Assim, é pacífica nos dois países (já que os países independentes de expressão oficial portuguesa acertam o passo com a lição e prática dos lusitanos) a aceitação de *Londres* (e não *London*), *Viena* (e não *Wien*), *Florença* (e não *Firenze*), *Colônia* (e não *Köln*), *Mogúncia* (e não *Mainz* ou *Mayence*), ao lado de outras de difícil aportuguesamento, como *Washington, Windsor, Civitàvecchia, St. Etienne*.

Para brasileiros soam estranhos aportuguesamentos como *Moscovo, Aquisgrano* (Aix-la-Chapelle ou Aachen), *Bona* (Bonn), *Vratislávia* (Breslau), *Cambrígia* (Cambridge), *Francoforte* (Frankfurt), *Glásgua* (Glasgow), entre outros, embora várias propostas tenham aceitação unânime: *Antuérpia* (para Anvers), *Avinhão* (Avignon), *Basileia* (Bâle ou Basel), *Berna* (Berne), *Cornualha* (Cornwall), *Cracóvia* (Kraków), *Leida* (Leyden), *Nimega* (Nijmegen), *Nova Iorque* (New York), *Zurique* (Zurich). A tendência moderna entre os países é adotar a grafia originária de cada língua, principalmente nos documentos oficiais.

Exercícios de fixação

Substantivo próprio e comum

1. **Separe os substantivos que aparecem nas seguintes orações, distinguindo-os em próprios (P) e comuns (C):**
   1) São muitas as vantagens de ser honesto.
   2) A casa do professor fica num subúrbio afastado.
   3) É necessário falar direito, com palavras bem-pronunciadas.
   4) Com a chegada do verão as praias ficam mais frequentadas.
   5) A vida moderna está mais competitiva.
   6) Ainda não encontrou Everaldo, depois que lhe enviou o presente.
   7) O coração da colega bateu com mais força quando assistiu a esse capítulo da novela.
   8) A vizinha ficou nervosa, a olhar para o chão.
   9) De volta do colégio, Eduardo sentou-se no banco da praça e aí ficou toda a tarde.
   10) Mais tarde, Eduardo retornou ao colégio para conversar com seus colegas.

2. **A partir dos adjetivos dados, forme substantivos abstratos:**
   Modelo: *Claro* → *claridade / clareza*

Leve	Escuro	Forte	Fraco	Inteligente
Rico	Pobre	Alto	Altivo	Constante
Justo	Sóbrio	Divino	Célebre	Difícil
Legal	Pálido	Branco	Preto	Distinto
Apto	Ágil	Sutil	Tímido	Dócil

3. **Forme adjetivos dos seguintes substantivos abstratos:**
   Coragem   Preguiça   Ódio   Essência   Ira   Desdém

4. **Indique os substantivos abstratos de ação referentes aos seguintes verbos:**

Caçar	Voltar	Estudar	Sair	Parar
Dar	Ir	Ajudar	Sossegar	Cumprimentar
Nadar	Redigir	Escrever	Ler	Resolver
Morar	Falar	Pagar	Governar	Dirigir

5. **Ponha dentro do parênteses (A) ou (C), conforme os substantivos destacados estejam empregados, respectivamente, como abstrato ou concreto:**
   1) (   ) O pato selvagem é excelente *caça*.
   2) (   ) A *caça* aos meliantes foi prolongada e intensa.
   3) (   ) A *Fortuna* não bate à porta dos egoístas.
   4) (   ) Este homem tem imensas *riquezas*.

5) ( ) A *riqueza* não traz a felicidade.
6) ( ) A *pintura* moderna é superior à dos gregos.
7) ( ) O Discóbulo de Mirão é uma *escultura* célebre.
8) ( ) Fazer *justiça* é o dever dos governos.
9) ( ) O *governo* da coisa pública deve ser orientado pela Justiça de olhos vendados e gládio chamejante.

Coletivo e nome de grupo

6. **Diga os coletivos ou nomes de grupo referentes aos seguintes substantivos:**
   Artistas   Médicos   Estudantes   Aves
   Peixes   Camelos   Cantigas   Professores
   Animais próprios de uma região
   Vegetações próprias de uma região

Número

7. **Forme o plural dos seguintes substantivos:**

Freguês	Irmã	Irmão	Bênção	Ás	Ônix
Cós	Revólver	Abdômen	Hífen	Éden	Tórax
Leão	Coração	Melão	Desvão	Mão	Chapéu
Cidadão	Cirurgião	Capitão	Pão	Escrivão	Mamão
Alemão	Papel	Cônsul	Fóssil	Funil	Degrau

8. **Ponha dentro dos parênteses (Ô) ou (Ó) conforme os seguintes plurais tenham, respectivamente, a vogal tônica fechada ou aberta:**
   ( ) abrolhos ( ) almoços ( ) bojos ( ) fogos ( ) portos
   ( ) moços ( ) tremoços ( ) chocos ( ) fornos ( ) gostos
   ( ) despojos ( ) caroços ( ) corpos ( ) cachorros ( ) esboços
   ( ) sogros ( ) tornos ( ) adornos ( ) bodas ( ) contornos
   ( ) forros ( ) esforços ( ) tijolos ( ) postos ( ) bolsos

9. **Leia em voz alta:**
   1) Os mochos são aves noturnas.
   2) Os gafanhotos devastaram as plantações dos morros.
   3) Não lhe valeram choros nem ameaças.
   4) Em matéria de vestuário divergem os gostos dos vários povos.
   5) Os sobretudos carecem de forros novos.
   6) Encontraram-se nos destroços do incêndio moços com os rostos queimados.
   7) Não pudemos distinguir dentro da água os contornos dos polvos agarrados às pedras.

8) Rio de Janeiro e Santos são portos de mar.
9) Nos encostos das cadeiras descansam os dorsos das pessoas.
10) À custa de muitos esforços e de milhares de tijolos construiu-se o paredão.
11) Os povos estão sobrecarregados de impostos.
12) Eu quebrei os cocos facilmente com o martelo.
13) Quando alguém elogia uma coisa demasiadamente, costuma-se dizer que ele põe nos cornos da lua.
14) Julgaram que os porcos fariam estragos nos canteiros de repolhos.
15) Estejam todos a postos e providenciem para que os socorros cheguem a tempo.
16) Construíram-se altos-fornos para os serviços de metalurgia.
17) Deves comer a fruta sem engolir os caroços.

10. **Forme o plural das seguintes palavras estrangeiras correntes no português:**
    Kart   Corpus   Campus   Lady
    Lied   Sportman   Blitz   Dandy

11. **Forme o plural dos diminutivos:**
    Papelzinho   Coraçãozinho   Colherzinha   Florzinha
    Mãozinha   Mulherzinha   Fiozinho   Narizinho
    Irmãzinha   Anelzinho   Farolzinho   Irmãozinho

12. **Forme o plural dos compostos:**
    Zum-zum   Bel-prazer   Beija-flor   Vice-rei
    Guarda-civil   Ex-chefe   Ave-Maria   Malmequer
    Bem-te-vi   Pé de moleque   Grã-cruz   Navio-escola
    Público-alvo   Salário-família   Decreto-lei   Bumba meu boi
    Fruta-pão   Padre-nosso   Ruge-ruge   Guarda-marinha
    Ganha-pouco   Segunda-feira   Corre-corre   Cachorro-quente

Gênero

13. **Dê a forma feminina para os substantivos masculinos:**
    Irmão   Ator   Barão   Elefante   Hóspede
    Abade   Perdigão   Cavalo   Carneiro   O mártir
    Juiz   Professor   O ouvinte   Ateu   O intérprete
    Judeu   Europeu   Genro   Compadre   Padrinho
    Cavaleiro   Cavalheiro   Padrasto   Frade   Rico-homem

14. **Preencha os espaços com a palavra adequada apresentada dentro dos parênteses. Conheça melhor o significado dessas palavras, consultando o dicionário:**
    1) A estátua assenta em _____ de granito. (sapato/sapata)

2) Não beba água de _____. Não pise em _____ d'água. (poço/poça)
3) Adoro-te, ó _____ da santa cruz! Traze _____ para o fogo. (lenho/lenha)
4) De um só _____ pode fazer-se um barco. Esta casa é de _____. (madeiro/madeira)
5) Era um mármore branco cortado de _____ verdes. O sangue gelou-se-me nas _____. (veios/veias)
6) _____ de roseira. _____ de peixe. (espinho/espinha)
7) Uso _____ de couro. O guerreiro vinha de espada à _____. (cinto/cinta)
8) _____ florestal. _____ com apetitosas alfaces. (horto/horta)
9) O cruzado trazia sobre a armadura _____ escarlate. A jovem gostava de usar _____ verde. (saio/saia)

15. **Assinale, dentro dos parênteses, com (M), (F) ou (M/F), conforme seja a palavra, respectivamente, masculina, feminina ou indiferentemente masculina e feminina:**
( ) alface   ( ) hosana   ( ) diabete
( ) tíbia   ( ) eclipse   ( ) elipse
( ) cal   ( ) cólera-morbo   ( ) lança-perfume
( ) fruta-pão   ( ) milhar   ( ) grama [peso]
( ) dengue [doença] ( ) análise   ( ) telefonema
( ) sanduíche   ( ) libido   ( ) sabiá
( ) grama [planta] ( ) sósia   ( ) suéter

Gradação: aumentativos e diminutivos

16. **Dê o aumentativo dos seguintes nomes (tente, quando possível, não empregar o simples final -ão):**
Sábio   Nariz   Casa   Corpo   Vaga
Mulher   Homem   Rico   Esperto Muro
Boca   Chapéu   Festa   Voz   Fogo

17. **Dê o diminutivo dos seguintes nomes (tente, quando possível, não empregar o simples final -(z)inho):**
Flauta   Questão   Raiz   Corpo   Parte
Monte   Homem   Grão   Pele   Animal
Espada   Mala   Saco   Vila   Perna

Capítulo 5
Adjetivo

Adjetivo

É a classe de lexema que se caracteriza por constituir a *delimitação* do substantivo, orientando a referência a uma *parte* ou a um *aspecto* do denotado.

Entre os aspectos, há os adjetivos pátrios ou gentílicos, que se referem à nacionalidade ou ao local de origem do substantivo:
>povo *brasileiro*
>escritoras *mineiras*
>música *francesa*

Locução adjetiva

É a expressão formada de preposição + substantivo ou equivalente com função de adjetivo:
>Homem *de coragem* = homem *corajoso*
>Livro *sem capa* = livro *desencapado*
>Escritores *de hoje* = escritores *hodiernos*
>"Era uma noite medonha,
>Sem estrelas, sem luar." [GD]

Note-se que nem sempre encontramos um adjetivo da mesma família de palavras e de significado perfeitamente idêntico ao da locução adjetiva:
>Colega *de turma*
>Homem *sem-terra*

A língua poética é mais receptiva ao emprego do adjetivo (em lugar da locução adjetiva) quando ele exprime matéria:
>*áureas* estátuas — estátuas *de ouro*
>colunas *marmóreas* — colunas *de mármore*
>nuvens *plúmbeas* — nuvens *de chumbo*

A seguir temos algumas locuções adjetivas e seus adjetivos correspondentes:

De abelha	apícola
De boi	bovino
De cabelo	capilar
De cabra	caprino
De cão	canino
Da chuva	pluvial
Da cidade	citadino, urbano
Do coração	cardíaco
De criança	infantil, pueril
Do estômago	estomacal, gástrico
De estudante	estudantil, discente
De filho	filial
De fogo	ígneo
De gato	felino
De gelo	glacial
De guerra	bélico
De ilhas	insular
De inverno	hibernal, invernal
De irmão	fraternal, fraterno
Do litoral	litorâneo
De mãe	maternal
Da manhã	matinal, matutino
Do norte	setentrional
De outono	outonal, autunal, outoniço
De ovelha, carneiro	ovelhum
De pai	paternal
De porco	suíno
Do povo	popular
De primavera	primaveral, primaveril, vernal
Do professor	docente
Do rio	fluvial
Do sul	austral, meridional
Da tarde	vesperal, vespertino
De verão	estival
De velho	senil

Substantivação do adjetivo

Certos adjetivos são empregados como substantivos, sem qualquer referência a nomes expressos. A esta passagem de adjetivos a substantivos chama-se *substantivação*:
"A vida é combate
Que os *fracos* abate,
Que os *fortes*, os *bravos*,
Só pode exaltar." [GD]

Nestas substantivações, o adjetivo prescinde do substantivo que o poderia acompanhar, ou então é tomado em sentido muito geral e indeterminado, não marcado, caso em que se usa o masculino:
O bom da história é que não houve fim.
O engraçado da anedota passou despercebido.
O triste do episódio está em que a vida é assim.

Flexões do adjetivo

O adjetivo se combina com certos signos gramaticais para manifestar o número, o gênero e o grau. O grau, entretanto, não constitui, no português, um processo gramatical de flexão. O grau figura aqui por ter sido ainda contemplado pela NGB.[1] A gradação em português, tanto no substantivo quanto no adjetivo, se manifesta por procedimentos sintáticos (*casa pequena, casa grande*) ou por sufixos derivacionais (*casinha, casarão*).

Número do adjetivo

O adjetivo acompanha o número do substantivo a que se refere: *aluno estudioso, alunos estudiosos.*
O adjetivo, portanto, conhece os dois números que vimos no substantivo: o *singular* e o *plural.*

Formação do plural dos adjetivos

Aos adjetivos se aplicam, na maioria dos casos, as mesmas regras de plural dos substantivos.

---

[1] Nomenclatura Gramatical Brasileira.

Alguns poucos adjetivos, como já ocorreu nos substantivos, se mostram indiferentes à marca de número, servindo indistintamente para a indicação do singular ou plural: *simples, isósceles,*[2] *piegas, grátis, somenos,* etc. Assim:
    critério *simples* / critérios *simples*
    sentimento *piegas* / sentimentos *piegas*

Quanto aos adjetivos compostos, lembraremos que normalmente só o último varia, quando formados por dois adjetivos, embora não se trate de regra absoluta:
    amizades *luso-brasileiras*
    saias *verde-escuras*
    folhas *azul-claras*

Variam ambos os elementos, entre outros exemplos: *surdo-mudo, surdos-mudos.*

Com exceção dos casos mais gerais, não tem havido unanimidade de uso no plural dos adjetivos compostos, quer na língua literária, quer na variedade espontânea da língua. A dificuldade fica ainda acrescida pelo fato de uma mesma forma poder ser empregada como adjetivo ou como substantivo, e a cada um desses usos são atribuídos plurais distintos, especialmente nos dicionários. As denominações de cores é que mais chamam a nossa atenção neste particular.

Nos adjetivos compostos referentes a cores, quando o segundo elemento é um adjetivo, flexiona-se apenas esse segundo elemento:
    olho verde-claro   →   olhos verde-claros
    calça azul-escura   →   calças azul-escuras

Exceções: *Azul-marinho* e *azul-celeste,* como adjetivo, ficam invariáveis:
    jaqueta azul-marinho   →   jaquetas azul-marinho
    olho azul-celeste   →   olhos azul-celeste

> **Observação:**
> ➡ Nos *substantivos compostos* que designam cores, ambos os elementos vão para o plural: os verdes-claros, os amarelos-esverdeados, os azuis-escuros.

Ambos os elementos ficam invariáveis nos adjetivos compostos que designam cores quando o segundo elemento é um substantivo:
    olho verde-água   →   olhos verde-água
    olho azul-turquesa   →   olhos azul-turquesa
    uniforme verde-oliva   →   uniformes verde-oliva
    carro vermelho-sangue   →   carros vermelho-sangue

---

[2] A melhor forma seria *isóscele*, pois o *s* final é desnecessário.

> **Observação:**
>
> ➥ Nos *substantivos compostos* deste tipo, admitem-se dois plurais:
>
> o verde-água → os verdes-águas ou os verdes-água
>
> o verde-abacate → os verdes-abacates ou os verdes-abacate
>
> o azul-turquesa → os azuis-turquesas ou os azuis-turquesa

Podemos também usar nossas tradicionais maneiras de adjetivar, com o auxílio da preposição *de* ou das locuções *de cor, de cor de* ou, simplesmente, **cor de**: *olhos de verde-mar, ramagens de cor verde-garrafa, luvas de cor de pele, olhos cor de safira, olhos verdes da cor do mar*.

Mário Barreto, lembrando a possibilidade da elipse da preposição *de* ou da locução *cor de*, recomenda a invariabilidade do substantivo empregado adjetivamente em *fitas creme, luvas café*, isto é, fitas de cor de creme, e rejeita *fitas cremes, luvas cafés*. O mesmo para *vinho, laranja, salmão, rosa, cinza*, entre outras. Ele ainda ensina que, sendo frequente o emprego do nome do objeto colorido para expressar a cor desse mesmo objeto (*o* **lilá** *pálido, um* **violeta** *escuro*), aplica-se aos nomes *lilá, violeta* o gênero masculino na acepção da cor: "Prefiro *o* rosa a*o* violeta", em vez de "Prefiro *a* rosa *à* violeta", oração que pode ser entendida de maneira ambígua.

Gênero do adjetivo

O adjetivo não tem gênero como tem o substantivo. Concorda em gênero com o substantivo a que se refere como simples repercussão da relação sintática de concordância que se instaura entre o determinado e o determinante: *tempo bom, vida boa*.

Formação do feminino dos adjetivos

Os adjetivos *uniformes* são os que apresentam uma só forma para acompanhar substantivos masculinos e femininos. Geralmente estes uniformes terminam em -*a*, -*e*, -*l*, -*m*, -*r*, -*s* e -*z*:

povo *lusíada*	–	nação *lusíada*
breve exame	–	*breve* prova
trabalho *útil*	–	ação *útil*
objeto *ruim*	–	coisa *ruim*
estabelecimento *modelar*	–	escola *modelar*
conto *simples*	–	história *simples*
homem *audaz*	–	mulher *audaz*

Exceções principais: *andaluz, andaluza*; *bom, boa*; *chim, china*; *espanhol, espanhola*.

Quanto aos *biformes*, isto é, aqueles que têm uma forma para o masculino e outra para o feminino, os adjetivos seguem de perto as mesmas regras que apontamos para os substantivos. Lembraremos aqui apenas os casos principais:

a) Os terminados em *-ês, -or* e *-u* acrescentam no feminino um *-a*, na maioria das vezes.

    chinês, chinesa   *lutador, lutadora*   *cru, crua*

Exceções:
1) *cortês, descortês* e *pedrês* são uniformes; o adjetivo *montês* pode ser considerado uniforme ou tendo flexão de gênero (cabra *montês* ou cabra *montesa*);
2) *incolor, multicor, sensabor, maior, melhor, menor, pior* e outros são uniformes. Outros em *-dor* ou *-tor* apresentam-se em *-triz*: *motor, motriz* (a par de *motora*, conforme vimos nos substantivos); outros terminam em *-eira*: *trabalhador, trabalhadeira* (a par de *trabalhadora*). *Superiora* (de convento) usa-se como substantivo.
3) *hindu* é uniforme; *mau* faz *má*.

b) Os terminados em *-eu* têm o feminino em *-eia*: (↗ 125)
    europeu, europeia   *ateu, ateia*

Exceções:
    judeu – judia   *sandeu – sandia*
    tabaréu – tabaroa   *réu – ré*

c) Alguns adjetivos, como já ocorreu nos substantivos (↗ 108), apresentam uma forma teórica básica do feminino singular com vogal aberta que estará presente também no plural; no masculino esta vogal aberta passa a fechada:
    laborioso (ô), *laboriosa* (ó);   *disposto* (ô), *disposta* (ó)

Gradação do adjetivo

Há três tipos de gradação na qualidade expressa pelo adjetivo: **positivo, comparativo** e **superlativo**, quando se procede a estabelecer relações entre o que são ou como se mostram dois ou mais seres. Como já dissemos, a gradação em português se expressa por mecanismo sintático ou derivacional.

O **positivo**, que não constitui a rigor uma gradação, enuncia simplesmente a qualidade:
    O rapaz é *cuidadoso*.

O **comparativo** compara qualidade entre dois ou mais seres, estabelecendo:

a) uma *igualdade*:
   O rapaz é *tão cuidadoso quanto* (ou *como*) os outros.

b) uma *superioridade*:
   O rapaz é *mais cuidadoso que* (ou *do que*) os outros.

c) uma *inferioridade*:
   O rapaz é *menos cuidadoso que* (ou *do que*) os outros.

O *superlativo*:
a) ressalta, com vantagem ou desvantagem, a qualidade do ser em relação a outros seres:
   O rapaz é *o mais cuidadoso dos* (ou *dentre os*) pretendentes ao emprego.
   O rapaz é *o menos cuidadoso dos* pretendentes.

b) indica que a qualidade do ser ultrapassa a noção comum que temos dessa mesma qualidade:
   O rapaz é *muito cuidadoso*.
   O rapaz é *cuidadosíssimo*.

No caso a), a *qualidade* é ressaltada em relação aos outros pretendentes. Diz-se que o *superlativo* é *relativo*.

Forma-se o *superlativo relativo* do mesmo modo que o comparativo de superioridade ou inferioridade, antecedido sempre do artigo definido e seguido de sintagma preposicional iniciado por *de* (ou *dentre*): *o mais...de* (ou *dentre*), *o menos...de* (ou *dentre*).

Quando o adjetivo vem depois do substantivo já precedido de artigo, não se usa o artigo antes do superlativo relativo:
   Trata-se do homem *mais inteligente do* país
e não:
   Trata-se do homem *o mais inteligente do* país.

Se o substantivo está desprovido de artigo definido ou se encontra precedido de artigo indefinido, deve-se usar o artigo definido antes de *mais* ou *menos*: "O mestre seguia o sistema da pancadaria, *sistema o mais racional* de todos com cabeça daquele feitio." [CBr]; "(...) a Virgem Maria manda-te dizer que me ajudes a guardá-la muito bem; que lhe tem destinado *um noivo o mais virtuoso*, e *mais amável* que há no mundo." [AC]

No segundo caso, a superioridade é ressaltada sem nenhuma relação com outros seres. Diz-se que o *superlativo é absoluto* ou *intensivo*

O superlativo absoluto pode ser *analítico* ou *sintético*.

Forma-se o *analítico* com a anteposição de palavra intensiva ou intensificador (*muito, extremamente, extraordinariamente*, etc.) ao adjetivo: *muito cuidadoso*.

Na modalidade espontânea, mesmo em literatura, pode-se obter a manifestação afetiva do superlativo mediante a repetição do adjetivo (Ela é *linda linda*) ou do advérbio (Ela é *muito muito linda*).

O *sintético* é obtido por meio do sufixo derivacional *-íssimo* (ou outro de valor intensivo) acrescido ao adjetivo na forma positiva, com a supressão da vogal temática, quando o exigirem regras morfofonêmicas: *cuidadosíssimo*. Pode-se ainda usar de prefixo: O fato é *revelho* (= velhíssimo).

Quanto ao aspecto semântico, *cuidadosíssimo* diz mais, é mais enfático do que *muito cuidadoso*. Na linguagem coloquial, se desejamos que o superlativo absoluto analítico seja mais enfático, costumamos repetir a palavra intensiva: *Ele é muito mais cuidadoso*, ou se buscam efeitos expressivos mediante a ajuda de criações sufixais imprevistas como *-ésimo*.

O meio-termo entre estes dois superlativos (*muito cuidadoso* ➙ *cuidadosíssimo*) é obtido com a fórmula: *mais do que cuidadoso, menos de*:

"Estas e outras arguições, complicadas com os procedimentos *mais do que ásperos* da expulsão do coleitor Castracani em 1639, não concorreram pouco para alienar de todo o ânimo das populações..." [RS]

"Tomou o estudante uma casa *menos de modesta*, fora de portas em Santo Antônio dos Olivais." [CBr]

Machado de Assis comenta, com ponta de ironia, os exageros de expressão: "Tu queres saber o que era preciso, antes de tudo, além da pureza dos costumes? Era aquela *melhor boa vontade* de que falou anteontem um dos candidatos últimos. Leste, não? Também eu. Sim, não basta a *boa vontade*, nem a *melhor vontade*, é preciso a *melhor boa*, que é um superlativo, não digo novo, mas prodigiosamente singular; e adeus." [MA]

Alterações gráficas no superlativo absoluto

Ao receber o sufixo intensivo, o adjetivo pode sofrer certas modificações na sua forma:

a) os terminados em *-a, -e, -o* perdem essas vogais:

cuidadosa	–	cuidadosíssima
elegante	–	elegantíssimo
gostoso	–	gostosíssimo

b) os terminados em *-vel* mudam este final para *-bil*:

| amável | – | amabilíssimo |
| terrível | – | terribilíssimo |

c) os terminados em *-m* e *-ão* passam respectivamente a *-n* e *-an*:

| comum | – | comuníssimo |
| são | – | saníssimo |

d) os terminados em -z passam esta consoante a -c:

feroz	–	ferocíssimo
sagaz	–	sagacíssimo

Há adjetivos que não alteram sua forma, como é o caso dos terminados em -u, -l (exceto -vel), -r:
   cru – cruíssimo; fácil – facílimo / facilíssimo; regular – regularíssimo

Afora estes casos, outros há em que os superlativos se prendem a formas latinas. Apontemos os mais frequentes:

acre – acérrimo	magnífico – magnificentíssimo
amargo – amaríssimo	magro – macérrimo
amigo – amicíssimo	malédico – maledicentíssimo
antigo – antiquíssimo [qüi]	maléfico – maleficentíssimo
áspero – aspérrimo	malévolo – malevolentíssimo
benéfico – beneficentíssimo	mísero – misérrimo
benévolo – benevolentíssimo	miúdo – minutíssimo
célebre – celebérrimo	negro – nigérrimo
célere – celérrimo	nobre – nobilíssimo
cristão – cristianíssimo	parco – parcíssimo
cruel – crudelíssimo	pessoal – personalíssimo
difícil – dificílimo	pobre – paupérrimo
doce – dulcíssimo	pródigo – prodigalíssimo
fiel – fidelíssimo	provável – probabilíssimo
frio – frigidíssimo	público – publicíssimo
geral – generalíssimo	sábio – sapientíssimo
honorífico – honorificentíssimo	sagrado – sacratíssimo
humilde – humílimo	salubre – salubérrimo
incrível – incredibilíssimo	simples – simplicíssimo (menos usado), simplíssimo
inimigo – inimicíssimo	soberbo – superbíssimo
íntegro – integérrimo	tétrico – tetérrimo
livre – libérrimo	

Ao lado do superlativo à base do termo latino, pode circular o que procede do adjetivo vernáculo acrescido da terminação -íssimo:

agílimo – agilíssimo	humílimo – humildíssimo, humilíssimo
antiquíssimo [qüí] – antiguíssimo [güí]	macérrimo – magríssimo[3]
aspérrimo – asperíssimo	nigérrimo – negríssimo
crudelíssimo – cruelíssimo	parcíssimo – parquíssimo
dulcíssimo – docíssimo	paupérrimo – pobríssimo
facílimo – facilíssimo	

Observações:

➥ Chamamos a atenção para as palavras terminadas em *-io* que, na forma sintética, apresentam dois *is*, por seguirem a regra geral da queda do *-o* final para receber o sufixo:

cheio → cheiíssimo, cheiinho   precário → precariíssimo

feio → feiíssimo, feiinho   sério → seriíssimo, seriinho

frio → friíssimo, friinho   sumário → sumariíssimo

necessário → necessariíssimo   vário → variíssimo

➥ Ainda que escritores usem formas com um só *i* (*cheíssimo, cheinho, feíssimo, seríssimo,* etc.), a língua-padrão insiste no atendimento à manutenção dos dois *is*.

Comparativos e superlativos irregulares

Afastam-se dos demais na sua formação de comparativo e superlativo os adjetivos seguintes:

Positivo	Comparativo de Superioridade	Superlativo	
		Absoluto	Relativo
bom	melhor	ótimo	o melhor
mau	pior	péssimo	o pior
grande	maior	máximo	o maior
pequeno	menor	mínimo	o menor

Não se diz *mais bom* nem *mais grande* em vez de *melhor* e *maior*; mas podem ocorrer *mais pequeno, o mais pequeno, mais mau,* por *menor, o menor, pior.* Também se podem empregar *bom* e *grande* nas expressões *mais ou menos grande, mais ou menos bom,* pois que os tais adjetivos se regulam pela última palavra:
 "Os poemas completos do desterrado do Ponto, todas as literaturas europeias os ambicionavam, e os meteram em si, com *mais ou menos boa* mão." [AC]

---

[3] *Magérrimo* é forma popular.

Note-se o jogo de alternância de *mais pequeno* e *menor* em:
"Em matéria de amor-próprio o *mais pequeno* inseto não o tem *menor* que a baleia ou o elefante." [MM]

Nas construções de particípios adjetivos do tipo *mais bem-estudado, menos bem-feito*, pode-se empregar ainda *melhor* e *pior*, respectivamente; *melhor estudado, pior feito*, dizeres sem razão condenados por alguns gramáticos.

É ainda oportuno lembrar que às vezes *bom* e *mau* constituem com o substantivo seguinte, por hipotaxe (↗ 41), uma só unidade léxica, de modo que, nesta situação, podem ser modificados pelos advérbios *mais, menos, melhor, pior*, que passam a referir-se a toda a expressão: *homem de mais mau caráter, pessoa de menos más intenções, palavras da melhor boa-fé*:

"Pode ser que ele ainda venha para ti com o coração purificado, e o tributo da mocidade avaramente pago. *Mais bom marido* será então." [CBr]

Ao lado dos superlativos *o maior, o menor*, figuram ainda *o máximo* e *o mínimo*, que se aplicam a ideias abstratas e aparecem ainda em expressões científicas, como *a temperatura máxima, a temperatura mínima, máximo divisor comum, mínimo múltiplo comum, nota máxima, nota mínima*.

Comparando-se duas qualidades ou ações de um ser, empregam-se *mais bom, mais mau, mais grande* e *mais pequeno* em vez de *melhor, pior, maior, menor*:
É mais bom do que mau. (e não: *é melhor do que mau*)
A escola é mais grande do que pequena.
Ele é mais bom do que inteligente.

Por fim, assinalemos que, depois dos comparativos em *-or* (*superior, inferior, anterior, posterior, ulterior*), se usa a preposição *a*:
  superior **a** *ti,*   *inferior* **ao** *livro,*   *anterior* **a** *nós*

> **Observação:**
>
> ➥ Quanto à dúvida entre *mais bem* (ou *mais mal*) e *melhor* (ou *pior*) antes de particípio, vale lembrar que a forma vernácula seria *mais bem* (ou *mais mal*): *textos mais bem contextualizados*. Entretanto, a construção mais moderna com *melhor* (ou *pior*) é atualmente tão usual quanto a primeira: *textos melhor contextualizados* A novidade foi de início contestada por alguns puristas, mas hoje a opinião geral é aceitar ambas as construções.
>
> Como nos ensina Mário Barreto: "Só um caso se nos antolha em que não é possível usar dos advérbios comparativos *melhor* e *pior* junto a um particípio: e é quando *bem* e *mal* de tal modo se prendem pelo sentido com o particípio subsequente, que dele não se deixam desagregar: *benquisto, malquisto, bem-aventurado, mal-aventurado, bendito, maldito*, formas que se podem equiparar a *bendizente, maldizente: mais bendizente, mais maldizente.* Tirante este caso, diga-se indiferentemente junto a um particípio: *melhor*, ou *mais bem*, ou ainda *melhormente*: 'Como quer que fosse, os judeus portugueses eram os *melhormente* conceituados e respeitados em Hollanda.' (Camillo – *O judeu*, vol. I, parte segunda, cap. 1, p. 131)."

Repetição de adjetivo com valor superlativo

Na linguagem coloquial pode-se empregar, em vez da forma de superlativo, a repetição do mesmo adjetivo, sem pausa e sem vírgula:
O dia está *belo belo*. (= belíssimo)
Ela era *linda linda*. (= lindíssima)

Proferindo-se estas orações, dá-se-lhes um tom de voz especial para melhor traduzir a ideia superlativa expressa pela repetição do adjetivo. Geralmente consiste na pausa demorada na vogal da sílaba tônica.

Comparações em lugar do superlativo

Para expressarmos mais vivamente o elevado grau de uma qualidade do ser, empregamos ainda comparações que melhor traduzem a ideia superlativa:
Pobre como Jó (paupérrimo), *feio como a necessidade* (feiíssimo), *claro como água, escuro como breu, esperto como ele só, malandro como ninguém.*

Usam-se ainda certas expressões não comparativas: *podre de rico, feio a mais não poder, grande a valer.*

Adjetivos diminutivos

As formas diminutivas de adjetivos (precedidas ou não de *muito, mais, tão, bem*) adquirem valor de superlativo:
Blusa *amarelinha*, garoto *bonitinho*
"É bem *feiozinho*, benza-o Deus, o tal teu amigo!" [AAz]

No estilo coloquial não é raro o reforço deste emprego do diminutivo mediante a locução *da silva*:
Blusa *amarelinha da silva*.
Ela está *vivinha da silva*.

Posição na sequência dos adjetivos

Em geral, os adjetivos referidos a um mesmo substantivo ou pronome são postos em sequência: Ela é *inteligente* e *trabalhadora*. No estilo literário, pode ocorrer a separação: A nuvem tão *temerosa* vinha e *carregada*.

Às vezes, um termo sintático do primeiro adjetivo o afasta do segundo, como neste exemplo:

"Mas o Porto não se sentia apenas isolado e excomungado; sentia-se também — o que era muito pior — *algemado* nos seus pulsos e *asfixiado*." [AMB]

Exercícios de fixação

1. Substitua as locuções adjetivas pelo correspondente adjetivo:
   Modelo: Dias de sol → dias ensolarados
   1) Raios *de sol*
   2) Força *de leão*
   3) Sonho *de jovem*
   4) Televisão *a/ em cores*
   5) Voto *do povo*
   6) Pureza *de anjo*
   7) Figura *da história*
   8) Arguição *de doutor*
   9) Bondade *de Deus*
   10) Sonho *de ouro*
   11) Proteção *do céu*
   12) Silêncio *de sepulcro*
   13) Discussão *sem razão*
   14) Resposta *sem piedade*
   15) Criança *sem amparo*
   16) Pão *com manteiga*
   17) Olhos *de águia*
   18) Produto *sem odor*
   19) Comida *sem sal*
   20) Prejuízo *sem recuperação*

2. Substitua o adjetivo por locução adjetiva correspondente. Tome o 1.º como modelo:
   1) Amor filial: *Amor de filho*
   2) Argumento desarrazoado
   3) Erro irremediável
   4) História desengraçada
   5) Ação infrutífera
   6) Recurso infalível
   7) Santa imaculada
   8) Terreno lacustre
   9) Homem intimorato
   10) Inscrições rupestres

3. Aplique a cada substantivo cinco adjetivos ou locuções adjetivas cabíveis, fugindo à adjetivação banal, isto é, *grande orador, excelente escritor, ilustre dama, linda manhã, árdua tarefa, sagrado dever,* etc.:
   1) Opinião   3) Vento   5) Educação
   2) Escritor   4) Fruta   6) Livro

4. Escolha, na relação em destaque, um adjetivo de valor intensivo exigido pelo significado e pelo uso, para preencher o espaço em branco. Observe a concordância:

   profundo   divergente   exorbitante   categórico   irrefutável
   decisivo   sobejo   indissolúvel   atroz   vivo

   1) Pronunciou um desmentido _____.
   2) Apresentou provas _____.
   3) Deu _____ razões para provar sua inocência.

4) A resposta _____ fez silenciar a plateia.
5) Estavam unidos por laços _____.
6) Ele mostrou-se de uma ignorância _____.
7) Escutavam o discurso com atenção _____.
8) Ela examinava o processo com interesse _____.
9) Todos deploraram sua decisão _____.
10) Não houve manifestação _____.

5. **Empregue, em vez do adjetivo, um substantivo abstrato seguido da palavra a que está referido. Consulte o dicionário nos casos de dúvida. Tome o 1.º como modelo:**
   1) A torre alta: *a altura da torre*
   2) O documento autêntico
   3) A jovem discreta
   4) A floresta espessa
   5) A madeira espessa
   6) A resposta sutil
   7) O castigo rigoroso
   8) O soldado ufano
   9) O preço módico
   10) A norma geral

6. **Sublinhe com um traço os adjetivos e com dois traços os adjetivos substantivados, nas seguintes máximas do Marquês de Maricá:**
   1) Aquele que se envergonha ainda não é incorrigível.
   2) O homem que despreza a opinião pública é muito tolo ou muito sábio.
   3) Os velhos ruminam o pretérito, os moços antecipam e devoram o futuro.
   4) O fraco ofendido desabafa maldizendo.
   5) Quem não pode ou não sabe acumular nunca chega a ser sábio nem rico.
   6) Há tolos velhacos assim como há doidos sagazes.
   7) Nenhum governo é bom para os homens maus.
   8) Sabei escusar o supérfluo, e não vos faltará o necessário.
   9) O ignorante se espanta do mesmo que o sábio mais admira.
   10) Um ente passível não pode ser independente.

Número

7. **Ponha no plural:**
   1) Ação civil
   2) Pagode chinês
   3) Questão assim
   4) Solução simples
   5) Costume pagão
   6) Esforço vão
   7) Cidadão alemão
   8) Solução fácil
   9) Discussão pueril
   10) Papel azul
   11) Sarau literomusical
   12) Amizade luso-brasileira
   13) Saia verde-escura
   14) Painel verde-claro

8. **Ponha no plural:**
   1) Um acórdão justo
   2) O tradicional beija-mão
   3) O longo corrimão
   4) O sábio alemão
   5) O diligente escrivão
   6) O simples cidadão
   7) A última demão
   8) O fraco alçapão
   9) O lindo cão
   10) O hábil cirurgião
   11) O quente verão
   12) O extinto vulcão

Gênero

9. **Ponha no feminino:**
   1) Homem chão
   2) Judeu cortês
   3) Senhor mau
   4) Cidadão sandeu
   5) Jovem hebreu
   6) Servidor plebeu
   7) Ator ilhéu
   8) Poeta bonacheirão
   9) Bode montês
   10) Professor europeu

Gradação

10. Tomando por base as seguintes orações, construa diferentes orações seguindo a gradação de significação dos adjetivos: Ex.: O tigre e o lobo são ferozes. *O tigre é mais feroz do que o lobo. O lobo é menos feroz do que o tigre. O lobo não é tão feroz como o tigre. O tigre é o mais feroz dos dois animais. O lobo é o menos feroz dos dois animais.*
    1) O chumbo e o ferro são pesados.
    2) A águia e o abutre são fortes.
    3) O ouro e a prata são metais preciosos.
    4) O ferro e a pedra são duros.
    5) A torre e a casa são altas.

11. **Assinale com (C) ou (S) dentro dos parênteses os comparativos e os superlativos, respectivamente:**
    1) ( ) O cajueiro é mais alto que a roseira.
    2) ( ) A palmeira é a mais alta árvore deste lugar.
    3) ( ) Henrique está menos adiantado do que Paulo.
    4) ( ) Esta lição parece tão fácil como a precedente.
    5) ( ) Guardei as melhores recordações daqueles dias de férias.
    6) ( ) Sem o teu auxílio o meu trabalho seria péssimo.
    7) ( ) Fizemos uma viagem muito rápida.
    8) ( ) Moras em casa maior do que a minha.
    9) ( ) Do jacarandá, madeira duríssima, fazia-se outrora bela mobília.
    10) ( ) As coisas menos estimáveis, e ainda as mais aborrecidas, tiveram famosos apologistas.

12. **Ponha no superlativo intensivo os seguintes adjetivos, empregando terminações apropriadas:**
   1) Caminho difícil
   2) Estrada estreita
   3) Solução inábil
   4) Examinador benévolo
   5) Professora amiga
   6) Tecido áspero
   7) Palavra própria
   8) Garoto feio
   9) Campanha cristã
   10) Questões sérias
   11) Mestre sábio
   12) Capacidade tenaz
   13) Cenas terríveis
   14) Biblioteca pobre
   15) Terreno salubre
   16) Notas boas
   17) Livro antigo
   18) Condições más
   19) Condições precárias
   20) Resposta acre
   21) Saúde boa
   22) Feição humilde
   23) Investigação sagaz
   24) Guerra cruel

13. **As palavras podem ser empregadas em seu significado real — denotativo —, como *frio* em *noite fria*, ou em sentido figurado — conotativo —, como *frio* em *temperamento frio*. Assinale, dentro dos parênteses, com (D) e (C), os exemplos em que os adjetivos estão empregados, respectivamente, com significação denotativa ou conotativa. Consulte o dicionário:**
   1) ( ) Vento frio   ( ) Pé-frio (azarento, sem sorte)
   2) ( ) Cor pálida   ( ) Discurso pálido
   3) ( ) Linguagem clara   ( ) Luz clara
   4) ( ) Rosa espinhosa   ( ) Tarefa espinhosa
   5) ( ) Tampa tumular   ( ) Segredo tumular
   6) ( ) Vidraça diáfana   ( ) Verdade diáfana
   7) ( ) Água cristalina   ( ) Taça cristalina
   8) ( ) Decepção amarga   ( ) Remédio amargo
   9) ( ) Resposta seca   ( ) Roupa seca
   10) ( ) Porta férrea   ( ) Vontade férrea

Capítulo 6
Artigo

Artigo

Chamam-se *artigo definido* ou simplesmente *artigo o, a, os, as* que se antepõem a substantivos, com reduzido valor semântico demonstrativo e com função precípua de adjunto desses substantivos.

A tradição gramatical tem aproximado este verdadeiro artigo de *um, uns, uma, umas*, chamados *artigos indefinidos*, que se assemelham a *o, a, os, as* pela mera circunstância de também funcionarem como adjunto de substantivo, mas que do autêntico artigo diferem pela origem, tonicidade, comportamento no discurso, valor semântico e papel gramatical.

Do ponto de vista semântico e consequentes resultados nas funções gramaticais, está o primordial valor *atualizador* do artigo, de que decorrem os demais valores contextuais:[1] o artigo definido identifica o objeto designado pelo nome a que se liga, delimitando-o, extraindo-o de entre os objetos da mesma classe, como aquele que já foi (ou será imediatamente) conhecido do ouvinte.

Deste valor atualizador decorre o fato sintático de o artigo ser dispensado quando tal valor já vem expresso por outro identificador adnominal, seja demonstrativo (*este homem*), seja possessivo (*meu livro*), seja por equivalente a este valor, ou antes de um nome próprio, já por si atual e individual. No português o uso do artigo em "*o meu livro*" é redundante e de expansão tardia, mas hoje muito frequente.

Outra função é a da substantivação: qualquer unidade linguística, do texto ao morfema, pode substantivar-se quando é nome de si mesma, tomada materialmente: "*o o é artigo*", "*o este é dissílabo*", "não sabe *o como me agradar*", "*o per-* é um prefixo".

Este fato e a força identificadora contribuem para a possibilidade de calar o nome já antes enunciado ou, se não antes enunciado no discurso, pelo menos conhecido e identificado pelo falante e pelo ouvinte: "*o livro de Edu* e *o teu*", "*a blusa branca* e *a azul*", "*o livro de Bebel* e *o de Henrique*", etc. Tal possibilidade criou a

---

[1] É válido o comentário de Coseriu: "(...) o artigo per si não individua. Nos casos em que isto parece ocorrer (p. ex. Leram o livro? Estou vendo o mapa.), a individuação está dada, na realidade, pelos entornos verbais e extraverbais." [Ecs]

diferença, na nomenclatura gramatical, entre *o* "artigo" e *o* "pronome demonstrativo", baseada em dois fatos:
1) o segundo *o* vale semanticamente por *isto, isso, aquilo, esse, essa, aquele*, etc., e
2) por usarem outras línguas, nesta situação, um pronome (*celui* em francês, *quello* em italiano), e não o artigo. Gili Gaya já mostrou que línguas há que preferem, nesta situação, o artigo, enquanto outras preferem formas de demonstrativo. O português e o espanhol preferem o artigo.

Ora, isto nos leva a acompanhar os autores (Alarcos Llorach, mais recentemente) que veem como substantivações de orações previamente transpostas a subordinadas adjetivas (Não sei *o que fazes*, objeto direto de *não sei*) ou adverbiais (Gostou *do quando o filho se defendeu*, complemento relativo de *gostar*). (➴ 64)

Esta omissão do antecedente do relativo é análoga à que se dá em subordinadas de *quem* absoluto (Quem tudo quer tudo perde), e nas interrogativas indiretas (Não sei quem virá, Não sei quando virá), já classificadas como de valor substantivo desde Epifânio Dias, no final do século passado, e critério adotado depois, entre outros, por Said Ali e Mário Pereira de Sousa Lima.

Por fim, cumpre acrescentar que o artigo empregado junto com um quantificador tem função individuadora (*os dois homens*) e aplicado a um nome próprio — já atual e individual — pode exercer função estilística (*Maria* ao lado de *a Maria*).

Junto de nome não marcado por gênero e número, pode o artigo ser responsável pela indicação dessas marcas gramaticais: *o artista, a artista; o lápis, os lápis*.

Por fim, cabe lembrar que, numa sequência de substantivos de gêneros diferentes, o português, como o espanhol, admite que o artigo usado para o primeiro substantivo possa ser omitido no segundo: "Não é a fortuna que falta aos homens, mas *a perícia e juízo* em aproveitá-la quando ela nos visita." [MM]

Emprego do artigo definido

De largo uso no idioma, o artigo assume sentidos especialíssimos, graças aos entornos verbais e extraverbais.

a) Denota o artigo, junto dos nomes próprios, nossa familiaridade (neste mesmo caso pode ser também omitido):
O Cleto talvez falte hoje. O Antônio comunicou-se com o João.

> **Observação:**
> ➦ O uso mais frequente, na linguagem culta, tendo em vista o valor já de si individualizante, dispensa o artigo junto a nomes próprios de pessoas, com exceção dos que se acham no plural. É tradição ainda só antepor artigo a sobrenomes: *o* Camões, *o* Tasso, *o* Vieira. Modernamente, tem-se estendido a presença do artigo antes dos nomes de escritores, artistas e personagens célebres, principalmente, quando usados em sentido figurado: *o* Dante, *o* Torquato, *o* Rafael (= o quadro de Rafael). Dizemos, indiferentemente, *Cristo* ou *o* Cristo (ou ainda *o* Cristo Jesus), *o* Cristo Rei.

b) Costuma aparecer ao lado de certos nomes próprios geográficos, principalmente os que denotam países, oceanos, rios, montanhas, ilhas:
a Suécia, *o* Atlântico, *o* Amazonas, *os* Andes, *a* Groenlândia

Entre nós, dispensam artigo os nomes dos seguintes Estados: *Goiás, Mato Grosso, Mato Grosso do Sul, Rondônia, Roraima, Santa Catarina, São Paulo, Pernambuco e Sergipe.*

Com Alagoas e Minas Gerais, o artigo é facultativo:
Mora em Minas Gerais./ Mora nas Minas Gerais.
Nasceu em Alagoas./ Nasceu nas Alagoas.

Os demais Estados exigem artigo.

Observações:

➥ Não se acompanham de artigo as denominações geográficas formadas com nomes ou adjetivos: *São Paulo, Belo Horizonte.*

➥ Quanto às cidades, geralmente prescindem de artigo. Há, contudo, exceções devidas à influência de seu primitivo valor de substantivo comum: *o* Rio de Janeiro, *o* Porto, *o* Cairo.

➥ *Recife* sempre se disse acompanhado de artigo: *o Recife.* Modernamente, pode dispensá-lo. *Aracaju*, capital de Sergipe, conhece a mesma liberdade.

c) Entra em numerosas alcunhas e cognomes: Isabel, *a* Redentora; D. Manuel, *o* Venturoso; mas: *Frederico Barba-roxa.*
d) Aparece em certos títulos: *o* professor João Ribeiro, *o* historiador Tito Lívio, *o* doutor Walter.

Observação:

➥ É omitido antes dos ordinais pospostos aos títulos: Pedro I, Henrique VIII, João VI.

e) É omitido nos títulos de *Vossa Alteza, Vossa Majestade, Vossa Senhoria* e outras denominações, além das formas abreviadas *dom, frei, são* e as de origem estrangeira, como *Lord, Madame, Sir* e o latinismo *sóror* ou *soror* (oxítono): *Vossa Alteza passeia. Frei Joaquim do Amor Divino Caneca nasceu em Pernambuco. Soror* (ou *Sor*) *Mariana Alcoforado foi célebre escritora portuguesa.*
f) Antecede o artigo os nomes de trabalhos literários e artísticos (se o artigo pertence ao título, há de ser escrito obrigatoriamente com maiúscula):
a *Eneida*, a *Jerusalém Libertada*, Os *Lusíadas*, A *Tempestade*

Mesmo quando precedido de preposição fora do título, deve-se modernamente (a tradição não procedia assim) preservar a integridade do artigo incluído na denominação:

No caso de *Os Lusíadas...*
Passando os olhos por *As Cidades e as Serras.*
Estampou-se ontem em *O Globo* e no *Jornal do Brasil* essa notícia.

Às vezes aparentemente se juntam dois artigos porque o primeiro tem subentendida a espécie da publicação: "Um artigo meu publicado **na** [revista] *A Águia*". [FP] "*O* [livro] *A Padaria Espiritual* está sendo caprichosamente confeccionado..." [LM]
A má interpretação deste fato favoreceu o emprego errôneo e pleonástico do artigo em construções do tipo: A notícia saiu **pelas** As Grandes Novidades.

g) É omitido antes da palavra *casa*, designando residência ou família, nas expressões do tipo: *fui a casa, estou em casa, venho de casa, passei por casa, todos de casa.*

> **Observação:**
> ➡ Seguido de nome do possuidor ou de um adjetivo ou expressão adjetiva, pode *casa* acompanhar-se de artigo: *Da* (ou *de*) casa de meus pais.

h) Omite-se, ainda, o artigo junto ao vocábulo *terra*, em oposição a *bordo* (que também dispensa artigo):
Iam de bordo *a* terra.

i) Costuma-se omitir o artigo com a palavra *palácio*, quando desacompanhada de modificador:
"Perguntou o mestre-escola afoitamente à sentinela do paço se o representante nacional, morgado da Agra, estava *em palácio*." [CBr]

j) Aparece junto ao termo denotador da unidade quando se expressa o valor das coisas (aqui o artigo assume o valor de *cada*):
Maçãs de poucos reais *o* quilo.

k) Aparece nas designações de tempo com os nomes das estações do ano:
Na primavera há flores em abundância.
"Em uma tarde do *estio*, à hora incerta e saudosa..." [AH]

> **Observações:**
> ➡ Se o nome da estação vier precedido de *de*, significando *próprio de*, o artigo é dispensado: Numa manhã *de primavera*.
> ➡ Se a expressão temporal contiver nome de mês, dispensa ainda o artigo: Meu irmão faz anos *em março*.

l) Tem seu emprego facultativo nas indicações de tempo com a expressão *uma hora*, significando *uma* a *primeira hora*:
Era perto *da uma hora* (uso mais de Portugal) ou Era perto *de uma hora.*

Por ser mais antiga na língua, fixou-se o emprego do *a* acentuado em expressões como *à uma hora*, etc. (↗ 163)

m) É, na maioria dos casos, de emprego facultativo junto a possessivos em referência a nome expresso:
Meu livro ou *O meu livro*

> **Observações:**
>
> ➥ Tem-se abusivamente condenado o emprego do artigo junto a possessivo em expressões do tipo *ao meu ver, ao meu pedido, ao meu modo, ao meu lado, ao meu bel-prazer*, etc. As duas formas são correntes e corretas: "As estrelas lhe falavam numa espécie de gíria e já cumpriam, para com ele, deveres de sociabilidade indignos, *ao meu ver*, de uma estrela." [BLS]; "*A meu ver*, o remédio é tornar públicas as sessões, anunciá-las, convidar o povo a assistir a elas." [MA]; "(...) não percebi a moça *ao meu lado*, olhando o mesmo vitral." [CCo]; "(...) voam como morcegos *a meu redor*, ameaçam bicar-me, ferir-me com suas garras." [CCo]
>
> ➥ É obrigatório o artigo, quando o possessivo é usado sem substantivo, em sentido próprio ou translato: Bonita casa era *a minha*. Fazer *das suas*. "Vês, peralta? É assim que um moço deve zelar o nome *dos seus*? Pensas que eu e meus avós ganhamos o dinheiro em casa de jogo ou a vadiar pelas ruas?" [MA]

Mas sem artigo dizemos várias expressões, como *de meu, de seu natural*, linguagens com que traduzimos "os bens próprios de alguém" — a primeira — e "qualidades naturais" — a última:
Nunca tive *de meu* outro bem maior.
"Bernardes era como estas formosas *de seu natural* que se não cansam com alindamentos, a quem tudo fica bem." [AC]

Dispensa ainda artigo o possessivo que entra em expressões com o valor de *alguns*:
Os Lusíadas têm *suas* dificuldades de interpretação.

Finalmente, na expressão de um ato usual, que se pratica com frequência, o possessivo vem normalmente sem artigo:
Às oito toma *seu* café.

n) Não se repete o artigo em construções como: (↗ 141)
O homem mais virtuoso do lugar.
Estaria errado: *O* homem *o* mais virtuoso do lugar.

o) Denota o artigo a posse junto às designações de partes do corpo e nomes de parentesco:
"Traz *a cabeça* embranquiçada pelas preocupações.
Tem *o rosto* sereno, mas *as mãos* trêmulas
D. Laura (falando *à irmã*):

Pois não! quem me podia aconselhar prudência
a não ser a senhora, *a filha* singular,
que ousa dispor de si dentro do pátrio lar,
sem ouvir pai nem mãe. Cuida que a sua escolha
basta, sem que primeiro *a mãe* e *o pai* a acolha?" [AC]

p) Pode vir a palavra *todo*, no singular, seguida ou não de artigo, com os significados de *inteiro, total* e *cada, qualquer*: (➚ 197)
Todo mundo sabe. *Toda a* cidade conhece.

q) Aparece o artigo nas enumerações onde há *contraste* ou *ênfase*:
Ficou entre *a* vida e *a* morte.
"As virtudes civis e, sobretudo, o amor da pátria tinham nascido para os godos que, fixando o seu domicílio nas Espanhas, possuíram de pais a filhos *o* campo agricultado, *o* lar doméstico, *o* templo da oração e *o* cemitério do repouso e da saudade." [AH]
"Notaram todos que *a* tarde e *a* noite daquele dia foram as mais tristes horas de Casimiro na sua prisão de dois meses." [CBr]

r) Dispensa-se o artigo nos vocativos, na maioria das exclamações e nas datas que apomos aos escritos:
"Velhice – *Amigo*, diz-me um amigo,
Sabe que a boa idade é a última idade." [AO]
Rio, *10 de maio* de 1956.

s) Costuma-se dispensar o artigo depois de *cheirar a, saber a* (= ter o gosto de) e expressões sinônimas:
Isto *cheira a* jasmim. Isto *sabe a* vinho.

t) Aparece o artigo definido na sua antiga forma *lo, la*, em frases feitas:
"Tenho ouvido os quinhentistas a *la* moda, e os galiparlas." [CBr]

Assim encontramos: *a la fé, a la par, a la mar*, etc.
Aparece ainda a forma antiga na expressão *el-rei*, que se deve usar sem a anteposição de *o*.
Vestígio provável da época em que tinha o artigo a força dêitica de pronome demonstrativo é o seu emprego junto a *que* em construções cristalizadas como *pelo que, no que diz respeito*, etc.

Emprego do artigo indefinido

O artigo indefinido pode assumir matizes variadíssimos de sentido; registraremos as seguintes considerações:

a) Usa-se o indefinido para aclarar as características de um substantivo enunciado anteriormente com artigo definido:
   Estampava no rosto o sorriso, *um* sorriso de criança.

b) Procedente de sua função classificadora, *um* pode adquirir significação enfática, chegando até a vir acompanhado de oração com *que* de valor consecutivo, como se no contexto houvesse *um tal*:
   O instrumento é de *uma* precisão admirável.
   Ele é *um* herói! (Compare com: *Ele é herói!*)
   Falou de *uma* maneira, que pôs medo nos corações.

c) Antes de numeral denota aproximação:
   Esperou *uma* meia hora. (aproximadamente)
   Terá *uns* vinte anos de idade.

d) Antes de pronome de sentido indefinido (*certo, tal, outro,* etc.), dispensa-se o artigo indefinido, salvo quando o exigir a ênfase:
   Depois de *certa* hora não o encontramos em casa. (E não: *uma certa hora*)
   "Devia, pois, ser melancólico além do exprimível o que aí se passou nessa grade; triste, e desgraçado direi, a julgá-lo pelas consequências, que se vão descrever, com *um certo* pesar em que esperamos tomem os leitores o seu quinhão de pena, se não todos, ao menos aqueles que não dão nada pela felicidade da terra, quando ela implica ofensa ao Senhor do céu." [CBr]

Esta dispensa pode ocorrer também em certas locuções adverbiais (*com* [*uma*] *voz surda*), e antes do substantivo que funciona como predicativo do verbo ser: *Você é* [*um*] *homem de bem.*

Modernamente, cremos que mais por valorização estilística do indefinido que por simples e servil imitação do francês,[2] *um* aparece em casos que se não podem explicar por ênfase. Ainda assim, tais casos são censurados pela gramática tradicional.

e) Não se emprega o artigo definido antes do primeiro termo da sequência *um... e o outro* em sentido distributivo:
   Um irmão ia ao teatro e *o outro* ao cinema. (E não: *O* irmão ia ao teatro e *o outro* ao cinema.)

f) Note-se a expressão *um como*, empregada no sentido de 'uma coisa como', 'um ser como', 'uma espécie de', onde *um* concorda com o substantivo seguinte:

---

[2] Tem-se desprezado, nestes casos, a influência do inglês em nosso idioma.

Fez *um como* discurso. Proferiu *uma como* prática.
"Quisera pedir-lhe que as protegesse e guiasse; que fosse *um como* tutor moral das duas." [MA]
"(...) mordeu-lhe o coração a suspeita de que o procedimento de Iaiá era uma desforra de Estela, *uma como* vingança póstuma." [MA]

O artigo partitivo

A língua portuguesa de outros tempos empregava *do, dos, da, das* junto a nomes concretos para indicar que os mesmos nomes eram apenas considerados nas suas partes ou numa quantidade ou valor indeterminado, indefinido:
Não digas *desta* água não beberei.
"Finge-se às vezes comprador (...); *come e bebe do bom*, namora as criadas (...)." [ML]

É o que a gramática denomina *artigo partitivo*. Modernamente, o partitivo não ocorre com a frequência de outrora e, pode-se dizer, quase se acha banido do uso geral, salvo pouquíssimas expressões em que ele se manteve, mormente nas ideias de *comer* e *beber*, como se vê no exemplo acima.

Exercícios de fixação

Artigo definido

1. **Assinale com um (X) dentro dos parênteses quando for facultativo o emprego do artigo definido, sem alterar o sentido da oração:**
    1) ( ) Ainda não consegui encontrar o meu livro.
    2) ( ) Trabalhou todo o ano sem férias.
    3) ( ) Hoje telefonei para a Maria.
    4) ( ) Este é o retrato de D. Isabel, a Redentora.
    5) ( ) Visitou-nos este ano Sua Santidade o Papa.
    6) ( ) Tenho saudades da casa de meus pais.
    7) ( ) Comprara frutas a poucos reais o quilo.
    8) ( ) Conheceu o Recife e transferiu-se para as Alagoas.
    9) ( ) Ele sempre acabava fazendo das suas.
    10) ( ) Ali vai o professor sem o qual ela não teria aprendido a gostar de ópera.

2. **Assinale o exemplo em que NÃO há profunda diferença de sentido entre as expressões com artigo e as sem ele:**
    1) ( ) dona da casa / dona de casa
    2) ( ) cair da cama / cair de cama

3) ( ) estar no palácio / estar em palácio
4) ( ) amiga da verdade / amiga de verdade
5) ( ) estar na terra / estar em terra
   [J. Gualda Dantas, *Testes de Português*]

3. **Assinale o exemplo em que a presença ou ausência do artigo depois de TODO(S) constitui erro:**
   1) ( ) Todo o mundo saiu a toda a pressa.
   2) ( ) Esta parábola está em todos os quatro Evangelhos.
   3) ( ) Todo o Portugal ama Camões.
   4) ( ) Ainda não lemos todos os nossos grandes poetas.
   5) ( ) Ganhei quatro livros e já li todos quatro.
      [J. Gualda Dantas, *Testes de Português*]

4. **Assinale o exemplo em que se repete erradamente o artigo no superlativo relativo:**
   1) ( ) O aluno reprovado era o mais inteligente da turma.
   2) ( ) O aluno o mais inteligente nem sempre é o aprovado.
   3) ( ) Foi então o aluno, o menos estudioso, escolhido como representante de turma.
   4) ( ) Não me refiro a um aluno, o mais estudioso que seja, mas aos alunos em geral.
   5) ( ) Gosto de ouvir os alunos, ainda os menos estudiosos.
      [J. Gualda Dantas, *Testes de Português*]

5. **Preencha o espaço em branco, quando necessário, com o artigo definido. Se houver mais de uma possibilidade, indique-as:**
   1) Toda _____ França ocuparia uma área mínima do território brasileiro.
   2) Em todo _____ Portugal reina um clima excelente.
   3) O inverno envolve toda _____ Londres num manto de neblina.
   4) Em todo _____ São Paulo cultiva-se intensamente o café.
   5) Há em todo _____ Rio as mais pitorescas paisagens.
   6) As hortênsias adornam toda _____ Petrópolis.
   7) Em todo _____ Belo Horizonte correm renques de frondosas árvores.
      [J. Mattoso Câmara Jr., *Gramática*]

6. **O mesmo exercício, empregando TODO, TODA ou TODO O, TODA A:**
   1) _____ coração bem-formado ama o bem.
   2) Devemos amar o bem com _____ coração.
   3) Em _____ sala correu um burburinho de surpresa.
   4) Deve haver janelas amplas em _____ sala.
   5) Esperamos-te _____ dia durante o mês passado.

6) Esperamos-te _____ dia de ontem.
7) _____ criança deve aprender a não mentir, porque _____ mentira é prejudicial, e, por mais insignificante, perverte a alma da criança.
[J. Mattoso Câmara Jr., *Gramática*]

Artigo indefinido

7. **Assinale com (X) dentro dos parênteses os exemplos em que UM(A) é empregado como artigo indefinido, e não como numeral:**
   1) ( ) Um pássaro na mão vale mais do que dois a voar.
   2) ( ) O homem não é uma ave de rapina para viver das desgraças alheias.
   3) ( ) O falcão era uma ave muito usada em caçadas na Idade Média.
   4) ( ) Um falcão equivale em destreza a muitos cães.
   5) ( ) Segurando com uma das mãos o chapéu, estendi a outra ao recém-chegado.
   6) ( ) Você com uma só mão não conseguirá suspender esse fardo.
   7) ( ) A espada de Dámocles estava suspensa por um só fio de cabelo.
   8) ( ) Um único fio de cabelo mantinha no ar a espada de Dámocles.
   9) ( ) Circe preparou um filtro [beberagem com efeitos mágicos] extraordinário para os companheiros de Ulisses, de sorte que cada qual se transformava num dado animal.
   [J. Mattoso Câmara Jr., *Gramática*]

8. **Sempre que possível, sem que a sua omissão enfraqueça o matiz da ênfase que empresta à noção do substantivo, é permitido calar o artigo indefinido. Assinale com (X) dentro dos parênteses os exemplos em que ele se pode omitir sem prejuízo da mensagem:**
   1) ( ) Dirigiu-se a uma pessoa pouco conhecida na localidade.
   2) ( ) O autor teve uma grande inspiração ao ler o romance.
   3) ( ) A uma certa hora achou melhor retirar-se da festa.
   4) ( ) Estava escrevendo uma bela história acerca desse episódio.
   5) ( ) A visita do irmão trouxe ao Henrique uma excelente ideia para o estudo que estava preparando.
   6) ( ) Falaram mal de um certo indivíduo que conheci de vista.
   7) ( ) Ela era uma senhora de grandes recursos financeiros.
   8) ( ) Respondeu-nos com uma voz surda.
   9) ( ) A diretora convocou-os para uma reunião da equipe.
   10) ( ) Sempre havia uma outra coisa com a qual ela discordava do grupo.

Capítulo 7
Pronome

Pronome

É a classe de palavra que se refere a um significado léxico indicado pela situação ou por outras palavras do contexto.

De modo geral esta referência é feita a um objeto substantivo considerando-o apenas como pessoa localizada do discurso.

Pessoas do discurso

São duas as pessoas determinadas do discurso: 1.ª *eu* (a pessoa correspondente ao falante) e 2.ª *tu* (correspondente ao ouvinte).[1] A 3.ª pessoa, indeterminada, aponta para outra pessoa ou coisa em relação aos participantes da relação comunicativa.

Do ponto de vista semântico, os pronomes estão caracterizados porque indicam *dêixis* (o apontar para), isto é, estão habilitados, como verdadeiros gestos verbais, como indicadores ou de uma dêixis contextual a um elemento inserido no contexto, como é o caso, por exemplo, dos pronomes relativos, ou de uma dêixis *ad oculos*, que aponta ou indica um elemento presente ao falante. A dêixis será *anafórica* se

---

[1] Pode utilizar-se a segunda pessoa numa variedade de "impessoal". Este fato ocorre em português, tanto na língua escrita como na falada. É um *você* ou *tu* que se referem ao próprio falante, mesmo que o ouvinte esteja presente:
"Daniel, a situação comigo está difícil. Chega um momento que *você* (= eu, a gente, impessoalizador) não sabe o que fazer." "*Você* já vinha conhecendo que o tempo passava danadamente rápido por causa de uns indícios sutis. Por exemplo: quando um desconhecido fala a seu respeito não diz mais 'aquela moça', e sim 'aquela senhora' (...) Sem falar nos que morreram, porque morrem muitos à medida que a *gente* fica mais velha." [RQ]
Não levando em conta o jogo psicológico envolvido na situação, o giro tem sido injustamente condenado por alguns gramáticos que não atentam para o respaldo da língua escrita nem para o testemunho de outras línguas. No português, nesta aplicação se usa de *você* ou *tu* (ou expressões substantivas como *a pessoa, o indivíduo, o cristão*, etc.).

aponta para um elemento já enunciado ou concebido, ou *catafórica*, se o elemento ainda não foi enunciado ou não está presente no discurso.

Por este caráter relativamente indeterminado da 3.ª pessoa, a situação possessiva que lhe corresponde às vezes pode necessitar de ulteriores esclarecimentos: *seu / seu mesmo, seu próprio, seu dele*.

A localização positiva de *ele* ou *aquele* pode ainda dar-se pelos entornos extralinguísticos ou pelo gesto, que indica a *direção* em que o objeto se acha.

Classificação dos pronomes

Os pronomes podem ser: *pessoais, possessivos, demonstrativos* (abarcando, a rigor, o artigo definido), *indefinidos* (abarcando, a rigor, o artigo indefinido), *interrogativos* e *relativos*.

Pronome substantivo e pronome adjetivo

O pronome pode aparecer em referência a substantivo claro ou oculto:
Meu livro é melhor que o *teu*.

Meu e *teu* são pronomes porque, dando ideia de posse, fazem referência à pessoa do discurso: *meu* (1.ª pessoa, a que fala), *teu* (2.ª pessoa, a com quem se fala). Ambos os pronomes estão em referência ao substantivo *livro* que vem expresso no início, mas se cala no fim, por estar perfeitamente claro ao falante e ouvinte. Esta referência a substantivo caracteriza a função *adjetiva* ou de *adjunto* de certos pronomes. Muitas vezes, sem que tenha vindo expresso anteriormente, dispensa-se o substantivo, como em: Quero o *meu* e não o *seu* livro (onde ambos os pronomes possessivos são adjetivos).

Já em *Isto é melhor que aquilo*, os pronomes *isto* e *aquilo* não se referem a nenhum substantivo determinado, mas fazem as vezes dele. São, por isso, pronomes *absolutos* ou *substantivos*.

Há pronomes que são apenas absolutos ou adjuntos, enquanto outros podem aparecer nas duas funções.

Pronome pessoal

Os pronomes pessoais designam as duas pessoas do discurso e a não pessoa (não eu, não tu), considerada, pela tradição, a 3.ª pessoa:

    1.ª pessoa: *eu* (singular)   *nós* (plural)
    2.ª pessoa: *tu* (singular)   *vós* (plural)
    3.ª pessoa: *ele, ela* (singular)   *eles, elas* (plural)

O plural *nós* indica *eu* mais outra ou outras pessoas, e não *eu* + *eu*.[2]

As formas *eu, tu, ele, ela, nós, vós, eles, elas,* que funcionam como sujeito, se dizem *retas*. A cada um destes pronomes pessoais retos corresponde um pronome pessoal oblíquo que funciona como complemento e pode apresentar-se em forma átona ou forma tônica. Ao contrário das formas átonas, *as tônicas vêm sempre precedidas de preposição*:

Pronomes pessoais:		retos	oblíquos átonos (sem prep.)	oblíquos tônicos (com preposição)
Singular:	1.ª pessoa:	eu	me	mim
	2.ª pessoa:	tu	te	ti
	3.ª pessoa:	ele, ela	lhe, o, a, se	ele, ela, si
Plural:	1.ª pessoa:	nós	nos	nós
	2.ª pessoa:	vós	vos	vós
	3.ª pessoa:	eles, elas	lhes, os, as, se	eles, elas, si

Exemplos de pronomes oblíquos átonos:
"Queixamo-*nos* da fortuna [destino] para desculpar a nossa preguiça." [MM]
"A melhor companhia acha-*se* em uma escolhida livraria." [MM]

Exemplos de pronomes oblíquos tônicos:
"Os nossos maiores inimigos existem dentro *de nós* mesmos: são os nossos erros, vícios e paixões." [MM]
"As virtudes se harmonizam, os vícios discordam *entre si*." [MM]

Se a preposição é *com*, dizemos *comigo, contigo, consigo, conosco, convosco*, e não: *com mim, com ti, com si, com nós, com vós*. Empregam-se, entretanto, *com nós* e *com vós*, ao lado de *conosco* e *convosco*, quando estes pronomes tônicos vêm seguidos ou precedidos de *mesmos, próprios, todos, outros, ambos*, numeral, aposto ou oração adjetiva, a fim de evidenciar o antecedente:
Com vós todos ou *com todos vós*.
Com vós ambos ou *com ambos vós*.

---

[2] O plural de "eu" como "mera palavra" ou como substantivo para significar 'a personalidade de quem fala' tem normalmente o plural "eus":
"Não poderiam mostrar, num dado instante e numa atmosfera única, todos os *eus* sucessivos que guardam dentro de si (...)." [RCo]

Pronome oblíquo reflexivo

É o pronome oblíquo da mesma pessoa do pronome reto, significando *a mim mesmo, a ti mesmo*, etc.: (➶ 176)
Eu *me* vesti rapidamente.
Nós *nos* vestimos.
Eles *se* vestiram.

Pronome oblíquo reflexivo recíproco

É representado pelos pronomes *nos, vos, se* quando traduzem a ideia de *um ao outro, reciprocamente*: (➶ 177)
Nós *nos* cumprimentamos. (um ao outro)
Eles *se* abraçaram. (um ao outro)

Formas de tratamento

Existem ainda formas substantivas de tratamento indireto de 2.ª pessoa que levam o verbo para a 3.ª pessoa. São as chamadas *formas substantivas de tratamento* ou *formas pronominais de tratamento:*
você, vocês (no tratamento familiar)
o senhor, a senhora (no tratamento cerimonioso)

Entre os portugueses criou-se uma fórmula de meia reverência, quando a pessoa a que se dirige fica à meia distância entre o íntimo tratamento *tu* e o cerimonioso *senhor*. Nestes casos, entra o emprego do pronome *si, consigo*, em sentido não reflexivo: Preciso falar *a si* (ou *consigo*). Entre os brasileiros tal uso não foi vitorioso, além de não merecer a aceitação geral de gramáticos.

A estes pronomes de tratamento pertencem as formas de reverência que consistem em nos dirigirmos às pessoas pelos seus atributos ou cargos que ocupam:

Pronome	Abreviatura	Tratamento para
Vossa Alteza	V.A.	príncipes, duques (vocativo: Alteza)
Vossa Eminência ou *Vossa Eminência Reverendíssima*	V.Em.ª ou V. Em.ª Rev.ma	cardeais (vocativo: Eminentíssimo [e Reverendíssimo] Senhor Cardeal)
Vossa Excelência	V.Ex.ª	Presidente da República (não se usa a forma abreviada), Vice-Presidente da República, ministros de Estado, altos postos dos poderes Executivo, Legislativo e Judiciário e altas patentes militares (vocativo: Excelentíssimo Senhor [ou Senhor + cargo])

Pronome	Abreviatura	Tratamento para
Vossa Excelência Reverendíssima	V. Ex.ª Rev.ᵐᵃ	arcebispos e bispos (vocativo: Excelentíssimo e Reverendíssimo Senhor Arcebispo [ou Bispo])
Vossa Magnificência	(não se usa abreviadamente)	reitores de universidade (vocativo: Magnífico Reitor)
Vossa Majestade	V.M.	reis, imperadores (vocativo: Majestade)
Vossa Mercê	V.M.cê	pessoas de tratamento cerimonioso
Vossa Onipotência	(não se usa abreviadamente)	Deus
Vossa Reverendíssima	V.Rev.ᵐᵃ	monsenhores, cônegos e superiores religiosos (vocativo: Reverendíssimo Senhor Monsenhor, Reverendíssimo Senhor Cônego)
Vossa Reverência	V.Rev.ª	sacerdotes, clérigos e demais religiosos (vocativo: Reverendo Sacerdote [ou Clérigo, etc.])
Vossa Santidade	V.S.	Papa (vocativo: Santo Padre ou Santíssimo Padre)
Vossa Senhoria	V.S.ª	oficiais até coronel, funcionários graduados, pessoas de cerimônia (vocativo: Ilustríssimo Senhor).

Vale lembrar que as formas de tratamento acima se aplicam, da mesma forma, às mulheres que ocupam estas posições, assim como os vocativos com as devidas flexões.

Observações:

➡ Emprega-se *Vossa Alteza* (e demais) quando 2.ª pessoa, isto é, em relação a quem falamos; emprega-se *Sua Alteza* (e demais) quando 3.ª pessoa, isto é, em relação a de quem falamos.

Apesar de usarmos, na forma de tratamento, o possessivo de 2.ª pessoa do plural, a referência ao possuidor se faz com possessivo de 3.ª pessoa do singular (➚ 227).

➡ Usa-se *Dom*, abreviadamente *D.*, junto ao nome próprio: D. Afonso, D. Henrique, D. Eugênio; às vezes aparece em autores junto a nome de família, mas esta prática deve ser evitada por contrariar a tradição da língua. Usa-se ainda *D.* junto a outro título: D. Prior, D. Abade, etc.

➥ *Você*, hoje usado familiarmente, é a redução da forma de reverência *Vossa Mercê*. Caindo, entre brasileiros, o pronome *vós* em desuso, só presente nas orações e estilo solene, emprega-se *vocês* como o plural de *tu*.

➥ O substantivo *gente*, precedido do artigo *a* e em referência a um grupo de pessoas em que se inclui a que fala, ou a esta sozinha, passa a pronome e se emprega fora da linguagem cerimoniosa. Em ambos os casos o verbo fica na 3.ª pessoa do singular: "É verdade que *a gente*, às vezes, *tem* cá as suas birras." [AH]

Pronomes possessivos

São os que indicam a posse em referência às três pessoas do discurso:

Singular:	1.ª pessoa:	meu	minha	meus	minhas
	2.ª pessoa:	teu	tua	teus	tuas
	3.ª pessoa:	seu	sua	seus	suas
Plural:	1.ª pessoa:	nosso	nossa	nossos	nossas
	2.ª pessoa:	vosso	vossa	vossos	vossas
	3.ª pessoa:	seu	sua	seus	suas

Pronomes demonstrativos

São os que indicam a posição dos seres em relação às três pessoas do discurso. Esta localização pode ser no *tempo*, no *espaço* ou no *discurso*:

	Singular	Plural	Invariável
1.ª pessoa:	este, esta	estes, estas	isto[3]
2.ª pessoa:	esse, essa	esses, essas	isso
3.ª pessoa:	aquele, aquela	aqueles, aquelas	aquilo

Este livro é o livro que está perto da pessoa que fala; *esse livro* é o que está longe da pessoa que fala ou perto da pessoa com quem se fala; *aquele livro* é o que se acha distante da 1.ª e da 2.ª pessoa.

Nem sempre se usam com este rigor gramatical os pronomes demonstrativos; muitas vezes interferem situações especiais que escapam à disciplina da gramática.

---

[3] Tradicionalmente a série *isto, isso, aquilo* e *o* (invariável) é dada como remanescente do neutro latino. Já o nosso primeiro gramático Fernão de Oliveira (1536) tinha desvinculado tais pronomes do neutro latino. Epifânio Dias considera-os como masculinos (*isto, isso, aquilo*), e o erudito artigo de Herculano de Carvalho, sobre o gênero nos pronomes, mostra que só lhes cabe o gênero masculino. É assim que os trataremos aqui, inclusive o *o* invariável.

São ainda pronomes demonstrativos *o, mesmo, próprio, semelhante* e *tal*. Considera-se **o** pronome demonstrativo, de emprego absoluto, invariável no masculino e singular, quando funciona com o valor 'grosso modo' de *isto, isso, aquilo* ou *tal*:

Não *o* consentirei jamais.

"Arquiteto do mosteiro de S. Maria, já *o* não sou." [AH]

"Se os olhos corporais estavam mortos, não *o* estavam os do espírito." [AH]

"(...) residia uma viúva, que *o* era de um fidalgo da casa de Azevedo." [CBr]

Pode aludir a extensos enunciados:

Prometeu-me que sairia comigo nas próximas férias, mas não *o* fez.

O pronome *o*, perdido o seu valor essencialmente demonstrativo e posto antes de substantivo claro ou subentendido, expressão substantivada, inclusive oração, como adjunto, recebe o nome de artigo definido. Assim é que, no exemplo seguinte, consideramos o primeiro e o segundo **os** artigo definido: (➚ 153)

"*Os* homens de extraordinários talentos são ordinariamente *os* de menor juízo." [MM]

Mesmo, próprio, semelhante e *tal* têm valor demonstrativo quando denotam identidades ou se referem a seres e ideias já expressas anteriormente, e valem por *esse, essa, aquele, isso, aquilo*:

"Depois, como Pádua falasse ao sacristão baixinho, aproximou-se deles; eu fiz a *mesma* coisa." [MA]

"Não paguei uns nem outros, mas saindo de almas cândidas e verdadeiras *tais* promessas são como a moeda fiduciária..." [MA]

É proibido dizeres *semelhantes* coisas.

Alguns estudiosos, por mera escolha pessoal, têm-se insurgido contra o emprego anafórico do demonstrativo *mesmo*, substantivado pelo artigo, precedido ou não de preposição, para referir-se a palavra ou declaração expressa anteriormente. Pedem que seja substituído por *ele, ela*:

"Os diretores presos tiveram *habeas corpus*. Apareceu um relatório contra *os mesmos*, e contra outros..." [MA]

Mesmo e *próprio* aparecem ainda reforçando pronomes pessoais, com os quais concordam em número e gênero:

Ela *mesma* quis ver o problema.

Nós *próprios* o dissemos.

Pronomes indefinidos

São os que se aplicam à 3.ª pessoa quando têm sentido vago ou exprimem quantidade indeterminada.

Funcionam como pronomes indefinidos substantivos, todos invariáveis: *alguém, ninguém, tudo, nada, algo, outrem*.
"*Ninguém* mais a voz sentida
Do Trovador escutou!" [GD]

São pronomes indefinidos adjetivos variáveis: *nenhum, outro* (também isolado), *um* (também isolado), *certo, qualquer* (só variável em número: *quaisquer*), *algum*. E o único invariável: *cada*.

Aplicam-se a quantidades indeterminadas os indefinidos, todos variáveis, com exceção de *mais* e *menos*: *muito, mais, menos, pouco, todo, algum, tanto, quanto, vário, diverso*:
Mais amores e *menos* confiança. (nunca *menas*!)
Com *pouco* dinheiro compraram *diversos* presentes.
Isto é o *menos* que se pode exigir.
Muito lhe devo.
Erraste por *pouco*.
Quantos não erraram neste caso!

Observações:

➥ O pronome indefinido *um* pode ser usado como substantivo, principalmente nas locuções do tipo *cada um, qualquer um* (p. ex.: Cada *um* sabe o que mais lhe convém.). Como adjunto, recebe o nome de *artigo indefinido* (p. ex.: Vá visitar-me *um* dia desses.).

➥ Também os pronomes indefinidos *mais* e *menos* podem substantivar-se em expressões do tipo *o mais dos homens, o mais das vezes, o mais deles, o menos*. Por atração, *o mais* pode aparecer num giro derivado da construção original e concordar com o gênero e número do substantivo ou pronome pessoal que entra na expressão: *o mais dos homens* ou *os mais dos homens*; *o mais das vezes* ou *as mais das vezes*; *o mais deles* ou *os mais deles*, etc.

As duplas *quem... quem, qual... qual, este... este, um... outro* com sentido distributivo também são pronomes indefinidos:
"*Qual* se abisma nas lôbregas tristezas,
Qual em suaves júbilos discorre,
Com esperanças mil nas ideias acesas." [BBo]

Isto é: *um* se abisma... *outro* discorre.

Nota:
> Sobre o uso de *um* e *outro*, *um do outro* em referência a pessoas de sexos diferentes (➚ 460)

Muitas vezes a posição da palavra altera seu sentido e sua classificação:
Certas pessoas (pron. indef.) não chegam na hora *certa* (adjetivo), mas em *certas* horas (pron. indef.).
Algum livro (= certo livro, pron. indef.). Livro *algum* (= nenhum livro, pron. indef.).

Locução pronominal indefinida

É o grupo de palavras que vale por um pronome indefinido. Eis as principais locuções: *cada um, cada qual, alguma coisa, qualquer um, quem quer, quem quer que, o que quer que, seja quem for, seja qual for, quanto quer que, o mais* (hoje menos frequente que *a maior parte, a maioria*):
> "As verdades não parecem as mesmas a todos, *cada um* as vê em ponto diverso de perspectiva." [MM]

Pronomes interrogativos

São os pronomes indefinidos *quem, que, qual* e *quanto* que se empregam nas perguntas, diretas ou indiretas:
> *Quem* veio aqui?
> "*Que* cabeça, senhora?" [MA]
> *Que* compraste?
> *Quantos* anos tens?
> *Qual* autor desconhece?
> Quis saber *qual* seria o escolhido.
> Perguntei-lhes *quantos* vieram.
> Em lugar de *que* pode-se usar a forma interrogativa enfática *o que*:
> "Agora por isso, *o que* será feito de frei Timóteo?! Era naquele tempo um frade guapo e alentado! *O que* será feito dele?" [AH]

Até na interrogação indireta:
> Quero saber de onde vem a palavra currículo e *o que* quer dizer.

Quem refere-se a pessoas, e é pronome substantivo. *Que* refere-se a pessoas ou coisas, e é pronome substantivo (com o valor de *que coisa?*) ou pronome adjetivo (com o valor de *que espécie de?*). *Qual* e também *que*, indicadores de seleção, normalmente são pronomes adjetivos:

Em *qual* livraria compraremos o presente?
Em *que* livraria compraremos o presente?

Ressalta-se ainda a seleção antepondo ao substantivo no plural a expressão *qual dos, qual das:*
Em *qual dos* livros encontraste o exemplo?
Em *qual das* explicações iremos acreditar?

Observação:

➥ Estes interrogativos saem normalmente dos pronomes indefinidos e por isso costumam ser chamados *indefinidos interrogativos*. Aparecem ainda nas exclamações, e neste caso o *que* adquire sentido francamente intensivo:

Que susto levei! (Compare-se com: *Que* cabeça, senhora!)

Diz-se *interrogação direta* a pergunta que termina por ponto de interrogação e se caracteriza pela entoação ascendente:
Quem veio aqui?

Interrogação indireta é a pergunta que:
a) se faz indiretamente e para a qual não se pede resposta imediata;
b) é proferida com entoação normal descendente;
c) não termina por ponto de interrogação;
d) vem depois de verbo que exprime interrogação ou incerteza (*perguntar, indagar, não saber, ignorar,* etc.):
Quero saber *quem* veio aqui.

Eis outros exemplos de interrogação indireta começados pelos pronomes interrogativos já citados:
Ignoro *que* cabeça, senhora.
Indagaram-me *que* compraste.
Perguntei-te por *que* vieste aqui.
Não sei *qual* autor desconhece.
Desconheço *qual* consideras melhor.
Indagaram *quantos* vieram.

Pronomes relativos

São os que normalmente se referem a um termo anterior chamado antecedente:
Eu sou o freguês *que* por último compra o jornal. (*que* se refere à palavra freguês)

O pronome relativo *que* desempenha dois papéis gramaticais: além de sua referência ao antecedente como pronome, funciona também como transpositor de oração originariamente independente a adjetivo. E aí tal oração adjetiva exerce função de adjunto adnominal deste mesmo antecedente. No exemplo, a oração independente *O freguês compra por último o jornal* é degradada à função de adjunto adnominal na oração complexa: *Eu sou o freguês [que por último compra o jornal]*.

O transpositor pronome relativo *que* difere do transpositor conjunção integrante *que* porque este não exerce função sintática na oração em que está inserido, enquanto o relativo exerce normalmente função sintática. (↗ 378)

Os pronomes relativos são: *o qual* (*a qual, os quais, as quais*), *cujo* (*cuja, cujos, cujas*), *que, quem, quanto* (*quanta, quantos, quantas*). Quando referidos a antecedentes, *onde, como* e *quando* costumam ser incluídos entre os pronomes relativos, sendo que melhor ficam classificados como advérbios relativos.

Quem se refere a pessoas ou coisas personificadas e sempre aparece precedido de preposição. *Que* e *o qual* se referem a pessoas ou coisas. No português moderno, quando referido a pessoas, *quem* é preferível ao *que*, precedido de preposição. *Que* e *quem* funcionam como pronomes substantivos. *O qual* aparece como substantivo ou adjetivo:

As pessoas de *quem* falas não vieram.
O ônibus *que* esperamos está atrasado.
Não são poucas as alunas *que* faltaram.
Este é o assunto sobre *o qual* falará o professor.
Não vi o menino, *o qual* os colegas procuram.
Falou tudo *quanto* queria.
"Quanto à razão determinativa da captura e aposentação na Casa Verde de todos *quantos* usaram do anel, é um dos pontos mais obscuros da história de Itaguaí (...)." [MA]

Cujo, sempre com função adjetiva, reclama, em geral, antecedente e consequente expressos e exprime que o antecedente é possuidor do ser indicado pelo substantivo a que se refere:

Ali vai o *homem*	*cuja* casa comprei.
antecedente	consequente
(a casa do homem)	

Quanto tem por antecedente um pronome indefinido (*tudo, todo, todos, todas, tanto*):

Esqueça-se de tudo *quanto* lhe disse.

Pronomes relativos sem antecedente

Os pronomes relativos *quem* e *onde* podem aparecer com emprego absoluto, sem referência a antecedentes:
Quem tudo quer tudo perde.
Dize-me com *quem* andas e eu te direi *quem* és.
Moro *onde* mais me agrada.

Quem, assim empregado, é considerado como do gênero masculino e do número singular:
Quem com ferro fere com ferro será ferido.

> **Observação:**
>
> ➥ Os relativos sem antecedentes também se dizem *relativos indefinidos*. Muitos autores preferem, neste caso, subentender um antecedente adaptável ao contexto. Interpretando *quem* como a *pessoa que*, *onde* como *o lugar em que*, assim substituem:
>
> Quem tudo quer tudo perde. (= A *pessoa que* tudo quer tudo perde.)
>
> Este duplo modo de encarar o problema tem repercussões diferentes na classificação das orações subordinadas, conforme veremos na página 382.

Emprego dos pronomes

Pronome pessoal

Pronome e termos oracionais — A rigor, o pronome pessoal reto funciona como sujeito ou complemento predicativo, enquanto o oblíquo como os demais complementos:
Eu saio. **Eu** *não sou* **ele**. *Eu* **o** *vi*. *Não* **lhe** *respondemos*.

Entre os oblíquos, a forma átona vem desprovida de preposição, enquanto a tônica exige esta partícula:
Eu **o** *vi. Referiu-se* **a ti**.

Casos há, entretanto, em que a forma reta pode ocorrer em vez da oblíqua:
a) quando o verbo e o seu complemento estiverem distanciados, separados por pausa:
 "Subiu! E viu com seus olhos.
 Ela a rir-se que dançava." [GD]

b) nas enumerações e aposições:
 Depois de muita delonga o diretor escolheu: *eu*, o Henrique e o Paulinho.

c) quando precedida de *todo, só* e mais alguns adjuntos, podendo aparecer *ele* (e flexões) por *o* (e flexões):
   Os meninos, vi *todos eles* no clube. (ao lado de *vi-os todos*)

d) quando dotada de acentuação enfática, no fim de grupo de força:
   "Olha *ele*!" [EQ]

Cuidado especial hão de merecer, na língua exemplar, as coordenações de pronomes ou de pronome com um substantivo introduzidas pela preposição *entre*: entre *eu e tu* (por entre *mim e ti*), entre *eu* e o aluno (por entre *mim* e o aluno), entre José e *eu* (por entre José e *mim*).

Já há concessões de alguns gramáticos quando o pronome *eu* ou *tu* vem em segundo lugar:
   Entre *ele e eu*. Entre o *José e eu*.

A língua exemplar, como dissemos, insiste na lição do rigor gramatical, recomendando, nestes casos, o uso dos pronomes oblíquos tônicos:
   Entre *mim e ti*. Entre *ele e mim*.

Também depois de expressões comparativas e exceptivas, a língua denuncia certa vacilação no emprego do pronome pessoal:
   Não tenho outro amigo senão *tu*. Não sou como *tu*.
   Não tenho outro amigo senão *a ti*. Não sou como *a ti*.

Observações:

➥ Antes de verbo infinitivo, o sujeito é um pronome reto: *Entre eu sofrer e tu ficares triste, prefiro sofrer.*

➥ Usamos *entre si* quando o pronome (*si*) se refere ao sujeito da oração:
   "Os índios, que certamente falavam a mesma língua do Oiapoque ao Chuí, só guerreavam *entre si* de brincadeirinha (...)." [JU]

Quando o pronome não se referir ao sujeito da oração, devemos usar *entre eles* (*entre elas*):
   "Os diálogos *entre eles* eram de uma desesperadora trivialidade (...)." [NR]

Emprego de pronome tônico pelo átono

Os pronomes tônicos preposicionados *a ele(s), a ela(s), a mim, a ti, a nós, a vós* podem aparecer, na língua exemplar, nos seguintes casos, em vez das formas átonas (*lhe, me, te, nos, vos*):

a) quando anteposto ao verbo:
   A ele cumpria encher as guias.

b) quando composto:
   Remeti livros *a ele* e ao tio.

c) quando reforçado:
   O dinheiro foi entregue *a ele* mesmo.
   Darei as joias só *a ela*.

d) quando repetido pleonasticamente:
   Devolvi-lhe *a ele* as máquinas.

e) quando complemento relativo:
   Atirou-se *a ele*.

f) quando objeto direto preposicionado:
   Nem ele entende *a nós* nem nós *a ele*.

Fora destes casos, a língua exemplar evita construções do tipo: Eu disse **a ela** que viesse. (por *disse-lhe* ou *lhe disse*)

Emprego e omissão dos pronomes pessoais

Em geral, o português omite o pronome sujeito quando constituído por *eu, tu, nós* e *vós*:
   "Não me lembra o que lhe disse." [MA]

O aparecimento do pronome sujeito se dá quando há ênfase ou oposição de pessoas gramaticais:
   "*Eu* é que furo o pano, vou adiante, puxando por você, que vem atrás, obedecendo ao que *eu* faço e mando..." [MA]
   "Há entre nós um abismo: *tu* o abriste; *eu* precipitei-me nele." [AH]

Estando perfeitamente conhecido pela situação linguística, pode-se calar o pronome complemento do verbo; esta linguagem é correta, apesar da censura que lhe faziam os gramáticos de outrora.
   "Disse já que tinha de fazer uma explicação ao leitor.
   Tenho; e é indispensável." [AH]

Em casos de ênfase costuma-se repetir:
a) o pronome átono pela sua respectiva forma tônica, precedida de preposição:
   "Mas qual será a tua sorte quando na hora fatal os algozes, buscando a sua vítima, só *te* encontrarem a *ti*?" [AH]

b) o complemento expresso por um nome pelo pronome átono conveniente ou vice-versa:
Ao avarento nada *lhe* peço.
"Ainda hoje estão em pé, mas ninguém *as* habita, *essas* choupanas execrandas..." [CBr]

Usa-se o pronome *o* (*os*) em referência a nomes de gêneros diferentes:
"A *generosidade, o esforço e o amor,* ensinaste-*os* tu em toda a sua sublimidade." [AH]

Ele como objeto direto

O pronome *ele*, no português exemplar moderno, só aparece como objeto direto quando precedido de *todo* ou *só* (adjetivo) ou se dotado de acentuação enfática, em prosa ou verso; neste último caso, podem aparecer outros pronomes retos:
"No latim eram quatro os pronomes demonstrativos. *Todos eles* conserva o português." [PL] (= O português conserva-*os* todos.)
"Subiu! E viu com seus olhos/ *Ela* a rir-se que dançava..." [GD]
"Olha *ele*!" [EQ]
Na sala só havia *eu, tu* e *ele*.

Ordem dos pronomes pessoais

Na sequência dos pronomes pessoais sujeitos, o português normalmente apresenta ordem facultativa deles: *eu e tu, tu e eu; eu e ele, ele e eu; eu e o senhor, o senhor e eu*, etc.:
"– Porque nós vamos lá jantar na segunda-feira.
– Nós... Nós, quem?
– Nós. *Eu e tu, tu e eu*. A condessa convidou-me no comboio." [EQ]

É evidente que, nas circunstâncias em que há necessidade de superpor à expressão linguística traços de polidez, urbanidade ou, no polo oposto do convívio social, modéstia, pode o falante ou escritor inverter a ordem, dando a primazia da primeira referência ao seu interlocutor, quer manifestado por pronome, quer por substantivo. Esta é, por exemplo, a prática da cortesia entre franceses e espanhóis.

É o que se percebe, por exemplo, na seguinte preferência de Camilo, no início do romance *O Senhor do Paço de Ninães*:
Estamos no Minho, *o leitor e eu*.

O pronome *se* na construção reflexa[4]

Eis aqui um bom exemplo pelo qual se patenteia que um significado gramatical unitário, significado de língua, se pode desdobrar em outras acepções, conforme as unidades linguísticas com que se acha combinado e conforme o entorno situacional.

A reflexividade consiste, na essência, na "inversão (ou negação) da transitividade da ação verbal". Em outras palavras, significa que a ação denotada pelo verbo não passa a outra pessoa, mas reverte-se à pessoa do próprio sujeito (ele é, ao mesmo tempo, agente e paciente):

1.a) *João se banha.*

A nossa experiência do mundo admite a hipótese de João banhar a si mesmo ou banhar uma outra pessoa: *João banha o filho pela manhã.*

Só que, na reflexividade "própria", ocorre a primeira hipótese:

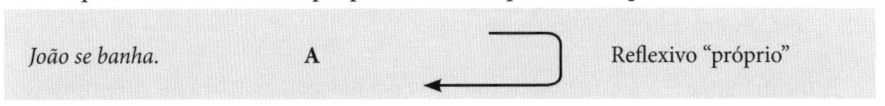

| *João se banha.* | A ⟵⟶ | Reflexivo "próprio" |

Já na oração

1.b) *João e Maria se amam*,

o significado do verbo *amar* e a nossa experiência do mundo que, em geral, tratando-se de duas pessoas, supõem o amor de alguém A dirigido a outro alguém B permitem-nos dar outra acepção, contextual, ao originário significado unitário de "reflexividade"; acreditamos que a oração quer expressar que "João ama Maria" e que "Maria ama ao João". Então, não mais se trata de "reflexividade pura", mas de "reflexividade recíproca":

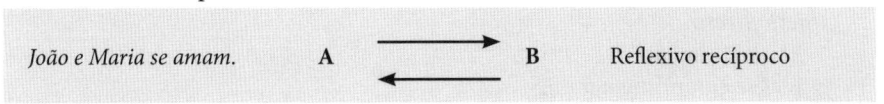

| *João e Maria se amam.* | A ⟶⟵ B | Reflexivo recíproco |

A interpretação de reflexivo recíproco não mudará se se tratar de verbo transitivo que se constrói com objeto indireto ou complemento relativo:

João e Maria se escrevem. (um escreve ao outro)
João e Maria se gostam. (um gosta do outro)

As unidades léxicas comprometidas na construção determinam a interpretação. Se dizemos *João e Maria se miram*, a interpretação mais natural seria a de um reflexivo recíproco; mas se acrescentarmos *João e Maria se miram no espelho*, mais natural nos parecerá a interpretação de reflexivo "próprio". Portanto, são interpretações contextuais, e não valores de língua.

Mudando as unidades linguísticas que se combinam com o pronome *se*, poderemos ter:

---

[4] Eugenio Coseriu [Ecs].

2) *O banco só se abre às dez horas.*
No presente exemplo, *banco* é um sujeito constituído por substantivo que, por inanimado, não pode ser agente da ação verbal; por isso, a construção é interpretada como "passiva": é o que a gramática chama voz "média" ou "passiva com *se*":

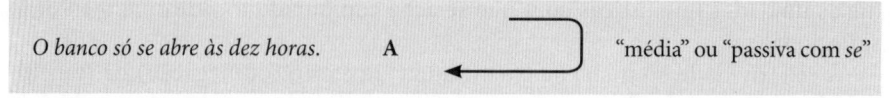

| *O banco só se abre às dez horas.* A ⟵ | "média" ou "passiva com *se*" |

Repare-se que a interpretação da "passiva com *se*" depende só do léxico, isto é, do significado lexical do verbo. A prova disto é que esta interpretação prevalece ainda nas orações cujo sujeito não é inanimado, portanto, passível de executar a ação verbal. Só que há certos verbos que denotam ações que a nossa experiência sabe que não são praticadas pelo termo que lhes serve de sujeito, como ocorre no verbo *chamar* (= ter nome):
Ele *se* chama João.

A última acepção a que poderemos chegar nas construções do pronome *se* é a da oração:
3) *Abre-se às dez.*
Temos aqui um *se* na construção em que não aparece substantivo, claro ou subentendido, que funcione como *impessoal* ou *indeterminada*, e o *se* como índice de indeterminação do sujeito.
Diante desta exposição, podemos dizer que o *se* nas construções estudadas e assemelhadas exerce as seguintes funções sintáticas em face das unidades léxicas que com o pronome concorrem:

Objeto direto:
Ele *se* barbeou.
Eles *se* cumprimentaram.

Objeto indireto:
Ela *se* arroga essa liberdade.

Complemento relativo:
Eles *se* gostam.

Índice de indeterminação do sujeito (pronome indeterminador do sujeito):
Vive-*se* bem.
Lê-*se* pouco entre nós.
Precisa-*se* de empregados.
É-*se* feliz.

Observações:

➥ Pelos exemplos anteriores, o *se* como índice de indeterminação de sujeito — primitivamente exclusivo em combinação com verbos não acompanhados de objeto direto — estendeu seu papel aos transitivos diretos (onde a interpretação passiva passa a ter uma interpretação impessoal: *Vendem-se casas* = alguém tem casa para vender) e de ligação (*É-se feliz*). A passagem deste emprego da passiva à indeterminação levou o falante a não mais fazer concordância, pois o que era sujeito passou a ser entendido como objeto direto, função que não leva a exigir o acordo do verbo:

Vendem-se casas (= casas são vendidas) [passiva] ➙ *Vendem-se casas* (= alguém tem casa para vender) [indeterminação com concordância] ➙ *Vende-se casas* [indeterminação sem concordância].

➥ "*Vende-se casas* e *frita-se ovos* são frases de emprego ainda antiliterário, apesar da já multiplicidade de exemplos. A genuína linguagem literária requer *vendem-se, fritam-se*. Mas ambas as sintaxes são corretas, e a primeira não é absolutamente, como fica demonstrado, modificação da segunda. São apenas dois estágios diferentes de evolução. Fica também provado o falso testemunho que levantaram à sintaxe francesa, que em verdade nenhuma influência neste particular exerceu em nós..." [MAg]

Pode ainda o pronome *se* juntar-se a verbos que indicam:
1) sentimento: *indignar-se, ufanar-se, atrever-se, admirar-se, lembrar-se, esquecer-se, orgulhar-se, arrepender-se, queixar-se, sorrir-se*.
2) movimento ou atitudes da pessoa em relação a si ou ao seu próprio corpo: *ir-se, partir-se, sentar-se*.

No primeiro caso, não se percebendo mais o sentido reflexivo da construção, considera-se o *se* como parte integrante do verbo, sem classificação especial.

No segundo, costumam os autores chamar ao *se* pronome de realce ou expletivo.

Concorrência de *si* e *ele* na reflexividade

A partir do português contemporâneo (séc. XVIII para cá), nasceu a possibilidade de o pronome tônico *si*, nas construções abaixo, ter a concorrência do pronome *ele*, também preposicionado, em orações do tipo:

"(...) perguntou Glenda, sentindo que a pergunta não era dirigida apenas a Pablo, mas também *a ela própria*." [RBa]

"[a amante] viu *diante dela* o meu eugênico amigo." [MB]

A construção não encontra respaldo nas nossas melhores gramáticas, apesar do emprego largo na literatura moderna brasileira a partir, segundo Barbadinho, de José de Alencar. Ocorre na língua coloquial em Portugal. Nos exemplos acima, a norma gramatical pediria: *a si própria, diante de si*, como rezam as passagens onde o pronome se refere ao sujeito do verbo:

"O avarento é mau *para si*, o pródigo *para si* e para os outros." [MM]
"Simeão *por si mesmo* escolheu o deserto que lhe convinha (...)" [JR]

"O espetáculo da beleza é bastante *por si mesmo*." [JR]
"Depois mudava-se o teatro, e via-se *a si mesmo* (...)" [JR]

Note-se a curiosa concorrência das duas sintaxes neste exemplo de Guimarães Rosa, citado por Barbadinho:
"E o Menino estava muito *dentro dele mesmo*, em algum cantinho *de si*."

Esta novidade de sintaxe tem contra si o fato de às vezes fazer perigar a interpretação da oração, que só se resolve pela ajuda do contexto:
João levou o livro *para ele*. (para si próprio ou para outra pessoa)

Combinação de pronomes átonos

Ocorrem em português as seguintes combinações de pronomes átonos, notando-se que o que funciona como objeto direto vem em segundo lugar:

mo	=	m(e) + o	lho	=	lh(e) + o	vo-lo	=	vo(s) + lo
ma	=	m(e) + a	lha	=	lh(e) + a	vo-la	=	vo(s) + la
mos	=	m(e) + os	lhos	=	lh(e) + os	vo-los	=	vo(s) + los
mas	=	m(e) + as	lhas	=	lh(e) + as	vo-las	=	vo(s) + las
to	=	t(e) + o	no-lo	=	no(s) + lo[5]	lho	=	lh(e) + o[6]
ta	=	t(e) + a	no-la	=	no(s) + la	lha	=	lh(e) + a
tos	=	t(e) + os	no-los	=	no(s) + los	lhos	=	lh(e) + os
tas	=	t(e) + as	no-las	=	no(s) + las	lhas	=	lh(e) + as

se + me	=	-se-me	se + nos	=	-se-nos
se + te	=	-se-te	se + vos	=	-se-vos
se + lhe	=	-se-lhe	se + lhes	=	-se-lhes

"Se dizeis isso pela que me destes, tirai-*ma*: que não vo-*la* pedi eu." [AH]
"E como, a pouco e pouco, se foram exaurindo os cascalhos e afundando os veleiros, o banditismo franco impôs-*se-lhes* como derivativo à vida desmandada." [EC]
"(...) cujas revelações foram-*se-me* tornando cada vez mais interessantes." [AAz]

---

[5] Esse *l* estava nas antigas formas do pronome pessoal *lo, la, los, las,* que provocara assimilação do *s* do pronome anterior: nos + la → no(s) + la → no-la.
[6] A forma *lhe* servia tanto para o singular como para o plural.

Observações:

➥ A rigor, na combinação só entra a forma *lhe*, que, na língua até o séc. XIX, podia servir tanto ao singular como ao plural.

➥ Nas demais combinações, o português moderno prefere substituir o pronome átono objetivo indireto pela forma tônica equivalente, precedida da preposição *a*. Enquanto dizemos hoje *a mim te mostras* ou *te mostras a mim*, a língua de outros tempos consentia em tais dizeres:

"Porque assi *te me* mostras odiosa?" [JCR]

➥ A língua-padrão rejeita a combinação *se o* (e flexões) apesar de uns poucos exemplos na pena de literatos:

"Parece um rio quando *se o* vê escorrer mansamente por entre as terras próximas..." [LB]

"A inutilidade desses ajuntamentos não *se a* precisa pôr em relevo." [HC]

"Cada coisa é uma palavra. E quando não *se a* tem, inventa-se-a." [CLi]

Foge-se ao erro de três maneiras diferentes:

a) cala-se o pronome objetivo direto: *Quando se vê.*

b) substitui-se o pronome *o* (e flexões) pelo sujeito *ele* (e flexões):

Quando se vê *ele.*

"Inveja-se a riqueza, mas não o trabalho com que *ela* se granjeia." [MM]

c) se já existe na oração o pronome pessoal de objeto direto (*o, a, os, as*), usa-se o pronome de objeto indireto na forma tônica precedida da preposição *a* ou *para*:

"É Vieira sem contradição mestre guapíssimo de nossa língua, e o mesmo Bernardes assim o conceituava; que porém *a si o* propusesse como exemplar, nem o indica, nem consta, nem se pode com indução plausível suspeitar." [AC]

➥ A língua-padrão admite *pode-se compô-lo* ou *pode-se compor*, quando não há locução verbal:

"*Pode-se de* algum modo *ligá-lo* a Schopenhauer..." [JR]

Júlio Moreira diz que em Portugal é menos comum do que no Brasil a primeira construção.

➥ Em construções do tipo *fi-lo sentar-se* (e também com os verbos *deixar, mandar, ver, ouvir* e sinônimos), isto é, em que depois destes verbos com pronome objetivo se segue o infinitivo de verbo reflexivo, pode-se deixar claro este último pronome ou omiti-lo: *fi-lo sentar.*

Função do pronome átono em construções como *dar-se ao trabalho, dar-se ao luxo*

Em geral, o pronome átono da forma verbal reflexiva portuguesa funciona como objeto direto: *dou-me* (obj. direto) *ao trabalho de fazer* (obj. indireto):

"Dele constavam dos anais fantásticas proezas nos seus carros sempre novos e lustrosos, *se dando ao luxo e à extravagância de* às vezes vestir a sua brilhosa e engalanada farda da Guarda Nacional (...)." [AD]

Pronome pessoal átono e adjunto adverbial

Pode ocorrer a possibilidade de substituírem os pronomes pessoais átonos, na forma de objeto indireto, *me, te, se, nos, vos, lhe, lhes*, termos que na oração funcionam como complementos:

Pôs-se *diante dele*.	–	Pôs-se-*lhe* diante.
Ficava *detrás dele*.	–	Ficava-*lhe* detrás.
Deu um abraço *no pai*.	–	Deu-*lhe* um abraço.
Bateu *nele*.	–	Bateu-*lhe*.
Ralhou *com ele*.	–	Ralhou-*lhe*.
Fugiu *de mim*.	–	Fugiu-*me*.
Tudo girou *em volta dele*.	–	Tudo *lhe* girou em volta.

"Ela tinha, porém, no semblante um ar de majestosa bondade que dificilmente esqueceria quem alguma vez se *lhe* houvesse aproximado." [CL]

Nestas substituições, o pronome átono faz referência à pessoa, e a ideia da circunstância fica por conta do complemento (ou substantivo adverbializado), quando se trata de locução prepositiva:
    Fugiu *de mim*. – Fugiu-*me*. (não há locução prepositiva)
    Tudo girou *em volta dele*. – Tudo lhe girou *em volta*. (há locução prepositiva)

Pronome possessivo

Seu e *dele* para evitar confusão

Em algumas ocasiões, o possessivo *seu* pode dar lugar a dúvidas a respeito do possuidor. Remedeia-se o mal com a substituição de *seu, sua, seus, suas* pelas formas *dele, dela, deles, delas, de você, do senhor*, etc., conforme convier.
Em
    José, Pedro levou o seu chapéu,

o pronome *seu* não esclarece quem realmente possui o chapéu, se Pedro ou José.
É verdade que a disposição dos termos nos leva a considerar José o dono do chapéu; mas a referência a Pedro também é possível. Assim sendo, serve-se o falante do substituto *dele*, se o possessivo pertence a Pedro:
    José, Pedro levou o chapéu *dele*.
    "Com efeito, Margarida gostava imenso da presença do rapaz, mas não parecia dar-lhe uma importância que lisonjeasse o coração *dele*." [MA]

Se o autor usasse o possessivo *seu*, o coração poderia ser tanto de Margarida quanto do rapaz.

Pode-se, para maior força de expressão, juntar *dele* a *seu*:
José, Pedro levou o *seu* chapéu *dele*.
"Se Adelaide o amava como e quanto Calisto já podia não duvidar, *sua* honra *dele* era pôr peito à defesa do opressa..." [CBr]

Os pronomes pessoais átonos *me, te, se, nos, vos, lhe, lhes* podem ser usados com sentido possessivo, mormente em estilo literário, tomando-se o cuidado de evitar o abuso.
Tomou-*me* o chapéu. = Tomou o *meu* chapéu.

Ainda neste caso, é possível ocorrer a repetição enfática *lhe... dele*:
"D. Adelaide ficou embaraçada. Seria agravar as meninas de dezoito anos, e educadas como a filha do desembargador, e amantes como elas de um comprometido esposo, estar eu aqui a definir a entranhada zanga que *lhe* fez no espírito *dela* o despropósito de Calisto." [CBr]

Foge-se ainda à confusão empregando-se *próprio*:
"Andrade contentou-se com o *seu próprio* sufrágio." [MA]

Posição do pronome possessivo

De modo geral, o possessivo vem anteposto ao nome a que se refere:
O *meu* livro. *Tuas* preocupações. *Nossos* deveres.

A posposição ocorre no estilo solene, em prosa ou verso, e, em nome de pessoas ou de graus de parentesco, pode denotar carinho:
Deus *meu*, ajudai-me!

A ênfase permite também a posposição, principalmente se o substantivo vem desacompanhado do artigo definido:
Conselho *meu* ela não tem. Filho *meu* não faria tal.

Em certas situações, há notável diferença de sentido com a posposição do possessivo.
Minhas saudades são saudades que sinto de alguém. *Saudades minhas* são saudades que alguém sente de mim.
"Parece que Miss Dólar ficou com boas *recordações suas*, disse D. Antônia." [MA]

Notamos o mesmo em *suas cartas* e *cartas suas*.

Recebi suas cartas. (isto é, cartas que me mandaram ou que pertencem
 à pessoa a quem me dirijo)
Recebi cartas suas. (isto é, enviadas a mim pela pessoa a quem me dirijo)

Invariavelmente, usamos de *notícias suas,* como no seguinte exemplo:
"Peço-lhe que me mande *notícias suas.*" [EC]

Possessivo para indicar ideia de aproximação

Junto a números o possessivo pode denotar uma quantidade aproximada:
Nessa época, tinha *meus* quinze anos. (aproximadamente)
Era já homem de *seus* quarenta anos.

Observação:

➥ Valorizamos também uma noção quantitativa por meio do adjetivo *bom*:
"O major Vilela observava um rigoroso regímen que lhe ia entretendo a vida. Tinha uns *bons* sessenta anos." [MA]

Valores afetivos do possessivo

O possessivo, como temos visto, não se limita a exprimir apenas a ideia de posse. Adquire variados matizes contextuais de sentido, muitas vezes de difícil delimitação.

Assim, o possessivo pode apenas indicar a coisa que nos interessa, por nos estarmos referindo, com ele, à causa que nos diz respeito, ou por que temos simpatia:
O *nosso* herói (falando-se de um personagem de histórias) não soube
que fazer. "Trabalho todo dia *minhas* oito horas." [JR]

Além de exprimir a nossa simpatia, serve também o possessivo para traduzir nosso afeto, cortesia, deferência, submissão, ou ironia:
Meu prezado amigo.
Minha senhora, esta é a mercadoria que lhe serve.
Meus senhores e *minhas* senhoras!
Meu presidente, todos o esperam.
Meu coronel, os soldados estão prontos!
Meu tolo, não vês que estou brincando?

Notemos, porém, as expressões do tipo:
"Qual cansadas, *seu* Antoninho!" [LB]
"Ande, *seu* diplomático, continue." [MA]

Seu não é a forma possessiva de 3.ª pessoa do singular. Trata-se aqui de uma redução familiar do tratamento *senhor*.
Difere a forma *seu* (admite ainda as variantes *seo, sô*) do termo nobre, *senhor*, por traduzir nossa familiaridade ou depreciação.
Ocorrendo isoladamente, prevalece a forma plena *senhor*, conforme nos mostra o seguinte exemplo:
"Depressa, depressa, que a filha do Lemos vai cantar; e depois é o senhor. Está ouvindo, *seu* Ricardo." [LB]

Um fingido respeito ou cortesia — bem-entendidos, aliás, pelos presentes — pode determinar a presença da forma plena:
"Diga, *senhora* mosca-morta?" [AH]
Quem pensa a *senhora* que é? (fala da mãe à filha de três anos)

Pela forma abreviada *seu* modelou-se o feminino *sua*:
"E ri-se você, *sua* atrevida?! — exclamou o moleiro, voltando-se para Perpétua Rosa." [AH]

Emprego do pessoal pelo possessivo

Embora de pouca frequência, pode aparecer a ideia de posse representada por uma forma de pronome pessoal precedido da preposição *de*. Neste caso, está a expressão ao *pé de* + pronome pessoal.
"Vós os que não credes em bruxas, nem em almas penadas, nem nas tropelias de Satanás, assentai-vos aqui ao lar bem juntos ao *pé de mim*, e contar-vos-ei a história de D. Diogo Lopes, senhor de Biscaia." [AH]
"Não sei se disse que isto se passava em casa de uma baronesa, que tinha a modista ao *pé de si*, para não andar atrás dela." [MA]

Possessivo expresso por uma locução

Expressa-se o possessivo ainda por meio de uma perífrase em que entra o verbo *ter, haver* ou sinônimo:
Oxalá os problemas *que temos* durem pouco. (os nossos problemas)

O possessivo em referência a um possuidor de sentido indefinido

Se o possessivo faz referência a pessoa de sentido indefinido expresso ou sugerido pelo significado da oração, emprega-se o pronome de 3.ª pessoa:
"É verdade que *a gente*, às vezes, tem cá as *suas* birras — disse ele, com certo ar que queria ser fino e saía parvo." [AH]

Se o falante se inclui no termo ou expressão indefinida, usar-se-á o possessivo de 1.ª pessoa do plural:
"*A gente* compreende como estas cousas acontecem em *nossas* vidas." [CBr]

Repetição do possessivo

Numa série de substantivos, pode-se usar o possessivo (como qualquer outro determinante do nome) apenas junto ao primeiro nome, se não for nosso propósito enfatizar cada elemento da série:
"A prova da *sua perspicácia* e *diligência* estava em ter já no caminho da forca os desgraçados cuja sentença vinha trazer à confirmação real." [AH]

Note-se a ênfase e a oposição entre os possuidores (*eu* e *tu*):
"O *teu* amor era como o íris do céu: era a *minha* paz, a *minha* alegria, a *minha* esperança." [AH]

Se o termo vem acompanhado de modificador, não se costuma omitir o possessivo da série:
"Foi a *tua* dignidade real, a *tua* justiça, o *teu* nome que eu quis salvar da *tua própria* brandura." [AH]

Omite-se o possessivo na série sem ênfase, ainda que os substantivos sejam de gênero ou número (ou ambas as coisas) diferente. A repetição que nada acrescenta em ênfase à expressão é considerada, por muitos estudiosos, como imitação da sintaxe francesa.
"(...) entendera (Calisto Elói) que a prudência o mandava viver em Lisboa consoante os costumes de Lisboa, e na província, segundo o *seu gênio* e *hábitos* aldeãos." [CBr]

Se se trata de substantivo sinônimo, dispensa-se a repetição do possessivo:
Teu filho, de quinze anos apenas, é *teu* orgulho e ufania.

Se os substantivos forem de significação oposta, o possessivo em regra não é dispensado:
Teu perdão e *teu* ódio não conhecem o equilíbrio necessário à vida.

Substituição do possessivo pelo artigo definido

Sem ser norma de rigor absoluto, pode-se substituir o possessivo pelo artigo definido, quando a ideia de posse se patenteia pelo contexto ou pelo sentido total da oração, ou ainda pela aplicação reflexiva, isto é, quando se faz referência à própria pessoa que fala ou de quem se fala. Este fato ocorre principalmente junto dos nomes de partes do corpo, das peças do vestuário, faculdades do espírito, graus de parentesco e certas frases feitas:

"D. Fernando afastou-a suavemente de si: ela levantou *o rosto* celeste orvalhado de pranto... D. Leonor ergueu as mãos suplicantes, com um gesto de profunda angústia." [AH]

"E o vento assobiava no vigamento da casa, e nas orelhas de Calisto, o qual, levado do instinto da conservação, levantou a gola *do capote* à altura *das bossas* parietais..." [CBr]

Ele perdeu *o juízo*. Tem *a vida* por um fio. Recuperou *a memória*.

A moça chegou com *o pai*. (E não: *com seu pai*.)

Observações:

➥ Aparece o possessivo no caso de ênfase, quando se deseja insistir na pertença do indivíduo:

"(...) se *as suas* faces eram gordas, *as suas* mãos continuavam magras com longos dedos fusiformes e ágeis." [LB]

"E cada lavrador enxugava *os seus* olhos." [CBr]

➥ Dispensa-se o artigo definido nas expressões *Nosso Senhor, Nossa Senhora*, assim como nas fórmulas de tratamento onde entra um possessivo, do tipo: *Vossa Excelência, Vossa Reverendíssima, Sua Majestade*, etc.

O possessivo e as expressões de tratamento do tipo *Vossa Excelência*

Empregando-se as expressões de tratamento do tipo de *Vossa Excelência, Vossa Reverendíssima, Vossa Majestade, Vossa Senhoria*, onde aparece a forma possessiva de 2.ª pessoa do plural, a referência ao possuidor se faz hoje em dia com os termos *seu, sua*, isto é, com possessivo de 3.ª pessoa do singular:

Vossa Excelência conseguiu realizar todos *os seus* propósitos. (e não: todos *os vossos* propósitos)

"Nessa mensagem diziam esses homens, a maior parte deles conhecidos do mundo inteiro: '*Vossa Majestade* é *poderoso* no *seu* Império (...).'" [JN]

Vale notar que o verbo referido ao interlocutor fica na 3ª. pessoa do singular:

"Diz o ministro, nesse documento: 'Dando resposta à *sua* carta de 9 do corrente, devo adiantar a *Vossa Excelência* que as *suas* razões me pareceram, todas elas, muito ponderáveis, e que cada uma, isoladamente, serviria para, em tempos normais, justificar o *seu* afastamento das importantes funções que *exerce* no Ministério da Educação (...)." [JMt]

Pronome demonstrativo

A posição indicada pelo demonstrativo pode referir-se ao espaço, ao tempo (demonstrativos dêiticos espaciais e temporais) ou ao discurso (demonstrativo anafórico).

Demonstrativos referidos à noção de espaço

Este (e flexões) aplica-se aos seres que pertencem à ou estão perto da 1.ª pessoa, isto é, daquela que fala:
> *Este livro* é o livro que possuo ou tenho entre mãos.
> *Esta casa* é a casa onde me encontro.

Esse (e flexões) aplica-se aos seres que pertencem à ou estão perto da 2.ª pessoa, isto é, daquela com quem se fala:
> *Esse livro* é o livro que nosso interlocutor traz.
> *Essa casa* é a casa onde se encontra a pessoa a quem me dirijo.

Na correspondência, *este* se refere ao lugar donde se escreve, e *esse* denota o lugar para onde a carta se destina. A referência à missiva que escrevemos se faz com *este, esta*:
> "Manaus, 13-1-1905
> Meu bom amigo Dr. José Veríssimo, — escrevo-lhe dissentindo abertamente de sua opinião sobre *este* singularíssimo clima da Amazônia..."
> [EC]
> Escrevo *estas* linhas para dar-te notícia *desta* nossa cidade e pedir-te as novas *dessa* região aonde foste descansar.

Quando se quer apenas indicar que o objeto se acha afastado da pessoa que fala, sem nenhuma referência à 2.ª pessoa, usa-se de *esse*:
> "Quero ver *esse* céu da minha terra
> Tão lindo e tão azul!" [CA]

Na linguagem animada, o interesse do falante pode favorecer uma aproximação figurada, imaginária, de pessoa ou coisa que realmente se acham afastadas dos que falam. Esta situação exige *este*:
> "Dói-me a certeza de que estou morrendo desde o primeiro dia da tua união com *este* homem... a certeza de que o hás de amar sempre, ainda que ele te despreze como já te desprezou." [CBr]

Tal circunstância deve ter contribuído para o emprego de *este* como indicador de personagens que o escritor traz à baila.

"*Este* Lopo, bacharel em direito, homem de trinta e tantos anos, e sagaz até a protérvia, vivia na companhia do irmão morgado..." [CBr]

Por outro lado, cabe a *esse* a missão de afastar de nós pessoa ou coisa que na realidade se acham ou se poderiam achar próximas:
"Vês África, dos bens do mundo avara,
....
Olha *essa* terra toda, que se habita
Dessa gente sem lei, quase infinita." [LC]

Estas expressões não se separam por linhas rigorosas de demarcação; por isso exemplos há de bons escritores que contrariam os princípios aqui examinados e não faltam mesmo certas orientações momentâneas do escritor que fogem às perscrutações do gramático.

Demonstrativos referidos à noção de tempo

Na designação de tempo, o demonstrativo que denota um período mais ou menos extenso, no qual se inclui o momento em que se fala, é *este* (e flexões):
Neste dia (= no dia de hoje) celebramos a nossa independência.
Este mês (= no mês corrente) não houve novidades.
Aplicado a tempo já passado, o demonstrativo usual é *esse* (e flexões):
Nessa época atravessávamos uma fase difícil.

Se o tempo passado ou futuro está relativamente próximo do momento em que se fala, pode-se fazer uso de *este*, em algumas expressões:
Esta noite (= a noite passada) tive um sonho belíssimo.

E com a mesma linguagem (*esta noite*) poderíamos indicar a noite futura: Há previsão de chuva para *esta noite*. Outro exemplo:
"Meu caro Barbosa:
Deves ter admirado o meu silêncio *destes quinze dias*, silêncio para ti, e silêncio para o jornal." [CBr]

A indicação temporal de *este* e *esse* dispensa outra expressão adverbial, se a circunstância de tempo não se apresenta ao falante como elemento principal do conjunto:
"Para o jogo bastava *esse* movimento de peão." [ML] (*Esse movimento* vale por: *o movimento que se fez naquele momento*.)

Demonstrativos referidos a nossas próprias palavras

No discurso, quando o falante deseja fazer menção ao que ele acabou de narrar (anáfora) ou ao que vai narrar (catáfora), emprega *este* (e flexões):

"Entrou Calisto na sala um pouco mais tarde que o costume, porque fora vestir-se de calça mais cordata em cor e feitio. Não me acoimem de arquivista de insignificâncias. *Este* pormenor (isto é: o pormenor a que fiz referência) das calças prende mui intimamente com o cataclismo que passa no coração de Barbuda." [CBr]

"Se não existisse Ifigênia... acudiu Calisto. Já *este* nome (isto é: o nome que proferi) me soava docemente quando, na minha mocidade, pela angústia da filha de Agamenão, cujo sacrifício o oráculo de Áulida desmandava.

— Ah, também eu conheço *essas* angústias (isto é: aquelas a que se refere) da tragédia de Racine." [CBr]

"— ... não há linguagem que não soe divinamente falada por minha prima.

— *Essas* lisonjas — volveu ela sorrindo — aprendeu-as nos seus livros velhos, primo Calisto?" [CBr]

Por estes últimos exemplos, podemos verificar que se a referência é feita às palavras da pessoa com quem se fala, o demonstrativo empregado é *esse* (e flexões). No trecho, *essas lisonjas* são as que faz Calisto à sua prima.

Há situações embaraçosas para o emprego do demonstrativo anafórico, isto é, aquele que se refere a palavras ditas ou que se vão dizer dentro do próprio discurso (catáfora). Ocorre o caso, por exemplo, nas referências a enunciados anteriores que envolvem afastamento da 1.ª pessoa ou ao tempo em que se fala. Nestes casos, geralmente, prevalece a preferência para nossas próprias palavras, aparecendo, assim, o anafórico *este* (e flexões) em lugar do dêictico *esse* (e flexões):

"— Então que te disse ele?...

— Que tinhas lá outra... e que te viu passear com ela.

— Viu-me a passear com uma nossa parenta, viúva de um general. Quem disse ao javardo que *esta* (a que me refiro) *senhora* era minha amante?" [CBr]

Em referência a duas pessoas ou coisas diferentes aludidas no período, emprega-se o demonstrativo *este* para o que se nomeia em último lugar, e *aquele* para o mais afastado: Paulo Freire e Oscar Niemeyer dedicaram-se a áreas diferentes, *aquele* à Pedagogia e *este* à Arquitetura.

"MAIS VERSOS / Aposto que os leitores da *Semana* já se não lembram de um fragmento de poesia anonimamente publicado nesta folha há cousa de dez anos. (...) O amigo, que me trouxe *aquele*, veio agora ao escritório

e pediu que eu lhe publicasse *este* fragmento mais da mesma composição.
Gosta de fazer versos neste tempo de manipanços." [MA]

Podem-se ainda, em vez dos demonstrativos, empregar outros torneios de frase: *o primeiro... o segundo; o primeiro... o último*, etc.:
"Pelo jeito, o anjo da guarda estava a ponto de sair de campo e ser substituído pelo sargentão. (...) dentro da tia Ângela, os dois personagens convivem com uma intimidade espantosa. Tratei de segurar o *primeiro*, não deixar que cedesse seu espaço ao *outro*." [AMM]

Expresso um nome a que, na construção do discurso, se quer juntar uma explicação, comparação, ou se lhe quer apontar característica saliente, costuma-se repetir este nome (ou o que lhe serve de explicação, comparação, ou característica) acompanhado do demonstrativo *esse* (e flexões):
"O olhar da opinião, *esse* olhar agudo e judicial, perde a virtude, logo que pisamos o território da morte." [MA]
"Creio que por então é que começou a desabotoar em mim a hipocondria, *essa* flor amarela, solitária, de um cheiro inebriante e sutil." [MA]

Por meio do pronome invariável *o* repetimos pleonasticamente a oração objetiva que se antecipa de sua posição normal, ou, em sentido inverso, antecipa a oração objetiva do texto:
Que todos iam sair cedo, eu *o* disse ontem.
Eu *o* disse ontem, que todos iam sair cedo.

Quando se faz referência a substantivos ou pronomes pessoais expressos anteriormente, pode-se usar tanto este *o*, demonstrativo e invariável, ou o pronome pessoal *o*, com as flexões necessárias. Assim, num texto como "Ela sabia [fala-se de uma alemã] toda a gramática portuguesa e seus mais recônditos mistérios, como talvez nenhum português *os* soubesse", também poderia ser redigido "*o* [= isto] soubesse".

Reforço de demonstrativos e pessoais

A necessidade de avivar a situação dos objetos e pessoas de que trata leva o falante a reforçar demonstrativos e pessoais com os advérbios dêiticos *aqui, aí, ali, acolá*: *este aqui, esse aí, aquele ali* ou *aquele acolá*.
Eu *cá* tenho minhas dúvidas. Ele *lá* diz o que pensa.

Também desempenham o papel de reforço enfático *mesmo* e *próprio* (e flexões) presos a substantivos ou pronomes, com o valor de *em pessoa* (em sentido próprio ou figurado):
Eu *próprio* assisti à desagradável cena. Ela *mesma* foi verificar o fato.

Neste sentido de identidade, *mesmo* e *próprio* entram no rol dos demonstrativos. No seguinte trecho de Machado de Assis aparece como enfático *muito*:
"Você ignora que quem os cose sou eu, e *muito* eu?"

Há construções fixas que nem sempre se regulam pelas normas precedentes; entre estas, estão:
a) *isto é* (e nunca *isso é*) com o valor de 'quer dizer' ou 'significa', para introduzir esclarecimentos;
b) *por isso, nem por isso, além disso* são mais frequentes que *por isto, nem por isto, além disto*, como a introduzir uma conclusão ou aduzir um argumento;
c) *isto de* (e não *isso de*) com o valor de 'no que toca', 'no que diz respeito a'.

Outros demonstrativos e seus empregos

Já vimos que *mesmo* e *próprio* denotando identidades e com o valor de 'em pessoa' são classificados como demonstrativos:
"Tal faço eu, à medida que me vai lembrando e convindo à construção ou reconstrução de mim *mesmo*." [MA]
"De resto, naquele *mesmo* tempo senti tal ou qual necessidade de contar a alguém o que se passava entre mim e Capitu." [MA]
"Veja os algarismos: não há dois que façam o *mesmo* ofício." [MA]

Pode ainda o demonstrativo *mesmo* assumir o valor de *próprio*, *até*:
"Estes e outros semelhantes preceitos não há dúvida que não são pesados e dificultosos; e por tais os estimou o *mesmo* Senhor, quando lhes chamou Cruz nossa." [AV]

Mesmo, semelhante e *tal* têm valor de demonstrativo anafórico, isto é, fazem referência a pensamentos expressos anteriormente:
Os tapumes são horrorosos em si *mesmos*.
"Depois, como Pádua falasse ao sacristão, baixinho, aproximou-se deles; eu fiz a *mesma* cousa." [MA]
"Não paguei uns nem outros, mas saindo de almas cândidas e verdadeiras *tais* promessas são como a moeda fiduciária —, ainda que o devedor as não pague, valem a soma que dizem." [MA]
Falaste em dois bons estudantes, mas não encontrei *semelhantes* prendas na sala de aula.

Tal (sozinho ou repetido) e *outro* são demonstrativos de sentido indefinido. O primeiro aparece junto à designação de um dia, lugar ou circunstâncias reais, que não queremos ou não podemos precisar:
"Ele combinou com o assassino assaltarem a casa em *tal* dia, a *tal* hora, por *tais* e *tais* meios." [JO]

Outro se emprega com o valor de *um segundo, mais um* (no sentido de *diferente*, assim como *mesmo* no sentido de *igual*, é adjetivo):
  Ele me tratou mal e eu fiz *outro* tanto. (*Tanto*, veremos mais tarde, é pronome indefinido.)

Tais acepções imprecisas levam alguns estudiosos a classificar *tal* e *outro* como indefinidos.

Como elemento reforçador dos que foram tratados anteriormente, aparece *mesmo* junto aos advérbios pronominais: *agora mesmo, aí mesmo, aqui mesmo, já mesmo,* etc.

Observação:
➡ *Um* pode ter, em certas expressões, o valor de *mesmo*:
  Honra e proveito não cabem *num* saco. (= no mesmo saco)

No estilo familiar e animado, emprega-se o demonstrativo com o valor de artigo definido:
  Esse João é das arábias!
  Aquela Maria tem cada ideia!

Registre-se ainda o emprego substantivo de *aquilo* em construções como:
  "(...) e apenas, como uma das extravagâncias que mais requerem anotação, citarei *aquilo* da p. 14." [CL]

Posição dos demonstrativos

Em situações normais, onde não impere a ênfase, o demonstrativo vem anteposto ao nome. Em caso contrário, pode vir posposto, principalmente se o demonstrativo se referir ao pensamento já expresso.
  "Logo depois, senti-me transformado na *Summa Theologica* de S. Tomás, impressa num volume, e encadernada em marroquim, com fechos de prata e estampas; ideia *esta* que me deu ao corpo a mais completa imobilidade..." [MA]
  "Os seus olhos serenos, como o céu, que imitavam na cor, tomaram a terrível expressão que ele costumava dar-lhes no revolver dos combates, olhar *esse* que, só por si, fazia recuar os inimigos." [AH]

Nas orações exclamativas ocorre também a posposição: Que dia *este*!
Mesmo pode corresponder a dois vocábulos latinos: *idem* e *ipse*. No primeiro caso, denota identidade e reclama a presença do artigo ou de outro demonstrativo:
  Disse as *mesmas* coisas.   Referiu-se ao *mesmo* casal.   Falou a este *mesmo* homem.

Idêntico a *ipse*, emprega-se junto a substantivo ou pronome e equivale a *próprio*, *em pessoa* (em sentido próprio ou figurado):
Ela *mesma* se condenou.

Em ambos os sentidos, *mesmo* pode aparecer antes ou depois do substantivo. Nota-se apenas, na língua moderna, certa preferência para a anteposição, quando o demonstrativo assume o valor de *idem*, isto é, indica identidade.

É costume calar-se a preposição na oração subordinada que se refere a substantivo preposicionado antecedente que tem *mesmo* como adjunto:
Encontrei-o na *mesma situação (em) que* estava no ano passado.
Saiu do trabalho no *mesmo dia (em) que* fora promovido.
"Querias, porventura, ensiná-la a desprezar-me pela *mesma razão (por) que* tu me desprezas?" [CBr]

Pronome indefinido

Empregos e particularidades dos principais indefinidos

O indefinido pode estender a sua significação a todos os indivíduos de uma classe:
Todos os homens são bons.
Cada livro deve estar no lugar próprio.
Qualquer falta merece ser punida.
Livro *algum* será retirado sem autorização.
Nenhum erro foi cometido.

A significação do indefinido se pode estender apenas a um ou a alguns indivíduos de uma classe:
Certas folhas ficaram em branco.
Daí surgirão *outros* enganos.

Sobre os principais pronomes indefinidos acrescentaremos:

Algum
Anteposto ao substantivo tem valor positivo: Recebeu *algum* recado importante.
Posposto ao nome, assume significação negativa, podendo ser substituído pelo indefinido negativo *nenhum*: Resultado *algum* saiu do inquérito.
Ocorre com maior frequência este emprego em orações onde já existem expressões negativas (*não, nada, sem, nem*), em interrogações oratórias ou depois de substantivo precedido da preposição *sem*: "Era pessoa sem escrúpulo *algum*." [ED]

Algo
Está hoje praticamente desbancado pela locução sinônima *alguma coisa*:

Terás *algo* para contar-me?
Há *algo* novo no ar.

É mais frequente seu emprego como advérbio, em construções do tipo:
A situação está *algo* perigosa.
Ali se passaram os momentos *algo* inesquecíveis.
O mesmo emprego adverbial conhece o seu equivalente *alguma coisa*:
A leitura deixou-lhe impressão *alguma coisa* agradável.

Algumas vezes o significado quantitativo de *algo* e *alguma coisa* favorece o aparecimento da preposição *de* com valor partitivo:
Não há *algo de* novo.
Ficou-lhe do encontro *alguma coisa de* arrependimento.
Alguma coisa de novo deve acontecer hoje.

A presença da preposição junto ao adjetivo o transpõe à classe do substantivo e, por atração, este pode concordar em gênero e número com o nome sujeito do verbo:
Apresento-lhe estas desculpas que têm *algo de* engraçadas.
De repente saíram umas ideias *alguma coisa de* ridículas.

Sem razão, alguns autores consideram galicismo a presença da preposição *de* nestas construções com pronomes indefinidos, todos de valor nitidamente quantitativo. [MBa]

Cada

Junta-se a substantivo singular, a numeral coletivo e expressões formadas por numeral seguido de substantivo no plural:
Cada século possui seus homens importantes.
Faz prova em *cada* trinta dias.
"Uma ilusão gemia em *cada* canto,
Chorava em *cada* canto uma saudade." [LG]

Usa-se nas combinações: *cada um* e *cada qual*.
É condenado o emprego de *cada* sem substantivo em lugar de *cada um* nas referências a nomes expressos anteriormente, considerado imitação da linguagem comercial francesa. Todavia é de uso corrente:
Os livros custam trinta reais *cada*. (por cada um)

Cada não sofre variação, mas a concordância do verbo com o sujeito se processa normalmente:
"Convém notar o tríduo das Lemúrias
não corre a flux: *cada* dois dias levam
entre si um profano intercalado." [AC]

> **Observação:**
> ➡ Com exagero, já se condenou por mal soante a expressão *por cada*, que, segundo a crítica, lembraria *porcada* (vara de porcos). Rui Barbosa defendeu brilhantemente o falso cacófato (mau som).

Lembra Sousa da Silveira o valor intensivo de *cada*, como no seguinte exemplo (está claro que proferido com entonação expressiva):
    Conta *cada* história!
    "Então é *cada* temporal, que até parece que os montes estremecem." [EQ]

Certo
É exclusivamente na língua moderna pronome indefinido quando antecede ao substantivo:
    "A vida celibata podia ter *certas* vantagens próprias, mas seriam tênues, e compradas a troco da solidão." [MA]

Havendo ênfase, poderá aparecer *um certo*, expressão que tem sido, com algum exagero, recriminada pelos gramáticos:
    "Forçoso é que um poeta creia no pensamento, que o agita, e no ideal, aonde tem de ir buscar *um certo* número d'existência..." [AH]
    "O gesto brando com que, uma vez posta, começou a mover as asas, tinha *um certo* ar escarninho, que me aborreceu muito." [MA]

Posposto ao substantivo, *certo* fixou o seu emprego de adjetivo, com o sentido de 'acertado', 'ajustado', 'exato', 'verdadeiro'. Ambos os sentidos, indefinido e qualificativo, são aproveitados nos seguintes jogos de palavras:
    Tenho *certos amigos* que não são *amigos certos*.

Note-se, com o *Dicionário Contemporâneo*, que *certo* atenua o que na significação do substantivo haja de demasiadamente absoluto, quando este indefinido vem anteposto a nome que exprime qualidade, propriedade ou modo de ser:
    Goza de *certa* reputação de talento.
    A ópera tem uma *certa* novidade.

Nesta significação atenuativa, *certo*, equivalente a *algum* (e flexões), se aproxima dos quantitativos indefinidos.

Nenhum
Reforça a negativa *não*, podendo ser substituído pelo indefinido *algum* posposto:
    Não tínhamos *nenhuma* dívida até aquele momento. (= dívida alguma)

Sem ênfase, *nenhum* vem geralmente anteposto ao substantivo; havendo desejo de avivar a negação, o indefinido aparece posposto:
    "Que é lá? redargui; não cedi cousa *nenhuma*, nem cedo." [MA]

Referindo-se a nome no plural, *nenhum* se flexiona:
"Mas se anda nisto mistério, como quer o condestável, espero que não serão *nenhuns* feitiços..." [RS]
Não vejo na sua defesa *nenhumas* razões.

Em certas orações de forma afirmativa, *nenhum* pode adquirir valor afirmativo, como sinônimo de *qualquer*:
Mais do que *nenhum* homem, ele trabalhava para a tranquilidade.

Enquanto *nenhum* é um termo que generaliza a negação, *nem um* se refere à unidade:
Não tenho *nenhum* livro. (nenhum = pronome indefinido)
Não tenho *nem um* livro, quanto mais dois. (um = numeral)

Todo

Concorda em gênero e número com o substantivo ou pronome a que serve de adjunto adnominal.

Quando no singular está anteposto a substantivo ou adjetivo substantivado, vale por 'cada', 'qualquer' ou 'inteiro', 'total', podendo vir ou não acompanhado de artigo:
A *toda* falta deve corresponder um castigo adequado. (toda = 'cada')
A *toda* a falta deve corresponder um castigo adequado. (toda = 'cada')
Todo ser merece consideração. (todo = 'qualquer')
Todo o ser merece consideração. (todo = 'qualquer')
O incêndio destruiu *toda* casa. (toda = 'inteira', 'total')
O incêndio destruiu *toda a* casa. (toda = 'inteira', 'total')

Enquanto em Portugal não se faz com *todo* a distinção formal entre *cada/ qualquer* e *inteiro/ total*, usando-se quase sempre *todo* seguido de artigo (*Todo o homem é mortal*), no Brasil, para o primeiro sentido, modernamente, dispensa-se o artigo (*Todo homem é mortal*) e, para o segundo, o artigo é obrigatório (*Toda a casa pegou fogo*).

Está claro que a presença ou ausência do artigo está inicialmente presa ao fato de o substantivo núcleo do sintagma exigir ou não artigo, independentemente da variedade semântica apontada. Assim, como se diz, nos nomes dos países, com artigo, *o Brasil*, dir-se-á *todo o Brasil*; em contraposição, só se diz, sem artigo, *Portugal*, logo se dirá *todo Portugal*.

A distinção entre *cada / qualquer* e *inteiro / total* fica prejudicada em virtude da ocorrência da fonética sintática que facilita, na pronúncia (com reflexo natural na escrita), a fusão por crase da vogal final de *todo, toda* com o artigo singular *o / a*: *todo o = todo; toda a = toda*. Daí, muitas vezes a indecisão que sentem as pessoas na hora de usar *todo* e *todo o, toda* e *toda a*.

Assim, diz-se, entre brasileiros, sem distinção de sentido, *todo o mundo, toda a vida, todo o tempo, toda a hora, toda a parte,* etc., ao lado de *todo mundo, toda vida, todo tempo, toda hora, toda parte,* etc.

Todo indica a totalidade numérica, isto é, qualquer indivíduo da classe, quando seguido de oração adjetiva substantivada pelo *o*, ou do pronome *aquele* (*todo aquele que*):
"*Todo o que* sofre,
Todo o que espera e crê, *todo o que* almeja
Perscrutar o futuro, se coloca
Ao lado do Senhor." [FV]

Desaparece, naturalmente, a vacilação quando, em vez do artigo definido, aparecer o indefinido *um*, pois aí *todo um* denota 'inteiro', 'total': *todo um dia* (= um dia todo), *toda uma cidade*, construção, aliás, sem razão, rejeitada por puristas.

Todo no singular e posposto ao substantivo vale sempre pela expressão da totalidade: *o homem todo, a casa toda, o país todo, a semana toda, o tempo todo, a fortuna toda, o mundo todo, uma cidade toda.*

Nas expressões de reforço enfático ou de valor superlativo do tipo de *todo o resto, toda a soma, todo o mais* (substantivado), *a toda a pressa, a toda a brida, a todo o galope*, o artigo é de presença obrigatória entre brasileiros.

No plural, *todos, todas*, antepostos ou pospostos, exigem sempre, em qualquer sentido, a presença do artigo, desde que o substantivo ou pronome não esteja precedido de palavra que o exclua:
Todos os alunos entregaram as provas antes do tempo.
Todas as revisões são passíveis de enganos.
Os alunos todos disseram sim.
Todos estes casos foram examinados.
Todas elas responderam às cartas.

Estando a totalidade numérica definida por um numeral referido a substantivo explícito ou subentendido, *todos* pode ser ou não acompanhado de artigo (*todos dois* ou *todos os dois, todos três* ou *todos os três*, etc.):
"Era belo de verem-se *todos cinco* em redor da criança, como se para outro fim se não reunissem!" [CBr]
Todas as quatro razões foram discutidas.

Observações:
➡ É mais comum a presença do artigo quando o substantivo está expresso.
➡ Em *todas estas quatro razões*, a presença de um adjunto (*estas*), que exclui o artigo, explica a sua ausência.

Graças à significação de certos verbos em determinados contextos, *todos* pode ser interpretado em sentido distributivo, com valor aproximado de 'cada', como no exemplo:
"Dizia um Secretário de Estado meu amigo que, para se repartir com igualdade o melhoramento das ruas por toda a Lisboa, deviam ser

obrigados os ministros a mudar de rua e bairro *todos os três meses*." [AGa]
(isto é: a cada três meses, de três em três meses, como interpreta ED)

Todo pode ser empregado adverbialmente, com valor de 'inteiramente', 'em todas as suas partes':
"Longe de mim a triste ideia de me intrometer nessa questão *todo* particular." [CL]

Suas origens pronominais facultam-lhe a possibilidade de, por atração, concordar com a palavra a que se refere:
O professor é *todo* ouvidos.   Ela é *toda* ouvidos.
Ele está *todo* preocupado.   Ela está *toda* preocupada.
Acabamos de ver as crianças *todas* chorosas.[7]

Todo entra ainda na construção de locuções adverbiais: *em todo, de todo, de todo em todo*, etc.

Ainda que *todo* possa significar 'qualquer', isto não impede que as duas palavras possam concorrer juntas na expressão *todo (toda) e qualquer*:
"Introdução de *todo e qualquer* gênero de produto." [RB]

Tudo
Refere-se às coisas consideradas em sua totalidade ou conjunto e, normalmente, se apresenta como termo absoluto, desacompanhado de determinado:
Nem *tudo* está perdido.
Põe a esperança em *tudo*.

O seu emprego absoluto apresenta duas exceções: quando se combina com os demonstrativos *isto, isso, aquilo* ou com oração adjetiva substantivada pelo artigo:
Tudo isso é impossível. *Isso tudo* é impossível.
Onde você comprou *tudo aquilo*?
Desconhecemos *tudo o que eles disseram*.

Em tais construções, o demonstrativo funciona como núcleo do sintagma nominal e o indefinido como seu adjunto, bem como da oração adjetiva substantivada.

---

[7] É por causa de construções semelhantes que Epifânio Dias diz que a posposição de *todo* pode dar ocasião a ambiguidades, como neste exemplo em que a intenção de quem escreve foi usar *todo* adverbializado, e não como pronome. Poder-se-ia, é claro, não fazer a flexão, evitando a ambiguidade.

Pronome relativo

Usa-se *o qual* (e flexões) em lugar de *que*, principalmente quando o relativo se acha afastado do seu antecedente e o uso deste último possa dar margem a mais de uma interpretação:

O guia da turma, *o qual* nos veio visitar hoje, prometeu-nos voltar depois. Com o emprego de *que* o sentido ficaria ambíguo: O guia da turma, *que* nos veio visitar hoje... (o guia ou a turma nos veio visitar?)

Pode-se ainda recorrer à repetição do termo:
"Arrastaram o saco para o *paiol* e o *paiol* ficou a deitar fora." [CN]

Dá-se ainda o afastamento do relativo em relação ao seu antecedente em exemplos como o seguinte:
"No fundo de um triste vale dos Abruges, terra angustiada e sáfara, um pobre *eremita* vivia *que* deixara as abominações do século pela soledade do deserto." [JR]

Hoje é mais comum construir:
"...um pobre *eremita que* deixara as abominações do século vivia pela soledade do deserto."

Ou:
"...vivia um pobre *eremita que* deixara as abominações do século pela soledade do deserto."

Deve-se evitar com cuidado o grande distanciamento entre o antecedente e o correspondente relativo, principalmente se este estiver precedido de dois nomes que possam reclamar esta referência. Mário Barreto cita o trecho de Camilo em que o escritor explicita entre parênteses o real antecedente:
"Eu de mim, se não estivesse amortalhada no sobretudo do meu marido, *que* vou escovar (o sobretudo), era dele, como a borboleta é da chama (...)"

Muitas vezes a pontuação salva a boa interpretação do texto; a vírgula posta entre um substantivo (ou pronome) e o relativo serve para indicar que este não se está referindo àquele, e sim ao mais afastado:
"(...) mas ele tinha necessidade da sanção de alguns, *que* (isto é, a "sanção", e não "alguns") lhe confirmasse o aplauso dos outros." [MA]

Em geral substitui-se *que* por *o (a) qual* depois de preposição de duas ou mais sílabas ou locução prepositiva. Empregamos *a que* ou *ao qual*, *de que* ou *do qual*, mas dizemos com mais frequência *para o qual, ambas as quais, apesar do qual, conforme o qual, perante o qual*, etc.[8] O movimento rítmico da frase e a necessidade expressiva exigem, nestes casos, um vocábulo tônico (como *o qual*) em lugar de um átono (como *que*). Por eufonia, costuma-se empregar também *o* (*a*) *qual* depois das preposições *com, sem, sob*.

Migração de preposição

Com frequência, a preposição que deveria acompanhar o relativo emigra para o antecedente deste relativo:
"A barra é perigosa, como dissemos: porém a enseada fechada é ancoradouro seguro, *pelo que* (= o por que, razão por que) tem sido sempre couto dos corsários de Berbéria." [AH]
"(...) até o induzirem a mandá-lo sair da corte, *ao que* (= o a que) D. Pedro atalhou com retirar-se antes que lhe ordenassem." [AH]
"(...) não tardou a ser atravessado, pelo coração, com uma seta *do que* (= o de que) imediatamente acabou." [AH]

A construção regular, sem migração da preposição, é pouco usada e se nos apresenta como artificial:
"Assim me perdoem, também, *os a quem* tenho agravado, *os com quem* houver sido injusto, violento, intolerante..." [RB]

No seguinte exemplo de Rui Barbosa a preposição aparece antecipada, combinada com *o*, e depois no lugar devido:
"É *no em* que essa justificação se resume." [RB]

Outras vezes omite-se a preposição que pertence a rigor ao relativo, em virtude de já ter o seu antecedente a mesma preposição:
Você só gosta *das coisas que* não deve. (por: *das coisas de que não deve gostar*)
Ele falou *do que* não podia falar. (por: *do de que não podia falar*)

Relativo universal

Na linguagem coloquial e na popular pode aparecer o pronome relativo despido de qualquer função sintática, como simples transpositor oracional. A função que deveria ser desempenhada pelo relativo vem mais adiante expressa por um substantivo ou pronome precedido de preposição. É o chamado *relativo universal*

---

[8] A tradição tem evitado o emprego de *sem quem, segundo quem*, substituindo-os por *sem o qual, segundo o qual, sem a qual, sem os quais, sem as quais*, para evitar o eco. (➚ 635)

que, desfazendo uma complicada contextura gramatical, se torna um "elemento linguístico extremamente prático": [KN]
>Ali vai o homem *que* eu falei com *ele*
por
>Ali vai o homem *com quem* eu falei. (ou *com que*)

Repetição imprópria

Não pertence à boa norma da língua repetir sob forma pronominal a função sintática já desempenhada pelo relativo: Este é o livro *que* eu *o* li (por: *que eu li*).

É preciso distinguir cuidadosamente este caso de outro aparentemente igual, em que não se trata de *que* pronome relativo, mas *que* conjunção causal ou consecutiva (com elipse do intensivo *tão, tal*):

>"O português hodierno não é nem a língua de sábios nem de filósofos e pensadores *que* não *os* há..." [JR] (isto é: porque não os há)
>"Tenho os pés *que os* não sinto, dizia ele ao seu vizinho." [AFg] (isto é: tenho os pés *de tal maneira, que*...)

Cujo

Já vimos que *cujo*, como pronome relativo, traduz a ideia de posse, com o valor de *dele (dela), do qual (da qual)*:
>O livro *cujas* páginas... (= as páginas *do qual*, as páginas *dele*, as *suas* páginas)

Cujo pode vir antecedido de preposição, se ela for exigida pelo verbo da oração em que este pronome se insere:
>O proprietário *cuja casa* aluguei. (a casa *do qual* aluguei)
>Os pais *a cujos filhos* damos aula... (aos filhos *dos quais*)
>Os pais *de cujos filhos* somos professores... (dos filhos *dos quais*)
>O clube *em cujas dependências* faço ginástica. (nas dependências *do qual*)
>A cidade *por cujas ruas*, na infância, arrastou seus sonhos. (pelas ruas *da qual*)
>A prova *com cujas questões* me atrapalhei. (com as questões *da qual*)

Para o emprego correto de *cujo*, além do que já dissemos antes, não se deve:
a) em vez de *cujo*, empregar um relativo (*que, quem*) precedido da preposição *de* para referir-se à ideia de posse:
Não posso trabalhar com uma pessoa *de quem* (de que) discordo dos métodos.

A construção apropriada é:
>Não posso trabalhar com uma pessoa *de cujos* métodos discordo. (discordo dos métodos *dela*, dos métodos *da qual* discordo)

b) empregar *cujo* (e flexões) significando *o qual* (e flexões):
>O livro *cujo* eu comprei ontem é excelente.

A construção apropriada é:
O livro *que* (o qual) comprei ontem é excelente.

c) empregar artigo definido antes ou depois de *cujo*:
O pai *cujos* os filhos estudam aqui.

A construção apropriada é:
O pai *cujos filhos* estudam aqui.

Em:
Este é o autor *a cuja* obra te referiste,

não há acento indicativo da crase, por não vir *cujo* precedido de artigo; *a* é pura preposição.
N.B.: O verbo *referir* se acompanha da preposição *a*, daí a construção: *a cuja obra te referiste*.

Emprego dos relativos *onde, aonde, donde*

Em lugar de *em que, de que, a que,* nas referências a lugar, empregam-se respectivamente *onde, donde, aonde* (que funcionam como adjunto adverbial ou complemento relativo):
O colégio *onde* estudas é excelente.
A cidade *donde* vens tem fama de ter bom clima.
A praia *aonde* te diriges parece perigosa.

Modernamente os gramáticos têm tentado evitar o uso indiscriminado de *onde* e *aonde*, reservando o primeiro para a ideia de repouso e o segundo para a de movimento a algum lugar:
O lugar *onde* estudas...
O lugar *aonde* vais...

Esta lição da gramática tende a ser cada vez mais respeitada na língua escrita contemporânea, embora não sejam poucos os exemplos em contrário, entre escritores brasileiros e portugueses.

Evite-se o emprego de *onde* em lugar de *que / qual*, precedido ou não da conveniente preposição, como na frase: "Está sendo aberto um inquérito contra os policiais, *onde* (= *pelo qual*) eles podem perder o emprego." (notícia de jornal)

Evitem-se também empregos reduplicativos como *de donde, de aonde,* etc., em construções como: Indagou o informante sobre o lugar *de onde* (e não: *de donde*) viera.

Exercícios de fixação

Pronome pessoal

I. Das orações abaixo, indique o sujeito, dizendo qual é a sua pessoa gramatical:
   1) Procura os teus direitos.
   2) Procure os seus direitos.
   3) Vossa Excelência acaba de resolver a questão.
   4) Não olheis com ódio os adversários.
   5) Ela nada sabia do ocorrido.
   6) Não façamos justiça com as próprias mãos.
   7) Persegue teus sonhos com esperança.
   8) Você sabe agora toda a verdade.
   9) Que deseja o senhor?
   10) O amigo pode contar comigo.
   11) O estudo é o caminho seguro da vitória.
   12) Ele não vai embora hoje.
   13) Vossa Santidade visitará o país este ano.
   14) Entendeu a senhora a nossa dúvida?
   15) Devemos ajudar aos necessitados.

2. Preencha o espaço em branco com a forma verbal indicada, fazendo-a concordar com o seu sujeito:
   1) Não será possível que V. S.ª _____ de atender a tão justo pedido. (*deixar* -pres. subj.)
   2) V. Ex.ª _____ estar certo da vitória. (*poder* -pres. ind.)
   3) V. A. talvez _____ me conceder essa dádiva. (*poder* -pres. subj.)
   4) Ainda que V. Ex.ª _____ (*estar* -pret. imperf. subj.) aqui, não _____ nenhum subsídio à questão. (*trazer* -fut. do pret. ind.)
   5) Caso V. S.ª _____ (*trazer* -pres. subj.) a documentação, _____ o favor de avisar-me. (*fazer* -fut. pres. ind.)

3. Passe para o tratamento indireto de 2.ª pessoa, com os sujeitos *você*, *Vossa Excelência* e *Vossa Senhoria*, as seguintes formas verbais:

   Modelo: *Queres essa oportunidade.* { Você / Vossa Excelência / Vossa Senhoria } *quer essa oportunidade.*

   1) Falas com muita razão.
   2) Ouviste o pedido do réu.
   3) Perdoas nossos erros.
   4) Não fales alto.
   5) Foste a nossa maior esperança.
   6) Dize agora a proposta.

7) Não saias agora desse carro.
8) Irás ao nosso encontro.
9) Não esperes as notícias.

4. **Complete, nas cartas abaixo, o espaço em branco antes dos termos *Senhoria* e *Excelência* com *Vossa* ou *Sua*, conforme o caso:**
    1) Il.^{mo} Sr. Diretor da Repartição X,
       Transmito a _____ Senhoria a petição que dirigi ao Exmo Sr. Ministro da pasta X, e em que peço a _____ Excelência dar-me a conhecer o que disse _____ Senhoria no requerimento que dirigi a _____ Excelência por intermédio de _____ Senhoria.
    2) Exmo Sr. Ministro da pasta X,
       Venho à presença de _____ Excelência para solicitar me seja comunicada a informação que deu ao meu requerimento n.º Z o Sr. Diretor da Repartição X quando esse papel foi enviado por _____ Senhoria ao Gabinete de _____ Excelência.
       [J. Mattoso Câmara Jr., *Gramática*]

5. **Assinale com um (X) dentro dos parênteses as orações que têm pronome pessoal oblíquo átono:**

    1) ( ) Desta vez não lhe damos razão.
    2) ( ) Dirigiu a ele palavras impróprias.
    3) ( ) Nem ele entende a nós, nem nós a ele.
    4) ( ) Entregamos as cartas ao tio e a ela.
    5) ( ) Hoje não sairei contigo.
    6) ( ) Diante do perigo, atirou-se a mim em busca de socorro.
    7) ( ) Não nos deixeis cair em tentação.
    8) ( ) Ela não me quer mal.
    9) ( ) Teu tio deixou-te a ti uma bela educação.
    10) ( ) Ficou-vos dessa companhia uma profunda saudade.

6. **Substitua os pronomes pessoais oblíquos tônicos pelos átonos correspondentes:**
    Modelo: *A **ele** cumpre preencher esse lugar na repartição.* → *Cumpre-**lhe** preencher esse lugar na repartição.*
    1) Enviei o documento a ele e ao pai.
    2) O dinheiro foi entregue a ela mesma.
    3) Sempre se dirigia a nós próprios.
    4) Recorreu a ti em última instância.
    5) Nós dissemos a ele que poderia vir aqui.
    6) A mim restava uma só esperança.
    7) Nós daremos as joias tão somente a ela.

8) Nunca digas nunca a ti mesmo.
9) A vós desejo contar um segredo.

7. Assinale, dentro dos parênteses, com (OD) ou (CV) conforme o pronome pessoal átono funcione como objeto direto ou como outro complemento verbal, respectivamente:
   1) (   ) Eu não o vi.
   2) (   ) Nós não lhe dissemos nada.
   3) (   ) Sempre me visitava no hospital.
   4) (   ) Nunca me respondeu.
   5) (   ) Abraçaram-te pela vitória.
   6) (   ) Agora não te quero bem.
   7) (   ) Enviou-te esses livros.
   8) (   ) Não nos querem aqui.
   9) (   ) Escrevemos-lhe para matar as saudades.
   10) (   ) Não nos condene sem provas.

8. Empregue, no espaço em branco, O ou LHE conforme a função sintática:
   1) Despede-se o amigo que muito _____ estima.
   2) Despede-se o amigo que muito _____ quer.
   3) Despede-se o amigo que muito _____ admira.
   4) Jamais _____ perdoei por essa injustiça.
   5) Eu _____ abracei pelo aniversário.
   6) Ainda não _____ convidamos para a festa.
   7) Cumprimento-_____ pela vitória alcançada.
   8) Ela _____ espera para jantar.
   9) Jamais _____ vi tão alegre.
   10) A tia _____ amava como filho.

9. Numere os parênteses das orações da série A de acordo com as funções sintáticas indicadas na série B, em relação aos pronomes pessoais:

   Série A
   1) (   ) Bem me quer, mal me quer.
   2) (   ) Já não o víamos havia muito tempo.
   3) (   ) Morador dessa rua já não o sou.
   4) (   ) Escrevíamos-te com muita frequência.
   5) (   ) A partida deixou-vos grande saudade.
   6) (   ) Já me deram a resposta desejada.
   7) (   ) Envolveram-se com maus companheiros.
   8) (   ) Esperamos-te por muito tempo.
   9) (   ) O diretor afastou-se aborrecido.
   10) (   ) Assim não irás encontrá-lo.

   Série B
   1 – sujeito
   2 – objeto direto
   3 – objeto indireto
   4 – predicativo

10. Numere a série A de acordo com as classificações do pronome SE que ocorrem na série B:

    Série A
    1) ( ) Maria já se vestiu.
    2) ( ) Maria e João se viram no cinema.
    3) ( ) A porta fechou-se.
    4) ( ) O vizinho se chama Paulinho.
    5) ( ) Papai se barbeia toda manhã.
    6) ( ) Vendem-se apartamentos.

    Série B
    1 – reflexivo próprio
    2 – reflexivo recíproco
    3 – voz média ou passiva com *se*
    4 – construção impessoal ou indeterminada

11. Numere a série A de acordo com as funções dos pronomes SE, A SI e CONSIGO, que ocorrem na série B:

    Série A
    1) ( ) Eles não se amam.
    2) ( ) Elas se odeiam.
    3) ( ) Eles se gostam.
    4) ( ) O menino se divertia a valer.
    5) ( ) O professor se aborreceu.
    6) ( ) A criança se machuca nesse brinquedo.
    7) ( ) O bibliotecário levou o livro consigo.
    8) ( ) O pai impôs a si essa responsabilidade.
    9) ( ) O juiz se arrogou o direito de crítica.
    10) ( ) Falava a si mesmo quando estava sozinho.

    Série B
    1 – objeto direto
    2 – objeto indireto
    3 – complemento relativo
    4 – adjunto adverbial

12. Coloque, no princípio da oração, seu objeto direto, repetindo-o depois do verbo por pronome pessoal adequado:
    Modelo: *O astrônomo observa os astros.* = *Os astros, observa-os o astrônomo.*
    ou: *Os astros, o astrônomo os observa.* (Em todos os exemplos, o uso da vírgula é facultativo.)

    1) O soldado defende a pátria.
    2) O preguiçoso receia o trabalho.
    3) As flores perfumam o ar.
    4) As nuvens encobrem o sol.
    5) O exercício fortifica o corpo.
    6) Os advogados advogam causas.
    7) O chapeleiro faz chapéus.
    8) Os negociantes vendem as mercadorias.
    9) O escritor compõe livros.
    [Claudino Dias, *Exercícios de Composição*]

13. Explicite, nos seguintes exemplos, as combinações de pronomes pessoais:
    Modelo: *Tirai-ma.* → ma = me + a
    1) Cortou-lha rapidamente a morte.

2) Eu to juro.
3) Eu vo-la dei por prêmio.
4) Atirou-se aos pés da mãe e beijou-lhos.
5) Agradeceu-mo, sorrindo.
6) Sacou da algibeira os meus títulos e sacudiu-mos na cara.
7) Ela no-lo disse.
8) Foram precisas repetidas instâncias para no-los confundir.
9) Entrego-vo-la de coração.

14. **Reescreva as orações do exercício anterior, substituindo o pronome que, na combinação, funciona como objeto direto por um substantivo adequado, respeitando o gênero e o número do pronome substituído.**

    Modelo: *Tirai-ma.* = *Tirai-me a dúvida.*

15. **Reescreva as seguintes orações, substituindo os diversos complementos verbais por pronomes pessoais oblíquos átonos, combinando-os convenientemente e colocando-os sempre antes do verbo, desde que não comecem a oração:**
    Modelo: *O professor deu o livro à melhor aluna.* = *O professor lho deu.*

    1) Os colegas ofereceram ao José os livros raros.
    2) A nós os vizinhos contaram toda a verdade.
    3) A mim a vida concedeu bons amigos.
    4) Os policiais relataram ao delegado os casos ocorridos.
    5) Nem sempre os pais podem explicar aos filhos os mistérios da vida.
    6) O juiz propôs ao réu nova audiência.
    7) A diretora fez as melhores recomendações às alunas.
    8) Os rastros denunciaram ao policial o esconderijo do ladrão.
    9) O sol ofereceu aos banhistas excelentes dias de férias.

16. **Substitua por pronome átono os termos preposicionados ou parte deles em itálico:**
    Modelo: *Tu não poderás fugir **de mim**.* = *Tu não poderás fugir-**me**.*
                  *José pôs-se diante **dele**.* = *José pôs-se-**lhe** diante.*
    1) Jamais apareceram diante *de nós*.
    2) Sentaram-se em frente *dela*.
    3) Os inimigos caíram em cima *de vós*.
    4) Os pais deram um beijo *na filha*.
    5) Os guardas atiraram *no ladrão*.

Pronome possessivo

17. **Empregue, em vez de pronome possessivo, o pronome oblíquo átono correspondente, que funciona como dativo livre:**
    Modelo: *Comprei o **seu** livro por um bom preço.* = *Comprei-**lhe** o livro por um bom preço.*
    1) Todos respeitam as suas razões.
    2) O vizinho tomou a minha palavra.
    3) O professor admira a tua inteligência.
    4) Os colegas não conhecem as suas desculpas.
    5) Nem todos os convidados apertaram nossas mãos.
    6) O juiz não escutou vossas razões.
    7) Não foi fácil esquecer a sua traição.
    8) O médico tomou meu pulso.
    9) Não queremos os teus préstimos.

18. **Justifique a razão pela qual o escritor fez uso de SEU ... DELAS, repetindo a expressão indicativa de posse:**
    "Queria ser casada. Sabia que sua mãe o não fora, e conhecia algumas que tinham só o *seu* moço *delas*." [MA]

Pronome demonstrativo

19. **Coloque dentro dos parênteses (AD), (PP) ou (PD), conforme o O (OS, A) grifado apareça como artigo definido, pronome pessoal ou pronome demonstrativo, respectivamente:**
    1) ( ) Não vejo o José há muito tempo; mas você *o* vê quase todo dia.
    2) ( ) Consegui resolver a questão; esforce-se que você também *o* fará.
    3) ( ) Espero que tu escrevas *o* que te ditei.
    4) ( ) Diretor da escola, já não *o* sou.
    5) ( ) Todos *os* meninos foram à praia.
    6) ( ) Não saímos *o* dia todo.
    7) ( ) Os dias passam sem que *o* percebamos.
    8) ( ) Os dias passam sem que *os* percebamos.
    9) ( ) Nunca fales *o* que não sabes.
    10) ( ) O pai e o filho saíram tão cedo, que não *os* vi.
    11) ( ) É uma desolação terrível *a* da paisagem pintada com tamanho rancor pelo romancista cearense.

20. **Preencha o espaço em branco com** este (esta, estes, estas) **ou** esse (essa, esses, essas), **conforme o caso:**
    1) Faço _____ pedido para dirigir-me a _____ seção.

2) Escrevo-lhe para conhecer melhor _____ cidade para onde você foi morar.
3) Onde você comprou _____ gravata que está usando?
4) Enviamos-lhe _____ presente com maior prazer.
5) Ontem estive gripado; por isso não pude ir a _____ festinha.
6) _____ dia de hoje é para nós inesquecível.
7) _____ sala é mais agradável que a outra; daí a nossa mudança.
8) Escrevo-lhe para contar-lhe os últimos progressos por que passou _____ minha nova cidade de férias.
9) Tenho em mãos _____ prova de tua mentira. Por isso larga _____ papelada falsa.
10) Trabalho com _____ lápis aqui melhor do que com _____ aí.
11) Olhe os meus dedos, olhe _____ mãos.

21. **Destaque os pronomes demonstrativos que ocorrem nas seguintes orações:**
    1) Chegou no mesmo dia que o tal homem previu.
    2) Ele naquele dia assinou sua sentença.
    3) Ela mesma repetiu a informação.
    4) Ele contava as novidades, mas não se referiu a semelhantes fatos.
    5) Os mesmos amigos não lhe concederam o prêmio.
    6) Falavam de si mesmos como se se referissem a outras pessoas.

Pronome indefinido

22. **Destaque os pronomes e locuções pronominais indefinidas que ocorrem nas seguintes orações:**
    1) Ninguém vê o argueiro nos seus olhos.
    2) Tudo acabou muito bem.
    3) Não vi nada que prestasse.
    4) Cada um deve cuidar da sua vida.
    5) Alguns livros devem ser lidos mais de uma vez.
    6) A toda ação corresponde uma reação.
    7) Ela não trabalha todos os dias.
    8) Certa manhã encontrou a notícia certa que esperava.
    9) Esse trabalho nada lhe acrescentou ao mérito já consagrado.
    10) Cada cabeça, cada sentença.
    11) Em todo caso há algo que ainda não entendi.

Pronome relativo

23. **Assinale com (X) dentro dos parênteses as orações onde aparece** que **pronome relativo:**
    1) ( ) O livro que li é de autor brasileiro.
    2) ( ) Não sei o endereço do homem que comprou o apartamento.
    3) ( ) Sabemos que ela chega hoje.
    4) ( ) Tenho que trabalhar neste fim de semana.
    5) ( ) O sol, que nos encanta, deve ser aproveitado com cuidado.
    6) ( ) Que escritor nasceu em São Luís do Maranhão?
    7) ( ) Ela tem um quê de sedução.
    8) ( ) Não sabes que livros acabas de comprar.
    9) ( ) A caneta com que ela assinou o documento acabou perdida.
    10) ( ) Que linda me parece esta manhã!

24. **Numere a coluna A de acordo com a B, em relação à função sintática da palavra** que **nas seguintes orações:**
    Coluna A
    1) ( ) O homem que me viu parecia nervoso.
    2) ( ) O homem que eu vi parecia nervoso.
    3) ( ) O programa que procuro não está no computador.
    4) ( ) O programa que passa hoje é o mesmo da semana passada.
    5) ( ) O filme a que vamos assistir ganhou o festival.
    6) ( ) A cidade a que vais está hoje entre as mais agradáveis do país.
    7) ( ) Ainda não me perguntaram que colegas convidamos.
    8) ( ) O médico a que demos a notícia não se conformou com o diagnóstico.
    9) ( ) Ela não conhecia os vizinhos que lhe comunicaram o ocorrido.
    10) ( ) Tudo acabou bem entre os jovens que se desentenderam na festa.

    Coluna B
    1 – sujeito
    2 – objeto direto
    3 – objeto indireto
    4 – complemento relativo
    5 – predicativo
    6 – adjunto adnominal
    7 – adjunto adverbial

25. **Substitua o enunciado expresso pela oração introduzida pela conjunção E por oração de mesmo sentido começada por pronome relativo, precedido ou não de preposição, conforme sua função sintática:**
    Modelo: *Gutenberg nasceu em Mogúncia, e deve-se a ele a invenção da imprensa. = Gutenberg, a quem se deve a invenção da imprensa, nasceu em Mogúncia.*

    1) Gutenberg teve um amigo muito importante, e ele se chamava Fust.
    2) A lebre é um animal herbívoro, e em geral aparece nas histórias de animais como animal tímido.

3) Machado de Assis é o mais completo dos escritores brasileiros, e a ele foi concedida a honra de primeiro presidente da Academia Brasileira de Letras.
4) O nadador começou desde jovem, e ele ganhou várias medalhas.
5) Os heróis da pátria devem ser cultuados, e os jovens devem ver neles modelos de inspiração.
6) O cultivo da língua materna é necessário, e os falantes precisam preservá-la.
7) O Brasil integra o Mercosul, e os brasileiros precisam nele exercer influência e prestígio.
8) A língua portuguesa continuou o latim, e o latim era falado na Lusitânia.
9) Os nossos índios merecem respeito, e eles guardam a cultura dos antepassados.
10) Cada estação do ano tem seu encanto, e ela nem sempre é bem marcada pelas várias regiões do Brasil.

26. **Preencha o espaço em branco, quando for necessário, com preposição, conforme a função que exercem os pronomes relativos** que, quem, o qual, cujo:
   1) A ponte _____ que atravessamos está malconservada.
   2) Os filmes _____ que assistimos já saíram de cartaz.
   3) A pessoa _____ quem falas também é nossa conhecida.
   4) O livro _____ que gostamos não agradou à Bebel.
   5) O carro _____ que você trocou gasta muita gasolina.
   6) O senhor _____ cujos filhos ensino redação pediu-me explicador de Matemática.
   7) A sala _____ que fazemos leitura vai ser reformada.
   8) As paredes _____ que andam as lagartixas acabaram de ser pintadas.
   9) A carta _____ que você me endereçou ainda não me foi entregue.
   10) O escritor _____ quem este livro foi escrito vem hoje visitar nossa escola.

27. **O mesmo exercício:**
   1) A menina deu o livro ao rapaz, _____ o qual emprestei ontem meu dicionário.
   2) Não ficamos contentes com a notícia _____ que ouvimos.
   3) O engenheiro mostrou-lhe o projeto _____ o qual foi construído o edifício.
   4) O cofre _____ que estão guardadas as joias tem controle eletrônico.
   5) As realizações _____ que ela aspirava foram todas concretizadas.
   6) Os vizinhos _____ quem foram endereçadas as atas não compareceram à reunião de condomínio.

7) A casa _____ que morava era muito espaçosa.
8) Os gritos _____ que ouvimos foram dados _____ quem estava do lado de fora, na rua.
9) O armário _____ que foram guardadas as roupas ficou com o cheiro das naftalinas.
10) Foram poucos os candidatos _____ que se permitiu rever as provas.

28. **O pronome relativo CUJO (e flexões) refere-se ao possuidor (*seu, dele*) da coisa a que serve de adjunto adnominal. Substitua, nas orações seguintes, esse pronome relativo por** seu, dele **(e flexões) em oração começada pela conjunção e:**
Modelo: *O negociante cuja casa acabei de alugar pediu novo aumento.* =
O negociante pediu novo aumento, e sua casa acabei de alugar.
1) A companhia cujos empregados foram agora admitidos está se expandindo muito pelo país.
2) Nem sempre as notícias a cujas repercussões damos tanto crédito trazem maiores benefícios.
3) As pessoas de cujo empenho eles dependem gostam de ser conhecidas.
4) As crianças por cujos futuros tanto lutais são a esperança de dias melhores.
5) Foram muitas as palavras com cujos significados os leitores não atinaram.
6) As estradas em cujas curvas tem havido acidentes deviam ser mais bem sinalizadas.
7) Essas janelas através de cujas vidraças passam os raios solares foram fabricadas em Porto Alegre.
8) Estes corredores em cujos cantos encontro tantas recordações não mudaram pelo tempo afora.

29. **Substitua a referência ao possuidor expressa por** seu, sua, dele **(e flexões) das orações começadas pela conjunção E pelo pronome relativo CUJO (e flexões), precedendo-o, quando necessário, da competente preposição:**
Modelo: *Lá vão os jovens e aos seus pais sempre devotei grande estima.* =
Lá vão os jovens a cujos pais sempre devotei grande estima.

1) O bairro é muito populoso e eu visitei sua rua principal.
2) A oportunidade foi perdida e no sucesso dela depositávamos a melhor das esperanças.
3) O avião decolou com bom tempo e seus passageiros se dirigiam a Natal.
4) O time saiu-se bem na temporada e com seus jogadores vai representar o país no exterior.
5) A vida é passageira e por seus momentos de alegria devemos dar graças ao Senhor.
6) As paredes precisam ser recuperadas e dentro de suas fendas cresceram plantas.

7) Este livro é muito útil, e para sua leitura precisas de bastante atenção.
8) O inimigo era implacável, e eles conseguiram libertar-se de seu jugo.
9) A cidade tinha bom clima e pelas suas redondezas a vegetação era riquíssima.

30. **O mesmo exercício, atentando-se para a colocação do pronome átono proclítico [posto antes] ao verbo da oração subordinada introduzida por CUJO (ou flexões):**
    1) O ganso pertence às aves aquáticas, e com suas penas já encheram-se travesseiros.
    2) Aquele homem cumpre a sua palavra, e pode-se confiar na probidade dele.
    3) O livro é útil e agradável, e para a sua leitura são necessários alguns dias.
    4) O meu amigo foi fazer uma longa viagem, e eu fiquei privado da sua companhia.
    5) O meu protetor está fora da terra, e eu conto com o seu auxílio.
    6) O rapaz deve ser um bom empregado, e eu respondo pelas suas qualidades.
    7) A cidade era muito extensa, e dentro dos seus muros havia belos edifícios.
    8) A festa promete ser brilhante, e nada obsta à sua realização.
    9) A ponte era muito alta, e as grandes embarcações passavam por baixo dos arcos.
    10) O tempo tudo gasta, e aquele velho castelo não pôde resistir às suas injúrias.

31. **Preencha o espaço em branco com ONDE, AONDE, DONDE, conforme convier, usando antes de ONDE, quando for necessário, a preposição conveniente. Se houver mais de uma resposta, empregue-as:**
    1) Fomos à cidade _____ trabalham nossos primos.
    2) São poucos os lugares _____ se dirigem os peregrinos.
    3) São Paulo é a cidade _____ se localiza a primeira Faculdade de Filosofia e Letras do Brasil.
    4) Lá _____ mora a saudade mora também a tristeza.
    5) O professor sempre queria saber _____ vinha o início da risada em sala.
    6) Não havia um único sítio _____ não teria ido aquele caixeiro-viajante.
    7) A polícia desejava saber _____ procediam, _____ se encaminhavam e _____ iriam viver por uma semana aqueles turistas.
    8) O esconderijo _____ foi esconder-se a gata da Aparecida era desconhecido da família.
    9) Chegando à igreja _____ fora para batizar a Vivi, Hortelino não encontrou os pais da afilhada.
    10) Não saíra da casa _____ entrara para comprar tecidos e _____ permaneceria por mais meia hora.

Capítulo 8
Numeral

Numeral

É a palavra de função quantificadora que denota valor definido:
"A vida tem *uma* só entrada: a saída é por *cem* portas." [MM]

Os numerais propriamente ditos são os *cardinais*: *um, dois, três, quatro*, etc., e respondem às perguntas *quantos?, quantas?.*.
Na escrita podem ser representados por algarismos arábicos (1, 2, 3, 4, etc.) ou romanos (I, II, III, IV, etc.).

> **Observações:**
>
> → Não são quantificadores numerais, ainda que tenham o mesmo significante, os substantivos que designam os algarismos e os números inteiros positivos. São substantivos e, como tais, admitem gênero e podem ir ao plural: *o um, os uns; o dois, os dois; o quatro, os quatros*; prova *dos noves, o zero, três zeros*. O gênero masculino se explica pela referência à palavra *número*, que se subentende.
>
> → Entre brasileiros, principalmente em referência a números de telefone, usa-se *meia dúzia* ou *meia* para o número seis. Não vale como numeral. Em *meia dúzia, meia* é adjetivo. Como redução de *meia dúzia*, temos o substantivo *meia*.

A tradição gramatical, levando em conta mais a significação de certas palavras denotadoras da quantidade e da ordem definidas, tem incluído entre os numerais próprios — os cardinais — ainda os seguintes: os *ordinais*, os *multiplicativos* e os *fracionários*. Tais palavras não exprimem propriamente uma quantidade do ponto de vista semântico, e do ponto de vista sintático se comportam, em geral, como adjetivos que funcionam como adjuntos e, portanto, passíveis de deslocamentos dentro do sintagma nominal:
  Ele era o *segundo* irmão entre os homens.
  Ele era o irmão *segundo* entre os homens.

Podem combinar-se coordenativamente com outros adjetivos:
  Choveu muito nos *primeiros* e gelados dias deste inverno.

Podem até estar quantificados pelo numeral propriamente dito:
Os *três primeiros* meses foram de muito calor.
Os *dois sêxtuplos* nasceram na mesma cidade, em anos diferentes.

De modo que seria mais coerente incluir os ordinais, multiplicativos e fracionários, conforme se apresentem no discurso, no grupo dos substantivos (*dobro, metade*, etc.) ou dos adjetivos (*duplo, primeiro*, etc.), como fazemos com *último, penúltimo, anterior, posterior, derradeiro, simples, múltiplo*, etc., que denotam ordenação ou posição dos seres numa série, sem imediata ou mediata relação com a quantidade. Em nome da tradição e para comodidade de consulta do leitor, incluiremos nesta seção tais palavras, sem considerá-las como numerais.

Também a tradição gramatical tem posto *ambos* como numeral *dual*, como subcategoria de número (singular / plural), por sempre aludir a dois seres concretos já mencionados no discurso. Fica para *ambos* uma das duas classificações mais coerentes: ou um *numeral* plural ao lado de *dois*, mas dele diferente por só se referir a seres já previamente indicados ou conhecidos; ou um *pronome*, justamente levando em conta essa referência de dêixis anafórica, isto é, alusão a termo expresso antes. *Ambos* admite posição anteposta ou posposta ao nome que modifica, e pode ser substituído por *um* e *outro*.

Ambos é seguido de artigo quando há substantivo expresso:

Ambos os filhos	ou	os filhos *ambos*
Ambos os livros	ou	os livros *ambos*
Ambas as razões	–	*Uma e outra* razão

Do ponto de vista material, existem em português os numerais **simples** (*um, dois, três, vinte, trinta, cinquenta* [e não *cincoenta!*], *cem* [próclise de *cento*]); os **compostos**, que indicam adição, ligados pela conjunção *e* (*vinte e um, dezesseis, dezessete, cento e dois, mil e noventa*, etc.) e os **justapostos**, que indicam multiplicação, quando a primeira unidade, multiplicadora, é menor que a segunda (*quatrocentos* [4 x *cem*], *setecentos, oitocentos, novecentos, dois mil, cinco mil*, etc.).[1]

Na designação dos números, usa-se a conjunção *e* entre as centenas, dezenas e unidades (*duzentos e vinte e seis*). Entre os milhares e as centenas, emprega-se o *e* se as centenas não são seguidas de outro número (*dois mil e duzentos*); em caso contrário, omite-se a conjunção (*dois mil duzentos e vinte e seis*). Põe-se o *e* entre os milhares e as dezenas como também entre os milhares e as unidades (*dois mil e vinte e seis; dois mil e seis*). Não se usa vírgula na enunciação de numerais por extenso: trezentos e cinquenta e três mil quatrocentos e oitenta e cinco (353.485).

---

[1] As formas *duzentos, trezentos, quinhentos* e *seiscentos* representam diretamente numerais latinos.

Leitura dos numerais cardinais

Nos números muito extensos, omite-se a conjunção entre as classes, isto é, entre os grupos de três algarismos: 324.312.090.215 (*trezentos e vinte e quatro bilhões trezentos e doze milhões noventa mil duzentos e quinze*).

Têm emprego como substantivos e, entre estes, guardam analogia com os coletivos — mas deles diferem pela indicação de quantidade definida: *dezena, década, dúzia, centena, cento, milhar, milheiro, milhão, bilhão, trilhão*, etc.

Como ainda os coletivos, podem ter adjuntos introduzidos por preposição para indicar a espécie: uma *dúzia de laranjas*, duas *décadas de vida*, três *centos de bananas*, um *milhão de pessoas*.

> **Observações:**
>
> ➡ Em lugar de *milhão* pode ocorrer *conto*, na aplicação a dinheiro, em *conto de réis* ou, simplesmente, *conto*, uso que vai caindo em esquecimento.
>
> ➡ Podem ser grafados com *lh* ou *li*: *bilhão / bilião, trilhão / trilião, quatrilião, quintilião, sextilião, setilião, octilião*. As formas com *lh* são mais usuais no Brasil.
>
> ➡ Bilhão no Brasil corresponde a mil milhões / milhar de milhão em Portugal.
>
> ➡ A partir de 1.000 em diante usa-se ponto: 1.250, 12.128. Só será exceção na indicação dos anos: 2015.
>
> ➡ Nunca use 0 (zero) antes de número inteiro, salvo em casos especiais. Portanto: Rio, 6/2/1928 e não Rio, 06/02/1928.

Os cardinais funcionam como adjuntos, à maneira dos adjetivos e pronomes adjetivos, e podem substantivar-se, se os seres forem conhecidos previamente, precedidos de artigo ou outro determinativo:

Os dois acabaram chegando cedo.
Estes três estão à sua espera.

Podem juntar-se a substantivo acompanhado ou não de adjetivos, antepostos ou pospostos ao numeral:

Os *dois* bons momentos da vida.
Os maravilhosos *três* dias passados na fazenda.

Concordância com numerais

No que toca à flexão de gênero, os numerais são invariáveis, com exceção de *um* (*uma*), *dois* (*duas*) e *ambos* (*ambas*); os formados com *um* (*vinte e um / vinte e uma*) e as centenas acima de *cem* (*duzentos / duzentas, trezentos / trezentas, novecentos / novecentas*). *Uns*, no plural, será artigo ou pronome indefinido.

Cumpre lembrar que, se o sujeito da oração tiver por núcleo o substantivo *milhões*, acompanhado de adjunto preposicionado no plural, cujo núcleo é um

feminino, o particípio ou o adjetivo pode concordar no masculino com seu núcleo, ou no feminino, com o substantivo preposicionado do adjunto:
Dois milhões de pessoas foram aposentados (ou aposentadas) neste ano.

Os adjuntos de *milhar* e *milhões*, masculinos, devem também ficar no masculino:
Alguns milhares de pessoas se expõem perigosamente ao sol do meio-dia.
Os milhares de pessoas que estudam línguas estrangeiras não devem esquecer a materna.

Evite-se o erro, hoje comum: *algumas milhares de pessoas, as milhares de pessoas, as milhões de mulheres*, etc. em vez de *alguns milhares, os milhares, os milhões*, etc. Então temos este emprego correto na frase: Ela era mais *uma dos milhares* que estão vindo para o Brasil.

Depois dos numerais compostos com *um* deixa-se o substantivo no plural: *trinta e um **dias*** (construção mais comum do que *trinta e um **dia***). As *mil e uma* noites.

Na expressão alusiva a um número não conhecido ou que não se queira explicitar (*o número tanto*), pode-se também usar o plural: *o número tantos, a folhas tantas, a páginas tantas.*

Cabe ainda lembrar que o numeral cardinal pode às vezes ser empregado para indicar número indeterminado:

Peço-lhe *um minuto* de sua atenção.   (por: *alguns poucos minutos*)
Contou-lhe o fato *em duas palavras*.   (por: *poucas palavras*)
F. tem *mil e um defeitos*.   (por: *muitos defeitos*)
Ela anda com *mil perguntas*.   (por: *muitas perguntas*)

Como vimos no emprego de *todo* (↗ 197), às vezes expressões como *todos os dois dias, todas as três semanas*, etc. podem ser empregadas com o valor de 'de dois em dois dias' ou 'a cada dois dias', 'de três em três semanas' ou 'a cada três semanas'.

A relação entre os nomes numerais, como diz Mattoso Câmara, e a arte de contar leva a que, na língua escrita, se usem os algarismos em vez das palavras correspondentes, prática válida para os ordinais: *26 de fevereiro; reunião às 3 horas; rua X, 204; reinou 12 anos; capítulo 4; seção 32.ª, 14.º lugar*, etc.

Ordinais

São as palavras que denotam o número de ordem dos seres numa série:
primeiro, segundo, terceiro, quarto, quinto, etc.

Observações:

➡ *Último, penúltimo, antepenúltimo, anterior, posterior, derradeiro, anteroposterior* e outros tais, ainda que exprimam posição do ser, não têm correspondência entre os numerais e devem ser considerados adjetivos.

➡ Não se emprega hífen nos ordinais: décimo quinto.

Ordinais e cardinais

Os ordinais têm pouca frequência na língua comum, exceto os casos consagrados pela tradição e, em geral, até o número *dez*:
4.º *andar*, 2.º *pavimento*, 3.ª *seção*, 5.º *lugar*, 100.º *aniversário de fundação*

> **Observação:**
>
> ➥ Os numerais ordinais, quando abreviados, seguindo-se ao algarismo, recebem o ponto indicativo da redução, mais a terminação *o* ou *a* alceada (conforme o gênero) e, opcionalmente, sublinhada.

Todavia, no estilo administrativo e em outras variedades de estilo oficial, correm com mais frequência os ordinais. Os casos mais comuns são os seguintes: até décimo, quando se usam também os algarismos romanos (estes vão além de décimo); a partir de décimo, os cardinais substituem os ordinais correspondentes. Assim temos:
a) na seriação dos monarcas e papas de mesmo nome:
   Pedro I (primeiro), *Pedro II* (segundo), *D. João VI* (sexto), *Pio X* (décimo), *Leão XIII* (treze), *João XXIII* (vinte e três)
b) na cronologia dos séculos:
   século I (primeiro), *século VI* (sexto), *século X* (décimo), *século XXI* (vinte e um)
c) na indicação de capítulos, cantos, estrofes, tomos, atos: capítulo III (terceiro), capítulo XXXII (trinta e dois), canto XII (doze), tomo II (segundo), ato V (quinto).

Empregam-se, contudo, os ordinais quando o numeral antecede o substantivo: 13.º salário, 21.º século, décimo segundo capítulo, décimo primeiro tomo, etc.

> **Observação:**
>
> ➥ Na prática moderna dos jornais brasileiros escrevem-se com algarismos arábicos os casos *b)* e *c)*: *século 1.º*; *século 21*; *capítulo 22*, etc.

O cardinal substitui o ordinal na indicação de horas e em expressões designativas da idade de alguém; neste caso, se o substantivo estiver no plural, o número também irá ao plural:

É *uma hora*.	(por: *é a primeira hora*)
É *uma hora e meia*.	(por: *é a primeira hora e meia*)
São *duas horas*.	(por: *é a segunda hora*)
Castro Alves faleceu aos *24 anos*.	(por: *no vigésimo quarto ano de vida*)

Também o cardinal substitui o ordinal na designação dos dias do mês; se mencionado o substantivo *dia* antes do algarismo, fica no singular:
No dia 2 de dezembro nasceu Pedro II. (por: *no segundo dia de dezembro*)

Se vier posposto ao algarismo, linguagem usada em documentos oficiais, o substantivo *dia* será usado no plural:
Aos *treze dias* do mês de janeiro nasceu o primogênito.
Aos *26 dias* de agosto de 1944 foi fundada a Academia Brasileira de Filologia.

Para referir-se ao dia que inicia cada mês, podemos usar tanto o cardinal quanto o ordinal:
No dia *um* de janeiro nasceu-lhe o segundo filho.
No dia *primeiro* de janeiro nasceu-lhe o segundo filho.

Na referência às páginas ou capítulos de livro, usam-se as preposições *em* ou *a*. Com *em* emprega-se a palavra *página, folha* ou *capítulo* no singular seguida do cardinal, se for superior a dez, podendo até aí usar-se o ordinal, anteposto ou posposto:
Na página 32 há um erro de revisão. (*na folha 32 / no capítulo 32*)
Na página dois faltou uma vírgula. (*na folha dois / no capítulo dois*)
Na página segunda ou *na segunda página*. (*na folha segunda / no capítulo segundo*)

Com a preposição *a*, usa-se o substantivo no plural se o numeral é diferente de *um*:
A páginas 12,   *A folhas 12,*   mas   *À página um.*

Note-se que se pode dizer *à página dois, a páginas duas, a páginas vinte e uma, a páginas tantas; na página dois, na página vinte e um, na página vigésima primeira*. Em resumo: com *página*, no singular, o cardinal fica invariável; com *páginas*, no plural, o cardinal se flexiona em gênero. O ordinal se flexiona sempre: *página primeira, páginas vigésima primeira.*

Posição do numeral

Em geral, o numeral vem depois do substantivo quando designa século, data, página, folha, capítulo, artigo de lei e outros documentos oficiais, endereço, reis e papas:
século XXI, dia 10, página 12, folha 15, capítulo 3.º, artigo 5.º, parágrafo 4.º, casa 6, Pedro II, Pio X, etc.

Leitura de expressões numéricas abreviadas

Atenção especial merecem entendimento e leitura de certas expressões numéricas abreviadas de uso moderno na linguagem jornalística e técnica: *1,4 milhão* (com 1 o numeral coletivo fica no singular), *3,2 bilhões, 8,5 bilhões*, etc. devem ser entendidos e lidos "um milhão e quatrocentos mil", "três bilhões e duzentos milhões", "oito bilhões e quinhentos milhões" ou "oito bilhões e meio".

Note-se que, embora em *1,4 milhão* o substantivo esteja no singular, o verbo pode ir ao plural:

1,4 milhão de estudantes *conseguiram* vagas no ensino superior.

Multiplicativos

São as palavras que exprimem a multiplicidade dos seres. Os mais usados são:
duplo ou dobro, triplo ou tríplice, quádruplo, quíntuplo, sêxtuplo, sétuplo, óctuplo, nônuplo, décuplo, cêntuplo.

Fracionários

São as palavras que indicam frações dos seres:
meio, terço, quarto, quinto, sexto, sétimo, oitavo, nono, décimo, vigésimo, centésimo, milésimo, milionésimo, empregados como equivalentes de metade, terça parte, quarta parte, etc.

> **Observações:**
>
> ⇒ O fracionário *meio*, funcionando como adjunto, concorda com seu núcleo, explícito ou não: meio-dia e meia (hora); duas e meia (hora).
>
> ⇒ Em lugar de *um milhão (dois milhões,* etc.) *e meio* pode-se, mais raramente, empregar *um e meio milhão, dois e meio milhões*:
>
> "Para aquilatar a importância dos tropeiros, basta lembrar que o Brasil tem cerca de *oito e meio milhões* de quilômetros quadrados de superfície (...)." [AAr]

Para muitos fracionários empregamos o cardinal seguido da palavra *avos*, extraída de *oitavo*, como se fora sufixo. Por hipertaxe passa a funcionar como uma palavra: onze avos, treze avos, quinze avos, etc.

Lista dos principais nomes ordinais com o numeral cardinal correspondente:

Ordinal	Cardinal
primeiro	um
segundo	dois
terceiro	três
quarto	quatro
quinto	cinco
sexto	seis

Ordinal	Cardinal
sétimo	sete
oitavo	oito
nono	nove
décimo	dez
undécimo ou décimo primeiro	onze
duodécimo ou décimo segundo	doze (e não *douze!*)
décimo terceiro	treze
décimo quarto	quatorze, catorze
vigésimo	vinte
vigésimo primeiro	vinte e um
trigésimo	trinta
quadragésimo	quarenta
quinquagésimo	cinquenta
sexagésimo	sessenta
septuagésimo, setuagésimo	setenta
octogésimo [não *octagésimo!*]	oitenta
nonagésimo	noventa
centésimo	cem
ducentésimo	duzentos
tricentésimo, trecentésimo	trezentos
quadringentésimo	quatrocentos
quingentésimo	quinhentos
seiscentésimo, sexcentésimo	seiscentos
septingentésimo, setingentésimo	setecentos
octingentésimo	oitocentos
nongentésimo, noningentésimo	novecentos
milésimo	mil
dez milésimos	dez mil
cem milésimos	cem mil
milionésimo	um milhão
bilionésimo	um bilhão

Nota: A tradição da língua estabelece que, se o ordinal é de 2.000 em diante, o primeiro numeral usado é cardinal: 2.345.ª — duas milésimas trecentésima quadragésima quinta. A língua moderna, entretanto, parece preferir o primeiro numeral como ordinal, se o número é redondo: décimo milésimo aniversário.

Exercícios de fixação

1. Escreva por extenso os numerais correspondentes aos números de 1 a 20.

2. Escreva por extenso os numerais correspondentes aos números:
   112, 226, 395, 463, 541, 674, 757, 808, 959.

3. Escreva por extenso os numerais correspondentes aos números:
   1.351, 3.022, 4.563, 6.244, 7.666, 8.513, 1.328.651, 425.386.567.

4. Assinale com (AI), (PI) e (N) dentro dos parênteses as orações em que UM, UMA e UNS aparecem como artigo indefinido, pronome indefinido e numeral, respectivamente:
   1) (   ) Ainda não conheci um homem que não olhasse o futuro com otimismo.
   2) (   ) Era uma vez um rei muito generoso.
   3) (   ) Esse rei tinha uma filha chamada Belinha.
   4) (   ) A uns dava comida, a outros repartia dinheiro.
   5) (   ) A tampa do tonel media um palmo de largura.
   6) (   ) Ele não é um qualquer para merecer tal recepção.
   7) (   ) Um dia ainda te contarei este segredo.
   8) (   ) Trata-se de um amigo dileto.
   9) (   ) Deus é um só.
   10) (   ) Quando um não quer, dois não brigam.
   11) (   ) Só há uma saída de emergência.
   12) (   ) Enquanto uns choram, outros riem.

5. Preencha o espaço em branco com O, A, OS, AS, conforme o caso, combinando-os com a preposição indicada, quando necessário:
   1) A empregada jogou _____ centena. (prep. *em*)
   2) Ela já ganhou _____ milhar. (prep. *em*)
   3) _____ milhares de pessoas assistiram ao programa.
   4) O juiz não ouviu _____ milhões de vozes que suplicaram o perdão do réu.
   5) As pessoas se amontoavam _____ centenas. (prep. *a*)
   6) Os candidatos foram inscritos _____ milhares. (prep. *a*)
   7) As parcelas da soma reuniram _____ unidades, _____ dezenas, _____ centenas e _____ milhares.
   8) Acabou fechando o negócio _____ oito milhões de liras italianas. (prep. *per*, antiga forma de *por*)

6. Escreva por extenso os ordinais correspondentes aos numerais cardinais:
   123, 236, 304, 415, 547, 698, 789, 846, 924, 1.343, 2.475.

7. **Preencha o espaço em branco com o cardinal ou ordinal, por extenso, conforme a indicação do algarismo entre parênteses:**
   1) A independência do Brasil foi proclamada por Pedro _____ (1).
   2) Pedro _____ (2) era filho de Pedro _____ (1) e neto de D. João _____ (6).
   3) Faltavam assinaturas a folhas _____ (15) do processo.
   4) Portugal conheceu o Renascimento no século _____ (16).
   5) O fato está narrado no capítulo _____ (8) do romance.
   6) É dever social a manutenção do _____ (13) salário.
   7) Aos _____ (6) dias do mês de fevereiro houve o eclipse do sol.
   8) Pio _____ (10) foi um extraordinário papa.
   9) No dia _____ (1) de janeiro nasceu Enildo.
   10) Na página _____ (2) há um erro, e na página _____ (26) mais dois.

8. **Escreva por extenso como se leem as seguintes expressões numéricas abreviadas:**
   1) Houve um déficit de 1,8 milhão de reais na transação.
   2) O superávit chegou a 2,7 bilhões de dólares.
   3) Calculou-se que 2,9 mil pessoas estavam na passeata.
   4) Nasceram no Ocidente, nessa época, 4,5 bilhões de espécies de peixe miúdo.
   5) Havia nas prateleiras cerca de 3,1 milhões de processos.

9. **Escreva por extenso os nomes multiplicativos correspondentes às expressões:**
   Modelo: *o todo multiplicado* **duas vezes mais**: *duplo ou dobro*
   1) três vezes mais   6) oito vezes mais
   2) quatro vezes mais   7) nove vezes mais
   3) cinco vezes mais   8) dez vezes mais
   4) seis vezes mais   9) doze vezes mais
   5) sete vezes mais   10) cem vezes mais

10. **Escreva por extenso os nomes fracionários correspondentes às expressões:**
    Modelo: *o todo dividido por* **duas partes**: *meio ou metade*
    1) por três partes   6) por oito partes
    2) por quatro partes   7) por nove partes
    3) por cinco partes   8) por dez partes
    4) por seis partes   9) por cem partes
    5) por sete partes   10) por mil partes

11. **Preencha o espaço em branco com uma das opções sugeridas dentro dos parênteses, conforme a distinção entre os verdadeiros cardinais e os substantivos que designam os algarismos e os números inteiros positivos:**

1) Na última prova tirou (sete, setes) _____ pontos.
2) Não acertou a prova (dos nove, dos noves) _____.
3) Na placa do carro havia dois (quatro, quatros) _____ dois (zero, zeros) _____.
4) A prova (dos nove, dos noves) _____ fora não foi realizada pela aluna.
5) Há dois (oito, oitos) _____ a mais e três (onze, onzes) _____ a menos nessas parcelas.
6) Acabou de tirar dois (dez, dezes) _____ nas provas.
7) Essa é a versão da Bíblia (do Setenta, dos Setenta, dos Setentas) _____.

Capítulo 9
Verbo

Considerações gerais

Entende-se por *verbo* a unidade que significa ação ou processo, unidade esta organizada para expressar o modo, o tempo, a pessoa e o número.

A distinção de verbos nocionais e relacionais

A tradicional distinção de duas subclasses em *verbos nocionais* e *verbos relacionais*, que está na base da distinção de *predicado verbal* e *predicado nominal*, tem sido posta em questionamento por notáveis linguistas modernos. Esta distinção é válida sob certo aspecto semântico, mas não no que se refere à sintaxe; o núcleo da oração é sempre o verbo, ainda que se trate de um verbo de significado léxico muito amplo e vago, como o verbo *ser*. O verbo *ser* e o reduzido grupo de verbos que integram a constituição do chamado predicado nominal em nada diferem dos outros verbos: todos possuem "os morfemas de pessoa e número que com o sujeito gramatical dão fundamento à oração". [AL]

Categorias verbais

Para esta organização, além de ser pensado como significado verbal, o verbo se combina, entre outros, com instrumentos gramaticais (morfemas) de tempo, de modo, de pessoa, de número.

Assim, *trabalhar* e *trabalho* são palavras que têm o mesmo significado lexical, mas diferentes moldes, diferentes significados categoriais, embora se deva ter presente que este não é o simples produto da combinação do significado lexical com o significado instrumental. Por isso, como ensina Coseriu, um lexema não é verbo *porque* se combina, por exemplo, com um morfema de tempo e pessoa; mas, ao contrário, combina-se com esses morfemas *para* ser verbo, e porque está pensado com significação verbal.

Um estudo coerente do verbo requer o estabelecimento do sistema de *categorias verbais*, isto é, tipos ou funções da forma léxica mediante as quais se estabelecem as oposições funcionais numa língua.

Quando se usam em português as formas:
canto – *cantas* – *canta*
vejo – *vês* – *vê*
parto – *partes* – *parte*

estabelecem-se oposições da mesma espécie que afetam o conceito de "pessoa".

Quando se usam as formas:
canto – *cantamos*

estamos diante de uma mesma pessoa ('primeira pessoa'), e a oposição afeta outro conceito, o de "número".

E quando se usam as formas:
canto – *cante*

temos a mesma pessoa e o mesmo número, mas não a mesma categoria de "modo".

As oposições podem ser *simples*, como as dos exemplos até aqui, isto é, quando, em cada caso, ocorre apenas uma só categoria, um só critério de diferença de conteúdo, ou *complexas*, como:
canto – *canteis*

em que a diferenciação de conteúdo se dá em três categorias: "pessoa" (1.ª e 2.ª), "número" (singular e plural) e "modo" (indicativo e subjuntivo).

No verbo português há categorias que sempre estão ligadas: não se separa a "pessoa" do "número" nem o "tempo" do "modo"; isto ocorre em grande parte, senão totalmente, com o "tempo" e o "aspecto", como veremos depois.

As pessoas do verbo

Geralmente as formas verbais indicam as três pessoas do discurso, para o singular e o plural:

1.ª pessoa do singular:	**eu**	canto
2.ª pessoa do singular:	**tu**	cantas
3.ª pessoa do singular:	**ele**	canta
1.ª pessoa do plural:	**nós**	cantamos
2.ª pessoa do plural:	**vós**	cantais
3.ª pessoa do plural:	**eles**	cantam

Os tempos do verbo

Os tempos do verbo são:

Presente

Em referência a fatos que se passam ou se estendem ao momento em que falamos:
(eu) canto

Pretérito

Em referência a fatos anteriores ao momento em que falamos e subdividido em *imperfeito, perfeito* e *mais-que-perfeito*:
cantava (imperfeito), cantei (perfeito) e *cantara (mais-que-perfeito)*

Futuro

Em referência a fatos ainda não realizados e subdividido em *futuro do presente* e *futuro do pretérito*:
cantarei (futuro do presente),   cantaria (futuro do pretérito),

que implica também a modalidade condicional. (cf. adiante)

Os modos do verbo

São, conforme a posição do falante em face da relação entre a ação verbal e seu agente, os seguintes:

Indicativo

Em referência a fatos verossímeis ou tidos como tais:
canto, cantei, cantava, cantarei

Subjuntivo (conjuntivo)

Em referência a fatos incertos:
talvez cante, se cantasse

Condicional

Em referência a fatos dependentes de certa condição:
cantaria

Optativo

Em relação à ação como desejada pelo agente:
"E *viva* eu cá na terra sempre triste." [LC]

Imperativo

Em relação a um ato que se exige do agente:
cantai

As vozes do verbo

As vozes do verbo são: *ativa, passiva* e *reflexiva*.

Ativa

Forma em que o verbo se apresenta para, normalmente, indicar que o sujeito a que se refere é o *agente* da ação:
Eu escrevo a carta.
Tu visitaste o primo.
Nós plantaremos a árvore.

Passiva

Forma verbal que indica que o sujeito é o *objeto* da ação verbal. A pessoa, neste caso, diz-se *paciente* da ação verbal:
A carta é escrita por mim.
O primo foi visitado por ti.
A árvore será plantada por nós.

A passiva é formada com um dos verbos *ser, estar, ficar* seguido de *particípio*.

Reflexiva

Forma verbal que indica que a ação verbal não passa a outro ser (negação da transitividade), 1) podendo reverter-se ao próprio agente (sentido reflexivo propriamente dito); 2) podendo atuar reciprocamente entre mais de um agente (reflexivo recíproco); 3) podendo indicar movimento do próprio corpo ou mudança psicológica (reflexivo dinâmico); 4) podendo expressar sentido de 'passividade com se' (reflexivo passivo) e 5) podendo expressar sentido de impessoalidade (reflexivo indeterminado), conforme as interpretações favorecidas pelo contexto, formada de verbo seguido do pronome oblíquo de pessoa igual à que o verbo se refere:

1) Eu *me visto* sozinho, tu *te feriste*, ele *se enfeita*;
2) Eles *se amam*, nós *nos carteamos*;
3) Ela *sentou-se*; ela *zangou-se*.
4) *Alugam-se* casas;
5) *Assistiu-se* a festas.

O verbo, empregado na forma reflexiva propriamente dita, diz-se *pronominal*.

Voz passiva e passividade

É preciso não confundir voz passiva e passividade.

Voz passiva é a forma especial em que se apresenta o verbo para indicar que o sujeito recebe a ação:

Ele *foi visitado* pelos amigos.

Passividade é o fato de o sujeito receber a ação verbal. A passividade pode traduzir-se não só pela voz passiva, mas ainda pela voz ativa, se o verbo tiver sentido passivo:

Os criminosos *recebem* o merecido castigo.

Portanto, nem sempre, a passividade corresponde à voz passiva.[1]

Voz passiva e voz reflexiva

A voz passiva difere da reflexiva de sentido passivo em dois aspectos:
1) Pode apresentar o verbo em qualquer pessoa, enquanto a reflexiva só se constrói na 3.ª pessoa com o pronome *se* (conhecido também pela denominação de "apassivador"):

Eu *fui visitado* pelos meus parentes.
Nós *fomos visitados* pelos parentes.

---

[1] Assim sendo, não se pode falar em voz passiva diante de linguagens do tipo *osso duro de roer*. Houve aqui, se interpretarmos *roer* = *de ser roído*, apenas passividade, com verbo na voz ativa. Sobre o sentido ativo ou passivo de infinitivo, veja-se página 441.

2) Pode seguir-se de uma expressão que denota o agente da passiva, enquanto a reflexiva, no português contemporâneo, a dispensa:
Eu fui visitado *pelos parentes*.
Aluga-*se* a casa. (não se diz: aluga-se a casa *pelo proprietário*).

Todavia há casos em que se explicita o agente, como no seguinte exemplo de Drummond: "Não sei se devemos exaltar Pelé por haver conseguido tanto, ou se nosso louvor deve antes ser dirigido ao gol em si, *que se deixou fazer por Pelé*, recusando-se a tantos outros."

Observações:

➥ Em construções do tipo *Batizei-me, Chamas-te José*, há professores que veem passiva pronominal com pronomes oblíquos de 1.ª e 2.ª pessoa. Outros, porém, não pensam assim, e interpretam o fato como um emprego da voz reflexiva, indicando "uma atitude de aceitação consciente do nome dado ou do batismo recebido". [MC]

➥ Em geral, o pronome átono que acompanha a voz reflexiva propriamente dita funciona como objeto direto, embora raras vezes possa exercer a função de indireto.

➥ Com verbos como *atrever-se, indignar-se, queixar-se, ufanar-se, admirar-se*, não se percebe mais a ação rigorosamente reflexa, mas a indicação de que a pessoa a que o verbo se refere está vivamente afetada. Com os verbos de movimento ou atitudes da pessoa "em relação ao seu próprio corpo" como *ir-se, partir-se*, e outros como *servir-se*, onde o pronome oblíquo empresta maior expressividade à mensagem, também não se expressa a ação reflexa. Alguns gramáticos chamam ao pronome oblíquo, nestas últimas circunstâncias, *pronome de realce*.

➥ Muitos verbos normalmente não pronominais se acompanham de pronome átono para exprimirem aspectos estilísticos, como a mudança lenta de estado ou processo lento:

agonizar-se, delirar-se, desmaiar-se, enfiar-se, envelhecer-se, estalar-se, esvoaçar-se, palpitar-se, peregrinar-se, repousar-se, sentar-se, tresnoitar-se.

➥ Elimina-se, no estilo informal, o pronome de muitos verbos que o exigem na língua-padrão:

esquecer, chamar (ter nome), *mudar* (transferir-se), *gripar, machucar, formar* (Eu formei em Medicina), *aposentar* (Ele acaba de aposentar), *classificar* (Ele classificou em 3.º lugar), etc.

➥ Inversamente, na variedade padrão, não aparecem como pronominais vários verbos que como tais por vezes são usados na variedade mais informal: *sobressair, aludir, desabafar, acordar* ('despertar'), *consultar, mudar* (de local), *avultar*, entre outros.

Formas nominais do verbo

Assim se chamam o *infinitivo*, o *particípio* e o *gerúndio*, porque, ao lado do seu valor verbal, podem desempenhar função de nomes. O infinitivo pode ter função de substantivo (*Recordar é viver* = A recordação é vida); o particípio pode valer por um adjetivo (*homem sabido*) e o gerúndio por um advérbio ou adjetivo (*Amanhecendo, sairemos* = Logo pela manhã sairemos; *água fervendo* = água fervente). Nesta função adjetiva, o gerúndio tem sido apontado como galicismo; porém, é antigo na língua este emprego.

As formas nominais do verbo, com exceção do infinitivo, não definem as pessoas do discurso e, por isso, são ainda conhecidas por *formas infinitas*. O particípio possui, quando possível, desinências nominais idênticas às que caracterizam os nomes (gênero e número).

O infinitivo português, ao lado da forma infinita, isto é, sem manifestação explícita das pessoas do discurso, possui outra flexionada:

Infinitivo sem flexão	Infinitivo flexionado
Cantar	Cantar eu
	Cantares tu
	Cantar ele
	Cantarmos nós
	Cantardes vós
	Cantarem eles

As formas nominais do verbo se derivam do tema (radical + vogal temática) acrescido das desinências:

a) **-r** para o infinitivo: canta-*r*, vende-*r*, parti-*r*.
b) **-do** para o particípio: canta-*do*, vendi-*do*, parti-*do*.
c) **-ndo** para o gerúndio: canta-*ndo*, vende-*ndo*, parti-*ndo*.

> **Observação:**
>
> ➥ O verbo *vir* (e derivados) forma também o seu particípio com a desinência *-do;* mas, pelo desaparecimento da vogal temática *i*, apresenta-se igual ao gerúndio: *vindo* (por vin-i-*do*) e *vindo* (vi-*ndo*).

Conjugar um verbo

É dizê-lo, de acordo com um sistema determinado, um paradigma, em todas as suas formas nas diversas pessoas, números, tempos, modos e vozes.

Em português temos três conjugações caracterizadas pela vogal temática:

1.ª conjugação – vogal temática **a**: am*a*r fal*a*r tir*a*r
2.ª conjugação – vogal temática **e**: tem*e*r vend*e*r varr*e*r
3.ª conjugação – vogal temática **i**: part*i*r fer*i*r serv*i*r

Observações:

➥ Não existe a 4.ª conjugação; *pôr* é um verbo da 2.ª conjugação cuja vogal temática desapareceu no infinitivo, mas permanece em outras formas do verbo. Veja-se a correspondência: vend-*e*-s / pô-*e*-s.

➥ Na história da língua verbos há que mudaram de conjugação, mas deixaram vestígios em outras formas não verbais: *cair* (antigo *caer*), com vestígio no adjetivo *cadente* (e não *cadinte*, como *ouvinte*). Alencar usa *rangir* por *ranger*, e hoje *viger* (cf. *vigente*) tem o concorrente *vigir* que, apesar de muito usado, ainda merece condenação: *A lei deve viger* (e não *vigir*).

Verbos regulares, irregulares e anômalos

Diz-se que um verbo é *regular* quando se apresenta de acordo com o modelo de sua conjugação: *cantar, vender, partir*, sendo suas formas predizíveis, graças às regras definidas e gerais de flexionamento. No verbo regular também o radical não varia. Tem-se o radical de um verbo privando-o, no infinito sem flexão, das terminações *-ar, -er, -ir*:

 am-ar fal-ar tir-ar tem-er vend-er varr-er part-ir fer-ir serv-ir

Irregular é o verbo que, em algumas formas, apresenta modificação no radical ou na flexão, afastando-se do modelo da conjugação a que pertence:
a) variação no radical em comparação com o infinitivo:
 ouv*ir* – *ouço* diz*er* – *digo* perd*er* – *perco*

b) variação na flexão, em relação ao modelo: *estou* (veja-se *canto*, um representado por ditongo oral tônico e outro por vogal oral átona), *estás* (veja-se *cantas*, um tônico e outro átono).

Os irregulares se dividem em *fracos* e *fortes*. *Fracos* são aqueles cujo radical do infinitivo não se modifica no pretérito perfeito: *sentir-senti*; *perder-perdi*.

Fortes são aqueles cujo radical do infinitivo se modifica no pretérito perfeito:
 cab*er* – *coube* faz*er* – *fiz*

Os irregulares fracos apresentam formas iguais no infinitivo flexionado e futuro do subjuntivo:

Infinitivo	Futuro do Subjuntivo
sentir	sentir
sentires	sentires
sentir	sentir
sentirmos	sentirmos
sentirdes	sentirdes
sentirem	sentirem

Os irregulares fortes não apresentam identidade de formas entre o infinitivo flexionado e o futuro do subjuntivo:

Infinitivo flexionado	Futuro do Subjuntivo
caber	couber
caberes	couberes
caber	couber
cabermos	coubermos
caberdes	couberdes
caberem	couberem

Observação:

➥ Não entram no rol dos verbos irregulares aqueles que, para conservar a pronúncia, têm de sofrer variação de grafia:

carregar – carre*gue* – carre*guei* – carre*gues*

ficar – fi*co* – fi*quei* – fi*que*

Não há, portanto, os *irregulares gráficos*.

Anômalo é o verbo irregular que apresenta, na sua conjugação, radicais primários diferentes: *ser* (reúne o concurso de três radicais: *sou, és, fui*) e *ir* (reúne o concurso de três radicais: *vou, irmos, fui*).

Outros autores consideram também anômalo o verbo cujo radical sofre alterações que não o podem enquadrar em modelo algum: *dar, estar, ter, haver, ser, poder, ir, vir, ver, caber, dizer, saber, pôr*, etc.

Verbos defectivos e abundantes

Defectivo é o verbo que, na sua conjugação, não apresenta todas as formas: *colorir, precaver-se, reaver,* etc. É preciso não confundi-lo com os verbos chamados *impessoais* e *unipessoais*, que, como veremos, só se usam nas terceiras pessoas.

A defectividade verbal é devida a várias razões, entre as quais a eufonia e a significação. Entretanto, a defectividade de certos verbos não se assenta em bases morfológicas, mas em razões do uso e da norma vigentes em certos momentos da história da língua. Daí certa disparidade que, por vezes, se encontra na relação das gramáticas. Se a tradição da língua dispensa, por dissonante, a 1.ª pessoa do singular do verbo *colorir* (*coloro*), não se mostra igualmente exigente com a 1.ª pessoa do singular do verbo *colorar* (*coloro*). Por outro lado, o critério de eufonia pode variar com o tempo e com o gosto dos escritores; daí aparecer de vez em quando uma forma verbal que a gramática diz não ser usada. É na 3.ª conjugação que se encontra a maioria dos verbos defectivos.

Quase sempre faltam as formas rizotônicas dos verbos defectivos. Chama-se *rizotônica* a forma verbal que tem a sílaba tônica no radical (*canto*, em oposição a *cantei*). Suprimos, *quando necessário*, as lacunas de um defectivo empregando um sinônimo (derivado ou não do defectivo): Eu *recupero* (para reaver); eu *redimo* (para remir); eu *me acautelo* (para *precaver-se*).

Há os seguintes grupos de verbos defectivos, em português:

a) os que não se conjugam nas pessoas em que depois do radical aparece *a* ou *o*: *abolir, aturdir, banir, bramir, brandir, carpir, colorir, delinquir, delir, demolir, esculpir, espargir, exaurir, extorquir, feder, fremer* (ou *fremir*), *fulgir, haurir, impingir, jungir, puir, retorquir, ruir, soer.*

Tais verbos também não se empregam no presente do subjuntivo, nem no imperativo negativo. No imperativo afirmativo só apresentam as segundas pessoas do singular e plural.

b) os que se usam unicamente nas formas em que depois do radical vem *i*: *adir, aguerrir, combalir, emolir, empedernir, esbaforir, espavorir, exinanir, falir, florir, fornir, garrir, inanir, remir, renhir, ressarcir, ressequir, revelir, transir, vagir.*[2]

c) os que oferecem particularidades especiais:

1. *precaver (-se)* e *reaver*. No presente do indicativo só têm as duas primeiras pessoas do plural: *precavemos, precaveis; reavemos, reaveis.*
Imperativo: *precavei; reavei.*

Faltam-lhes o imperativo negativo e o presente do subjuntivo. No restante, conjugam-se normalmente.

2. *adequar; antiquar, apropinquar*: cabem-lhes as mesmas observações feitas ao grupo anterior.

3. *grassar, rever* (= destilar) e *pesar* (causar tristeza): só se usam nas terceiras pessoas.

> **Observações:**
> ➡ Muitos verbos apontados outrora como defectivos são hoje conjugados integralmente: *aderir, agir, advir, compelir, computar, desmedir-se, discernir, emergir, explodir, imergir, fruir, polir, submergir*, entre outros. *Ressarcir* (cf. b) e *refulgir* (que alguns

---

[2] Moderna e normalmente o verbo *parir* está incluído neste grupo: pres.: parimos, paris; pret. imperf.: paria(s); pret. imperf. subj.: parisse, etc.; fut. pres. ind.: parirei, etc. Mas também, apesar de, por tabu linguístico, ser desusado no convívio social, pode ser conjugado integralmente, com irregularidade apenas na 1.ª pess. do sing. do pres. do ind.: pairo, pares, pare, parimos, paris, parem; e em todo o pres. do subj.: paira, pairas, paira, pairamos, pairais, pairam.

gramáticos só mandam conjugar nas formas em que o radical é seguido de *e* ou *i*) tendem a ser empregados como verbos completos.

➙ Os verbos que designam vozes de animais geralmente só aparecem nas terceiras pessoas do singular e plural, em virtude de sua significação, e são indevidamente arrolados como defectivos. Melhor chamá-los, quando no seu significado próprio, *unipessoais*.

➙ Também são indevidamente considerados defectivos os verbos *impessoais* (pois não se referem a sujeito), que só são empregados na terceira pessoa do singular: *Chove muito. Relampeja.* Quando em sentido figurado, os verbos desta observação, como os da anterior, conjugam-se em quaisquer pessoas: *Chovam as bênçãos do céu.*

Abundante é o verbo que apresenta duas ou três formas de igual valor e função: *havemos* e *hemos*; *constrói* e *construi*; *pagado* e *pago*; *nascido, nato, nado* (pouco usado).

Normalmente esta abundância de forma ocorre no particípio.

Os principais verbos que gozam deste privilégio no português moderno são:

a) *comprazer* e *descomprazer*:

Pret. perf. ind.:	comprazi, comprazeste, comprazeu, comprazemos, comprazestes, comprazeram *ou* comprouve, comprouveste, comprouve, comprouvemos, comprouvestes, comprouveram
Mais-que-perf. ind.:	comprazera, comprazeras, comprazera, comprazêramos, comprazêreis, comprazeram *ou* comprouvera, comprouveras, comprouvera, comprouvéramos, comprouvéreis, comprouveram
Imperf. subj.:	comprazesse, comprazesses, comprazesse, comprazêssemos, comprazêsseis, comprazessem *ou* comprouvesse, comprouvesses, comprouvesse, comprouvéssemos, comprouvésseis, comprouvessem
Fut. subj.:	comprazer, comprazeres, comprazer, comprazermos, comprazerdes, comprazerem *ou* comprouver, comprouveres, comprouver, comprouvermos, comprouverdes, comprouverem

b) *construir* e seu grupo:

Pres. ind.:	construo, construis (*ou* constróis), construi (*ou* constrói), construímos, construís, construem (*ou* constroem)
Imper. afirm.:	construa, construi tu (*ou* constrói tu), construa, construamos, construí, construam

Assim se conjugam *desconstruir, destruir, estruir, reconstruir*.

c) *entupir* e *desentupir*:

Pres. ind.:	entupo, entupes (*ou* entopes), entupe (*ou* entope), entupimos, entupis, entupem (*ou* entopem)
Imper. afirm.:	entupa, entupe (*ou* entope), entupa, entupamos, entupi, entupam

Observação:
➡ O *o* das formas abundantes é de timbre aberto.

d) *haver*:

Pres. ind.:	hei, hás, há, havemos (*ou* hemos), haveis (*ou* heis), hão
Imper. afirm.:	haja, há, haja, hajamos, havei, hajam

e) *ir*:

Pres. ind.:	vou, vais, vai, vamos (*ou* imos), ides (*is* é forma antiga), vão

f) *querer* e *requerer*:

Pres. ind.:	quero, queres, quer (*ou* quere), queremos, quereis, querem
	requeiro, requeres, requer (*ou* requere), requeremos, requereis, requerem

Quere e requere são formas que só têm curso em Portugal; *quere* é criação recente (séc. XIX-XX, sem adoção geral) e *requere* é forma já antiga na língua.

g) *valer*:

Pres. ind.:	valho, vales, vale (*ou* val), valemos, valeis, valem

Val é forma antiga e ainda hoje corrente em Portugal.

h) os verbos terminados em *-zer, -zir* no imperativo.

Podem perder o *-e* na 2.ª pessoa do singular: faze tu (ou faz); traduze tu (ou traduz). São frequentíssimos os exemplos literários com os verbos *dizer, fazer, trazer* e *traduzir*.

i) e numerosos verbos no particípio.

Existe grande número de verbos que admitem dois (e uns poucos até três) particípios: um *regular*, terminado em *-ado* (1.ª conjugação) ou *-ido* (2.ª e 3.ª conjugações), e outro irregular, proveniente do latim ou de nome que passou a ter aplicação como verbo, terminado em *-to, -so* ou criado por analogia com modelo preexistente. Eis uma relação dessas formas duplas de particípio, indicando-se entre parênteses se ocorrem com a voz ativa ou passiva, ou com ambas:

Infinitivo	Particípio regular	Particípio irregular
aceitar	aceitado (a., p.)	aceito (p.), aceite (p.)
acender	acendido (a., p.)	aceso (p.)
assentar	assentado (a., p.)	assento (p.), assente (p.)
arrepender	arrependido (a., p.)	repeso por arrepeso (a., p.)
desabrir	desabrido (a.,p.)	desaberto (a., p.)
desenvolver	desenvolvido (a., p.)	desenvolto (a., p.)
eleger	elegido (a.)	eleito (a., p.)
entregar	entregado (a., p.)	entregue (p.)
envolver	envolvido (a., p.)	envolto (a., p.)
enxugar	enxugado (a., p.)	enxuto (p.)
erigir	erigido (a., p.)	erecto (p.)
expressar	expressado (a., p.)	expresso (p.)
exprimir	exprimido (a., p.)	expresso (a., p.)
expulsar	expulsado (a., p.)	expulso (p.)
extinguir	extinguido (a., p.)	extinto (p.)
fartar	fartado (a., p.)	farto (p.)
findar	findado (a., p.)	findo (p.)
frigir	frigido (a.)	frito (a., p.)
ganhar	ganhado (a., p.)	ganho (a., p.)
gastar	gastado (a.)	gasto (a., p.)
imprimir	imprimido (a., p.)	impresso (a., p.)
inserir	inserido (a., p.)	inserto (a., p.)
isentar	isentado (a.)	isento (p.)
juntar	juntado (a., p.)	junto (a., p.)
limpar	limpado (a., p.)	limpo (a., p.)
matar	matado (a.)	morto (a., p.)
pagar	pagado (a.)	pago (a., p.)
pasmar	pasmado (a., p.)	pasmo (a.)

Infinitivo	Particípio regular	Particípio irregular
pegar	pegado (a., p.)	pego (é ou ê)[3]
prender	prendido (a., p.)	preso (p.)
revolver	revolvido (a., p.)	revolto (a.)
salvar	salvado (a., p.)	salvo (a., p.)
suspender	suspendido (a., p.)	suspenso (p.)
tingir	tingido (a., p.)	tinto (p.)

Observações:

➥ Em geral emprega-se a forma regular, que fica invariável com os auxiliares *ter* e *haver*, na voz ativa, e a forma irregular, que se flexiona em gênero e número, com os auxiliares *ser, estar* e *ficar*, na voz passiva.

Nós temos *aceitado* os documentos.

Os documentos têm sido *aceitos* por nós.

Há outros particípios, regulares ou irregulares, que se usam indiferentemente na voz ativa (auxiliares *ter* ou *haver*) ou passiva (auxiliares *ser, estar, ficar*), conforme se assinalou entre parênteses no quadro anterior.

➥ A nossa lista registra uns poucos particípios irregulares terminados em *-e*, em geral de introdução recente no idioma: *entregue* (o mais antigo), *aceite, assente, empregue* (em Portugal), *livre*.

➥ O particípio do verbo *trazer* é *trazido* (e não *trago*!): O portador havia *trazido* o documento. / Foi *trazido* pela ambulância. A forma *trago* é 1.ª pessoa do singular do verbo *trazer*: Se quiser, eu *trago* os documentos. Da mesma forma, o particípio do verbo *chegar* é *chegado* (e não *chego*!): Todos tinham *chegado* cedo. A forma *chego* é a 1.ª pessoa do singular do verbo *chegar*: Eu *chego* a acreditar em fantasmas.

Locução verbal. Verbos auxiliares

Chama-se *locução verbal* a combinação das diversas formas de um verbo auxiliar com o infinitivo, gerúndio ou particípio de outro verbo que se chama principal: *hei de estudar, estou estudando, tenho estudado*. Muitas vezes o auxiliar empresta um matiz semântico ao verbo principal, dando origem aos chamados *aspectos do verbo*.

Entre o auxiliar e o verbo principal no infinitivo, pode aparecer ou não uma preposição (*de, em, por, a, para*). Na locução verbal é somente o auxiliar que recebe as flexões de pessoa, número, tempo e modo: *haveremos de fazer; estavam por sair; iam trabalhando; tinham visto*. Da arbitrariedade do uso é que depende o

---

[3] Nos verbos em que o tema tem *a*, a forma contracta do particípio termina em -e, e não -o: *empregar* faz *empregue*. *Pegar* faz *pego* por exceção.

empregar-se em alguns casos a preposição e, em outros, omiti-la. Também pode ocorrer, em vários casos, a alternância da preposição (*começar a / por fazer*).

Várias são as aplicações dos verbos auxiliares da língua portuguesa:

1) *ter, haver* (raramente) e *ser* (mais raramente) se combinam com o particípio do verbo principal para constituírem novos tempos, chamados *compostos*, que, unidos aos simples, formam o quadro completo da conjugação da voz ativa. Estas combinações exprimem que a ação verbal está concluída.

Temos nove formas compostas:

Indicativo	
Pretérito perfeito composto:	tenho ou hei cantado, vendido, partido
Pretérito mais-que-perfeito composto:	tinha ou havia cantado, vendido, partido
Futuro do presente composto:	terei ou haverei cantado, vendido, partido
Futuro do pretérito composto:	teria ou haveria cantado, vendido, partido

Subjuntivo	
Pretérito perfeito composto:	tenha ou haja cantado, vendido, partido
Pretérito mais-que-perfeito composto:	tivesse ou houvesse cantado, vendido, partido
Futuro composto:	tiver ou houver cantado, vendido, partido

Formas nominais	
Infinitivo composto:	ter ou haver cantado, vendido, partido
Gerúndio composto:	tendo ou havendo cantado, vendido, partido

O verbo *ser* só aparece em combinações que lembram os depoentes latinos, sobretudo com verbos que denotam movimento: "Os cavaleiros *eram partidos* caminho de Zamora." [AC] *Era chegada* a ocasião da fuga. *São passados* três meses.

2) *ser, estar, ficar* se combinam com o particípio (variável em gênero e número) do verbo principal para constituir a voz passiva (de ação, de estado e de mudança de estado): *é amado, está prejudicada, ficaram rodeados*.

3) os auxiliares *acurativos* se combinam com o infinitivo ou gerúndio do verbo principal para determinar com mais rigor os aspectos do momento da ação verbal que não se acham bem definidos na divisão geral de tempo presente, passado e futuro:

início de ação:	começar a escrever, pôr-se a escrever, etc.
iminência de ação:	estar para (por) escrever, pegar a (de) escrever, etc.
continuidade da ação:	continuar escrevendo, continuar a escrever (sendo a primeira forma a que é mais antiga no idioma).
desenvolvimento gradual da ação; duração:	estar a escrever, andar escrevendo, vir escrevendo, ir escrevendo, etc.

Observações:

➥ No Brasil prefere-se a construção com gerúndio (*estar escrevendo*), enquanto em Portugal é mais comum o infinitivo (*estar a escrever*), não sendo, entretanto, a única forma usada pelos portugueses.

➥ Está mais de acordo com o gênio da nossa língua o uso do gerúndio com auxiliar *estar* ou infinitivo com *a* para traduzir atos que se realizam paulatinamente, em vez do uso de forma simples do verbo, como faz o francês (*Jeanne nous regarde* / Joana *está nos olhando* ou *a nos olhar*).

➥ O gerundismo é o uso indevido e abusivo do gerúndio, que se instalou na oralidade da linguagem moderna, especialmente comercial. É inadequado o gerúndio no exemplo: *Vou estar tranferindo sua ligação*, em lugar de: *Vou transferir sua ligação*. Já no exemplo: *Às oito horas de amanhã ele estará entrando no avião*, o uso do gerúndio é perfeitamente cabível e não constitui erro.

repetição de ação:	tornar a escrever, costumar escrever (repetição habitual), etc.
término de ação:	acabar de escrever, cessar de escrever, deixar de escrever, parar de escrever, vir de escrever, etc.

Vir de + infinitivo é construção antiga no idioma e valia por *voltar de* (ou *chegar*) + infinitivo: "De amor dos lusitanos encendidas / Que vêm *de descobrir* o novo mundo." [LC] Depois passou a significar *acabar de* + infinitivo e, porque em francês ocorre emprego semelhante, passou a ser, neste sentido, condenado como galicismo pelos gramáticos: "Eu, aos doze anos, *vinha de perder* meu pai." [CBr]

4) os auxiliares *modais* se combinam com o infinitivo ou gerúndio do verbo principal para determinar com mais rigor o modo como se realiza ou se deixa de realizar a ação verbal:

necessidade, obrigação, dever:	haver de escrever, ter de escrever, dever escrever, precisar (de) escrever, etc.

Observações:

➥ Em vez de *ter* ou *haver de* + infinitivo, usa-se ainda, mais modernamente, *ter* ou *haver que* + infinitivo: *tenho que estudar*. Neste caso, *que*, como índice de complemento de natureza nominal, funciona como verdadeira preposição. Não se confunda este *que* preposição com o *que* pronome relativo em construções do tipo: *nada tinha que dizer, tenho muito que fazer*, etc. A língua exemplar evita neste caso o emprego da preposição *a* em vez do pronome relativo *que*, por considerar imitação do francês: *Temos muito que te contar*. (e não: *a te contar*)

➥ Muitas vezes no português contemporâneo, não é indiferente o sentido da expressão com preposição ou sem ela: **deve resultar** exprime certa precisão de resultado; **deve de resultar** traduz a probabilidade do resultado.

possibilidade ou capacidade:	poder escrever, etc.
vontade ou desejo:	querer escrever, desejar escrever, odiar escrever, abominar escrever, etc.
tentativa ou esforço; às vezes com o sentido secundário depreendido pelo contexto, de que a tentativa acabou em decepção (foi buscar lã e saiu tosquiado):	buscar escrever, pretender escrever, tentar escrever, ousar escrever, atrever-se a escrever, etc.
consecução:	conseguir escrever, lograr escrever, etc.
aparência, dúvida:	parecer escrever, etc.
movimento para realizar um intento futuro (próximo ou remoto):	ir escrever, etc.
resultado:	vir a escrever, chegar a escrever, etc.

Vir a + infinitivo de certos verbos tem quase o mesmo sentido do verbo principal empregado sozinho: *Isto vem a traduzir a mesma ideia* (= isto por fim traduz a mesma ideia). *Vir a ser* pode, ainda, ser sinônimo de *tornar-se*: *Ele veio a ser famoso* (= ele por fim tornou-se famoso).

Auxiliares causativos e sensitivos

Assim se chamam os verbos *deixar, mandar, fazer* e sinônimos (causativos) e *ver, ouvir, olhar, sentir* e sinônimos (sensitivos), que, juntando-se a infinitivo ou gerúndio, não formam locução verbal, mas, muitas vezes, se comportam sintaticamente como tal, isto é, acusam relações internas que se estabelecem dentro do grupo entre o infinitivo e os termos que o acompanham, como veremos mais adiante.

Elementos estruturais do verbo: desinências e sufixos verbais

Ao radical do verbo, que é o elemento que encerra o seu significado lexical (↗ 594), se juntam as formas mínimas chamadas *desinências* para constituir as flexões do verbo, indicadoras da *pessoa* e *número*, do *tempo* e *modo*. Segundo Mattoso, a constituição da forma verbal portuguesa é: t (r+vt) + d (dmt+dnp), em que t = tema; r = radical; vt = vogal temática; d = desinência; dmt = desinência modotemporal e dnp = desinência numeropessoal.

Chama-se *vogal temática* aquela primordialmente classificadora da conjugação; dizemos primordialmente, porque pode também funcionar como morfema cumulativo em várias oposições, como em *am-a-s*; confrontado com *am-e-s*, pode acumular a função de morfema marcador de presente do indicativo:[4]

1.ª conjugação: – *a*: cant-*a*-r

2.ª conjugação: – *e*: vend-*e*-r

3.ª conjugação: – *i*: part-*i*-r

A vogal temática presa ao radical constitui o tema:

canta-r ,*vende*-r, *parti*-r

Nem todas as formas verbais possuem a vogal temática, como, por exemplo, a 1.ª pessoa do singular do presente do indicativo e todo o subjuntivo. As vogais *e* e *a* em *cant-e*, *vend-a*, *part-a* são desinências temporais (veja a seguir). Outras vezes a vogal temática apresenta-se sob forma de variantes chamadas *alomorfes*, nem sempre fonologicamente condicionada. São exemplos de variantes de vogal temática: 1) na 1.ª conjugação, *a* passa a *e* e *o* na 1.ª e 3.ª pessoas do singular do pretérito perfeito do indicativo: cant-*e*-i, cant-*o*-u; 2) na 2.ª conjugação, *e* passa a *i* no pretérito imperfeito e na 1.ª pessoa do singular do pretérito perfeito do indicativo, e no particípio: vend-*i*- -ia (com crase dos dois ii: *vendia*), vend-*i*-i (também com crase: *vendi*), vend-*i*-do. A vogal temática *i* da 3.ª conjugação passa a *e* quando átona, no presente do indicativo (2.ª e 3.ª pess. do singular e 3.ª pess. do plural) e imperativo (2.ª pess. do singular): part-*e*-s, part-*e* , part-*e*-m, part-*e*; se é tônico, nos mesmos casos, funde-se com o *i* da desinência -*is* da 2.ª pessoa do plural: *partis* por *part-i-is*.[5]

O *tema* é a parte da palavra pronta para receber o sufixo ou a desinência.

Sufixo verbal é o que entra na formação dos verbos derivados: salt-*it-ar*, real- -*iz-ar*, etc. (➚ 574)

Desinências modotemporais

As desinências modotemporais são:
1) Para o *indicativo*:
a) Ø no presente, isto é, não existe;
b) -va-(-ve-), que caracteriza o pretérito imperfeito da 1.ª conjugação: canta-va;[6]

---

[4] Exemplo de Charles F. Hocket citado por Valter Kehdi.
[5] Para uma explicação sincrônica sem condicionamento fonológico consulte-se Valter Kehdi.
[6] Pomos entre parênteses a variante do morfema ou alomorfe. (➚ 546)

c) -ia-(-ie-), que caracteriza o pretérito imperfeito da 2.ª e 3.ª conjugações: dev-ia, part-ia;[7]
d) Ø para o pretérito perfeito (até a 2.ª pessoa do plural e -ra-para a 3.ª pessoa do plural): cant-e-i; canta-ra-m;
e) -ra-(-re-) átona, que caracteriza o pretérito mais-que-perfeito: canta-ra, vende-ra, parti-ra; cantá-re-is;
f) -ra-(-re-) tônica, que caracteriza o futuro: canta-re-i, canta-rá-s, canta-rã-o; deve-re-i, parti-re-i;
g) -ria-(-rie-), que caracteriza o futuro do pretérito: canta-ria, deve-ria, parti--ria; canta-ríe-is.

2) Para o *subjuntivo* e *formas nominais*:
a) -e-, que caracteriza o presente da 1.ª conjugação: cant-e;
b) -a-, que caracteriza o presente da 2.ª e 3.ª conjugação: vend-a, part-a;
c) -sse-, que caracteriza o pretérito imperfeito: canta-sse, vende-sse, parti-sse;
d) -r-(-re-), que caracteriza o futuro e o infinitivo: cant-a-r, vend-e-r, part-i-r; canta-re-s, canta-re-m;
e) -ndo, que caracteriza o gerúndio: canta-ndo, vende-ndo, parti-ndo;
f) -do, que caracteriza o particípio: canta-do, vendi-do, parti-do.

> **Observações:**
>
> ➥ Nem todas as formas verbais se apresentam com desinências e vogal temática.
>
> ➥ As características temporais terminadas em *-a* (imperfeito, mais-que-perfeito do indicativo e futuro do pretérito apresentam esta vogal alterada em *e* na 2.ª pessoa do plural, graças ao contato com a desinência pessoal *-is* que provoca a ditongação *eis*: eu *cantava*, vós *cantáveis*; eu *devia*, vós *devíeis*; eu *partia*, vós *partíeis*; eu *cantara*, vós *cantáreis*; eu *cantaria*, vós *cantaríeis*). O mesmo ocorre com a 1.ª pessoa do futuro do presente: *cant-a-re-i*. O *r* do futuro do subjuntivo e infinitivo passa a *re* diante do *s* da 2.ª pessoa do singular e do *m* da 3.ª pessoa do plural: *canta-re-s, canta-re-m*.
>
> ➥ As desinências pessoais (cf. adiante) do pretérito perfeito servem, por acumulação, para caracterizar o tempo e modo do verbo.

---

[7] Aceitamos as ponderações de Mattoso: "SMT é *-ia*, opondo-se a *-a*, do subjuntivo presente: *temia, partia; tema, parta*. Seria uma análise falsa considerar *-i* a vogal do tema e SMT a vogal *-a*, porque os dois tempos passariam a se distinguir não pelo seu SMT, mas pela presença ou ausência da vogal do tema." A solução com *-a* não seria de todo falsa, porque a vogal temática poderia acumular a função modotemporal, mas a análise apresentada é mais coerente com a descrição e o papel normal da vogal temática.

Desinências numeropessoais

As desinências numeropessoais são:

Singular
- 1.ª pessoa: Ø, -o (só no presente do indicativo), -i (só no pretérito perfeito do indicativo e futuro do presente)
- 2.ª pessoa: -s, -ste[8] (esta última só no pretérito perfeito do indicativo) e Ø no imperativo
- 3.ª pessoa: Ø, -u (só no pretérito perfeito do indicativo)

Plural
- 1.ª pessoa: -mos
- 2.ª pessoa: -is (com supressão do -s final no imperativo),[9] -des (esta última só no futuro do subjuntivo, infinitivo flexionado e presente do indicativo de alguns verbos irregulares, monossilábicos), -stes (só no pretérito perfeito do indicativo).
- 3.ª pessoa: nasalidade representada na escrita por -m; quando precedida de a desenvolve o ditongo /ãw̃/, e precedida de e, o ditongo /ẽỹ/.

Observações sobre as desinências numeropessoais

1.ª pessoa do singular: geralmente falta a desinência de 1.ª pessoa do singular, exceto no presente do indicativo, onde aparece -o:
  cant-o, vend-o, part-o

No pretérito perfeito do indicativo e futuro do presente aparece-i:
  cante-i   vend-i   part-i
  canta-re-i   vende-re-i   parti-re-i

2.ª pessoa do singular: a desinência geral é -s; no pretérito perfeito do indicativo -ste; Ø no imperativo:
  canta-s   canta-re-s   canta-ste   canta tu
  vende-s   vende-re-s   vende-ste   vende tu
  parte-s   parti-re-s   parti-ste   parte tu

---

[8] Cuidado especial hão de merecer estas desinências (ste, singular, e stes, plural) para que, por falsa analogia, não passem a stes (singular) e steis (plural): tu comestes (por comeste), vós comesteis (por comestes).

[9] Em parti, imperativo e partis, presente do indicativo, desaparece a vogal da desinência de pessoa i ou is.

3.ª pessoa do singular: geralmente falta a desinência desta forma; só o pretérito perfeito do indicativo é que a apresenta mediante -*u*:
canto-*u* vende-*u* parti-*u*

1.ª pessoa do plural: a desinência é sempre -*mos*:
canta-*mos* vende-*mos* parti-*mos*

2.ª pessoa do plural: a desinência é -*is*; aparece -*des* no futuro do subjuntivo, infinitivo flexionado e no presente do indicativo dos monossilábicos (ter, vir, pôr, ver, rir, ir); o pretérito perfeito do indicativo apresenta -*stes*, e o imperativo, -*i* (na 3.ª conjugação há crase com a vogal temática):
canta-*is* vende-*is* part-*is*
canta-r-*des* vende-r-*des* parti-r-*des*
canta-*stes* vende-*stes* parti-*stes*
canta-*i* vende-*i* part-*i*

3.ª pessoa do plural: a desinência é a nasalidade, representada na escrita por *m*, que nasaliza a vogal precedente:
canta-*m* vende-*m* parte-*m*
canta-re-*m* vende-re-*m* parti-re-*m*
canta-ra-*m* vende-ra-*m* parti-ra-*m*

Observação:

➥ No futuro do presente a ditongação nasalada é indicada por til, que se sobrepõe à característica temporal:
canta-*rão* vende-*rão* parti-*rão*

Tempos primitivos e derivados

No estudo dos verbos, principalmente dos irregulares, torna-se vantajoso o conhecimento das formas verbais que se derivam de outras chamadas *primitivas*.

1) Praticamente do radical da 1.ª pessoa do presente do indicativo sai todo o presente do subjuntivo, bastando que se substitua a vogal final por *e*, nos verbos da 1.ª conjugação, e por *a* nos verbos da 2.ª e 3.ª conjugações:

Verbo	Presente do indicativo	Presente do subjuntivo
cantar	canto	cante
vender	vendo	venda
partir	parto	parta

Exceções:

Verbo	Presente do indicativo	Presente do subjuntivo
ser	sou	seja
dar	dou	dê
estar	estou	esteja
haver	hei	haja
ir	vou	vá
querer	quero	queira
saber	sei	saiba

2) Praticamente da 2.ª pessoa do singular e do plural do presente do indicativo saem a 2.ª pessoa do singular e do plural do imperativo, bastando suprimir o *s* final:

Verbo	Presente do indicativo	Imperativo
cantar	cantas	canta
	cantais	cantai
vender	vendes	vende
	vendeis	vendei
partir	partes	parte
	partis	parti

Exceção: ser: sê (tu), sede (vós).

Observações:

➥ Os verbos em -*zer* ou -*zir* podem ainda perder, na 2.ª pessoa do singular, o *e* final, quando o *z* não é precedido de consoante: *faze* (ou *faz*) tu, *traduze* (ou *traduz*) tu; mas *cirze* tu. (↗ 259)

➥ Para evitar os inconvenientes da homofonia que, pela identidade de formas, pode provocar ambiguidade com outras formas verbais, escritores portugueses se servem, às vezes, nos verbos da 3.ª conjugação, da antiga desinência -*ide* por -*i*:

"Novas tenho e grandes novas, / Amigo, para vos dar: / Tomai esta chave e *abri-de*." [AGa]

"*Ouvide*-a e *fazei* o que Ela vos disser!" [CBr]

O imperativo em português só tem formas próprias para as segundas pessoas, e apenas no afirmativo; as pessoas que faltam são supridas pelos correspondentes do presente do subjuntivo. Não se usa o imperativo de 1.ª pessoa do singular como tal, mas com valor optativo. As terceiras pessoas do imperativo se referem a *você, vocês*, e não a *ele, eles*. Também não há formas especiais para o imperativo nas orações negativas; neste caso, empregam-se as formas correspondentes do presente do subjuntivo:

Imperativo afirmativo	Imperativo negativo
cante eu	não cante eu
canta tu	não cantes tu
cante você, o senhor	não cante você, o senhor
cantemos nós	não cantemos nós
cantai vós	não canteis vós
cantem vocês, os senhores	não cantem vocês, os senhores

3) Do tema do pretérito perfeito do indicativo (que praticamente se acha suprimindo a desinência pessoal da 1.ª pessoa do plural ou 2.ª pessoa do singular) saem:
 a) o mais-que-perfeito do indicativo, com o acréscimo de *-ra* (*-re*):
  -ra, -ra-s, -ra, -ra-mos, -re-is, -ra-m;

 b) o imperfeito do subjuntivo, com o acréscimo de *-sse*:
  -sse, -sse-s, -sse, -sse-mos, -sse-is, -sse-m;

 c) o futuro do subjuntivo, com o acréscimo de *-r* (*-re*):
  -r, -re-s, -r, -r-mos, -r-des, -re-m.

Tema do pret. perf.	M.-q.-perf. ind.	Imperf. subj.	Fut. subj.
vi (-mos) / vi (-ste)	vira	visse	vir
vie (-mos) / vie (-ste)	viera	viesse	vier
coube (-mos) / coube (-ste)	coubera	coubesse	couber
puse (-mos) / puse (-ste)	pusera	pusesse	puser
fo (-mos) / fo (-ste)	fora	fosse	for

4) Do tema do infinitivo não flexionado se formam:
 a) futuro do presente, com o acréscimo ao tema de *-ra*(*-re*) tônico:
  ama:*-re-i, -rá-s, -rá, -re-mos, -re-is, -rã-o;*

 b) futuro do pretérito, com o acréscimo de *-ria* (*-rie*):
  ama: *-ria, -ria-s, -ria, -ría-mos, -ríe-is, -ria-m;*

Infinitivo	Futuro do presente	Futuro do pretérito
canta (r)	cantarei	cantaria
	cantarás	cantarias
	cantará	cantaria
	cantaremos	cantaríamos
	cantareis	cantaríeis
	cantarão	cantariam

Exceções: *dizer, fazer, trazer*, que fazem *direi, farei, trarei; diria, faria, traria*.

c) imperfeito do indicativo, com o acréscimo de -*va*(-*ve*), na 1.ª conjugação, e -*ia* (-*ie*), na 2.ª e 3.ª conjugações:
cant-a-*va*, cant-a-*va*-s, cant-a-*va*, cant-á-*va*-mos, cant-á-*ve*-is, cant-a-*va*-m;
vend-*ia*, vend-*ia*-s, vend-*ia*, vend-*ía*-mos, vend-*íe*-is, vend-*ia*-m;
part-*ia*, part-*ia*-s, part-*ia*, part-*ía*-mos, part-*íe*-is, part-*ia*-m.

À parte, temos:

Ser	era, eras, era, éramos, éreis, eram
Ter	tinha, tinhas, tinha, tínhamos, tínheis, tinham
Vir	vinha, vinhas, vinha, vínhamos, vínheis, vinham
Pôr	punha, punhas, punha, púnhamos, púnheis, punham

A sílaba tônica nos verbos: formas rizotônicas e arrizotônicas

Rizotônica é a forma verbal cuja sílaba tônica se acha no radical:
que*ro*, **can**to, **can**ta, **ven**dem, **fei**to

Arrizotônica é a forma verbal cuja sílaba tônica se acha fora do radical:
que**re**mos, can**tais**, di**rei**, ven**di**do

Na língua portuguesa há predomínio de formas arrizotônicas.
São normalmente rizotônicas:
a) as três pessoas do singular e a 3.ª do plural do presente do indicativo e do subjuntivo, e as correspondentes do imperativo;
b) os particípios irregulares;
c) a 1.ª pessoa e a 3.ª do singular do pretérito perfeito dos verbos irregulares fortes: *coube, fiz, fez*.

Nos verbos defectivos em geral faltam as formas rizotônicas.

Em vista do exposto, as três pessoas do singular e a 3.ª do plural do presente do indicativo e subjuntivo têm sempre acentuada a penúltima sílaba: *frutifico, vociferas, sentencia, trafegam*.

Exceções:

a) *resfolegar* faz *resfólego, resfólegas, resfólega, refólegam*, etc. Existe ainda a forma reduzida *resfolgar*, de acentuação regular: *resfolgo*, etc.
b) *mobiliar* faz *mobílio, mobílias, mobília, mobiliamos, mobiliais, mobíliam; mobílie, mobílies, mobílie*, etc. Existem ainda as formas *mobilar*[10] e *mobilhar*, que se conjugam de acordo com a regra geral: *mobilo, mobilas; mobilho, mobilhas*, etc.

Mobilar é forma de pouca aceitação entre brasileiros: "Eu vivia encantonada na sala da frente, que ia de oitão a outro, com várias sacadas para o largo, mobiliada (atenção revisor: não ponha 'mobilada', que é palavra que eu detesto) com uma cama de vento, uma cadeira e um lavatório de ferro." [MB]

c) *Aguar, desaguar* e *enxaguar* modernamente constituem também exceção entre brasileiros: *águo, deságuo, enxáguo*, etc. Entre portugueses e regionalmente vivem as pronúncias regulares: *aguo, enxaguo*, etc., como ocorre com *averiguar, apaziguar: averiguo, apaziguo*.

Alternância vocálica ou metafonia

Assim se chama a mudança de timbre que sofre a vogal do radical de um vocábulo na forma rizotônica.[11] Muitos verbos da língua portuguesa apresentam este fenômeno:

ferver: fervo, ferves, ferve, fervemos, ferveis, fervem (o *e* tônico é fechado na 1.ª pessoa do singular e na 1.ª e 2.ª pessoas do plural; nas outras, é de timbre aberto).

Na 1.ª conjugação:
a) a vogal *a*, não seguida de *m, n* ou *nh*, passa a ser proferida bem aberta:

---

[10] No Brasil só por imitação literária aparece este verbo. Dele nos diz Manuel Bandeira: "Esse lusitanismo está sendo introduzido por certos revisores à revelia dos autores; já me enxertaram a antipática palavra numa tradução minha, mas eu juro que não a escrevi, nem jamais a escreverei: escreverei sempre 'mobiliada'."

[11] A forma ideal para marcar o timbre da vogal do radical com metafonia é a 2.ª pessoa do singular do presente do indicativo, como demonstra o exemplo com o verbo *ferver*.

falar	falo, falas, fala, falamos, falais, falam
chamar	chamo, chamas, chama, chamamos, chamais, chamam

b) ao *e* fechado corresponde *e* aberto, exceto quando não vem seguido de *m, n, nh, j, x, ch, lh*:

levar	Levo (é), levas (é), leva (é), levamos (é), levais (é), levam (é)
	Mas:
remar	Remo (ê), remas (ê), rema (ê), remamos (ê), remais (ê), remam (ê)
alvejar	alvejo (ê), alvejas (ê), alveja (ê), alvejamos (ê), alvejais (ê), alvejam (ê)
pretextar	pretexto (ê), pretextas (ê), pretexta (ê), pretextamos (ê), pretextais (ê), pretextam (ê)
fechar	fecho (ê), fechas (ê), fecha (ê), fechamos (ê), fechais (ê), fecham (ê)
aparelhar	aparelho (ê), aparelhas (ê), aparelha (ê), aparelhamos (ê), aparelhais (ê), aparelham (ê)
Exceções:	invejar (tem *e* aberto: invejo [é], invejas [é], inveja [é], invejamos, invejais, invejam [é]); chegar, ensebar não sofrem metafonia

Pesar, no sentido de *causar tristeza, desprezar*, deve, na lição de alguns gramáticos, ser proferido com *e* fechado; porém, no Brasil, o uso mais corrente é proferi-lo como *levar: pesa, pesam; pese, pesem*, etc. É, como já dissemos, verbo defectivo, só usado nas terceiras pessoas.

c) a vogal *o* passa a *o* aberto quando não seguida de *m, n, nh* ou nos verbos terminados por *-oar*:

tocar	toco, tocas, toca, tocamos, tocais, tocam
	Mas:
sonhar	sonho, sonhas, sonha, sonhamos, sonhais, sonham
perdoar	perdoo, perdoas, perdoa, perdoamos, perdoais, perdoam

Na 2.ª conjugação:
a) as vogais tônicas *e* e *o* soam com timbre aberto na 2.ª e 3.ª pessoas do singular e na 3.ª pessoa do plural do presente do indicativo e na 2.ª pessoa do singular do imperativo afirmativo, exceto se vierem seguidas de *m, n* ou *nh*:

dever	devo (ê), deves (é), deve (é), devemos, deveis, devem (é)
roer	rói, roei (ô)
volver	volvo (ô), volves (ó), volve (ó), volvemos, volveis, volvem (ó)
	Mas:
temer	temo (ê), temes (ê), teme (ê), tememos (ê), temeis (ê), temem (ê)
comer	como (ô), comes (ó), come (ó), etc.
Exceções:	*querer* e *poder* têm a vogal tônica aberta na 1.ª pessoa do singular

Na 3.ª conjugação:
a) a vogal *e*, última do radical, sofre alternâncias diversas quando nela recai o acento tônico.
1) Passa a *i* na 1.ª pessoa do singular do presente do indicativo e em todo o presente do subjuntivo e a *e* aberto na 2.ª e 3.ª pessoas do singular e 3.ª do plural do presente do indicativo e 2.ª pessoa do singular do imperativo afirmativo nos verbos:
aderir, advertir, aferir, assentir, auferir, compelir, competir, concernir, conferir, conseguir, consentir, convergir, deferir, desferir, desmentir, despir, desservir, diferir, digerir, discernir, dissentir, divergir, divertir, expelir, ferir, impelir, ingerir, mentir, preferir, pressentir, preterir, proferir, prosseguir, referir, refletir, repelir, repetir, seguir, servir, sugerir, transferir, vestir.

vestir	presente do indicativo: visto, vestes, veste, vestimos, vestis, vestem
	presente do subjuntivo: vista, vistas, vista, vistamos, vistais, vistam
	imperativo afirmativo: vista, veste, vista, vistamos, vesti, vistam.

Observação:

➥ Se o *e* for nasal, mantém-se inalterável, exceto na 1.ª pessoa do singular do presente do indicativo e em todo o presente do subjuntivo, onde passa a *i*: *sentir: sinto, sentes, sente*, etc.; *sinta, sintas, sinta, sintamos, sintais, sintam*.

2) Passa a *i* nas três pessoas do singular e 3a. do plural do presente do indicativo, em todo o presente do subjuntivo e imperativo, exceto, neste, a 2.ª pessoa do plural:
agredir, cerzir, denegrir, prevenir, progredir, regredir, transgredir, remir (este defectivo). (➤ 235)

agredir	presente do indicativo: agrido, agrides, agride, agredimos, agredis, agridem
	presente do subjuntivo: agrida, agridas, agrida, agridamos, agridais, agridam
	imperativo afirmativo: agrida, agride, agrida, agridamos, agredi, agridam

3) Os verbos *medir, pedir, despedir, impedir* (e derivados) têm *e* aberto nas formas rizotônicas, isto é, nas três pessoas do singular e 3.ª do plural do presente do indicativo e subjuntivo, e no imperativo afirmativo, exceto, neste, a 1.ª e 2.ª pessoas do plural:

medir	presente do indicativo: meço, medes, mede, medimos, medis, medem
	presente do subjuntivo: meça, meças, meça, meçamos, meçais, meçam
	imperativo afirmativo: meça, mede, meça, meçamos, medi, meçam

4) Os verbos *aspergir, emergir, imergir* e *submergir* têm *e* tônico fechado na 1.ª pessoa do singular do presente do indicativo (e formas que daí se derivam); têm *e* aberto na 2.ª e 3.ª do singular e 3.ª do plural do presente do indicativo (e formas que daí se derivam):

aspergir	asperjo (ê), asperges (é), asperge (é), aspergimos, aspergis, aspergem (é)

b) a vogal *o* sofre também alternâncias diferentes, quando nela recai o acento tônico.

1) Passa a *u* na 1.ª pessoa do singular do presente do indicativo, em todo o presente do subjuntivo e no imperativo, exceto, neste, a 2.ª pessoa do singular e plural; e passa a *o* aberto na 2.ª e 3.ª do singular e 3.ª do plural do presente do indicativo e 2.ª do singular do imperativo:

dormir	presente do indicativo: durmo, dormes, dorme, dormimos, dormis, dormem
	presente do subjuntivo: durma, durmas, durma, durmamos, durmais, durmam
	imperativo afirmativo: durma, dorme, durma, durmamos, dormi, durmam

Assim se conjugam *cobrir, descobrir, encobrir, recobrir, tossir*. *Dormir* e *tossir* são regulares no particípio: *dormido, tossido*.

Para a conjugação de *engolir* e *desengolir*, que, a rigor, deveriam seguir este modelo, veja-se o que se diz no quadro de Observações adiante.

2) Passa a *u* nas três pessoas do singular e 3.ª do plural do presente do indicativo, em todo o presente do subjuntivo e no imperativo afirmativo, exceto, neste, a 2.ª pessoa do plural:

sortir	presente do indicativo: surto, surtes, surte, sortimos, sortis, surtem
	presente do subjuntivo: surta, surtas, surta, surtamos, surtais, surtam
	imperativo afirmativo: surta, surte, surta, surtamos, sorti, surtam

Por este modelo se conjugam *despolir* e *polir* (↗ 236). Antigamente seguiam este paradigma *cortir* e *ordir*, hoje grafados *curtir* e *urdir* e de conjugação regular.

Não confundir o verbo *sortir* (abastecer; misturar) do exemplo com o verbo *surtir* (dar como resultado; ter êxito; emergir), que é regular: (pres. ind.) *surto, surtes, surte, surtimos, surtis, surtem*; (pres. subj.) *surta, surtas, surta, surtamos, surtais, surtam*. O verbo *surtar* (entrar em surto psicológico) também é regular: (pres. ind.) *surto, surtas, surta, surtamos, surtais, surtam*; (pres. subj.) *surte, surtes, surte, surtemos, surteis, surtem*.

c) a vogal ***u*** do radical passa a ***o*** aberto na 2.ª e 3.ª pessoas do singular e 3.ª do plural do presente do indicativo e na 2.ª pessoa do singular do imperativo afirmativo:

acudir	presente do indicativo: acudo, acodes (ó), acode (ó), acudimos, acudis, acodem (ó)
	presente do subjuntivo: acuda, acudas, acuda, acudamos, acudais, acudam
	imperativo afirmativo: acuda, acode (ó), acuda, acudamos, acudi, acudam

Assim se conjugam *bulir, cuspir, escapulir, fugir, sacudir*. *Consumir* e *sumir* terão o *o* fechado por estarem seguidos de *m*: *consomes* (ô), *consome* (ô); *somes* (ô), *some* (ô).

Observações:

➥ *Assumir, presumir, reassumir, resumir* são regulares. Presente do indicativo: assumo, assumes, assume, assumimos, assumis, assumem.

➥ Os verbos em *-uir* não apresentam alternâncias vocálicas no radical; a 2.ª e 3.ª pessoas do singular do presente do indicativo têm *is* e *i* em lugar de *es* e *e*, por haver ditongo oral:

constituir: presente do indicativo: constituo, constituis, constitui, constituímos, constituís, constituem.

Assim se conjugam *anuir, arguir, atribuir, destituir, diluir, diminuir, estatuir, imbuir, influir, instituir, instruir, puir* (defectivo), *restituir, redarguir, ruir*.

➥ *Construir, desentupir, destruir, entupir* (e cognatos) seguem este modelo ou, ainda, admitem alternância do *u* em *o* aberto na 2.ª e 3.ª pessoas do singular e 3.ª do plural do presente do indicativo e na 2.ª pessoa do singular do imperativo afirmativo. *Entupir* e *desentupir* só se afastam do grupo porque apresentam *es* e *e* na 2.ª e 3.ª pessoas do singular do presente do indicativo:

entupo, entupes (ou entopes), entupe (ou entope), entupimos, entupis, entupem (ou entopem).

construo, construis (ou constróis), construi (ou constrói), construímos, construís, construem (ou constroem).

Estes verbos são portanto abundantes. *Obstruir* é, entretanto, conjugado apenas como *constituir*. (Cf. a segunda observação)

➥ *Engolir*, ainda que se escreva com *o*, segue o paradigma de *acudir*; para o *Vocabulário* de nossa Academia: engulo, engoles, engole, engulimos, engulis, engolem. Melhor fora, porém, grafá-lo com *o* nas duas primeiras pessoas do plural do presente do indicativo, desfazendo-se a incoerência.

d) a vogal *i* do radical do verbo *frigir* passa a *e* aberto na 2.ª e 3.ª pessoas do singular e na 3.ª do plural do presente do indicativo e na 2.ª pessoa do singular do imperativo afirmativo:

frigir	presente do indicativo: frijo, freges, frege, frigimos, frigis, fregem
	imperativo afirmativo: frija, frege, frija, frijamos, frigi, frijam

Não há metafonia, isto é, a vogal é proferida fechada, nos seguintes casos:
1) quando a vogal tônica se acha no fim do radical:
   crê, crês; lê, lês

2) quando integra os ditongos *ou, ei*:
   douro, douras; cheiro, cheiras

3) quando se trata do ditongo *oi* seguido de consoante:
   pernoito, pernoitas

4) quando a vogal é seguida de consoante nasal:
   como, comes

5) quando os verbos terminam em *-ear, -elhar, -ejar* (exceto *invejar*) e *-oar*:
   receio, receias; aparelho, aparelhas; desejo, desejas; coroo, coroas

6) quando se trata dos verbos *chegar* e *ensebar*:
   chego, chegas; ensebo, ensebas

Verbos notáveis quanto à pronúncia ou flexão

a) *Aguar, desaguar, enxaguar* e afins podem ser conjugados de duas formas:
1) Ou têm as formas rizotônicas com o *u* do radical tônico, mas sem o acento agudo, conforme o modelo:

Pres. ind.:	aguo (ú), aguas (ú), agua (ú), aguamos, aguais, aguam (ú)
Pres. subj.:	ague (ú), agues (ú), ague (ú), aguemos, agueis, aguem (ú)

2) Ou têm as formas rizotônicas com **a** do radical com acento agudo, conforme o modelo:

Pres. ind.:	águo, águas, água, aguamos, aguais, águam
Pres. subj.:	águe, águes, águe, aguemos, agueis, águem

b) *Arguir* e *redarguir* não levam acento agudo na vogal tônica *u* nas formas rizotônicas:

Pres. ind.:	arguo (ú), arguis (ú), argui (ú), arguímos, arguís, arguem (ú)
Pres. subj.:	argua (ú), arguas (ú), argua (ú), arguamos, arguais, arguam (ú)

c) *Apaniguar, apaziguar, apropinquar, averiguar, delinquir, obliquar, santiguar* e afins conjugam-se pelo seguinte modelo:

1) Ou têm as formas rizotônicas com o *u* do radical tônico, mas sem o acento agudo, conforme o modelo:

Pres. ind.:	apaziguo (ú), apaziguas (ú), apazigua (ú), apaziguamos, apaziguais, apaziguam (ú)
Pres. subj.:	apazigue (ú), apazigues (ú), apazigue (ú), apaziguemos, apazigueis, apaziguem (ú)

2) Ou têm as formas rizotônicas com o *i* do radical com acento agudo, conforme o modelo:

Pres. ind.:	apazíguo, apazíguas, apazígua, apaziguamos, apaziguais, apazíguam
Pres. subj.:	apazígue, apazígues, apazígue, apaziguemos, apazigueis, apazíguem

d) *Magoar* conjuga-se:

Pres. ind.:	magoo, magoas, magoa, magoamos, magoais, magoam
Pres. subj.:	magoe, magoes, magoe, magoemos, magoeis, magoem

e) *Mobiliar* conjuga-se:

Pres. ind.:	mobílio, mobílias, mobília, mobiliamos, mobiliais, mobíliam
Pres. subj.:	mobílie, mobílies, mobílie, mobiliemos, mobilieis, mobíliem

Observação:

➥ A variante *mobilar* apresenta-se regularmente: mobilo, mobilas, mobila, mobilamos, mobilais, mobilam.

f) *Resfolegar* conjuga-se:

Pres. ind.:	resfólego, resfólegas, resfólega, resfolegamos, resfolegais, resfólegam
Pres. subj.:	resfólegue, resfólegues, resfólegue, resfoleguemos, resfolegueis, resfóleguem

Observações:

➥ A forma contrata de resfolegar é resfolgar, que se apresenta regularmente: resfolgo, resfolgas, resfolga, refolgamos, refolgais, refolgam.

➥ O substantivo é resfôlego, proparoxítono, com *o* tônico fechado.

g) *Dignar-se, indignar-se, obstar, optar, adaptar, pugnar, impregnar, impugnar, ritmar, raptar* conjugam-se:

Presente do indicativo					
indigno-me (dí)	obsto (ó)	opto (ó)	impugno (ú)	ritmo (í)	rapto (rá)
indignas-te (dí)	obstas (ó)	optas (ó)	impugnas (ú)	ritmas (í)	raptas (rá)
indigna-se (dí)	obsta (ó)	opta (ó)	impugna (ú)	ritma (í)	rapta (rá)
indignamo-nos	obstamos	optamos	impugnamos	ritmamos	raptamos
indignais-vos	obstais	optais	impugnais	ritmais	raptais
indignam-se (dí)	obstam (ó)	optam (ó)	impugnam (ú)	ritmam (í)	raptam (rá)

Observação:

➥ Nestes verbos em que há grupo consonantal que na linguagem popular se desfaz com acréscimo de uma vogal, devem se evitar pronúncias viciosas como /indiguino/ (por /indigno/), /opito/ (por /opto/), etc.

h) *Obviar* conjuga-se:

obviar	pres. ind.: obvio (í), obvias (í), obvia (í), obviamos, obviais, obviam (í)

i) *Apiedar* e *moscar* conjugam-se:

apiedar	pres. ind.: apiedo, apiedas, apieda, apiedamos, apiedais, apiedam

A lição antiga de alguns gramáticos e ortógrafos confundia o arcaico *apiadar* e *apiedar* numa só conjugação, o que não aconselhamos.

Pres. ind.:	apiado, apiadas, apiada, apiedamos, apiedais, apiadam (isto é, *a* nas formas rizotônicas e *e* nas arrizotônicas).

A mesma confusão existia com *moscar* e *muscar* (sumir-se):

Pres. ind.:	musco, muscas, musca, moscamos, moscais, muscam (isto é, *u* nas formas rizotônicas e *o* nas arrizotônicas).

Mais certo será conjugarmos regularmente *moscar* e *muscar*:

moscar	pres. ind.: mosco, moscas, mosca, moscamos, moscais, moscam
muscar	pres. ind.: musco, muscas, musca, muscamos, muscais, muscam

j) Verbos com os ditongos fechados *ou* e *ei* (*roubar, inteirar, enfileirar*) conjugam-se não se reduzindo a vogais abertas *o* e *e*, respectivamente:

roubar	inteirar	enfileirar
roubo (e não róbo, etc.)	inteiro (e não intéro, etc.)	enfileiro (e não enfiléro, etc.)
roubas	inteiras	enfileiras
rouba	inteira	enfileira
roubamos	inteiramos	enfileiramos
roubais	inteirais	enfileirais
roubam	inteiram	enfileiram

k) Verbos com os ditongos fechados *eu* e *oi* (como *endeusar* e *noivar*) conjugam-se mantendo o ditongo sem que o *e* ou o *o* passem a timbre aberto: *endeuso, endeusas, endeusa*, etc.; *noivo, noivas, noiva*, etc.

Observação:

➡ O verbo *apoiar* tinha primitivamente fechado o ditongo; hoje é mais corrente proferi-lo aberto. O novo Acordo Ortográfico extinguiu o acento gráfico dos ditongos *ei* e *oi* da sílaba tônica das palavras paroxítonas, motivo pelo qual o verbo *apoiar* não recebe mais acento gráfico para marcar o *o* aberto na pronúncia. Tem-se portanto: *apoio* (ói), *apoias* (ói), *apoia* (ói), *apoiamos, apoiais, apoiam* (ói).

1) Verbos com o hiato *au, ai* e *iu* (como *saudar, embainhar* e *amiudar*) conjugam-se mantendo o hiato:

saudar	embainhar	amiudar
saúdo	embainho	amiúdo
saúdas	embainhas	amiúdas
saúda	embainha	amiúda
saudamos	embainhamos	amiudamos
saudais	embainhais	amiudais
saúdam	embainham	amiúdam

Observação:

➥ *Saudar* proferido com ditongo (saudo, saudas, etc.) ocorre aqui e ali nos poetas e se fixa no falar coloquial e popular.

Verbos terminados em *-zer, -zir*: como *fazer* e *traduzir*

Perdem o *e* final na 3.ª pessoa do singular do presente do indicativo e 2.ª pessoa do singular do imperativo afirmativo (este caso não é obrigatório e até, com exagero, vem condenado pelos gramáticos), quando o *z* não é precedido de consoante:

fazer	pres. ind.: faço, fazes, faz, etc.	Imper. afirm.: faze (ou faz) tu
traduzir	pres. ind.: traduzo, traduzes, traduz, etc.	Imper. afirm.: traduze (ou traduz) tu
Mas cerzir	cirzo, cirzes, cirze, cerzimos, cerzis, cirzem	

Variações gráficas na conjugação

Muitas vezes altera-se a maneira de representar, na escrita, a última consoante do radical para conservar o mesmo fonema.

1) Os verbos terminados em *-car* e *-gar* mudam o *c* ou *g* em *qu* ou *gu*, quando tais consoantes são seguidas de *e*:
   pecar – peco, peques   *cegar – cego, cegues*

2) Os verbos terminados em *-cer* ou *-cir* têm *c* cedilhado antes de *a* ou *o*:
   conhecer – conheço, conheces, conhece   *ressarcir – ressarço, ressarces*

3) Os verbos terminados em *-çar* perdem a cedilha antes do *e*:
   começar – começo, comeces

4) Os verbos terminados em *-ger* ou *-gir* mudam o *g* em *j* antes de *a* ou *o*:
eleger – elejo, eleges   *fugir – fujo, foges*

5) Os verbos terminados em *-guer* ou *-guir* perdem o *u* antes de *a* ou *o*:
erguer – ergo, ergues, erga
conseguir – consigo, consegues, consiga

A vogal *e* passa a ser grafada *i* quando entra num ditongo oral (verbos em *-uir*): *atribuo, atribuis, atribui*, mas *atribuem*.

Estas variações gráficas não constituem irregularidades de conjugação, não havendo, por isso, verbos irregulares gráficos.

Verbos em *-ear* e *-iar*

Os verbos em *-ear* trocam o *e* por *ei* nas formas rizotônicas:

nomear	presente do indicativo: nomeio, nomeias, nomeia, nomeamos, nomeais, nomeiam
	presente do subjuntivo: nomeie, nomeies, nomeie, nomeemos, nomeeis, nomeiem
	imperativo afirmativo: nomeie, nomeia, nomeie, nomeemos, nomeai, nomeiem

Os verbos em *-iar* são conjugados regularmente:

premiar	presente do indicativo: premio, premias, premia, premiamos, premiais, premiam
	presente do subjuntivo: premie, premies, premie, premiemos, premieis, premiem
	imperativo afirmativo: premie, premia, premie, premiemos, premiai, premiem

Cinco verbos em *-iar* se conjugam, nas formas rizotônicas, como se terminassem em *-ear* (**mario** é o anagrama que deles se pode formar):

mediar	medeio, medeias, medeia, mediamos, mediais, medeiam
ansiar	anseio, anseias, anseia, ansiamos, ansiais, anseiam
remediar	remedeio, remedeias, remedeia, remediamos, remediais, remedeiam
incendiar	incendeio, incendeias, incendeia, incendiamos, incendiais, incendeiam
odiar	odeio, odeias, odeia, odiamos, odiais, odeiam

Observações:

➦ Enquanto no Brasil já vamos conjugando os verbos em *-ear* e *-iar* pelo que acabamos de expor, entre os portugueses ainda se notam vacilações em muitos que, grafados com *-iar*, deveriam seguir o modelo de *premiar*, mas se acostam ao de *nomear*, dada a homofonia dos dois finais na fala corrente: além do próprio *premiar, agenciar,* *comerciar, licenciar, negociar, penitenciar, obsequiar, presenciar, providenciar, reverenciar, sentenciar, vangloriar, vitoriar, evidenciar, glorificar, diligenciar* e outros.

➥ A diferença de conjugação torna-se imperiosa nos parônimos: *afear* e *afiar*; *arrear* e *arriar*; *estrear* e *estriar*; *vadear* e *vadiar*, etc.

Quando grafar *-ear* ou *-iar*

Grafam-se com *-ear* os verbos que possuem formas substantivas ou adjetivas cognatas terminadas em:
a) *-é, -eio, -eia* (ê ou é):

	pé – apear	ceia – cear
	passeio – passear	ideia – idear
Exceção:	fé – fiar	

b) consoante ou pelas vogais átonas *-a, -e, -o* precedidas de consoante:

	mar – marear	pente – pentear
	casa – casear	branco – branquear
Exceções:	amplo – ampliar	lume – alumiar
	breve – abreviar	sede – sediar
	finança – financiar	êxtase – extasiar
	graça – agraciar	

Incluem-se entre os verbos em *-ear*: *atear, bambolear, bruxulear, cecear, derrear, favonear, pavonear, semear, vadear*.

Grafam-se com *-iar* os verbos que possuem formas substantivas cognatas terminadas em:
a) *-io, -ia*:

alívio – aliviar	delícia – deliciar
sócio – associar	polícia – policiar
óbvio – obviar	assovio – assoviar

b) *-ância, -ência, -ença*:

distância – distanciar	presença – presenciar
diligência – diligenciar	sentença – sentenciar

Incluem-se no rol dos verbos em -iar: *anuviar, apreciar, depreciar, saciar*.

> **Observação:**
>
> ➥ Muitas vezes o final *-ear* ou *-iar* se pode alternar com o simples *-ar*: *azular* ou *azulear*; *bajar* ou *bagear* (produzir vagens); *diferenciar* ou *diferençar*; *balançar* ou *balancear*, *homicidar* ou *homicidiar*, *embaçar* ou *embaciar*, etc.

Erros frequentes na conjugação de alguns verbos

a) *Vir* e seus derivados

No presente do indicativo temos: *venho, vens, vem, vimos* (e não *viemos*), *vindes, vêm*.
No pretérito perfeito do indicativo: *vim, vieste, veio, viemos, viestes, vieram*.
   "E, incapazes de negar a beleza (...) assaltaram a ave de Juno (...) *intervieram* para impor silêncio o leão e o tigre." [JR]
   "O Senhor Araña y Araña *conveio* em que o panorama era magnificente (...)" [JR]

Notem-se estes enganos comuns nos derivados de *vir*, no pretérito perfeito do indicativo:
   Os guardas *interviram* na discussão. (em lugar de *intervieram*)
   A professora *interviu* no caso. (em lugar de *interveio*)

O gerúndio é igual ao particípio, porque neste desapareceu a vogal temática: *vindo* (*vi-ndo*) e *vindo* (*vin-i-do*).
O futuro do subjuntivo é *vier*, por exemplo: Quando eu *vier* (e não *vir*) à cidade e *vir* oportunidade de comprar o vestido, então o farei.

> **Observação:**
>
> ➥ Devem ser evitadas as formas populares *vinhemos, vinher*.

b) *Ver* e seus derivados

Para sua conjugação, veja-se a página 282.
Prover não se conjuga como *ver* no:

pret. perf. ind.:	provi, proveste, proveu, provemos, provestes, proveram
m.-q.-perf. ind.:	provera, proveras, provera, provêramos, provêreis, proveram
imperf. subj.:	provesse, provesses, provesse, provêssemos, provêsseis, provessem
fut. subj.:	prover, proveres, prover, provermos, proverdes, proverem
particípio:	provido

Rever é conjugado como *ver*; por isso está errada a flexão em:
A aluna *reveu* (em vez de *reviu*) a prova.
Se eles *reverem* (em vez de *revirem*) a Constituição, não será para melhorá-la.

Antever é conjugado como *ver* e, por isso, enganou-se o nosso Casimiro de Abreu ao escrever:
"Quem *antevera* (com *e*) que dum povo a ruína
Pelo seu próprio rei cavada fosse?"

O futuro do subjuntivo de *ver* é *vir*:
Quando eu *vier* à cidade e *vir* (e não *ver*!) oportunidade de comprar o vestido, então o farei.

c) *Precaver-se*
É verbo defectivo que nada tem com *ver* ou *vir*; por isso evite-se dizer:
Eu me precavejo ou *Eu me precavenho*.
Precavejam-se ou *Precavenham-se*.

Para sua conjugação, veja-se a página 235.

d) *Reaver*
É verbo defectivo, derivado de *haver*, que só se conjuga nas formas em que este possui "*v*". Não se deve dizer: *Eu reavejo* ou *Eu reavenho*.

Observação:
➡ Cuidado especial merece também o pretérito perfeito: *reouve, reouveste, reouve, reouvemos, reouvestes, reouveram*.

Por isso evitem-se empregos como: eu *reavi*, ele *reaveu*, etc. (➚ 235)

e) *Ter* e seus derivados
Deter, derivado de *ter* (assim como *abster-se, ater-se, manter, conter, entreter, obter, reter, suster*), conjuga-se como este. Logo está errada a conjugação:
O policial *deteu* (por *deteve*!) o criminoso.

Veja-se a flexão correta no seguinte exemplo:
"Sirva de exemplo o caso que vou referir, segundo o texto autorizado de um doutor que (...) *entreteve* um diálogo com um dos últimos gregos." [JR]

Observação:
➡ Cuidado especial há de se ter entre o futuro do subjuntivo (p. ex.: *mantiver*) e o infinitivo (*manter*): Ficarei triste quando ela se *mantiver* calada. Tenho de a *manter* calada.

No seguinte exemplo o emprego do infinitivo se explica por se ter omitido o auxiliar (*conseguir*) expresso anteriormente: E se ele conseguir largar na frente e manter (isto é, *conseguir manter*) a primeira posição, será possível ganhar a regata.

f) *Pôr* e seus derivados
Opor é derivado de *pôr* e por ele se modela na conjugação. Assim, enganou-se o poeta Porto-Alegre nestes versos, usando *opor* em vez de *opuser*:
"Se aos paternos errores de contraste,
E à minha influição *opor* virtudes."

g) *Estar* e seus derivados
Sobrestar é derivado de *estar* e por ele se conjuga; porém, costuma-se vê-lo modelado pelo verbo *ter*, como se fosse *sobrester*. Assim não está certo o seguinte exemplo de Alberto de Oliveira:
"Deixando a enferma, sobrestenho o passo." (por *sobrestou*)

Obstar, constar e *sustar* conjugam-se como regulares.

h) *Haver-se* e *avir-se*
Estes verbos têm empregos diferentes. *Haver-se* (com alguém) significa:
1) proceder, portar-se:
"Ele, porém, *houve-se* com a maior delicadeza." [MA]

2) ser chamado à ordem, entrar em disputa com alguém, e aparece nas ameaças:
Ele tem de *se haver* comigo.
"Aquele que sobre ti lançar vistas de amor ou de cobiça, comigo *se haverá*." [MP]

3) conciliar:
Felizmente o filho *se houve* com os pais.

Avir-se é sinônimo de *haver-se* no sentido de conciliar, isto é, significa 'entrar em acordo com':
"Lá *se avenham* os sorveteiros com Boileau." [FE]

Desavir-se é o contrário de *avir-se*:
Os amigos *se desavieram* (e não *se desouveram*!) por muito pouco.

Erra-se frequentes vezes empregando-se, nas ameaças, *avir-se* por *haver-se*: Ele tem de *se avir* comigo. (em lugar de *se haver*)

Paradigma dos verbos regulares

Com destaque dos elementos estruturais.

Conjugação simples

1.ª – **Cant-a-r**	2.ª – **Vend-e-r**	3.ª – **Part-i-r**

Modo indicativo

Presente		
Cant-o	Vend-o	Part-o
Cant-a-s	Vend-e-s	Part-e-s
Cant-a	Vend-e	Part-e
Cant-a-mos	Vend-e-mos	Part-i-mos
Cant-a-is	Vend-e-is	Part-is
Cant-a-m	Vend-e-m	Part-e-m
Pretérito imperfeito		
Cant-a-va	Vend-ia	Part-ia
Cant-a-va-s	Vend-ia-s	Part-ia-s
Cant-a-va	Vend-ia	Part-ia
Cant-á-va-mos	Vend-ía-mos	Part-ía-mos
Cant-á-ve-is	Vend-íe-is	Part-íe-is
Cant-a-va-m	Vend-ia-m	Part-ia-m
Pretérito perfeito		
Cant-e-i	Vend-i	Part-i
Cant-a-ste	Vend-e-ste	Part-i-ste
Cant-o-u	Vend-e-u	Part-i-u
Cant-a-mos	Vend-e-mos	Part-i-mos
Cant-a-stes	Vend-e-stes	Part-i-stes
Cant-a-ra-m	Vend-e-ra-m	Part-i-ra-m
Pretérito mais-que-perfeito		
Cant-a-ra	Vend-e-ra	Part-i-ra
Cant-a-ra-s	Vend-e-ras	Part-i-ra-s
Cant-a-ra	Vend-e-ra	Part-i-ra
Cant-á-ra-mos	Vend-ê-ra-mos	Part-í-ra-mos
Cant-á-re-is	Vend-ê-re-is	Part-í-re-is
Cant-a-ra-m	Vend-e-ra-m	Part-i-ra-m

Futuro do presente		
Cant-a-re-i	Vend-e-re-i	Part-i-re-i
Cant-a-rá-s	Vend-e-rá-s	Part-i-rá-s
Cant-a-rá	Vend-e-rá	Part-i-rá
Cant-a-re-mos	Vend-e-re-mos	Part-i-re-mos
Cant-a-re-is	Vend-e-re-is	Part-i-re-is
Cant-a-rã-o	Vend-e-rã-o	Part-i-rã-o
Futuro do pretérito		
Cant-a-ria	Vend-e-ria	Part-i-ria
Cant-a-ria-s	Vend-e-ria-s	Part-i-ria-s
Cant-a-ria	Vend-e-ria	Part-i-ria
Cant-a-ría-mos	Vend-e-ría-mos	Part-i-ría-mos
Cant-a-ríe-is	Vend-e-ríe-is	Part-i-ríe-is
Cant-a-ria-m	Vend-e-ria-m	Part-i-ria-m

Modo subjuntivo

Presente		
Cant-e	Vend-a	Part-a
Cant-e-s	Vend-a-s	Part-a-s
Cant-e	Vend-a	Part-a
Cant-e-mos	Vend-a-mos	Part-a-mos
Cant-e-is	Vend-a-is	Part-a-is
Cant-e-m	Vend-a-m	Part-a-m
Pretérito Imperfeito		
Cant-a-sse	Vend-e-sse	Part-i-sse
Cant-a-sse-s	Vend-e-sse-s	Part-i-sse-s
Cant-a-sse	Vend-e-sse	Part-i-sse
Cant-á-sse-mos	Vend-ê-sse-mos	Part-í-sse-mos
Cant-á-sse-is	Vend-ê-sse-is	Part-í-sse-is
Cant-a-sse-m	Vend-e-sse-m	Part-i-sse-m
Futuro		
Cant-a-r	Vend-e-r	Part-i-r
Cant-a-re-s	Vend-e-re-s	Part-i-re-s
Cant-a-r	Vend-e-r	Part-i-r
Cant-a-r-mos	Vend-e-r-mos	Part-i-r-mos
Cant-a-r-des	Vend-e-r-des	Part-i-r-des
Cant-a-re-m	Vend-e-re-m	Part-i-re-m

Modo imperativo

Afirmativo		
Cant-e eu[12]	Vend-a eu	Part-a eu
Cant-a tu	Vend-e tu	Part-e tu
Cant-e você	Vend-a você	Part-a você
Cant-e-mos nós	Vend-a-mos nós	Part-a-mos nós
Cant-a-i vós	Vend-e-i vós	Part-i vós
Cant-e-m vocês	Vend-a-m vocês	Part-a-m vocês
Negativo		
Não cant-e eu	Não vend-a eu	Não part-a eu
Não cant-e-s tu	Não vend-a-s tu	Não part-a-s tu
Não cant-e você	Não vend-a você	Não part-a você
Não cant-e-mos nós	Não vend-a-mos nós	Não part-a-mos nós
Não cant-e-is vós	Não vend-a-is vós	Não part-a-is vós
Não cant-e-m vocês	Não vend-a-m vocês	Não part-a-m vocês

Formas nominais

Infinitivo Não flexionado		
Cant-a-r	Vend-e-r	Part-i-r
Flexionado		
Cant-a-r	Vend-e-r	Part-i-r
Cant-a-re-s	Vend-e-re-s	Part-i-re-s
Cant-a-r	Vend-e-r	Part-i-r
Cant-a-r-mos	Vend-e-r-mos	Part-i-r-mos
Cant-a-r-des	Vend-e-r-des	Part-i-r-des
Cant-a-re-m	Vend-e-re-m	Part-i-re-m
Gerúndio		
Cant-a-ndo	Vend-e-ndo	Part-i-ndo
Particípio		
Cant-a-do	Vend-i-do	Part-i-do

---

[12] A 1.ª pessoa do singular no imperativo existe na língua, embora seja pouco usada.

Conjugação composta

Modo indicativo

Pretérito perfeito composto		
Tenho cantado	Tenho vendido	Tenho partido
Tens cantado	Tens vendido	Tens partido
Tem cantado	Tem vendido	Tem partido
Temos cantado	Temos vendido	Temos partido
Tendes cantado	Tendes vendido	Tendes partido
Têm cantado	Têm vendido	Têm partido
Pretérito mais-que-perfeito		
Tinha cantado	Tinha vendido	Tinha partido
Tinhas cantado	Tinhas vendido	Tinhas partido
Tinha cantado	Tinha vendido	Tinha partido
Tínhamos cantado	Tínhamos vendido	Tínhamos partido
Tínheis cantado	Tínheis vendido	Tínheis partido
Tinham cantado	Tinham vendido	Tinham partido
Futuro do presente composto		
Terei cantado	Terei vendido	Terei partido
Terás cantado	Terás vendido	Terás partido
Terá cantado	Terá vendido	Terá partido
Teremos cantado	Teremos vendido	Teremos partido
Tereis cantado	Tereis vendido	Tereis partido
Terão cantado	Terão vendido	Terão partido
Futuro do pretérito composto		
Teria cantado	Teria vendido	Teria partido
Terias cantado	Terias vendido	Terias partido
Teria cantado	Teria vendido	Teria partido
Teríamos cantado	Teríamos vendido	Teríamos partido
Teríeis cantado	Teríeis vendido	Teríeis partido
Teriam cantado	Teriam vendido	Teriam partido

Modo subjuntivo

Pretérito perfeito composto

Tenha cantado	Tenha vendido	Tenha partido
Tenhas cantado	Tenhas vendido	Tenhas partido
Tenha cantado	Tenha vendido	Tenha partido
Tenhamos cantado	Tenhamos vendido	Tenhamos partido
Tenhais cantado	Tenhais vendido	Tenhais partido
Tenham cantado	Tenham vendido	Tenham partido

Pretérito mais-que-perfeito composto

Tivesse cantado	Tivesse vendido	Tivesse partido
Tivesses cantado	Tivesses vendido	Tivesses partido
Tivesse cantado	Tivesse vendido	Tivesse partido
Tivéssemos cantado	Tivéssemos vendido	Tivéssemos partido
Tivésseis cantado	Tivésseis vendido	Tivésseis partido
Tivessem cantado	Tivessem vendido	Tivessem partido

Futuro composto

Tiver cantado	Tiver vendido	Tiver partido
Tiveres cantado	Tiveres vendido	Tiveres partido
Tiver cantado	Tiver vendido	Tiver partido
Tivermos cantado	Tivermos vendido	Tivermos partido
Tiverdes cantado	Tiverdes vendido	Tiverdes partido
Tiverem cantado	Tiverem vendido	Tiverem partido

Formas nominais

Infinitivo
Não flexionado composto

Ter cantado	Ter vendido	Ter partido

Flexionado composto

Ter cantado	Ter vendido	Ter partido
Teres cantado	Teres vendido	Teres partido
Ter cantado	Ter vendido	Ter partido
Termos cantado	Termos vendido	Termos partido
Terdes cantado	Terdes vendido	Terdes partido
Terem cantado	Terem vendido	Terem partido

Gerúndio composto

Tendo cantado	Tendo vendido	Tendo partido

Conjugação de um verbo pronominal: apiedar-se

Já vimos que o verbo se diz pronominal quando o pronome oblíquo é da mesma pessoa do pronome reto:
Eu *me* visto. Nós *nos* arrependemos. Eles *se* foram.

O pronome átono pode vir antes, no meio ou depois do verbo (ou verbos, se for uma conjugação composta), de acordo com certos princípios que serão futuramente estudados (✒ 515). Dependendo, pois, da posição do pronome átono, diz-se que há:
a) *próclise*: se o vocábulo átono vem antes: *Ele se feriu* (pronome átono proclítico);
b) *mesóclise* (ou *tmese*): se o vocábulo átono vem no meio (dos futuros do presente e do pretérito): *Vestir-se-á se puder. Vestir-nos-íamos se pudéssemos* (pronome átono mesoclítico);
c) *ênclise* se o vocábulo átono vem depois: *Queixamo-nos ao diretor* (pronome átono enclítico).

Nota importante – Se o pronome for enclítico, só haverá uma alteração na conjugação do verbo a que pertencer o pronome: perderá o *s* final da 1.ª pessoa do plural:
queixo-me
queixas-te
queixa-se
queixamo-nos
queixais-vos
queixam-se

Nas outras posições, o verbo ficará intacto: *Nós nos queixamos. Queixar-nos-emos.*
Atente-se para o seguinte modelo e para as observações feitas sobre a impossibilidade da posposição em algumas formas:

Apiedar-se

Modo indicativo

Presente	Pretérito imperfeito
Apiedo-me	Apiedava-me
Apiedas-te	Apiedavas-te
Apieda-se	Apiedava-se
Apiedamo-nos	Apiedávamo-nos
Apiedais-vos	Apiedáveis-vos
Apiedam-se	Apiedavam-se

Pretérito perfeito	Pretérito perfeito composto
Apiedei-me	Tenho-me apiedado[13]
Apiedaste-te	Tens-te apiedado
Apiedou-se	Tem-se apiedado
Apiedamo-nos	Temo-nos apiedado
Apiedastes-vos	Tendes-vos apiedado
Apiedaram-se	Têm-se apiedado
Pretérito mais-que-perfeito	**Pretérito mais-que-perfeito composto**
Apiedara-me	Tinha-me apiedado
Apiedaras-te	Tinhas-te apiedado
Apiedara-se	Tinha-se apiedado
Apiedáramo-nos	Tínhamo-nos apiedado
Apiedáreis-vos	Tínheis-vos apiedado
Apiedaram-se	Tinham-se apiedado
Futuro do presente	**Futuro do presente composto**
Apiedar-me-ei[14]	Ter-me-ei apiedado
Apiedar-te-ás	Ter-te-ás apiedado
Apiedar-se-á	Ter-se-á apiedado
Apiedar-nos-emos	Ter-nos-emos apiedado
Apiedar-vos-eis	Ter-vos-eis apiedado
Apiedar-se-ão	Ter-se-ão apiedado
Futuro do pretérito	**Futuro do pretérito composto**
Apiedar-me-ia	Ter-me-ia apiedado
Apiedar-te-ias	Ter-te-ias apiedado
Apiedar-se-ia	Ter-se-ia apiedado
Apiedar-nos-íamos	Ter-nos-íamos apiedado
Apiedar-vos-íeis	Ter-vos-íeis apiedado
Apiedar-se-iam	Ter-se-iam apiedado

---

[13] Nunca se use pronome átono posposto a particípio.
[14] Nunca se use pronome átono posposto aos futuros do presente e do pretérito; usar-se-á a anteposição ou a interposição, como veremos depois (☛ 517).

Modo subjuntivo

Presente	Pretérito imperfeito	Pretérito perfeito composto
Apiede-me	Apiedasse-me	Tenha-me apiedado
Apiedes-te	Apiedasses-te	Tenhas-te apiedado
Apiede-se	Apiedasse-se	Tenha-se apiedado
Apiedemo-nos	Apiedássemo-nos	Tenhamo-nos apiedado
Apiedeis-vos	Apiedásseis-vos	Tenhais-vos apiedado
Apiedem-se	Apiedassem-se	Tenham-se apiedado

Pret. m.-q.-perf. composto	Futuro simples	Futuro composto
Tivesse-me apiedado	Eu me apiedar	Eu me tiver apiedado
Tivesses-te apiedado	Tu te apiedares	Tu te tiveres apiedado
Tivesse-se apiedado	Ele se apiedar	Ele se tiver apiedado
Tivéssemo-nos apiedado	Nós nos apiedarmos	Nós nos tivermos apiedado
Tivésseis-vos apiedado	Vós vos apiedardes	Vós vos tiverdes apiedado
Tivessem-se apiedado	Eles se apiedarem	Eles se tiverem apiedado

Nota – Raramente aparece pronome posposto a verbo neste modo, por estar, em geral, em oração subordinada.

Modo imperativo

Afirmativo	Negativo (não se usa pron. posposto a verbo nesta forma)
Apiede-me eu	Não me apiede
Apieda-te tu	Não te apiedes
Apiede-se você	Não se apiede
Apiedemo-nos nós	Não nos apiedemos
Apiedai-vos vós	Não vos apiedeis
Apiedem-se vocês	Não se apiedem

Formas nominais

Infinitivo não flexionado simples	Infinitivo não flexionado composto
Apiedar-me	Ter-me apiedado
Apiedar-te	Ter-te apiedado
Apiedar-se	Ter-se apiedado
Apiedar-nos	Ter-nos apiedado
Apiedar-vos	Ter-vos apiedado
Apiedar-se	Ter-se apiedado

Infinitivo flexionado simples	Infinitivo flexionado composto
Apiedar-me	Ter-me apiedado
Apiedares-te	Teres-te apiedado
Apiedar-se	Ter-se apiedado
Apiedarmo-nos	Termo-nos apiedado
Apiedardes-vos	Terdes-vos apiedado
Apiedarem-se	Terem-se apiedado
Gerúndio simples	**Gerúndio composto**
Apiedando-me	Tendo-me apiedado
Apiedando-te	Tendo-te apiedado
Apiedando-se	Tendo-se apiedado
Apiedando-nos	Tendo-nos apiedado
Apiedando-vos	Tendo-vos apiedado
Apiedando-se	Tendo-se apiedado
Particípio	
Não se usa pronome posposto a verbo nesta forma!	

Conjugação de um verbo com pronome oblíquo átono

Verbo com pronome oblíquo átono (sem ser pronominal): tipo *pô-lo* – O verbo pode acompanhar-se de um pronome oblíquo átono que não se refira ao pronome reto, isto é, ao sujeito:

Eu *o* vi.   Nós *te* admiramos.   Ela *o* chama.

Quando os pronomes oblíquos átonos *o, a, os, as* estiverem depois do verbo ou no meio, modificam-se de acordo com o final do verbo a que se acham pospostos:
   a) se o verbo terminar por vogal ou semivogal oral, os pronomes aparecem inalterados: *ponho-o, ponho-a, ponho-os, ponho-as; dei-o, dei-a*
   b) se o verbo terminar por *r, s* ou *z*, desaparecem estas consoantes e os pronomes aparecem nas antigas formas *lo, la, los, las*: *pôr + lo = pô-lo; pões + lo = põe-lo; diz + lo = di-lo; deixar + lo + ia = deixá-lo-ia*

Observações:
➥ Veja a acentuação dos oxítonos na página 674.
➥ Se o verbo termina por *ns*, o *n* passará a *m*: *tens + lo = tem-lo*.

c) se o verbo terminar por som nasal (*m* ou sílaba com til), os pronomes assumem as formas *no, na, nos, nas*:
põe + o = põe-no; viram + a = viram-na; tem + o = tem-no; têm + o = têm-no.

Nota – Se os pronomes vêm antes do verbo, não há nenhuma alteração nos pronomes e no verbo:
Ele *o põe* ali.   Eu *o fiz*.   Nós *o entregamos*.

Observação:

➡ Alguns autores chamam *pronominais reflexos* aos verbos na voz reflexiva (*vestir-se*) e *pronominais irreflexivos* (ou *não reflexos*) aos verbos do tipo de *pô-lo*.[15]

Atente-se para o seguinte modelo e para as observações feitas sobre a impossibilidade da posposição em algumas formas:

Pô-lo
(só a conjugação simples)

Modo indicativo

Presente	Pretérito imperfeito	Pretérito perfeito
ponho-o	punha-o	pu-lo
põe-lo	punha-lo	puseste-o
põe-no	punha-o	pô-lo
pomo-lo	púnhamo-lo	pusemo-lo
ponde-lo	púnhei-lo	puseste-lo
põem-no	punham-no	puseram-no
Pretérito mais-que-perfeito	**Futuro do presente**	**Futuro do pretérito**
pusera-o	pô-lo-ei[16]	pô-lo-ia
pusera-lo	pô-lo-ás	pô-lo-ias
pusera-o	pô-lo-á	pô-lo-ia
puséramo-lo	pô-lo-emos	pô-lo-íamos
pusérei-lo	pô-lo-eis	pô-lo-íeis
puseram-no	pô-lo-ão	pô-lo-iam

---

[15] Acompanhado de outro pronome que não esteja nos dois casos até aqui apontados, nenhuma alteração ocorre no verbo e no pronome posposto: conhecemos-te, chamamos-lhe, requeremos-lhe, etc. Evitem-se, portanto, enviamo-lhe, informamo-lhe!

[16] Note-se que nos futuros do presente e do pretérito há formas verbais com dois acentos gráficos.

Modo subjuntivo
Nota: Raramente aparece pronome posposto a verbo neste modo.

Presente	Pretérito imperfeito	Futuro (só se usa a forma proclítica)
ponha-o	pusesse-o	Eu o puser
ponha-lo	pusesse-lo	Tu o puseres
ponha-o	pusesse-o	Ele o puser
ponhamo-lo	puséssemo-lo	Nós o pusermos
ponhai-lo	puséssei-lo	Vós o puserdes
ponham-no	pusessem-no	Eles o puserem

Modo imperativo

Afirmativo	Negativo (não se usa pron. posposto a verbo nesta forma)
ponha-o eu	Não o ponha eu
põe-no tu[17]	Não o ponhas tu
ponha-o você	Não o ponha você
ponhamo-lo nós	Não o ponhamos nós
ponde-o vós[18]	Não o ponhais vós
ponham-no vocês	Não o ponham vocês

Formas nominais

Infinitivo não flexionado	Gerúndio:	Particípio
pô-lo	pondo-o	(Não se usa com pronome posposto).

---

[17] Recorde-se que o *s* final do presente do indicativo desaparece no imperativo afirmativo.
[18] Recorde-se que o *s* final do presente do indicativo desaparece no imperativo afirmativo.

Conjugação dos verbos irregulares

Na seguinte relação de verbos apresentamos, além das formas irregulares, algumas regulares em que frequentemente se erra. As formas que aqui faltam e se empregam são todas regulares.

1.ª Conjugação

Dar

Pres. ind.:	dou, dás, dá, damos, dais, dão
Pret. perf. ind.:	dei, deste, deu, demos, destes, deram
M.-que-perf. ind.:	dera, deras, dera, déramos, déreis, deram
Pres. subj.:	dê, dês, dê, demos, deis, deem
Pret. imperf. subj.:	desse, desses, desse, déssemos, désseis, dessem
Fut. subj.:	der, deres, der, dermos, derdes, derem

Por este modelo conjuga-se *desdar*; *circundar* é, porém, regular

Estar (verbo auxiliar)

Pres. ind.:	estou, estás, está, estamos, estais, estão
Pret. imperf. ind.:	estava, estavas, estava, estávamos, estáveis, estavam
Pret. perf. ind.:	estive, estiveste, esteve, estivemos, estivestes, estiveram
Pret. mais-que-perf.:	estivera, estiveras, estivera, estivéramos, estivéreis, estiveram
Fut. pres.:	estarei, estarás, estará, estaremos, estareis, estarão
Fut. pret.:	estaria, estarias, estaria, estaríamos, estaríeis, estariam
Pres. subj.:	esteja, estejas, esteja, estejamos, estejais, estejam
Pret. imperf. subj.:	estivesse, estivesses, estivesse, estivéssemos, estivésseis, estivessem
Fut. subj.:	estiver, estiveres, estiver, estivermos, estiverdes, estiverem
Imperativo afirm.:	está tu, esteja você, estejamos nós, estai vós, estejam vocês
Imperativo neg.:	não estejas tu, não esteja você, não estejamos nós, não estejais vós, não estejam vocês
Gerúndio:	estando
Part.:	estado

Por este modelo conjuga-se: *sobrestar*. São regulares os seus derivados *constar, prestar, obstar, instar, distar, restar,* etc.

2.ª Conjugação

Caber

Pres. ind.:	caibo, cabes, cabe, cabemos, cabeis, cabem
Pret. perf. ind.:	coube, coubeste, coube, coubemos, coubestes, couberam
M.-q.-perf. ind.:	coubera, couberas, coubera, coubéramos, coubéreis, couberam
Pres. subj.:	caiba, caibas, caiba, caibamos, caibais, caibam
Pret. imp. subj.:	coubesse, coubesses, coubesse, coubéssemos, coubésseis, coubessem
Fut. subj.:	couber, couberes, couber, coubermos, couberdes, couberem

Comprazer

Ver prazer. (↗ 279)

Crer

Pres. ind.:	creio, crês, crê, cremos, credes, creem
Pret. perf. ind.:	cri, creste, creu, cremos, crestes, creram
Pres. subj.:	creia, creias, creia, creiamos, creiais, creiam
Pret. imp. subj.:	cresse, cresses, cresse, crêssemos, crêsseis, cressem
Fut. subj.:	crer, creres, crer, crermos, crerdes, crerem
Imperativo:	crê, crede
Part.:	crido

Por este modelo conjuga-se *descrer*.

Dizer

Pres. ind.:	digo, dizes, diz, dizemos, dizeis, dizem
Pret. perf. ind.:	disse, disseste, disse, dissemos, dissestes, disseram
M.-q.-perf. ind.:	dissera, disseras, dissera, disséramos, disséreis, disseram
Fut. pres.:	direi, dirás, dirá, diremos, direis, dirão
Fut. pret.:	diria, dirias, diria, diríamos, diríeis, diriam
Pres. subj.:	diga, digas, diga, digamos, digais, digam
Pret. imperf. subj.:	dissesse, dissesses, dissesse, disséssemos, dissésseis, dissessem
Fut. subj.:	disser, disseres, disser, dissermos, disserdes, disserem
Imperativo:	dize, dizei
Part.:	dito

Por este modelo se conjugam *bendizer, condizer, contradizer, desdizer, maldizer, predizer*.

Fazer

Pres. ind.:	faço, fazes, faz, fazemos, fazeis, fazem
Pret. perf. ind.:	fiz, fizeste, fez, fizemos, fizestes, fizeram
M.-q.-perf. ind.:	fizera, fizeras, fizera, fizéramos, fizéreis, fizeram
Fut. pres.:	farei, farás, fará, faremos, fareis, farão
Fut. pret.:	faria, farias, faria, faríamos, faríeis, fariam
Pres. subj.:	faça, faças, faça, façamos, façais, façam
Pret. imp. subj.:	fizesse, fizesses, fizesse, fizéssemos, fizésseis, fizessem
Fut. subj.:	fizer, fizeres, fizer, fizermos, fizerdes, fizerem
Imperativo:	faze, fazei
Part. :	feito

Por este modelo se conjugam *afazer, contrafazer, desfazer, liquefazer, perfazer, refazer, rarefazer, satisfazer*.

Haver (verbo auxiliar)

Pres. ind.:	hei, hás, há, havemos, haveis, hão
Pret. imperf. ind.:	havia, havias, havia, havíamos, havíeis, haviam
Pret. perf. ind.:	houve, houveste, houve, houvemos, houvestes, houveram
Pret. mais-que-perf.:	houvera, houveras, houvera, houvéramos, houvéreis, houveram
Fut. pres.:	haverei, haverás, haverá, haveremos, havereis, haverão
Fut. pret.:	haveria, haverias, haveria, haveríamos, haveríeis, haveriam
Pres. subj.:	haja, hajas, haja, hajamos, hajais, hajam
Pret. imperf. subj.:	houvesse, houvesses, houvesse, houvéssemos, houvésseis, houvessem
Fut. subj.:	houver, houveres, houver, houvermos, houverdes, houverem
Imperativo afirm.:	há tu, haja você, hajamos nós, havei vós, hajam vocês
Imperativo neg.:	não hajas tu, não haja você, não hajamos nós, não hajais vós, não hajam vocês
Gerúndio:	havendo
Part.:	havido

Jazer

Pres. ind.:	jazo, jazes, jaz, jazemos, jazeis, jazem
Pret. perf. ind.:	jazi, jazeste, jazeu, jazemos, jazestes, jazeram

As outras formas — pois é totalmente conjugado — são regulares.

Por este se modela *adjazer*.

Ler

Pres. ind.:	leio, lês, lê, lemos, ledes, leem
Pret. perf. ind.:	li, leste, leu, lemos, lestes, leram
M.-q.-perf. ind.:	lera, leras, lera, lêramos, lêreis, leram
Pres. subj.:	leia, leias, leia, leiamos, leiais, leiam
Pret. imp. subj.:	lesse, lesses, lesse, lêssemos, lêsseis, lessem
Fut. subj.:	ler, leres, ler, lermos, lerdes, lerem

Por este se conjugam *reler* e *tresler*.

Perder

Pres. ind.:	perco (ê), perdes (é), perde (é), perdemos (ê), perdeis (ê), perdem (é)
Pres. subj.:	perca (ê), percas (ê), perca (ê), percamos (ê), percais (ê), percam (ê)

Poder

Pres. ind.:	posso (ó), podes (ó), pode (ó), podemos (ô), podeis (ô), podem (ó)
Pret. perf. ind.:	pude, pudeste, pôde, pudemos, pudestes, puderam
M.-q.-perf. ind.:	pudera, puderas, pudera, pudéramos, pudéreis, puderam
Pres. subj.:	possa (ó), possas (ó), possa (ó), possamos (ô), possais (ô), possam (ó)
Pret. imp. subj.:	pudesse, pudesses, pudesse, pudéssemos, pudésseis, pudessem
Fut. subj.:	puder, puderes, puder, pudermos, puderdes, puderem

Desusado modernamente no imperativo.

Prazer
(Pouco usado na 1.ª e 2.ª pessoas)

Pres. ind.:	praz, prazem
Pret. perf. ind.:	prouve, prouveram
M.-q.-perf. ind.:	prouvera, prouveram
Pret. imp. subj.:	prouvesse, prouvessem
Fut. subj.:	prouver, prouverem

Por este se conjugam *aprazer, desprazer, desaprazer*, verbos que se apresentam em todas as pessoas. *Comprazer* e *descomprazer* são verbos completos e se modelam por *prazer*; no pretérito perfeito e mais-que-perfeito do indicativo, pretérito imperfeito e futuro do subjuntivo podem ainda ser conjugados regularmente:

"(...) o poeta (...) não *aprazia* a uma companhia ortodoxa." [JR]

Querer

Pres. ind.:	quero, queres, quer, queremos, quereis, querem
Pret. perf. ind.:	quis, quiseste, quis, quisemos, quisestes, quiseram
M.-q.-perf. ind.:	quisera, quiseras, quisera, quiséramos, quiséreis, quiseram
Pres. subj.:	queira, queiras, queira, queiramos, queirais, queiram
Pret. imp. subj.:	quisesse, quisesses, quisesse, quiséssemos, quisésseis, quisessem
Fut. subj.:	quiser, quiseres, quiser, quisermos, quiserdes, quiserem
Part.:	querido (a forma *quisto* só se usa em *benquisto* e *malquisto*)

A moderna forma *quere*, 3.ª pessoa do singular, em lugar de quer, só é usada pelos portugueses. Normalmente não se usa o verbo *querer* no imperativo; há exemplos de *querei* nos Sermões do Pe. Antônio Vieira. Quando se usa pronome átono (*o, a, os, as*) posposto à 3.ª pessoa do singular do presente do indicativo, emprega-se *qué-lo* ou *quere-o*: "Qué-lo o teu povo." [AH]

Desusado modernamente no imperativo; aparece no optativo que traduz um desejo de realização de um fato expresso pelo infinitivo seguinte: *Queira aceitar meus cumprimentos.*

Requerer

Pres. ind.:	requeiro, requeres, requer (ou requere), requeremos, requereis, requerem
Pret. perf. ind.:	requeri, requereste, requereu, requeremos, requerestes, requereram
M.-q.-perf. ind.:	requerera, requereras, requerera, requerêramos, requerêreis, requereram
Pres. subj.:	requeira, requeiras, requeira, requeiramos, requeirais, requeiram
Pret. imp. subj.:	requeresse, requeresses, requeresse, requerêssemos, requerêsseis, requeressem
Fut. subj.:	requerer, requereres, requerer, requerermos, requererdes, requererem
Imperativo:	requere, requerei
Part.:	requerido

A 3.ª pessoa do singular do presente do indicativo *requer* é modernamente mais usada que *requere*, esta mais lusitana.

Saber

Pres. ind.:	sei, sabes, sabe, sabemos, sabeis, sabem
Pret. perf. ind.:	soube, soubeste, soube, soubemos, soubestes, souberam
M.-q.-perf. ind.:	soubera, souberas, soubera, soubéramos, soubéreis, souberam
Pres. subj.:	saiba, saibas, saiba, saibamos, saibais, saïbam
Pret. imp. subj.:	soubesse, soubesses, soubesse, soubéssemos, soubésseis, soubessem
Fut. subj.:	souber, souberes, souber, soubermos, souberdes, souberem

Ser (verbo auxiliar)

Pres. ind.:	sou, és, é, somos, sois, são
Pret. imperf. ind.:	era, eras, era, éramos, éreis, eram
Pret. perf. ind.:	fui, foste, foi, fomos, fostes, foram
Pret. mais-que-perf.:	fora, foras, fora, fôramos, fôreis, foram
Fut. pres.:	serei, serás, será, seremos, sereis, serão
Fut. pret.:	seria, serias, seria, seríamos, seríeis, seriam
Pres. subj.:	seja, sejas, seja, sejamos, sejais, sejam
Pret. imperf. subj.:	fosse, fosses, fosse, fôssemos, fôsseis, fossem
Fut. subj.:	for, fores, for, formos, fordes, forem
Imperativo afirm.:	sê tu, seja você, sejamos nós, sede vós, sejam vocês
Imperativo neg.:	não sejas tu, não seja você, não sejamos nós, não sejais vós, não sejam vocês
Gerúndio:	sendo
Part.:	sido

Ter (verbo auxiliar)

Pres. ind.:	tenho, tens, tem, temos, tendes, têm
Pret. imperf. ind.:	tinha, tinhas, tinha, tínhamos, tínheis, tinham
Pret. perf. ind.:	tive, tiveste, teve, tivemos, tivestes, tiveram
Pret. mais-que-perf.:	tivera, tiveras, tivera, tivéramos, tivéreis, tiveram
Fut. pres.:	terei, terás, terá, teremos, tereis, terão
Fut. pret.:	teria, terias, teria, teríamos, teríeis, teriam
Pres. subj.:	tenha, tenhas, tenha, tenhamos, tenhais, tenham
Pret. imperf. subj.:	tivesse, tivesses, tivesse, tivéssemos, tivésseis, tivessem
Fut. subj.:	tiver, tiveres, tiver, tivermos, tiverdes, tiverem
Imperativo afirm.:	tem tu, tenha você, tenhamos nós, tende vós, tenham vocês
Imperativo neg.:	não tenhas tu, não tenha você, não tenhamos nós, não tenhais vós, não tenham vocês
Gerúndio:	tendo
Part.:	tido

Trazer

Pres. ind.:	trago, trazes, traz, trazemos, trazeis, trazem
Pret. perf. ind.:	trouxe, trouxeste, trouxe, trouxemos, trouxestes, trouxeram
M.-q.-perf. ind.:	trouxera, trouxeras, trouxera, trouxéramos, trouxéreis, trouxeram
Futuro do pres.:	trarei, trarás, trará, traremos, trareis, trarão
Fut. do pret.:	traria, trarias, traria, traríamos, traríeis, trariam
Pres. subj.:	traga, tragas, traga, tragamos, tragais, tragam
Pret. imp. subj.:	trouxesse, trouxesses, trouxesse, trouxéssemos, trouxésseis, trouxessem
Imperativo:	traze, trazei
Particípio:	trazido [nunca: trago]

Valer

Pres. ind.:	valho, vales, vale (ou val), valemos, valeis, valem
Pres. subj.:	valha, valhas, valha, valhamos, valhais, valham

Val, por *vale*, é forma corrente entre os portugueses.
Como *valer* conjugam-se *desvaler* e *equivaler*.

Ver

Pres. ind.:	vejo, vês, vê, vemos, vedes, veem
Pret. imp. ind.:	via, vias, via, víamos, víeis, viam
Pret. perf. ind.:	vi, viste, viu, vimos, vistes, viram
M.-q.-perf. ind.:	vira, viras, vira, víramos, víreis, viram
Pres. subj.:	veja, vejas, veja, vejamos, vejais, vejam
Pret. imp. subj.:	visse, visses, visse, víssemos, vísseis, vissem
Fut. subj.:	vir, vires, vir, virmos, virdes, virem
Part.:	visto

Assim se conjugam *antever, entrever, prever* e *rever*. *Prover* e *desprover* modelam-se por *ver*, exceto no pretérito perfeito do indicativo e derivados, e particípio, quando se conjugam regularmente.

Pret. perf. ind.:	provi, proveste, proveu, provemos, provestes, proveram
M.-q.-perf. ind.:	provera, proveras, provera, provêramos, provêreis, proveram
Fut. subj.:	prover, proveres, prover, provermos, proverdes, proverem
Part.:	provido

3.ª Conjugação

Acudir

Pres. ind.:	acudo, acodes, acode, acudimos, acudis, acodem
Pret. perf. ind.:	acudi, acudiste, acudiu, acudimos, acudistes, acudiram
Pres. subj.:	acuda, acudas, acuda, acudamos, acudais, acudam
Pret. imp. subj.:	acudisse, acudisses, acudisse, acudíssemos, acudísseis, acudissem
Imperativo:	acode, acudi

Assim se conjugam *bulir, construir, cuspir, destruir, engolir,*[19] *entupir,*[20] *escapulir, fugir,*[21] *sacudir, subir, sumir.*[22]

Construir, destruir e *entupir*, como verbos abundantes (↗ 237), apresentam como formas menos usadas *construis, construi, destrui, entupes, entupe*.

Os demais verbos em *-udir* (*aludir, eludir, iludir*) são regulares.

Cair

Pres. ind.:	caio, cais, cai, caímos, caís, caem
Pret. imp. ind.:	caía, caías, caía, caíamos, caíeis, caíam
Pret. perf. ind.:	caiu, caíste, caiu, caímos, caístes, caíram
M.-q.-perf. ind.:	caíra, caíras, caíra, caíramos, caíreis, caíram
Fut. pres.:	cairei, cairás, cairá, cairemos, caireis, cairão
Fut. pret.:	cairia, cairias, cairia, cairíamos, cairíeis, cairiam
Pres. subj.:	caia, caias, caia, caiamos, caiais, caiam
Pret. imp. subj.:	caísse, caísses, caísse, caíssemos, caísseis, caíssem
Fut. subj.:	cair, caíres, cair, cairmos, cairdes, caírem

Por este se conjugam *atrair, contrair, distrair, embair, esvair, retrair, sair, subtrair, trair*.

---

[19] Para seguir este modelo, melhor seria escrever *engulir* (com u). A forma *engolir* (com o) nos leva, naturalmente, à seguinte conjugação que o *Vocabulário Oficial* não registra: *engulo, engoles, engole, engolimos* (com *o*), *engolis* (com *o*), *engolem*.

[20] O verbo *entupir* pode também ser conjugado sem sofrer a metafonia que ocorre no grupo: *entupo, entupes, entupe, entupimos, entupis, entupem*.

[21] Leve-se em consideração a mudança de *g* para *j* antes de *o* e *a*: *fujo, foges, foge*, etc.

[22] Conjugam-se, porém, regularmente *assumir, presumir, reassumir, resumir*.

Cobrir

Pres. ind.:	cubro, cobres, cobre, cobrimos, cobris, cobrem
Pret. perf. ind.:	cobri, cobriste, cobriu, cobrimos, cobristes, cobriram
Pres. subj.:	cubra, cubras, cubra, cubramos, cubrais, cubram
Imperativo:	cubra eu, cobre tu, cubra você, cubramos nós, cobri vós, cubram vocês
Part.:	coberto

Por este se conjugam *descobrir, dormir* (regular no part.: *dormido*), *encobrir, recobrir* e *tossir* (regular no part.: *tossido*).

Frigir

Pres. ind.:	frijo, freges, frege, frigimos, frigis, fregem
Pres. subj.:	frija, frijas, frija, frijamos, frijais, frijam
Imperativo:	frija, frege, frija, frijamos, frigi, frijam
Part.:	frigido e frito

Atente-se para a troca de *g* por *j* antes de *a* e *o*.

Ir

Pres. ind.:	vou, vais, vai, vamos (ou imos), ides, vão
Pret. imp. ind.:	ia, ias, ia, íamos, íeis, iam
Pret. perf.:	fui, foste, foi, fomos, fostes, foram
M.-q.-perf. ind.:	fora, foras, fora, fôramos, fôreis, foram
Fut. pres.:	irei, irás, irá, iremos, ireis, irão
Fut. pret.:	iria, irias, iria, iríamos, iríeis, iriam
Pres. subj.:	vá, vás, vá, vamos, vades, vão
Pret. imp. subj.:	fosse, fosses, fosse, fôssemos, fôsseis, fossem
Fut. subj.:	for, fores, for, formos, fordes, forem
Imperativo:	vá, vai, vá, vamos, ide, vão
Gerúndio:	indo
Part.:	ido

Medir

Pres. ind.:	meço, medes, mede, medimos, medis, medem
Pres. subj.:	meça, meças, meça, meçamos, meçais, meçam

Assim se conjugam *desmedir* e *pedir*.

Mentir

Pres. ind.:	minto, mentes, mente, mentimos, mentis, mentem
Pres. subj.:	minta, mintas, minta, mintamos, mintais, mintam

Por este verbo se conjugam *consentir, desmentir, persentir* (sentir profundamente), *pressentir* (prever), *ressentir, sentir*.

Ouvir

Pres. ind.:	ouço, ouves, ouve, ouvimos, ouvis, ouvem
Pres. subj.:	ouça, ouças, ouça, ouçamos, ouçais, ouçam

Entre portugueses ocorre a variante *oiço*, ao lado de *ouço*. Também no presente do subjuntivo: *oiça, oiças, oiça, oiçamos, oiçais, oiçam*.

Pedir

Pres. ind.:	peço, pedes, pede, pedimos, pedis, pedem
Pres. subj.:	peça, peças, peça, peçamos, peçais, peçam

Pedir serve hoje de modelo para *desimpedir, despedir, expedir* e *impedir* (que não são derivados de *pedir*).

Parir

Pres. ind.:	pairo, pares, pare, parimos, paris, parem
Pres. subj.:	paira, pairas, paira, pairamos, pairais, pairam

Polir (= lustrar, civilizar)

Pres. ind.:	pulo, pules, pule, polimos, polis, pulem
Pret. perf.:	poli, poliste, poliu, polimos, polistes, poliram
Pres. subj.:	pula, pulas, pula, pulamos, pulais, pulam
Imperativo:	pula, pule, pula, pulamos, poli, pulam

Por este verbo se conjugam *despolir* e *sortir* (= abastecer, prover, misturar, combinar). *Surtir* (com *u*) é regular: *surto, surtes, surte, surtimos, surtis, surtem*.[23]

"(...) enquanto o progresso das ciências e das artes *pule* e melhora exteriormente o gênero humano, esse tipo de filosofia destruiria o intolerável egoísmo que destrói ou afeia o formoso edifício da moderna civilização." [AH]

---

[23] Significa originar, produzir efeito. Como *surtir* são também regulares *curtir* e *urdir*.

Progredir

Pres. ind.:	progrido, progrides, progride, progredimos, progredis, progridem
Pret. imp. ind.:	progredia, progredias, progredia, progredíamos, progredíeis, progrediam
Pret. perf. ind.:	progredi, progrediste, progrediu, progredimos, progredistes, progrediram
Pres. subj.:	progrida, progridas, progrida, progridamos, progridais, progridam

Por este verbo se conjugam *agredir, cerzir, denegrir, prevenir, regredir, transgredir*. *Remir*, hoje mais usado como defectivo (↗ 235), seguia outrora o modelo de *progredir*: rimo, rimes, rime, remimos, remis, rimem.

"Por 20 libras anuais a aldeia de Favaios *rime* todos os tributos e obtém o privilégio de nomear o seu juiz." [AH]

Rir

Pres. ind.:	rio, ris, ri, rimos, rides, riem
Pret. imperf. ind.:	ria, rias, ria, ríamos, ríeis, riam
Pret. perf. ind.:	ri, riste, riu, rimos, ristes, riram
Part. :	rido

Segue este modelo o verbo *sorrir*.

Servir

Pres. ind.:	sirvo, serves, serve, servimos, servis, servem
Pres. subj.:	sirva, sirvas, sirva, sirvamos, sirvais, sirvam
Imperativo:	sirva, serve, sirva, sirvamos, servi, sirvam

Por este verbo se conjugam *aderir, advertir, aferir, compelir, competir, concernir, conferir, conseguir, convergir, deferir, despir, digerir, divertir, expelir, impelir, inserir, perseguir, preferir, preterir, repelir, seguir, sugerir, vestir*.

Submergir

Pres. ind.:	submerjo (ê), submerges (é), submerge (é), submergimos, submergis, submergem (é)
Pres. subj.:	submerja (ê), submerjas (ê), submerja (ê), submerjamos, submerjais, submerjam (ê)
Imperativo:	submerja (ê), submerge (é), submerja (ê), submerjamos, submergi, submerjam (ê)

Seguem este modelo *aspergir, emergir, imergir*.

Vir

Pres. ind.:	venho, vens, vem, vimos, vindes, vêm
Pret. imperf. ind.:	vinha, vinhas, vinha, vínhamos, vínheis, vinham
Pret. perf. ind.:	vim, vieste, veio, viemos, viestes, vieram
Fut. pres.:	virei, virás, virá, viremos, vireis, virão
Fut. pret.:	viria, virias, viria, viríamos, viríeis, viriam
Pres. subj.:	venha, venhas, venha, venhamos, venhais, venham
Fut. subj.:	vier, vieres, vier, viermos, vierdes, vierem
Imperativo:	venha, vem, venha, venhamos, vinde, venham
Gerúndio:	vindo
Part.:	vindo (↗ 262)

Por este modelo se conjugam *advir, avir-se, convir, desavir, intervir, provir, sobrevir*.

Emprego do verbo

Emprego de tempos e modos

Indicativo

É o modo que normalmente aparece nas orações independentes, e nas dependentes que encerram um fato real ou tido como tal.

Presente

Para bem entender os diversos empregos por que se desdobra o presente no sistema de oposições em que se insere, temos de considerar a lição de Coseriu, que propõe o seguinte esquema:

	Presente	Passado		
Não futuro	canto	cantava	cantei	Presente
		cantara		Passado
Futuro	cantarei	cantaria		

Ainda teríamos de, no interior do passado, admitir outra vez a oposição presente/passado, isto é, uma oposição entre um "presente do passado" (cantava – cantei) e um "passado do passado" (cantara).

Isto significa que o presente, a rigor, se caracteriza pelo traço "negativo" ou "neutral" em relação ao pretérito (passado) e ao futuro, que são termos "positivos", isto é, aplicados ao ocorrido, o que permite ao presente poder empregar-se, em determinados contextos, "em lugar" do passado e do futuro. Não ocorrendo a neutralização, tais substituições ficam impedidas: *eu agora estarei muito cansado*, se entendermos "agora mesmo", e não "em seguida", "depois do momento em que falo" (quando a construção será perfeitamente possível), não se empregará o futuro pelo presente.

O presente denota uma declaração:

a) que se verifica ou que se prolonga até o momento em que se fala:
   "*Ocorre*-me uma reflexão imoral, que é ao mesmo tempo uma correção de estilo." [MA]

b) que acontece habitualmente:
   A Terra *gira* em torno do Sol.

c) que representa uma verdade universal (o "presente eterno"):
   "O interesse *adota* e *defende* opiniões que a consciência reprova." [MM]

Emprega-se o presente:

a) pelo pretérito, em narrações animadas e seguidas (presente histórico), como para dar a fatos passados o sabor de novidade das coisas atuais:
   "Pela manhã, *bates*-lhe à porta, chamando-o. Como ninguém responda, *procuras* entrar. Um peso imprevisto detém o esforço do teu braço. *Insistes. Entras.* E *recuas*, os olhos escancarados, o rosto transfigurado pela dor e pelo assombro, o coração parado no peito." [HC]

b) pelo futuro do presente do indicativo para indicar com ênfase uma decisão:
   Amanhã eu *vou* à cidade.

c) pelo pretérito imperfeito do subjuntivo:
   Se *respondo* mal ele se zangaria.

d) pelo futuro do subjuntivo:
   Se *queres* a paz *prepara*-te para a guerra.

Observação:

➡ Para exprimir ação começada emprega-se, em geral, o verbo *estar* seguido de gerúndio ou de infinitivo precedido de *a*:

   Estava   *falando*   sobre tal assunto
            a falar

Pretérito imperfeito
O imperfeito é um membro não marcado, extensivo, de uma oposição que encerra três membros, dois dos quais são marcados e intensivos: o mais-que-perfeito e o chamado condicional presente, na forma simples.

Nesta oposição, o mais-que-perfeito significa um "anterior", enquanto o condicional presente (futuro do pretérito), um "depois". Daí o imperfeito não significar nem "antes" nem "depois" e, por isso, poder ocupar todo o espaço da oposição. Isto implica não se poder, a rigor, atribuir ao imperfeito a pura e simples significação de passado, a não ser que ele seja considerado um "presente" do passado. Como um segundo "presente" pode — como ocorre com o presente próprio, que tem seu pretérito representado pelo perfeito simples, e o seu futuro representado pelo futuro simples — ter seu próprio passado (o mais-que-perfeito) e seu próprio futuro (o condicional presente). Por isso, o presente pode substituir o pretérito perfeito simples e o futuro, mas não o imperfeito.

Pode-se, neste gráfico, representar o presente e o imperfeito no sistema dos tempos em português; o imperfeito, sendo um termo neutro do plano "inatual", pode ser empregado "em lugar" do seu pretérito (passado) e de seu futuro:

Passado	Atualidade		Futuro
Perfeito simples	Presente	→	Futuro
Mais-que-perfeito	Imperfeito	→	Condicional presente (Fut. do pret.)

Daí a variedade e ambivalências destes dois tempos na atividade do discurso; geralmente uma forma verbal não está por outra ou em lugar de outra, mas sim no lugar de outra significação.

Emprega-se o pret. imperfeito quando nos transportamos mentalmente a uma época passada e descrevemos o que então era presente:

"Eugênia *coxeava* um pouco, tão pouco, que eu cheguei a perguntar-lhe se machucara o pé." [MA]

Nos pedidos e solicitações ou denota que duvidamos da realização do fato ou exprime um desejo feito com modéstia ou com o simples propósito:

"*Queria* viver para o seu filho — é como ele explicava o desejo da vida."
[CBr]
Sr. Manuel, eu *desejava* telefonar.

Pode substituir, principalmente na conversação, o futuro do pretérito, quando se quer exprimir fato categórico ou a segurança do falante:

"Se me desprezasses, morreria, *matava*-me." [CBr]

Observações:

➥ Emprega-se o pretérito imperfeito do verbo *dever* (fazer uma coisa) em lugar do pretérito perfeito:

"Ele *devia* (e não *deveu*) *ser* (ou *ter sido*) ontem mais atencioso para contigo." [ED]

➥ Aparece em lugar do futuro do pretérito para denotar um fato certo como consequência de outro que não se deu:

Eu, se tivesse crédito na praça, *pedia* outro empréstimo.

➥ Ainda na referência ao futuro, entra o imperfeito chamado "prelúdico" ou imperfeito dos jogos: "Então [neste jogo que vamos começar a jogar] eu *era* o rei e tu *eras* a rainha" [ECs]; "Agora eu *era* o herói e o meu cavalo só falava inglês" ("João e Maria", de Chico Buarque e Sivuca).

Pretérito perfeito

"O pretérito imperfeito é o tempo da ação prolongada ou repetida com limites imprecisos; ou não nos esclarece sobre a ocasião em que a ação terminaria ou nada nos informa quanto ao momento do início. O pretérito perfeito, pelo contrário, fixa e enquadra a ação dentro de um espaço de tempo determinado" [SA]:

"Marcela *teve* primeiro um silêncio indignado; depois *fez* um gesto magnífico: *tentou* atirar o colar à rua. Eu *retive*-lhe o braço; *pedi*-lhe muito que não me fizesse tal desfeita, que ficasse com a joia. *Sorriu* e *ficou*." [MA]

Não se pode dizer, comenta Coseriu, que o perfeito simples e o imperfeito se contrapõem por uma simples oposição. Na essência, o imperfeito em português visualiza as ações como num pano de fundo, como se completando num nível secundário.

O pretérito perfeito composto (*tenho trabalhado*) exprime:

a) repetição ou prolongação de um fato até o momento em que se fala, ou fato habitual:
"Não me *tens dito* nada das tuas ocupações nessa casa." [CBr]

b) fato consumado:
Tenho dito (no fim dos discursos).

Pretérito mais-que-perfeito (simples e composto)

Denota uma ação anterior a outra já passada:

"No dia seguinte, antes de me recitar nada, explicou-me o capitão que só por motivos graves *abraçara* a profissão marítima..." [MA]

Observação:

➥ Em certas orações temporais aparece o pretérito perfeito onde se esperaria o mais-que-perfeito:

"Logo que se *retirou* o inimigo, mandou D. João Mascarenhas enterrar os mortos."

"Ao revés encontra-se em orações subordinadas o mais-que-perfeito correspondendo a um presente da oração subordinada, quando este presente tem o sentido de um pretérito, v.g. *Os antiquários dizem* (= deixaram escrito) *que ele vivera neste reinado*." [ED]

Emprega-se ainda o mais-que-perfeito simples em lugar do futuro do pretérito do indicativo e do pretérito do subjuntivo, o que serve hoje como traço estilístico de linguagem solene:
"(...) dizendo: Mais *servira* (= serviria), se não *fora* (= fosse) / para tão longo amor tão curta a vida." [LC]
"Que *fora* (= seria) a vida, se nela não *houvera* (= houvesse) lágrimas?" [AH]

Futuro
O futuro do presente e o do pretérito denotam uma ação que ainda se vai realizar:
"Os homens nos *parecerão* sempre injustos enquanto o forem as pretensões do nosso amor-próprio." [MM]
"Sem a crença em uma vida futura, a presente *seria* inexplicável." [MM]

O futuro do presente pode ainda exprimir:
a) em lugar do presente, incerteza ou ideia aproximada, simples possibilidade ou asseveração modesta:
"O mal não *será* a especiaria do bem?" [MM]
Ele *terá* seus vinte anos.
No caso de ser empregado, em linguagem polida, nas interrogações, o futuro "não obriga o interlocutor a responder, como quando se emprega o verbo no presente ou no pretérito. Comparem-se os exemplos seguintes: *Que casa será esta? — Que casa é esta?*; *Álvaro estará em casa? — Álvaro está em casa?*" [SA]

b) em lugar do imperativo, uma ordem ou recomendação, principalmente nas prescrições e recomendações morais:
Defenderás os teus direitos.
Não *furtarás*.
"Nas orações condicionais de *se*, nas temporais de *quando* e *enquanto*, nas conformativas (de *segundo* e *conforme*, etc.), nas adjetivas que denotam simples concepção, o futuro indicativo é substituído pelo futuro conjuntivo (subjuntivo) — o qual só nestas orações se usa (ou também em certos casos pelo presente conjuntivo); assim diz-se: *se vejo, se vi*, mas: *se vir*; *quando vejo, quando vi*, mas: *quando vir*; *aquele que vê, aquele que viu*, mas: *aquele que vir*." [ED]

O futuro do pretérito se emprega ainda para denotar:
a) que um fato se dará, agora ou no futuro, dependendo de certa condição:

"A vida humana *seria* incomportável sem as ilusões e prestígios que a circundam." [MM]
"Se pudéssemos chegar a um certo grau de sabedoria, *morreríamos* tísicos de amor e admiração por Deus." [MM]

b) asseveração modesta em relação ao passado, admiração por um fato se ter realizado:
Eu *teria ficado* satisfeito com as tuas cartas. [RV]
Nós *pretenderíamos* saber a verdade.
Seria isso verdadeiro?

c) incerteza:
Haveria na festa umas doze pessoas.

Emprega-se o auxiliar *tivera* (ou *houvera*) na oração condicional, em lugar do mais-que-perfeito, em relação a um futuro do pretérito posto na oração principal:
Estudaria (ou *teria estudado*), se *tivera* (= *tivesse*) sabido da prova.

É pura imitação do francês o chamado "condicional de rumor", galicismo que a nossa imprensa vai usando por ignorar as formas vernáculas que exprimem suposição (parece, consta, é provável, etc.):
O jogador *teria sido* comprado. (por: Consta que o jogador *foi comprado*)
Os espiões *teriam* o vírus da varíola. (por: Era provável que os espiões *tivessem* o vírus da varíola)

Subjuntivo

O modo subjuntivo ocorre normalmente nas orações independentes optativas, nas imperativas negativas e afirmativas (nestas últimas com exceção da 2.ª pessoa do singular e plural), nas dubitativas com o advérbio *talvez* e nas subordinadas em que o fato é considerado como incerto, duvidoso ou impossível de se realizar:
Bons ventos o *levem*.
"Não *emprestes*, não *disputes*, não *maldigas* e não terás de arrepender-te." [MM]
"Não *desenganemos* os tolos se não queremos ter inumeráveis inimigos." [MM]
"*Louvemos* a quem nos louva para abonarmos o seu testemunho." [MM]
"Talvez a estas horas *desejem* dizer-te peccavi! Talvez *chorem* com lágrimas de sangue." [AH] (*peccávi* [lat.] = pequei)
"Faltam-nos memórias e documentos coevos em que *possamos* estribar-nos para relatar tais sucessos." [AH]

Observação:

➥ Às vezes ocorre o indicativo com *talvez*: "Magistrado ou guerreiro de justo ou generoso se gaba: – e as turbas *talvez* o aplaudem e celebram seu nome." [AH] Parece que o indicativo deixa antever melhor a certeza de que aquilo de que alguém duvida se pode bem realizar.

Nas orações subordinadas substantivas ocorre o subjuntivo nos seguintes principais casos:
a) depois de expressões (verbos, nomes ou locuções equivalentes) que denotam ordem, vontade, consentimento, aprovação, proibição, receio, admiração, surpresa, contentamento:
"Prouvera a Deus, venerável Crimilde — tornou o quingentário — que nos *fosse* lícito desamparar estes muros." [AH]
"Proibi-te que o *revelasses*." [AH]
Espero que *estudes* e que *sejas* feliz.

b) depois de expressões (verbos ou locuções formadas por *ser, estar, ficar* + substantivo ou adjetivo) que denotam desejo, probabilidade, justiça, necessidade, utilidade:
Cumpre que *venhas* cedo.
Está acertado que *sejamos* cautelosos.
Convém que não nos *demoremos*.
É bom que *compreenda* logo o problema.

c) depois dos verbos *duvidar, suspeitar, desconfiar* e nomes cognatos (*dúvida, duvidoso, suspeita, desconfiança*, etc.) quando empregados afirmativamente, isto é, na dúvida, suspeita ou desconfiança reais:
"(...) me vinham à mente suspeitas de que ela *fosse* um anjo transviado do céu..." [AH]
"A luz... que suspeitávamos *procedesse* de lâmpada esquecida por sonolento moço de reposte..." [AH]

Se o falante tem a suspeita como coisa certa, ou nela acredita, o normal é aparecer o indicativo:
"Suspeitava-se que *era* a alma da velha Brites que andava ali penada." [AH]

Usa-se o subjuntivo nas orações adjetivas que exprimem:
a) qualidade:
"Ando à cata de um criado que *seja* econômico e fiel." [RB]

b) consequência (o relativo vem precedido de preposição, geralmente, *com*):
"Daqui levarás tudo tão sobejo
Com que *faças* (= que com isso) o fim a teu desejo." [LC]

c) uma conjectura e não uma realidade:
Compare-se:
O cidadão que *ama* sua pátria engrandece-a. (realidade)
O cidadão que *ame* sua pátria engrandece-a. (conjectura)

d) uma qualidade que determine e restrinja a ideia expressa por esse predicado ou interrogação depois de um predicado negativo, ou de uma interrogação de sentido negativo:
"Não há homem algum que *possa* gabar-se de ser completamente feliz.
Quem há aí que *seja* completamente feliz?" [RV]

Nas orações adverbiais usa-se o subjuntivo:
a) nas causais com *não porque* ou *não*, quando se quer dizer que a razão aludida não é verdadeira:
"Deitei-me ontem mais cedo, não porque *tivesse* sono, mas porque precisava de me levantar hoje de madrugada." [RV]

b) nas concessivas com *ainda que, embora, conquanto, posto que, se bem que, por muito que, por pouco que* (e semelhantes), não havendo, entretanto, completo rigor a respeito:
"Ainda que *perdoemos* aos maus, a ordem moral não lhes perdoa, e castiga a nossa indulgência." [MM]
"Por mais sagaz que *seja* o nosso amor-próprio, a lisonja quase sempre o engana." [MM]
"Veio o chá, veio depois a hora de recolher, e a baronesa deu por findo o serão, ainda que o livro *estava* quase findo." [MA]

Entram neste rol as alternativas de sentido concessivo (*ou... ou, quer... quer*) e as concessivas justapostas do tipo de *fosse ele o culpado, ainda assim lhe perdoaria*.

c) nas condicionais com *se, contanto que, sem que, a não ser que, suposto que, caso, dado que*, para exprimir hipótese, e não uma realidade. Entra ainda neste grupo a comparativa hipotética *como se*:
"Se as viagens simplesmente *instruíssem* os homens, os marinheiros seriam os mais instruídos." [MM]
"E moviam os lábios, como se *tentassem* falar." [AH]

Se se tratar de coisa real ou tida como tal, geralmente aparece o indicativo:
"Não há momento que perder, se *queremos* salvar-nos." [AH]

d) nas consecutivas, quando se exprime uma simples concepção e não um fato real:

"Devemos regular a nossa vida de modo que *possamos* esperar e não recear depois de nossa morte." [MM]
"Não subais tão alto que a queda *seja* mortal." [MM]

e) nas finais:
"Os maus são exaltados para serem felizes, para que *caiam* do mais alto e *sejam* esmagados." [MM]

f) nas temporais com *antes que, assim que, até que, enquanto, depois que, logo que*, quando ocorrem nas negações ou nas indicações de simples concepção, e não uma realidade (caso em que aparece o indicativo):
"Cumprirei o que ordenas, porque jurei obedecer-te cegamente enquanto não *salvássemos* a irmã de Pelágio." [AH]

Casos particulares:

➥ A oração substantiva que completa a exclamação de surpresa *quem diria* constrói-se com indicativo ou subjuntivo:

Quem diria que ele *era* capaz disso!

Quem diria que ele *fosse* capaz disso!

➥ Com os indefinidos do tipo *o que quer que* é mais comum o emprego do subjuntivo:

Saiu com o que quer que *fosse*.

➥ Também têm o verbo no subjuntivo as orações introduzidas por *que*, quando restringem a generalidade de uma proposição:

"Não há, que eu *saiba*, expressão mais suave." [ED]

Imperativo

Cumpre apenas acrescentar ao que já se disse:
a) que o infinitivo pode substituir o imperativo nas ordens instantes:
"Todos se chegavam para o ferir, sem que a D. Álvaro se ouvissem outras palavras, senão estas: *Fartar*, rapazes." [AH]
Atenção: *Marchar!*

b) que se usa o imperativo do verbo *querer* (ou, melhor dizendo, o subjuntivo presente) seguido de infinitivo para suavizar uma ordem ou exprimir o desejo de que um fato aconteça:
Queira aceitar meus cumprimentos.

> **Observação:**
> ➥ Os casos aqui lembrados estão longe de enquadrar a trama complexa do emprego de tempos e modos em português. São várias as situações que podem, ferindo os princípios aqui expostos, levar o falante ou escritor a buscar novos meios expressivos. São questões que fogem ao âmbito da Gramática e constituem preocupação da Estilística.

Emprego das formas nominais

A respeito das formas nominais, cumpre acrescentar ao que se disse nas páginas anteriores:

Infinitivo histórico

Entende-se por infinitivo histórico ou de narração aquele que, numa narração animada, considera a ação como já passada, e não no seu desenvolvimento:
"E os médicos a *insistirem* que saísse de Lisboa." [JDi]
"Ela a *voltar* as costas, e o reitor a *pôr* o chapéu na cabeça." [JDi]
"E ele a *rir-se*, ele a *regalar-se*." [EQ]

Emprego do infinitivo

Emprego do infinitivo flexionado e sem flexão:
1) Infinitivo pertencente a uma locução verbal:
Não se flexiona normalmente o infinitivo que faz parte de uma locução verbal:
"E o seu gesto era tão desgracioso, coitadinho, que todos, à exceção de Santa, *puseram-se a rir*." [AAz]
"Pois, se *ousais levar* a cabo vosso desenho, eu ordeno que o façais." [AH]
"Depois mostraram-lhe, um a um, os instrumentos das execuções, e explicaram-lhe por miúdo como *haviam de morrer* seu marido, seus filhos e o marido de sua filha." [CBr]

Encontram-se exemplos que se afastam deste critério quando ocorrem os seguintes casos:
 a) o verbo principal se acha afastado do auxiliar e se deseja avivar a pessoa a quem a ação se refere:
"*Possas* tu, descendente maldito
De uma tribo de nobres guerreiros,
Implorando cruéis forasteiros,
Seres presa de vis Aimorés." [GD]

"(...) dentro dos mesmos limites atuais *podem* as cristandades *nascerem* ou *anularem-se, crescerem* ou *diminuírem* em certos pontos desses vastos territórios." [AH]

b) o verbo auxiliar, expresso anteriormente, cala-se depois:
"*Queres ser* mau filho, *deixares* uma nódoa d'infância na tua linhagem?" [AH]

2) Infinitivo dependente dos verbos causativos e sensitivos:

Com os causativos *deixar, mandar, fazer* (e sinônimos) a norma é aparecer o infinitivo sem flexão, qualquer que seja o agente da atividade expressa pelo infinitivo, agente representado por substantivo ou pronome (↗ 444):
"Sancho II deu-lhe depois por válida a carta e mandou-lhes *erguer* de novo os marcos onde eles os haviam posto." [AH]
"Fazei-os *parar.*" [AH]
Deixai *vir* a mim as criancinhas.

Mas flexionado ocasionalmente em:
"e deixou *fugirem*-lhe duas lágrimas pelas faces." [AH][24]
"Não são poucas as doenças para as quais, por desídia, vamos deixando *perderem*-se os nomes velhos que têm em português." [MBa]

Com os sensitivos *ver, ouvir, olhar, sentir* (e sinônimos) o normal é empregar-se o infinitivo sem flexão, embora aqui o critério não seja tão rígido quanto no caso dos causativos:
"Olhou para o céu, viu estrelas... escutou, ouviu *ramalhar* as árvores." [AH]
"... o terror fazia-lhes crer que já sentiam *ranger* e *estalar* as vigas dos simples..." [AH]

Os seguintes exemplos atestam o emprego do infinitivo flexionado:
"Em Alcoentre os ginetes e corredores do exército real vieram escaramuçar com os do infante, e ele próprio os ouvia *chamarem*-lhe traidor e hipócrita." [AH]
"Creio que comi: senti *renovarem*-se-me as forças." [AH]

Com tais verbos causativos e sensitivos a flexão do infinitivo se dá com mais frequência quando o agente está representado por substantivo, sem que isto se constitua fato que se aponte como regra geral, conforme demonstram os exemplos acima.

---

[24] A flexão se apresenta geralmente quando o infinitivo vem acompanhado de um pronome pessoal oblíquo átono.

> **Observações:**
>
> ➥ Com os causativos e sensitivos pode aparecer ou não o pronome oblíquo átono que pertence ao infinitivo (➚ 445):
>
>> "Deixei-o *embrenhar* (por *embrenhar-se*) e transpus o rio após ele." [AH]
>>
>> "Encostando-se outra vez na sua dura jazida, Egas *sentiu alongar-se* a estropiada dos cavalheiros..." [AH]
>
> ➥ Aqui também o infinitivo pode aparecer flexionado, por se calar o auxiliar:
>
>> "viu alvejar os turbantes, e, depois *surgirem* rostos tostados, e, depois, *reluzirem* armas." [AH]

3) Infinitivo fora da locução verbal:
Fora da locução verbal, "a escolha da forma infinitiva depende de cogitarmos somente da ação ou do intuito ou necessidade de pormos em evidência o agente do verbo". [SA]
O infinitivo sem flexão revela que a nossa atenção se volta com especial cuidado para a ação verbal; o flexionamento serve de insistir na pessoa do sujeito:

Estudamos *para vencer na vida.*
para vencermos na vida.

"As crianças são acalentadas por *dormirem*, e os homens enganados para *sossegarem*." [MM]

Se o sujeito léxico estiver expresso, é obrigatória a flexão do infinitivo: *Estudamos para nós vencermos na vida* (nunca: *para nós vencer na vida*).
Concluindo, ocorre o infinitivo flexionado nos seguintes casos principais:
1.º) "sempre que o infinitivo estiver acompanhado de um sujeito, nome ou pronome (quer igual ao de outro verbo, quer diferente);
2.º) sempre que se tornar necessário destacar o agente, e referir a ação especialmente a um sujeito, seja para evitar confusão, seja para tornar mais claro o pensamento. O infinitivo concordará com o sujeito que temos em mente;
3.º) quando o autor intencionalmente põe em relevo a pessoa a que o verbo se refere" [SA]:

Estudamos para nós *vencermos* na vida.
"Beijo-vos as mãos, senhor rei, por vos *lembrardes* ainda de um velho homem de armas que para nada presta hoje." [AH]
"É permitido aos versistas *poetarem* em prosa." [CBr]

Apêndice
Passagem da voz ativa à passiva e vice-versa

Em geral, só pode ser construído na voz passiva verbo que pede objeto direto, acompanhado ou não de outro complemento. Daí a língua-padrão lutar contra linguagens do tipo:
A missa foi assistida por todos,

uma vez que o verbo *assistir*, nesta variedade e nesta acepção, só se constrói com complemento relativo:
Todos assistiram à missa.

À força do uso já se fazem concessões, além de *assistir*, aos verbos:

apelar:	A sentença não foi apelada.
aludir:	Todas as faltas foram aludidas.
obedecer:	Os regulamentos não são obedecidos.
pagar:	As pensionistas foram pagas ontem.
perdoar:	Os pecadores devem ser perdoados.
responder:	Os bilhetes seriam respondidos hoje.

Na passagem da ativa para a passiva segue-se o esquema:
1.º) o sujeito da ativa passa a agente da passiva;
2.º) o objeto direto da ativa passa a sujeito da passiva;
3.º) o verbo da voz ativa passa para a voz passiva, conservando-se o mesmo tempo e modo;
4.º) não sofrem alteração os outros termos oracionais que apareçam.

Exemplo 1:

Ativa	Passiva
Eu li o livro.	O livro foi lido por mim.
Sujeito: Eu Verbo: li Obj. direto: o livro	Sujeito: O livro Verbo: foi lido Agente da passiva: por mim

Exemplo 2 (com pronome oblíquo):

Ativa	Passiva
Nós o ajudamos ontem.	Ele, ontem, foi ajudado por nós.
Sujeito: Nós Verbo: ajudamos Obj. direto: o Adj. adverbial: ontem	Sujeito: Ele Verbo: foi ajudado Agente da passiva: por nós Adj. adverbial: ontem

Exemplo 3 (com sujeito indeterminado, quando não aparecerá agente da passiva):

Ativa	Passiva
Enganar-me-ão.	Eu serei enganado.
Sujeito: (indeterminado) Verbo: enganarão Objeto direto: me	Sujeito: Eu Verbo: serei enganado Agente da passiva: (indeterminado)

Exemplo 4 (com tempo composto):

Ativa	Passiva
Eles têm cometido erros.	Erros têm sido cometidos por eles.
Sujeito: Eles Verbo: têm cometido Objeto direto: erros	Sujeito: Erros Verbo: têm sido cometidos Agente da passiva: por eles

Observação:
➡ A passagem do verbo da forma ativa para a passiva faz-se com o acréscimo do particípio *sido* depois do auxiliar.

Exemplo 5 (com o pronome *se* apassivador):

Ativa	Passiva
Alugam casas.	Alugam-se casas.
Sujeito: (indeterminado)	Sujeito: casas
Verbo: Alugam	Verbo: Alugam-se
Objeto direto: casas	Agente da passiva: (indeterminado)

Observação:

➥ A indeterminação do sujeito assinala-se, em geral, com o verbo na 3ª pessoa do plural.

Da mesma forma, se quiséssemos passar para a voz reflexiva de sentido passivo um verbo de oração de sujeito indeterminado, bastaria que lhe acrescentássemos o pronome *se*, e corrigíssemos sua concordância de acordo com o sujeito da passiva.

Ativa	Passiva
Alugam casas	Alugam-se casas
Vendem este apartamento	Vende-se este apartamento (aqui o verbo fica no singular porque o sujeito da passiva está no singular)

Exercícios de fixação

1. Ponha, dentro dos parênteses, (1s), (2s), (3s), (1p), (2p), (3p), conforme a forma verbal esteja, respectivamente, na 1.ª, 2.ª, 3.ª pessoas do singular, 1.ª, 2.ª, 3.ª pessoas do plural:
    1) ( ) sei   5) ( ) estai   9) ( ) estais
    2) ( ) vais   6) ( ) vás   10) ( ) fará
    3) ( ) vamos   7) ( ) cantam   11) ( ) bebereis
    4) ( ) ides   8) ( ) estás   12) ( ) partiras

2. Ponha, dentro dos parênteses, (Pr), (Pt) ou (F), conforme a forma verbal esteja, respectivamente, no presente, no pretérito ou no futuro:
    1) ( ) vá   5) ( ) faria   9) ( ) esteja
    2) ( ) fui   6) ( ) cantava   10) ( ) há
    3) ( ) irei   7) ( ) cantara   11) ( ) vendêramos
    4) ( ) vamos   8) ( ) cantará   12) ( ) ouçais

3. **Numere, dentro dos parênteses, as formas empregadas na série A de acordo com os modos verbais indicados na série B:**

    Série A   Série B
    1) ( ) cantei   6) ( ) cante   11) ( ) desse   1 – indicativo
    2) ( ) cantasse   7) ( ) cantava   12) ( ) cantarei   2 – subjuntivo
    3) ( ) cantaria   8) ( ) fala tu   13) ( ) cantai   3 – condicional
    4) ( ) direi   9) ( ) oxalá viva 14) ( ) canto   4 – optativo
    5) ( ) cantam   10) ( ) diria   15) ( ) tenho contado 5 – imperativo

4. **Escreva, dentro dos parênteses, (VA), (VP) ou (VR), conforme os verbos das orações estejam na voz ativa, passiva ou reflexiva, respectivamente:**
    1) ( ) O filho do vizinho nadou muito.
    2) ( ) Ele não se feriu.
    3) ( ) Machado de Assis escreveu contos imortais.
    4) ( ) O ladrão foi preso.
    5) ( ) O sol nasce no horizonte.
    6) ( ) O aniversariante recebeu vários presentes.
    7) ( ) O idoso levou um susto.
    8) ( ) Os contos foram escritos por Machado de Assis.
    9) ( ) Ela se mirou ao espelho.
    10) ( ) Os amigos se cumprimentaram efusivamente.
    11) ( ) Fazem-se chaves.

5. **Escreva, dentro dos parênteses, (VA), (VP) ou (VM), conforme os verbos das orações estejam na voz ativa, passiva ou medial, respectivamente:**
    1) ( ) Todos viram o acidente.
    2) ( ) Ele zangou-se com a resposta.
    3) ( ) As terras são cultivadas pelo agricultor.
    4) ( ) Vendem-se estes carros.
    5) ( ) O guarda prendeu os ladrões.
    6) ( ) Serão transmitidas todas as ordens.
    7) ( ) Eles se conhecem há muito tempo.
    8) ( ) Nós nos arrependemos das coisas malfeitas.
    9) ( ) Ouvimos belas canções.
    10) ( ) Precisa-se de novos empregados.
    11) ( ) São traduzidos muitos livros estrangeiros.
    12) ( ) Os tolos sofreram grande decepção.
    13) ( ) Vós vos vestis com apurado gosto.

6. **Escreva, dentro dos parênteses, (I), (G) ou (P), conforme a forma verbal esteja no infinitivo, gerúndio ou particípio, respectivamente:**
    1) ( ) vendido   6) ( ) cantando   11) ( ) começando
    2) ( ) vender   7) ( ) ires   12) ( ) rir
    3) ( ) vendendo   8) ( ) indo   13) ( ) ouvirem
    4) ( ) cantares   9) ( ) ido   14) ( ) sentido
    5) ( ) cantado   10) ( ) ser   15) ( ) aceso

7. **Escreva, dentro dos parênteses, (R), (I) ou (A), conforme o verbo seja regular, irregular ou anômalo:**
   1) ( ) agir   6) ( ) ter   11) ( ) valer
   2) ( ) ser   7) ( ) começar   12) ( ) ficar
   3) ( ) andar   8) ( ) haver   13) ( ) dar
   4) ( ) apiedar-se 9) ( ) falar   14) ( ) pôr
   5) ( ) ir   10) ( ) perder   15) ( ) caber

8. **Coloque, dentro dos parênteses, (D) ou (A), conforme seja o verbo defectivo ou abundante:**
   1) ( ) destruir   6) ( ) haver   11) ( ) comprazer
   2) ( ) ir   7) ( ) construir   12) ( ) reaver
   3) ( ) entupir   8) ( ) colorir   13) ( ) abolir
   4) ( ) precaver-se 9) ( ) pegar   14) ( ) eleger
   5) ( ) falir   10) ( ) demolir   15) ( ) florir

9. **Assinale com um (X) dentro dos parênteses as locuções verbais:**
   1) ( ) estou indo   6) ( ) tivesse feito
   2) ( ) espero sejas   7) ( ) começo a escrever
   3) ( ) ter de fazer   8) ( ) podeis escrever
   4) ( ) vamos fazendo   9) ( ) tenho dito
   5) ( ) tens estudado   10) ( ) pôs-se a dizer

10. **Complete convenientemente a 1.ª coluna de acordo com a 2.ª, levando em conta o elemento estrutural que está grifado na forma verbal:**

    1.ª Coluna   **2.ª Coluna**
    1) ( ) am-**a**-r   1 – radical
    2) ( ) **corr**-e-r   2 – vogal temática
    3) ( ) part-i-**r**   3 – desinência modotemporal
    4) ( ) vend-**a**   4 – desinência numeropessoal
    5) ( ) po-**mos**   5 – desinência de infinitivo
    6) ( ) am-a-**va**   6 – desinência de gerúndio
    7) ( ) am-á-va-**mos**   7 – desinência de particípio
    8) ( ) cant-a-**rá**-s
    9) ( ) cant-a-re-**i**
    10) ( ) cant-a-**ria**
    11) ( ) vend-e-**ra**-m
    12) ( ) cant-a-**ndo**
    13) ( ) pus-e-**ste**
    14) ( ) vend-i-**do**
    15) ( ) põ-**e**-s

11. **Assinale, dentro dos parênteses, a única forma verbal que NÃO procede da 1.ª pessoa do presente do indicativo:**
    1) ( ) trabalhe (trabalho)
    2) ( ) esteja (estou)
    3) ( ) parta (parto)
    4) ( ) tema (temo)
    5) ( ) divirta (divirto)
    6) ( ) ame (amo)

12. **Assinale, dentro dos parênteses, as formas verbais que procedem da 2.ª pessoa do singular e do plural do presente do indicativo:**
    1) ( ) trabalhar   6) ( ) trabalhamos
    2) ( ) trabalhe   7) ( ) trabalha
    3) ( ) trabalhai   8) ( ) trabalhas
    4) ( ) escolhe   9) ( ) escolha
    5) ( ) ouvi   10) ( ) ouvimos

13. **Assinale a única forma rizotônica dos verbos abaixo:**
    1) ( ) poderei   4) ( ) poderá
    2) ( ) pudesse   5) ( ) podia
    3) ( ) pude   6) ( ) poderia

14. Conjugue o presente do indicativo dos verbos enxaguar e averiguar.

15. Conjugue o presente do indicativo dos verbos optar e impugnar.

16. Conjugue o presente do indicativo do verbo apiedar-se.

17. Conjugue o presente do indicativo dos verbos roubar e inteirar.

18. Conjugue o presente do indicativo dos verbos saudar e embainhar.

19. Conjugue o presente do indicativo dos verbos saciar, sortear e remediar.

20. Conjugue o presente e pret. perf. do indicativo dos verbos ver, rever, prover e vir.

21. Conjugue o futuro do subjuntivo dos verbos ver e vir.

22. Conjugue o presente do indicativo dos verbos defectivos precaver e reaver.

23. Escreva, no espaço em branco, a 2.ª pessoa do plural do futuro do subjuntivo dos seguintes verbos:
    1) intervir: _____
    2) prever: _____
    3) prover: _____
    4) preterir: _____
    5) ater-se: Vós vos _____
    6) sustar: _____
    7) contradizer-se: Vós vos _____
    8) compor: _____
    9) precaver-se: Vós vos _____
    10) reaver: _____

24. No seguinte trecho, o tratamento é de 2.ª pessoa do plural; mude-o para o tratamento tu e você:
    Modelo: *"O trabalho, pois, te há (lhe há) ..."*
    "O trabalho, pois, vos há de bater à porta dia e noite; e nunca vos negueis às suas visitas, se quereis honrar vossa vocação, e estais dispostos a cavar nos veios de vossa natureza, até dardes com os tesouros, que aí vos haja reservado, com ânimo benigno, a dadivosa Providência. Ouvistes o aldrabar da mão oculta, que vos chama ao estudo? Abri, abri, sem detença. Nem, por vir muito cedo, lho leveis a mal, lho tenhais à conta de importuna. Quanto mais matutinas essas interrupções do vosso dormir, mais lhas deveis agradecer." [Rui Barbosa, *Oração aos Moços*]

25. Conjugue o verbo estimar acompanhado do pronome pessoal adverbal *o* (portanto, estimá-lo) no presente do indicativo (com o pronome oblíquo posposto ao verbo: estimo-o) e no futuro do presente do indicativo (com o mesmo pronome em mesóclise: estimá-lo-ei).

26. Passe para a voz passiva: "Se o presidente da comissão tivesse aprovado o parecer, o secretário ter-me-ia avisado."

27. Preencha o espaço em branco com o imperativo afirmativo ou negativo, conforme o caso, do verbo indicado:
    1) Se queres um filho educado, _____ (fazer + o) conhecer a vida os grandes homens.
    2) Não _____ (recear) e não _____ (perseguir) os vossos inimigos.
    3) Quando V. S.ª estiver pronto para sair, não se _____ (esquecer) de telefonar-nos.
    4) Se você sair, _____ (levar) esta carta e _____ (pôr + a) no correio.

28. Preencha o espaço em branco com a 2.ª pessoa do singular e a 2.ª do plural do presente do subjuntivo dos verbos (não use os pronomes sujeitos):
    1) criar: _____ e _____
    2) ladear: _____ e _____
    3) licenciar: _____ e _____
    4) franquear: _____ e _____

29. **Passe para a voz reflexiva (com o pronome SE com sentido passivo) os verbos das seguintes orações, mantendo o mesmo tempo e modo:**
    Modelo: *Foram previstas essas consequências.*
    Previram-se essas consequências.
    1) Não eram anotadas as faltas.
    2) Sejam observadas as instruções.
    3) Não fora ouvido ruído algum.

30. **Escreva a 1.ª pessoa do plural do presente e a do pretérito perfeito do indicativo dos verbos (não use o pronome sujeito):**
    1) intervir: _____ e _____
    2) deter: _____ e _____
    3) sobrestar: _____ e _____
    4) obstar: _____ e _____
    5) compor: _____ e _____

31. **Escreva a 1.ª pessoa do singular e a 1.ª pessoa do plural do presente do subjuntivo dos verbos (não use os pronomes sujeitos):**
    1) incendiar: _____ e _____
    2) negociar: _____ e _____
    3) premiar: _____ e _____
    4) remediar: _____ e _____

32. **Escreva a 2.ª pessoa do singular do presente do indicativo e do presente do subjuntivo dos verbos (não use os pronomes sujeitos):**
    1) doar: _____ e _____
    2) doer: _____ e _____
    3) aderir: _____ e _____

33. **Mude os verbos das seguintes orações da voz ativa para a passiva e vice-versa:**
    1) Tenho sido admoestado.
    2) É necessário que se criem outras esperanças.
    3) João, tenho-o elogiado.
    4) Não se diga que sou preguiçoso.
    5) A carta fora escrita pelo chefe.
    6) Urge se admitam novos funcionários.

34. **Preencha o espaço em branco com o futuro simples do subjuntivo do verbo indicado. Empregue a forma adequada ao tratamento que aparece:**
    1) Quando o _____ (ver), entrega-lhe os livros.
    2) Quando o _____ (ver), entregue-lhe os livros.
    3) Se se _____ (manter) os atuais cursos, não faltarão alunos para eles.

4) Quando _____ (galgar) essas posições, tudo te virá às mãos com mais facilidade.
5) Se algum dia nos _____ (desavir), haveremos logo de corrigir os excessos.
6) Se você se _____ (prover) do necessário, não precisará de novo empréstimo.
7) Se _____ (reaver) os objetos perdidos, diremos que somos muito protegidos.

35. **Conjugue o presente do indicativo do verbo pôr com o pronome oblíquo posposto (portanto, pô-lo). Não use os pronomes sujeitos.**

36. **Passe para voz passiva, atentando-se que os verbos estão empregados em tempos compostos:**
    1) Não temos lido muitos jornais.
    2) Eles terão realizado muitas palestras.
    3) Os bichos tinham comido os móveis.
    4) Os homens têm cometido alguns enganos.
    5) A guerra tinha destruído seus lares.
    6) As crianças haverão aprendido uma grande lição.
    7) Terá o remédio curado os doentes?
    8) Deus teria ouvido as preces das mães.
    9) Os primeiros navegantes teriam aproveitado frágeis embarcações.
    10) Vós tendes visto muitas novidades pelo mundo.

37. **Empregue, no espaço em branco, a forma verbal indicada:**
    1) Pelo presente, _____ (vir, 1.ª pessoa do plural, pres. ind.) solicitar-lhe sejam expedidas as seguintes certidões.
    2) _____ (vir, 1.ª pessoa do plural, pres. ind.) agora à presença de V. S.ª, porque ontem _____ (vir, 1.ª pessoa do plural, pret. perf. ind.) aqui, mas não o encontramos.
    3) Já _____ (ver, 1.ª pessoa do plural, pret. perf. ind.) todo o serviço que deve ser realizado.
    4) _____ (requerer, 1.ª pessoa do singular, pres. ind.) a V. Ex.ª a minha aposentadoria.
    5) Ela não _____ (caber, pres. ind.) naquela poltrona, mas eu _____ (caber, pres. ind.) nesta.
    6) _____ -me (valer, imper. optativo) Nossa Senhora!
    7) Não se _____ (ler, pres. ind.) muitos livros por ano, entre nós.
    8) Ela terá _____ (vir, particípio) sem ser convidada.
    9) _____ (vir, gerúndio) o verão, mudar-nos-emos para a praia.
    10) _____ (prover, particípio) o cargo, esperava sua remoção.

38. **O mesmo exercício com verbos defectivos. No caso de não haver a forma pedida, substituí-la por equivalente pelo significado:**
    1) Eu me _____ (precaver, pres. ind.) contra a onda de gripe.
    2) Esperamos que os vizinhos se _____ (precaver, pres. subj.) das enchentes.
    3) Nós nos _____ (precaver, pres. ind.) das propagandas enganosas.
    4) Ele _____ (reaver, pret. perf. ind.) todos os documentos esquecidos no ônibus.
    5) A criança _____ (colorir, pres. ind.) todas as figuras do caderno.
    6) Nós nos _____ (remir, pres. ind.) de todos os erros.
    7) Se o comércio não reagir, nós _____ (falir, pres. ind.).
    8) Eles se _____ (precaver, pret. perf. ind.) a tempo de uma boa reação.
    9) Tu não _____ (aderir, pres. ind.) a tais ideias?
    10) O ladrão _____ (extorquir, pres. ind.) o dinheiro do pobre feirante.

39. **Preencha o espaço em branco com as formas verbais indicadas:**
    1) Eu _____ (ansiar, pres. ind.) por melhores oportunidades.
    2) Nós _____ (ansiar, pres. ind.) que as boas novas cheguem.
    3) A vida _____ (premiar, pres. ind.) os justos.
    4) Ela _____ (remediar, pres. ind.) a situação.
    5) Eu não _____ (remediar, pres. ind.) o problema.
    6) Ele não nos _____ (odiar, pres. ind.), nem tampouco nós o _____ (odiar, pres. ind.)
    7) Quem é que te _____ (pentear, pres. ind.)?
    8) Ela _____ (estrear, pres. ind.) hoje e nós _____ (estrear, pres. ind.) amanhã.
    9) Ele não _____ (mediar, pres. ind.) agora, mas já _____ (mediar, pret. perf. ind.) em outras ocasiões.
    10) Ela _____ (nomear, pres. ind.) o irmão, enquanto o diretor _____ (nomear, pret. perf.) um técnico.

40. **Substitua o termo grifado pelos pronomes oblíquos átonos, pospondo-os ao verbo (ênclise) e fazendo as alterações gráficas necessárias. Tome o 1.º como modelo.**
    1) *Vou pôr **o livro** na mesa.*   *Vou pô-lo na mesa.*
    2) Remetemos *o ofício* ao diretor.
    3) Enviamos *o terno* ao tintureiro.
    4) Tens ainda *o caderno*?
    5) Vejo *as crianças* no parque.
    6) Escreveram mal *esses textos*.
    7) Ele põe *suas esperanças* no filho.
    8) Tu pões *a certeza* em fatos duvidosos.

9) Vamos escrever *aos filhos.*
10) Tenho dito muitas verdades *ao juiz.*

41. **Preencha o espaço em branco com o infinitivo indicado, flexionando-o quando necessário. Se houver dupla possibilidade de flexão, registre-as:**
    1) Sabem _____ conselhos, mas não ouvi-los. (dar)
    2) A fumaça faz _____ as abelhas. (fugir)
    3) Não nos deixeis _____ em tentação. (cair)
    4) Disse _____ falsas as declarações. (ser)
    5) Pareces _____ doente. (estar)
    6) Todos se foram sem _____ uma palavra. (dizer)
    7) As garotas disseram _____ esses rapazes proferindo impropérios. (estar)
    8) Quando íamos _____, fomos socorridos pelo grupo. (desistir)
    9) Não acredito _____ tu procedido dessa maneira. (ter)
    10) Os aprovados pareciam não _____ em si de contentes. (caber)

42. **O mesmo exercício:**
    1) Deixa-os _____ a brincar em silêncio. (ficar)
    2) Meus amigos não devem se_____ de que muitas vezes precisaram de ajuda. (esquecer)
    3) Da sala ouvíamos _____ os cães. (ladrar)
    4) Trataremos de _____ as licenças. (conseguir)
    5) Não sairei, porque podem os aguaceiros _____ a qualquer momento. (cair)
    6) É bom não _____ a essa provocação que te fazem. (responder)
    7) Os alunos começaram a _____ o hino antes de _____ na sala. (cantar, entrar)
    8) Todos estavam prontos a se _____ das afrontas. (vingar)
    9) Estou fazendo isto para os outros não me _____ de medroso. (taxar)
    10) Trabalhamos para _____ a monotonia da vida. (suportar)
    11) Trabalhamos para nós _____ a monotonia da vida. (suportar)

Capítulo 10
Advérbio

Advérbio

É a expressão modificadora do verbo que, por si só, denota uma circunstância (de lugar, tempo, modo, intensidade, condição, etc.), e desempenha na oração a função de adjunto adverbial:
Aqui tudo vai *bem*. (lugar, modo)
Hoje não irei *lá*. (tempo, negação, lugar)
O aluno *talvez não* tenha redigido *muito bem*. (dúvida, negação, intensidade, modo)

O *advérbio* é constituído por palavra de natureza nominal ou pronominal e se refere geralmente ao verbo, ou ainda, dentro de um grupo nominal unitário, a um adjetivo, a um advérbio (como intensificador), ou a uma declaração inteira:
José escreve *bem*. (advérbio em referência ao verbo)
José é *muito* bom escritor. (advérbio em referência ao adjetivo *bom*)
José escreve *muito* bem. (advérbio em referência ao advérbio *bem*)
Felizmente José chegou. (advérbio em referência a toda a declaração: José chegou); o advérbio deste tipo geralmente exprime um juízo pessoal de quem fala e constitui um comentário à oração.

Certos advérbios são assinalados em função de modificador de substantivo, principalmente quando este é entendido não tanto como substância, mas como qualidade que esta substância apresenta:
Gonçalves Dias é *verdadeiramente* poeta.
Pessoas *assim* não merecem nossa atenção.

Também certos advérbios funcionam como predicativo, à maneira dos adjetivos:
A vida é *assim*.

Observação:

➥ O advérbio latino *item* ocorre em português literário substantivado, com o valor de *igualmente*: "Meu tio cônego morreu nesse intervalo, *item* dois primos." [MA]

Combinações com advérbios

Advérbios há de *tempo* e *lugar* que marcam melhor sua função ou designação mediante o emprego de uma preposição:
Por agora, estão encerrados os trabalhos.
Até então os telefones não funcionavam.
Desde cedo já havia compradores de ingresso.
De longe já se viam as chamas.
Por aqui se pode entrar na cidade.

Alguns advérbios — como as preposições que veremos no capítulo 11 — precedem o transpositor *que* para marcar a circunstância, formando o que a gramática tradicional chama de *locuções conjuntivas* (↗ 360). A rigor, trata-se de um grupo de palavras que, por hipotaxe ou subordinação, funciona como simples conjunção:
Agora que tudo serenou, podemos retornar.
Sabíamos que ele estava errado *sempre que* gaguejava.
Ainda que estude, terá de aperfeiçoar-se *depois que* se gradue.
Já que não me responde, sinto-me desobrigado de convidá-lo.
Assim que chegou, começou a trabalhar.

No capítulo de conjunção, teremos oportunidade de fazer referência a certos advérbios que, graças à sua mobilidade posicional, se colocam — quase sempre no início — de maneira tal, que têm levado alguns gramáticos a classificá-los como *conjunção coordenativa explicativa (causal), conclusiva*, etc. É o caso de advérbios como *pois, logo, entretanto, contudo, por conseguinte*, em construções do tipo:
Ela saiu cedo, *por conseguinte* encontrou facilidade de condução.
Tudo estava preparado, *logo* se poderia começar a reunião.

Advérbio e preposição

Já vimos que alguns advérbios se constituem pela união de preposição a substantivos, adjetivos ou mesmo a advérbio, apresentando-se, conforme a ortografia vigente, ora escritos numa só palavra, ora separadamente. Unido o grupo a preposições, teremos um conjunto que, por hipotaxe, funciona como simples preposição a introduzir um adjunto adverbial: *apenas, em frente, em cima, depressa, debaixo, embaixo, detrás, defronte de*, etc.
Os livros ficam *debaixo da* mesa. (*sob* a mesa)
O carro estacionou *em frente da* casa.
A jarra repousa *em cima da* mesa. (*sobre* a mesa)

Construções como:
O vizinho escreveu *contra* o argumento,
Os pássaros descansavam *sobre* o madeirame,

permitem a passagem da preposição a advérbio pela redução da unidade introduzida pela preposição, construção breve, mas sem circulação frequente no idioma:
"Toda a minha vida colegial se desenha no espírito com tão vivas cores, que parecem frescas de ontem, e todavia mais de trinta anos já lhes pairaram *sobre*." [JA]
O vizinho escreveu *contra*.
Já falei *a respeito*.

O advérbio estabelece a transição dos vocábulos variáveis para os invariáveis; a rigor não tem flexão propriamente dita, mas há uns tantos advérbios que fogem a este princípio.

Calcadas em expressões do tipo "pelo rio acima" e "de portas a (para) dentro", formaram-se as brasileiras "pela porta adentro", "pela porta afora", ao lado das tradicionais e antigas "pela porta dentro", "pela porta fora".

Locução adverbial

É o grupo geralmente constituído de preposição + substantivo (claro ou subentendido) que tem o valor e o emprego de advérbio. A preposição, funcionando como transpositor, prepara o substantivo para exercer uma função que primariamente não lhe é própria:
   com efeito, de graça, às vezes, em silêncio, por prazer, sem dúvida, à toa, etc.

Na constituição das locuções adverbiais, o substantivo que nelas entra pode estar no masculino ou no feminino, e no singular ou no plural, segundo as normas fixadas pela tradição. Daí não haver razão para se condenarem expressões no plural como *às pressas* (por *à pressa*).

Outras vezes o substantivo vem com acompanhante e pode ocorrer até a omissão do substantivo, em expressões fixas:
   na verdade, de nenhum modo, em breve (subentende-se *tempo*), *à direita* (ao lado de *à mão direita*), *à francesa* (subentende-se *à moda*), etc.

Frequentemente se cala a preposição nas locuções adverbiais de tempo e modo:
   Esta semana (por *nesta semana*) teremos prova.
   Espingarda ao ombro (por *de espingarda ao ombro*), juntou-se ao grupo de pessoas.

Circunstâncias adverbiais

Constituindo o advérbio uma classe de palavras muito heterogênea, torna-se difícil atribuir-lhe uma classificação uniforme e coerente. O advérbio apresenta certa flexibilidade de posição. Este papel singular do advérbio lhe dá também certa autonomia fonológica, de contorno entonacional muito variado, a serviço do intuito comunicativo do falante.

As principais circunstâncias expressas por advérbio ou locução adverbial, graças ao significado das palavras empregadas e ao nosso saber do mundo, são:

1) *assunto*: Conversar *sobre música*.
2) *causa*: Morrer *de fome*.
3) *companhia*: Sair *com os amigos*.
4) *concessão*: Voltaram *apesar do escuro*.
5) *condição*: Só entrará *com autorização*. Não sairá *sem licença*.
6) *conformidade*: Fez a casa *conforme a planta*.
7) *dúvida*: *Talvez* melhore o tempo. *Acaso* encontrou o livro?
8) *fim*: Preparou-se *para o baile*.
9) *instrumento*: Escrever *com lápis*.
10) *intensidade*: Andou *mais depressa*.
11) *lugar*: Estuda *aqui*. Foi *lá*. Passou *pela cidade*. Veio *dali*.
12) *modo*: Falou *assim*. Anda *mal*. Saiu *às pressas*.
13) *negação*: *Não* lerá sem óculos. Sei *lá*. (= não sei)
14) *referência*: "O que nos sobra *em glória de ousados e venturosos navegantes*, míngua-nos *em fama de enérgicos e previdentes colonizadores*." [LCo]
15) *tempo*: Visitaram-nos *hoje*. *Então* não havia recursos. *Sempre* nos cumprimentaram. *Jamais* mentiu. *Já* não fala. Não fala *mais*. *Nunca* vi algo assim.

> **Observações:**
>
> ➡ Em *sei lá*, com sentido de 'não sei', além de entoação especial, o *lá* se explica pelo fato de referir-se a algo distante da área do falante e, por isso, no domínio do seu desconhecimento.
>
> ➡ A *Nomenclatura Gramatical Brasileira* põe os denotadores de *inclusão, exclusão, situação, retificação, designação, realce*, etc. à parte, sem a rigor incluí-los entre os advérbios, mas constituindo uma classe ou grupo heterogêneo chamado *denotadores*, que coincide, em parte, com a proposta de José Oiticica das *palavras denotativas*, muitas das quais têm papel transfrástico e melhor atendem a fatores de função textual estranhos às relações semântico-sintáticas inerentes às orações em que se acham inseridas:
>
> 1 – *inclusão: também, até, mesmo, inclusive, ademais, além disso, de mais a mais*, etc.:
>
> *Até* o professor riu-se.
>
> Ninguém veio, *mesmo* o irmão.
>
> 2 – *exclusão: só, somente, salvo, senão, apenas, exclusive, tirante, exceto*, etc.:
>
> *Só* Deus é imortal.
>
> *Apenas* o livro foi vendido.

3 – *situação: mas, então, pois, afinal, agora*, etc.:

    Mas que felicidade!

    Então duvida que se falasse latim?

    Pois não é que ele veio?!

4 – *retificação: aliás, melhor, isto é, ou antes*, etc.:

    Comprei cinco, *aliás*, seis livros.

    Correu, *isto é*, voou até nossa casa.

5 – *designação: eis*:

    Eis o homem.

6 – *realce: é que*, etc.:

    Nós *é que* somos brasileiros.

7 – *expletivo: lá, só, que, ora*, etc.:

    E eu *lá* disse isso?

    Vejam *só* que coisa!

    Oh! Que saudade *que* tenho!

    Ora, decidamos logo o negócio!

8 – *explicação: a saber, por exemplo*, etc.:

    Eram três irmãos, *a saber*: Pedro, Antônio e Gilberto.

O plano "transfrástico" e os advérbios

No estudo de certas unidades torna-se de capital importância não deixar de lado as diversas camadas ou estratos de estruturação gramatical (➚ 39). No que toca particularmente a certos advérbios, merece atenção a retomada ou substituição de uma unidade presente (ou virtualmente presente ou prevista no discurso) por outra unidade, num ponto do discurso individual ou dialogado. A substituição ou retomada já vinha sendo posta em evidência pela gramática tradicional no caso dos pronomes, mas o fenômeno é mais amplo e vai desembocar no papel textual de alguns advérbios, como veremos a seguir.

Assim, não são advérbios mas substitutos de oração (proorações ou protextos) (➚ 41 e 450): *sim, não, talvez, também*, quando retomam, como respostas, enunciados textuais:

    Você vai ao cinema? — *Sim*.

    Ela fez os exercícios? — *Não*.

    Tu não foste escolhido? — *Também*.

Estão no mesmo caso as unidades de valor circunstancial (advérbios) que aparecem em orações que retomam "estados de coisas" designados ou intuídos anteriormente, que exprimem relações ligadas ao sentido do discurso (os "marcadores textuais"):
De fato nós saímos cedo.
Isto, *sem dúvida*, está errado.

Estes casos de retomada ou substituição se combinam com o fenômeno da hipertaxe, pelo qual uma unidade de camada inferior pode funcionar sozinha em camadas superiores. É o caso de advérbios em -*mente* quando saem da camada no nível da palavra para funcionar no nível da cláusula e daí no nível da oração ou do texto, em exemplos como:
Certamente!
Naturalmente!

Ambos no nível da oração e do texto, ou em:
Certamente ela não virá hoje.
Todos saíram ilesos, *felizmente*.
Naturalmente ele negará o que disse ontem,

todos no nível da cláusula comentário.

Portanto, a tais advérbios não se há de querer aplicar a série de características canônicas do advérbio que se acha exclusivamente preso às referências do núcleo verbal.

Também merecem menção especial os advérbios que estão no papel de diferençar as orações pelo seu "significado ôntico" (↗ 34), isto é, o valor de existência que se atribui ao "estado de coisas" designado pela oração (existência certa, negada, duvidosa, desejada, etc.). É o caso dos advérbios de *negação* e de *dúvida*:
Ele veio.   /   Ele **não** veio.
Ela chega.   /   Ela **talvez** chegue.

Advérbios de base nominal e pronominal

O advérbio, pela sua origem e significação, se prende a nomes ou pronomes, havendo, por isso, advérbios nominais e pronominais.

Entre os *nominais* se acham aqueles formados de adjetivos acrescidos do "sufixo" -*mente*: *rapidamente* (= de modo rápido), *pessimamente*. Na realidade ficam a meio caminho, fonológica e morfologicamente, da derivação e da composição (locução).

> **Observações:**
>
> ➥ Se o nome tem forma para masculino e feminino, junta-se o sufixo ao feminino. Fazem exceção alguns adjetivos terminados em -*ês* e -*or*, que no português antigo só

apresentavam uma forma para ambos os gêneros. Daí dizer-se *portuguesmente* (e não *portuguesamente*); *superiormente* (e não *superioramente*), *melhormente*.

➡ Estes advérbios em *-mente* se caracterizam por conservar o acento vocabular de cada elemento constitutivo, ainda que mais atenuado, o que lhes permite, numa série de advérbios, em geral só apresentar a forma em *-mente* no fim: Estuda *atenta e resolutamente*. Havendo ênfase, pode-se repetir o advérbio na forma plena:

"A vida humana é uma intriga perene, e os homens são *recíproca e simultaneamente* intrigados e intrigantes." [MM]

"Depois, ainda falou *gravemente e longamente* sobre a promessa que fizera." [MA]

Entre os *pronominais*, temos:
a) *demonstrativos*: *aqui, aí, acolá, lá, cá*.
b) *relativos*: *onde* (em que), *quando* (em que), *como* (por que).
c) *indefinidos*: *algures, alhures, nenhures, muito, pouco, que*.
d) *interrogativos*: *onde?, quando?, como?, por que...?, por quê?*.

Os advérbios relativos, como os pronomes relativos, servem para referir-se a unidades que estão postas na oração anterior. Nas ideias de lugar, empregamos *onde*, ao lado de *em que, no qual* (e flexões):

A casa *onde* mora é excelente.

Precedido das preposições *a* ou *de*, grafa-se *aonde* e *donde*:

O sítio *aonde* vais é pequeno.
É bom o colégio *donde* saímos.

Observação:

➡ É popular e evitado na norma exemplar o emprego de *da onde*: *Da onde você é?* (por *De onde você é?*)

Ainda como os pronomes relativos, os advérbios relativos podem empregar-se de modo absoluto, isto é, sem referência a antecedente:

Moro *onde* mais me agrada.

Os advérbios interrogativos de base pronominal se empregam nas perguntas diretas e indiretas em referência ao lugar, tempo, modo ou causa:

Onde está estudando o primo? Ignoro *onde* estuda.
Quando irão os rapazes? Não sei *quando* irão os rapazes.
Como fizeram o trabalho?[1] Perguntei-lhes *como* fizeram o trabalho.
Por que chegaram tarde? Dir-me-ás *por que* chegaram tarde.

---

[1] Aparece ainda em exclamações diretas e indiretas:
Como chove! Veja *como* chove.

> **Observação:**
> ➥ O *Vocabulário* oficial preceitua que se escreva em duas palavras o advérbio interrogativo *por que*, distinguindo-o de *porque* conjunção.

Adverbialização de adjetivos

Muitos adjetivos, permanecendo imóveis na sua flexão de gênero e número, podem passar a funcionar como advérbio:
Fala *claro* na hora da sua defesa.
Compraram *caro* a fazenda.
Agora estão vivendo *melhor*.

O critério formal de diferenciação das duas classes de modificador (adjetivo: modificador nominal; advérbio: modificador verbal) é a variabilidade do primeiro e a invariabilidade do segundo:[2]
Eles vendem muito *cara* a fruta. (adjetivo)
Eles vendem *caro* a fruta. (advérbio)

A concordância atrativa e intenções estilísticas e rítmicas podem desfazer as fronteiras acima apontadas. (➚ 465)

Intensificação gradual dos advérbios

Há certos advérbios, principalmente os de modo, que podem manifestar uma relação intensificadora gradual, empregando-se, no comparativo e superlativo, de acordo com as regras que se aplicam aos adjetivos:

1 – **Comparativo de**
  a) *inferioridade*: Falou *menos alto que* (ou *do que*) *o irmão*.
  b) *igualdade*: Falou *tão alto quanto* (ou *como*) *o irmão*.
  c) *superioridade*:
    1) *analítico*: Falou *mais alto que* (ou *do que*) *o irmão*.
    2) *sintético*: Falou *melhor* (ou *pior*) *que* (ou *do que*) *o irmão*.

2 – **Superlativo absoluto**
  a) *sintético*: Falou *pessimamente, altíssimo, baixíssimo, dificílimo*.
  b) *analítico*: Falou *muito mal, muito alto, extremamente baixo, consideravelmente difícil, o mais depressa possível.*
    (indica o limite da possibilidade)

---

[2] Em [HM], as fronteiras entre o advérbio e o adjetivo são estudadas com muita erudição e acuidade estilística.

Na realidade, tais intensificações ou gradações do advérbio — como do adjetivo — se expressam por estruturas sintáticas que devem merecer atenção no estudo dos padrões frasais do português.

Em linguagem informal, pode-se expressar o valor superlativo do advérbio pela sua forma diminutiva, combinada com o valor lexical das unidades que com ele concorrem:

Andar *devagarzinho*. (muito devagar, um tanto devagar)
Acordava *cedinho* e só voltava à *noitinha*.
Saiu *agorinha*.

O diminutivo e o aumentativo das fórmulas de recomendação não indicam mais lentidão ou ligeireza da realização do fato, mas servem para expressar ou acentuar a recomendação:

Vá *depressinha* apanhar o meu chapéu.
É bom que estudes *devagarinho*.
Ele chegou *cedão*.

> **Observação:**
>
> ➥ Em lugar de *mais bem* e *mais mal* empregam-se *melhor* e *pior* quando pospostos:
>
> "Ninguém conhece *melhor* os interesses do que o homem virtuoso; promovendo a felicidade dos outros assegura também a própria." [MM]
>
> Usa-se tanto de *mais bem* e *mais mal* quanto de *melhor* e *pior* junto a adjetivos e particípios:
>
> "Os esquadrões *mais bem* encavalgados foram despedidos logo em seguimento dos fugitivos." [AH]
>
> "Com a maça jogada às mãos ambas abalava e rompia as armas, *mais bem* temperadas..." [AH]
>
> "(...) incentivo para adorações *melhor* recompensadas." [CBr]

Exercícios de fixação

I. **Assinale com (X) dentro dos parênteses os trechos em que ocorrem advérbios ou locuções adverbiais:**
   1) ( ) O primeiro combatente foi o padre.
   2) ( ) A sua lei é bem singela.
   3) ( ) Que formosa obra não foi a de arrancar daquele povo o grilhão da ignorância.
   4) ( ) A esse tempo o gênio do bem fez o resto.
   5) ( ) Tenho meditado maduramente no problema de nossa educação.
   6) ( ) As suas reflexões talvez o tenham deixado feliz.

7) ( ) "O touro pisava a arena, ameaçador, e parecia desafiar em vão um contendor." [RS]
8) ( ) Era aquela igreja o único monumento que ali restava.
9) ( ) Se ainda existe, quem sabe qual será o seu futuro destino.
10) ( ) Aquilo parecia um animal do outro mundo.
11) ( ) Devemos todos proceder bem.
12) ( ) Antes havia muita água potável; agora só temos o que se vê aqui.

2. **Destaque os advérbios e locuções adverbiais que aparecem nas seguintes máximas do Marquês de Maricá, procurando distinguir-lhes o tipo de circunstância (tempo, lugar, etc.):**
   1) A pobreza e a preguiça andam sempre em companhia.
   2) Os que mais se queixam são ordinariamente os que menos sofrem.
   3) A fazenda roubada nunca é bem aproveitada.
   4) A liberdade da imprensa é talvez o melhor remédio e corretivo no abuso das outras liberdades.
   5) A impunidade promove os crimes, e de algum modo os justifica.
   6) Muito pouco sabe quem mais se ufana de seu saber.
   7) A vida se usa tanto quanto mais se abusa.
   8) Sê prudente e reservado, mas não misterioso.
   9) Vive de maneira que ao morrer não te lastimes de haver vivido.
   10) O rei justo vive sem susto, o tirano pouco tempo é soberano.

3. **Reescreva as seguintes orações transformando as locuções adverbiais, primeiro, em adjetivo, e depois em advérbio:**
   Modelo: *O tempo passa **com rapidez**.   O tempo passa **rápido**.   O tempo passa **rapidamente**.*
   1) A lebre salta com ligeireza.
   2) A patrulha marcha em silêncio.
   3) Ele ouvia com atenção.
   4) O vento respirava com brandura.
   5) As lágrimas corriam em abundância.
   6) Ele buscava com cuidado o sacerdote.
   7) O caminhante ia cantando com alegria.
   8) Morreu na miséria.
   9) Eles seguem com fervor a caça.
   10) O mestre de cerimônias contempla com impassibilidade as evoluções dos seus subordinados.
   [C. Claudino Dias, *Exercícios de Composição*]

4. **O mesmo exercício:**
   1) O pensamento corre com velocidade.
   2) O povo escuta com avidez os versejadores.
   3) O pulso batia em desordem e com violência.
   4) Ele atravessou com pressa a boca da gruta.
   5) O homem paciente suporta todos os males com resignação.
   [C. Claudino Dias, *Exercícios de Composição*]

5. **Reescreva as seguintes orações transformando os adjetivos em locuções adverbiais formadas de preposição + substantivo:**
   Modelo: *O cavalo estacou **assustado**.* → *O cavalo estacou **de susto**.*
   1) O mar amansava-se preguiçoso.
   2) Saltou contente.
   3) Recuou espantado.
   4) Morreu esfomeado.
   5) Caminhava silencioso.
   6) Dormia desprotegido.
   7) Escrevíamos prazerosos.
   8) Respondia medroso.
   9) Passava desatento.

6. **O mesmo exercício com os advérbios em -*mente*:**
   1) O rouxinol canta melodiosamente.
   2) As crianças brincam alegremente.
   3) Os soldados combatem ferozmente.
   4) O orador fala irrefletidamente.
   5) O magistrado julga imparcialmente.
   6) Ela escutava atentamente.
   7) Amou ternamente.
   8) Respondíamos cortesmente.
   9) Procedia levianamente.
   10) Servir fielmente.
   11) Exprimia-se francamente.
   12) Trabalhou silenciosa e energicamente.
   [C. Claudino Dias, *Exercícios de Composição*, com adaptações]

7. **Substitua as locuções adverbiais seguintes por advérbios terminados em -*mente*. Tome o 1.º como exemplo:**
   1) *Os jogadores saíram **às pressas**. Os jogadores saíram **apressadamente**.*
   2) O vizinho falou com educação.
   3) Ela trabalhava com atenção e dedicação.
   4) Nós nos sentamos sem comodidade.
   5) O empregado recebe seu salário por semana.
   6) Telefonava-lhe todos os dias.

7) Os castigos eram aplicados sem humanidade.
8) Todos caminhavam em silêncio.
9) Respondia com franqueza às perguntas do juiz.
10) A assinatura da revista era feita por mês.
11) A revista sairá de dois em dois meses.
12) Os pagamentos eram feitos de quinze em quinze dias.
13) O orador falou com eloquência.
14) O homem escreveu com ingenuidade.
15) A pagadora aparece sem previsão.
16) Ela reza com fervor.

8. **Forme advérbios em -*mente* com:**
   Modelo: Atencioso → atenciosamente
   1) Anterior   4) Péssimo   7) Paciente
   2) Português   5) Superior   8) Melhor
   3) Breve   6) Burguês   9) Francês

9. **Numere convenientemente a 1.ª coluna de acordo com a 2.ª, levando em conta o significado das locuções adverbiais. Em caso de dúvida, consulte o dicionário:**
   1.ª coluna
   ( ) a ferro e fogo   ( ) à espreita   ( ) a sete chaves
   ( ) a desoras   ( ) a granel   ( ) a trouxe-mouxe
   ( ) a prazo   ( ) a soldo   ( ) a salvo
   ( ) a seu bel-prazer   ( ) neste ínterim   ( ) a miúdo
   ( ) por um triz   ( ) à destra   ( ) de oitiva

   2.ª coluna
   1. parceladamente   6. por própria vontade   11. seguro
   2. em montão   7. no intervalo   12. quase
   3. por dinheiro   8. atabalhoadamente   13. de atalaia
   4. guardado com cuidado 9. de lado direito   14. constantemente
   5. por alta noite   10. à força   15. de ouvido

10. **Numere a 1.ª coluna de acordo com a 2.ª, levando em conta o significado dos advérbios em -*mente*. Em caso de dúvida, consulte o dicionário:**
    1.ª coluna
    ( ) paulatinamente   ( ) avidamente
    ( ) impreterivelmente   ( ) involuntariamente
    ( ) salutarmente   ( ) acintosamente
    ( ) adredemente   ( ) implacavelmente
    ( ) imparcialmente   ( ) subsidiariamente
    ( ) inelutavelmente   ( ) contemporaneamente

2.ª coluna
1. de propósito
2. com provocação
3. sem vontade
4. sem paixão
5. sem perdão
6. em reforço
7. de boa saúde
8. aos poucos
9. inevitável
10. com muito desejo
11. sem deixar para depois
12. do mesmo tempo

11. **Empregue, no espaço em branco, os advérbios AQUI, AÍ, ALI, LÁ e ACOLÁ conforme o caso, usando, quando necessário, a preposição adequada:**
    1) Por mais que peça, eu não sairei _____ .
    2) Ele _____ deve saber o que fazer com o irmão.
    3) Da casa ela só tirará _____ o que for útil à nova residência.
    4) A vida que levamos _____ é mais agitada do que a que nós levávamos _____ na fazenda.
    5) Qual é o pássaro que canta _____, naquela árvore distante?
    6) Não sei se aquele livro _____ é o teu ou do teu irmão.
    7) _____ ao longe vêm caminhando nuvens bem escuras, prenúncio de chuva.
    8) As mocinhas _____ deste lugar se vestem melhor.
    9) Não deixe _____ em cima dessa mesa os papéis, porque o vento vai jogá-los fora.
    10) _____ na serra distante se colhem as maçãs que você vê _____ nesta fruteira.

12. **Empregue, no espaço em branco, o advérbio pronominal onde precedido ou não da conveniente preposição (aonde, donde, por onde, para onde), conforme o caso:**
    1) Espero que você não se desiluda da cidade _____ agora se transfere.
    2) _____ vamos nas próximas férias é lugar muito tranquilo.
    3) A mina _____ procede essa amostra de ouro já está quase exaurida.
    4) O sítio _____ passas as férias está muito frequentado.
    5) Nós só vamos _____ derem as nossas forças.
    6) As estradas _____ passam todas essas viaturas precisam ser mais bem-cuidadas.
    7) A escola _____ ela estuda é bilíngue.
    8) O curso _____ ela procedia não estava oficializado.
    9) São hoje poucas as cidades _____ não chega a luz elétrica.
    10) Estava escuro o lado da floresta _____ vinham os rugidos ameaçadores.
    11) Perguntava a todos _____ vinham.

13. Empregue, no espaço em branco, as palavras indicadas entre parênteses funcionando como adjetivo e como advérbio, fazendo, quando necessário, a concordância. Não use advérbios em -*mente*. Há casos em que só pode ser empregado ou o adjetivo ou o advérbio.
    1) As crianças dormem _____ / _____. (tranquilo)
              adjetivo   advérbio
    2) Os alunos falavam _____ / _____. (alto)
              adjetivo   advérbio
    3) As notícias corriam _____ / _____. (rápido)
              adjetivo   advérbio
    4) As colegas liam _____ / _____. (distraído)
              adjetivo   advérbio
    5) Os trens chegaram _____ / _____. (atrasado)
              adjetivo   advérbio
    6) Os representantes gritavam _____ / _____. (furioso)
              adjetivo   advérbio
    7) Os gatos apareceram _____ / _____. (faminto)
              adjetivo   advérbio
    8) Temos vivido _____ / _____ todos estes anos. (contente)
              adjetivo   advérbio
    9) A casa custou _____ / _____. (caro)
              adjetivo   advérbio
    10) As crianças ficaram _____ / _____ amedrontadas. (meio)
              adjetivo   advérbio

14. Assinale com (X) as construções gramaticalmente inadmissíveis na língua exemplar em relação à gradação dos advérbios e dos adjetivos:
    1) ( ) Ela era a mais bem vestida do baile.
    2) ( ) Ela era a melhor vestida do baile.
    3) ( ) Nem sempre os livros os mais finos são lidos rapidamente.
    4) ( ) A comida estava pessimamente feita.
    5) ( ) O cliente do advogado não tinha a mais mínima culpa da acusação.
    6) ( ) Estes trajes estão mais pequenos do que grandes.
    7) ( ) As razões as mais íntimas são as mais difíceis de entender.
    8) ( ) Ele estava mais bem preparado para essas tarefas.
    9) ( ) A redação estava ontem mais mal redigida.
    10) ( ) O patrão se julgava melhor recompensado dos prejuízos.

15. Emprego, no espaço em branco, MAIS BEM, MAIS BOM, MAIS MAL, MELHOR ou PIOR, conforme o caso. Se houver duas possibilidades (mais bem / melhor; mais mal / pior), empregue-as:
   1) Ele conhece _____ as suas potencialidades.
   2) A notícia saiu num dos nossos jornais _____ escritos do país.
   3) Ela comprou o vestido na _____ conceituada loja do bairro.
   4) Essa lição foi _____ estudada.
   5) Essa história não foi nem _____ ouvida nem _____ cheirada.
   6) Nós sabemos _____ os seus defeitos que as suas qualidades.
   7) Ela procedeu na _____ boa-fé.
   8) O vizinho sempre demonstrou _____ senso do que o primo.

Capítulo II
Preposição

Preposição

Chama-se *preposição* a uma unidade linguística desprovida de independência — isto é, não aparece sozinha no discurso, salvo por hipertaxe — (➚ 41) e, em geral, átona, que se junta a outra palavra para marcar as relações gramaticais que ela desempenha no discurso, quer nos grupos unitários nominais, quer nas orações.

Não exerce nenhum outro papel que não seja ser índice da função gramatical de termo que ela introduz.

Em:

    Aldenora gosta *de* Belo Horizonte,

a preposição *de* une a forma verbal *gosta* ao seu termo complementar *Belo Horizonte* para ser o índice da função gramatical preposicionada *complemento relativo*. (➚ 60)

Já em:

    homem *de* coragem,

a mesma preposição *de* vai permitir que o substantivo *coragem* exerça o papel de *adjunto adnominal* do substantivo *homem* — função normalmente desempenhada por adjetivo. Daí dizer-se que, nestes casos, a preposição é um *transpositor*, isto é, elemento gramatical que habilita uma determinada unidade linguística a exercer papel gramatical diferente daquele que normalmente exerce. Ora, o substantivo normalmente não tem por missão ser palavra modificadora de outro substantivo, razão por que não é comum dizer-se *homem coragem*; para que *coragem* esteja habilitado a assumir o papel gramatical do adjetivo *corajoso* (homem *corajoso*), faz-se necessário o concurso do transpositor *de*: homem *de* coragem.

Neste papel, o termo anterior à preposição chama-se *antecedente* ou *subordinante*, e o posterior chama-se *consequente* ou *subordinado*. O subordinante pode ser substantivo, adjetivo, pronome, verbo, advérbio ou interjeição:

    livro de história
    útil a todos
    alguns de vocês
    necessito de ajuda

referentemente ao assunto
ai de mim!

O subordinado é constituído por substantivo, pronome, adjetivo, verbo (no infinitivo ou gerúndio) ou advérbio:
casa de *Pedro*
precisou de *mim*
pulou de *contente*
gosta de *estudar*
em *chegando*
ficou por *aqui*

No exemplo:
De noite todos os gatos são pardos,

o grupo unitário *de noite* exerce na oração o papel de adjunto adverbial; mas o que temos como núcleo é outro substantivo, cujo significado lexical está incluído no amplo campo semântico das designações temporais das partes do dia: *noite*. Impõe-se a presença do transpositor *de* para que o substantivo fique habilitado para constituir uma locução adverbial temporal (*de noite*) e, assim, poder exercer a função de adjunto adverbial na oração acima.

No exemplo primeiro:
Aldenora gosta *de* Belo Horizonte,

diz-se que a preposição aparece por *servidão gramatical*, isto é, ela é mero índice de função sintática, sem correspondência com uma noção ou categoria gramatical, exigida pela noção léxica do grupo verbal e que, exterior ao falante, impõe a este o uso exclusivo de uma unidade linguística.

Preposição e significado

Tudo na língua é semântico, isto é, tudo tem um significado, que varia conforme o papel léxico ou puramente gramatical que as unidades linguísticas desempenham nos grupos nominais unitários e nas orações. As preposições não fazem exceção a isto:
Nós trabalhamos *com* ele, e não *contra* ele.

Ora, cada preposição tem o seu significado unitário, fundamental, primário, que se desdobra em outros significados contextuais (*sentido*), em acepções particulares que emergem do nosso saber sobre a língua e as coisas, e da nossa experiência de mundo.

A língua portuguesa só atribui a *com* o significado de 'copresença'; o que, na língua, mediante o seu sistema semântico, se procura expressar com esta preposição é que, na fórmula *com* + x, x está sempre presente no "estado de coisas" designado.

Os significados ou sentidos contextuais, analisados pela nossa experiência de mundo e saber sobre as coisas (inclusive as coisas da língua, que constitui a nossa competência linguística), nos permitem dar um passo a mais na interpretação e depreender uma acepção secundária.

Assim, em *cortar o pão com faca*, pelo que sabemos o que é "cortar", "pão", "faca", entendemos que a *faca* não só esteve presente ao ato de "cortar o pão", mas foi o "instrumento" utilizado para a realização desta ação.

Já em *dancei com Marlit*, emerge, depois da noção da 'copresença', o sentido de 'companhia', pois que, em geral, não se pratica a dança sozinho.

Em *estudei com prazer*, o *prazer* não só esteve "presente", mas representou o "modo" como a ação foi levada a termo.

Mas que a preposição *com* por si não significa 'instrumento', prova-o que esta interpretação não se ajusta a:
 Everaldo cortou o pão *com* a Rosa,

pois que, assim como sabíamos o que significa *faca*, sabemos o que é *Rosa*: não se trata de nenhum instrumento cortante, capaz de fatiar o *pão*; teríamos, neste exemplo, uma acepção contextual (sentido) de 'ajuda', ou 'companhia', por esta ou aquela circunstância em que o *pão* se achava e que só o entorno ou situação poderia explicar o conteúdo da oração.

O sistema preposicional do português, do ponto de vista semântico, está dividido em dois campos centrais: um que se caracteriza pelo traço "dinamicidade" (física ou figurada) e outro em que os traços de noções "estáticas" e "dinâmicas" são indiferentemente marcados, tanto em referência ao espaço quanto ao tempo.[1]

Ao primeiro campo pertencem: *a, contra, até, para, por (per), de* e *desde*; ao segundo: *ante, perante, após, trás, sob, sobre, com, sem, em* e *entre*.

O primeiro grupo admite divisão em dois subgrupos: *a)* movimento de aproximação ao ponto de chegada (*a, contra, até, para*); *b)* movimento de afastamento (*de, desde*). A preposição *por* se mostra compatível com as duas noções aqui apontadas.

O primeiro subgrupo ainda se pode dividir em duas outras noções suplementares: *a)* "chegada ao limite" (*a, até, contra*, sendo que a *contra* se adiciona a noção de "limite como obstáculo" ou "confrontamento"); *b)* "mera direção" ou "direção com intenção de demora" (*para*).

O segundo subgrupo também admite divisão em duas outras noções de afastamento: *a)* "origem" (*de*); *b)* "mero afastamento" (*desde*).

O segundo grupo admite divisão em dois subgrupos: *a)* situação definida e concreta (*ante, perante, após, trás, sob, sobre*); *b)* situação mais imprecisa (*com, sem, em, entre*).

O primeiro subgrupo acima ainda se pode dividir em duas outras noções suplementares: *a)* "situação horizontal" (*ante, perante, após, trás*); *b)* "situação vertical" (*sob, sobre*).

---

[1] Emílio A. Lhorach, cuja proposta retocada adotamos; Maximiano Maciel e Marcial Morera Perez, onde se faz exaustivo estudo do sistema preposicional do espanhol; [VBr].

O segundo subgrupo também admite divisão em duas outras noções suplementares: a) "copresença", distribuída em "positiva" (*com*) e "negativa" (*sem*); b) em que a noção de "limite", dentro da imprecisão que caracteriza o par, marca a preposição *entre*. Comparem-se *ter em mãos* e *ter entre mãos*.

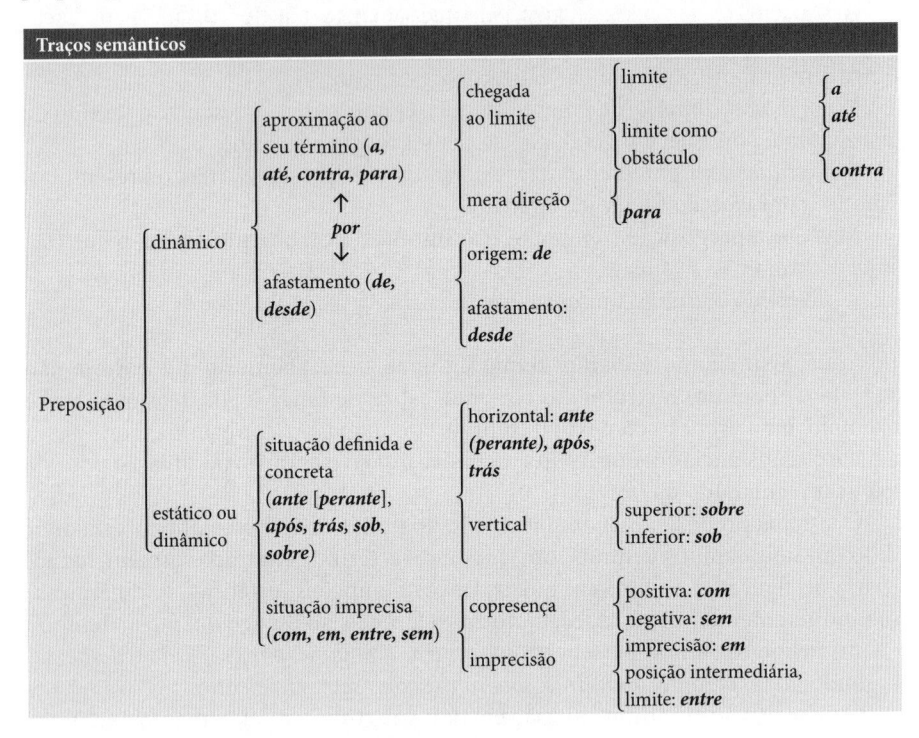

Traços semânticos					
Preposição	dinâmico	aproximação ao seu término (*a, até, contra, para*) ↑ *por* ↓ afastamento (*de, desde*)	chegada ao limite mera direção origem: *de* afastamento: *desde*	limite limite como obstáculo *para*	*a* *até* *contra*
	estático ou dinâmico	situação definida e concreta (*ante* [*perante*], *após, trás, sob, sobre*)	horizontal: *ante* (*perante*), *após, trás* vertical	superior: *sobre* inferior: *sob*	
		situação imprecisa (*com, em, entre, sem*)	copresença imprecisão	positiva: *com* negativa: *sem* imprecisão: *em* posição intermediária, limite: *entre*	

Unidades convertidas em preposições

No sentido inverso à criação de advérbios ou locuções adverbiais mediante o emprego de preposições combinadas com substantivos (*à noite, de tarde, com prazer*, etc.), certos advérbios ou outras palavras transpostas à classe de advérbio, e certos adjetivos imobilizados no masculino podem converter-se em preposição:

Fora os alunos ninguém mais pôde entrar no salão. (advérbio → preposição)
Após a chuva vieram os prejuízos. (advérbio → preposição)
Os negociantes foram soltos *mediante* fiança. (adjetivo → preposição)
Durante o jogo, a torcida cantava o hino do clube. (adjetivo → preposição)

Também podem converter-se em preposição adjetivos como *exceto, salvo, visto, conforme, segundo, consoante* e os quantificadores indefinidos *mais* e *menos* quando estão empregados para exprimir não a quantidade, mas a soma e a subtração (*mais estes reais, menos estes reais; ele mais o pai*).

Locução prepositiva

É o grupo de palavras com valor e emprego de uma preposição. Trata-se do fenômeno da hipotaxe. (➚ 41) Em geral, a locução prepositiva é constituída de advérbio ou locução adverbial seguida da preposição *de, a* ou *com*:
O garoto escondeu-se *atrás do* móvel.
Não saímos *por causa da* chuva.
O colégio ficava *em frente à* casa do diretor.
O ofício foi redigido *de acordo com* o modelo.

Às vezes a locução prepositiva se forma de duas preposições, como: *de per* (na locução *de per si*), *até a, para com* e *conforme a*:
Foi *até a*o colégio.
Mostrava-se bom *para com* todos.
O juiz procedeu *conforme ao* testamento.

> **Observações:**
>
> ➙ O substantivo que às vezes entra para formar estas locuções em geral está no singular; mas o plural também é possível: Viver *à custa* do pai (ou *às custas do pai*), Estudava *a expensas* do padrinho (ou *às expensas do padrinho*), O negócio está *em via de* solução (ou *em vias de solução*).
>
> ➙ O estilo moderno, ou por imitação do inglês ou por tornar mais concreto o significado de uma preposição, usa e abusa da sua substituição por uma locução prepositiva: *à vista de* (por *ante*), *a bordo de* (por *em*), *de acordo com* (por *segundo*), *em torno de* (por *sobre*), *através de* (por *mediante*), etc.: *À vista de* (por *ante*) tantas dificuldades; Fugiram *através da* janela (por *pela*), etc. A rigor soa sem sentido dizer: *Através do* advogado requereu sua absolvição.

Preposições essenciais e acidentais

Há palavras que só aparecem na língua como preposições e, por isso, se dizem **preposições essenciais**: *a, ante, após, até, com, contra, de, desde, em, entre, para, perante, por* [*per*], *sem, sob, sobre, trás*.
São **acidentais** as palavras que, perdendo seu valor e emprego primitivos, passaram a funcionar como preposições: *durante, como, conforme, feito, exceto, salvo, visto, segundo, mediante, tirante, fora, afora*, etc.[2]

---

[2] Embora *segundo* e *conforme* se acompanhem de pronome reto de 1.ª e 2.ª pessoa, em geral se prefere usar: *segundo meu parecer*, por exemplo, ao lado de *segundo eu*.

Só as preposições *essenciais* se acompanham de formas tônicas dos pronomes oblíquos:
Sem mim não fariam isso.
Exceto eu, todos foram contemplados.

Às vezes, entre a preposição e seu termo subordinado aparece um pronome pessoal reto:
Para eu ler o livro preciso de silêncio.

A preposição *para* prende-se ao infinitivo (*para ler*) e não ao pronome. Por isso, evite-se o erro comuníssimo de se dizer:
Para mim ler o livro preciso de silêncio.

Acúmulo de preposições

Não raro duas preposições se juntam para dar maior efeito expressivo às ideias, guardando cada uma seu sentido primitivo:
Andou *por sobre* o mar.
As ordens estão *por detrás* dos regulamentos.

Estes acúmulos de preposições não constituem uma locução prepositiva porque valem por duas preposições distintas. Combinam-se com mais frequência as preposições: *de, para* e *por* com *entre, sob* e *sobre*.
"De uma vez olhou *por entre* duas portadas mal fechadas para o interior de outra sala..." [CBr]
"Os deputados oposicionistas conjuravam-no a não levantar mão *de sobre* os projetos depredadores." [CBr]

> **Observações:**
>
> ➥ Pode ocorrer depois de algumas preposições acidentais (*exceto, salvo, tirante, inclusive*, etc. de sentido exceptivo ou inclusivo) outra preposição requerida pelo verbo, sendo que esta última preposição não é obrigatoriamente explicitada:
>
> Gosto de todos daqui, *exceto ela* (ou *dela*).
>
> Sem razão, alguns autores condenam, nestes casos, a explicitação da segunda preposição (*dela*, no exemplo acima).
>
> "Senhoreou-se de tudo, *exceto dos* dois sacos de prata." [MBa]
>
> ➥ Na coordenação não é necessário repetir as preposições, salvo quando assim o exigirem a ênfase, a clareza ou a eufonia:
>
> Quase não falaram *com* o diretor e repórteres.
>
> Quase não falaram *com* o diretor e *com* os repórteres.

> A repetição é mais frequente antes dos pronomes pessoais tônicos e do reflexivo:
>
>> "Então desde o Nilo ao Ganges / Cem povos armados vi / erguendo torvas falanges / *contra mim* e *contra ti*." [ED]
>
> A norma se estende às locuções prepositivas, quando é mais comum a repetição do último elemento da locução:
>
>> *Antes do* bem e *do* mal estamos nós.
>
> Quando a preposição se encontra combinada com artigo, deve ser repetida se repetido está o artigo:
>
>> "Opor-se *aos* projetos e *aos* desígnios dalguns." [ED]
>
> ➥ Uma expressão preposicionada indicativa de lugar ou tempo pode ser acompanhada de uma segunda, de significado local ou temporal:
>
>> Levou-o *para ao pé da* cruz.
>>
>> *Desde pela manhã* esperava novas notícias.

Trata-se aqui de expressões petrificadas que valem por uma unidade léxica (*ao pé de, pela manhã*, etc.) e como tais podem ser precedidas de preposição.

Combinação e contração com outras palavras

Diz-se que há *combinação* quando a preposição, ligando-se a outra palavra, não sofre redução. A preposição *a* combina-se com o artigo definido masculino: *a + o = ao; a + os = aos*.

Diz-se que há *contração* quando, na ligação com outra palavra, a preposição sofre redução. As preposições que se contraem são:[3]

A
1) com o artigo definido feminino:
   a + a = à; a + as = às (esta fusão recebe o nome de *crase*)

2) com o pronome demonstrativo:
   a + aquele = àquele; a + aqueles = àqueles (crase)
   a + aquela = àquela; a + aquelas = àquelas (crase)
   a + aquilo = àquilo (crase)

---

[3] Pode-se também considerar *contração* apenas o caso de crase; nos outros, diremos que houve *combinação*. A NGB não tomou posição neste ponto. Na realidade o termo *combinação* é muito amplo para ficar assim restringido. A nomenclatura tradicional, por exemplo, só emprega *combinação* de pronomes.

> **Observações:**
>
> ➦ Muitas vezes a ligação ou não da preposição à palavra seguinte depende da necessidade de garantir a clareza da mensagem, amparada por entoação especial:
>
>> "Para Saussure a 'ciência' dos signos era para ser um ramo da psicologia social, e a linguística uma subespécie deste ramo *apesar de a* mais importante." [JDe]
>>
>> Manuel Bandeira sentiu necessidade de não proceder à crase em *a aquela* no exemplo: "Para tudo isso, porém, existe a adesão em massa. É o maior medo de Oswald de Andrade. De fato nada resiste *a aquela* estratégia paradoxal."
>
> ➦ Não se contrai o artigo quando este é parte integrante do sintagma nominal, como no seguinte exemplo:
>
>> Há quem conheça o que se decidiu chamar *de o espírito carioca*.
>
> É pela mesma razão de conservar a integridade que se deve evitar fazer a combinação da preposição com a palavra inicial dos títulos de livros, jornais e demais periódicos:
>
>> *de Os Lusíadas*; *em Os Sertões*.
>
> Também é preferível não se usar apóstrofo (*d'Os Lusíadas*), nem a repetição do artigo (*dos Os Lusíadas*).
>
> Como observa Adriano da Gama Kury, a prática dos escritores se mostra muito indecisa neste particular.

De

1) com o artigo definido masculino e feminino:
   de + o = do; de + a = da; de + os = dos; de + as = das

2) com o artigo indefinido (menos frequente):
   de + um = dum; de + uns = duns
   de + uma = duma; de + umas = dumas

3) com o pronome demonstrativo:
   de + aquele = daquele; de + aqueles = daqueles
   de + aquela = daquela; de + aquelas = daquelas
   de + aquilo = daquilo
   de + esse = desse; de + esses = desses; de + este = deste; de + estes = destes
   de + essa = dessa; de + essas = dessas; de + esta = desta; de + estas = destas
   de + isso = disso; de + isto = disto

4) com o pronome pessoal:
   de + ele = dele; de + eles = deles
   de + ela = dela; de + elas = delas

5) com o pronome indefinido (menos frequente):
   de + outro = doutro; de + outros = doutros
   de + outra = doutra; de + outras = doutras

6) com advérbio:
de + aqui = daqui; de + aí = daí; de + ali = dali, etc.

Em
1) com o artigo definido, graças à ressonância da nasal e posterior queda do *e-* inicial:
em + o = no; em + os = nos; em + a = na; em + as = nas

2) com o artigo indefinido:
em + um = num; em + uns = nuns
em + uma = numa; em + umas = numas

3) com o pronome demonstrativo:
em + aquele = naquele; em + aqueles = naqueles
em + aquela = naquela; em + aquelas = naquelas
em + aquilo = naquilo
em + esse = nesse; em + esses = nesses; em + este = neste; em + estes = nestes
em + essa = nessa; em + essas = nessas; em + esta = nesta; em + estas = nestas
em + isso = nisso; em + isto = nisto

4) com o pronome pessoal:
em + ele = nele; em + eles = neles
em + ela = nela; em + elas = nelas

Per
Com as formas antigas do artigo definido e assimilação do *-r* final ao *l-* inicial:
per + lo = pelo; per + los = pelos; per + la = pela; per + las = pelas

Para (pra)
Com o artigo definido:
para (pra) + o = pro; para (pra) + os = pros; para (pra) + a = pra; para (pra) + as = pras

Co(m)
Com artigo definido, graças à supressão da ressonância nasal (*ectlipse*):
co(m) + o = co; co(m) + os = cos; co(m) + a = coa; co(m) + as = coas

A preposição e sua posição

Em vez de vir entre o termo subordinante e o subordinado, a preposição, graças à possibilidade de outra disposição das palavras, pode vir aparentemente sem o primeiro:

Por lá (subordinado)	todos	*passaram.* (subordinante)
Os primos (subordinante)	*estudaram*	*com José.* (subordinado)
Com José (subordinado)	os primos	*estudaram.* (subordinante)
"Quem (subordinante)	*há de*	*resistir?* (subordinado)
Resistir (subordinado)	quem	*há de?*" [LG] (subordinante)

Principais preposições e locuções prepositivas

a	contra	junto a
abaixo de	de	junto de
acerca de, cerca de	de acordo com	mediante
acima de	debaixo de	na conta de
a fim de	de cima de	não obstante
à frente de	de conformidade com	para
ante	de fora de	para com
antes de	defronte de	per
ao lado de	de molde a	perante
ao longo de	dentre	perante a
a par com	dentro de	por
apesar de	desde, dês	por baixo de
após	detrás de	por cima de
após de	diante de	por defronte de
ao redor de	durante	por dentro de
a respeito de	em	por detrás de
à roda de	embaixo de	por diante de
até	em busca de (à busca de)	por meio de
até a	em cima de	quanto a, enquanto a
atrás de	em favor de	segundo
através de	em frente de (a)	sem
a troco de	em lugar de	sem embargo de
com	em prol de	sob
como	em razão de	sobre
conforme	em vez de	trás
conforme a	entre	
consoante	exceto	

Emprego da preposição

I. A

Esta preposição aparece nos seguintes principais empregos:

1.º) Introduz complementos verbais e nominais representados por nomes ou pronomes:
"Perdoamos mais vezes *aos nossos inimigos* por fraqueza, que por virtude." [MM]
"O nosso amor-próprio é muitas vezes contrário *aos nossos interesses*." [MM]
"A força é hostil *a si própria*, quando a inteligência a não dirige." [MM]
Doa *a quem* doer.
A quem interessar possa.

2.º) Introduz objetos diretos nos casos apontados na página 66:
"O mundo intelectual deleita *a poucos*, o material agrada *a todos*." [MM]
"O homem que não é indulgente com os outros ainda se não conhece *a si próprio*." [MM]

3.º) Prende infinitivos a certos verbos que o uso ensinará:
"Os homens, dizendo em certos casos que vão falar com franqueza, parecem *dar a entender* que o fazem por exceção de regra." [MM]

4.º) Prende infinitivos a certos verbos, formando locuções equivalentes a gerúndios de sentido progressivo:
"Anda visitando os defuntos? disse-lhe eu. Ora defuntos! respondeu Virgília com um muxoxo. E depois de me apertar as mãos: — Ando *a ver* se ponho os vadios para a rua." [MA]

> **Observação:**
> ➥ Este último exemplo nos faz lembrar o cuidado de não se confundir o conjunto *a ver* com o verbo *haver*: *O presidente disse que aquele assunto não tinha nada* **a ver** *(e não* **haver***) com o outro*.

5.º) Introduz infinitivo designando condição, hipótese, concessão, exceção:
A ser verdade o que dizes, prefiro não colaborar.
"A filha estava com quatorze anos; mas era muito fraquinha, e não fazia nada, *a não ser* namorar os capadócios que lhe rondavam a rótula." [MA]

6.º) Introduz ou pode introduzir o infinitivo da oração substantiva subjetiva do verbo *custar*:
"Custou-lhe muito *a aceitar* a casa." [MA]

7.º) Introduz numerosas circunstâncias, tais como:
a) termo de movimento ou extensão:
"Nesse mesmo dia levei-os *ao Banco do Brasil*." [MA]

> **Observação:**
> ➙ Com os advérbios *aqui, lá, cá* e semelhantes não se emprega preposição:
> "Vem *cá*, Eugênia, disse ela..." [MA]

b) tempo em que uma coisa sucede ou vai suceder:
"Indaguei do guarda; disse-me que efetivamente 'esse sujeito' ia por ali às vezes.
— A que horas?" [MA]
Daqui *a* pouco haverá festa.
Daqui *a* dez minutos (e não *daqui dez minutos!*).

Para o emprego da preposição *a* e flexão *há* (do verbo *haver*), veja-se a página 405 e exercícios na página 355.

c) fim ou destino:
"(...) apresentaram-se *a* falar ao imperador." [EQ]
Tocar *à* missa. (= para assistir à missa).
"Tocar o sino *a* ave-marias." [EQ]

d) meio, instrumento e modo:
matar *à* fome, fechar *à* chave, vender *a* dinheiro, falar *aos* gritos, escrever *a* lápis, viver *a* frutas, andar *a* cavalo, venda *a* granel.

Com os verbos *limpar, enxugar, assoar*, indicamos de preferência o instrumento com *em*, e os portugueses com *a*: "limpar as lágrimas *no* lenço", "limpar as lágrimas *ao* lenço".

e) lugar, distância, aproximação, contiguidade, exposição a um agente físico:
"Vejo-a a assomar *à porta* da alcova..." [MA]
Estar *à janela*, ficar *à mesa*, *ao portão*, *ao sol*, falar *ao telefone*.
Você estava *a dez metros* de mim, mas não me viu.

f) semelhança, conformidade:
"Não sai *a nós*, que gostamos da paz..." [MA]
"Desta vez falou *ao modo bíblico*." [MA]
Quem puxa *aos seus* não degenera.

g) distribuição proporcional, gradação:
um *a* um, mês *a* mês, pouco *a* pouco

> **Observação:**
> ➡ Diz-se *pouco a pouco, pouco e pouco, a pouco e pouco.*
> "*Pouco a pouco* muitas graves matronas... se tinham alongado da corte para suas honras e solares." [AH]

h) preço:
A como estão as maçãs? A um real o quilo.

i) posse:
Tomou o pulso *ao* doente. (= *do* doente).

8.º) Indica movimentos afetivos, como amor, afeição, simpatia, ódio, aversão e assemelhados, depois de nomes que exprimem esta ideia:
amor ao *próximo, simpatia* aos *inocentes, aversão* ao *roubo.*

Modernamente, tem aqui a concorrência da preposição *por*, que, em muitos contextos, pode levar ambiguidade à expressão.

9.º) Forma numerosas locuções adverbiais:
à pressa, *às* pressas, *às* claras, *às* ocultas, *às* cegas, *a* granel, *a* rodo, etc.

Emprego do a acentuado (À)
Emprega-se o acento grave no *a*, nos dois seguintes casos:

1.º) quando representa a contração da preposição *a* com o artigo *a* ou o início de *aquele(s), aquela(s), aquilo*, fenômeno que em gramática se chama *crase*:
Fui *à* cidade. Entregou o livro *à* professora. Não se dirigiu *àquele* homem.

O verbo *ir* pede a preposição *a*; o substantivo *cidade* pede o artigo feminino *a*:
Fui *a a* cidade. Fui *à* cidade.

> **Observação:**
> ➡ Se o substantivo estiver usado em sentido indeterminado, não estará precedido de artigo definido e, portanto, não ocorrerá *à*, mas sim simples *a*, que será mera preposição, como no exemplo: Ipanema perderá mais uma casa à beira-mar. O imóvel foi vendido **a** construtora e será demolido para dar lugar **a** prédio.

2.º) quando representa a *pura preposição a* que rege um substantivo feminino singular, formando uma locução adverbial ou adjetiva que, por motivo de clareza, vem assinalada com acento diferencial:
à força, à míngua, à bala, à faca, à espada, à fome, à sede, à pressa, à noite, à tarde, etc.

> **Observações:**
>
> ➥ *Crase* é um fenômeno fonético cujo conceito se estende a toda fusão de vogais iguais, e não só ao *a* acentuado.
>
> Não há razão para condenar-se o verbo *crasear* para significar "pôr o acento grave indicativo da crase". O que não se deve é chamar *crase* ao acento grave:
>
> "Alencar *craseava* a preposição simples *a*." [JO]
>
> ➥ A locução *à distância* deverá, a rigor, entrar na norma do 2.º caso anterior, ao lado de *à força, à míngua*, etc. (*Ficou à distância, Ensino à distância*.) Todavia, uma tradição tem-se orientado no sentido de só a usar com acento grave quando a noção de distância estiver expressa: "(...) nos seres que a habitam e que formigam lá embaixo, por entre casas, quelhas e penedos, *à distância de um primeiro andar*." [CPi] A prática de bons escritores nem sempre obedece a esta última tradição:
>
> "Demorou a perceber que Gato Preto acenava e gritava para ele *à distância*, como se vindo de casa outra vez." [JU]
>
> "Tanto, a que nem seria preciso abaixar-lhe a maxila teimosa, para espiar os cantos dos dentes. Era decrépito mesmo *à distância*: no algodão bruto do pelo [...]." [GR]

Ocorre a crase nos seguintes casos principais:
1.º) Diante de palavra feminina, clara ou oculta, que não repele artigo:
Fui *à* cidade. Chegou *às* dez horas.
Dirigia-se *à* Bahia e depois a Paris.

Para sabermos se um substantivo feminino não repele artigo, basta construí-lo em orações em que apareça regido das preposições *de, em, por*. Se tivermos puras preposições, o nome dispensa artigo; se tivermos necessidade de usar, respectivamente, *da, na, pela*, o artigo será obrigatório:

Fui *à* Gávea.
{ Venho *da* Gávea.
Moro *na* Gávea.
Passo *pela* Gávea. }
Logo: Vou *à Gávea*.

Fui *a* Copacabana.
{ Venho *de* Copacabana.
Moro *em* Copacabana.
Passo *por* Copacabana. }
Logo: Vou *a Copacabana*.

Observações:

➡ O nome que sozinho dispensa artigo pode tê-lo quando acompanhado de adjetivo ou locução adjetiva:

Fui à Copacabana
de minha infância.
{ Venho *da* Copacabana *de minha infância.*
Moro *na* Copacabana *de minha infância.*
Passo *pela* Copacabana *de minha infância.*

Assim se diz também: Irei *à* casa paterna.

➡ Se for facultativo, nas condições acima, o emprego de *de* ou *da*, *em* ou *na*, *por* ou *pela*, será também facultativo o emprego do *a* acentuado:

Fui { à / a } França.   Venho { da / de } França.   Moro { na / em } França.   Passo { pela / por } França.

2.º) Diante do artigo *a (as)* e do *a-* inicial dos demonstrativos *aquele, aquela, aquilo*:

Referiu-se { à / àquele / àquela / àquilo } que estava do seu lado.

3.º) Diante de possessivo em referência a substantivo feminino oculto:
Dirigiu-se àquela casa e não *à* sua. (= à sua casa)

4.º) Nas locuções adverbiais constituídas de substantivo feminino plural:
às vezes, *às* claras, *às* ocultas, *às* escondidas, *às* pressas

Não ocorre a crase nos seguintes casos principais:
1.º) Diante de palavra masculina:
Graças *a* Deus. Foi *a* Ribeirão. Pediu um bife *a* cavalo.

2.º) Diante de palavra de sentido indefinido:

Falou a { uma / certa / qualquer / cada / toda } pessoa.

Nota: Há acento antes do numeral *uma*: Irei vê-la *à* uma hora.

3.º) Diante dos pronomes relativos *que, quem, cuja* (quando o a anterior for preposição):
Está aí a pessoa *a* que fizeste alusão.
O autor *a* cuja obra a crítica se referiu é muito pouco conhecido.
Ali vai a criança *a* quem disseste a notícia.

4.º) Diante de verbo no infinitivo:
Ficou *a* ver navios.
Livro *a* sair em breve.

5.º) Diante de pronome pessoal e expressões de tratamento como *V. Ex.ª, V. S.ª*, etc., que dispensam artigo:
Não disseram *a* ela e *a* você toda a verdade.
Requeiro *a* V. Ex.ª com razão.

Mas:
Requeiro à senhora.
Falei à D. Margarida.

6.º) Nas expressões formadas com a repetição de mesmo termo (ainda que seja um nome feminino), por se tratar de pura preposição:
frente *a* frente, cara *a* cara, face *a* face, gota *a* gota

7.º) Diante da palavra *casa* quando desacompanhada de adjunto, e da palavra *terra* quando oposta a *bordo*:
Irei *a* casa logo mais. (cf. Entrei *em* casa; Saí *de* casa.)
Foram os primeiros a chegar *a* terra firme.

8.º) Nas expressões de duração, distância e em sequência do tipo de *de... a...*:
As aulas serão *de* segunda *a* quinta.
Estes fatos ocorreram *de* 1925 *a* 1930.
O programa abrange *de* quinta *a* sétima série.
A aula terá *de* três *a* cinco horas de duração.

> **Observação:**
> ➥ Se as expressões começam com preposição combinada com artigo, emprega-se *à* ou *às* no segundo termo: A aula será *das* 8 *às* 10 horas. O treino será *das* 10 *à* 1 da tarde. *Da* uma *às* duas haverá intervalo. O programa abrange *da* quinta *à* sétima série.

9.º) Depois de preposição, exceto *até* (= limite):
Só haverá consulta *após as* dez horas. *Desde as* nove espero o médico.
O presidente discursou *perante a* Câmara.

A e há

Na escrita há de se ter o cuidado de não confundir a preposição *a* e a forma verbal *há* nas indicações de tempo.

Usa-se *a* para o tempo que ainda vem: Daqui *a* três dias serão os exames. Daqui *a* pouco sairei. A resposta estava *a* anos de ser encontrada.

Usa-se *há* para o tempo passado: *Há* três dias começaram os exames. Ainda *há* pouco estava em casa. (➔ 404)

A crase é facultativa nos seguintes casos principais:

1.º) Antes de pronome possessivo com substantivo feminino claro (uma vez que o emprego do artigo antes de pronome possessivo é opcional):

Dirigiu-se { *à* / *a* } minha casa, e não à sua.

Dirigiu-se { *às* / *a* } minhas irmãs.

No português moderno, dá-se preferência ao emprego do possessivo com artigo e, neste caso, ao *a* acentuado (à minha casa; às minhas irmãs).

2.º) Antes de nome próprio feminino:

As alusões eram feitas { *à* / *a* } Fátima.

3.º) Antes da palavra *casa* quando acompanhada de expressão que denota o dono ou morador, ou qualquer qualificação:

Irei { *à* / *a* } casa de meus pais.

> **Observações:**
>
> ➡ É preciso não identificar *crase* e *craseado* com *acento* e *acentuado*. Em tempos passados, principalmente entre os românticos, a preposição pura *a* levava acento diferencial, ainda diante de masculino, sem que isso quisesse indicar *a* craseado. Daí os falsos erros que se apontam em escritores dessa época, mormente em José de Alencar.
>
> ➡ Deve-se usar *dormir a sesta*, e não *dormir à sesta*; *levá-lo a breca*, e não *levá-lo à breca*.

2. Até

Esta preposição indica o limite, o termo de movimento, e, acompanhando substantivo com artigo (definido ou indefinido), pode vir ou não seguida da preposição *a*:

Caminharam *até* { *a* / *à* } escola.

"Ouvido isto, o desembargador comoveu-se *até às* lágrimas, e disse com mui entranhado afeto." [CBr]
"(...) e prometem ser-lhe amparo *até ao* fim." [CBr]
"Albernaz saiu fora da roda dos amigos e foi *até a* um canto da sala..." [LB]

É preciso distinguir a preposição *até* da palavra de inclusão *até* que se usa para reforçar uma declaração com o sentido de 'inclusive', 'também', 'mesmo', 'ainda'. A preposição pede pronome pessoal oblíquo tônico e a palavra de inclusão pede pronome pessoal reto:
Ele chegou *até mim* e disse toda a verdade.
Até eu recebi o castigo.

3. Com

Aparece nas circunstâncias de companhia, ajuntamento, simultaneidade, modo, maneira, meio, instrumento, causa, concessão (principalmente seguida de infinitivo), oposição:
"Quando os bons capitulam *com* os maus sancionam a própria ruína." [MM]
"Nunca agradecemos *com* tanto fervor como quando esperamos um novo favor." [MM]
"A economia *com* o trabalho é uma preciosa mina de ouro." [MM]
"Somos atletas na vida; lutamos *com* as paixões dos outros homens e *com* as nossas." [MM]
"Queremos governos perfeitos *com* homens imperfeitos: disparate." [MM]
"O silêncio *com* ser mudo não deixa de ser por vezes um grande impostor." [MM]
"A sociedade política nasceu da família; mas a família não acabou *com* a existência da sociedade." [AH]

Inicia o complemento de muitos verbos e nomes (complemento relativo e complemento nominal):
"O lisonjeiro conta sempre *com* a abonação do nosso amor-próprio." [MM]
"O homem que não é indulgente *com* os outros ainda se não conhece a si próprio." [MM]

4. Contra

Denota oposição, direção contrária, hostilidade:
Lutava *contra* tudo e *contra* todos.
Remar *contra* a maré.
Votar *contra* um projeto.

Condenam bons mestres como galicismo o emprego desta preposição depois do verbo *apertar, estreitar* (e sinônimos), apesar dos exemplos de bons escritores, uso que se vai generalizando:
"*Apertei contra* o coração o punho da espada." [AH]
"E Dulce caiu nos braços do guerreiro trovador, que desta vez a *estreitou contra* o peito..." [AH]

Também se considera como galicismo *contra* no sentido de 'em troca de', bem como no sentido de 'junto a', 'ao lado de':
Dar a mercadoria *contra* recibo. (por *mediante* recibo)
Encostar o móvel *contra* a parede. (por *junto à* parede)

5. De

1.º) Introduz complemento de verbos (complemento relativo) e nomes (complemento nominal) que o uso ensinará:
"Os sábios vivem ordinariamente solitários: receiam-se *dos velhacos*, e não podem tolerar os tolos." [MM]
"O temor *da morte* é a sentinela da vida." [MM]

2.º) Indica a circunstância de lugar donde, origem, ponto de partida dum movimento ou extensão (no tempo e no espaço), a pessoa ou coisa de que outra provém ou depende, em sentido próprio ou figurado, e o agente da passiva (por ser o ponto de partida da ação), principalmente com os verbos que exprimem sentimento e manifestação de sentimentos:
"A maior parte dos erros em que laboramos neste mundo provém *da falsa definição*, ou *das noções falazes* que temos do bem e do mal." [MM]
"A doçura e beleza *das mulheres* parecem inculcar que são anjos e serafins que desceram *dos céus* e se humanaram na terra." [MM]
"Sancionada a virtude só pela opinião pública, ela desaparece *da vida doméstica* e *de todos aqueles lugares* não vistos *da multidão*." [AH]

> **Observação:**
> ➥ Modernamente o agente da passiva se rege mais de *por*.
> Os lugares não são vistos *pela* multidão.

3.º) Indica a pessoa, coisa, grupo ou série a que pertence ou de que se salienta, por qualquer razão, o nome precedido de preposição:
"A credulidade e confiança *de* muitos tolos faz o triunfo *de* poucos velhacos." [MM]

4.º) Indica a matéria de que uma coisa é feita:
"... ela só lhe aceitava sem relutância os mimos de escasso preço, como a cruz *de* ouro, que lhe deu, uma vez, de festas." [MA]

5.º) Indica a razão ou a causa por que uma coisa sucede:
Cantar *de* alegria, morrer *de* medo.
"O luxo, como o fogo, devora tudo e perece *de* faminto." [MM]

6.º) Indica o assunto ou o objeto de que se trata:
"Dizer-se *de* um homem que tem juízo é o maior elogio que se lhe pode fazer." [MM]

7.º) Indica o meio, o instrumento ou o modo, em sentido próprio ou figurado:
"O espírito vive *de* ficções, como o corpo se nutre *de* alimentos." [MM]

8.º) Indica a comparação, hoje principalmente na expressão *do que*:
É mais *do que* difícil suportar uma injustiça.

9.º) Indica a posição, o lugar:
"Sucede frequentes vezes admirarmos *de* longe o que *de* perto desprezamos." [MM]

10.º) Indica medida:
Copo *de* leite (= o leite na medida do copo), copo *d'*água, garrafa *de* vinho.

> **Observação:**
> ➥ Pode-se dizer também: *copo com leite, com água*, mas aí não se visa à medida, mas ao conteúdo.

11.º) Indica o fim, principalmente com infinitivo:
Dá-me *de* beber um copo d'água.

12.º) Indica o tempo:
De noite todos os gatos são pardos.

13.º) Ligando dois substantivos, imediatamente ou por intermédio de certos verbos, serve para caracterizar e definir uma pessoa ou coisa:

Rua *do* Ouvidor.
"O homem *de* juízo aproveita, o tolo desaproveita a experiência própria."
[MM]

Observações:

→ Nas denominações de ruas, escolas, teatros, monumentos, edifícios, festas religiosas e casas comerciais, e em circunstâncias semelhantes, costuma-se omitir a preposição sem que haja regra fixa para tal critério: *Avenida Rio Branco, Colégio Pedro II* (mas Rua *do* Ouvidor, Praça *da* República).

→ Usa-se a preposição *de* nas datas: 26 *de* fevereiro. Não é praxe da língua omiti-la nestas circunstâncias. Do mesmo modo, diz-se *o ano de 1928*, embora aqui se possa também empregar *o ano 1928*.

14.º) Indica o todo depois de palavras que significam parte:
A maioria *dos* homens, um terço *dos* soldados, um punhado *de* bravos, um pouco (ou uma pouca) *de* água.

Observação:

→ Depois dos comparativos *maior, menor*, etc. pode ser substituído por *entre*: O maior *de* todos. (= *entre* todos)

15.º) Indica modo de ser, semelhança, e normalmente vem precedendo predicativo:
"Muitos figuram *de* Diógenes, para se consolarem de não poderem ser Alexandres." [MM]

16.º) Liga adjetivo étnico ou gentílico aos substantivos *nação, nascimento, origem*:
brasileiro *de* nascimento, alemão *de* origem.

17.º) Pode equivaler a *desde*:
Havia meio século *da* (= desde a) descoberta.

Observações:

→ Note-se a fórmula *é de* com o sentido de *é próprio de*: "*É da* natureza humana que muitos homens trabalhem para manter os poucos que se ocupam em pensar para eles, instruí-los e governá-los." [MM]

→ Construções do tipo *acusar de negligente, presumir de formosa* "explicam-se geralmente pela omissão de um verbo atributivo (*ser, estar*, etc.) ou pela fusão da construção do adjetivo com a de substantivo no mesmo lugar". [MB]

Acusar de negligente = acusar de ser negligente, acusar de sua negligência.

Não ocorre esta preposição nos seguintes principais casos:
1.º) Em construções do tipo:
A primeira coisa que fiz foi vir a Madri. (e não: *foi de vir*)

2.º) "Com os verbos e adjetivos que significam afastamento ou diferença, e com os que envolvem a ideia de aumento ou diminuição, superioridade ou inferioridade, a designação da medida não tem preposição": [ED]
Aumentar um centímetro. (e não: *aumentar de um*)
Este número excede aquele duas dezenas. (e não: *excede de duas dezenas*)
Mais novo alguns meses. (e não: *mais novo de alguns meses*)

3.º) Depois do verbo *consistir*:
A prova consiste em duas páginas mimeografadas. (e não: *consiste de duas*)

Nota: Os puristas, sem maiores exames, têm tachado de galicismo a expressão *de resto* (= quanto ao mais). Além de usada por grandes escritores, tem raízes no latim *de reliquo*.

4.º) Depois do verbo *repetir*:
Repetir o ano. (e não: *Repetir de ano*)

5.º) Na locução adjetiva *de menor*:
O adolescente era menor de idade. (em vez de *O adolescente era de menor*)

6.º) Nos casos de dequeísmo (uso indevido do *de* junto a oração objetiva direta):
Suponho que (e não: *de que*) *a emenda está errada.*
Pensamos que (e não: *de que*) *a situação há de melhorar.*

6. Em

Denota:
1.º) Lugar onde, situação, em sentido próprio ou figurado:
"Formam-se mais tempestades *em* nós mesmos que *no* ar, *na* terra e *nos* mares." [MM]

> **Observação:**
>
> ➥ Com alguns verbos, para se exprimir esta circunstância, se emprega um pronome oblíquo átono em lugar da expressão introduzida por *em*:
>
> "Pulsa-*lhe* (= nele) aquele afeto verdadeiro." [MA]
>
> *Não me toque. Bateu-nos. Mexeu-lhe.*

2.º) Tempo, duração, prazo:
"Os homens *em* todos os tempos, sobre o que não compreenderam, fabularam." [MM]

Observações:
➥ Precedendo um gerúndio, a preposição *em* aparece nas circunstâncias de tempo, condição ou hipótese:

"Ninguém, desde que entrou, *em* lhe *chegando* o turno, se conseguirá evadir à saída." [RB]

➥ Para denotar o espaço ou decurso de tempo, usa-se a preposição *em* em concorrência a *dentro de* ou *daqui a*, emprego que alguns estudiosos, com exagero, veem como abuso ou imitação do francês:

Em cinco minutos irei atendê-lo.

3.º) Modo, meio:
Foi *em* pessoa receber os convidados.
Pagava *em* cheque tudo o que comprava.

4.º) A nova natureza ou forma em que uma pessoa ou coisa se converte, disfarça, desfaz ou divide:
Dar *em* doido.
"O homem de juízo converte a desgraça *em* ventura, o tolo muda a fortuna *em* miséria." [MM]

5.º) Preço, avaliação:
A casa foi avaliada *em* milhares de reais.

6.º) Fim, destinação:
Vir *em* auxílio.
Tomar *em* penhor.
Pedir *em* casamento.

7.º) Estado, qualidade ou matéria:
General *em* chefe.
Ferro *em* brasa.
Imagem *em* barro.
Gravura *em* aço.
Televisão *em* cores.

> **Observação:**
>
> ➥ Tem-se, sem maior exame, condenado este emprego da preposição *em* como galicismo. Tem-se também querido evitar a expressão *em questão*, por se ter inspirado em modo de falar francês; mas é linguagem hoje comuníssima e corrente nas principais línguas literárias modernas.

8.º) Causa, motivo (geralmente antes do infinitivo):
"Há povos que são felizes *em* não ter mais que um só tirano." [MM]

9.º) Lugar para onde se dirige um movimento, sucessão, em sentido próprio ou figurado:
Saltar *em* terra.
Entrar *em* casa.
De grão *em* grão.

> **Observação:**
>
> ➥ A língua-padrão não recomenda este emprego com os verbos *ir, chegar*, preferindo a preposição *a*: Ir *à* cidade; chegar *ao* colégio.

10.º) Forma, semelhança, significação de um gesto ou ação:
"Resoluta estendeu os braços, juntando as mãos *em* talhadeira e arrojou-se d'alto, mergulhando..." [CN]

7. Entre

Denota posição intermediária no espaço ou no tempo, em sentido próprio ou figurado:
"*Entre* o queijo e o café, demonstrou-me Quincas Borba que o sistema era a destruição da dor." [MA]

Como as outras preposições, rege pronome oblíquo tônico, de modo que se diz *entre mim e ti, entre ele e mim, entre você e mim*, etc.
"Por que vens, pois, pedir-me adorações quando *entre mim e ti* está a cruz ensanguentada do Calvário...?" [AH]

A língua exemplar evita usos como *entre eu e tu, entre eu e eles, entre eles e eu* e semelhantes. Deste último caso, em que o pronome reto não vem junto da preposição *entre*, ocorrem alguns exemplos literários que a tradição do idioma evita:
"Odeio toda a gente / com tantas veras d'almas e tão profundamente, / que me ufano de ouvir que *entre eles e eu* existe / separação formal." [AC]

8. Para

Denota:

1.º) A pessoa ou coisa em proveito ou prejuízo de quem uma ação é praticada (objeto indireto, complemento relativo ou complemento nominal):
"Aborrecemos o absolutismo nos outros, porque o cobiçamos *para* nós mesmos." [MM]
"A preguiça nos maus é salutar *para* os bons." [MM]

2.º) A pessoa a que se atribui uma opinião (dativo livre) (✔ 67):
"O pedir *para* quem não tem vergonha é menos penoso que trabalhar." [MM]

3.º) Fim, destinação:
"A filha deu-me recomendações *para* Capitu e *para* minha mãe." [MA]

4.º) Finalidade:
"O ambicioso, *para* ser muito, afeta algumas vezes não valer nada." [MM]
Contas *para* receber. (melhor do que *contas a receber*)

5.º) Termo de movimento, direção para um lugar com a ideia acessória de demora ou destino:
Foi *para* a Europa.

Observação:
➥ Denota apenas "o lugar onde" em construções do tipo: Ele está agora *para* o Norte.

6.º) Tempo a que se destina um objeto ou ação, ou para quando alguma coisa se reserva:
Vou aí *para* as seis horas.
"Faz *para* as matanças seis anos que você justou comigo uma porca por 4 moedas..." [CBr]

9. Por (e per)

Denota:

1.º) Lugar por onde, em sentido próprio ou figurado:
"Tais eram as reflexões que eu vinha fazendo, *por* aquele Valongo fora, logo depois de ver e ajustar a casa." [MA]

2.º) Meio:
Puxar *pelo* paletó, rezar *pelo* livro, segurar *pelos* cabelos, levar *pela* mão, ler *pelo* rascunho, contar *pelos* dedos, enviar *pelo* correio.

3.º) Modo:
Repetir *por* ordem, estudar *por* vontade.
"Louvamos *por* grosso, mas censuramos *por* miúdo." [MM]

4.º) Distribuição:
Várias vezes *por* dia.

5.º) Divisão, indicando a pessoa ou coisa que recebe o quinhão:
Distribuir *pelos* pobres, repartir *pelos* amigos, dividir *por* três a herança.

6.º) Substituição, troca, valor igual, preço:
Levar gato *por* lebre.
"O barão dizia ontem, no seu camarote, que uma só italiana vale *por* cinco brasileiras." [MA]

7.º) Causa, motivo:
"O amor criou o Universo que *pelo* amor se perpetua." [MM]
"Muitos se abstêm *por* acanhados do que outros fogem *por* virtuosos." [MM]

8.º) A designação da pessoa ou coisa invocada para firmar o juramento e para interceder nos juramentos e petições:
"Jurar *pela* sua honra, pedir *pela* saúde de alguém." [ED]

9.º) Em favor de, em prol de:
Morrer *pela* pátria, lutar *pela* liberdade.

10.º) Tempo, duração:
"Qual é aquele que, assentado, *por* noite de luar e serena sobre uma fraga marinha, não sente irem-se-lhe os olhos...?" [AH]

11.º) Agente da passiva:
"As mulheres são melhor dirigidas *pelo* seu coração do que os homens *pela* razão." [MM]

12.º) Ânimo para com alguma coisa, depois dos nomes que exprimem essa ideia:
"A paixão *pelo* jogo pressupõe ordinariamente pouco amor *pelas* letras." [MM]

> **Observação:**
>
> ➡ No português de outros tempos, *amor de Deus* era tanto o que consagramos a ele (genitivo objetivo, isto é, "nós amamos Deus") ou o que ele tem, o que nos consagra (genitivo subjetivo, isto é, "Deus nos ama"). Em lugar de *amor pelas letras* diz-se também corretamente *amor às letras*. Quando nos casos de genitivo objetivo pode ocorrer ambiguidade com o emprego da preposição *de*, costuma-se substituir esta preposição

por *contra* (se o nome designa sentimento hostil) ou *para com* (se o sentimento é benévolo): Guerra *contra* os inimigos e respeito *para com* todos.

13.º) Fim (em vez de *para*):
"Forcejava *por* obter-lhe a benevolência, depois a confiança." [MA]

14.º) Introduzindo o predicativo do objeto direto, qualidade, estado ou conceito em que se tem uma pessoa ou coisa:
Ter alguém *por* sábio.
Enviar alguém *por* embaixador.
Tenho *por* certo que ele virá.

Observação:

➥ Neste emprego pode ser substituída pela preposição *como*, apesar da crítica injusta dos puristas: Ter alguém *como* sábio. Enviar alguém *como* embaixador. Tenho *como* certo que ele virá.

15.º) O que deve fazer-se ou não está feito:
problema *por* resolver; casa *por* acabar; promessas *por* cumprir.

A norma exemplar evita, nestes casos, o uso da preposição *a*: problema *a* resolver.

10. Sobre e Sob

Não confundir *sobre* ('em cima de'; 'acima de'; 'a respeito de'):
O jantar estava *sobre* a mesa.
Os interesses da criança estão *sobre* os nossos.
Falavam *sobre* literatura.

com *sob* ('embaixo de'; 'em estado de'; 'sujeito à influência ou ao comando de'):
O gato se escondia *sob* a mesa.
Após ser assaltada, ficou *sob* choque.
Nasceu *sob* o signo de escorpião.
Loja *sob* nova direção.

Exercícios de fixação

1. **Empregue, no espaço em branco, quando necessário, a preposição conveniente para introduzir o complemento verbal. Se houver mais de uma possibilidade, use-as:**
   1) As oiticicas resistiram os anos mais cruéis, pois dispunham _____ forças.
   2) Montou a cavalo e procurou _____ o padre Amâncio.
   3) Só ele era quem sabia tratar _____ as abelhas.
   4) Deodato sabia _____ segredos.
   5) Sinhá Josefina pensava _____ essas coisas.
   6) Gostou mais _____ ele que _____ os outros.
   7) Antônio, tenho que ir _____ o Recife.
   8) Pago _____ ele e _____ outros para de noite vigiarem a fazenda.
   9) Seria que o padrinho desconfiava _____ ele e não acreditava _____ as confissões que ele fazia?
   10) Os conselhos visavam _____ conseguir mais adeptos.

2. **O mesmo exercício:**
   1) Ouviu então o padre Amâncio chamando _____ ele.
   2) Os canários cantavam, e ele nem se lembrava _____ seus canários.
   3) O juiz, com a mulher e os filhos, assistia de longe _____ a representação que arranjara.
   4) D.ª Maria não era triste nem alegre, não lisonjeava nem magoava _____ o próximo.
   5) Enfim consegui familiarizar-me _____ as letras quase todas.
   6) Era preciso que se obedecesse _____ o pai.
   7) José absteve-se _____ tudo, para agradar _____ os amigos.
   8) Todos aspiravam _____ a boa colocação.
   9) As lições consistiam _____ ensinamentos práticos.
   10) Ele preferiu o cinema _____ o teatro.

3. **Empregue, no espaço em branco, quando necessário, a preposição conveniente para introduzir o complemento ou adjunto verbal. Se houver mais de uma possibilidade, use-as:**
   1) Preferia ficar em casa _____ sair em dia de chuva.
   2) Suas declarações consistiam _____ puras mentiras.
   3) Chegava _____ casa todos os dias atrasado.
   4) Ele não aderiu _____ ideias mesquinhas.
   5) Não queriam proceder _____ um rigoroso inquérito.
   6) Os acontecimentos excediam _____ qualquer expectativa.
   7) Os primos aspiravam _____ um bom emprego.
   8) Não pudemos aspirar _____ o perfume do ambiente.
   9) A resposta não agradou _____ os presentes.
   10) O progresso atingira _____ um resultado excepcional.

4. **Empregue A ou À, AS ou ÀS, conforme o caso:**
   1) Não falava _____ professora porque era uma aluna tímida.
   2) Quando o diretor ficava _____ porta, todos silenciavam.
   3) Ainda não fui _____ praia este verão.
   4) _____ ninguém contava seus segredos.
   5) A farmácia anunciava que vendia _____ vista e _____ prazo.
   6) Neste trecho da estrada, os carros só podem ir _____ 40 quilômetros por hora.
   7) Dava _____ mesma resposta a quem lhe perguntava pelo resultado das provas.
   8) A sessão do cinema começará _____ três horas e se estenderá para _____ cinco, mais ou menos.
   9) _____ menos que você diga o que sabe, o chefe não atenderá _____ nossas reivindicações.
   10) Jamais responda _____ provocações, porque poderá topar com pessoa sem educação.

5. **Empregue A ou À, AS ou ÀS, conforme o caso:**
   1) O administrador declarou que a reunião irá de 3 _____ 5 da tarde.
   2) As senhas foram distribuídas _____ quintas-feiras para os espetáculos _____ serem exibidos _____ 10 horas da manhã e _____ 18 horas.
   3) Na Semana Santa as aulas serão suspensas de quinta _____ domingo.
   4) A velocidade máxima não pode exceder _____ que estiver indicada neste trecho da estrada.
   5) As vendas _____ crédito aumentaram com a crise, e a inadimplência cresceu _____ olhos vistos.
   6) As entregas em domicílio estão suspensas até que _____ segurança volte _____ reinar no bairro.
   7) De hoje _____ terça os espetáculos estão proibidos _____ pessoas idosas.
   8) _____ entrada do ônibus, verificou que dera _____ sua irmã todo o dinheiro miúdo com que pagaria _____ passagem _____ trocadora.
   9) Os livros são destinados aos alunos de 5.ª _____ 8.ª série.
   10) Depois do almoço dormia _____ sesta, que durava de meio-dia _____ uma.

6. **Empregue A ou À, AS ou ÀS, conforme o caso:**
   1) Primeiro foi _____ Lisboa, depois _____ Paris, Genebra e, finalmente, _____ Roma, onde passou todas _____ férias.
   2) Sua ida _____ Inglaterra foi _____ negócio, mas a esticada _____ França e _____ Itália já foi para assistir _____ temporada de óperas.
   3) Nunca diga _____ aquela pessoa _____ aquilo de que ela não gosta, e obedeça _____ aquilo que manda seu coração.

4) Quando disse que receberia os intrusos _____ bala, estava repetindo _____ cena _____ que assistira na televisão em cores.
5) O bife _____ cavalo estava muito bem-feito.
6) Brincou _____ valer quando soube que o filme só começaria _____ partir da tarde.
7) Estes fatos costumam acontecer _____ mais das vezes.
8) Depois que o texto _____ mão foi copiado _____ máquina, a leitura ficou mais acessível _____ todas _____ pessoas nele interessadas.
9) Quando criança, costumava ir _____ Casa das Novidades, de propriedade de meu pai.
10) Mal o navio atracou, dirigimo-nos _____ terra, embora o comandante permanecesse _____ bordo.

7. **O mesmo exercício com pronomes relativos:**
   1) Esta era a pessoa _____ quem gostaria de submeter as poesias.
   2) Não foram poucas razões _____ cuja força tive de me curvar para não brigar.
   3) Não entreguei o prêmio à pessoa _____ que queria bem, mas _____ que o merecia por justiça.
   4) As alegrias _____ que teces louvores não são _____ que mais merecem meu aplauso.
   5) As pessoas _____ cujas cartas prazerosamente tenho dado resposta não imaginam o sacrifício _____ que me submeto para conseguir tempo para tal atividade.
   6) Os impulsos da aluna _____ cujo império nos curvamos nem sempre nos trazem bons resultados.
   7) Eram poucas as pessoas _____ cuja discrição podia confiar seus segredos.
   8) Não dês _____ quem não merece os louvores _____ que não faz justiça.
   9) Não se referiu à da esquerda, e sim _____ que está no fim da fila.
   10) Os sonhos _____ cujas realizações tanto aspiramos quando jovens vão-se rareando quando amadurecemos.

8. **Empregue A ou À, AS ou ÀS nas seguintes locuções prepositivas e adverbiais:**
   1) _____ mercê de
   2) _____ custa
   3) _____ claras
   4) _____ propósito
   5) _____ cavaleiro
   6) lado _____ lado
   7) _____ espera de
   8) _____ força de
   9) _____ bordo
   10) _____ vezes
   11) _____ custo
   12) _____ frete
   13) _____ par
   14) _____ uma hora
   15) _____ critério de
   16) _____ tarde
   17) _____ noite
   18) _____ toa
   19) _____ risca
   20) _____ tempo
   21) face _____ face
   22) _____ desoras
   23) frente _____ frente
   24) _____ pé

9. **Empregue, no espaço em branco, o pronome pessoal indicado entre parênteses, na forma reta ou oblíqua tônica, conforme o caso:**
   1) Ele não gosta de ninguém, senão de _____. (tu)
   2) Ele não ama mais ninguém senão _____. (tu)
   3) Até _____ consegui ser chamado. (eu)
   4) A chamada foi até _____, e depois parou. (eu)
   5) A gripe não esqueceu a todos, exceto _____. (tu)
   6) Perante _____ ninguém fala mal dela. (eu)
   7) Entre _____ e _____ não haverá qualquer alteração. (eu, tu)
   8) O primo ofereceu o livro para _____ ler. (eu)
   9) Após _____ entrou na sala o João Carlos. (eu)
   10) Depois de _____ e _____ darmos a resposta, soube que falaram de _____. (eu, tu, eu)

10. **Assinale o exemplo em que se deve empregar a preposição SOBRE em lugar de SOB:**
    1) ( ) Sob a palavra de honra fez o juramento.
    2) ( ) Dizem que os puristas preferem que se empregue *roupa por medida* a *roupa sob medida*.
    3) ( ) Entrou sob condição de sair logo.
    4) ( ) Precisou descansar, sob pena de adoecer.
    5) ( ) Dormir sob o efeito de sedativos.

11. **Empregue A, À ou HÁ conforme o caso:**
    1) _____ cerca de dois meses correu essa notícia.
    2) Daqui _____ pouco sairemos _____ passear.
    3) O trem partiu _____ pouco.
    4) Ainda _____ pouco ela passou por aqui.
    5) O livro estava _____ pouca distância da mesa.
    6) A luta estava _____ poucas horas de seu término.
    7) _____ cerca de três dias não a vejo.
    8) A despesa se reduzia _____ cerca de dez reais.
    9) Deixe o dicionário sempre _____ mão.
    10) Isso nada tem _____ ver com o que disse.

Capítulo 12
Conjunção

Conector e transpositor

A língua possui unidades que têm por missão reunir orações num mesmo enunciado.

Estas unidades são tradicionalmente chamadas *conjunções*, que se têm repartido em dois tipos: *coordenativas* e *subordinativas*.

As conjunções coordenativas reúnem orações que pertencem ao mesmo nível sintático: dizem-se *independentes* umas das outras e, por isso mesmo, podem aparecer em enunciados independentes:

Pedro fez concurso para medicina e Maria se prepara para a mesma profissão.

Podíamos dizer desta maneira, em dois enunciados independentes:

Pedro fez concurso para medicina.
Maria se prepara para a mesma profissão.

Daí ser a conjunção coordenativa um *conector*.

Como sua missão é reunir unidades independentes, pode também "conectar" duas unidades menores que a oração, desde que de igual valor funcional dentro do mesmo enunciado. Assim:

Pedro *e* Maria (dois substantivos)
Ele *e* ela (dois pronomes)
Ele *e* Maria (um pronome e um substantivo)
Rico *e* inteligente (dois adjetivos)
Ontem *e* hoje (dois advérbios)
Saiu *e* voltou (dois verbos)
Com *e* sem dinheiro (duas preposições)

Bem diferente é, entretanto, o papel da chamada conjunção subordinativa. No enunciado:

Soubemos que vai chover,

a missão da conjunção subordinativa é assinalar que a oração que poderia constituir sozinha um enunciado:
Vai chover

se insere num enunciado complexo em que ela (*vai chover*) perde a característica de enunciado independente, de oração, para exercer, num nível inferior da estruturação gramatical, a função de *palavra*, já que *vai chover* é agora objeto direto do núcleo verbal *soubemos*.

Assim, a conjunção subordinativa é um *transpositor* de um enunciado que passa a uma função de palavra, portanto de nível inferior dentro das camadas de estruturação gramatical. Diz-se, por isso, que *que vai chover* é uma oração "degradada" ao nível da palavra, e isto se deveu ao fenômeno de *hipotaxe* ou *subordinação*. (➚ 375)

A oração degradada ou subordinada passa a exercer uma das funções sintáticas próprias do substantivo, do adjetivo e do advérbio, como veremos mais adiante.

Podemos aproximar o papel do transpositor *que* ao pronome relativo — que é um transpositor de oração degradada ao nível do adjetivo — e às preposições que, como vimos, transpõem uma unidade a exercer papel de outra unidade. Na oração *Ninguém é de ferro*, a preposição *de* transpõe o substantivo *ferro* à função de predicativo por ter *de ferro* passado a equivalente de adjetivo.

Conectores ou conjunções coordenativas

Os conectores ou conjunções coordenativas são de três tipos, conforme o significado com que envolvem a relação das unidades que unem: *aditivas, alternativas* e *adversativas*.

Conjunções aditivas

A conjunção aditiva apenas indica que as unidades que une (palavras, grupos de palavras e orações) estão marcadas por uma relação de adição. Temos dois conectores aditivos: *e* (para a adição das unidades positivas) e *nem* (para as unidades negativas). Vejam-se os exemplos extraídos do Marquês de Maricá:
"O velho teme o futuro *e* se abriga no passado."
"Uma velhice alegre *e* vigorosa é de ordinário a recompensa da mocidade virtuosa."
"A pobreza *e* a preguiça andam sempre em companhia."
"Não emprestes o vosso *nem* o alheio, não tereis cuidados *nem* receio."

Muitas vezes, graças ao significado dos lexemas envolvidos na adição, o grupo das unidades coordenadas permite-nos extrair um conteúdo suplementar de "causa", "consequência", "oposição", etc. Estes sentidos contextuais, importantes na interpretação do texto, não interessam nem modificam a relação aditiva das unidades envolvidas: *Rico e inteligente* e *rico e desonesto*, ambas se unem por uma relação gramatical de adição, embora a oposição semântica existente entre *rico* e *desonesto* apresente um sentido suplementar, como se estivesse enunciado *rico mas desonesto*. O mesmo se dá se uma unidade for afirmativa e outra negativa: *rico e não honesto*.

Em lugar de *nem* usa-se *e não*, se a primeira unidade for positiva e a segunda negativa: rico *e não* honesto. (Compare com: Ele *não* é rico *nem* honesto.)

> **Observações:**
>
> ➥ Evite-se (embora não constitua erro) o emprego de *e nem* quando não houver necessidade de ênfase:
>
> Não tem livro *e nem* caderno.
>
> Mas já com ênfase:
>
> "Nunca vira uma boneca *e nem sequer* o nome desse brinquedo." [ML]
>
> "(...) mas o primo Nicolau está a dormir até tarde *e nem* à missa vai." [CBr]
>
> ➥ Algumas vezes *e* aparece depois de pausa, introduzindo parágrafos e orações; são unidades enfáticas com função textual que extrapolam as relações internas da oração e constituem unidades textuais de situação:
>
> "*E* repito: não é meu." [MA]
>
> ➥ A expressão enfática da conjunção aditiva *e* pode ser expressa pela série de valor aditivo *não só... mas também* e equivalentes (*não só... como; não só... senão também*, etc.):
>
> *Não só* o estudo *mas também* a sorte são decisivos na vida.

Conjunções alternativas

Como o nome indica, a conjunção alternativa enlaça as unidades coordenadas matizando-as de um valor alternativo, quer para exprimir a incompatibilidade dos conceitos envolvidos, quer para exprimir a equivalência deles. A conjunção alternativa por excelência é *ou*, sozinha ou duplicada, junto a cada unidade:

"Quando a cólera *ou* o amor nos visita, a razão se despede." [MM]

A enumeração distributiva que matiza a ideia de alternância leva a que se empreguem neste significado advérbios como *já, bem, ora* (repetidos ou não) ou formas verbais imobilizadas como *quer... quer, seja... seja*. Tais unidades não são conectores e, por isso, as orações enlaçadas se devem considerar justapostas. (➚ 353)

> **Observação:**
> ➥ "Cumpre lembrar que o par *seja... seja* não está de todo gramaticalizado, tanto que, em certas construções, aparece flexionado.
> *Sempre discordam de tudo, sejam as discordâncias ligeiras, sejam de peso.*
> *Sempre discordavam de tudo, fossem as discordâncias ligeiras, fossem as de peso.*" [AK]

Conjunções adversativas

Enlaça a conjunção adversativa unidades apontando uma oposição entre elas. As adversativas por excelência são *mas, porém* e *senão*.

Ao contrário das aditivas e alternativas, que podem enlaçar duas ou mais unidades, as adversativas se restringem a duas. *Mas* e *porém* acentuam a oposição; *senão* marca a incompatibilidade:

"Acabou-se o tempo das ressurreições, *mas* continua o das insurreições."
[MM]

Unidades adverbiais que não são conjunções coordenativas

Levada pelo aspecto de certa proximidade de equivalência semântica, a tradição gramatical tem incluído entre as conjunções coordenativas certos advérbios que estabelecem relações interoracionais ou intertextuais. É o caso de *pois, logo, portanto, entretanto, contudo, todavia, não obstante*. Assim, além das conjunções coordenativas já assinaladas, teríamos as *explicativas* (*pois, porquanto*, etc.) e *conclusivas* (*pois* [posposto], *logo, portanto, então, assim, por conseguinte*, etc.), sem contar *contudo, entretanto, todavia* que se alinhavam com as *adversativas*. Não incluir tais palavras entre as conjunções coordenativas já era lição antiga na gramaticografia de língua portuguesa; vemo-la em Epifânio Dias e, entre brasileiros, em Maximino Maciel, nas últimas versões de sua *Gramática*. Perceberam que tais advérbios marcam relações textuais e não desempenham o papel conector das conjunções coordenativas, apesar de alguns desses advérbios manterem com elas certas aproximações ou mesmo identidades semânticas.

Que esses advérbios não são conjunções coordenativas e desempenham funções diversas prova-o o fato de poderem aparecer juntos, em exemplos como:

Não foram ao mesmo cinema *e, portanto,* não se poderiam encontrar.
Ele *e, portanto,* seu filho são responsáveis pela denúncia.
"Não queremos pensar na morte, *e por isso* nos ocupamos tanto da vida."
[MM]

Cabe ao *e*, como conjunção, reunir num mesmo grupo oracional as duas orações independentes do enunciado, enquanto *portanto*, como advérbio, marca uma

relação semântica com o que já foi dito. Poder-se-ia eliminar a conjunção *e* e, então, teríamos uma coordenação assindética, caso em que haveria uma pausa para marcar a fronteira das duas orações (marcada por vírgula ou ponto e vírgula):
Não foram ao mesmo cinema; *portanto* não se poderiam encontrar.

Poder-se-ia também eliminar o advérbio:
Não foram ao mesmo cinema *e* não se poderiam encontrar.

Não sendo próprio do advérbio exercer o papel de conector, ele poderia aparecer até numa oração subordinada, para marcar essa relação semântica entre os dois enunciados:
"Nunca perdemos de vista o nosso interesse, *ainda mesmo quando* nos inculcamos desinteressados." [MM]

Outra diferença entre as conjunções coordenativas e os advérbios (a que poderíamos chamar textuais ou discursivos) é que só as primeiras efetivam a coordenação entre subordinadas equifuncionais, isto é, do mesmo valor (substantiva, adjetiva ou adverbial) e com a mesma função sintática:
Espero que estudes *e* que sejas feliz.

Como advérbios, que guardam com o núcleo verbal uma relação, em geral, mais frouxa, podem vir em princípio em qualquer posição dentro da oração em que se inserem:
Eles não chegaram *nem todavia* deram certeza da presença.
Eles não chegaram *nem* deram, *todavia*, certeza da presença.
Eles não chegaram *nem* deram certeza da presença, *todavia*.

Transpositores ou conjunções subordinativas

Já dissemos que o transpositor ou conjunção subordinativa transpõe oração independente degradada ou subordinada ao nível de equivalência de um substantivo capaz de exercer na *oração complexa* uma das funções sintáticas que têm por núcleo o substantivo. (↗ 376)

Além do *que* transpositor de oração ao nível de substantivo, chamado *conjunção integrante*, e do *que* pronome relativo, que transpõe oração ao nível de adjetivo, a língua portuguesa conta com poucos outros transpositores:

1) *Se*, que transpõe oração originariamente interrogativa total, isto é, desprovida de unidade interrogativa, ao nível de substantivo, conhecida, por isso mesmo, como *conjunção integrante*, a exemplo do *que* anterior:
Ela não sabe *se terá sido aprovada*.

Aqui a oração interrogativa *Terá ela sido aprovada?* se transpõe, mediante o *se*, ao nível de substantivo e como tal está habilitada a exercer a função de objeto direto do núcleo verbal *não sabe*, sem o primitivo contorno melódico interrogativo.

2) *Se*, que transpõe oração ao nível de advérbio, e como tal está habilitada a exercer a função de adjunto adverbial, com valor de circunstância de condição e é, por isso mesmo, chamada *conjunção condicional*.

"Não acabaria *se houvesse de contar pelo mundo o que padeci nas primeiras horas*." [MA]

Que e locuções: as chamadas locuções conjuntivas

A oração transposta a substantivo pela conjunção *que*, de acordo com a função sintática que exerce em relação ao núcleo verbal da oração chamada "principal", pode receber um índice funcional representado por uma preposição. Se exerce função de sujeito, objeto direto, predicativo, não precisará deste índice funcional:
Parece *que vai chover*. (sujeito)
Esperamos *que cheguem cedo*. (objeto direto)
A verdade é *que todos se saíram bem*. (predicativo)

Se a função é de complemento relativo ou de objeto indireto, ou complemento nominal, a conjunção *que* vem precedida da conveniente preposição:
Estavam precisando *de que os ajudassem*. (complemento relativo)
Ela dedicava seu cuidado *a que o filho tivesse boa educação*. (objeto indireto)
Eram poucas as esperanças *de que tudo acabasse bem*. (complemento nominal)

Como todo substantivo transposto, a oração subordinada substantiva pode exercer a função de adjunto adverbial; neste caso, o *que* também terá a companhia de uma *preposição* adequada, que marcará a relação semântica da circunstância:
Tudo sairá bem **desde** que as providências sejam tomadas a tempo.
Sem que estivesse tudo acertado, não iria viajar.
Trabalhou afincadamente **para** que tivesse uma velhice tranquila.
Ela só dizia tudo aquilo *porque* (= ***por*** + *que*) gostava da verdade.

Pelo que podemos observar, tais combinações de preposição e conjunção *que* não constituem outros tipos especiais de locuções; são, na realidade, a combinação de um *que*, transpositor de oração a substantivo, e de uma preposição que o acompanha como índice de sua função sintática em relação ao núcleo verbal, função, aliás, exercida pela oração inteira.

Nisto, o *que* conjunção difere do *que* pronome relativo, pois junto a este último a preposição é índice da função sintática que o relativo exerce na oração em que está inserido:
O homem *de que falavas* era pouco conhecido na cidade,

em que o transpositor *que*, precedido de preposição, funciona como complemento relativo do núcleo verbal *falavas*, enquanto a oração transposta a adjetivo *de que falavas* funciona como adjunto adnominal do substantivo *homem*.

Também se formam "locuções" aparentemente especiais quando temos segmentos do tipo *logo que, sempre que, ainda que*, etc., em que aparecem advérbios (que sozinhos podem funcionar como adjunto adverbial) seguidos do transpositor relativo *que*, já que esse relativo é um "repetidor" de advérbio, papel análogo ao que desempenha como "repetidor" (isto é, referente) de substantivo ou pronome. Assim, se na oração independente *Logo saiu de casa*, o advérbio *logo* funciona como adjunto adverbial, quando a oração se transpõe a subordinada:

Logo que saiu de casa, encontrou o amigo,

exercerá também a função de adjunto adverbial. O *que* degrada a oração *saiu de casa* a subordinada e lhe confere o papel sintático de termo adjunto do advérbio *logo*. Formalmente, esse relativo será equivalente a *quando*: *Quando saiu de casa*, encontrou o amigo.

Este papel repetidor do relativo *que* parece estar presente em construções do tipo *há (faz) dias (meses, anos, tempo*, etc.) *que*, em que já não temos um advérbio, mas substantivo cujo significado léxico aponta para o campo das expressões denotadoras de espaço ou percurso de tempo:

Há dias que não o vejo,

em que também, pelo sentido, o relativo equivale a *quando*.

Cabe lembrar, por fim, que, em algumas construções, se pode alterar o significado originário do advérbio, motivado pelos significados dos lexemas que entram na oração e por uma interpretação suplementar, contextual, do falante, calcada na sua experiência de mundo. Assim, *já*, que tem valor originário temporal, ao unir-se ao *que* na fórmula *já que*, passa a uma interpretação causal:

Já que todos saíram, desisto do negócio.

Dá-se o mesmo com *ainda*, nitidamente temporal; ao unir-se ao *que* na locução *ainda que*, altera seu significado para valor concessivo, equivalente a *embora*:

Nada conseguiu da justiça, *ainda que* juntasse todas as provas em sua defesa.

Damos a seguir uma lista das principais "conjunções" e "locuções conjuntivas" subordinativas, relacionando-as pelo matiz semântico, reunindo, ainda, as que se formam com o concurso do transpositor *que* conjunção e do transpositor relativo *que*, examinados anteriormente. Estudo complementar delas veremos ao tratar das orações subordinadas. (↗ 383)

1) **Causais**: quando introduzem oração que exprime a causa, o motivo, a razão do pensamento da oração principal: *que* (= porque), *porque, como* (= porque, sempre anteposta à sua principal, no português moderno), *visto que, visto como, já que, uma vez que* (com verbo no indicativo), *desde que* (com o verbo no indicativo), etc.:

"A memória dos velhos é menos pronta *porque* o seu arquivo é muito extenso." [MM]
"*Como* ia de olhos fechados, não via o caminho." [MA]
"*Desde que* se fala, indeterminadamente, e no plural, em direitos adquiridos e atos jurídicos perfeitos, razão era que no plural e indeterminadamente se aludisse a casos julgados." [RB]

Observações:

➥ Já se condenou injustamente o emprego de *desde que* em sentido causal, só o aceitando com ideia temporal (*assim que*) ou condicional.

➥ Evite-se o emprego de *de vez que* por *uma vez que* por não ser locução legítima.

2) **Concessivas**: quando introduzem oração que exprime que um obstáculo — real ou suposto — não impedirá ou modificará a declaração da oração principal: *ainda que, embora, posto que* (= ainda que, embora), *se bem que, apesar de que*, etc.:
"*Ainda que* perdoemos aos maus, a ordem moral não lhes perdoa, e castiga a nossa indulgência." [MM]
"Venceu Escobar; *posto que* vexada, Capitu entregou-lhe a primeira carta, que foi mãe e avó das outras. Nem depois de casado suspendeu ele o obséquio..." [MA]

3) **Condicionais** (e *hipotéticas*): quando introduzem oração que em geral exprime:
   a) uma condição necessária para que se realize ou se deixe de realizar o que se declara na oração principal;
   b) um fato — real ou suposto — em contradição com o que se exprime na principal.
Este modo de dizer é frequente nas argumentações. As principais conjunções condicionais (e hipotéticas) são: *se, caso, sem que, uma vez que* (com o verbo no subjuntivo), *desde que* (com o verbo no subjuntivo), *dado que, contanto que*, etc.:
"*Se* os homens não tivessem alguma coisa de loucos, seriam incapazes de heroísmo." [MM]
"*Se* as viagens simplesmente instruíssem os homens, os marinheiros seriam os mais instruídos." [MM]

4) **Conformativas**: quando introduzem oração que exprime um fato em conformidade com outro expresso na oração principal: *como, conforme, segundo, consoante*:
"Tranquilizei-a *como* pude." [MA]
Fez os exercícios *conforme* o professor determinou.

5) **Finais**: quando introduzem oração que exprime a intenção, o objetivo, a finalidade da declaração expressa na oração principal: *para que, a fim de que, que* (= para que), *porque* (= para que):
"Levamos ao Japão o nosso nome, *para que* outros mais felizes implantassem naquela terra singular os primeiros rudimentos da civilização ocidental." [FB]

6) **Modais**: quando introduzem oração que exprime o modo pelo qual se executou o fato expresso na oração principal: *sem que, como*:
Fez o trabalho *sem que* cometesse erros graves.
Entrou na sala *como* bem quis.

> **Observação:**
>
> ➡ A *Nomenclatura Gramatical Brasileira* não reconhece as conjunções modais e, assim, as orações modais, apesar de pôr o modo entre as circunstâncias adverbiais.

7) **Proporcionais**: quando introduzem oração que exprime um fato que ocorre, aumenta ou diminui na mesma proporção daquilo que se declara na oração principal: *à medida que, à proporção que, ao passo que*:
Progredia *à medida que* se dedicava aos estudos sérios.
Aprendia *à proporção que* lia o livro.
Aumentava o seu vocabulário *ao passo que* consultava os dicionários.

> **Observações:**
>
> ➡ A unidade *ao passo que* pode ser empregada sem ideia proporcional, para indicar que um fato não se deu ou não tem as características de outro já enunciado: "A nudez habitual, dada a multiplicação das obras e dos cuidados do indivíduo, tenderia a embotar os sentidos e a retardar os sexos, *ao passo que* o vestuário, negaceando a natureza, aguça e atrai as vontades, ativa-as, reprodu-las e conseguintemente faz andar a civilização" [MA]. Ele foi ao cinema, *ao passo que* eu resolvi ir à praia.
>
> ➡ Evite-se o emprego *mais* (*menos*)... *mais* (*menos*) em lugar de *quanto mais* (*menos*)... *tanto mais* (*menos*) em construções do tipo: *Quanto mais* estudamos, *tanto mais* aumentam nossas possibilidades de vitória (e não: *Mais* estudamos e *mais* aumentam nossas possibilidades de vitória). Pode-se omitir o *tanto* no segundo termo: *Quanto mais* estudamos, *mais aumentam nossas possibilidades de vitória*.

8) **Temporais**: quando introduzem oração que exprime o tempo da realização do fato expresso na oração principal. As principais conjunções e "locuções temporais" são:
a) para o tempo anterior: *antes que, primeiro que* (raro):
Saiu *antes que* eu lhe desse o recado.
"Ninguém, senhores meus, que empreenda uma jornada extraordinária, *primeiro que* meta o pé na estrada, se esquecerá de entrar em conta com as suas forças..." [RB]

b) para o tempo posterior (de modo vago): *depois que, quando*:
Saiu *depois que* ele chegou.

c) para o tempo posterior imediato: *logo que, tanto que* (raro), *assim que, desde que, apenas, mal, eis que, (eis) senão quando, eis senão que*:
Saiu *logo que* ele chegou.
"*Eis senão quando* entra o patrão..." [AAr]

d) para o tempo frequentativo (repetido): *quando* (estando o verbo no presente), *todas as vezes que, (de) cada vez que, sempre que*:
Todas as vezes que saio de casa, encontro-o à esquina.
Quando o vejo, lembro-me do que me pediu.

Observação:

➡ Evite-se o erro de se preceder da preposição *em* o *que*, dizendo-se: *todas as vezes em que, ao mesmo tempo em que*. As formas corretas são: *todas as vezes que, ao mesmo tempo que*. (➚ 405)

e) para o tempo concomitante: *enquanto, (no) entretanto que* (hoje raro):
Dormia *enquanto* o professor dissertava.
"(...) e se aposentou (S. Caetano) junto à Igreja de S. Jorge, e perto do Hospital maior, para *no entretanto que* regulava as dependências da renúncia se entreter no exercício da caridade." (Contador de Argote, *Vida de S. Caetano*, 1722, 90).

Observações:

➡ *Entretanto* ou *no entretanto* são advérbios de tempo, com o sentido de 'neste ínterim', 'neste intervalo de tempo', 'neste meio-tempo'. Mais modernamente *entretanto* passou a valer por uma unidade de valor adversativo e, por influência do advérbio, tem sido empregado precedido da combinação *no* (*no entretanto*). Muitos puristas não aprovam esta última construção.

➡ A rigor, as "conjunções" proporcionais também indicam tempo concomitante; por isso, uns autores distinguem as *temporais* das *concomitantes*, fazendo destas classe à parte das *temporais*. A Nomenclatura Gramatical Brasileira não fala em *concomitante*.

➡ A conjunção *enquanto*, além de exprimir tempo concomitante, pode indicar: a) duração até um limite não ultrapassável, equivalendo a 'durante todo o tempo em que': *Enquanto* a criança estivesse acordada, a mãe estaria a seu lado. b) prioridade no tempo, até se atingir um objetivo: "Não haverá paz para ti nem para mim *enquanto* não levares adiante essa vingança." [JU]. c) contraposição: "Nos intervalos não me levantava da cadeira [...]. As senhoras ficavam quase todas nos camarotes, *enquanto* os homens iam fumar." [MA]. Antes de substantivo, equivale a 'na qualidade de', 'na condição de'; 'como': *Enquanto* professor, tinha o dever de corrigi-la; "(...) não é nossa vontade que deve agora guiar nossa conduta. É o caráter imperioso de nossas convicções e processos, *enquanto* militantes radicais." [JU]

f) para o tempo limite terminal: *até que*:
Brincou *até que* fosse repreendido.

Assume valor temporal o *que* relativo repetidor de advérbio em expressões que designam desde que época um fato acontece: *agora que, hoje que, então que, a primeira vez que, a última vez que*, etc.:
Agora *que* consegui aprender a lição, passarei adiante.
Esta foi a *última vez que* o vi.

Não se fazendo pausa entre o advérbio e o transpositor (*agora que, então que*, etc.), estabelece-se uma unidade de valor semelhante ao que existe em *depois que*, etc., e se pode passar a considerar o todo como "locução conjuntiva":
Agora que tudo está certo vou embora.

Sob o modelo de tais linguagens, desenvolveu-se o costume de se acrescentar o transpositor *que* depois de expressões que denotam desde que tempo uma coisa acontece, reduzida a simples palavra de realce temporal:
Desde aquele dia *que* o procuro.

Analisando, dispensa-se o transpositor *que*.
Depois dos verbos *haver* e *fazer* com sentido temporal (*há dias que, faz dias que*) o transpositor *que* adquiriu, por contacto, a ideia de tempo, com valor aproximado de '*desde que*':
Há quatro dias *que* não o vejo.

1.ª oração – principal: *Há quatro dias*
2.ª oração – subordinada adverbial temporal: *que não o vejo*.
Tais orações temporais admitem mais de uma construção:
Há pouco tempo que não o vejo.
Há pouco tempo não o vejo.
Até há pouco eu o vi por aqui.
Não o vejo há muito.
De há muito não o vejo.
Desde há muito não o vejo.

Que excessivo

Sob o modelo das "locuções" conjuntivas finalizadas por *que*, desenvolveu-se o costume de acrescentar este transpositor junto a advérbio que só por si funciona como adjunto adverbial: *enquanto que, apenas que, embora que, mal que*, etc., construções que os puristas não têm visto com bons olhos, apesar dos exemplos de escritores corretos:
"(...) porque a ciência é mais lenta e a imaginação mais vaga, *enquanto que* o que eu ali via era a condensação viva de todos os tempos." [MA]

Conjunções e expressões enfáticas

As conjunções coordenativas podem aparecer enfatizadas. Para esta ênfase o idioma se serve de vários recursos. Assim, a adição pode ser valorizada mediante as expressões do tipo:
não só... mas (também)
não só... mas (ainda)
não só... senão (também)
não só... que também, etc.
Não só se aplica ao português, *mas ainda*, ao latim.

A alternativa pode ser enfatizada pela repetição:
Ou estudas *ou* brincas.
Já dizes sim *já* dizes não.
Ora vem aqui, *ora* vai ali.

A série *nem... nem* adquire sentido aditivo negativo.
Nem estudou *nem* tirou boas notas. (não estudou e não tirou...)

Quer... quer e *ou... ou*, com o verbo no subjuntivo e tom de voz descendente, podem adquirir um sentido suplementar de concessão quando a possibilidade de ações opostas não impede a declaração contida na oração principal:
Quer estudes *quer* não, aprenderás facilmente a lição.

Exercícios de fixação

I. **Reescreva os períodos seguintes, coordenando-os por meio de conjunção coordenativa aditiva (*e*, *nem*):**
   Modelo: O homem põe; Deus dispõe.
             O homem põe e Deus dispõe.
   1) De dia brilha o sol; de noite brilham as estrelas.
   2) As aves canoras recreiam-nos com o seu canto; elas exterminam muitos insetos nocivos.
   3) A água do mar não é potável; ela não pode empregar-se na cozinha.
   4) O homem não deve ter demasiado cuidado no seu exterior; ele não deve desprezá-lo.
   [C. Claudino Dias, *Exercícios de Composição*]

2. **O mesmo exercício, usando conjunção coordenativa adversativa (*mas, porém*):**
   Modelo: *O vinho não é tonto; ele faz tontos.*
   O vinho não é tonto, mas faz tontos.
   1) A felicidade cria amigos; a infelicidade experimenta-os.
   2) O Mondego é menor do que o Tejo; as suas margens são mais lindas.
   3) O rouxinol não tem uma plumagem brilhante; o seu canto é excelente.

3. **O mesmo exercício, utilizando, em vez da conjunção coordenativa aditiva, a série enfática: *não só... mas também* ou equivalente:**
   Modelo: *O sal é extraído da terra; ele extrai-se da água do mar.*
   O sal não é só extraído da terra, mas também se extrai da água do mar.
   1) O carneiro dá-nos lã; fornece-nos uma carne saborosa.
   2) O ouro emprega-se na moeda; fazem-se dele objetos de ornato.

4. **Complete a coluna A de acordo com a B, segundo a classificação das conjunções coordenativas:**
   Coluna A
   1) (   ) "A inveja cobiça os bens e aborrece os que os possuem." [MM]
   2) (   ) "Faze guerra a ti só, mas vive em paz com os outros homens." [MM]
   3) (   ) Faze o que deves, ou deixa que os outros façam.
   Coluna B
   a) conjunção coordenativa aditiva
   b) conjunção coordenativa adversativa
   c) conjunção coordenativa alternativa

5. **Complete a coluna A de acordo com a coluna B, segundo a classificação das chamadas "conjunções" subordinativas:**
   Coluna A
   1) (   ) Todos saíram, porque foram chamados à portaria.
   2) (   ) Pudemos ir à praia, logo que o tempo melhorou.
   3) (   ) Se não houver ônibus, iremos de táxi.
   4) (   ) É preciso que todos colaborem com a limpeza da sala.
   5) (   ) Ainda que ela não me tenha dado esperanças, continuarei estimando-a.
   6) (   ) Todos foram embora, visto que a escuridão da noite chegou repentinamente.
   7) (   ) Trabalhou na obra como o engenheiro lhe recomendara.
   8) (   ) Embora o gabarito considerasse como certa a questão 2.ª, o candidato entrou com recurso de anulação.
   9) (   ) Não sei se conhece o meu primo que viajou para o Pará.

Coluna B
a) conjunção condicional
b) conjunção integrante
c) conjunção temporal
d) conjunção causal
e) conjunção concessiva
f) conjunção conformativa
g) conjunção final
h) conjunção modal

6. **O mesmo exercício:**
   1) ( ) Parece que não haverá aula amanhã.
   2) ( ) O certo é que todos responderam ao relatório.
   3) ( ) Iremos em seu socorro, ainda que não mereça a ajuda.
   4) ( ) O amor, como é fogo, brilha e consome.
   5) ( ) Advirta-se que ele sempre se fazia de inocente.
   6) ( ) Saímos cedo para que a sala pudesse ser pintada.
   7) ( ) Tão logo descobriram o esconderijo, a malta foi presa.
   8) ( ) Desconhecemos se todos foram chamados para a prova.
   9) ( ) Se vai chover ainda não sabemos.

7. **Como já vimos até aqui, a palavra QUE pode pertencer a várias classes de palavras. Complete a coluna A de acordo com a B, tendo em vista esta variedade do QUE:**
   Coluna A
   1) ( ) É feio que mete medo.
   2) ( ) O homem que me procurou é nosso vizinho.
   3) ( ) Que agradável está a manhã!
   4) ( ) Que idade terá a Josefina?
   5) ( ) Tenho que ir agora à cidade.
   6) ( ) A verdade é que não chegaremos a tempo.
   7) ( ) Foram poucas as vezes que eu o visitei.
   8) ( ) Há nela um quê de atraente.
   9) ( ) Não fala dois minutos que não conte uma mentira.
   10) ( ) Há meses que não o vemos por aqui.
   Coluna B
   a) pronome relativo
   b) advérbio de intensidade
   c) transpositor consecutivo
   d) pronome indefinido
   e) substantivo
   f) conjunção integrante
   g) preposição
   h) conjunção temporal
   i) conjunção condicional

Capítulo 13
Interjeição

Interjeição

É a expressão com que traduzimos os nossos estados emotivos. Têm elas existência autônoma e, a rigor, constituem por si verdadeiras orações. Acompanham-se de um contorno melódico exclamativo. Podem, entretanto, assumir papel de unidades interrogativo-exclamativas e de certas unidades próprias do chamamento, como é o caso do vocativo, e ainda de unidades verbais, como é o caso do imperativo.

As interjeições se repartem por quatro tipos:

1) Certos sons vocálicos que na escrita se representam de maneira convencional: *ah!, oh!, ui!, hum* (o h no final pode marcar uma aspiração, alheia ao sistema do português).

2) Palavras já correntes na língua, como: *olá!, puxa!, bolas!, bravo!, homem!, valha!, viva!* (com contorno melódico exclamativo).

3) Palavras que procuram reproduzir ruídos de animais ou de objetos, ou de outra origem, como: *clic* (*clique*), *pá!, pum!*

4) Locuções interjetivas: *ai de mim!, valha-me Deus!, aqui d'el-rei!*

Eis uma relação das interjeições mais comuns da língua, conforme a situação em que se apresentam:

a) de exclamação: *viva!*
b) de admiração: *ah!, oh!*
c) de alívio: *ah!, eh!*
d) de animação: *coragem!, eia!, sus!, olé!* (conforme a entoação)
e) de apelo ou chamamento: *ó!, olá!, alô!, psit!, psiu!, olé!* (conforme a entoação)
f) de aplauso: *bem!, bravo!*
g) de desejo ou ansiedade: *oh!, oxalá!, tomara!*
h) de dor física: *ai!, ui!*
i) de dor moral: *oh!*
j) de dúvida, suspeita, admiração: *hum!, hem!* (também *hein*), *ué!*
k) de impaciência: *arre!, irra!, apre!, puxa!, fora!*
l) de imposição de silêncio: *caluda!, psiu!* (demorado)
m) de repetição: *bis!, bravo!*
n) de satisfação: *upa!, oba!, opa!*

o) de zombaria: *fiau!*
p) de saudação ou despedida: *olá!, oi!, viva!, salve!, adeus!, tchau!*

Quando estão combinadas com uma frase maior exclamativa, podem-se separar da frase por meio de uma vírgula, ou por meio do ponto de exclamação, ao qual se deve seguir, entretanto, letra minúscula:
"*Oh! que doce harmonia traz-me a brisa.*" [CAv]

Locução interjetiva

É um grupo de palavras com valor de interjeição: *Ai de mim!, Ora bolas!, Com todos os diabos!, Valha-me Deus!, Macacos me mordam!*

Exercícios de fixação

I. **Indique o estado emotivo que manifesta a interjeição nos seguintes exemplos, levando em conta a relação abaixo:**
   Relação:
   1-admiração   7-medo
   2-surpresa   8-raiva
   3-aplauso   9-apelo
   4-dor   10-espanto
   5-chamamento   11-tristeza
   6-desconsolo   12-encorajamento
   a) ( ) Ai! que me pisaste os calos, João!
   b) ( ) "Ah! que saudades que tenho da aurora de minha vida!" [CA]
   c) ( ) Socorro! gritava a velhinha caída no chão.
   d) ( ) Eia, rapazes! Torçamos pelo nosso clube!
   e) ( ) Bravo, maestro!
   f) ( ) Ah! formosa criatura!
   g) ( ) Cruz! Vamos embora daqui!
   h) ( ) Olé! Você por aqui?!
   i) ( ) Olá, meu rapaz, isto não é vida!
   j) ( ) Ué! Ele já saiu?
   k) ( ) Oh! enguiçou o carro!
   l) ( ) Arre! Quem pegou o jornal que estava aqui?

2. **Preencha o espaço em branco com a interjeição ou locução interjetiva abaixo que convier ao sentido do texto:**
   Relação: Ah! Arre! Upa! Santo Deus! Ufa! Psiu! Hum! Ó
   a) "E dizia isto a bater-me na face com os dedos, meiga como uma pomba, e ao mesmo tempo intimativa e resoluta. _____! seria esse o motivo da reconciliação?" [MA]
   b) _____! o espetáculo já começou!
   c) _____! eu, quando prometo, cumpro a minha palavra.
   d) _____! não acredito que ela perguntasse por mim.
   e) Acabo de ouvir três discursos, _____!
   f) _____! por mais que lhe peça, não me obedece.
   g) _____! Você vai comer tudo isso?!
   h) _____ Alice, vem cá!

PARTE 3

ORAÇÕES COMPLEXAS E GRUPOS ORACIONAIS

Capítulo 14
A subordinação e a coordenação. A justaposição

Capítulo 15
As chamadas orações reduzidas

Capítulo 16
As frases: enunciados sem núcleo verbal

Capítulo 14
A subordinação e a coordenação. A justaposição

Subordinação: oração complexa

Uma oração independente do ponto de vista sintático constitui um texto, se este nela se resumir, como em:
A noite chegou.
Pode, entretanto, pelo fenômeno de estruturação das camadas gramaticais conhecido por *hipotaxe* ou *subordinação* (↗ 41), passar a uma camada inferior e aí funcionar como membro sintático de outra unidade:
O caçador percebeu *que a noite chegou*.
A primitiva oração independente *a noite chegou* transportou-se do nível sintático de independência para exercer a função de complemento ou objeto direto da relação predicativa da oração a que pertence o núcleo verbal *percebeu: o caçador percebeu*.
Dizemos, então, que a unidade sintática *que a noite chegou* é uma oração *subordinada*. A gramática chama à unidade *o caçador percebeu* oração principal. Gramaticalmente, a unidade oracional *O caçador percebeu que a noite chegou* é uma unidade sintática igual a *O caçador percebeu a chegada da noite*, na qual *a chegada da noite* integra indissoluvelmente a relação predicativa que tem por núcleo o verbo *percebeu*, na função de complemento ou objeto direto.
Assim, há um primeiro momento em que se analisa por inteiro a unidade sintática *O caçador percebeu que a noite chegou*, para depois se analisar o termo sintático que se apresenta sob forma oracional:
Sujeito: *o caçador*
Predicado: *percebeu que a noite chegou*
Objeto direto: *que a noite chegou*
Como o objeto direto está constituído por uma oração subordinada, são passíveis de análise suas unidades sintáticas constitutivas:
Sujeito: *a noite*
Predicado: *chegou*

Oração complexa e grupos oracionais

A rigor, o conjunto complexo *que a noite chegou* não passa de um termo sintático na oração complexa *O caçador percebeu que a noite chegou*, o qual funciona como objeto direto do núcleo verbal *percebeu*. Estas unidades transpostas exercem função própria de meros substantivos, adjetivos e advérbios, razão por que são assim classificadas na oração complexa: orações subordinadas substantivas, adjetivas e adverbiais.

Diferente deste caso será o *grupo oracional* integrado por orações sintaticamente independentes, que, por isso, poderiam aparecer em separado:
    O caçador chegou à cidade e procurou um hotel
ou
    O caçador chegou à cidade. Ele procurou um hotel.

Temos aqui um grupo de enunciados da mesma camada gramatical, isto é, como *orações*, o que caracteriza uma das propriedades de estruturação das camadas gramaticais conhecida por *parataxe* ou *coordenação*. (➚ 42)

Daí só podermos, a rigor, falar em *orações compostas, grupos oracionais* ou *período composto* quando estivermos diante de orações coordenadas.

Como já vimos, haverá coordenação entre qualquer unidade da mesma camada gramatical: *homem e mulher* (dois substantivos), *estudioso e inteligente* (dois adjetivos), *ontem e hoje* (dois advérbios), *leio e compreendo* (dois verbos), *com e sem* (duas preposições), um substantivo e oração substantiva (*desejo a vitória e que tenhas sucesso*), um adjetivo e oração adjetiva (*inteligente e que tem bom coração*), um advérbio e oração adverbial (*agora e quando estiveres pronto*), duas orações da mesma função sintática (*desejo que venças e que sejas feliz*), etc.

Que: marca de subordinação oracional

No exemplo *O caçador percebeu que a noite chegou*, a marca de que a oração independente passou, pelo processo da subordinação, a funcionar como membro de uma outra oração, é o *que*, conhecido tradicionalmente como "conjunção" integrante.

Na realidade, esse *que* não tem por missão precípua "juntar" duas orações — como fazem as conjunções coordenativas —, mas tão somente marcar o processo por que se transpôs uma unidade de camada superior (uma oração independente) para funcionar, numa camada inferior, como membro de outra oração. Dizemos que esse *que* é um *transpositor*.

Daí não corresponder à nova realidade material da unidade sintática subordinada a denominação tradicional de *orações compostas* ou *período composto*. Temos sim orações *complexas*, isto é, orações que têm termos determinantes complexos, representados sob forma de outra oração. Só haverá orações ou períodos *compostos* quando houver *coordenação*.

Orações complexas de transposição substantiva

A oração transposta, inserida na oração complexa, é classificada conforme a categoria gramatical a que corresponde e pela qual pode ser substituída no desempenho da mesma função. Daí ser a oração transposta classificada como *substantiva*, *adjetiva* ou *adverbial*, segundo a tradição gramatical, pois desempenha função sintática normalmente constituída por substantivo, adjetivo ou advérbio. Assim, em nosso exemplo, *O caçador percebeu que a noite chegou*, a oração transposta inserida na oração complexa (que) *a noite chegou* será substituída pelo substantivo *a chegada da noite* (*O caçador percebeu a chegada da noite*), e a oração transposta pelo processo da subordinação funcionará, também, como objeto direto da relação predicativa que tem como núcleo verbal *percebeu*.

A oração subordinada transposta substantiva aparece inserida na oração complexa exercendo funções próprias do substantivo, ressaltando-se que a "conjunção" *que* pode vir precedida de preposição, conforme exerça função que necessite desse índice funcional:
a) Sujeito: Convém *que tu estudes* / Convém *o teu estudo*.
b) Objeto direto: O pai viu *que a filha saíra* / O pai viu *a saída da filha*.
c) Complemento relativo: Todos gostam *de que sejam premiados* / Todos gostam *de prêmio*.
d) Predicativo: A verdade é *que todos foram aprovados* / A verdade é *a aprovação de todos*.
e) Objeto indireto: Enildo dedica sua atenção *a que os filhos se eduquem* / Enildo dedica sua atenção *à educação dos filhos*.
f) Aposto: Uma coisa lhe posso adiantar, *que as crianças virão*. / Uma coisa lhe posso adiantar, *a vinda das crianças*.

Nota: Para as funções de complemento nominal e agente da passiva, consultar página 381.

Orações subordinadas resultantes de substantivação: as interrogativas e exclamativas

Sem precisar do transpositor *que*, as orações interrogativas e exclamativas, desprovidas do particular contorno melódico e iniciadas por uma unidade desses valores semânticos, podem-se substantivar e exercer função própria de substantivo na oração complexa:
Ainda não sei *que vou fazer hoje*. (cf. *Que vou fazer hoje?*)
Os comerciantes desconhecem *que mercadoria terá mais saída no próximo verão*. (cf. *Que mercadoria terá mais saída no próximo verão?*)
O professor pergunta *qual é o motivo da algazarra*. (cf. *Qual é o motivo da algazarra?*)
Ainda não descobrimos *por que ele saiu cedo*. (cf. *Por que ele saiu cedo?*)
A vizinha indagou *quando lhe telefonaram de madrugada*.

O treinador decidiu *como o time conterá o adversário.*
O calouro ainda não sabe *para que especialidade médica se dirigirá.*
Não adivinhava *quanta alegria causou em nós.*

> **Observação:**
>
> ➥ Opondo-se ao transpositor *que*, que não exerce função sintática, as unidades interrogativas e exclamativas (pronomes e advérbios) têm função sintática na oração subordinada a que pertencem.

Também aparece desprovida do *que* a oração subordinada de valor semântico de incerteza ou dúvida que, primitivamente, era uma interrogativa geral, passando a conjunção *se* a transpositora: Não sei *se a prima virá cedo.* Perguntavas *se o jogo seria hoje.*

Orações complexas de transposição adjetiva

I. Orações adjetivas ou de relativo

Tomemos a seguinte oração:
O aluno estudioso vence na vida,

em que o adjunto adnominal representado pelo adjetivo *estudioso* pode também ser representado por uma oração que, pela equivalência semântica e sintática com *estudioso*, se chama *adjetiva*:

O aluno   que estuda   vence na vida.
O aluno   estudioso   vence na vida.

Repare que a oração independente
O aluno estuda,

mediante o transpositor *que*, representado pelo pronome relativo, transpõe a oração independente a funcionar, num nível inferior, como adjunto adnominal do substantivo *aluno*, tal qual fazia o adjetivo *estudioso* da oração básica *O aluno estudioso vence na vida.* Daí dizer-se que a oração transposta *que estuda* é subordinada adjetiva.

O transpositor relativo *que*, na oração subordinada, reintroduz o antecedente a que se refere e acumula também uma função de acordo com a estrutura sintática da oração transposta. Trata-se de um caso de antitaxe. (➚ 43)

No exemplo:
O aluno que estuda vence na vida,

a oração *que estuda* vale por *o aluno estuda*, já que o pronome relativo é aí o representante do antecedente *aluno*. Analisando *o aluno estuda*, o sujeito explícito é *o aluno*, o que nos leva a concluir que o pronome em *que estuda* funciona como sujeito explícito do núcleo verbal *estuda*.

2. O relativo marcado por índice preposicional

Já em
O livro de que gostas está esgotado,

o relativo *que* reintroduz também o antecedente *livro*, de modo que a oração subordinada *de que gostas* vale por *gostas do livro*, em que *do livro* é complemento relativo do núcleo verbal *gostas*. Se assim é, na oração subordinada *de que gostas* o pronome relativo funciona como complemento relativo. E como o complemento relativo é um termo marcado por um índice preposicional e como o verbo *gostar* se acompanha da preposição *de*, é imprescindível que este índice esteja introduzindo o relativo *que*:
O livro de que gostas está esgotado.

Em
A cidade a que nos dirigimos ainda está longe,

o relativo *que* reintroduz na oração subordinada adjetiva *a que nos dirigimos* o substantivo *cidade*, e vale por *nos dirigimos à cidade*, em que o núcleo verbal *dirigimos* requer um termo marcado pelo índice preposicional *a*, que, portanto, não deve faltar anteposto ao relativo, que funciona como complemento relativo do núcleo verbal *nos dirigimos*: (➚ 72)
A cidade a que nos dirigimos ainda está longe.

Orações adjetivas explicativas e restritivas

Já vimos que o adjetivo pode antepor-se ou pospor-se ao substantivo e que, segundo sua posição, o adjetivo pode variar de valor. Em geral, o adjetivo anteposto (também chamado *epíteto*) traduz, por parte da perspectiva do falante, valor *explicativo* ou *descritivo*: *a triste vida*. Aqui o adjetivo não designa nenhum tipo de *vida* que se oponha a outro que não seja *triste*; apenas se descreve como a *vida* é. Agora, se disséssemos *a vida triste*, nos estaríamos restringindo a uma realidade que se opõe a outras, como *vida alegre*, *vida boêmia*, etc. Neste caso, o adjetivo se diz *restritivo*.
A oração adjetiva também conhece esses dois valores; a adjetiva explicativa alude a uma particularidade que não modifica a referência do antecedente e que, por ser mero apêndice, pode ser dispensada sem prejuízo total da mensagem. Na língua falada, aparece marcada por pausa em relação ao antecedente e, na escrita, é assinalada por adequado sinal de pontuação, em geral, entre vírgulas:
O homem, que vinha a cavalo, parou defronte da igreja.

Repare-se em que a oração adjetiva *que vinha a cavalo* denuncia que, na narração, só havia um homem, de modo que a declaração *que vinha a cavalo* pode ser dispensada, é mera explicação adicional (*adjetiva explicativa*):
   O homem parou defronte da igreja.

Já em
   O homem que vinha a cavalo parou defronte da igreja,

a oração adjetiva, proferida sem pausa e não indicada na escrita por sinal de pontuação a separá-la do antecedente, demonstra que na narração havia mais de um homem, mas só o "que vinha a cavalo" *parou defronte da igreja*. A esta subordinada adjetiva se chama *restritiva*.

À semelhança do que se fez com a oração complexa em cuja estrutura há uma oração subordinada substantiva; num primeiro momento da análise, analisar-se-á por inteiro a unidade sintática *O aluno que estuda vence na vida*, para depois se analisar o termo sintático que se apresenta sob forma oracional:
   Sujeito: O aluno que estuda
   Predicado: vence na vida
   Adjunto adverbial: na vida

Como o adjunto adnominal está constituído por uma oração subordinada adjetiva, são passíveis de análise suas unidades sintáticas constitutivas:
   Sujeito: que (= o aluno)
   Predicado: estuda

Adjetivação de oração originariamente substantiva

A unidade complexa *homem corajoso* pode ser substituída por *homem de coragem*, em que o substantivo *coragem*, transposto por uma preposição ao papel de adjetivo, funciona também como adjunto do núcleo nominal.

Esta mesma possibilidade de transposição a adjetivo modificador de um grupo nominal mediante o concurso de preposição conhece a oração originariamente substantiva.
   O desejo de que se apurem os fatos é a maior preocupação dos diretores.

O *que* que introduz a oração *que se apurem os fatos* é um transpositor de oração subordinada, igual a *a apuração dos fatos*. Precedida da preposição *de*, a oração substantiva fica habilitada a exercer a função de adjetivo (adjunto adnominal) do substantivo *desejo*. É operação idêntica à que vimos em *homem corajoso* → *homem de coragem*.

Este grupo nominal pode ter como núcleo um substantivo ou um adjetivo.
Núcleo substantivo:
   O desejo *de que se apurem os fatos* é a maior preocupação dos diretores.
   A crença *em que a crise se espalhe* atormenta todos nós.
   A desconfiança *de se devemos ir avante* é logo desfeita.

Núcleo adjetivo:
Estávamos todos desejosos *de que o concurso saísse logo.*
O negociante estava cônscio *de que sua responsabilidade era grande.*

Observação:

➥ Sendo as expressões preposicionadas *desejo de glória, ânsia de liberdade, desejoso de glória, ansioso de liberdade* modificadoras dos núcleos nominais e, por isso mesmo, chamadas *complementos nominais* (➚ 84) e funcionalmente partícipes da natureza dos adjetivos, manda a coerência que as orações que funcionam como complemento nominal sejam incluídas entre as adjetivas — como fizemos aqui — e não entre as substantivas, como faz a tradição entre nós. Como vimos, elas são primitivamente substantivas, mas que, num segundo momento de estruturação, para funcionarem como modificadoras de substantivos e adjetivos, são transpostas a adjetivas mediante o concurso da preposição.

Ocorre o mesmo com as orações que funcionam como agente da passiva que, primitivamente substantivas, são transpostas a adverbiais, mediante a preposição *por.* (➚ 381)

Substantivação de oração originariamente adjetiva

Em *O homem sábio é guia seguro*, o adjetivo *sábio* pode ocupar o papel da unidade complexa *homem sábio* mediante sua substantivação: *O sábio é guia seguro*, em que se deu o apagamento do substantivo *homem* e se marcou o novo caráter substantivo de *sábio* com a conservação do artigo *o*.

Também conhece esse expediente de substantivação a oração transposta adjetiva mediante o apagamento do antecedente dos relativos *quem* e *que* (este com a presença do artigo), se o antecedente, pela situação do discurso, é conhecido dos interlocutores ou se lhe quer dar certo ar de generalização:

"O homem que cala e ouve não dissipa *o que sabe*, e aprende *o que ignora*." [MM]
"*Os que mais blasonam de honra e probidade* são como os poltrões que se inculcam de valentes." [MM]
"Os elogios de maior crédito são *os que os nossos próprios inimigos nos tributam*." [MM]
"*Para quem não tem juízo* os maiores bens da vida se convertem em gravíssimos males." [MM]
Ele é *quem os avisa*.[1]

---

[1] Estas orações de *quem* apresentam certa liberdade de colocação em relação à sua principal, e aparecem frequentemente no início do período: *Quem tudo quer tudo perde.*

> **Observação:**
>
> ► Alguns autores preferem desdobrar o *quem* em *aquele(s) que, aquela(s) que*, e considerar a unidade *o, a, os, as* como pronomes demonstrativos representados na oração adjetiva pelo pronome relativo *que*, de modo que, não aceitando a substantivação nesses casos, analisam a subordinada como adjetiva: *Não conheço quem chegou = Não conheço aquele que chegou. Não conheço os que chegaram = Não conheço aqueles que chegaram.* São possíveis as duas maneiras de analisar tais construções.
>
> Ocorre o mesmo com os advérbios relativos destituídos de antecedente:
>
> Não sabemos $\begin{cases} por\ que \\ como \\ quando \\ onde \end{cases}$ comprou.
>
> **Nota:** A oração substantiva funciona, nestes exemplos, como objeto direto do verbo *saber*.
>
> A polícia descobriu *quando foi o roubo*. (oração objetiva direta)
>
> Os jornais explicaram *como os ladrões conseguiram fugir*. (oração objetiva direta)
>
> Os garotos não descobriram *onde os pais tinham posto os presentes*. (oração objetiva direta)
>
> Os vizinhos não entenderam *por que o fogo foi violento*. (oração objetiva direta)
>
> Os que adotam análise diferente substituem *quando* por *o momento em que; como* por *o modo pelo qual; onde* por *o lugar em que; por que* por *o motivo pelo qual*.
>
> A análise que adotamos tem a vantagem de encarar uma realidade da língua, e não uma substituição que a ela realmente nem sempre equivale, nem é corrente no discurso.
>
> Não se transportam a substantivas as orações adjetivas introduzidas pelos relativos *cujo* e *o qual*.

Transposta a substantiva, a oração de relativo sem antecedente expresso pode exercer as funções próprias das substantivas originais. Assim, no primeiro exemplo, do Marquês de Maricá, *o que sabe* e *o que ignora* fazem o papel de objeto direto dos núcleos verbais *dissipa* e *aprende*. No segundo, *os que mais blasonam de honra e probidade* é o sujeito de *são*; no terceiro, *os que os nossos próprios inimigos nos tributam* é predicativo de *são*. No quarto exemplo, *para quem não tem juízo* funciona como objeto indireto (dativo livre de interesse). (➚ 68)

Para marcar a natureza substantiva da oração transposta, costuma-se anteceder de artigo a interrogativa indireta, prática às vezes, injustamente, condenada:

Não sei *o* quanto lhe devo nessa ajuda.

Mais uma construção de oração já transposta

A oração relativa sem antecedente transposta a substantiva pode ser de novo transposta a adjetiva com o concurso de preposição — geralmente *de* — e funcionar como modificadora de substantivo.

Repare-se nas construções derivadas da construção básica *o homem sábio* ➜ *o sábio* ➜ *o trabalho do sábio*, em que, nesta última fase, o adjetivo substantivado *o sábio* recebe o concurso da preposição *de* para desempenhar o papel de modificador ou adjunto do núcleo *trabalho*. Assim, também, neste exemplo do Marquês de Maricá:

"O maior trabalho *dos que governam* é tolerar os importunos"

a oração relativa substantivada *os que governam* (= os governantes), mediante a preposição em *dos que governam*, passa a exercer função própria de adjetivo como modificadora do substantivo *trabalho*.

Também a oração de relativo transposta a substantiva pode, com o concurso de preposição, passar a exercer papel de advérbio e, assim, funcionar como adjunto circunstancial.

O livro foi escrito *por quem não se esperava*. (agente da passiva)

Orações complexas de transposição adverbial

Refletindo a classe heterogênea dos advérbios (✔ 313), também as orações transpostas que exercem funções da natureza do advérbio se repartem por dois grupos:
a) as subordinadas adverbiais propriamente ditas, porque exercem função própria de advérbio ou locução adverbial e podem ser substituídas por um destes (advérbio ou locução adverbial): estão neste caso as que exprimem as noções de *tempo, lugar, modo* (substituíveis por advérbio), *causa, concessão, condição* e *fim* (substituíveis por locuções adverbiais formadas por substantivo e grupos nominais equivalentes introduzidos pelas respectivas preposições);
b) as subordinadas *comparativas* e *consecutivas*.

As subordinadas adverbiais propriamente ditas

As adverbiais do 1.º grupo exercem função própria de advérbio, que é, como vimos, um adjunto ou determinante circunstancial não necessário gramaticalmente ao núcleo verbal. Do ponto de vista constitucional, estão representados por advérbios (os de *tempo, lugar* e *modo*) ou pelas chamadas locuções adverbiais.

Daí tais orações adverbiais, do ponto de vista constitucional, se assemelharem às substantivas, já que se identificam com estas em funções adverbiais, como ocorre com o substantivo transposto ao papel de advérbio mediante o concurso de preposição:

Saiu *de noite*.
Estudamos *com prazer*.
Trabalhas *na fábrica*.
Passeamos *pela cidade*.

Desta maneira, quando as orações se transpõem a subordinadas substantivas mediante o transpositor *que* e passam a funcionar como adverbiais, são marcadas pela respectiva preposição, constituindo assim as impropriamente chamadas *locuções conjuntivas*: *sem que, para que, desde que, porque* (= por + que), *a fim de que*, etc. Impropriamente locuções conjuntivas, como vimos (↗ 361), porque não se trata de uma unidade complexa, mas de dois elementos com papéis diferentes: a preposição assinala a noção circunstancial de que semanticamente se reveste a oração transposta ou subordinada; o *que* marca o novo papel da oração independente originária que passa a funcionar, num plano inferior, como termo sintático dentro da oração complexa:

Os alunos estudam muito *para que possam preparar-se para as exigências da vida*.
Os convidados saíram *sem que fossem notados*.
O advogado não o defendeu *porque o réu só mentiu no depoimento*.

Outras particularidades nos transpositores das orações adverbiais

Além do *que* precedido da conveniente preposição, como vimos até aqui, devemos assinalar as seguintes outras particularidades:

a) Quando usados sem referência a antecedente, advérbios relativos (*onde, quando, como*) transpõem a oração a que pertencem, que passa a exercer papel de adjunto adverbial:
"*Onde me espetam* fico." [MA] (locativa)
Saíste *quando a festa melhorava*. (temporal)
O prédio foi construído *como estava planejado*. (modal ou conformativa)

b) Também os pronomes relativos sem referência a antecedente ou precedidos de artigo transpõem oração subordinada a substantivo, podendo esta oração subordinada substantiva passar a exercer função adverbial se vem acompanhada da conveniente preposição:
Ela só saía *com quem lhe merecia confiança*. (companhia)
O vizinho errou quando depositou suas economias *no que era bastante precário*. (lugar)

c) A oração transposta de *que* pode funcionar como determinante de um advérbio, de modo que às vezes o conjunto (advérbio + *que*) passa a funcionar

como um transpositor unitário (*ainda que, já que, sempre que, logo que, assim que*, etc.), em que o significado originário do advérbio pode apresentar-se modificado:
Sempre que corríamos à janela, assistíamos ao espetáculo da natureza.
Logo que tudo fique resolvido, o vizinho se mudará.
Já que todos saíram, desisto do negócio. [*já* "temporal" → *já que* "causal"]

d) Palavras ou grupos de palavras (advérbio ou substantivo adverbializado) passam a exercer papel próprio de morfema, aqui de preposição, pela qual podem ser substituídos. É um caso de hipotaxe. (➚ 41)
em virtude de doença = *por* doença
em cima da mesa = *sobre* a mesa
graças à ajuda = *com* a ajuda
debaixo da escada = *sob* a escada
dentro de pouco = em pouco

Neste caso, introduzindo uma oração transposta mediante *que*, esta exercerá papel adverbial:
Em virtude de que era o mais saudável, dispôs-se a trabalhar pelo grupo.

e) Alguns particípios fixos no masculino singular se unem a orações transpostas mediante *que*, dando origem a transpositores complexos de orações adverbiais, do tipo de *dado que, posto que, visto que, suposto que, salvo que, exceto que, não obstante que*:
Nada resolveu o problema, *visto que não houve entendimento prévio das partes em litígio.*
Os turistas desistiram da visita, *dado que chovia torrencialmente.*

As subordinadas adverbiais comparativas e consecutivas

As subordinadas adverbiais do 2.º grupo, integradas pelas comparativas e consecutivas, guardam certa analogia com as adjetivas porque dependem de um antecedente, de natureza quantificadora ou de unidade quantificada (adjetivo ou advérbio), e só mantêm relação direta com o núcleo verbal da oração junto com seu antecedente. Assim é que em
Janete estuda mais que trabalha,

a oração subordinada *que trabalha* está presa ao advérbio *mais*, e o conjunto *mais que trabalha*, que manifesta uma comparação com o fato anterior, funciona como adjunto adverbial do núcleo verbal *estuda*.

O mesmo ocorre em
Janete é tão aplicada aos estudos que não lhe sobra tempo para o trabalho.

Aqui a oração subordinada *que não lhe sobra tempo para o trabalho*, que manifesta a consequência ou encarecimento do fato anterior, também está presa ao quantificador *tão*, que funciona como adjunto adverbial de *aplicada*, e o conjunto *tão aplicada aos estudos que não lhe sobra tempo para o trabalho*, valendo por um adjetivo a modificar o substantivo *Janete*, funciona como predicativo do verbo *é*.

O caráter de adjunto, portanto de termo não argumental, tanto da oração subordinada comparativa quanto da consecutiva, se manifesta pelo fato de se poder eliminar a oração subordinada, e continuar perfeita a oração anterior:
Janete estuda mais.
Janete é tão aplicada aos estudos.

Grupos oracionais: a coordenação

Já vimos que as orações coordenadas são orações sintaticamente independentes entre si e que se podem combinar para formar *grupos oracionais* ou *períodos compostos*:
Mário lê muitos livros e aumenta sua cultura.
Mário lê muitos livros e aprende pouco.

É fácil observar que as duas orações do primeiro exemplo são sintaticamente independentes, porque, ao analisar a primeira (*Mário lê muitos livros*), verificamos que possui todos os termos sintáticos previstos na relação predicativa, ao contrário da oração complexa, conforme vimos: (↗ 375)
Sujeito: *Mário*
Predicado: *lê muitos livros*
Objeto direto: *muitos livros*

A ordem das orações é, em geral, livre, salvo quando o significado dos lexemas estabelece uma disposição natural dos conteúdos de pensamento designados. São, neste último caso, questões relativas exclusivamente ao nosso saber elocutivo, e não ao saber idiomático. (↗ 43)
Trabalhava de dia e estudava de noite.
Estudava de noite e trabalhava de dia.

Mas há ordem fixa, ditada pela nossa experiência do mundo, em:
Ficou noivo em fevereiro e casou-se em junho.
Cursava a Faculdade de Direito e formou-se em advocacia.

Os tipos de orações coordenadas e seus conectores

As orações coordenadas estão ligadas por conectores chamados conjunções coordenativas (↗ 357), que apenas marcam o tipo de relação semântica que o falante manifesta entre os conteúdos de pensamento designados em cada uma das orações sintaticamente independentes. Tais orações ligadas pelas conjunções coordenativas se dizem, por isso, *sindéticas*.

São três as relações semânticas marcadas pelas conjunções coordenativas ou conectores:

1) *Aditiva*
Pedro estuda *e* Maria trabalha.
Pedro não estuda *nem* trabalha.
Nem Pedro estuda *nem* Maria trabalha.

2) *Adversativa*
João veio visitar o primo, *mas* não o encontrou.

3) *Alternativa*
Estudas *ou* brincas.

Justaposição ou assindetismo

Ao lado da presença de transpositores e conectores vistos até aqui, as orações podem encadear-se, como ocorre com os termos sintáticos dentro da oração, sem que venham entrelaçadas por unidades especiais; basta-lhes apenas a sequência, em geral proferida com contorno melódico descendente e com pausa demarcadora, assinalada quase sempre na escrita por vírgulas, ponto e vírgula e, ainda, por dois-pontos:

"O moço que dizia 'Similes' costumava zombar de mim com barulho. *Qualquer dito nem o excitava: mordia os beiços, avermelhava-se como um peru, lacrimejava, enfim não se continha, caía num riso convulso, rolava sobre o balcão, meio sufocado*." [GrR]

Este procedimento de enlace chama-se *assindetismo* ou *justaposição*.

Seu efeito para o discurso é variado, ora apontando para um estilo cortado com grande dose impressionista, ora para um estilo que focaliza quadros rápidos e movimentos ascendentes, especialmente se está constituído por sequência de verbos. Já a sequência de substantivos manifesta lentidão.

Aproximam-se as orações justapostas das coordenadas sindéticas, e com elas às vezes se alternam, por permitirem, no nível da camada superior do texto, um sentido subsidiário de causa-explicação, concessão, consequência, oposição, tempo, levando-se em conta o conteúdo de pensamento nelas designado:

"Uma vez por dia o grito severo me chamava à lição. Levantava-me, com um baque por dentro, *dirigia-me à sala, gelado*. E emburrava: *a língua fugia dos dentes, engrolava ruídos confusos*." [GrR]

"Não me ajeitava a esse trabalho: *a mão segurava mal a caneta, ia e vinha em sacudidelas, a pena caprichosa fugia da linha, evitava as curvas, rasgava o papel, andava à toa como uma barata doida, semeando borrões*." [GrR]

A chamada "coordenação distributiva"

Podem-se incluir nas orações justapostas aquelas que a gramática tradicional arrola sob o rótulo de coordenadas distributivas, caracterizadas por virem enlaçadas pelas unidades que manifestam uma reiteração anafórica do tipo de *ora...ora, já...já, quer...quer, um...outro, este...aquele, parte...parte, seja...seja*, e que assumem valores distributivos alternativos e, subsidiariamente, concessivos, temporais, condicionais.

Do ponto de vista constitucional, essas unidades são integradas por várias classes de palavras: substantivo, pronome, advérbio e verbo, e do ponto de vista funcional não se incluem entre os conectores que congregam orações coordenadas:

Ora eram eles capazes de atos de vandalismo, *ora* eram capazes de atos de ajuda ao próximo.

Já não se mostravam como pessoas educadas, *já* se revelavam como se fossem inocentes crianças.

Uns estavam sempre satisfeitos, *outros* só viviam reclamando da vida.

Orações intercaladas

Também se incluem nos grupos oracionais como orações justapostas as *intercaladas*, também caracterizadas por estarem separadas do conjunto por pausa e por contorno melódico particular. Na escrita, aparecem marcadas por vírgula, travessão ou parênteses. Do ponto de vista de conteúdo de pensamento designado, dividem-se em:

1) *citação*: acrescenta a pessoa que proferiu a oração anterior:

Dê-me água, *me pediu o rapaz*.[2]

Quem é ele? — *interrompeu a jovem*.

---

[2] Professores há que preferem, havendo na intercalada um verbo transitivo direto, considerar este tipo de oração como principal. Assim, analisam:

Oração principal: me pediu o rapaz.

Oração subordinada, substantiva objetiva direta, justaposta: dê-me água.

Se a intercalada não encerra verbo transitivo direto, acham-no por elipse.

2) *advertência*: esclarece um ponto que o falante julga necessário:
Em 1945 — *isto aconteceu no dia de meu aniversário* — conheci um dos meus melhores amigos.

3) *opinião*: o falante aproveita a ocasião para opinar:
D. Benta (*malvada é que era*) dizia que a sua doença impedia a brincadeira da garotada.
"Comíamos, *é verdade*, mas era um comer virgulado de palavrinhas doces." [MA]

4) *desejo:*[3] o falante aproveita a ocasião para exprimir um desejo, bom ou mau:
José — *Deus o conserve assim!* — conquistou o primeiro lugar da classe.
"É bem feiozinho, *benza-o Deus*, o tal teu amigo!" [AAz]
O teu primo — *raios que o partam!* — pôs-me de cabelos brancos.

5) *escusa*: o falante se desculpa:
"Pouco depois retirou-se: eu fui vê-la descer as escadas, e não sei por que fenômenos de ventriloquismo cerebral (*perdoem-me os filósofos essa frase bárbara*) murmurei comigo..." [MA]

6) *permissão*: o falante solicita algo:
"Meu espírito (*permita-me aqui uma comparação de criança*), meu espírito era naquela ocasião uma espécie de peteca." [MA]

7) *ressalva*: o falante faz uma limitação à generalidade de um enunciado:
"Daqui a um crime distava apenas um breve espaço e ela transpôs, *ao que parece*." [AH]
Ele, *que eu saiba*, nunca veio aqui.[4]
"Cobiça de cátedras e borlas que, *diga-se de passagem*, Jesus Cristo repreendeu severamente aos fariseus." [CBr]
Os livros, *pode-se bem-dizer*, são o alimento do espírito.

Como ensina Adriano da Gama Kury, devemos "considerar essas orações interferentes como períodos à parte, intercalados ou justapostos, que se analisarão lado a lado com aquele em que se inserem".

---

[3] A este José Oiticica denominava de *exclamação*.
[4] Com seus alunos deve apenas o professor insistir na conceituação de oração intercalada, desprezando minúcias de classificação. Nem sempre se traçam linhas rigorosas de demarcação entre o sentido de muitas dessas intercaladas.

Discurso direto, indireto e indireto livre

O português, como outras línguas, apresenta normas textuais para nos referirmos, no enunciado, às palavras ou pensamentos de responsabilidade do nosso interlocutor, mediante os chamados *discurso direto, discurso indireto* e *discurso indireto livre*.

No discurso direto reproduzimos ou supomos reproduzir fiel e textualmente as nossas palavras e as do nosso interlocutor, em diálogo, conforme vimos nos exemplos das orações ou períodos intercalados de citação, com a ajuda explícita ou não de verbos como *disse, respondeu, perguntou, retrucou* ou sinônimos (os chamados verbos *dicendi*). Às vezes, usam-se outros verbos de intenção mais descritiva, como *gaguejar, balbuciar* (do exemplo, a seguir, de Machado de Assis), *berrar*, etc. São os *sentiendi*, que exprimem reação psicológica do personagem.[5] No diálogo, a sucessão da fala dos personagens é indicada por travessão (outras vezes, pelos nomes dos intervenientes):

"— Não contava hoje com sua visita, disse Vasconcelos.
— Admira, respondeu o Sr. José Brito com uma placidez de apunhalar, porque hoje são 21.
— Cuidei que eram 19, *balbuciou* Vasconcelos.
— Anteontem, sim; mas hoje são 21. [...]"

No discurso indireto, os verbos *dicendi* se inserem na oração principal de uma oração complexa, tendo por subordinadas as porções do enunciado que reproduzem as palavras próprias ou do nosso interlocutor. Introduzem-se pelo transpositor *que*, pela dubitativa *se* e pelos pronomes e advérbios de natureza pronominal *quem, qual, onde, como, por que, quando*, etc., já vistos antes:
Perguntei *se lavou as orelhas*.

O discurso direto em:
José Dias recusou, dizendo: *É justo levar a saúde à casa de sapé do pobre*

passa a discurso indireto, em que se transpõe o presente *é* do discurso direto para o pretérito imperfeito do indireto:
"José Dias recusou, dizendo *que era justo levar a saúde à casa de sapé do pobre*." [MA]

O discurso indireto livre consiste em, conservando os enunciados próprios do nosso interlocutor, não fazer-lhe referência direta. Como ensina Mattoso Câmara,

---

[5] Cf. O. Moacir Garcia, onde se encontra excelente e larga exposição sobre o emprego dos verbos *dicendi* e *sentiendi*, bem como as alterações que podem ter os tempos e modos verbais e os pronomes demonstrativos e possessivos na passagem do discurso direto a indireto, a pontuação e a colocação desses verbos. O assunto extrapola, na sua análise mais profunda, o âmbito da Gramática para inserir-se na Linguística do Texto.

mediante o estilo indireto livre reproduz-se a fala dos personagens — inclusive do narrador — sem "qualquer elo subordinativo com um verbo introdutor *dicendi*". Se tomássemos o exemplo anterior de *Dom Casmurro*, bastaria suprimir a forma verbal *dizendo* e construir dois períodos independentes com as duas partes restantes:
> José Dias recusou. Era justo levar a saúde à casa de sapé do pobre.

Uma particularidade do estilo indireto livre é a permanência das interrogações e exclamações da forma oracional originária, ao contrário do caráter declarativo do estilo indireto. Mattoso Câmara cita um trecho de *Dom Casmurro* em que D. Glória tenta demover Pádua da ideia de suicídio (por lhe ter mudado a vida financeira de repente), mediante um enunciado em estilo indireto livre a partir do segundo período:
> Minha mãe foi achá-lo à beira do poço, e intimou-lhe que vivesse. *Que maluquice era aquela de parecer que ia ficar desgraçado, por causa de uma gratificação a menos, e perder um emprego interino? Não, senhor, devia ser homem, pai de família, imitar a mulher e a filha...*

Em suma, o discurso indireto livre "estabelece um elo psíquico entre o narrador e o personagem que fala (...): o narrador associa-se ao seu personagem, transpõe-se para junto dele e fala em uníssono com ele". [MC]

Particularidades outras das orações transpostas substantivas

Conforme vimos, pode a conjunção integrante vir ou não precedida de preposição necessária. O quadro seguinte resumirá as orações substantivas, levando-se em conta a preposição necessária:

Subordinadas substantivas	
a) sem preposição necessária	1) subjetiva 2) objetiva direta 3) predicativa 4) apositiva
b) com preposição necessária	1) completiva relativa (complemento de verbo) 2) objetiva indireta (complemento de verbo + objeto direto ou complemento relativo)

Observações:

➡ Continuamos a insistir no termo *necessária* (*preposição necessária*), porque ela pode aparecer, esporadicamente, em lugares que não a exigem, como omitir-se onde seria esperada. Assim, pode-se prescindir da preposição que inicia uma oração objetiva indireta ou completiva nominal, apesar da crítica injusta de alguns gramáticos:

> "Em Coimbra recebeu o infante esta triste nova por uma carta da rainha sua filha, em que o avisava *que em conselho se decidira que o fossem cercar...*" [AH]
>
> Isto é: *em que o avisava que* está por *em que o avisava de que*.
>
> → Pode ocorrer a omissão tanto da preposição quanto do transpositor:
>
> "Quis defendê-la, mas Capitu não me deixou, continuou a chamar-lhe beata e carola, em voz tão alta que tive medo *fosse ouvida dos pais*." [MA]
>
> Isto é: *tive medo de que fosse ouvida*.
>
> Também se pode preceder de preposição uma oração subjetiva ou objetiva direta. Assim, por influência da construção *fazer com alguém* (= conseguir deste alguém) *que* passamos a empregar *fazer com que* ao lado de *fazer que* em orações objetivas diretas do tipo:
>
> "(...) fizeram (os cortesãos) *com que se retirasse para Sintra...*" [AH]
>
> Isto é, fazer significa 'diligenciar e conseguir que uma coisa aconteça'.
>
> Ou subjetiva, como:
>
> "Desaire real seria *de a deixar sem prêmio*." [AGa]

Características da oração subjetiva e predicativa

A oração substantiva subjetiva apresenta as seguintes características: estar depois da principal, estar o verbo da oração principal na 3.ª pessoa do singular e num destes quatro casos:

a) verbo na voz reflexiva de sentido passivo:
   Sabe-se que tudo vai bem.

b) verbo na voz passiva (*ser, estar, ficar*) seguido de particípio:
   Ficou provado que estava inocente.

c) verbos *ser, estar, ficar* seguidos de substantivo ou adjetivo:
   É verdade que sairemos cedo.
   Foi bom que fugissem.
   Está claro que consentirei.
   Ficou certo que me telefonariam.

d) verbo do tipo *parecer, constar, ocorrer, correr, urgir, importar, convir, doer, pungir, acontecer*:
   Parece que vai chover.
   Urge que estudem.
   Cumpre que façamos com cuidado todos os exercícios.
   Acontece que todos já foram punidos.

> **Observações:**
>
> ➥ Não se pautam pela tradição literária as construções em que se personaliza o verbo *pesar* significando arrependimento ou dor, do tipo de:
>
> *Pesam-me os dissabores que lhe causei.*
>
> A boa construção é dar-lhe objeto indireto de pessoa e complemento relativo de coisa introduzida pela preposição *de*, e na forma de 3.ª pessoa do singular:
>
> *Pesa-me dos dissabores que lhe causei.*

A oração substantiva predicativa complementa, na maioria das vezes, o verbo *ser*:

A verdade é que não ficaremos aqui.

> **Observação:**
>
> ➥ Nos casos em que aparece o verbo *ser* em construções enfáticas do tipo *O professor é quem dará a palavra final* (ênfase da oração de base *O professor dará a palavra final*), a análise poderá considerar a oração de *quem* como predicativa, ou considerar uma só oração e *é quem* como expletivo. (➚ 529)

Omissão da conjunção integrante

Se o enunciado encerra mais de um *que*, podemos, com elegância, omitir a conjunção integrante, principalmente nas orações subjetivas e objetivas presas a núcleos verbais que exprimem vontade ou temor:

"Devia, pois, ser melancólico, além do exprimível o que aí se passou nessa grade: triste, e desgraçado direi, a julgá-lo pelas consequências que se vão descrever, com um certo pesar em que *esperamos tomem* os leitores o seu quinhão de pena..." [CBr]

Isto é: *esperamos tomem* foi empregado em lugar de *esperamos que tomem*.

Ainda que não haja acúmulo de quês, constitui leveza a omissão da conjunção integrante, que ocorre principalmente no estilo administrativo:

"Frequentes vezes me disse *esperava lhe anulassem no supremo tribunal o processo*." [CBr]

Requeiro *seja enviado o processo a outra instância*.

Evitou-se, no primeiro exemplo, o emprego de duas conjunções integrantes:

"...me disse *que* esperava *que* lhe anulassem o processo".

"Posto que, dizia ele, muito desejasse ver levar o negócio a cabo, aconselhava-o *não tentasse nada de leve*..." [AH]

Isto é: *aconselhava-o não tentasse* foi empregado em lugar de *aconselhava-o a que não tentasse.*

Também se dá a omissão da integrante *que* depois do transpositor na comparação com *que* ou *do que*, como se observa no seguinte exemplo:
É melhor que lhe deem uma oportunidade *do que estejam a retê-lo na prisão.*
Isto é: *é melhor que lhe deem... do que que estejam...*

Pode-se ainda fugir à repetição pondo-se o verbo no infinitivo: *do que estar a retê-lo na prisão.*

Particularidades sobre as orações transpostas adjetivas

Funções sintáticas do relativo das orações adjetivas

As orações adjetivas iniciam-se por pronome relativo que, além de marcar a subordinação, exerce uma função sintática na oração a que pertence. Em:
"*Há enganos que nos deleitam, como desenganos que nos afligem*" [MM],

os dois quês exercem funções sintáticas na oração subordinada que iniciam. O primeiro é sujeito de *deleitam* (*que nos deleita?* — *enganos*, representado na oração subordinada pelo *que*); o segundo é sujeito de *afligem* (*que nos aflige?* — *desenganos*, representado na oração subordinada pelo *que*).

É importante assinalar que a função sintática do pronome relativo nada tem que ver com a função do seu antecedente; *ela é indicada pelo papel que desempenha na oração subordinada a que pertence.*

Desta maneira, no exemplo dado, *enganos* e *desenganos* são objetos diretos (a oração não tem sujeito, porque o verbo *haver* = *existir* é impessoal) e os quês são sujeitos.

a) *Que* — não precedido de preposição necessária — pode exercer as funções de sujeito, objeto direto ou predicativo:
    O menino *que* estuda aprende. (sujeito)
    O livro *que* lemos é instrutivo. (objeto direto)
    Somos o *que* somos. (predicativo)

b) *Que* — precedido de preposição necessária — pode exercer as funções de objeto indireto, complemento relativo, complemento nominal, adjunto adverbial ou agente da passiva:
    A pessoa *a que* entreguei o livro deixou-o no táxi. (objeto indireto)
    Os filmes *de que* gostamos são muitos. (complemento relativo)
    A cidade *a que* te diriges tem bom clima. (complemento relativo)

O livro *de que* tenho necessidade é caro. (complemento nominal)
A caneta *com que* escrevo não está boa. (adjunto adverbial de meio/ instrumento)
Esta é a obra *por que* foi dado o maior lance. (agente da passiva)

c) *Quem* — sempre em referência a pessoas ou coisas personificadas — só se emprega precedido de preposição e exerce as seguintes funções sintáticas:
Ali vai o professor *a quem* ofereci o livro. (objeto indireto)
Apresento-te o amigo *a quem* hospedei no verão passado. (objeto direto)
Não conheci o professor *a quem* te referes. (complemento relativo)
As companhias *com quem* andas são péssimas. (adjunto adverbial)
O amigo *por quem* fomos enganados desapareceu. (agente da passiva)

d) *Cujo(s), cuja(s)* — precedidos ou não de preposição — valem sempre *do qual, da qual, dos quais, das quais* (caso em que a preposição *de* tem sentido de posse) e funcionam como adjunto adnominal do substantivo seguinte com o qual concordam em gênero e número. O sintagma a que *cujo* pertence exercerá a função que determinar sua relação com o núcleo verbal. Assim, *cuja casa* é objeto direto de *comprei* e *sobre cuja matéria* é complemento relativo de *discutíamos*:
O homem *cuja* casa comprei embarcou ontem. (= a casa do qual)
Terminei o livro *sobre cuja* matéria tanto discutíamos. (= sobre a matéria do qual)

Construções erradas com *cujo*. (➚ 202)

e) *O qual* — e flexões que concordam em gênero e número com o antecedente — substitui *que* e dá à expressão mais ênfase. Exerce todas as funções do *que* sem preposição ou com ela.
"O primeiro senhor de Ormuz de que temos notícia foi Male-Caez, *o qual*, habitando na ilha de Caez, dominava todas as ilhas daquele estreito." [AH]
(*o qual* = sujeito)
Ao livro ninguém fez referência, *o qual* livro merece a maior consideração, no meu entender. [*o qual* = sujeito]

Pronome relativo sem função na oração em que se encontra

Em expressões do tipo:
Ali está o homem que eu pensei que tivesse desaparecido.
Não faças a outrem o que não queres que te façam,

o pronome relativo *que* inicia as orações *que eu pensei, que não queres*, mas não exerce nelas função sintática; pertence, isto sim, às orações substantivas *que tivesse desaparecido* ou *que te façam*, das quais é o sujeito (na 1.ª) e objeto direto (na 2.ª). Cuidado especial há de ter-se no que toca à concordância, pois o escritor inexperiente logo opta por flexionar o verbo: "...distinção adiada *sine die* por motivos que não *vem* (e não *vêm* no plural) a pelo declarar" (vir a pelo = vir a propósito; ser pertinente). [CL]

Esta construção é correta e corrente, e resiste a um enquadramento nos processos normais de análise sintática.

Pode-se evitar a repetição dos quês substituindo-se o verbo da oração substantiva por um infinitivo:
Ali está o homem *que* eu pensei *ter desaparecido*.

"No português moderno, esta construção só tem lugar, em geral, quando a oração subordinada é substantiva; fora deste caso só se emprega, de ordinário, com o pronome *o qual*, e então coloca-se este pronome depois da expressão por ele determinada: *É problema, para resolver o qual são necessárias duas condições:* '*O jugo da obediência, para lhes impor o qual muitas vezes faltava a força.*' [AH]. Todavia, evita-se esta construção quanto possível, e diz-se por exemplo: *É problema para cuja resolução são necessárias duas condições.*" [ED]

O que, a que, os que, as que

Com *o que, a que, os que, as que*, pode ocorrer uma preposição regendo toda a oração substantivada, ou o relativo ou ambos:
a) *Gostei do que disseste.*
b) *O professor dissertou sobre o de que ontem conversávamos.*

Com frequência, a preposição que deveria acompanhar o relativo emigra para o artigo que introduz a oração substantivada:
Não sei *no que pensas*. (por *o em que*)
"Agora já sabe a fidalga *no que* ele estraga dinheiro." [CBr]

Estas migrações de preposição para a unidade anterior ao relativo tornam a construção mais harmoniosa e espontânea. O seguinte exemplo de Rui Barbosa, embora gramaticalmente correto, traz o selo do artificialismo:
"Os meus serão os a que me julgo obrigado..." (= aos que me julgo obrigado)

O de que mais gosto é de

É frequente ver-se a preposição que acompanha o relativo repetida junto ao termo ou oração que faz o papel de predicativo:

"(...) *do que* (= o de que) duvido *é de que* comecemos, se por el-rei houvermos de esperar." [AH]
"*No que* (= o em que) em grande parte discordo de Schlegel é no severo conceito que forma do estilo de Addison." [AGa]

Emprego de *à* em *à que, às que*

As linguagens *a que, as que*, sendo o *a* artigo, podem vir regidas da preposição a, caso em que se usam as unidades complexas acentuadas *à que, às que*:
Não se referiu *à que* estava ao nosso lado. (*à que* equivalente a *àquela que*)
Os prêmios foram entregues *às que* discursaram. (*às que* equivalente a *àquelas que*)

É claro que se o *a* antes de *que* for apenas preposição não levará acento grave indicativo de crase, e não mais se tratará de adjetiva substantivada, mas tão somente de adjetiva:
A pessoa *a que* te referes não veio hoje.

Outras particularidades das orações adverbiais, incluindo as comparativas e consecutivas

1. Causais

Quando exprimem a causa, o motivo do pensamento expresso na oração principal:
"A memória dos velhos é menos pronta *porque o seu arquivo é muito extenso.*" [MM]

2. Comparativas

As orações subordinadas comparativas, geralmente, não repetem certos termos que, já existentes na sua principal, são facilmente subentendidos:
Nada conserva e resguarda tanto a vida *como a virtude.* (*conserva e resguarda...*)

Ocorre a presença do verbo em:
"O ar *como que era cortado de relâmpagos sensuais*, sentiam-se passar lufadas de tépida volúpia." [JRi]

Para evitar confusões no sentido, usam-se as comparativas *como, que, do que* junto ao sujeito e, seguidas de preposição, *como a, que a, do que a* junto de objeto direto (o *a* é preposição).

Estimo-o *como um pai*. (= como pai estima)

Estimo-o *como a um pai*. (= como se estima a um pai)

Se o contexto não admitir esta dupla interpretação, pode-se dispensar o auxílio da preposição:

"Meu pai encarregou-a do governo doméstico e nós habituamo-nos a tê--la em conta de segunda mãe; também ela nos amava *como filhos.*" [MBa]

Para realçar-se a semelhança, a aparência, em vez de simples *como* pode-se usar *como que* quando se lhe segue o verbo:

"A luz do dia, ao desaparecer, *como que se dobrava* para afagar e beijar o desgraçado, que talvez não a tornaria a ver." [AH]

Entenda-se: *a luz do dia parecia se dobrar para afagar...*

Por meio de *como se* indicamos que o termo de comparação é hipotético:

"O velho fidalgo estremeceu *como se acordasse sobressaltado.*" [RS]

Entenda-se: *ele não acordou sobressaltado, mas, se acordasse, estremeceria daquele jeito.*

Observações:

➥ A maioria dos gramáticos de língua portuguesa prefere desdobrar o *como se* em duas orações, sendo a primeira comparativa e a segunda condicional:

O velho fidalgo estremeceu *como estremeceria se acordasse sobressaltado.*

➥ Pode-se obter a mesma expressão por meio de *como a* + infinitivo:

"(...) outro ia no céu *como a decifrar o enigma da sensação nunca experimentada.*" [CBr]

➥ Atente-se para a concordância dos termos correlatos *tal qual*, que devem concordar com o substantivo ou pronome a que se referem:

Ele era tal quais os colegas.

Elas eram tais qual o irmão.

Nós somos tais quais os pais.

➥ Deve-se preferir *mais... (do) que a mais... a* + infinitivo em construções comparativas do tipo: Talvez seja *mais* interessante ao país gastar na educação *do que* investir na construção de presídios. (e não: *a investir*)

Em vez de *como, do mesmo modo que, tanto como*, empregamos com frequência *que nem*:

É forte *que nem* um touro.

O verbo *preferir* sugere uma ideia implícita de comparação, à semelhança de *querer mais, querer antes*, mas exige complemento regido da preposição *a*:
Prefiro a praia *ao campo*.
Preferia estudar *a não fazer nada*.

A aproximação de *preferir* a *querer mais* e *querer antes* (embora não sejam perfeitamente sinônimos) tem gerado duas construções tidas como errôneas pelos nossos gramáticos:
a) a adjunção dos advérbios *mais* ou *antes* ao verbo *preferir*:
Antes prefiro... ou *Prefiro mais...*

b) iniciar o complemento do verbo *preferir* pelos transpositores comparativos *que* ou *do que*:
Prefiro a praia *do que o campo*. (em vez da forma correta *Prefiro a praia ao campo*)
Preferia estudar *do que não fazer nada*. (em vez da forma correta *Preferia estudar a não fazer nada*)
Prefeririam *mais* mentir *do que dizer a verdade*. (em vez da forma correta *Prefeririam mentir a dizer a verdade*)

> **Observação:**
> ➥ Distinga-se a construção errada de *preferir* da sequência *antes preferir* do seguinte exemplo do Marquês de Maricá, em que leve pausa aparece depois de *antes*:
> "Ninguém quer passar por tolo, *antes prefere* parecer velhaco."

3. Concessivas

Iniciadas por *ainda que, embora, posto que, se bem que, conquanto*, etc.:
Embora chova, sairei.

Isto é, a chuva não será obstáculo tal, que me impedirá de sair.
"*Ainda que perdoemos aos maus*, a ordem moral não lhes perdoa, e castiga a nossa indulgência." [MM]

Ao lado destas concessivas comuns empregam-se, ainda, as concessivas intensivas quando é nosso intuito assinalar qualidade ou modalidade qualquer, "consideradas em grau intensivo e sem limites": [SA]
Por inteligente que seja, encontrará dificuldades em entender o problema.
Por mais que estude, ainda tem muito que aprender.

As concessivas intensivas caracterizam-se pelas expressões *por mais... que, por menos... que, por muito... que*, onde se pode dar ainda a eliminação dos advérbios *mais, menos, muito*.

Em vez de *ainda que, ainda quando*, pode-se empregar simplesmente *que* e *quando* em construções que, proferidas com tom de voz descendente e com verbo no subjuntivo, exprimem a ideia concessiva:
> Os obstáculos, *que fossem muitos*, não tiravam aos rapazes a certeza da vitória.
> E, *quando as palavras não o digam*, aí estão os fatos, para comprovar que só enunciei verdades.

Nestes casos, empregando *que*, dá-se preferência à inversão de termos, passando a iniciar a oração concessiva a expressão que funciona como predicativo, ou complemento do verbo:
> Os rapazes, *pobres que sejam*, merecem a nossa consideração.
> Aqueles livros, *difíceis que fossem*, sempre nos serviram para elucidação de muitas dúvidas.
> *Mil desculpas que me desse*, eu continuaria achando que procedeu mal comigo.

Não raro a oração principal contém uma expressão adverbial (*contudo, todavia, ainda assim, não obstante*, ou equivalente) que, no nível do texto, serve como resumo do pensamento anterior, avivando ao ouvinte a ideia concessiva da subordinada:
> *Ainda que todos saiam*, todavia ficarei.
> *Embora não me queiram acompanhar*, ainda assim não deixarei de ir à festa.

Conteúdos de valor concessivo podem vir, justapostos, iniciados por unidades alternativas (neste caso o verbo está no subjuntivo), quando denotam que a possibilidade de ações opostas ou diferentes não impede a declaração principal:
> *Quer estudes, quer não*, aprenderás facilmente a lição.
> *Ou estudemos medicina, ou sejamos advogados*, conquistaremos na sociedade um lugar de relevo.

4. Condicionais

A oração condicional exprime um fato que não se realizou ou, com toda a certeza, não se realizará:
a) falando-se do presente:
> *Se eu sou aplicado*, obterei o prêmio.

b) falando-se do passado:
> *Se eu fosse aplicado*, obteria o prêmio
ou
> *Se eu tivesse sido aplicado*, teria obtido o prêmio.

No primeiro caso do item b), usam-se na oração condicional o pretérito imperfeito do subjuntivo (*fosse*) e, na principal, o futuro do pretérito (*obteria*).

No segundo caso, ou se repete o verbo nas formas apontadas para o caso anterior, ou usam-se na condicional o pretérito mais-que-perfeito (*tivesse sido*) e, na principal, o futuro do pretérito composto (*teria obtido*).

Pode ainda a oração condicional exprimir um fato cuja realização esperamos como provável:
Se eu estudar, obterei o prêmio.

Nestas circunstâncias, empregam-se o futuro do subjuntivo na condicional, e, na principal, o futuro do presente (*obterei*).

> **Observação:**
>
> ➥ Cumpre notar que no caso a), estudado antes, em lugar de *Se eu sou aplicado, obterei o prêmio*, a linguagem coloquial realça a ideia do presente usando no presente do indicativo os verbos das duas orações: *Se eu sou aplicado, obtenho o prêmio*.

As orações condicionais não só exprimem condição, mas ainda podem encerrar as ideias de hipótese, eventualidade, concessão, tempo, sem que muitas vezes se possam traçar demarcações entre esses vários campos do pensamento. Esta é a razão por que *sem que* admite mais de uma interpretação textual. O *que não* (= sem que) flutua entre a condição e o tempo frequentativo (repetido) em *Não lê que não cometa vários enganos; o quer... quer* (ou... ou, etc.) é um misto de concessão e condição, e tantos outros casos que fogem à alçada de uma descrição gramatical por pertencerem ao plano textual.

5. Conformativas

A subordinada exprime um fato apresentado em conformidade com a declaração da principal: *como, conforme, segundo, consoante*:
Conseguiu fazer o trabalho *como lhe ensinaram*.
Todos procederam *conforme a ocasião* ensejava.

6. Consecutivas

A oração consecutiva é introduzida pelo transpositor *que* a que se prende, na principal, uma expressão de natureza intensiva como *tal, tanto, tão, tamanho*, termos que também se podem facilmente subentender:
Alongou-se tanto no passeio, *que chegou tarde*.
Executou a obra com tal perfeição, *que foi premiada*.
É feio *que mete medo*. (= é tão feio...)

A oração consecutiva não só exprime a consequência devida à ação ou ao estado indicado na principal, mas pode denotar que se deve a consequência ao modo pelo qual é praticada a ação da principal. Para este último caso servimo-nos, na oração principal, das unidades complexas *de tal maneira, de tal sorte, de tal forma, de tal modo*:

Convenceu-se de tal maneira *que surpreendeu a todos*.[6]

Estando completo o conteúdo da primeira oração, empregam-se as expressões (destituídas de *tal*) *de maneira que, de sorte que, de forma que, de modo que*, como "locuções", sem pausa entre o substantivo e o *que*, para introduzir uma consecutiva atenuada:

Você estudou bem, *de modo que pôde tirar boa colocação*.
O livro estava rasgado, *de modo que muitas páginas tiveram sua leitura prejudicada*.

A independência sintática das duas orações, neste caso, pode vir indicada por uma pausa maior, isto é, por ponto e vírgula ou por ponto, valendo assim a unidade por um advérbio de oração (➚ 312) para avivar ao ouvinte o pensamento anterior, com o sentido aproximado de 'por conseguinte', 'consequentemente', 'daí':

As alegrias da vida quase sempre são rápidas e fugidias, ainda que disto não tomemos conhecimento. *De modo que elas devem ser aproveitadas inteligentemente*.

Por tudo isto se vê que nem sempre podemos delimitar, no nível do texto, os campos dos valores consecutivo e conclusivo, acrescentando-se ainda que há vizinhanças destes valores com outros, como, por exemplo, a ideia de finalidade, o que estudaremos mais adiante.

Cumpre evitar um erro frequente com a expressão do pensamento consecutivo (e conclusivo): pôr no plural o substantivo nas locuções *de maneira que, de modo que*, etc., dizendo-se incorretamente:

Saiu rapidamente *de maneiras que* não pude vê-lo.
Estudou *de formas que* conseguiu aprender.

As unidades *de maneira que, de modo que*, etc., seguidas de verbo na forma finita, só modernamente aparecem substituídas por *de maneira a, de modo a*, etc., seguidas de infinitivo:

Estudou *de forma a conseguir aprender*. (em lugar de: *de forma que conseguiu aprender*)
"(...) arredar o biombo da sua estreiteza natural, *de modo a deixar entrar ar fresco*." [AR]

---

[6] Pode, ainda, aqui faltar o tal: *Falaste de modo* que desistiram do pedido. (Há acentuada pausa entre o substantivo e o *que*.)

Aquilo que se apresenta na oração consecutiva como efeito ou resultado pode representar uma consequência intencional, de modo que se associa ao conteúdo consecutivo uma noção subsidiária de finalidade. Neste caso, o verbo se acha normalmente no subjuntivo:
    Chegou cedo ao serviço *de maneira que pudesse ser elogiado pelo patrão.*
    Correu *de sorte que os inimigos não o pudessem alcançar.*

Daí resultam certos cruzamentos consecutivo-finais na construção do enunciado, cruzamentos que nem sempre são vistos com bons olhos pelos gramáticos (porque tais fatos não estão de acordo com a tradição do idioma e se repetem no francês), embora uns datem de longo tempo. Entre os tipos condenados, está a construção acima referida *de modo a, de maneira a* + infinitivo. Com tais fórmulas, realmente se procura traduzir uma consecutiva intencional. Ao lado de: *Estudou de modo a poder passar* usa-se *Estudou de modo (a) que passasse.*

Presa ao mesmo caso parece estar a construção que emprega depois de *demais, demasiado, muito* (= assaz, bastante, demasiado) uma oração final de *para que* ou *para* + infinitivo, para indicar a noção de proporção ou desproporção:
    "É demasiado esperto *para que caia em tal*, equivalente a: *não é tão pouco esperto que caia em tal*." [ED]

7. Finais

Abreviadamente usa-se de *não* + subjuntivo com o valor de *para que não, de modo que não*, quando se quer expressar a cautela, cuidado, restrição:
    "Senhor, que estás nos céus, e vês as almas,
    Que cuidam, que propõem, que determinam,
    Alumia minha alma, *não se cegue*
    No perigo, em que está." [AF]

8. Locativas

São orações iniciadas por *onde*, sem referência a antecedentes:
    "Os meninos sobejam *onde estão* e faltam *onde não se acham.*" [MM]
    "Não pode haver reflexão *onde tudo é distração.*" [MM]
    "*Onde me espetam*, fico." [MA]
    "Estácio dirigiu os olhos *para onde Helena lhe indicava.*" [MA]
    — João, bota este vaso *onde estava antes*, disse ela. [MA]

9. Modais

A oração subordinada exprime o modo pelo qual se executou o fato expresso na oração principal (locução *sem que*):
Fez o trabalho *sem que cometesse erros graves.*
"De um relance leu na fisionomia do mancebo, *sem que suas pupilas estáticas se movessem nas órbitas.*" [JA].

Se a oração principal estiver na negativa, usar-se-á de *que não* + subjuntivo:
Não emite um parecer *que não se aconselhe com o diretor.*

Observação:

➥ A *Nomenclatura Gramatical Brasileira* (NGB) não reconhece as conjunções modais e, assim, as orações modais, apesar de pôr o modo entre as circunstâncias adverbiais.

10. Proporcionais

A subordinada exprime um fato que aumenta ou diminui na mesma proporção do fato que se declara na principal – *à medida que, à proporção que, ao passo que, tanto mais... quanto mais, tanto mais... quanto menos, tanto menos... quanto mais*, etc.:
À medida que a idade chega, a nossa experiência aumenta.
Aprendia *à proporção que* lia o livro.
Aumentava o seu vocabulário *ao passo que* consultava os mestres da língua.

Observações:

➥ A unidade *ao passo que* pode ser empregada sem ideia proporcional, para indicar que um fato não se deu ou não tem as características de outro já enunciado: "A nudez habitual, dada a multiplicação das obras e dos cuidados do indivíduo, tenderia a embotar os sentidos e a retardar os sexos, *ao passo que* o vestuário, negaceando a natureza, aguça e atrai as vontades, ativa-as, reprodu-las e conseguintemente faz andar a civilização" [MA]; Ele foi ao cinema, *ao passo que* eu resolvi ir à praia.

➥ Evite-se o emprego *mais (menos)... mais (menos)* em lugar de *quanto mais (menos)... tanto mais (menos)* em construções do tipo: Quanto mais estudamos, *tanto mais* aumentam nossas possibilidades de vitória (e não: *Mais* estudamos e *mais* vencemos). Pode-se omitir o *tanto* no segundo termo: Quanto mais estudamos, mais...

11. Temporais

Advérbios e unidades adverbializadas (*ontem, hoje, há muito, há pouco, há tantos anos,* etc.), precedidos da preposição *de*, são transpostos a adjetivos (adjuntos adnominais):

As notícias *de hoje.*
As lembranças *de ontem.*
Um testamento *de há cem anos.*
Modas *de há trinta anos.*
Meninos *de há pouco.*

A preposição junto ao verbo *haver* em *De há muito não o vejo, desde há muito, até há pouco,* assinala melhor a ideia temporal.
Em lugar de *quando foi a vez dele* diz-se também *quando foi da vez dele* ou, abreviadamente, *quando da vez dele.* Estas duas últimas construções são modernas. Ocorre ainda *a quando de* (*a quando da vez dele*).
Em muitos dizeres de sentido temporal, "há tendência, bem notória hoje em dia, para confundir, nestes dizeres, *que* conjunção com *que* pronome relativo, e para afirmar este caráter pronominal em certos casos, hoje se prefere *em que* ao simples *que* da linguagem antiga" [SA]. Dá-se com frequência esta alternância de *que* e *em que* quando o substantivo que se considera antecedente do pronome relativo vem precedido da preposição *em.* Prefere-se dizer *ao mesmo tempo que, a tempo que, ao tempo que,* mas *no tempo que* (ou *em que*), *no dia que* (ou *em que*), etc. Tem-se estendido, sem razão nem tradição no idioma, o emprego de *em que* em construções onde só deve figurar o *que,* como *todas as vezes em que.* Prefira-se *todas as vezes que* ou *em todas as vezes em que* (ou simplesmente *que*).

O verbo HAVER (HÁ) e a preposição A em sentido temporal
Atente-se no emprego correto destas duas formas. **Há**, verbo, refere-se a tempo decorrido e **a**, preposição, a tempo futuro:
Há três dias não o vejo.
Já devia ter-lhe escrito *há* mais tempo.
Daqui *a* três dias o verei.
Este produto é famoso *há* mais de meio século.
A história remonta *a* tempos mais afastados.

Também se há de levar em conta o caso de a preposição pertencer à regência do verbo, como no caso de *remontar* em construções do tipo:
Era uma guerra feroz que remonta *a* cinco séculos. (e não *há cinco séculos*)

Usa-se, ainda, a preposição *a* nas indicações da distância de lugar:
Estamos *a* cinco quilômetros do sítio.

Cuidado especial hão de merecer também as expressões *a cerca de* e *há cerca de,* onde a locução *cerca de* (= aproximadamente, perto de, mais ou menos) vem precedida da preposição *a* ou da forma verbal *há*:
Ele falou *a cerca de* mil ouvintes. (= para cerca de mil ouvintes)
Há cerca de trinta dias foi feita esta proposta.

Temos, ainda, a locução *acerca de,* que significa 'sobre', 'a respeito de', 'em relação a':
O professor dissertou *acerca dos* progressos científicos.

Por outro lado, pode-se ou não suprimir as palavras *atrás* ou *passado(s)* que aparecem com o verbo *haver,* uma vez que este já indica tempo decorrido:

Há três dias atrás	ou	*Há três dias.*
Há três dias passados	ou	*Há três dias.*

Normalmente usamos *há* nas construções indicativas de tempo em que a oração principal tem seu verbo no presente do indicativo ou no pretérito perfeito. E empregamos *havia* quando a oração principal tem o verbo no pretérito imperfeito do indicativo ou pretérito mais-que-perfeito:
"Faço essa distinção para tornar a dar ênfase ao que *repito há* anos, como um estribilho — todo cidadão tem direito à literatura (...)." [AMM]
"Ele continuou a me insultar, andando desordenadamente pela sala, enquanto eu perguntava a mim mesmo o que já me *perguntava havia* meses (...)." [JU]

Apesar do uso de *havia* neste último exemplo corresponder à norma-padrão, ele provoca estranheza no falante moderno. Na linguagem corrente falada e escrita, o mais comum é a fossilização dos dois tempos em favor de *há,* nos casos em que se deveria usar *havia,* como podemos comprovar em diversos exemplos literários. Ou seja, é compreensível e comum que se opte por usar desta forma:
"Rita pedira-me notícias do leiloeiro, por lhe dizerem que ele morava no Catete, e *adoecera* gravemente *há dias.*" [MA]
"Aquele marido possessivo, que *há* anos *tomava* conta da vida dela toda, não deixava nunca (...)." [AMM]

Nas orações adverbiais precedidas de principal que encerra advérbio de valor temporal (*apenas, mal*) devemos empregar *quando* e não *que*:
Apenas tinha terminado a questão, *quando o professor recolheu a prova.*
Mal saía da escola, *quando se lembrou da pasta.*
Pode-se, também, suprimir o *quando*:
"*Apenas* Pelágio transpôs o escuro portal da gruta, *Eurico levantou-se.*"[AH]

QUE depois de advérbio
Muitas vezes emprega-se *que* depois de advérbio onde, a rigor, poderia ser dispensado. São comuns as linguagens *talvez que, apenas que, felizmente que, oxalá que, quase que, enquanto que, embora que*:
"Assim, sem mais preâmbulos,
e *apenas que* te vejo,
venço o nativo pejo,
meu belo sedutor." [AC]

"Mas eu creio que Capitu olhava para dentro de si *enquanto que* eu fitava deveras o chão..." [MA]

Puristas têm condenado, sem razão, tais modos de dizer.

Orações justapostas de valor contextual adverbial

A justaposição pode, no nível do texto, apresentar as seguintes interpretações:
a) concessivas: tendo o verbo no subjuntivo anteposto ao sujeito ou caracterizadas por expressões do tipo *digam o que quiserem, custe o que custar, dê onde der, seja o que for, aconteça o que acontecer, venha donde vier, seja como for*, etc.:
Tivesse ele dito a verdade, ainda assim não lhe perdoaríamos.
Sairemos, *aconteça o que acontecer*.

Não é o subjuntivo que de per si denota a concessão, mas sim o contexto e a entoação descendente.

b) condicionais: tendo o verbo no tempo passado (mais-que-perfeito do indicativo ou imperfeito do subjuntivo) anteposto ao sujeito:
Tivesse eu dinheiro, conheceria o mundo.
Não fora a escuridão, veria o perigo.
Quisesse eu, amanhã mesmo ele estaria aqui.
Em tais casos, a segunda oração pode começar pela conjunção *e*:
Vencesse eu, e não me dariam o prêmio.
Vissem-na, e ninguém a reconheceria.

c) temporais:
Há dias não o encontro.
Chegaram àquela cidade *havia pouco*.
Não lhe escrevia *fazia meses*.

d) finais:
"Cala-te já, minha filha, *ninguém te oiça mais falar*." [AGa]

Decorrência de subordinadas

A oração principal, como já vimos, é aquela que tem um dos seus termos sob forma de outra oração. Ora, no período, mais de uma oração — qualquer que seja o seu valor sintático — pode acompanhar-se de oração subordinada:
Não sei se José disse que viria hoje.

A 1.ª principal pede a oração subordinada objetiva direta *se José disse*, que, por sua vez, pede a terceira, *que viria hoje*. Assim sendo, a 2.ª oração se nos apresenta sob duplo aspecto sintático: subordinada em relação à 1.ª e principal em relação à 3.ª:

Não sei
se José disse
que viria hoje.

Havendo mais de uma oração principal, designá-las-emos, respectivamente, por principal de 1.ª categoria, de 2.ª categoria, de 3.ª categoria, e, assim por diante.
1.ª oração – principal de 1.ª categoria:
Não sei + subordinada

2.ª oração – subordinada substantiva objetiva direta (em relação à anterior) e principal de 2.ª categoria (em relação à seguinte):
se José disse + subordinada

3.ª oração – subordinada substantiva objetiva direta:
que viria hoje.

Neste ponto, precisamos assentar algumas noções importantes:
a) no período pode haver mais de uma oração principal;
b) a oração ou orações principais podem ter o seu verbo no indicativo ou subjuntivo:
Espero que vá embora. (indicativo)
Espero que me diga se vai embora. (indicativo e subjuntivo)

c) a oração ou orações principais podem vir iniciadas ou por conectivos co-ordenativos ou por transpositores:
"Rubião passa muitas horas fora de casa, mas não o trata mal, e consente que vá acima..." [MA]

A oração coordenada aditiva *e consente* é também principal da subordinada *que vá acima*, pois esta lhe serve de objeto direto.

Concorrência de subordinadas: equipolência interoracional

Assim como uma oração pode depender de outra subordinada, assim também duas ou mais orações subordinadas podem servir à mesma principal:
Espero que estudes e que sejas feliz.

Isto é:

Espero { e { *que estudes* (objetiva direta)
que sejas feliz. (objetiva direta)

Como a concorrência de subordinadas só é possível se as orações exercem a mesma função, elas estarão coordenadas entre si, porque a coordenação se dá com expressões do mesmo valor e na mesma camada de estruturação gramatical.
No exemplo dado, a 3.ª oração se nos apresenta sob duplo aspecto sintático: é coordenada em relação à 2.ª (porque são do mesmo valor) e subordinada em relação à principal (*espero*), comum às duas subordinadas. Em vez desta classificação um tanto longa (coordenada à anterior e subordinada à principal), dizemos apenas que a 3.ª oração é *equipolente* à 2.ª oração. Infelizmente, esta denominação cômoda não consta na *Nomenclatura Gramatical Brasileira*.
A equipolente pode ser:
a) substantiva:
Espero *que estudes* e *que sejas feliz.*

b) adjetiva:
O livro *que li* e *que lhe devolvi* é ótimo.

c) adverbial:
Quando chegou e *quando me disse o ocorrido*, não acreditei.

Costuma-se, com elegância, omitir o transpositor subordinativo da oração equipolente (quando se tratar de pronome relativo, este exerce a mesma função sintática do pronome relativo anterior):
Espero que estudes *e sejas feliz.*
O livro que li *e lhe devolvi é ótimo.*
Quando chegou *e me disse o ocorrido*, não acreditei.
"Venho porque se trata de instrução *e tenho embocadura para o magistério.*" [GrR]

Se os pronomes relativos exercem funções diferentes, o normal é repetir cada pronome, sendo raros os exemplos como o seguinte:
"Pois vão também essas que aí deixei, e mais a figura de Tristão, *a que cuidei dar meia dúzia de linhas e levou a maior parte delas.*" [MA]

No texto, *a que* é objeto indireto de *dar meia dúzia de linhas*, e o *que* (= figura de Tristão) seria sujeito de *levou a maior parte delas*, isto é, das linhas.
Em construção do tipo *magistrado a cujo cargo estavam as obras públicas e cuidava do reparo dos templos da cidade de Roma* há vício de sintaxe, pois que antes de *cuidava* há de se subentender *que*, e não o anterior *a cujo*.

No português moderno, cumpre evitar a prática de se lembrar na oração ou orações equipolentes uma unidade adverbial simples (geralmente *quando* e *como*) por meio de um simples *que*:[7]
   Quando chegou e que me disse o ocorrido, não acreditei.

Ou se repete a unidade anterior, ou se omite: *quando chegou e (quando) me disse*.
Se se trata, porém, de "locução conjuntiva", é possível, na boa linguagem, repetir-se simplesmente o *que*:
   Logo que chegou e me disse o ocorrido...
ou
   Logo que chegou e que me disse o ocorrido...

Pode-se, também, omitir a conjunção coordenativa numa série de equipolentes:
   "Rubião passa muitas horas fora de casa, mas não o trata mal, e consente que vá acima, que assista ao almoço ou ao jantar, que o acompanhe à sala ou ao gabinete."[MA]

1.ª oração – coordenada (ou coordenante):
   Rubião passa muitas horas fora de casa,

2.ª oração – coordenada adversativa:
   mas não o trata mal,

3.ª oração – coordenada aditiva e principal:
   e consente + subordinada

4.ª oração – subordinada substantiva objetiva direta:
   que vá acima,

5.ª oração – equipolente à 4.ª:
   que assista ao almoço ou ao jantar,

6.ª oração – equipolente à 5.ª:
   que o acompanhe à sala ou ao gabinete.

Concorrência de termo + oração subordinada

Às vezes a concorrência não se dá entre duas orações da mesma função sintática, mas entre um termo da oração e outra oração:
   "(...) conheci a violência das suas paixões e que a do ciúme devia ser terrível naquele coração."[AH]

---

[7] Este emprego do *que* é comum no francês e, por isso, se tem a construção como francesismo.

O verbo *conhecer* tem dois objetos diretos: o substantivo *violência* e a oração substantiva *que a do ciúme devia ser terrível naquele coração*, que se acham coordenados entre si.

No seguinte exemplo de Machado de Assis:
"Virgília tragou raivosa esse malogro, e disse-mo com certa cautela, não pela cousa em si, senão porque entendia com o filho."

temos dois adjuntos adverbiais de causa: a expressão *pela cousa em si* e a oração subordinada adverbial *porque entendia com o filho*, que se acham enlaçadas pela série *não... senão*.

Composição do enunciado

O enunciado ou período pode encerrar, ao mesmo tempo, orações independentes (coordenadas e justapostas) e dependentes (subordinadas). Daremos exemplos de análise, depois de serem apontadas as orações complexas e os enunciados justapostos:
a) coordenação e subordinação:
"Todos se tinham posto em pé quando el-rei se erguera e esperavam ansiosos o que diria o velho." [AH]

    1.ª oração – principal de 1.ª categoria:
    Todos se tinham posto em pé + subordinada temporal

    2.ª oração – subordinada adverbial temporal:
    quando el-rei se erguera

    3.ª oração – coordenada à principal e principal de 2.ª categoria:
    e esperavam ansiosos + subordinada substantiva

    4.ª oração – subordinada substantivada (de primitiva adjetiva) objetiva direta:
    o que diria o velho

b) justaposição e subordinação:
"Lembrai-vos, cavaleiro — disse ele — de que falais com D. João I." [AH]

    1.ª oração do 1.º período – principal:
    Lembrai-vos, cavaleiro + oração subordinada

    2.ª oração do 1.º período – subordinada substantiva completiva relativa:
    de que falais com D. João I

1.ª oração do 2.º período – justaposta de citação:
disse ele

c) coordenação e justaposição:
"El-rei manda nos vivos e eu vou morrer! — atalhou o ancião em voz áspera, mas sumida." [RS]

1.ª oração do 1.º período – coordenada (ou coordenante):
El-rei manda nos vivos

2.ª oração do 1.º período – coordenada aditiva:
e eu vou morrer!

1.ª oração do 2.º período – justaposta de citação:
atalhou o ancião em voz áspera, mas sumida

d) coordenação, justaposição e subordinação:
"Agora sim, disse então aquela cotovia astuta, agora sim, irmãs, levantemos o voo e mudemos a casa, que vem quem lhe dói a fazenda." [MBe]

1.ª oração do 1.º período – coordenada (ou coordenante):
Agora sim, agora sim, irmãs, levantemos o voo

2.ª oração do 1.º período – coordenada aditiva e principal da 3.ª:
e mudemos a casa

3.ª oração do 1.º período – subordinada causal e principal da 4.ª:
que vem

4.ª oração do 1.º período – subordinada substantiva subjetiva:
quem lhe dói a fazenda

1.ª oração do 2.º período – justaposta de citação:
disse então aquela cotovia astuta

Observação:

➥ Quando o período encerra mais de um tipo de oração, dá-se-lhe comumente o nome de *misto*, denominação que a *Nomenclatura Gramatical Brasileira* não adota. Todos os exemplos anteriormente analisados são de períodos ou enunciados mistos.

Exercícios de fixação

Orações complexas

1. **Escreva dentro dos parênteses (S), (C) ou (OC), conforme sejam os exemplos abaixo períodos simples, compostos (grupos oracionais) ou orações complexas, respectivamente:**
   1) (   ) É agradável a vida dos campos.
   2) (   ) Ela e ele encontram-se depois do almoço.
   3) (   ) Estimamos que voltem cedo.
   4) (   ) Pedro saiu cedo, mas ainda não voltou.
   5) (   ) Às vezes é o peso demasiado.
   6) (   ) Essa fortuna a tive eu.
   7) (   ) Assim faz a pessoa que é consciente.
   8) (   ) Não vacila um só instante o camarada.
   9) (   ) Hábitos arraigados a vida vária e agitada lhe não consente.
   10) (   ) Os alunos entravam fardados, subiam e abancavam-se à esquerda.

2. **Assinale as orações coordenadas sindéticas e as justapostas (assindéticas) que ocorrem nas seguintes máximas do Marquês de Maricá. As coordenadas, classifique-as de acordo com seus conectores ou conjunções coordenativas:**
   1) Não emprestes, não disputes, não maldigas e não terás de arrepender-te.
   2) O homem de juízo aproveita, o tolo desaproveita a experiência própria.
   3) A virtude é comunicável, mas o vício, contagioso.
   4) A autoridade impõe e obriga, mas não convence.
   5) Não queremos pensar na morte, por isso nos ocupamos tanto da vida.
   6) As circunstâncias fazem ou descobrem os grandes homens.
   7) Avistamos a Deus em toda a parte, mas não o compreendemos em nenhuma.
   8) As flores e as mulheres enfeitam e guarnecem a Terra.
   9) Louvamos por grosso, mas censuramos por miúdo.
   10) Não há inimigo desprezível nem amigo totalmente útil.

3. **Transforme os sujeitos dos seguintes exemplos em orações substantivas subjetivas iniciadas por conjunção integrante:**
   Modelo: *É possível a nossa vinda.* → *É possível que venhamos.*
   1) Urge a tua vitória.
   2) É bom o nosso conselho.
   3) Não convém a minha tristeza.
   4) Cumpre a vossa atenção a esse problema.
   5) Admira-me a tua paciência.
   6) Ficou claro o nosso desgosto.
   7) Não se compreende o seu insucesso.
   8) Importam as nossas respostas.
   9) Não se viu a nossa inteligência.
   10) Nota-se o desinteresse da plateia.

4. **Transforme os objetos diretos dos seguintes exemplos em orações substantivas objetivas diretas com conjunção integrante:**
   Modelo: A justiça exige *o castigo do criminoso.*
              A justiça exige ***que se castigue o criminoso*** (ou: ***que o criminoso seja castigado***).
   1) Ele alcançou o prêmio dos seus serviços.
   2) O professor assentou o adiamento da prova.
   3) Todos conseguiram a realização das promessas.
   4) Nós obtivemos a estima dos presentes.
   5) O aluno demonstrou ignorância da matéria.
   6) Os amigos revelaram a falsidade daquelas declarações.
   7) O policial evitou a interrupção do trânsito.
   8) Eles não tinham permitido a continuação das obras.
   9) O escritor conseguiu o aplauso da crítica.
   10) Espero ansiosamente a sua resposta.

5. **Transforme os complementos relativos dos seguintes exemplos em orações substantivas completivas relativas com conjunção integrante preposicionada:**
   Modelo: Ele arrependeu-se *de sua ingratidão.*
              Ele arrependeu-se *de que fosse ingrato.*
   1) O pai insistiu na sua permanência em casa.
   2) Todos desconfiavam da não realização das promessas.
   3) Os pais precisavam do apoio dos filhos.
   4) O exercício consistia na tradução dos autores gregos.
   5) Os vizinhos necessitaram da ajuda de todos os estranhos.
   6) Queixam-se os políticos da pouca consideração do povo.
   7) Os candidatos aspiravam à aprovação no concurso.
   8) Todos os dias se convencia do progresso no estudo do piano.
   9) Os jurados não duvidaram da emoção do réu.

6. **Transforme os predicativos dos seguintes exemplos em orações substantivas predicativas com conjunção integrante:**
   Modelo: O mais certo é *a nossa desistência da luta.*
              O mais certo é *que desistamos da luta.*
   1) O melhor fora a sua separação.
   2) A verdade será a nossa volta.
   3) O menos provável é a tua saída.
   4) O lógico seria a vossa revolta.
   5) A causa do fracasso foi a incompetência do líder.

7. **Transforme os primeiros complementos nominais dos seguintes exemplos em orações completivas nominais com conjunção integrante preposicionada:**

Modelo: *Ele estava receoso **da sua perseguição**.*
*Ele estava receoso **de que o perseguisse**.*
1) O policial tinha a consciência do cumprimento do dever.
2) Estou acorde no vosso estudo da Medicina.
3) Temos a certeza do teu abandono aos livros.
4) O chefe tivera desconfiança da aplicação do dinheiro.
5) Ele estava necessitado da tua ajuda.
6) O padre fizera insistência do erro do auditório.
7) A diretora estaria certa do engano dos colegas.
8) Ela sentiu necessidade do socorro de todos.
9) O receio da fuga do prisioneiro deixava o soldado inquieto.
10) A certeza da morte da tripulação emocionou o mundo.

8. **Transforme os adjuntos adnominais grifados nos seguintes exemplos em orações adjetivas com pronome relativo:**
Modelo: *O soldado **covarde** merece desprezo.*
*O soldado **que se acovarda** merece desprezo.*
1) As crianças *fracas* dão cuidados aos pais.
2) Gato *escaldado* da água fria tem medo.
3) Os chefes *severos* não mandam muito tempo.
4) A cavalo *dado* não se olha o dente.
5) A *nossa* casa é espaçosa.
6) Uma vida *inútil* é uma morte prematura.
7) Homem *acautelado* vale dobrado.
8) As crianças *mal-educadas* causam desgosto aos pais.
9) O *seu* vestido é novo.
10) Candeia *sem azeite* não arde.

9. **Transforme os adjuntos adverbiais grifados nos seguintes exemplos em orações adverbiais com conjunções subordinativas adverbiais:**
Modelo: *As estrelas parecem pequenas **em virtude de sua imensa distância**.*
*As estrelas parecem pequenas **porque estão numa imensa distância**.*
1) Estabelecem-se escolas *para instrução da mocidade*.
2) Muitos frutos caem *antes da maturação*.
3) Reconheci o meu antigo companheiro *apesar da alteração de suas feições*.
4) O ouro tem mais valor do que a prata *pela sua raridade*.
5) *Para a multiplicação de certas árvores* basta cortar-lhes os ramos e plantá-los na terra.
6) Muitas aves deixam-nos *com a entrada do outono* e só voltam *com o princípio da primavera*.
7) *Apesar da sua pobreza* é homem honrado.
8) O azeite nada sobre a água *por causa da sua leveza*.
9) Regam-se os jardins *para desenvolvimento da vegetação*.
10) Os delitos raras vezes se cometem *impunemente*.
[Claudino Dias, *Exercícios de Composição*]

10. **Transforme os termos grifados em orações substantivas interrogativas justapostas:**
    Modelo: *Ninguém lhe pergunta a sua idade.*
                 Ninguém perguntou que idade tem
                 (ou: *quantos anos tem*).
    1) Não sei *a sua residência*.
    2) Não conheço *aquele senhor*.
    3) Ignoro *os teus projetos*.
    4) Não sei *o seu nome*.
    5) A autoridade sabe *o esconderijo do criminoso*.
    6) Ignoro *a sua naturalidade*.
    7) Diga-me *a sua ocupação*.
    8) Perguntei-lhe *a hora da partida*.
    9) Nenhum homem sabe *a hora da sua morte*.
    10) Gostaríamos de saber *o motivo de sua importância*.

a) *Substantivas*

11. **Divida os seguintes períodos em orações e classifique-as:**
    1) Cumpre que estudemos as lições.
    2) Espero que os reprovados aprendam esta amarga lição.
    3) Diz-se que este ano haverá muitas festas.
    4) É verdade que nem tudo nos agrada.
    5) A verdade é que poucos compreendem o valor da virtude.
    6) Espera-se que tudo termine bem.
    7) Parece que o tempo vai melhorar.
    8) O certo é que a vitória pertence aos fortes.

12. **Complete a coluna A de acordo com a B, conforme a função sintática da oração subordinada substantiva:**

    Coluna A   Coluna B
    1) ( ) Não se sabe se haverá aula na próxima segunda-feira.   (S)   subjetiva
    2) ( ) Alguém nos dissera que José havia falhado nas intenções.   (OD) objetiva direta
    3) ( ) Consta que as aulas se prolongarão até o dia 30.   (P)   predicativa
                                                                      (CR) completiva relativa
    4) ( ) Diz-se que não haverá programa de televisão.   (OI) objetiva indireta
    5) ( ) Dizem que todos chegaram cedo à reunião.
    6) ( ) O interessante é que aproveitemos a ocasião.
    7) ( ) Compreendamos que nem tudo é fácil.
    8) ( ) Não se divulgou se prometeu que viria.
    9) ( ) Perguntaram-nos se o diretor estava na escola.
    10) ( ) Tudo indica que teremos pouca frequência.

13. **Distinga, nos seguintes períodos, a oração subordinada substantiva objetiva indireta (OI), completiva nominal (CN) e completiva relativa (CR):**
    1) ( ) Precisamos de que acabem as lutas.
    2) ( ) Estamos desejosos de que a paz seja duradoura.
    3) ( ) Necessita-se de que a análise seja aprendida.
    4) ( ) Tenho consciência de que executei bem o serviço.
    5) ( ) O pai insistia em que o filho fizesse o concurso.
    6) ( ) Estamos concordes em que saias em primeiro lugar.
    7) ( ) Atente a que saia perfeita a redação.
    8) ( ) Temos a impressão de que não haverá aulas na próxima semana.
    9) ( ) Insistiram em que disséssemos as novidades.
    10) ( ) Ficou-nos a dúvida de se iríamos.

14. **Distinga, nos seguintes períodos, a oração subordinada substantiva objetiva direta (OD), da indireta (OI), da completiva relativa (CR) e da completiva nominal (CN), atentando-se para a elipse da preposição antes da conjunção integrante, nas orações dos três últimos tipos:**
    1) ( ) "Eu os asseguro que a virtude da penitência tenha em seu coração seu devido lugar." [TJ]
    2) ( ) "No último dia daquele ano, el-rei deu ordem que transferissem o marquês para o seu palácio." [CBr]
    3) ( ) "Tinha certeza que ela levava uma criança." [CBr]
    4) ( ) "Ultimamente o ameaçou que não acharia ceia." [MBe]
    5) ( ) "Ou daria sua esposa fé que ele subiu, à sorrelfa, do escritório ao segundo andar." [CBr]
    6) ( ) "Mas pode-se gabar que foi o primeiro." [CBr]
    7) ( ) "Eu estou persuadido que as venturas do céu são de outro quilate." [CBr]
    8) ( ) "Você é testemunha que eu trabalho." [MA]
    9) ( ) "Lembra-te que és homem." [HP]
    10) ( ) "Um infeliz não se persuade que a sua sorte possa ter mudança." [MA]
    11) ( ) "Ela teima que roubou os brilhantes." [CBr]
    12) ( ) "Não tenho dúvida que serão mais estimadas." [LS]

b) *Adjetivas*

15. **Divida os seguintes períodos em orações e classifique-as:**
    1) Todavia, esperou com rosto seguro a chegada dos cavaleiros que subiam a encosta.
    2) Ele buscara na piedade de Deus o amparo que mal podia esperar das muralhas do forte edifício.
    3) O quinquagenário, em cujas faces pálidas passara um relâmpago de vermelhidão, recuou.

4) A abadessa aproximou-se das reixas douradas que a separavam do guerreiro.
5) A mulher procurou dar às palavras que proferia um tom de firmeza.
6) O incêndio que reverberava ao longe e o ruído de um grande combate davam prova da crueza da luta.
7) Não tardam os cavaleiros que vêm juntar-se aos nossos.
8) Cumprirei o que ordenas.
9) Os três, que já iam longe, ouviram os gritos de socorro.
10) Esta foi a primeira coisa que lhe feriu a vista.
11) O sussurro que se ouvia entre tantos milhares de homens era cada vez mais acentuado.
12) Os jovens caminhavam para a orla do bosque onde havia muitas flores.

16. Transforme as orações coordenadas em subordinadas adjetivas, intercalando-as na principal. Atente-se para o emprego da vírgula e a colocação dos pronomes oblíquos átonos:
Modelo: *O âmbar é empregado em vários objetos de ornamento; e encontra-se no mar Báltico.* → *O âmbar, o qual* (ou "*que*") *se encontra no mar Báltico, é empregado em vários objetos de ornamento.*
1) A mocidade passa depressa; e é a mais bela época da vida.
2) A Lua recebe a luz do Sol; e é um satélite da Terra.
3) O Mondego desemboca no Atlântico; e é um dos rios principais de Portugal.
4) Sintra é visitada por nacionais e estrangeiros; e é o mais belo sítio de Portugal.
5) A cicuta é uma planta aquática; e é conhecida pelas suas flores pequenas e brancas.
6) Aqueles cães não mordem; e ladram muito.
7) Aqueles livros são muito instrutivos; e foram-me oferecidos pelo professor.
8) O Tejo banha Lisboa; e é o maior rio de Portugal.
9) A mocidade diz o que intenta fazer; e ela é incauta.
10) Aqueles homens não querem submeter-se às leis; e eles são maus cidadãos.
11) A ventoinha é a imagem do homem inconstante; e ela vira com todos os ventos.
[Claudino Dias, *Exercícios de Composição*]

17. Dê a função sintática dos pronomes relativos dos seguintes exemplos de Machado de Assis:
1) Não sei se há aí algum que explique o fenômeno.
2) Esta é uma razão a que não se pode negar algum peso.
3) Eu mesmo fui injusto com ele durante os anos que se seguiram ao inventário de meu pai.
4) Era irmão remido de uma ordem, o que não se coaduna muito com a reputação de avareza.

5) A principal razão foi a reflexão que me fez o Quincas Borba.
6) Conheceu meu pai, um homem às direitas, com quem dançara num célebre baile da Praia Grande.
7) Nunca mais deixou de rezar por mim, todas as noites, diante de uma imagem da Virgem, que tinha no quarto.
8) Eugênia, a flor da moita, mal respondeu ao gesto de cortesia que lhe fiz.
9) A mãe arranjou-lhe uma das tranças do cabelo, cuja ponta se desmanchara.
10) Não imagina, doutor, o que isto é.

18. **Distinga as classes das palavras a que pertence o QUE dos seguintes exemplos, apontando, quando for o caso, a função sintática que exerce:**
    1) "Agora, que isto escrevo, quer-me parecer que o compromisso era uma burla." [MA]
    2) "A baronesa era uma das pessoas que mais desconfiavam de nós." [MA]
    3) "Olhei para Virgília, que empalideceu; ele que a viu empalidecer, perguntou-lhe..." [MA]
    4) "Acrescentou que tinha muito prazer com a visita, o que nos rendeu hora e meia de enfado mortal." [MA]
    5) "Eu observei que a adulação das mulheres não é a mesma coisa que a dos homens." [MA]
    6) "Viu-lhe também o lenço de três pontas de algodão azul com que ela costumava resguardar os ombros, antes de subir as quatro escadinhas que conduziam ao alteroso leito." [CBr]
    7) "Repete diante do que respira aquilo que proferiste diante da sombra criada pelo teu terror." [AH]
    8) "Então apareceu o Lobo Neves, um homem que não era mais esbelto que eu." [MA]
    9) "Eram tantos os castelos que engenhara, tantos e tantíssimos os sonhos, que não podia vê-los assim esboroados." [MA]
    10) "E, serenada a tempestade, que resta dos penhascos em que as ondas já não batem, que o mar apenas roça, que já não atraem as nossas vistas pela luta que sobre eles se travara?" [JR]

19. **Reescreva os seguintes trechos, corrigindo o erro no emprego pleonástico do pronome átono que exerce função sintática já expressa pelo pronome relativo:**
    1) É o livro que precisamos consultá-lo quando temos dúvida.
    2) Já saíram todas as pessoas que você as procurava.
    3) Recitou ontem a poesia que o professor me mandou lê-la.
    4) São vários os erros de redação que devemos evitá-los.
    5) Já se venderam os livros que o professor no-los recomendou.
    6) Muitas vezes o livro possui uma bonita capa, que impressiona os olhos, mas que nem por sonho deveríamos lê-lo.
    7) Encerra coisas que jamais podemos deixar de conhecê-las.

20. **Escreva, no espaço em branco, o relativo conveniente a cada passo (que, quem, o qual, onde, cujo), usando, quando necessário, antes dele, a preposição adequada e flexionando, quando preciso, o pronome *cujo* e *o qual*:**
    1) É interessante o livro _____ li.
    2) Já comuniquei ao chefe o fato _____ você se refere.
    3) O convite _____ prazerosamente acedi desvaneceu-me muito.
    4) Há amigos _____ sempre nos queixamos, mas _____ nunca esquecemos.
    5) Já conheço a obra _____ você aludira.
    6) Há coisas _____ se deve responder.
    7) As provas _____ se pretende proceder serão fáceis.
    8) Houve muitos pedidos _____ não se pôde atender.
    9) Processaremos o homem _____ fomos ludibriados.
    10) Trabalho numa seção _____ os servidores são operosos.
    11) Há preceitos médicos _____ não gostamos de obedecer.
    12) São poucas as pessoas _____ nomes não me lembro.

21. **O mesmo exercício:**
    1) O aluno _____ pai vos referistes, não relatou esse fato.
    2) São difíceis os concursos _____ se está procedendo.
    3) Há cargos _____ se renuncia por serem ingratos.
    4) Há ordens _____ obedecemos com prazer.
    5) Tornam-se nossas amigas as pessoas _____ faltas perdoamos.
    6) Não gostei dos filmes _____ você assistiu.
    7) Há pessoas _____ nomes nunca nos esquecemos.
    8) Há cartas _____ não gostamos de responder.
    9) Foram boas as provas _____ se procedeu.
    10) Estavam arrasadas as casas _____ o fogo atingiu.

22. **Escreva, no espaço em branco, o relativo conveniente a cada passo (que, quem, o qual, onde, cujo), usando, quando necessário, antes dele, a preposição adequada e flexionando, quando preciso, o pronome *cujo* e *o qual*:**
    1) Não são poucos os motivos _____ deixou de obedecer às ordens.
    2) São elevadas as quantias _____ atingiu esta última compra.
    3) O bilhete _____ ontem respondi era de um velho amigo.
    4) Esta é a estrada _____ centro há muitos buracos.
    5) Foram estas as razões _____ me afastei do clube.
    6) Vão aqui os títulos dos livros _____ nossos colegas se interessavam.
    7) Já cumprimentamos as moças _____ ontem conversamos.
    8) Dificilmente haverá concurso para a função _____ aspiras.
    9) Temos o endereço dos pais _____ filhos queremos informações.
    10) O tema, _____ discorreu o professor, é atraente, mas difícil.

23. **Distinga as orações adjetivas restritivas das explicativas, atentando-se ainda para a pontuação:**[8]
    1) Rui Barbosa, que foi grande escritor, deixou-nos um livro sobre questões de língua portuguesa: a *Réplica*.
    2) Desconhecia todas as razões que ele me lembrou.
    3) A primavera, que é a estação das flores, promete ser radiosa.
    4) O homem que não tem ideais perde cedo a vontade de viver.
    5) Nem tudo o que reluz é ouro.
    6) Pedro II, que foi imperador do Brasil, gostaria de ser professor.
    7) As alegrias, que a vida nos proporciona, devem ser bem-aproveitadas.
    8) Soube das novidades na casa do José, que é o meu melhor colega.
    9) Falava sempre do sítio do avô, onde passava todas as férias.
    10) Sempre chegava atrasado, o que descontentava o patrão.
    11) O relógio que ontem ganhei foi presente do meu padrinho.
    12) Gostava de ir à praia em que seus colegas tomavam banho.
    13) "A morte, que fecha as portas da vida, abre as portas da eternidade." [MM]

24. **Transforme a oração adjetiva explicativa dos seguintes exemplos em aposto:**
    Modelo: *Colombo, **que descobriu a América**, nasceu em Gênova.*
    *Colombo, **descobridor da América**, nasceu em Gênova.*
    1) O Tejo, que é o maior rio de Portugal, nasce em Espanha.
    2) O nosso parente, que reside em Lisboa, é rico.
    3) A Rússia, que é o maior país da Europa, confina ao poente com a Alemanha e a Áustria.
    4) José, que é meu primo, vem hoje aqui.
    5) Lisboa, que é a capital de Portugal, tem um porto excelente.
    6) Gutenberg, que inventou a imprensa, era natural de Mogúncia.
    7) A baleia, que é o maior de todos os animais, habita principalmente o mar glacial do norte.
    8) Cipião, que destruiu Cartago, era cognominado o Africano.
    9) Carlos Magno, que fundou muitas escolas, foi também guerreiro e legislador.
    [Claudino Dias, *Exercícios de Composição*]

---

[8] Com razão, a *Nomenclatura* insiste no apontar as naturezas diferentes das adjetivas, fato que nos interessa para problemas de equivalências estilísticas e de pontuação. Por outro lado, a distinção vem ainda ajudar o professor de línguas estrangeiras que se servem de relativos diferentes, conforme o caso. Em inglês, por exemplo, não se usam indiferentemente *that* e *who* (*whom*). O primeiro aparece nas adjetivas restritivas, e o segundo nas explicativas. Cf. ONIONS, *Advanced English Syntax*, §63 c.

25. **Transforme o aposto dos seguintes exemplos em orações adjetivas explicativas:**
    1) O leão, rei dos animais, habita de preferência as regiões desertas.
    2) Alexandre Magno, filho de Filipe, rei da Macedônia, cortou o nó górdio.
    3) Roma, residência do rei da Itália, é edificada sobre sete colinas.
    4) Do elefante, o maior dos animais terrestres, obtém-se o marfim.
    5) A pele do boi, o mais útil animal doméstico, é empregada em sola.
    6) Alexandre Magno, fundador de Alexandria, foi grande conquistador.
    7) Das Índias Orientais, a mais fértil região da Terra, recebemos nós a maior parte das especiarias.
    8) Os chineses, o povo mais numeroso da Terra, habitam a parte oriental da Ásia.
    [Claudino Dias, *Exercícios de Composição*]

c) *Adverbiais*

26. **Classifique sintaticamente as orações subordinadas adverbiais dos seguintes períodos:**
    1) "Levamos ao Japão o nosso nome, para que outros mais felizes implantassem naquela terra singular os primeiros rudimentos da civilização ocidental." [LCo]
    2) "Fomos os espartanos da moderna Europa, mais rudes na doutrina, menos fecundos na invenção que as demais gentes latinas ou teutônicas." [LCo]
    3) "Mas tivemos, como os lacedemônios entre os gregos, o dom das heroicas temeridades." [LCo]
    4) "A humanidade estanceia quieta e repousada até que principiam as ousadas navegações dos portugueses, prefácio glorioso da nova cultura americana." [LCo]
    5) "Chorarão as pedras das ruas, como diz Jeremias que choraram as de Jerusalém destruída." [AV]
    6) "De noite qualquer estrela, que vejo, é a minha, porque todas favorecem o meu estado." [RLb]
    7) "Bastante tempo se passou depois deste incidente, antes que de novo fosse alterada a monotonia do sossego da noite." [RP]
    8) "Às três da madrugada de domingo, enquanto a cidade dormia tranquilizada pela vigilância tremenda do Governo Provisório, foi o Largo do Paço teatro de uma cena extraordinária, presenciada por poucos, tão grandiosa no seu sentido e tão pungente, quanto foi simples e breve." [RP]
    9) "Depois do café, Santa ergueu-se da mesa e foi pessoalmente dar as suas ordens para que nada faltasse ao taciturno hóspede." [AAz]
    10) "Todos se tinham posto em pé quando el-rei se erguera, e esperavam ansiosos o que diria o velho." [AH]

27. **O mesmo exercício, explicando o emprego da vírgula:**
    1) "Por mais fortes que sejam os laços com que o amor nos prende, muitas vezes um discurso os rompe." [AV]
    2) "Tão temerosa vinha e carregada,
        Que pôs nos corações um grande medo." [LC]
    3) "Se junto ao Guadalete se desmoronou o império dos godos, a sociedade visigótica ficou." [AH]
    4) "Guarda para então as soberbas; que hoje, pobre escrava, só te resta obedecer à voz do teu senhor." [AH]
    5) "Embora eu te não veja
        Neste ermo pedestal,
        És santa, és imortal." [AH]
    6) "Apenas o gardingo proferira estas derradeiras palavras, o clarão avermelhado da lareira bateu subitamente no vulto agigantado de Gutislo." [AH]
    7) "Se as viagens simplesmente instruíssem os homens, os marinheiros seriam os mais instruídos." [MM]
    8) "A memória dos velhos é menos pronta porque o seu arquivo é muito extenso." [MM]
    9) "Ainda que perdoemos aos maus, a ordem moral não lhes perdoa, e castiga a nossa indulgência." [MM]
    10) "Quando saímos da nossa esfera, ordinariamente nos perdemos na dos outros." [MM]

28. **Transforme os adjuntos adverbiais grifados em orações subordinadas adverbiais iniciadas por transpositor (conjunção):**
    1) Aqueles graves acontecimentos surgiram *inopinadamente*.
    2) O ladrão fugiu da prisão *sem a resistência dos policiais*.
    3) Estudará Medicina *após a conclusão do curso secundário*.
    4) Não devemos permitir que passemos os dias *inutilmente*.
    5) *Pelo sucesso da última noite*, a festa se repetirá na próxima semana.
    6) O aluno chegou *com o início da chuva*.
    7) Gastaram-se muitas noites *para a arrumação do colégio*.
    8) "Os homens parecem extravagantes *por loucos* ou *muito sábios*." [MM]
    9) "Perdoamos mais vezes aos nossos inimigos *por fraqueza*, que *por virtude*." [MM]
    10) "*Após a morte de Bezerra*, resolveu pessoalmente organizar a empresa de descobrimento." [JR]
    11) "Aí permaneceu o bandeirante, *malgrado as febres*." [JR]
    12) "Nenhuma embarcação, *por mais temerária*, poderia afrontar as ondas enfurecidas." [HC]

29. **Transforme o aposto circunstancial dos seguintes exemplos em orações subordinadas adverbiais iniciadas por transpositor (conjunção):**
   1) "Marcílio Dias, simples marinheiro, eterniza seu nome pelejando a sabre com quatro paraguaios, dois dos quais rolam a seus pés." [AC]
   2) Hércules – o atleta reflete o aspecto de herói grego.
   3) "Só ela (a palavra), Pigmalião prodigioso, esculpe estátuas que vão saindo vivas e animadas da pedra ou do madeiro." [LC]
   4) "Artista – corta o mármore de Carrara;
      Poetisa – tange os sinos de Ferrara,
      No glorioso afã!" [CA]
   5) "Stamos em pleno mar... Doudo no espaço
      Brinca o luar – dourada borboleta." [CA]
   6) "Depois vi minha prole desgraçada,
      Pelas garras d'Europa arrebatada
      – Amestrado falcão." [CA]
   7) "Quando moço, admirava os homens; velho, admiro somente a Deus." [MM]
   8) "E foi por diante o mágico, a agitar diante de mim um chocalho, como me faziam, em pequeno, para eu andar depressa." [MA]
   9) "Ator profundo, realizava (Aristarco) ao pé da letra, a valer, o papel diáfano, sutil, metafísico, de alma da festa e alma do seu instituto." [RP]

30. **Divida os seguintes períodos em orações e classifique-as, atentando-se para as orações equipolentes:**
   1) "Estas sociedades, que se agitam e tumultuam sem uma fé que as ligue à moral, é em verdade espetáculo espantoso." [AH]
   2) "Este era um dos que mais se doíam do procedimento de D. Leonor, e que mais desejavam a morte do Conde de Ourém." [AH]
   3) "D. Rodrigo acreditou que tanto mistério atribuído àquele edifício era sinal de que ali estavam encerradas extraordinárias riquezas, e que os fundadores da torre só tinham querido resguardá-la das tentativas de cobiçosos." [AH]
   4) "Não sei a que horas chegamos a São Luís, nem em que dia, precisamente." [HC]
   5) "Não praguejeis, para que se não diga que sois rapazes malcriados, e vos não desprezem todos." [AC]
   6) "Desde que entendo, que leio, que admiro os Lusíadas, enterneço-me, choro, ensoberbeço-me com a maior obra de engenho que ainda apareceu no mundo desde a Divina Comédia até o Fausto." [AG]
   7) "A Estremadura e parte da Beira davam suas tropas ao Alentejo, tanto porque tinha de sustentar muito maior número de praças de guerra, como porque os exércitos operavam ali continuamente." [RS]

Justaposição

a) *Justapostas e coordenadas sindéticas*

31. **Distinga, nos seguintes exemplos, as coordenadas conectivas das justapostas (assindéticas), classificando a conjunção das primeiras:**
    1) Vim, vi, venci.
    2) "A modéstia doura os talentos, a vaidade os deslustra." [MM]
    3) "Os velhos ruminam o pretérito, os moços antecipam e devoram o futuro." [MM]
    4) "A virtude é comunicável, mas o vício contagioso." [MM]
    5) "Os moços apaixonam-se pelo bonito e lindo, os homens experientes e maduros pelo belo." [MM]
    6) "Os importunos roubam-nos o tempo, e nos consomem a paciência." [MM]
    7) "A vida tudo enfeita, a morte desfigura tudo." [MM]
    8) "Pouca inteligência dirige, coordena e senhoreia muita força." [MM]
    9) "Não emprestes, não disputes, não maldigas e não terás de arrepender-te." [MM]
    10) "A autoridade impõe e obriga, mas não convence." [MM]

b) *Subordinadas*
b.1)Substantivas

32. **Transforme as orações subordinadas substantivas em expressão substantiva equivalente:**
    Modelo: *Quem crê de leve é enganado facilmente.*
              O crédulo é enganado facilmente.
    1) Quem trabalha encontra em toda parte meios de subsistência.
    2) Quem é avarento nunca tem bastante.
    3) Quem sabe pensar sabe escrever.
    4) Quem goza saúde pode trabalhar.
    5) Nada duvida quem nada sabe.
    6) Quem tem saúde não precisa de médico.
    7) Não sou eu quem lê a gazeta.
    [Claudino Dias, *Exercícios de Composição*]

33. **Indique a função sintática das orações subordinadas substantivas do exercício anterior.**

34. **Transforme as orações adjetivas dos seguintes exemplos em substantivas, indicando a função sintática destas últimas:**
    Modelo: *Eu ignoro as façanhas que aquele herói cometeu.*
              Eu ignoro que façanhas aquele herói cometeu.
    1) Ele conhece perfeitamente a sociedade em que vive.
    2) Desconheço a virtude que esse remédio possa ter.
    3) Ele sabe os meios de que pode dispor.
    4) Ele não conhecia as belezas que a obra tinha.
    5) Ele compreende o entusiasmo que as suas palavras possam produzir.
    6) Mentor referia-me muitas vezes a glória que Ulisses tinha alcançado entre os gregos.
    7) Ele sabe os deveres que tem de cumprir.
    8) Ele não sabia a história que havia de contar.
    9) Ele já sabia a gente que era.
    [Claudino Dias, *Exercícios de Composição*][9]

35. **Divida os seguintes períodos em orações e classifique-as:**
    1) "Quem não espera na vida futura, desespera na presente." [MM]
    2) "Para quem ama a Deus, não há neste mundo completa desgraça." [MM]
    3) "Quem muito nos festeja alguma coisa de nós deseja." [MM]
    4) "O sol doura a quem o vê, o sábio ilumina a quem o ouve." [MM]
    5) "Com trabalho, inteligência e economia, só é pobre quem não quer ser rico." [MM]
    6) "Nunca falta força a quem sobeja inteligência." [MM]
    7) "Não interrompemos a quem nos louva, mas aos que nos censuram." [MM]
    8) "A vida é sempre curta para quem desperdiça o tempo." [MM]
    9) Deus ajuda a quem cedo madruga.
    10) "Para quem não tem juízo os maiores bens da vida se convertem em gravíssimos males." [MM]

36. **Transforme as orações substantivas objetivas diretas com transpositor em discurso indireto para discurso direto:**
    1) Vieira disse que o chorar era consequência de ver.
    2) Alexandre Herculano disse que a preponderância era o resultado inevitável da inteligência, do trabalho e da economia.

---

[9] Para o Prof. José Oiticica houve, nas orações substantivas do tipo das pedidas neste exercício, antecipação do pronome relativo. Isto significa, portanto, que, analisando o período *Eu ignoro que façanhas aquele herói cometeu*, o citado mestre substituía a oração substantiva por uma adjetiva: *Eu ignoro as façanhas que aquele herói cometeu*. Cremos forçado este modo de analisar, preferindo distinguir as substantivas das adjetivas. Cf. *Manual de Análise*, p. 37 e 232-3. *Revista Filológica*, n.º 4.

3) Rebelo da Silva disse que era mais para invejar o varão que se fazia grande e famoso pelo engenho e pelos atos, do que o homem que já nascera entre brasões herdados.
4) Schiller disse que a variedade era o sal do prazer.
5) Goethe disse que o perigo tirava ao homem toda a presença de espírito.
6) Tieck disse que aquele que não sabia obedecer não devia comandar.
7) Goethe disse que a maior parte dos homens não apreciavam senão o reflexo do merecimento.
8) Krummacher disse que a língua alemã era a mais rica em vogais depois da língua grega.
9) O filósofo grego Antístenes disse que era preciso adquirir bens que nadassem conosco quando nós naufragássemos.
[Claudino Dias, *Exercícios de Composição*]

37. **Transforme as orações de discurso direto para indireto mediante orações substantivas objetivas diretas com transpositor:**
    Modelo: *Vieira disse: O leme da natureza humana é o alvedrio, o piloto é a razão.*
    Vieira disse que o leme da natureza humana era o alvedrio e que o piloto era a razão.
    1) O Visconde de Almeida Garrett disse: O remorso é o bom pensamento dos maus.
    2) Vieira disse: As ações generosas, e não os pais ilustres, são as que fazem fidalgos.
    3) Kant disse: O tambor é o emblema do falador; soa porque está oco.
    4) Gellert disse: A Natureza é o melhor médico.
    5) Hufeland disse: Quanto mais inativo é o corpo, tanto mais acessível é às doenças.
    6) Schiller disse: A mentira é a arma do inferno.
    7) Raupach disse: O receio é o irmão da esperança.
    8) Hamann disse: O dia da morte vale mais que o dia do nascimento.
    9) Gellert disse: A dificuldade não dispensa nenhum dever.
    10) Schiller disse: Todo elogio, por merecido que seja, é lisonja quando se dirige aos grandes.
    11) Goethe disse: O talento forma-se na solidão; o caráter, na torrente do mundo.
    12) Jean Paul Richter disse: A mulher retém tão dificilmente o título dos livros, como o seu ilustrado marido, o nome das modas.
    13) Pope disse: O talento de um autor consiste em agradar.
    14) Milton, sendo perguntado sobre se ensinaria diferentes línguas a suas filhas, respondeu: Não, senhor; uma língua é bastante para uma mulher.
    [Claudino Dias, *Exercícios de Composição*]

b.2) Adjetivas (*primitivamente substantivas*)

38. **Divida os seguintes períodos em orações e classifique-as:**
    1) "A beneficência alegra ao mesmo tempo o coração de quem dá e de quem recebe." [MM]
    2) O coração de quem rouba anda sempre aos pulos.
    3) A vitória de quem não luta tem pouco valor.
    4) Se quereis saber as misérias de quantos vivem à nossa roda, eu vo-lo direi.
    5) Ficou desanimado com a ingratidão de quem tanto teve a sua ajuda.
    6) O professor distribuiu as notas de quantos fizeram provas.
    7) A cruz de quem trabalha é sempre mais leve do que a de quem desperdiça o tempo.

39. **Distinga as orações originalmente adjetivas das adjetivas resultantes de posterior transposição, pondo nos parênteses (A) ou (AT), respectivamente:**
    1) "Não vemos os defeitos de quem amamos ( ), nem os primores dos que aborrecemos." [MM]
    2) "São muitos os loucos a quem grandes intervalos lúcidos inculcam e representam de racionais." ( ) [MM]
    3) "Há homens como as serpentes que envenenam aqueles ( ) a quem mordem." ( ) [MM]
    4) Já chegaram os prêmios de quem acertou no concurso. ( )
    5) Nunca ouvira a voz de quem mora ao lado. ( )
    6) Estes de quem contas as façanhas ( ) também são nossos conhecidos.

b.3) Adverbiais

40. **Divida os seguintes períodos em orações e classifique-as:**
    1) "A beleza é uma harmonia, qualquer que seja o seu objeto." [MM]
    2) "A ordem pública periga onde se não castiga." [MM]
    3) "Onde não se preza a honra se desprezam as honras." [MM]
    4) "Aconteceu um fato que pode, até certo ponto, dar uma ideia das primeiras cenas do negro drama que há oito anos começou a passar ante os olhos daqueles que ainda não abnegaram de todo a humanidade e o pudor." [AH]
    5) Chegaremos hoje à cidade, aconteça o que acontecer.
    6) Devemos pôr as nossas esperanças onde mais tivermos fé.
    7) Não o via fazia seis anos.
    8) Os jovens se dirigiram para onde estavam seus pais.
    9) Farei o que eu disse, custe o que custar.
    10) "Há mais de sessenta anos que nasci detrás daquele penedo que daqui aparece no alto da serra." [RL]

c) *Intercaladas*

41. **Divida os seguintes trechos em orações e classifique-as:**
    1) "O programa da festividade externa também sofreu modificações que a grande massa dos crentes, diga-se a verdade, não aprovou."
    2) "Daqui a um crime distava apenas um breve espaço, e ela o transpôs, ao que parece." [AH]
    3) "Lembrai-vos, cavaleiro — disse ele — de que falais com D. João I." [AH]
    4) "Tio Feliciano — Feliciano Gomes de Farias Veras —, a quem conheci em Parnaíba, foi, parece, o princípio da família que ali aportou." [HC]
    5) "E, se na marcha estaca pelo motivo mais vulgar, cai logo — cai, é o termo — de cócoras." [EC]
    6) José, que eu saiba, foi quem conseguiu convencer a todos os presentes.
    7) "Ah! Isto é outra coisa, continuou o negociante, agora amável."
    8) "Os complementos indiretos do verbo preferir, esses excluem, não há dúvida nenhuma, a preposição **por**, exigindo a preposição **a**." [RB]
    9) "Os compatriotas serviram à verdadeira causa nacional com a deposição do governo, que, note-se bem, já não era mais a república, mas outra forma ditatorial, essencialmente distinta." [CL]
    10) "Ela se encarregava do chapéu de sol — o chapéu de sol de minha mãe era mais alto do que nós." [HC]
    11) Minha professora primária — que Deus a conserve por muitos anos — é mãe do meu mestre de Matemática.

Capítulo 15
As chamadas orações reduzidas

Que é oração reduzida

Em
> *Estuda agora, porque, quando o verão chegar, entraremos de férias,*

as três orações se dizem *desenvolvidas*, porque seus verbos estão no imperativo (*estuda*), no subjuntivo (*chegar*) e no indicativo (*entraremos*).

Podemos, entretanto, alterar a maneira de expressar a subordinada *quando o verão chegar* sem nos utilizarmos dos três modos verbais acima apontados:
quando o verão chegar = ao chegar o verão
quando o verão chegar = chegando o verão
quando o verão chegar = chegado o verão

Dizemos então que as subordinadas *ao chegar o verão, chegando o verão* e *chegado o verão* são orações *reduzidas*, porque apresentam o seu verbo (principal ou auxiliar, este último nas locuções verbais), respectivamente, no infinitivo, gerúndio e particípio (reduzidas infinitivas, gerundiais e participiais).

> **Observações:**
>
> ➡ Havendo locução verbal, é o auxiliar que indica o tipo de reduzida. Assim são exemplos de reduzidas de gerúndio: *estando amanhecendo, tendo de partir, tendo partido*; são exemplos de reduzidas de infinitivo: *ter de partir, depois de ter partido*; é exemplo de reduzida de particípio: *acabado de partir*. Se, por outro lado, o auxiliar da locução estiver na forma finita, não haverá oração reduzida: *Quanta gente havia de chorar.*
>
> ➡ Nem toda oração desprovida de transpositor é reduzida, uma vez que este transpositor pode estar oculto: *Espero que sejas feliz* ou *Espero sejas feliz*. Em ambos os exemplos a subordinada *que sejas feliz* ou *sejas feliz* é desenvolvida. O que caracteriza a reduzida é a forma infinita ou nominal do verbo (principal ou auxiliar): infinitivo, gerúndio e particípio.
>
> ➡ *Infinita* é uma forma verbal normalmente sem flexão, enquanto *infinitivo* é uma das chamadas formas nominais do verbo; assim, se fala em emprego do *infinitivo flexionado*, e não em emprego do *infinito*.

Desdobramento das orações reduzidas

As orações reduzidas são subordinadas e quase sempre se podem desdobrar em orações desenvolvidas.[1] O emprego de reduzidas por desenvolvidas e vice-versa, quando feito com arte e bom gosto, permite ao escritor variados modos de tornar o estilo conciso, não acumulado de quês e outros transpositores, enfim, elegante.

Vejamos os seguintes exemplos:
a) *Declarei estar ocupado* = *declarei que estava ocupado.*
b) *Para estudarmos, precisamos de sossego* = *para que estudemos, precisamos de sossego.*
c) *Chovendo, não sairei* = *se chover, não sairei.*
d) *Acabada a festa, retirou-se* = *quando acabou a festa, retirou-se.*

Estes desdobramentos são meros artifícios de equivalências textuais, que nos ajudam a classificar as orações reduzidas, uma vez que poderemos proceder da seguinte maneira:
a) *Declarei estar ocupado* = *declarei que estava ocupado.*
    (*que estava ocupado*: subordinada substantiva objetiva direta.)

Logo:

   (*estar ocupado*: subordinada substantiva objetiva direta reduzida de infinitivo ou reduzida infinitiva).

b) *Chovendo, não sairei* = *se chover, não sairei.*
    (*se chover*: subordinada adverbial condicional)

Logo:

   (*chovendo*: subordinada adverbial condicional reduzida de gerúndio ou reduzida gerundial).

c) *Acabada a festa, retirou-se* = *quando acabou a festa, retirou-se.*
    (*quando acabou a festa*: subordinada adverbial temporal)

Logo:

   (*acabada a festa*: subordinada adverbial temporal reduzida de particípio ou reduzida participial).

---

[1] Com razão insiste Adolfo Coelho: "Não deve nunca confundir-se o que é simplesmente equivalente com que é idêntico na forma, conquanto haja vantagem em fazer ver aos alunos que o mesmo pensamento se exprime de diversos modos."

Orações substantivas reduzidas

Normalmente as orações substantivas reduzidas têm o verbo, principal ou auxiliar, no infinitivo.

Subjetiva
"Agora mesmo, custava-me *responder alguma coisa*, mas enfim contei-lhe o motivo da minha ausência." [MA]

Objetiva direta
"(...) como se estivesse ainda no vigor da mocidade e contasse como certo *vir a gastar frutos desta planta*." [LCo]

Objetiva indireta
"Tudo, pois, aconselhava o rei de Portugal *a tentar uma expedição para aquele lado*." [AH]

Completiva relativa
"Um povo que se embevecesse na História, que cultivasse a tradição, que amasse o passado, folgaria *de relembrar esses feitos...*" [CL]

Predicativa (do sujeito ou do objeto)
"O primeiro ímpeto de Luísa foi *atirar-se-lhe aos braços*, mas não se atreveu." [MLe]
"O resultado foi *eu arrumar uns cocotes na Germana e esfaquear João Fagundes*." [GrR]

Apositiva
"Dois meios havia em seguir esta empresa: *ou atacar com a armada por mar, ou marchar o exército por terra e sitiar aquela cidade*." [AH]

Observações:

➥ Não é raro vir precedido de preposição o infinitivo das orações reduzidas subjetivas e objetivas:

"Desaire real seria *de a deixar sem prêmio*." [AGa]

"Custou-lhe muito *a aceitar a casa*." [MA]

"Mostrou-se pesarosa de não o encontrar, e prometeu *de voltar hoje às três horas*." [CBr]

"(...) é fácil *de compreender a extensão das responsabilidades de cada grupo*." [HC]

➥ Não raro também, a oração substantiva reduzida de infinitivo vem precedida de artigo (mormente se a oração funciona como sujeito ou objeto direto):

"Daí nasce *o trabalharem os mais notáveis escritores da Europa* por vivificarem o espírito religioso." [AH]

Orações adjetivas reduzidas

As orações adjetivas reduzidas têm o verbo, principal ou auxiliar, no:

Infinitivo
"O orador ílhavo não era homem *de se dar assim por derrotado*." [AGa]
Está marcada a festa *a realizar-se na próxima semana*.
"(...) mas nem um momento duvidamos de que a sua convicção íntima seja a necessidade *de restituir o antigo lustre e preço à filosofia do Evangelho*." [AH]

> **Observação:**
> ➥ Ligar qualificativamente a substantivos o infinitivo precedido de **a** (por exemplo: *livros a consultar*) em vez de uma oração relativa (v.g.: *livros que se hão de consultar*), ou de um infinitivo precedido de *para* (v.g.: *roupa para consertar*), é imitação moderna da sintaxe francesa, imitação que só por descuido se encontra nos que melhor falam a língua pátria:
> "Qual é a relação *a deduzir destas considerações e destes fatos*?" [AH]

Gerúndio, indicando de um substantivo ou pronome
1) uma atividade passageira:
"(...) cujos brados selvagens de guerra começavam a soar ao longe como um trovão *ribombando no vale*." [AH]
"Realmente, não sei como lhes diga que não me senti mal, ao pé da moça, *trajando garridamente um vestido fino*..." [MA]

Em todos estes exemplos o gerúndio figura com a ideia muito acentuada de tempo transitório, servindo de atribuir um modo de ser, uma qualidade, uma atividade a um nome ou pronome, mas apenas dentro de certo período e em determinada situação. Assim, *água fervendo* é *água que naquele momento fervia* ou *fervia dentro de certo espaço de tempo*. Vale o gerúndio, nestas circunstâncias, por uma expressão formada de preposição *a* + infinitivo: *água a ferver*:
"Também algumas vezes foram dar com ela *a abraçar a cadelinha*." [JR]

2) uma atividade permanente, qualidade essencial, inerente aos seres, própria das coisas:
"O livro V, *compreendendo as leis penais*, aquele que, após os progressos efetuados na legislação e na humanidade, mais carecia de pronta reformação." [LCo]
"Algumas comédias havia com este nome *contendo argumentos mais sólidos*." [SA]

Estes e muitíssimos outros exemplos atestam que tal emprego do gerúndio ocorre vitorioso na língua culta portuguesa, e não uma simples influência francesa. Para os que têm a expressão como francesa, deve-se substituir o gerúndio por uma oração adjetiva iniciada por pronome relativo, ou por uma preposição conveniente:
Livro contendo gravuras

passaria a
Livro que contém gravuras

ou
Livro com (ou *de*) *gravuras.*

Aceitar o gerúndio como construção vernácula não implica adotá-lo a todo momento, acumulando-o numa série de mau gosto.

Particípio
"Os anais ensanguentados da humanidade estão cheios de facínoras, *empuxados* (= que foram empuxados) *ao crime pela ingratidão injuriosa de mulheres muito amadas, e perversíssimas.*" [CBr]

Orações adverbiais reduzidas

Têm o verbo, principal ou auxiliar, no:

Infinitivo
Caso em que, normalmente, se emprega o verbo regido de preposição adequada. Para o desdobramento da reduzida em desenvolvida, basta substituir a preposição ou locução prepositiva por uma expressão do mesmo valor e pôr o verbo na forma finita. É de toda conveniência conhecermos as principais preposições que correspondem a "conjunções" subordinativas adverbiais, porque isso melhor nos adestra na plástica da sintaxe portuguesa.
1) Para as causais temos:

a) *com*:
"Porém, deixando o coração cativo,/ *Com fazer-te a meus rogos sempre humano*,/ Fugiste-me traidor..." [RD]
(*Com fazer-te* = porque te fizeste sempre humano)

b) *em*:
"Em verdade, bem louco deve ser este homem *em estar a plantar agora esta nogueira*, como se estivesse ainda no vigor da mocidade." [JR]
(*em estar a plantar* = porque está a plantar)

c) *por*:
"(...) é tão desairoso falar um homem a sua língua mal, sob o pretexto de que ela é difícil, como tirar as botas num salão *por lhe doerem os calos*." [SR]
(*por lhe doerem os calos* = porque lhe doem os calos)

d) *visto*:
Visto sair de manhã bem cedo, não é muito conhecido pelos vizinhos.

e) locuções prepositivas: *à força de, em virtude de, em vista de, por causa de, por motivo de, devido a*, etc.:
"*À força de se tornar trivial*, esta verdade eterna, que resume todo o espírito do cristianismo, deixou de ser para muitos." [AH]

2) Para as concessivas:

a) *com*:
Com fazer todas as obrigações corretamente, não conseguiu livrar-se da falência.
(*com fazer* = embora fizesse)

b) *sem*, negando a causa e a consequência, pode exprimir a concessão:
"Este era funestamente o sistema colonial adotado pelas nações que copiavam *sem o entender* nem fecundar, como os romanos, o governo discricionário das províncias avassaladoras." [LCo]
(*sem o entender* = embora não o entendesse)

c) *malgrado*:
Estudou *malgrado ter perdido o caderno*.

d) *não obstante*:
Saíram *não obstante terem ouvido os conselhos do pai*.

e) locuções prepositivas: *apesar de, sem embargo de*:
"*Apesar, porém, da casa ser tida como imagem dos perigos e privações da guerra, e do duque haver adquirido com ela grande disposição e robustez*, observou-se depois que as armas o atraíam pouco." [RS]

3) Para as condicionais (e hipotéticas):

a) *a*: (↗ 437)
"(...) houve quem visse, ou fingisse ver, um notável reflexo que, *a ser verdadeiro*, devia nascer das muitas luzes que provavelmente estariam acesas." [AH]

No seguinte trecho vale por uma comparativa hipotética do tipo de *como se* ou modal:
> "(...) depois veio a mim, que estava sentado, deu-me pancadinhas na testa, com um só dedo, *a repetir:* — Isto, isto — e eu não tive remédio senão rir também, e tudo acabou em galhofa." [MA]

b) *sem*:
> Não sairá *sem apresentar os exercícios.*

4) Para a consecutiva temos *de*:
> É feio *de meter medo.*

5) Para as finais:

a) *a*:
> "Muitos personagens eminentes do Império e diversas famílias, ligadas por aproximação de afeto à família imperial, apresentaram-se *a falar ao imperador...*" [RP]

Observação:
➡ O infinitivo das orações finais pode aparecer sem preposição: "Diz-se que ele era um dos doze que foram a Inglaterra *pelejar* (= para pelejar) *em desagravo das damas inglesas, fato assaz duvidoso...*" [AH]

b) *de*:
> Dava aos pobres algo *de comer pela manhã.*

Observação:
➡ Estas expressões se alternam com as de preposição *a*: Dava aos pobres algo *a comer pela manhã.*

c) *para*:
> "Tudo isto diz o quadro a quem tiver olhos *para ver*, coração *para sentir*, entendimento *para perceber.*" [AH]

d) *por*, hoje mais rara, fixada em *por assim dizer* e semelhantes:
> "Recomendava el-rei D. Manuel, por suas cartas, a Afonso de Albuquerque que trabalhasse *por haver às mãos a cidade de Adém.*" [AH]

e) *em*:
> "(...) e por isso posto que a Inglaterra não precisasse dela, para este fim, trabalhou *em possuí-la* para que os holandeses não se aproveitassem das vantagens que a sua situação oferecia." [AH]
> "Dois meios havia *em seguir* esta empresa." [AH]

f) locuções prepositivas: *a fim de, com o fim de,* etc.:
"Da sua parte, os alunos não devem dar de mão à gramática elementar *a fim de se exercitarem nos verbos e adquirirem outras noções básicas* e, como tais, indispensáveis..." [SR]

6) Para iniciar orações locativas reduzidas temos *em*:
"Filha, *no muito possuir* não é ainda posta a felicidade, mas sim *no esperar e amar muito*." [AC][2]

7) Para as ideias de meio e instrumento:

a) *com*:
"(...) até o (D. Afonso) induzirem a mandá-lo (D. Pedro) sair da corte, ao que D. Pedro atalhou *com retirar-se* antes que lho ordenassem." [AH]

b) *de*:
"Eu não sou, minha Nise, pegureiro,
Que viva *de guardar alheio gado*." [TG]

8) Para as temporais:

a) tempo anterior: *antes de*:
"E, se ambos morrermos *antes de estarem em idade* que se possam por si manter, terão por pai aquele que mora nos céus." [AC]

b) tempo concomitante: *a* (neste caso, o infinitivo pode vir ou não precedido de artigo): (➚ 435)
"Tais eram as minhas reflexões *ao afastar-me do pobre*..." [AH]
"E o moço, *a falar de sua mãe*, chorava..." [CBr]

Note-se a diferença entre a ideia condicional e a temporal nas construções:

A persistirem os sintomas,
Ao persistirem os sintomas, } *procure o médico.*

c) tempo posterior: *depois de, após*:
"A borboleta, *depois de esvoaçar muito em torno de mim*, pousou-me na testa." [MA]

---

[2] Pode-se enquadrar este tipo no caso dos infinitivos substantivados, sem formar oração à parte.

d) tempo futuro próximo: *perto de, prestes a*:
"(...) e só abandona (o comandante) o posto quando voa em socorro da Parnaíba ou do Belmonte, *prestes a soçobrar.*" [FB]

e) duração de prazo: *até*:
"(...) o Sália... arrancava os penedos, aluía as raízes das árvores seculares, carreava as terras e rebramia com som medonho, *até chegar às planícies...*" [AH]

Gerúndio, e aí equivalente a

1) uma oração causal:
"*Vendo este os seus maltratados*, mandou disparar algumas bombardas contra os espingardeiros." [AH]
(*vendo* = porque visse)

2) uma oração consecutiva:
"Isto acendeu por tal modo os ânimos dos soldados, que sem mandado, nem ordem de peleja, deram no arraial do infante, *rompendo-o por muitas partes.*" [AH]
(*rompendo-o* = e como consequência o romperam)

3) uma oração concessiva:
Tendo mais do que imaginavam, não socorreu os irmãos.
(*tendo* = embora tivesse)

4) uma oração condicional:
Tendo livres as mãos, poderia fugir do cativeiro.
(*tendo* = se tivesse)

5) uma oração que denota modo, meio, instrumento:
"Um homem agigantado e de fera catadura saiu da choupana *murmurando sons mal articulados.*" [AH]

6) uma oração temporal:
"El-rei, quando o mancebo o cumprimentou pela última vez, sorriu-se e disse *voltando-se*: Por que virá o conde quase de luto à festa?" [RS]
(*voltando-se* = enquanto se voltava)

No seguinte exemplo se acha reforçado por um advérbio de tempo:
"*Desviando depois a mão* que o suspendia baixou mais dois degraus." [RS]
(*desviando* = depois que desviou, no momento em que desviou)

Observações:

➦ O gerúndio pode aparecer precedido da preposição *em* quando indica tempo, condição ou hipótese. Neste caso, o português moderno exige que o verbo da oração principal denote acontecimento futuro ou ação que costuma acontecer:

"Ninguém, desde que entrou, *em lhe chegando o turno*, se conseguirá evadir à saída." [RB]

Aqui o gerúndio indica tempo, e o verbo da principal exprime ação futura (*conseguirá*).

➦ Ocorrem mais modernamente empregos da expressão gerundial *sendo que* sem nenhum valor circunstancial:

As novidades foram inúmeras, *sendo que* as melhores vieram por último.

Tais críticas aparecem nos jornais, *sendo que* as mais frequentes se estampam em artigos não assinados.

Há várias maneiras de alterar a construção do período:

a) usando-se a conjunção *e* em lugar de *sendo que*. Ou sinal adequado de pontuação, como, por exemplo, ponto e vírgula:

As novidades foram inúmeras *e as melhores vieram por último*.

As novidades foram inúmeras; *as melhores vieram por último*.

b) usando-se a construção com relativo ou outra adequada:

Aparecem nos jornais tais críticas, *das quais as mais frequentes se estampam em artigos não assinados*.

Este uso moderno é uma articulação oracional tão cômoda para a expressão do pensamento que se vem generalizando até entre bons escritores:

"O assombro da assembleia foi imenso, e não menor a incredulidade de alguns, não digo de todos, *sendo que* a maioria não sabia que acreditasse (...)." [MA]

"Naturalmente que isso se estende a qualquer tipo de documento, *sendo que* alguns saem com letra fibriladíssima (...)." [JU]

"Logo tivemos dois caseiros, Eurico Novais e Manuel Firme, *sendo que* este era apenas um pouco mais velho do que eu (...)." [CCo]

Particípio, e aí equivale a

1) uma oração causal:

"*Irado o infante com as injúrias* que lhe tinham dito, mandou enforcar uns e degolar outros..." [AH]

(*irado* = porque se mostrava irado)

2) uma oração condicional:

Entramos em uma batalha, onde, *vencidos os inimigos*, honraremos nosso país.

(*vencidos* = se forem vencidos)

3) uma oração temporal:
"E neste sentido, *mudados os nomes*, fez uma comunicação à sociedade cientista dos avicultores da imperial cidade da Mogúncia." [JR]
(*mudados* = depois que mudou)

> **Observações:**
>
> ➡ Nestes empregos do particípio, observam-se as regras de concordância, estudadas no capítulo da *Concordância*, entre o verbo e o seu sujeito.
>
> ➡ Alguns particípios passaram a ter emprego equivalente a preposições e advérbios: *exceto, salvo, mediante, não obstante, tirante*, etc., e, como tais, normalmente devem aparecer invariáveis.

Orações reduzidas fixas

A nossa língua possui certo número de orações reduzidas que, normalmente, não aparecem sob forma desenvolvida. Neste grupo se acham:

1) as orações subjetivas que se seguem a certos verbos, como *caber, valer, impedir*, em construções do tipo de:
    Coube-nos *ornamentar o salão*. (e não: *que ornamentássemos*)

2) as orações objetivas diretas que se seguem a verbos como *agradecer, perdoar* e o impessoal *haver* na expressão *não há valer-lhe* (e equivalentes) em construções do tipo:
    "E lá se vão: não há mais *contê-los ou alcançá-los*." [EC]

3) as de sentido aditivo enfático do tipo (verbo no infinitivo):
    "Além de que a fumarada do charuto, *sobre ser purificante e antipútrida*, dava aos alvéolos solidez, e consistência aos dentes." [CBr]

4) as que denotam pensamentos para cuja expressão não existem conjunções subordinativas, como as que indicam:
a) exclusão (verbo no infinitivo):
    Longe de desanimar com os obstáculos, reanima-se para vencê-los.

b) exceção (verbo no infinitivo):
    "A filha estava com quatorze anos; mas era muito fraquinha, e não fazia nada, *a não ser namorar os capadócios*..." [MA]

c) meio ou instrumento (verbo no infinitivo ou gerúndio) e modo (verbo no gerúndio, embora aqui haja conjunção correspondente):

"Salvou-o o senado, *segurando-lhe a pessoa* até poder sair a bordo de uma nau holandesa a 21 de maio." [RS]
Enfrenta a vida *sorrindo dos perigos*.[3]

Quando o infinitivo não constitui oração reduzida

A presença do infinitivo não caracteriza oração reduzida nos seguintes principais casos, podendo, contudo, constituir, em alguns exemplos, oração (não reduzida):
1) quando, sem referência a nenhum sujeito, denota a ação de modo vago, como substantivo:
Recordar é viver.

2) quando faz parte de uma locução verbal:
Tinham de chegar cedo ao trabalho.

3) quando, precedido de preposição e em referência a substantivo, o infinitivo tem sentido qualificativo, o que ocorre:
a) quando exprime a destinação:
sala de jantar, ferro de engomar, tábua de passar, criado de servir.

b) quando equivale a um adjetivo terminado em -vel:
É *de esperar* que todos se saiam bem. (esperável)

4) quando, precedido de preposição e depois de certos adjetivos (*difícil, fácil, duro, bom*, etc.), o infinitivo tem sentido limitativo (com certa interpretação passiva ou ativa):
Osso duro *de roer*. (de ser roído ou de alguém roer)

5) quando, equivalente a imperativo, exprime o infinitivo ordem, recomendação:
"Todos se chegavam para a ferir, sem que a D. Álvaro se ouvissem outras palavras senão estas: *Fartar, rapazes!*" [AH]

6) quando, nas exclamações, o infinitivo exprime estranheza pela realização de um acontecimento:
"*Pôr*-me a mim lá fora?! — bradou Teodora." [CBr]

---

[3] "Às vezes procura-se desdobrar este tipo de orações em explícitas [= desenvolvidas] temporais iniciadas por *quando* ou *enquanto*. É mero expediente, pois a noção de tempo não é equivalente à de modo ou meio de fazer alguma coisa." [SA]

7) quando entra em orações interrogativas (diretas ou indiretas):
Que fazer?
Não sei que fazer.
Nada tinha *que dizer.*

8) quando se trata de um infinitivo de narração, isto é, aquele que, numa narração animada, considera a ação como já passada, e não no seu desenvolvimento.
"E os médicos *a insistirem* que saísse de Lisboa. [JDi]
"Ela *a voltar as costas*, e o reitor *a pôr o chapéu na cabeça*." [JDi]

O gerúndio e o particípio não constituem oração reduzida

a) Quando fazem parte de uma locução verbal:
Estão saindo todos os alunos.
As lições *foram aprendidas* sem esforço.

2) quando aparecem como simples função qualificadora, à maneira dos adjetivos:
Livro *encadernado.*
Água *fervendo.*

Construções particulares com o infinitivo

São dignas de atenção certas construções em que o infinitivo vem precedido de verbos que exprimem percepção física (*ver, ouvir, olhar, sentir*) ou atuação e ordenação (*deixar, mandar, fazer*).
Praticamente, estas construções de infinitivo se repartem em dois grupos:
1º) Um, em que o infinitivo tem o mesmo agente e sujeito do primeiro verbo (regente):
Preferimos estudar pela manhã. [nós preferimos e estudamos]

2º) Outro, mais complexo, em que o infinitivo, depois dos verbos regentes acima aludidos, tem diferente agente:
Vejo abrir a porta. [eu vejo e a porta se abre]
Ouço soprar o vento.
Eu a vi sair de casa.
Ouvimos a sineta chamar os alunos.

No primeiro grupo, o infinitivo integra uma oração reduzida que exerce o papel de objeto direto do verbo regente *preferimos*, e, por isso, pode ser comutado pelo pronome adverbal átono *o*:
Preferimos *estudar pela manhã* → Nós *o* preferimos → Preferimo-*lo*.

O segundo grupo se subdivide em dois tipos: o infinitivo sozinho ou acompanhado de complementos:
a) O infinitivo integra uma oração subordinada objetiva direta:
Vejo *abrir a porta.*
Ouço *soprar o vento.*

Aqui as orações *abrir a porta* e *soprar o vento* podem ser comutadas pelo pronome adverbal átono *o*:
Vejo-*o*. Ouço-*o*.
Vês *abrir a porta?* Vejo-*o*.
Ouves *soprar o vento?* Ouço-*o*.

b) O verbo regente exprime percepção física e o infinitivo exerce o papel de predicativo do objeto direto:
Eu a vi sair de casa.
Ouvimos a sineta chamar os alunos.

Aqui os verbos regentes que exprimem percepção física (*vi* e *ouvimos*) se acompanham dos objetos diretos (*a* e *a sineta*) que se acham modificados pelos infinitivos que exercem a função de seus predicativos (*sair* e *chamar*).

Por mais que equivalha, no plano do conteúdo de pensamento designado, *Eu a vi sair de casa* a *Eu vi que ela saía de casa*, do ponto de vista gramatical as construções são diferentes. Os pronomes *a* (Eu *a* vi sair) e *ela* (Eu vi que *ela* saía de casa) são ambos *agentes* do processo *sair de casa*, mas *a* é *objeto direto* e *ela* é *sujeito*. Pela análise do conteúdo, a gramática tradicional tem atribuído a esse pronome *a* dupla função sintática: objeto direto do verbo regente (*vi*) e sujeito do infinitivo (*sair*).

Também os verbos que exprimem atuação ou ordenação (*deixar, mandar, fazer*) apresentam a mesma construção dos verbos de percepção física:
O policial *fez* calar o assaltante.   /   O policial *fê*-lo calar.
O professor *mandou* o aluno saltar.   /   O professor *mandou*-o saltar.

Até aqui o infinitivo não se acompanha de objeto direto próprio, mas este pode aparecer, como ocorre em:
O professor mandou o aluno fazer *o exercício,*

quando os complementos do verbo regente *mandou* (*o aluno*) e do infinitivo *fazer* (*o exercício*) podem ser teoricamente comutados pelo pronome adverbal átono *o*:
O professor mandou-*o* fazê-*lo*.

Ou ainda:
O professor mandou-*o o* fazer,

o que daria uma contiguidade incômoda e artificial de dois *o*, onde a clareza do texto poderia ser prejudicada. Veja-se este exemplo de Alexandre Herculano:
"(...) a tia Domingas ouviu-*o* chamá-*la* de novo mansamente."

A tradição literária contornou o problema adotando duas normas seguintes:

1) Expressar o complemento do verbo regente sob forma de objeto direto, se constituído por substantivo:
O professor mandou *o aluno* fazê-lo.

2) Expressar o complemento do verbo regente sob forma de objeto indireto, se constituído por pronome adverbal átono:
O professor *mandou-lhe* fazer os exercícios.
O professor *mandou-lhe* fazê-lo.
O professor *lhe* ouviu dizer que melhoraria seu comportamento.
A colega *lhe* deixou ver suas bonecas.[4]

> **Observações:**
>
> ➡ Pela possibilidade de poder o complemento do infinitivo se aproximar do verbo regente, pode ocorrer a junção do pronome adverbal átono *lhe* (ou outro indireto) com o pronome *o*, como no seguinte exemplo:
>
> "(...) posto que Afonso I se houvesse apoderado de vários lugares... a desgraça de Badajoz *lhos* fizera perder..." [AH]
>
> Isto é: a desgraça *lhe* fizera perdê-los.
>
> ➡ É raro o emprego de *lhe* por *o* quando o verbo no infinitivo não se acompanha de objeto direto:
>
> "A vista só da vaca... nem *lhes* deixa pensar em soutos e pastios." [AC]

A prática se estenderia ao emprego sob forma de objeto indireto do complemento do verbo regente, mesmo se constituído por substantivo:
O professor mandou *ao menino* fazer o exercício.
O professor ouviu *ao aluno* dizer que melhoraria o comportamento.
O namoro fez *ao jovem* perder a cabeça.

Por fim, cumpre assinalar que, normalmente, se usa *o*, e não *lhe*, quando o infinitivo é pronominal.

---

[4] Julgamos injusta a condenação de Mário Barreto:
"É um dos instintos mais naturais do nosso falar: mas, em muitos textos escritos, uma preocupação pedantesca das mais descabidas põe de novo o pronome: é um indício singular de deformação artificial." Nos *Últimos Estudos* se mostra menos rigoroso: "Os verbos reflexivos no infinitivo depois dos verbos *fazer, deixar, ouvir, ver* perdem em geral o seu pronome complemento."

"(...) o Sália... rebramia com som medonho, até chegar às planícies, onde o solo não comprimia e *o deixou* espraiar-se pelos pauis e juncais..." [AH]

> **Observação:**
>
> ➡ O infinitivo que se segue a *deixar*, *mandar* e *fazer* pode ser tomado em sentido passivo e, neste caso, o agente da ação do infinitivo é regido pelas preposições *por* ou *de*:
>
> "D. João de Castro, sem *deixar-se vencer do amor do filho*, nem *dos medos do tempo*, resolveu enviar o socorro." [ED]

A omissão do pronome átono em casos como *eu os vi afastar daqui* em vez de *afastar-se daqui*

Não é rara a omissão do pronome átono que devia acompanhar um infinitivo pronominal, quando este mesmo infinitivo tem por agente um pronome átono:
"*Deixei-o embrenhar* e transpus o rio após ele." [AH]
"O faquir *deixou-o afastar*." [AH]

Os seguintes exemplos mostram-nos que a presença do pronome também é correta:
"*Sentiu-o* parar aqui um pouco e depois *encaminhar-se* ao longo do corredor." [AH]
"E o eremita *viu-a*, ave pernalta e branca, *bambolear-se* em voo, ir chegando, *passar-se* para cima do leito, *aconchegar-se* ao pobre homem..." [JR]

A posição do sujeito nas orações reduzidas

No português contemporâneo, o sujeito das orações reduzidas de gerúndio e particípio vem normalmente depois do verbo (nas locuções verbais pode aparecer depois do auxiliar):
"*Findo o susto*, considerava-me isolado, continuava nas infrações sem nenhuma vergonha." [GrR]
Acabada a festa, foram ao cinema.

Estariam erradas as construções se colocássemos o sujeito antes do verbo: *o susto findo, a festa acabada*.
Com a reduzida de infinitivo, o sujeito pode vir antes ou depois dele:
Não havia razão *para os alunos saírem*.
Não havia razão *para saírem os alunos*.

Nas reduzidas de gerúndio, é preciso distinguir cuidadosamente essas linguagens imperfeitas daquelas que, por falta de pontuação adequada, nos fazem supor que se trata de anteposições do sujeito. No seguinte exemplo, só houve falta da vírgula para separar a principal da subordinada:

"*O cristianismo elevando o culto da mulher* inspirou a cavalaria e a poesia cavaleiresca, nobilitando pelo amor e pelo sacrifício o sexo que era também o de Maria Santíssima." [JR]

A pontuação correta seria: "*O cristianismo, elevando o culto da mulher, inspirou...*"

Exercícios de fixação

1. **Assinale com (X) dentro dos parênteses, quando houver, as locuções verbais, nos seguintes exemplos:**
    1) ( ) "Nenhum dos cavaleiros se atreveu a sair contra ele." [RS]
    2) ( ) "O seu trajo, cortado à moda da corte de Luís XV, de veludo preto, fazia realçar a elegância do corpo." [RS]
    3) ( ) "Nos joelhos as ligas bordadas deixavam escapar com artifício os tufos de cambraieta alvíssima." [RS]
    4) ( ) "Na terceira volta, obrigando o cavalo quase a ajoelhar-se diante de um camarote, fez que uma dama escondesse, torvada, no lenço as rosas vivíssimas do rosto." [RS]
    5) ( ) "O mancebo desprezava o perigo, e, pago até da morte pelos sorrisos que seus olhos furtavam de longe, levou o arrojo a arrepiar a testa do toiro com a ponta da lança." [RS]
    6) ( ) "O cavalo baqueou trespassado, e o cavaleiro, ferido na perna, não pôde levantar-se." [RS]
    7) ( ) "Quando o Conde dos Arcos saiu a farpeá-lo, as feições do pai contraíram-se, e a sua vista não se despregou mais da arriscada luta." [RS]
    8) ( ) "Sem querer ouvir nada, desceu os degraus do anfiteatro, seguro e resoluto." [RS]
    9) ( ) "El-rei manda nos vivos e eu vou morrer!" [RS]
    10) ( ) "Deixe-me passar, e diga isto." [RS]

2. **Transforme a oração reduzida de infinitivo numa oração com transpositor e com verbo na voz passiva pronominal, atentando-se para a função sintática da oração subordinada e para a concordância do verbo com o sujeito:**
    Modelo: *É necessário **perdoar as injúrias**.* → *É necessário **que se perdoem as injúrias**.*

1) É útil estudar as lições.	6) É indispensável cultivar os campos.
2) É preciso respeitar a velhice.	7) Cumpre saudar as pessoas conhecidas.
3) É mister prevenir os abusos.	8) É forçoso observar as leis.
4) É proveitoso empregar bem o tempo.	9) Importa vencer as paixões.
5) Convém regar as flores.	10) É necessário dizer a verdade.

3. **Transforme as expressões grifadas (orações ou não), primeiro em orações subordinadas com transpositor, depois em orações reduzidas de infinitivo, atentando-se para a função sintática da oração subordinada:**
   Modelo: O arco, *sendo muito estirado*, quebra-se.
   O arco, *se for muito estirado*, quebra-se. (oração subordinada, adverbial, condicional)
   O arco, *a ser muito estirado*, quebra-se.
   1) A severidade *sendo demasiada* erra o intento.
   2) A raposa, *excedendo em astúcia todos os animais*, tem dado assunto para muitas fábulas.
   3) O sol *em nascendo* doura a terra com os seus raios.
   4) O próprio veneno pode ser um excelente remédio, *sendo empregado com circunspeção*.
   5) *Vencendo-se sem perigo* triunfa-se sem glória.
   6) *Lendo e estudando os bons autores* aprende-se a escrever bem.
   7) *Conhecendo todos* quanto vale o tempo, bem poucos o aproveitam.
   8) O criminoso *atormentado pelo remorso* confessou a sua culpa.
   9) A lebre *perseguida pelos cães* fugia apressada.
   10) *Proferidas aquelas palavras*, desceu as escadas da torre.

4. **Divida os seguintes períodos em orações e classifique-as:**
   1) "Tenho o consolo de haver dado a meu país tudo que me estava ao alcance." [RB]
   2) "Tudo envidei por inculcar ao povo os costumes da liberdade e à República as leis do bom governo." [RB]
   3) "Chegou o momento de vos assentardes, mão por mão, com os vossos sentimentos, de vos pordes à fala com a vossa consciência, de praticardes familiarmente com os vossos afetos, esperanças e propósitos." [RB]
   4) "Não cabia em um velho catecúmeno vir ensinar a religião aos seus bispos e pontífices, nem aos que agora nela recebem ordens do seu sacerdócio." [RB]
   5) "Ninguém, cabendo-lhe a vez, se poderá furtar à entrada." [RB]
   6) "Ninguém, desde que entrou, em lhe chegando o turno, se conseguirá evadir à saída." [RB]

7) "Ninguém desanime, pois, de que o berço lhe não fosse generoso, ninguém se creia malfadado, por lhe minguarem de nascença haveres e qualidades." [RB]
8) "Gutierrez animou-o a orar, persistir, e esperar." [RB]
9) "Nem, por vir muito cedo, lho leveis a mal, lho tenhais à conta de importuna." [RB]
10) "Dirão que tais trivialidades, cediças e corriqueiras, não são para contempladas num discurso acadêmico, nem para escutadas entre doutores, lentes e sábios." [RB]

5. **Divida os seguintes períodos em orações e classifique-as, atentando-se para o emprego do infinitivo, flexionado ou não, com os auxiliares causativos e sensitivos. Atenção para a divisão das orações:**
   1) "Deixe-me passar, e diga isto." [RS]
   2) "D. José vira o marquês levantar-se e percebera a sua resolução." [RS]
   3) "Deixai-o ir, ao velho fidalgo!" [RS]
   4) "Emílio fez subir os dois meninos e assentou-se defronte deles." [AAz]
   5) "Nada é mais surpreendente do que vê-la desaparecer de improviso." [EC]

Capítulo 16
As frases: enunciados sem núcleo verbal

Oração e frase

Já tínhamos antecipado (↗ 33) que a unidade sintática chamada **oração** constitui o centro da atenção da gramática por se tratar de uma unidade onde se relacionam sintaticamente seus termos constituintes e onde se manifestam as relações de ordem e regência, que partem do núcleo verbal, e das quais se ocupa a descrição gramatical.

Isto não impede a presença de enunciados destituídos desse núcleo verbal conhecidos pelo nome de *frases*:
Bom dia!
Saúde!
Depressa!
Que calor!
Casa de ferreiro, espeto de pau.

Estas frases diferem da oração porque são proferidas, quase sempre, em situações especiais, fora das quais a comunicação não se concretiza em toda sua plenitude.

Em geral seus elementos constituintes são de natureza nominal (substantivos, adjetivos ou advérbios), e a ausência do núcleo verbal impede que se identifiquem entre seus constituintes as funções que se manifestam na oração. Entretanto, como são enunciados reais, apela-se para a interpretação mais ou menos próxima dos possíveis equivalentes expressos sob forma de oração. Assim, "entende-se" que um enunciado como *Bom dia!* equivale a *Desejo bom dia* ou *Espero que tenha bom dia!*, ou *Casa de ferreiro, espeto de pau* valeria aproximadamente a *Casa de ferreiro usa espeto de pau* ou *Quando a casa é de ferreiro, o espeto é de pau* ou, ainda, *Em casa de ferreiro não se usa espeto de ferro, mas de pau*.

A simples verificação das várias possibilidades de paráfrases mostra bem como são tênues as relações gramaticais que os termos existentes mantêm entre si, dentro da frase. Por isso, a descrição da frase não se fará pelos mesmos critérios empregados na oração, mas segundo sua constituição interna. Inicialmente, podemos dividir as frases em *unimembres* e *bimembres*.

Frases unimembres: interjeição

O tipo mais simples de frase é o constituído por *interjeição*. Já é antiga em gramática a ideia de a interjeição não ser, a rigor, uma "palavra", mas equivalente a um enunciado independente ou a uma oração inteira.
Oh! Psiu!

Pode ainda aparecer combinada com outras unidades para constituir frases mais complexas:
Ai de mim!
Oh pátria minha!

Já vimos (➚ 370) que outras classes de palavras e grupos nominais se podem transpor ao papel de interjeição, empregados em função apelativa, endereçada ao interlocutor, ou como manifestação da atitude do falante:
Socorro!
Depressa!
Meu pai!
Que horror!
Viva!

Podem aparecer unidades mais longas resultantes de respostas ou comentários a diálogos reais ou imaginários com o interlocutor. São frases elípticas, quase sempre de valor nominal, resíduos de orações sintaticamente incompletas ou truncadas, que devem ser tratadas no rol dos enunciados independentes sem núcleo verbal:
"— Está bem, deixe-me ficar algum tempo mais, estou na pista de um mistério...
— *Que mistério?*" [MA]
"— Raposo, vou sair; há alguma cousa?
— *Nada, Capitão Viveiros.*" [LB]
"Fez-me sentar ao pé de si, na varanda, entre muitas exclamações de contentamento:
— *Ora, o Brasinho! Um homem! Quem diria, há anos... Um homenzarrão! E bonito! Qual!* Você não se lembra de mim..." [MA]

Entre essas verdadeiras proorações estão as palavras *sim, não, talvez, tampouco* e assemelhadas (sozinhas ou combinadas), que de primitivos advérbios passam, por transposição hipertáxica (➚ 41), ao papel de frases:
"— Já deste a notícia?
— *Ainda não.*" [LB]

Algumas vezes, nestes casos, um dos interlocutores ou o autor, num monólogo, faz uso de uma frase exclamativa complexa que vale, unitariamente, por transposição hipotáxica (➚ 41), por uma interjeição:

"Eugênia sentou-se a concertar uma das tranças. *Que dissimulação graciosa! Que arte infinita e delicada! Que tartufice profunda!*" [MA]

Etiquetas e rótulos

Diferente contexto linguístico ocorre com frases que entram na indicação de etiquetas, letreiros e rótulos situados em circunstâncias tais que, com ajuda de entornos, são suficientes para constituir informações precisas. Deste rol fazem parte a sinalização verbal das indicações de trânsito (*Entrada, Saída, Retorno*, etc.), de estabelecimentos bancários e comerciais (*Clientes de Conta Ouro, Fila Única, Padaria, Carnes, Laticínios, Limpeza, Estacionamento, Entrada proibida, Entrada só permitida a funcionários*, etc.).

Frases assertivas bimembres

Embora frases assertivas bimembres possam ser facilmente parafraseadas por orações de estrutura regular e com estas, muitas vezes, se alternar no discurso, não devem ser "reconstituídas" e "emendadas" com auxílio de elipses e outros recursos, para depois serem descritas como orações.

Incluem-se, portanto, no rol de frases assertivas bimembres (dotadas também de entoação ou contorno melódico assertivos) os seguintes exemplos:
Casa de ferreiro, espeto de pau.
Tal pai, tal filho.

A vivacidade e leveza que tais frases emprestam ao discurso explicam o seu largo emprego nas máximas e provérbios.

PARTE 4

CONCORDÂNCIA, REGÊNCIA E COLOCAÇÃO

Capítulo 17
Concordância nominal

Capítulo 18
Concordância verbal

Capítulo 19
Regência

Capítulo 20
Colocação

Apêndice
Figuras de sintaxe. Vícios e anomalias de linguagem

Capítulo 17
Concordância nominal

Considerações gerais

Em português a *concordância* consiste em se adaptar a palavra determinante ao gênero, número e pessoa da palavra determinada.
A concordância pode ser nominal ou verbal.
Diz-se **concordância nominal** a que se verifica em gênero e número entre o adjetivo e o pronome (adjetivo), o artigo, o numeral ou o particípio (palavras determinantes) e o substantivo ou pronome (palavras determinadas) a que se referem:
"O capitão rosnou *alguma* cousa, deu *dous* passos, meteu *a* mão *no* bolso, sacou *um* pedaço de papel, muito *amarrotado*; depois *à* luz de *uma* lanterna, leu *uma* ode *horaciana* sobre *a* liberdade *da* vida *marítima*." [MA]

Diz-se **concordância verbal** a que se verifica em número e pessoa entre o sujeito (e, às vezes, o *predicativo*) e o verbo da oração:
"*Os outros* não sabendo o que era, *falavam, olhavam, gesticulavam*, ao tempo que ela *olhava* só, ora fixa, ora móvel, levando a astúcia ao ponto de olhar às vezes para dentro de si, porque *deixava* cair as pálpebras." [MA]
"Chegando à rua, *arrependi*-me de ter saído." [MA]
"*Eram* 2 de novembro de 1852." [AH]

A concordância pode ser estabelecida de *palavra* para *palavra* ou de *palavra* para *sentido*. A concordância de *palavra* para *palavra* será *total* ou *parcial* (também chamada *atrativa*), conforme se leve em conta a totalidade ou a mais próxima das palavras determinadas numa série de coordenação:
"Repeli-a, porque se me *ofereciam* vida e honra a troco de perpétua infâmia." [AH]

O verbo *ofereciam* concorda com a totalidade do sujeito composto: *vida* e *honra*.
"Porque entre ele e Suintila... *está* o céu e o inferno." [AH]

O verbo *está* concorda, atrativamente, com o sujeito mais próximo (o céu) da série coordenada *o céu e o inferno*.

"(...) *via*-se em todas as faces *pintado* o espanto e o terror." [AH]

O verbo *via* e o adjetivo *pintado* concordam, por atração, com o sujeito mais próximo da série *o espanto e o terror*.

"Quando a educação, os livros e o sentir daqueles que nos odeiam, *apagou* em nossa alma o selo da cruz." [AH]

O verbo *apagou* concorda, por atração, com o sujeito mais próximo (o sentir daqueles) do sujeito composto, ainda que este venha anteposto ao verbo.

A concordância de *palavra* para *sentido* se diz ainda *concordância ideológica*, *"ad sensum"* ou *silepse*. A silepse é uma figura de sintaxe:

"A plebe *vociferava* as mais afrontosas injúrias contra D. Leonor: e, se *chegassem* a entrar no paço, ela sem dúvida seria feita pedaços pelo tropel furioso." [AH]

O verbo *vociferava* concorda com o sujeito *plebe* que, sendo um coletivo, pôde, pelo seu conteúdo semântico de pluralidade, levar ao plural o verbo *chegassem*, mais afastado dele.

"Era gente colectícia, *muitos*, acaso, sem pátria da guerra, e por isso pouco *habituados* a resignar-se com as várias e tediosas fases de um assédio." [AH]

O termo *gente*, de valor coletivo, é o responsável pela flexão masculina de *muitos* e *habituados*, por se levar em conta a ideia de *soldados* contida na palavra *gente*.

É preciso estar atento a que a liberdade de concordância, que a língua portuguesa muitas vezes oferece, deva ser cuidadosamente aproveitada para não prejudicar a clareza da mensagem e a harmonia do estilo.

Na língua oral, em que o fluxo do pensamento corre mais rápido que a formulação e estruturação da oração, é muito comum enunciar primeiro o verbo — elemento central da atividade comunicativa — para depois se seguirem os outros termos oracionais. Nestas circunstâncias, o falante costuma enunciar o verbo no singular, porque ainda não pensou no sujeito a quem atribuirá a função predicativa contida no verbo; se o sujeito, neste momento, for pensado como pluralidade, os casos de discordância serão aí frequentes. O mesmo ocorre com a concordância nominal do particípio e adjetivo.

A língua escrita, formalmente mais elaborada e mais compassada, tem meios de evitar estas discordâncias.

Concordância nominal

A - Concordância de palavra para palavra

1. **Há uma só palavra determinada**
   A palavra determinante irá para o gênero e número da palavra determinada:
   "Os bons exemplos dos pais são as melhores lições e a melhor herança para os filhos." [MM]
   "Eu amo a noite solitária e muda." [GD]
   Eu estou quite. Nós estamos quites.

   Observação:
   ➥ Os nomes femininos como *sentinela, guarda, guia* e assemelhados, quando aplicados a pessoas do sexo masculino, mantêm o gênero feminino e levam para este gênero os determinantes a eles referidos: *a sentinela avançada*; "Depois desta digressão que acabais de fazer pelo mundo, com tão *má guia* como eu, voltemos a ouvir de novo as vossas pedras." [MBa]

2. **Há mais de uma palavra determinada**
   Observar-se-ão os seguintes casos:
   a) Se as palavras determinadas forem do mesmo gênero, a palavra determinante irá para o plural e para o gênero comum, ou poderá concordar, principalmente se vier anteposta, em gênero e número com a mais próxima:
   A língua e (a) literatura *portuguesas* ou A língua e (a) literatura *portuguesa*.
   "Amava no estribeiro-mor as virtudes e a lealdade nunca *desmentidas*." [RS]
   "O tom e gesto *caricioso*, com que ela dizia isto, não moveu medianamente o esposo." [CBr]
   "(...) *e os nossos* Basílio e Durão, bem assim o Sr. Magalhães..." [OM]

   Observações:
   ➥ Se as palavras determinadas se referirem a uma só pessoa ou coisa, impõe-se o singular do determinante:
   seu fiel amigo e servidor.

   ➥ Precedendo um substantivo (título ou prenome), ocorre o plural: *Os irmãos* Pedro e Paulo. *Os apóstolos* Barnabé e Paulo.

   ➥ Um determinante (adjetivo) no plural pode estar aposto a um sujeito no singular que venha colocado depois, quando este sujeito é algum dos pronomes *cada um, cada qual, ninguém, nenhum,* referidos a pessoas ou coisas já mencionadas:
   "(...) *sobressaltados* com esta vista, procurava *cada um* pôr-se a salvo." [ED]

b) Se as palavras determinadas forem de gêneros diferentes, a palavra determinante irá para o plural masculino ou concordará em gênero e número com a mais próxima:
"Vinha todo coberto de negro: *negros* o elmo, a couraça e o saio." [AH]
"(...) como se um grande incêndio devorasse as brenhas e os carvalhais *antigos*." [AH]
"*Calada* a natureza, a terra e os homens." [GD]
"Por que não hei de eu, afinal, vencer também com *esta* ânsia e força de alma, com *este* amor e saudade, com *esta* voz profética prometedora de honrosos triunfos?" [CBr]
Toda sua luta e sacrifícios.
Todos seus sacrifícios e luta.

Observações:

➥ Por uma questão de agrado auditivo (eufonia), prefere-se que, numa série de palavras determinadas de gêneros diferentes seguida de palavra determinante no masculino plural, venha a determinada masculina em último lugar:

Com coragem e zelo patrióticos (em vez de: Com zelo e coragem patrióticos).

➥ Se, neste caso, se tratar de pronome possessivo posposto, a concordância deste se fará com o último substantivo:

"Este velho desterrado por *gosto* e *eleição sua*..." [RS]

➥ Quando há ideia de reciprocidade, torna-se obrigatório o emprego do plural:

"Ele entrou prazenteiro... e encontrou padrinho e afilhada *empenhados* em uma discussão sobre autoridade." [SS]

3. Há uma só palavra determinada e mais de uma determinante

A palavra determinada irá para o plural ou ficará no singular, sendo, neste último caso, facultativa a repetição do artigo. Em geral, isto ocorre com adjetivos de nacionalidade: *As literaturas* brasileira e portuguesa ou *A literatura* brasileira e portuguesa (maneira de dizer menos frequente e, com exagero de lógica gramatical, considerada errônea por muitos autores) ou *A literatura* brasileira e *a* portuguesa.
As séries quarta e quinta.
A quarta e quinta série (ou séries).

B - Concordância de palavra para sentido (referência)

A palavra determinante pode deixar de concordar em gênero e número com a *forma* da palavra determinada para levar em consideração, apenas, a referência a que esta alude: o (vinho) *champanha*, o (rio) *Amazonas*.

Entre os diversos casos desta concordância pelo sentido, aparecem os seguintes:
1) As expressões de tratamento do tipo de *V. Ex.ª, V. S.ª*, etc.:

V. Ex.ª é { *atencioso. (referindo-se a homem)*
            atenciosa. (referindo-se a mulher)

Observação:

➡ Quando se junta um adjetivo a tais formas de tratamento, ele fica no gênero da forma de tratamento:

Sua Majestade *fidelíssima* foi contrariado pelos representantes diplomáticos.

2) A expressão *a gente* aplicada a uma ou mais pessoas com inclusão da que fala:
"Pergunta a gente a si *próprio* (refere-se a pessoa do sexo masculino) quanto levaria o solicitador ao seu cliente por ter sonhado com o seu negócio." [PC][1]

3) O termo determinado é um coletivo seguido de determinante em gênero ou número (ou ambos) diferentes:
"*Acocorada* em torno, *nus*, a negralhada *miúda*, de dois a oito anos." [HC]

Note-se que *acocorada* e *miúda* concordam com a forma gramatical de *negralhada*, enquanto *nus* o faz levando em conta o seu sentido (= grupo de meninos de dois a oito anos).

4) A palavra determinada aparece no singular e mais adiante o determinante no plural em virtude de se subentender aquela no plural:
"Não compres *livro* somente pelo título: ainda que pareçam *bons*, são muitas vezes *péssimos*." [JR]
"Mas não nos constou em que *ano* começou nem *quantos* esteve com ele." [LS]

C - Outros casos de concordância nominal

1. Um e outro, nem um nem outro, um ou outro

Com *um e outro*, põe-se no singular o determinado (substantivo), e no singular ou no plural o verbo da oração, quando estas expressões aparecem como sujeito:
"Alceu Amoroso Lima (...) teve a boa ideia de caracterizar e diferençar o ensaio e a crônica, dizendo que *um e outro* gênero se *afirmam* pelo estilo."
"Parou um momento e, olhando para *um e outro lado*, endireitou a carreira..." [AH]

---

[1] Está correto neste caso também o emprego da concordância com a forma gramatical da palavra determinada: "Com estes leitores assim previstos, o mais acertado e modesto é a *gente ser sincera*." [CBr]

Modificada a expressão por adjetivo, este vai ao plural, conforme exemplos lembrados por Firmino Costa:
"(...) e [Rubião] desceu outra vez, e o cão atrás, sem entender nem fugir, um e outro *alagados, confusos*". [MA]
"Nem uma nem outra coisa; ou antes, uma e outra coisa *juntas*." [RB]

Com *nem um nem outro* é de rigor o singular para o substantivo e verbo:
Nem um nem outro livro merece ser lido.

Com *um ou outro* o substantivo também fica no singular e invariavelmente no singular aparece o verbo do qual a expressão serve de sujeito:
"*Um ou outro* soldado, indisciplinadamente, *revidava*, disparando à toa, a arma para os ares." [EC]

Havendo adjetivo, este vai ao plural nos três casos:
Um e/ou outro aluno *aplicados*.
Nem um nem outro aluno *aplicados*.

Se as expressões *um e outro, nem um nem outro* se aplicarem a nomes de gêneros diferentes, é mais comum o emprego das formas masculinas:
"Tornou a vê-la, foi visto por ela, e acabaram namorados *um do outro*." [MA]
"Ali teve el-rei escondido algum tempo, e lá começaram os seus amores com a rainha, que tão fatais foram para *um e outro*." [AH]
"Repousavam bem perto *um do outro* a matéria e o espírito." [AH]

Não raro pode aparecer a concordância com o termo referido:
"(...) vivia o casal venturoso de um certo Izraim persa letrado e da sua esposa Proftásia que *um e outra* cultivavam para deleite do espírito a filosofia grega." [JR]

2. Mesmo, próprio, só

Concordam com a palavra determinada em gênero e número:
Ele *mesmo* disse a verdade. Ela *mesma* disse a verdade.
Elas *próprias* foram ao local.
Viajei por *lugares* distantes e *sós* (= desertos, desabitados).
"Eles *sós* se encaminham para essa parte..." [AH]
"E por isso insistem tanto em negar que estão *sós* e assim se transformam (...)." [JU]

Hoje se dá preferência a *só* como advérbio (= somente, apenas), portanto invariável, enquanto outrora, entre bons escritores, usava-se *só* como adjetivo variável:
"Com *sós* 27 anos de idade... já a palidez da morte se via lutar no seu rosto com as rosas da mocidade." [AC]

"E aconselhando-se ao couto que conhecem/ *Sós* as cabeças na água lhe aparecem." [LC]
"(...) uma contemplação feita de recolhimento, em que *só* os olhos enredavam." [AMM]

Mesmo, além de se empregar na ideia de identidade (= em pessoa), aparece ainda como sinônimo de *próprio*, *até*:
"(...) ao *mesmo* demônio se deve fazer justiça, quando ele a tiver." [AV]

Este último sentido e mais o emprego adverbial junto de *aqui, já, agora* (*aqui mesmo, já mesmo, agora mesmo*) facilitaram o aparecimento moderno da palavra como advérbio, modo de dizer que os puristas condenam, mas que vem ganhando a simpatia geral:
"(...) vaidosos de seus apelidos, mas inofensivos, e virtuosos *mesmo* por vaidade de imitarem seus avoengos." [CBr]
Falava da máfia *mesmo*, a própria.
"(...) eu às vezes, quase com volúpia — ou com volúpia *mesmo*, não há o que esconder (...)." [JU]

3. Menos e somenos
É preciso atenção para não fazer a concordância de *menos* com o substantivo seguinte:
Mais amores e *menos* confiança. (e não *menas*!)

Vale a mesma observação para *somenos* (= de menor valor):
"Há neles coisas boas e coisas más ou *somenos*." [MB]

4. Leso
É adjetivo, e não forma do verbo *lesar*, em construções do tipo: *crime de lesa-pátria, crime de leso-patriotismo, crime de lesa-humanidade, crime de lesa-majestade.* Por isso há de concordar com o seu determinado em gênero e número:
"Como se a substância não fosse já um crime de *leso-gosto* e *lesa-seriedade*, ainda por cima as pernas saíam sobre as botas." [CBr]

5. Anexo, apenso e incluso
Como adjetivos, concordam com a palavra determinada em gênero e número:
Correm *anexos* (*inclusos*, *apensos*) aos processos vários documentos.
Vai *anexa* (*inclusa*, *apensa*) a declaração solicitada.

Observação:
➥ Usa-se invariável *em anexo, em apenso*: Vai *em anexo* (*em apenso*) a declaração. Vão *em anexo* (*em apenso*) as declarações.

6. Dado e visto

Usados adjetivamente, concordam em gênero e número com o substantivo determinado:

Dado (Visto) o problema que se nos apresentou, resolvemos desistir do contrato.

Dadas (Vistas) as circunstâncias, foram-se embora.

7. Meio (➚ 465)

Com o valor de 'metade', usado adjetivamente, concorda em gênero e número com o termo determinado, claro ou oculto:

"Para aquilatar a importância do tropeiro, basta lembrar que o Brasil tem cerca de oito e *meio* milhões de quilômetros quadrados de superfície..." [AAr]

"O método de investigação do delegado, como até hoje, na maior parte do Brasil, era tomar uma *meia* garrafa de cachaça [...]." [JU]

Era *meio-dia e meia.* (isto é: *e meia hora*).

8. Pseudo e todo

Usados em palavras compostas ficam invariáveis.

Sua *pseudo-organização* não me iludia.

A fé *todo-poderosa* que nos guia é nossa salvação.

Fora da composição, *todo* entra nos casos estudados na página 465, nº 18.

9. Tal e qual

Tal, como todo determinante, concorda em gênero e número com o determinado:

Tal opinião é absurda.

Tais razões não me movem.

Em correlação, *tal qual*, combinados, também procedem à mesma concordância:

Ele não era *tal quais* seus primos.

Os filhos são *tais qual* o pai.

Os boatos são *tais quais* as notícias.

> **Observações:**
>
> ➥ Em lugar de *tal qual*, podem aparecer: *tal e qual, tal ou qual*.
>
> ➥ Não confundir *tal qual* flexionáveis com *tal qual, tal qual como* invariáveis com valor adverbial (= como):
>
> "Descerra uns sorrisos discretos, sem mostrar os dentes, *tal qual como* as inglesas de primeiro sangue." [CBr]

10. Possível

Com *o mais possível, o menos possível, o melhor possível, o pior possível, quanto possível*, etc. o adjetivo *possível* fica invariável, ainda que se afaste da palavra *mais*:
Paisagens o mais *possível* belas.
Paisagens o mais belas *possível*.
Paisagens quanto *possível* belas.
"(...) onde se andava na ponta dos pés para pisar no menor número de livros *possível* (...)." [JU]

Com o plural *os mais, os menos, os piores, os melhores*, o adjetivo *possível* vai ao plural:
Paisagens as mais belas *possíveis*.

Estão erradas concordâncias como:
Paisagens as mais belas *possível*.

Fora destes casos, a concordância de *possível* se processa normalmente:
"As alturas e o abismo são as fronteiras dele: no meio estão todos os universos *possíveis*." [AH]
"(...) houve olhares que davam às duas irmãs, em pacote, o futuro promissor de *possíveis* rainhas." [CCo]

11. A olhos vistos

É tradicional o emprego da expressão *a olhos vistos* no sentido de *claramente, visivelmente*, em referência a nomes femininos ou masculinos:
"(...) padecia calada e definhava *a olhos vistos*." [MA]

Mais rara, porém correta, é a concordância de *visto* com a pessoa ou coisa que se vê:
"As minhas forças medravam *a olhos vistas* de dia para dia." [AC]
"O barão desmedrara *a olhos visto*." [CBr]

> **Observação:**
>
> ➥ Não confundir com *haja vista*, caso de concordância verbal, que será analisado na página 484.

12. É necessário, é bom, é preciso

Com as expressões do tipo *é necessário, é bom, é preciso*, significando 'é necessário ter', o adjetivo pode ficar invariável, qualquer que seja o gênero e o número do termo determinado, quando se deseja fazer uma referência de modo vago ou geral:
É *necessário* paciência.

Caso o sujeito seja usado acompanhado de uma determinação (artigo, pronome), faz-se a concordância regular com ele:
É *necessária muita* paciência.
"O fato de ter sido *precisa a* explicação (...)." [AP].
"Eram *precisos outros* três homens (...)." [AM].

Como acentua Barbadinho, a flexão de *necessária(s)* é mais frequente que a de *precisa*.

13. Adjetivo composto
Nos adjetivos compostos de dois ou mais elementos referidos a nacionalidades, a concordância em gênero e número com o determinado só ocorrerá no último adjetivo do composto:
Acordo *luso-brasileiro*
Amizade *luso-brasileira*
Lideranças *luso-brasileiras*

14. Alguma coisa boa ou alguma coisa de bom
Em *alguma coisa boa*, e semelhantes, o adjetivo concorda com o termo determinado:
"Quem tivesse reparado em Fr. Vasco perceberia facilmente que na sua alma se passava também *alguma cousa extraordinária*." [AH]

Em *alguma coisa de bom*, e semelhantes, o adjetivo não concorda com *coisa*, sendo empregado no masculino (como *algo de novo, nada de extraordinário, nada de trágico*, etc.).
Por atração, pode-se fazer a concordância do adjetivo com o termo determinado que funciona como sujeito da oração:
"Que tinha pois, Ricardina, de *sedutora*!" [CBr]
"Se os homens não tivessem alguma coisa de *loucos* seriam incapazes de heroísmo." [MM]
A vida nada tem de *trágica*.

15. Um pouco de luz e uma pouca de luz
Ao lado da construção normal *um pouco de luz*, e semelhantes, pode ocorrer a concordância atrativa *uma pouca de luz*, por se haverem fundido numa só expressão as duas seguintes maneiras de dizer: *pouco de luz* + *pouca luz*:[2]
"(...) e aos pés deles os fiéis que obtinham para última jazida *uma pouca de terra*..." [AH]

---

[2] Dá-se ao fenômeno o nome de contaminação ou cruzamento sintático. (➚ 528)

16. Concordância do pronome

O pronome, como palavra determinante, concorda em gênero e número com a palavra determinada.

Emprega-se o pronome oblíquo *os* em referência a nomes de diferentes gêneros:
"A generosidade, o esforço e o amor ensinaste-*os* tu em toda a sua sublimidade." [AH]

17. Nós por eu, vós por tu

Empregando-se *vós* em referência a uma só pessoa, põe-se no singular o adjetivo:
"Sois *injusto* comigo." [AH]

Ao se empregar, em idênticas condições, o pronome *nós*, o adjetivo pode ficar no singular ou ir ao plural:
Antes sejamos *breve* que *prolixo.*/ Antes sejamos *breves* que *prolixos*.

18. Alternância entre adjetivo e advérbio

Há casos em que a língua permite usar ora o advérbio (invariável) ora o adjetivo ou pronome (variáveis):
"Vamos a falar *sérios*." [CBr] / Vamos a falar *sério*.
"Os momentos custam *caros*." [RS] / Os momentos custam *caro*.
"A vida custa tão *cara* aos velhos quanto é *barata* para os moços." [MM]
Os apartamentos foram vendidos *caro*/ *caros*.
Ela está meio *tonta*. / Ela está meia *tonta*.
"Era esta a herança dos miseráveis, que ele sabia não escassearem na quase solitária e *meia* arruinada Carteia." [AH]
"A voz sumiu-se-lhe, toda *trêmula*." [EQ]

Observe-se que a possibilidade de flexões é antiga na língua e, assim, não há razão para ser considerada errônea, como fazem alguns autores.

A distinção entre adjetivos (e pronomes) e advérbios só se dá claramente quando a palavra determinada está no feminino ou no plural, caso em que a flexão nos leva a melhor interpretar o termo como adjetivo (e pronome). Na língua-padrão atual, a tendência é para, nestes casos, proceder dentro da estrita regra da gramática e usar tais termos sem flexão, adverbialmente.

Entram nesta possibilidade de flexão as construções de *tanto mais, quanto menos, pouco mais, muito mais*, em que o primeiro elemento pode concordar ou não com o substantivo:
Com *quanto* mais razão, *muito* mais honra.
Com *quanta* mais razão, *muita* mais honra.
"*Poucas* mais palavras trocamos." [CBr]

Notemos que *alerta* é originariamente um advérbio e, assim, não aparece flexionado:
Estamos todos *alerta*.

Há uma tendência moderna para se usar desta palavra como adjetivo, podendo guardar a natureza da palavra invariável ou sofrer a flexão própria dos adjetivos. Junto de substantivo, *alerta* adquire significado e função de adjetivo:
"Ali, dia e noite, havia sempre duas espias *alerta*." [BG]
"A moça aguardava com inteligência curta, os sentidos *alertas*." [CL]
"Luzinha trêmula, coada através dos garranchos, lhe feriu as pupilas *alertas*." [GB]

O adjetivo *quite* (= livre de dívida, de obrigação) deve concordar com o termo a que se refere:
Estou *quite*.
Estamos *quites*.

19. Particípios que passaram a preposição e advérbios
Alguns particípios passaram a ter emprego equivalente a preposição e advérbio (como, por exemplo, *exceto, salvo, mediante, não obstante, tirante*, etc.) e, como tais, normalmente devem aparecer invariáveis.
Deste modo, a língua moderna dá preferência a dizer "salvo exceções", "salvo a hipótese".

20. A concordância com numerais
Quando se empregam os cardinais pelos ordinais, não ocorre a flexão: página *um*, figura *vinte e um*.
Note-se que se pode dizer *à* página *dois*, *a* páginas *duas*, *a* páginas *vinte e uma*, *a* páginas *tantas*, *na* página *dois*, *na* página *vinte e um*, *na* página *vigésima primeira*. Em resumo: com *página*, no singular, o cardinal fica invariável; com *páginas*, no plural, o cardinal se flexiona em gênero. O ordinal se flexiona sempre: página *primeira*, páginas *vigésima primeira*.

> **Observações:**
>
> ➥ Na linguagem jurídica diz-se: A folhas *vinte e uma*./ A folhas *quarenta e duas*. [Note-se que com a preposição *a* usa-se o substantivo no plural (a *páginas* doze/ a *folhas* doze).]
>
> ➥ Milhar e milhão são masculinos e, portanto, não admitem seus adjuntos postos no feminino a concordar com o núcleo substantivo feminino:
>
> Os *milhares* de pessoas (e não: As *milhares* de pessoas).
>
> Os *milhões* de crianças (e não: As *milhões* de crianças).
>
> "*Esses milhares* que estão lendo ainda são uma minoria." [AMM]
>
> "Mas ninguém pode decodificar *os milhares* de informações cifradas que recebe a cada segundo." [RF]
>
> Se o sujeito da oração for *milhões*, o particípio ou adjetivo pode concordar no masculino, com *milhões*, ou no feminino, com o núcleo substantivo feminino:

"*Milhões de milhões de criaturas* estavam ali *ajoelhadas*." [MA]

"E mal chegado a casa já haveria recados de *milhões de amigas preocupadíssimas* com suas azáleas, seus rododendros, seus antúrios." [VM]

Atenção especial merecem entendimento e leitura de certas expressões numéricas abreviadas de uso moderno na linguagem jornalística e técnica: *1,4 milhão* (com 1 o numeral coletivo fica no singular), *3,2 bilhões*, *8,5 bilhões*, etc. devem ser entendidos e lidos "um milhão e quatrocentos mil", "três bilhões e duzentos milhões", "oito bilhões e quinhentos milhões" ou "oito bilhões e meio".

Note-se que embora em *1,4 milhão* o substantivo esteja no singular, o verbo pode ir ao plural:

Apenas 1,4 milhão de estudantes conseguiram *vagas no ensino superior.*

O mesmo vale para outros substantivos que acompanham a quantidade inferior a 2:

"Mas é difícil ser competitivo. Para aprender suas funções de teleoperador, um francês precisa de *1,5 semana* de treinamento." [AMM]

A veterinária calculou que 1,5 quilo de frutas seriam suficientes *para o animal.*

21. **A concordância com os adjetivos compostos designativos de nomes de cores**
Surgem as incertezas quando o nome de cor é constituído de dois adjetivos. Neste caso, a prática tem sido deixar o primeiro invariável na forma do masculino e fazer a concordância do segundo com o substantivo determinado:
bolsa amarelo-clara
calças verde-escuras
olhos verde-claros
onda azul-esverdeada

Exceções: *Azul-marinho* e *azul-celeste*, como adjetivo, ficam invariáveis:
jaquetas azul-marinho
olhos azul-celeste

Ambos os elementos ficam invariáveis nos adjetivos compostos que designam cores quando o segundo elemento é um substantivo:
olhos verde-água
lençol azul-turquesa
uniformes verde-oliva
paredes verde-abacate
bolsa amarelo-limão

Exercícios de fixação

I. Relacione convenientemente a 1.ª coluna de acordo com a 2.ª, tendo em vista as explicações para a concordância dos adjuntos adnominais e dos predicativos:

1.ª coluna
1) ( ) Afirmações e negações quase simultâneas me assaltavam.
2) ( ) Ele ama a noite solitária e muda.
3) ( ) Via nele coragem e afeição nunca desmentidas.
4) ( ) Via nele coragem e valor nunca desmentidos.
5) ( ) Via nele nunca desmentida coragem e valor.
6) ( ) Via nele nunca desmentido valor e coragem.
7) ( ) Via nele nunca desmentidos valor e coragem.
8) ( ) Via nele valor e coragem nunca desmentidos.
9) ( ) Via nele valor e coragem nunca desmentida.
10) ( ) Ele está satisfeito.
11) ( ) Eles estão satisfeitos.

2.ª coluna
A) O adjunto adnominal concorda em gênero e número com o seu único núcleo.
B) O adjunto adnominal está no plural e no gênero comum aos seus núcleos.
C) O adjunto adnominal concorda em gênero e número com o seu núcleo mais próximo.
D) O adjunto adnominal está no plural e no masculino concordando com a totalidade de seus núcleos de gêneros diferentes.
E) O predicativo concorda em gênero e número com o sujeito.

2. Empregue, no espaço em branco, o adjunto adnominal indicado, fazendo a necessária concordância. Se houver mais de uma possibilidade, utilize-as:
   1) Não podia haver ali ajuda e facilidade _____ . (demasiado)
   2) Aos poucos _____ (claro) se mostravam a situação e o perigo.
   3) Não eram bons o intento e a consequência _____.(esperado)
   4) _____ José e Antônio não deram resposta convincente. (o mesmo)
   5) Ficaram patentes a glória e o valor _____. (demasiado)
   6) _____ se mostravam o ar e o céu. (sereno)
   7) Apresentava a face e os braços _____ . (arranhado)
   8) _____ apresentava a face e os braços. (arranhado)
   9) Apresentava os braços e a face _____. (arranhado)
   10) Apresentava _____ os braços e a face. (arranhado)

3. **Complete o espaço em branco com o que se solicita dentro dos parênteses, atentando-se para os casos de concordância que se têm de observar. Havendo mais de uma possibilidade, indique-as:**
   1) Era professor de _____ (língua) francesa e inglesa.
   2) Era professor da _____ (língua) francesa e da inglesa.
   3) Os fatos se desenvolviam a olhos _____. (visto)
   4) O fato se desenvolvia a olhos _____. (visto)
   5) A situação melhorava a olhos _____. (visto)
   6) Elas _____ não podiam reclamar. (mesmo)
   7) O caso ficou na dependência de nós _____. (próprio)
   8) Eles _____ cumpriram todas as exigências. (só)
   9) É _____ bastante precaução nesse caso. (bom)
   10) Vai _____ a procuração pedida. (anexo)
   11) _____ estão todos os documentos exigidos. (anexo)
   12) Acredito que foi um crime de _____ confiança. (leso)
   13) Um e outro _____ (fato) _____ (vir-pres. ind.) confirmar nossa opinião.
   14) Nem um nem outro _____ (fato) _____ (vir-pres. ind.) confirmar nossa opinião.

Capítulo 18
Concordância verbal

Concordância verbal
A - Concordância de palavra para palavra

1. Há sujeito simples

   a) Se o sujeito for simples e singular, o verbo irá para o singular, ainda que seja um coletivo:
   "Já no trem, o plano *estava* praticamente traçado." [JU]
   "*Diz* o povo em Itaparica (...)." [JU]

   b) Se o sujeito for simples e plural, o verbo irá para o plural:
   "As mãos de alguém *taparam* os olhos de Bia." [AMM]

2. Há sujeito composto

   Se o sujeito for composto, o verbo irá, normalmente, para o plural, qualquer que seja a sua posição em relação ao verbo:
   "... os ódios civis, as ambições, a ousadia dos bandos e a corrupção dos costumes *haviam* feito incríveis progressos." [AH]
   "Na estação de Vassouras, *entraram* no trem Sofia e o marido, Cristiano de Almeida e Palha." [MA]
   "E abre-se a porta da Arca/ De par em par: *surgem* francas/ A alegria e as barbas brancas/ Do prudente patriarca." [VM]

   Observações:

   ➡ Pode dar-se a concordância com o núcleo mais próximo, *se o sujeito vem depois do verbo*:
   "Foi neste ponto que *rompeu* o alarido, os choros e os chamados que ouvimos (...)." [SLn]

"O romeiro é livre como a ave do céu: respeitam-no o besteiro e o homem d'armas; *dá*-lhe abrigo o vilão sob o seu colmo, o abade no seu mosteiro, o nobre no seu castelo." [AH]

➥ Quando o núcleo é singular e seguido de dois ou mais adjuntos, pode ocorrer o verbo no plural, como se se tratasse na realidade de sujeito composto:

"(...) ainda quando a *autoridade paterna e materna fossem delegadas*..." [AGa]

A concordância do verbo no singular é a mais corrente na língua-padrão moderna.

➥ Nas obras com mais de um autor, adota-se modernamente o hábito alemão de se indicar a autoria com os nomes separados por hífen, caso em que o verbo da oração vai ao plural ou ao singular (levando-se apenas em conta a obra em si): Meillet-Ernout *dizem* (ou *diz*) — no seu *Dictionnaire Etymologique* — que a origem é duvidosa.

➥ Pode ocorrer o verbo no singular ainda nos casos seguintes:

a) se a sucessão dos substantivos indicar gradação de um mesmo fato:

"A censura, a autoridade, o poder público, inexorável, frio, grave, calculado, lá *estava*." [AH]

b) se se tratar de substantivos sinônimos ou assim considerados:

"O ódio e a guerra que declaramos aos outros nos *gasta* e *consome* a nós mesmos." [MM]

"A infeliz, a desgraçada, a empesteada da moléstia *se recusara* a lhe dizer uma palavra de consolo (...)." [JU]

c) se o segundo substantivo exprimir o resultado ou a consequência do primeiro:

"A doença e a morte de Filipe II (...) *foi* como a imagem (...)." [RS]

d) se os substantivos formam juntos uma noção única:

O fluxo e refluxo das ondas nos *encanta*.

B - Concordância de palavra para sentido

Quando o sujeito simples é constituído de nome ou pronome no singular que se aplica a uma coleção ou grupo, o verbo irá ao singular:
O povo *trabalha*   ou   A gente *vai*.

Se houver, entretanto, distância suficiente entre o sujeito e o verbo e se se quiser acentuar a ideia de plural do coletivo, não repugnam à sensibilidade do escritor exemplos como os seguintes:
"Começou então *o povo* a alborotar-se, e pegando do desgraçado cético o *arrastaram* até o meio do rossio e ali o *assassinaram*, e *queimaram*, com incrível presteza." [AH]
"Faça como eu: lamente as misérias dos homens, e viva com eles, sem participar-lhes dos defeitos; porque, meu nobre amigo, se *a gente* vai

a rejeitar as relações das famílias, justa ou injustamente abocanhadas pela maledicência, a poucos passos não *temos* quem nos receba." [CBr]

C - Outros casos de concordância verbal

1. Sujeito constituído por pronomes pessoais

Se o sujeito composto é constituído por diferentes pronomes pessoais em que entra *eu* ou *nós*, o verbo irá para a 1.ª pessoa do plural:
"*Vínhamos* da missa ela, o pai e eu." [MA]

Se na série entra *tu* ou *vós* e nenhum pronome de 1.ª pessoa, o verbo irá normalmente para a 2.ª pessoa do plural:
"E, assim, te repito, Carlota, que Francisco Salter voltará, será teu marido, e *tereis* (isto é, *tu e ele*) larga remuneração dos sofrimentos que *oferecerdes* a Deus..." [CBr]

> **Observação:**
>
> ➡ Ou porque avulta como ideia principal o último sujeito, ou porque, na língua contemporânea principalmente entre brasileiros, vai desaparecendo o tratamento *vós*, nestes casos, a norma consagrou o verbo na 3.ª pessoa do plural:
>
> "(...) quando *tu e os outros velhacos* da tua laia lhe *estorroaram* na cara lixo e terra..." [AH]
>
> *Tu e os teus* são dignos da nossa maior consideração.

2. Sujeito ligado por série aditiva enfática

Se o sujeito composto tem os seus núcleos ligados por série aditiva enfática (*não só... mas, tanto... quanto, não só... como*, etc.), o verbo concorda com o mais próximo ou vai ao plural (o que é mais comum quando o verbo vem depois do sujeito):
"Tanto o lidador como o abade *haviam* seguido para o sítio que ele parecia buscar com toda a precaução." [AH]

3. Sujeito ligado por *com*

Se o sujeito no singular é seguido imediatamente de outro termo no singular ou no plural mediante a preposição *com*, ou locução equivalente, pode o verbo ficar no singular, ou ir ao plural *para realçar a participação simultânea na ação*:
"El-rei, com toda a corte e toda a nobreza, *estava* fora da cidade, por causa da peste em que então Lisboa ardia." [AH]

"Estas explicações não evitaram que o desembargador, com os seus velhos amigos, *prognosticassem* o derrancamento do morgado da Agra..."
[CBr]

4. Sujeito ligado por *nem... nem*

O sujeito composto ligado pela série aditiva negativa *nem... nem* leva o verbo normalmente ao plural e, às vezes, ao singular:
"Mas *nem* a tia *nem* a irmã *haviam almoçado*, à espera dele (...)." [MA]
"O silêncio era pior que a resposta; e *nem* o caso *nem* as pessoas *permitiam* tão grande pausa." [MA]

Constituído o sujeito pela série *nem um nem outro*, fica o verbo no singular:
"Alguns instantes decorreram em que *nem um nem outro* falou; ambos pareciam (...)." [MA]
"*Nem um nem outro* imaginava que o caso era um simples início de cousas futuras." [MA]

5. Sujeito ligado por *ou*

O verbo concordará com o sujeito mais próximo se a conjunção indicar:
a) *exclusão*:
"(...) a quem a doença *ou* a idade *impossibilitou* de ganharem o sustento..." [AH]
"Se João Fernandes (*ou* Platzhoff) os *dá* como entes sem afeições (...)" [CL]

b) *retificação de número gramatical* ou *dúvida*:
"Cantares é o nome que o autor *ou* autores do Cancioneiro chamado do Colégio dos Nobres *dão* a cada um dos poemetos..." [AH]
"Sei que algures *existe* a alma *ou* as almas, às quais eu me dirijo." [ACt]
Um *ou* dois livros *foram retirados* da estante.

c) *identidade* ou *equivalência*:
O professor *ou* o nosso segundo pai *merece* o respeito da pátria.

Se a ideia expressa pelo predicado puder referir-se a toda a série do sujeito composto, o verbo irá para o plural mais frequentemente; porém, pode ocorrer o singular:
"A ignorância *ou* errada compreensão da lei não *eximem* de pena (...)."
(Código Civil)
"Mas aí, como se o destino *ou* o acaso, *ou* o que quer que fosse, *se lembrasse* de dar algum pasto aos meus arroubos possessórios (...)." [MA].

6. Sujeito representado por expressão como *a maioria de, a maior parte de* + nome no plural

Se o sujeito é representado por expressões do tipo de *a maioria de, a maior parte de, grande parte (número) de, parte de* e um nome no plural ou nome de grupo no plural, o verbo irá para o singular, ou plural, como se a determinação no plural fosse o sujeito:

"(...) a maior parte deles *recusou* segui-lo com temor do poder da regente." [AH]

"(...) e a maior parte dos esquadrões *seguiram*-nos." [AH]

"Que quantidade de casas não *ruiu* [ou *ruíram*] com o temporal!" [JG]

"Com razão ou sem ela, a opinião crê que *a maior parte dos doudos* ali metidos *estão* em seu perfeito juízo (...)." [MA]

"Como a maior parte dos homens não *sabe* finanças, disse-me ele, ainda que os sabedores me atacassem, o público ficava em dúvida (...)." [MA]

"A maioria das pessoas que viajam nem *sabem* ver, nem *sabem* contar." [MA]

Entram neste caso expressões como *número, preço, custo* e outros seguidos de *de* + plural:

Número cada vez maior *de impostos prejudicam* a economia do homem comum.

Diferente destes é o caso em que o núcleo do sujeito não se refere à ideia de número. Nestas circunstâncias deve prevalecer a concordância do verbo no singular:

A circunstância desses problemas *ocasiona* (e não: *ocasionam*) o desleixo das autoridades.

O nível das inadimplências *eleva* (e não: *elevam*) os cuidados dos comerciantes.

> **Observação:**
>
> ➡ Se se tratar de coletivo geral (e não partitivo como nos exemplos até aqui), o verbo ficará no singular:
>
> Uma equipe de médicos *entrou* em greve.
>
> O cardume de peixes *estava* na rede.
>
> A totalidade dos feriados *caiu* na quinta-feira.
>
> A parte dos jovens que o diretor surpreendeu na briga *será* punida.

7. Sujeito representado por *cada um de, nem um de, nenhum de* + plural

Neste caso, o verbo fica sempre no singular:

Cada um dos concorrentes *deve* preencher corretamente as fichas de inscrição. (e não *devem preencher!*)

"Cada um de nós *é* isso e, se nos diferençamos na prática, devemos creditar ao acaso (...)." [JU]
"Silêncio profundo, enquanto cada um dos parentes *ia assimilando* o fato." [NR]

8. Concordância do verbo *ser*

Como se dá com a relação sintática de qualquer verbo e o sujeito da oração, o normal é que sujeito e verbo *ser* concordem em número:
José *era* um aluno aplicado.
Os dias de inverno *são* menores que os de verão.

Todavia, em alguns casos, o verbo *ser* se acomoda à flexão do predicativo, especialmente quando este se acha no plural. São os seguintes os casos em que se dá esta concordância:

a) quando um dos pronomes *isto, isso, aquilo, tudo, ninguém, nenhum* ou expressão de valor coletivo do tipo de *o resto, o mais* é sujeito do verbo *ser*:
"*Tudo eram* alegrias e cânticos." [RS]
"*Tudo é* missa, *tudo são* finanças." [MA]

A concordância normal com o sujeito ocorre, apesar de mais rara:
Tudo é alegrias.
"Esta é a razão e a realidade; *o mais* é ilusão e fantasia." [MA]

b) quando o sujeito é constituído pelos pronomes interrogativos *quem, que, o que*:
"*O que são* comédias?" [CBr]
Quem eram os convidados?
Não sei *quem são os vencedores.*

c) quando o verbo *ser* está empregado na acepção de 'ser constituído por':
A provisão *eram alguns quilos de arroz.*

d) quando o verbo *ser* é empregado impessoalmente, isto é, sem sujeito, nas designações de horas, datas, distâncias, imediatamente após o verbo. (➚ 51)
São dez horas? Ainda não *o são.*
Hoje *são* 15 de agosto. (mas: *Hoje é dia 15 de agosto*)
"Da estação à fazenda *são* três léguas a cavalo." [SA]

Observação:

➥ Precedido o predicativo plural de expressão avaliativa do tipo *perto de, cerca de* é ainda possível vir o verbo *ser* no singular:

"*Era perto de duas horas* quando saiu da janela." [MA]

"*Eram perto de oito horas*." [MA]

e) quando o verbo *ser* aparece nas expressões *é muito, é pouco, é bom, é demais, é mais de, é tanto* e o sujeito é representado por termo no plural que denota preço, medida ou quantidade:
"Sessenta mil homens *muita gente é* para casa tão pequena." [RS]
Dez reais *é pouco*.
Um *é* pouco, dois *é* bom, três *édemais*.

Nas orações ditas equativas em que com *ser* se exprime a definição ou a identidade, o verbo, posto entre dois substantivos de números diferentes, concorda em geral com aquele que estiver no plural. Às vezes, um dos termos é um pronome:
"A pátria não *é* ninguém: *são* todos." [RB]

Mas:
"Justiça é tudo, justiça *é* as virtudes todas." [AGa]

Às vezes, em lugar de *ser*, aparece o verbo *parecer*:
"Essa imensa papelada

Parecem indiscrições." [GD][1]

Se o sujeito está representado por pronome pessoal, o verbo *ser* concorda com o sujeito, qualquer que seja o número do termo que funciona como predicativo:
Ela era as preocupações do pai.
"Nas minhas terras o rei *sou eu*." [AH]
"O Nordeste não *são 'eles', somos nós* todos, os brasileiros." [João Ubaldo Ribeiro em *O Globo*, 11/2/2003]

Se o sujeito está representado por nome próprio de pessoa ou lugar, o verbo *ser*, na maioria dos exemplos, concorda com o predicativo:
"Ouro Preto *são* dois temperamentos dentro de duas freguesias." [CL]
"Santinha *eram* dois olhos míopes, quatro incisivos claros à flor da boca." [MB]

Na expressão, que introduz narrações, do tipo de *era uma princesa*, o verbo *ser* é intransitivo, com o significado de *existir*, funcionando como sujeito o substantivo seguinte, com o qual concorda:
Era uma princesa muito formosa que vivia num castelo de cristal.
"*Eram quatro irmãs tatibitates* e a mãe delas tinha muito desgosto com esse defeito." [CC]

---

[1] Elemento decisivo aqui é o ritmo com que se profere a oração, que determina a concordância com o sujeito ou com o predicativo. São oportunas as considerações de Rodrigues Lapa neste sentido, na sua *Estilística*.

Com a expressão *era uma vez uma princesa*, continua o verbo *ser* como intransitivo e o substantivo seguinte como sujeito; todavia, como diz A.G. Kury, "a atração fortíssima que exerce *uma* da locução *uma vez*" leva a que o verbo fique no singular ainda quando o sujeito seja um plural:
"Disse que *era uma vez* dois (...) compadres, um rico e outro pobre." [CC]
"*Era uma vez* três moças muito bonitas e trabalhadeiras." [CC]

A moderna expressão *é que*, de valor reforçativo de qualquer termo oracional, aparece em geral com o verbo *ser* invariável em número:
Nós *é que* somos brasileiros. / Nós somos brasileiros.
Esses livros *é que* não compraremos agora.

Afastado do *que* e junto do termo no plural, aparece às vezes o verbo *ser* no plural, concordância que a língua-padrão rejeita:
São de homens assim *que* depende o futuro da pátria. / De homens assim *é que* depende o futuro da pátria.
Foram nesses livros *que* estavam as respostas. / Nesses livros *foi que* estavam as respostas.

A norma nestes casos é proceder como fez Manuel Bandeira: "No entanto, na hora atual em que um sociólogo da clarividência de Gilberto Freyre denuncia o perigo que ameaça a velha cultura luso-brasileira, é de homens ardentes e combativos como Júlio Ribeiro que necessitamos..." [MB]

Nas expressões que denotam operação aritmética do tipo *um e um, um mais um, um com um*, que funcionam como sujeito do verbo *ser* (*fazer, somar*, etc.), o verbo vai ao plural concordando normalmente com o sujeito:
"— Sempre ouvi dizer que duas semanas *são* quinze dias.
— Eu também tenho ouvido, confessou o Dr. Magalhães. Mas é um engano. Uma semana tem sete dias. Sete e sete não *são* catorze? E então?" [GR]

Nas expressões do tipo *é de ver, é de reparar*, por influência de *é coisa de ver, é coisa para ver*, põe-se o verbo *ser* no singular, ainda que anteposto a substantivo no plural:
Era de ver os gestos incontrolados daquelas criaturas.

Se a expressão vier posposta ao nome no plural, impõe-se o plural ao verbo:
Os gestos *eram de ver*.

9. A concordância com *mais de um*

Depois de *mais de um* o verbo é em geral empregado no singular, sendo raro o aparecimento de verbo no plural:
"(...) *mais de um* poeta *tem* derramado..." [AH]

"*Mais de um* coração de guerreiro *batia* apressado..." [AH]
"E *mais de um tinha* pena do pobre diabo; comparando as duas fortunas, *mais de um agradecia* ao céu a parte que lhe coube (...)." [MA]
"Sei que há *mais de um* que não se *envergonham* dela." [AH]

Se se tratar de ação recíproca, ou se a expressão vier repetida ou, ainda, se o sujeito for coletivo acompanhado de complemento no plural, o verbo irá para o plural:
Mais de um *se xingaram*.
"Mais de uma gravata, mais de uma bengala, mais de uma luneta *levaram*-lhe as cores, os gestos e os vidros." [MA]
Mais de um milhão de reais *saíram* dos cofres públicos.

10. A concordância com *que de*

Com *que de* (= que quantidade de, quanta) seguido de substantivo sujeito no plural, o verbo vai ao plural:
Que de forças *existem* no coração feminino!

11. A concordância com *quais de vós*

Se o sujeito for constituído de um pronome plural de sentido partitivo (*quais, quantos, algumas, nenhuns, muitos, poucos*, etc.), o verbo concorda com a expressão partitiva introduzida por *de* ou *dentre*:
"Quais dentre vós... *sois* neste mundo sós e não tendes quem na morte regue com lágrima a terra que vos cobrir? *Quais de vós sois*, como eu, desterrados no meio do gênero humano?" [AH]

Pode ainda ocorrer o verbo na 3.ª pessoa do plural:
"(...) *quantos dentre vós estudam* conscienciosamente o passado?" [SS]

Se a expressão partitiva estiver no singular, impõe-se o verbo no singular:
Qual *de nós* saiu *ileso*?

12. A concordância com os pronomes relativos

a) Se o sujeito da oração é o pronome relativo *que*, o verbo concorda com o antecedente, desde que este não funcione como predicativo de outra oração:
"Não gastava ele as horas *que* lhe *sobejavam* do exercício do seu laborioso ministério numa obra do senhor?" [AH]
"Ó tu, *que tens* de humano o gesto e o peito." [LC]

b) Se o antecedente do sujeito *que* for um pronome demonstrativo, o verbo da oração adjetiva vai para a 3.ª pessoa:
Aquele que trabalha acredita num futuro melhor.
Aqueles que trabalham acreditam num futuro melhor.

Observações:

➥ Entra neste princípio a oração adjetiva que se substantiva mediante *o, a, os, as*:

"*Os que prometem* fazer felizes os povos *são* ordinariamente os que *pretendem* sê-lo à custa deles." [MM]

➥ Quando, por silepse, se quer incluir a pessoa que fala ou a que se dirige, pode-se pôr o verbo da oração adjetiva na 1.ª ou 2.ª pessoa do plural:

"Por que a verdade é que somos nós *os que fabricamos* os próprios aspectos da natureza (...)" [JR]

"Por que voltastes sem vo-lo eu ordenar, *vós os que tínheis* jurado obedecer-me em tudo?" [AH]

"(...) *vós a que não tendes* nenhum préstamo de minhas mãos!" [AH]

c) Se o antecedente do pronome relativo funciona como predicativo, o verbo da oração adjetiva pode concordar com o sujeito de sua principal ou ir para a 3.ª pessoa (se não se quiser insistir na íntima relação entre o predicativo e o sujeito):
"Sou eu o primeiro que não *sei* classificar este livro." [AH]
Fui o primeiro que *conseguiu* sair.
"Éramos dois sócios, que *entravam* no comércio da vida com diferente capital." [SS]

d) É de rigor a concordância do verbo com o sujeito de *ser* nas expressões do tipo *sou eu que, és tu que, foste tu que,* etc. (neste caso, era prática da língua até fins do séc. XVIII usar o artigo como antecedente do relativo: *sou eu o que,* etc.):
"Não fui *eu que* o assassinei." [AH]
"Foste *tu que* me buscaste." [AH]

e) Se ocorrer o pronome *quem*, o verbo da oração subordinada vai para a 3.ª pessoa do singular, qualquer que seja o antecedente do relativo ou indefinido, ou concorda com o antecedente:
"Eram as paixões, os vícios, os afetos personalizados *quem fazia* o serviço dos seus poemas." [AH]
"*És tu quem me dás* rumor à quieta noite,
És tu quem me dás frescor à mansa brisa,
Quem dás fulgor ao raio, asas ao vento,
Quem na voz do trovão longe *rouquejas.*" [GD]
És tu quem me dá alegria de viver.

f) Em linguagem do tipo *um dos... que*, o verbo da oração adjetiva pode ficar no singular (concordando com o seletivo *um*)[2] ou no plural (concordando com o termo sujeito no plural), prática, aliás, mais frequente, se o dito verbo se aplicar não só ao antecedente imediato do relativo mas, ainda, ao seletivo *um*:
"Este era *um dos que* mais *se doíam* do procedimento de D. Leonor."
[AH]
"*Um dos* nossos escritores modernos *que* mais *abusou* do talento, e que mais portentos auferiu do sistema..." [AH]
"Demais, *um dos que* hoje *deviam* estar tristes, eras tu." [CL]
"O singular é de regra quando o verbo da oração só se aplica ao seletivo *um*. Assim nos dizeres '*foi um dos teus filhos que jantou ontem comigo*', '*é uma das tragédias de Racine que se representará hoje no teatro*', será incorreto o emprego do número plural; o singular impõe-se imperiosamente pelo sentido do discurso." [CR]

13. A concordância com os verbos impessoais

Nas orações sem sujeito, o verbo assume a forma de 3.ª pessoa do singular:
Há vários nomes aqui.
Deve haver cinco premiados.
Não o vejo *há* três meses.
Não o vejo *faz* três meses.
Ontem *fez* trinta graus.
Amanhã *fará* trinta graus.
Trata-se de casos absurdos.
Irei já, *haja* os empecilhos que *houver*.
Já *passa* das dez horas.
Basta de mentiras, *chega de* promessas!

> **Observação:**
>
> ➡ Outros casos dignos de nota ocorrem com: a) *dar-se*: "como quem não *se* lhe *dá* da vizinha fronteira" (Machado de Assis, *Memórias Póstumas de Brás Cubas*); b) *constar*: "nem me *consta* de serviços que nunca entre nós se trocassem" (Rui Barbosa, *Cartas políticas e literárias*); c) *ir* acompanhado de advérbio ou locução adverbial para exprimir como correm as coisas a alguém: "Pouco te *vai* em meus negócios" (Mário Barreto, *Fatos*); d) *ir* acompanhado das preposições *em* ou *para* exprimindo o espaço de tempo em que uma coisa acontece ou aconteceu: Vai *em* dois anos ou pouco mais; e) *vir* acompanhado das preposições *por* ou *a* exprimindo o tempo em que algo acontece: "Nesse mesmo dia quando *veio pela* tarde" (Antônio Feliciano de Castilho, *Quadros históricos de Portugal*, II); f) *passar* acompanhado da preposição *de* exprimindo tempo: Já *passava de* dois meses; g) *feito é de*, locução do estilo literário que significa que uma coisa está perdida: "*Feito era* talvez para sempre, *dos* alterosos fados nascentes desta Monarquia, se dos céus lhe não assistira uma providência, e na terra um D. Egas" (*Idem, Quadros históricos de Portugal*, I).

---

[2] Pode dar-se a omissão de *um*: "Foi dos últimos que *usaram* presilhas, rodaque e gravata de moda." [MA]

Portanto, evitem-se concordâncias do tipo:
Tratam-se de casos absurdos
Já *passam* das dez horas.

14. A concordância com *dar* (e sinônimos) aplicado a horas

Se aparece o sujeito *relógio*, com ele concorda o verbo da oração:
O relógio deu duas horas.

Não havendo o sujeito *relógio*, o verbo concorda com o sujeito representado pela expressão numérica:
Deu uma hora. Deu uma hora e meia. Deram três horas.
No relógio deram duas horas.

15. A concordância com o verbo na reflexiva de sentido passivo

A língua-padrão pede que o verbo concorde com o termo que a gramática aponta como sujeito:
Alugam-se casas.
Vendem-se apartamentos.
Fazem-se chaves.
"Não *se perdem cinco contos*, como *se perde um lenço de tabaco*. Cinco contos levam-se com trinta mil sentidos, *apalpam-se* a miúdo, não *se* lhes *tiram* os olhos de cima, nem as mãos, nem o pensamento, e para *se perderem* assim totalmente, numa praia, é necessário que..." [MA]
"No ensino público *vazou-se um olho*, ou antes *vazaram-se os dois* que olhavam para o passado: a Filosofia e a História." [CL]

> **Observação:**
>
> ➥ Se o verbo estiver no infinitivo com sujeito explícito, o normal é usar o infinitivo flexionado como no exemplo citado de Machado de Assis:
>
> "(...) e para *se perderem* assim..."
>
> Todavia aqui e ali bons escritores deixam escapar exemplos com o infinitivo sem flexão:
>
> "Basta ver o que este bom povo é para *se avaliar* (= para se avaliarem) as excelências de quem assim o educou." [CBr]

16. A concordância na locução verbal

Havendo locução verbal, cabe ao verbo auxiliar a flexão, concordando com a indicação do sujeito:
Exercitem-se as habilidades que se *deseja desenvolver*.
"Bem sei que me *podem vir* (sujeito indeterminado) com duas objeções que (sujeito explícito) geralmente se *costumam fazer*." [AC]

Se se toma *costumar fazer* como dois verbos principais, caso em que não há locução verbal, *costumar* terá como sujeito a 2.ª oração que, considerada materialmente, vale como substantivo do número singular:
"Não se *costuma punir* os erros dos súditos sobre a efígie venerável dos monarcas." [RS]

Assim se poderá dizer:
As estrelas ⎰ *parecem brilhar*. (locução verbal)
⎱ *parece brilharem*. (= parece brilharem as estrelas)

Em *as estrelas parecem brilharem* temos a contaminação sintática das duas construções; prática que deve ser evitada como norma. (↗ 528)
Com *poder* e *dever* seguidos de infinitivo, a prática mais generalizada é considerar a presença de uma locução verbal, isto é, fazendo-se que *poder* e *dever* concordem com o sujeito plural:
Podem-se dizer essas coisas.
Devem-se fazer esses serviços.

Todavia aparece o singular, corretamente:
"Não é com a embriaguez que se *deve celebrar* os sucessos felizes (...)" [MM]

São ambas as construções corretas e correntes, que se distinguem por apresentar diferentemente a ênfase sobre o sujeito da oração.
Quando, porém, o sentido determinar exatamente o sujeito verdadeiro, a concordância não pode ser arbitrária. Ex.: "*Quer-se inverter as leis*, e nunca *querem-se inverter as leis*. Neste caso, é evidente que o único sujeito possível é a oração de *inverter*." [JR]

17. A concordância com a expressão *não (nunca)... senão* e sinônimas

O verbo que se interpõe na expressão exceptiva *não... senão* (ou *não... mais que*) concorda com o sujeito:
"Ao aparecer o dia, por quanto os olhos podiam alcançar, *não se viam senão* cadáveres." [AH]

O mesmo ocorre com *não* (*nunca*)... *mais que* (*mais do que*):
Não se viam mais do que cadáveres.
Não me couberam mais que alegrias na vida.

Quando a excepcionalidade recai na 1.ª ou 2.ª pessoa, tem-se de dar outro torneio à oração, como, por exemplo:
"Ninguém votou contra o projeto *senão nós três*." [SA]
Não haveria outro culpado *senão tu*.

> **Observação:**
>
> ➥ Em vez de *não... mais que* pode-se usar *mais não... que*:
>
> "O som que vos fere os ouvidos *mais não é que* um rude eco da voz íntima." [MBa]
>
> ➥ Deve-se evitar o emprego de *que* em lugar de *senão*, por ser imitação do francês:
>
> "Isto não é *que* uma insolência" por "Isto não é *senão* uma insolência." [FF]
>
> Construção vernácula, entretanto, é o emprego de *que* por *senão* precedido de *outro, outra coisa*, etc.:
>
> "Quando deu por ele, quis expeli-lo, para que entre ele e Fortunato não houvesse *outro laço que* o da amizade; mas não pôde." [MA]
>
> "(...) sem obter *outra coisa que* a atenção cortês e acaso numa palavra sem valor." [MA]

18. A concordância com títulos no plural

Em geral se usa o verbo no plural, principalmente com artigo no plural:
"Por isso, *as Cartas Persas anunciam* o Espírito das Leis." [MBa]

Com o verbo *ser* e predicativo no singular pode ocorrer o singular:
"(...) *as Cartas Persas é* um livro genial..." [MBa]
"Dos seus livros didáticos *é* o mais importante *as Lições de História do Brasil* professadas no antigo Colégio de Pedro II." [JR]

> **Observação:**
>
> ➥ Em referência a topônimos como os Estados Unidos, os Andes, as Antilhas, as Bahamas, etc., em que a presença do artigo é comum, é frequente verbo e determinantes no plural:
>
> "— Mas se *os Estados Unidos achassem* que não convinha ceder?" [AMM].
>
> Com o verbo *ser* há possibilidade normal da concordância com o predicativo:
>
> *Os Estados Unidos é* (ou: *são*) *um país de história muito nova.*
>
> *Os Andes são uma cordilheira.*

19. A concordância no aposto

Quando a um sujeito composto se seguem, como apostos, expressões de valor distributivo como *cada um, cada qual*, o verbo, posposto a tais expressões, concorda com elas:
"Pai e filho *cada um seguia* por seu caminho." [ED]

Se o verbo vem anteposto a essas expressões, dá-se normalmente a concordância no plural com o sujeito composto ou no plural:
"(...) não era possível que os aventureiros *tivessem cada um* o seu cubículo." [JA]
Eles *saíram cada um* com sua bicicleta.

Se o sujeito aparece ampliado por um aposto, permanece a obrigatoriedade da concordância do verbo com o sujeito:
"Muitos aspectos, a maioria talvez, *são* bem diversos."

20. A concordância com *haja vista*

A construção mais natural e frequente da expressão *haja vista*, com o valor de *veja*, é ter invariável o verbo, qualquer que seja o número do substantivo seguinte:
"*Haja vista* os exemplos disso em Castilho." [RB]

Pode, entretanto, ocorrer o plural, considerando-se o substantivo no plural como sujeito:
"*Hajam vista* os seguintes exemplos." [CF]

Ocorre, ainda, a construção com o verbo no singular e substantivo precedido das preposições *a* ou *de*:
"*Haja vista* às tangas." [CBr]
"*Haja vista* dos elos que eles representam (...)." [CBr]

Não é correta a expressão *haja visto* (p.ex.: *Haja visto o ocorrido*), que surge por influência de *visto que, visto como*.

21. A concordância do verbo com sujeito oracional

Fica no singular o verbo que tem por sujeito uma oração, que, tomada materialmente, vale por um substantivo do número singular e do gênero masculino:
Parece que tudo vai bem.
"Cá não se *usa* as noivas andarem a namoriscar à surdina." [CBr]
É bom que compreendas estas razões.

Ainda *falta* entregar a prova os alunos retardatários. (e não *faltam*!)
Basta ver os últimos resultados da pesquisa.
Falta apurar os votos de duas urnas.
Eis os fatos que me *compete* explicar a vocês.
Não são poucos os casos que me *falta* elucidar.
Esses crimes *cabe* à polícia averiguá-los.

Permanece no singular o verbo que tem como sujeito duas ou mais orações coordenadas entre si:
"Que Sócrates nada escreveu e que Platão expôs as doutrinas de Sócrates *é sabido*." [JR]
Fumar e utilizar celulares não *será permitido* até a parada total da aeronave.

Por isso evitar-se-á o plural como nesse exemplo de jornal:
"Tirar a roupa e pichar o traseiro não *parecem* atos libertários." (e sim: não *parece* atos libertários)

22. Concordância nas expressões de porcentagem

Nas linguagens modernas em que entram expressões numéricas de porcentagem, a tendência é fazer concordar o verbo com o termo preposicionado que especifica a referência numérica:
Trinta por cento *do Brasil assistiu* à transmissão dos jogos da Copa.
Trinta por cento *dos brasileiros assistiram* aos jogos da Copa.
Dois por cento *da assistência detestou* o filme.
Dois por cento *dos espectadores detestaram* o filme.

Se for *um* o numeral que entra na expressão de porcentagem, o verbo irá para o singular:
Um por cento dos erros foi devido a distrações.

Se o termo preposicionado não estiver explícito na frase, a concordância se faz com o número existente.
Cinquenta por cento *aprovaram* a mudança. (diferentemente de:
Cinquenta por cento do público *aprovou* a mudança.)

Se a porcentagem for particularizada por artigo ou pronome, o verbo concordará com ela:
Os tais 10% do empréstimo *estarão* (e não *estará*) embutidos no valor total.
Esses 20% da turma *deverão* (e não *deverá*) submeter-se à nova prova.

Se o verbo vier antes da expressão de porcentagem, ou se o termo preposicionado estiver deslocado, a concordância se fará com o número existente:
Ficou excluído 1% dos candidatos.
Foram admitidos este mês 10% da lista.
Da turma, 10% faltaram às aulas.
"*Dos livros enviados, apenas 1% se perdeu.*" [EMa]

23. Concordância em *Vivam os campeões!*

Unidades como *viva!, morra!* e similares podem guardar seu significado lexical e aparecer como verbos, ou, esvaziado esse valor, serem tratadas como formas interjetivas. No primeiro caso, far-se-á normalmente a concordância com seu sujeito:
"*Vivam* os meus dois jovens, disse o conselheiro, *vivam* os meus dois jovens, que não esqueceram o amigo velho." [MA]

Todavia, a língua moderna revela acentuada tendência para usar, nestes casos, tais unidades no singular, dada a força interjetiva da expressão: *Viva os campeões!* A língua-padrão prefere que seja observada a regra geral de concordância com o sujeito.

Salve!, como pura interjeição de aplauso, não se flexiona, portanto:
Salve os campeões!

24. Concordância com *ou seja, como seja*

A norma exemplar recomenda atender à concordância do verbo com o seu sujeito:
"Para que uma mina fosse boa, era preciso que desse pelo menos duas oitavas de ouro de 'cada bateada' — *ou sejam* 35.000 em moeda de hoje." [CG]
"Estávamos a cerca de 1.500 milhas itinerárias da foz, *ou sejam*, aproximadamente, três quartos de todo o Purus já percorrido." [EC]
"E foram pondo mais parelhas de cavalos até o número de oito, *ou sejam* dezesseis cavalos." [ML]

Facilmente as expressões *ou seja, como seja* podem ser gramaticalizadas como unidade de significação explicativa e, assim, tornarem-se invariáveis:
Todos os três irmãos já chegaram, *como seja*, Everaldo, João e Janete.

25. Concordância com *a não ser*

É possível fazer a concordância normal com o sujeito do verbo:
"Nesta Lisboa onde viveu e morreu, *a não serem* os raros apreciadores do seu talento, poucos o conheciam..." [JJN]

Também pode ser considerada uma locução invariável com o sentido de *salvo, exceto, senão*:
"Não saiu nada, *a não ser* uns garranchos que nem eu mesmo entendi." [JU]

26. Concordância nas expressões *perto de, cerca de* e equivalentes

Nos casos em que o sujeito está acompanhado de expressões avaliativas como *perto de, cerca de* e equivalentes, o verbo concorda com seu sujeito: (➚475)
Já *votaram* cerca de mil eleitores.
Em torno de dez dias se *passaram* sem que houvesse distúrbios.
Perto de dois terços de sua vida *foram perdidos* no jogo.

Se o sujeito está no singular, o verbo vai para o singular:
Apodreceu cerca de uma tonelada de carne.

27. Concordância com a expressão *que é de*

Ocorrendo a expressão *que é de*, com o valor de *que é feito de*, o verbo aparecerá sempre no singular:
Que é dos papéis que estavam aqui?

28. Concordância com a expressão *que dirá*

Empregando esta expressão com o valor de *quanto mais / muito menos*, o comum é fazê-la invariável:
Se você errou, *que dirá* nós./ Se você não é feliz, *que dirá* eles.
"Mas eu sou inútil também neste mundo dele. Inútil para qualquer coisa. Se até ele é inútil, dispensável, *que dirá* eu?" [DR]

É preciso não confundir a locução invariável acima com a forma flexionada em sentido comum, podendo vir acompanhada de seu(s) complemento(s):
Se nos prenderem, *que direi* eu às autoridades, ou melhor, *que diremos* nós às autoridades.
"Ora, se, nessas corridas do futuro, os homens, por meio de sinais, sussurro ou até meias-palavras, combinarem entre si uma troca de palpites, de modo que os últimos cheguem primeiro, e os considerados primeiros cheguem por último, *que dirá* o senhor?" [MA]

29. Concordância com *bem haja*

A locução *bem haja* (em oposição a *mal haja*), usada em frases optativas e imprecativas, expressa aplauso, felicitação, louvor ou agradecimento. O verbo *haver* aqui tem o sentido de 'obter, conseguir', não é impessoal, devendo concordar com o sujeito, que vem sempre posposto:

"*Bem hajam*, porém, todos eles sempre que não lhes falecer a coragem de comentar alto aquilo que a maioria cochicha em surdina e à socapa (...)" [ACou]
"*Bem hajam* os promotores desta solenidade (...)" [ACor]
"*Bem haja* Vênus! a vitória é tua!" [MA]
"*Bem haja* a crítica que faz justiça pela própria contradição." [MAn]

30. Concordância em *Já vão*, *Já vai*

Na indicação de tempo com o verbo *ir* em orações cujo sujeito é a expressão temporal, o verbo concorda com esta indicação:
Já vão cinco anos desta nossa amizade.
"*Já lá vão* quarenta anos, não é verdade?" [JR]

Se a oração tem a expressão temporal precedida de preposição (*em, para, por*), o verbo ficará sempre no singular:
Já lá vai em vinte anos esta nossa amizade.
Já vai para vinte anos esta nossa amizade.

Exercícios de fixação

I. Empregue, no espaço em branco, as formas verbais indicadas, fazendo a necessária concordância com o sujeito, quando houver. No caso de mais de uma possibilidade, use-as:
   1) Eu a _____ desagradável. (*supor* - pret. perf. ind.)
   2) Tu e teu irmão _____ as provas? (*fazer* - fut. do pres. ind.)
   3) Outro tanto não _____ os rapazes. (*dizer* - pret. perf. ind.)
   4) Cada cavalheiro _____ o braço a uma senhora. (*dar* - pret. m.-q.-perf. ind.)
   5) Ao lado direito _____ bancos; em cada um _____ sentar-se a gosto três pessoas. (*haver* - pret. imperf. ind.; *poder* - fut. do pret. ind.)
   6) Isto _____ sete meses. (*ser* - pret. perf. ind.; *haver* - pres. ind.)
   7) Ela e eu _____ a um tempo. (*dizer* - pret. perf. ind.)
   8) Vós o _____. (*sentir* - fut. pret. ind.)
   9) Nele _____ o gênio da prevenção e a irritação de jovem. (*andar* - pret. imperf. ind.)
   10) A alegria e a tristeza _____ embora de uma vez. (*ir-se* - pret. perf. ind.)

2. **Empregue, no espaço em branco, as formas verbais indicadas, fazendo a necessária concordância com o sujeito, quando houver. No caso de mais de uma possibilidade, use-as:**
   1) Isto _____ caprichos de namorado. (*ser* - pres. ind.)
   2) Não só a alegria mas também a tristeza nos _____ constantemente. (*visitar* - pres. ind.)
   3) Nem o aviso nem o conselho _____ intimidá-lo. (*conseguir* - pret. perf. ind.)
   4) O amor ou o ódio facilmente _____ no seu rosto. (*refletir-se* - pres. ind.)
   5) Quando _____ tempo, tu ou teu irmão _____ comigo à cidade. (*ser* - fut. subj.; *ir*- fut. pres. ind.)
   6) Os inimigos voltam em busca de pesados barcos que nem um homem só, nem dois _____ manejar. (*poder* - pres. ind.)
   7) _____-se chaves. (*fazer* - pres. ind.)
   8) _____-se de empregados. (*precisar* - pres. ind.)
   9) Ainda não _____ dado quatro horas. (*ter* - pret. imperf. ind.)
   10) Nunca se _____ tantas complicações. (*ver* - pret. perf. ind.)

3. **Empregue, em vez das formas verbais destacadas, o verbo HAVER (= *existir*), no mesmo tempo e modo:**
   Modelos: Não **faltaram** mantimentos. → Não houve (ou houvera) mantimentos.
   Achavam-se muitas pessoas nos passeios. → Havia muitas pessoas nos passeios.
   1) *Sucederam* coisas importantes.
   2) *Estavam* muitas iguarias na mesa.
   3) Já *tinham conhecido* casos semelhantes.
   4) *Sobrevieram* novas desgraças.
   5) *Achavam-se* muitas pessoas nos passeios.
   6) *Far-se-ão* grandes festejos.
   7) *Levantaram-se* grandes tormentas.
   8) *Ter-se-ão dado* algumas circunstâncias especiais.
   9) *Ventilaram-se* questões graves.
   10) Nesse caso *cometer-se-ão* muitas faltas.

4. **O mesmo exercício:**
   1) *Deram-se* salvas em terra e no mar.
   2) *Ver-se-ão* este ano boas atividades.
   3) *Seguiram-se* depois novos trabalhos.
   4) *Têm-se feito* experiências notáveis.
   5) *Viam-se* homens que ganhavam a vida cantando versos.
   6) *Existiram* antigamente cidades florescentes ao oriente do Jordão.
   7) Ele duvida que se *apresentem* muitos concorrentes.
   8) Ele não desejava que se *dessem* incidentes desagradáveis.

9) Ele espera que *não faltem* víveres durante toda a viagem.
10) Ele não acredita que *se tenham feito* tantas promessas.

5. **Explique a concordância do verbo com o sujeito nos seguintes exemplos:**
   1) Eu e o meu irmão não encontramos o seu endereço novo.
   2) Nós e vós negamos esse direito aos adversários.
   3) Assim ela e vós perdereis a razão.
   4) "A contradição ou o ceticismo neste assunto não chega a ser erro." [AH]
   5) "Até aí nem o nome, nem a imagem de Leonor me tinha passado pelo espírito." [AH]
   6) "A vozeria e o estrépido que fazia aquela multidão assustou el-rei." [AH]
   7) "O vício e a degeneração corriam soltamente, rota a última barreira." [AH]
   8) "De feito, nos antigos monumentos encontra-se mais de um vestígio de tais lutas."[AH]
   9) "E eram quatro de agosto, quando se encontraram." [AH]
   10) "Um e outro lugar eram os mais altos." [AV]

6. **Use, no espaço em branco, a forma verbal indicada entre parênteses:**
   1) _____-se estes apartamentos. (*alugar* - pres. ind.)
   2) _____-se muitas bicicletas este mês. (*vender* - pret. perf. ind.)
   3) _____-se de muitos doadores de sangue. (*precisar* - pret. imperf. ind.)
   4) Nunca se _____ tamanhas crueldades. (*ver* - fut. pres. ind.)
   5) Todos os dias se _____ as fechaduras do edifício. (*consertar* - pret. imperf. ind.)
   6) Esperávamos que se _____ aquelas vagas. (*dar* - pret. imperf. subj.)
   7) Àquela hora sempre se _____ a cenas desagradáveis. (*assistir* - pret. imperf. ind.)
   8) Na língua falada, _____se cotidianamente frequentes erros de concordância. (*cometer* - pres. ind.)
   9) Nunca se _____ de críticas alheias. (*gostar* - pres. ind.)
   10) _____-se sempre pelas piores figuras. (*esperar* - pret. perf. ind.)

7. **Assinale com um (X) dentro dos parênteses os exemplos com erros de concordância verbal:**
   1) (   ) Precisam-se de empregados.
   2) (   ) Assistiu-se a cenas inesquecíveis.
   3) (   ) Precisam-se estadistas.
   4) (   ) Falou o presidente e os seus secretários.
   5) (   ) Fez-se cerca de cem anúncios.
   6) (   ) Teve-se de conseguir subsídios.
   7) (   ) Essas são questões a que se deve responder.
   8) (   ) Não se pode esquecer dos momentos felizes.
   9) (   ) Procurou-se cumprir todas as exigências.
   10) (   ) Vão-se precisar de alguns dias de férias.

8. Assinale com um (X) dentro dos parênteses os exemplos com erros de concordância verbal:
   1) ( ) Em que pese aos desacertos, ainda haverá possibilidades de recuperação.
   2) ( ) Em que pesem aos votos contrários, saí vitorioso do pleito.
   3) ( ) Tenho certeza de que ainda choverão aplausos.
   4) ( ) Haverão de existir respostas inteligentes.
   5) ( ) Haverão de haver bons resultados.
   6) ( ) Esqueceu-lhe os bons ensinamentos domésticos.
   7) ( ) Enquanto durar as críticas, não voltará ao emprego.
   8) ( ) Têm-se feito muitos pedidos desse livro.
   9) ( ) Já ocorreu mais de mil reclamações.
   10) ( ) Prestou-se aos clientes as informações necessárias.

9. Empregue, nos espaços em branco, o verbo no tempo e modo indicados, e o adjetivo indicado, fazendo em ambos a concordância necessária. Havendo mais de uma solução, indique-as:
   1) Eu e meu irmão _____ (*ter* - pret. imperf. ind.) medo e pavor nunca _____ (visto) quando _____ (*enfrentar* - pret. imperf. ind.) a escuridão.
   2) Tu e teu pai _____ (*poder* - fut. do pres.) fazer agora o exercício e a redação _____ (proposto) pelo professor.
   3) _____ (sereno) juízo e opinião sempre _____ (*demonstrar* - pret. perf. ind.) meu pai e minha mãe.
   4) Os cavaleiros _____ (*vestir-se* - pres. ind.) com _____ elmo e couraça. (negro)
   5) Os cavaleiros _____ (*apresentar* - pret. perf. ind.) uma emenda e pronunciamento _____ (enérgico) ao problema suscitado.
   6) Sr. Diretor, eu e meus colegas _____ (*vir* - pres. ind.) aqui, em busca de _____ (esmerado) educação e instrução para vencermos na vida.
   7) Sr. Diretor, eu e meus colegas _____ (*vir* - pret. perf. ind.) aqui, em busca de _____ (esmerado) educação e instrução para vencermos na vida.
   8) _____ (*passar* - pret. perf. ind.) por aqui a virtude e o vício e deixaram rastos e pegadas _____ (digno) de nossa consideração.
   9) A alegria e contentamento _____ (demonstrado) pela vitória _____ (*fazer* - pret. perf. ind.) que os ânimos esquecessem as baixas sofridas.

Capítulo 19
Regência

Regência

Diz-se *regência*, em sentido restrito, o processo sintático em que uma palavra determinante subordina uma palavra determinada. A marca de subordinação é expressa, nas construções analíticas, pela preposição. (↗ 325)
Ao que dissemos nos capítulos sobre complementos verbais e nominais e sobre emprego de preposição, cumpre acrescentar os seguintes principais casos:

1. A preposição comum a termos coordenados

A preposição que serve a dois termos coordenados pode vir repetida ou calada junto ao segundo (e aos demais termos), conforme haja ou não desejo de enfatizar o valor semântico da preposição:
>As alegrias *de* infância e *de* juventude. / As alegrias *de* infância e juventude.
>Precisava da ajuda *dos* pais e *dos* parentes. / Precisava da ajuda *dos* pais e parentes.
>"(...) mas as argolas do caixão foram seguras *pelos* cinco familiares e *o* Benjamim." [MA]

A omissão da preposição parece ser mais natural quando não se combina com artigo.

2. Está na hora da onça beber água

A possibilidade de se pôr o sujeito de infinitivo antes ou depois desta forma verbal (↗ 435) nos permite dizer:
>Está na hora de beber a onça água. (posição rara)
>Está na hora de a onça beber água. (posição mais frequente)

Este último meio de expressão aproxima dois vocábulos (a preposição *de* e o artigo *a*) que a tradição do idioma contrai em *da*, surgindo assim um terceiro modo de dizer:

Está na hora da onça beber água,

construção normal que não tem repugnado os ouvidos dos que melhor falam e escrevem a língua portuguesa. Alguns gramáticos e ortógrafos viram aí, entretanto, um solecismo, pelo fato de *se "reger" de preposição um sujeito*. Na realidade não se trata de regência preposicional do sujeito, mas do contato de dois vocábulos que, por hábito e por eufonia, costumam vir incorporados na pronúncia. A lição dos bons autores nos manda aceitar ambas as construções, *de a onça beber água* e *da onça beber água*. Que a contração é possível mostram-nos os seguintes exemplos:

"(...) só voltou *depois do infante* estar proclamado regedor." [AH]

"Sabia-o, senhor, *antes do caso* suceder." [AH]

"(...) se, por exemplo, me concederem um monopólio do plantar couves, *apesar das couves* serem uma das espécies de legumes" [RB]

"*Pelo fato do verbo restituir*, numa das suas acepções, e *entregar*, em certos casos, terem..." [CR]

"(...) *no caso do infinitivo* trazer complemento direto." [ED]

A não combinação da preposição com o sujeito garante o valor expressivo da preposição e a ênfase posta no sujeito: *É tempo de o povo querer melhores escolas*, diferente, sob o aspecto de expressividade, de *É tempo do povo querer melhores escolas*, em que a ênfase ou realce fica atenuada pela combinação.

Pode-se evitar a combinação pondo o infinitivo entre a preposição e o sujeito, como fez Manuel Bandeira nesta passagem: "E o Prefeito recordou que uma semana antes de ser o grande romancista hospitalizado (...)." (➤504)

3. Eu gosto de tudo, exceto isso *ou* exceto disso

Embora a estrita lição gramatical peça que não se use preposição depois de *exceto, salvo* e outras unidades que denotam exceção, empregam os escritores aquela partícula quando se pode subentender o verbo acompanhado de preposição enunciado anteriormente.

Assim, pode-se tanto dizer corretamente *Eu gosto de tudo, exceto isso* ou *Eu gosto de tudo, exceto disso.*

"Júlio vai apertar a mão aos que entram, *menos a* Carlos." [CBr]

4. Migrações de preposição

Com muita frequência vê-se a preposição que deveria aparecer com o relativo migrar para junto do antecedente deste pronome:

Não sei no que pensas por *Não sei o em que pensas.*

Ou:

Lisboa e Porto, das quais cidades venho agora por *Lisboa e Porto, cidades das quais venho agora.* [LV]

Destas migrações resultam giros mais agradáveis ao ouvido e que nos afastam de certas durezas de estilo artificial a que nos poderia levar a construção rigorosamente gramatical, como se depreende dos seguintes trechos de Rui Barbosa:
"Assim me perdoem, também, *os a quem* tenho agravado, *os com quem* houver sido injusto, violento, intolerante..."
"(...) e daí, com estupenda mudança, começa a deixar ver *o a que* era destinada..."

Estas migrações correm na língua literária apadrinhadas pelos seus melhores representantes. Alexandre Herculano e Carlos de Laet nos dão testemunho do fato:
"A barra é perigosa, como dissemos; porém a enseada fechada é ancoradouro seguro, *pelo que* (= o por que) tem sido sempre couto dos corsários de Berbéria." [AH]
"(...) até o induzirem a mandá-lo sair da corte, *ao que* (= o a que) D. Pedro atalhou com retirar-se antes que lhe ordenassem." [AH]
"Eis *para o que* (= o para que) esperas utilizar o domínio dos ares." [CL]

É interessante a posição da preposição *de* a introduzir o predicativo quando ela seria esperada antes do relativo:
"O que precisamos é *de* braços valorosos e de peitos resolutos." [RS]
por
O de que precisamos é braços valorosos e peitos resolutos.

Note-se de passagem que, em construções como a do último exemplo, é possível haver o pleonasmo da preposição, a qual aparece antes do termo a que rigorosamente [o de que precisamos] se prende, e antes de *de braços* como atesta o exemplo:
"O *de* que me não penitencio é *do* esmero, bem ou malsucedido, que pus em dar os cuidados que dei à forma, com que nos veio da câmara o projeto." [RB]

5. Repetição de prefixo e preposição

Sem atentar para a tradição do idioma e de suas raízes latinas, alguns autores (p. ex., Cândido Figueiredo) condenam a concorrência de prefixo com preposição em usos como: *concorrer com, deduzir de, depender de, incluir em, aderir a, concordar com, coincidir com*, etc. Daí repudiarem, por exemplo, a construção *consentâneo com*, recomendando que se diga *duas coisas consentâneas* em vez de *uma coisa consentânea com outra.* Também substituem *uma coisa coincide com outra* por *uma coisa incide na outra.*

6. Complementos de termos de regências diferentes

O rigor gramatical exige que não se dê complemento comum a termos de regência de natureza diferente. Assim não podemos dizer, de acordo com este preceito:
Entrei e saí de casa
em lugar de
Entrei em casa e dela saí (ou equivalente),

porque *entrar* pede a preposição *em* e *sair*, a preposição *de*.

Ao gênio de nossa língua, porém, não repugnam tais fórmulas abreviadas de dizer, principalmente quando vêm dar à expressão agradável concisão que o giro gramaticalmente correto nem sempre conhece:
"Tenho-o visto *entrar e sair do* Colégio de S. Paulo." [AH]
"(...) que se deduz daí *a favor* ou *contra o* direito de propriedade literária?" [AH]

Estendem certos autores a proibição aos dizeres em que duas ou mais preposições de significado diferente, e até contrário, se referem a um só termo:
Com ou sem vantagens sairei.
Antes e depois da luta.

Para tais autores devemos dizer: *com vantagens ou sem elas, antes da luta e depois dela*, ou repetindo-se o substantivo como fez Machado de Assis em:
"Os gritos da vítima, *antes da luta e durante a luta*, continuavam a repercutir dentro de mim."

Salvo as situações de ênfase e de encarecimento semântico de cada preposição, como a que se depreende do trecho acima, a língua dá preferência às construções abreviadas que a gramática insiste em condenar, sem, contudo, obter grandes vitórias.

Vale lembrar aqui de passagem — pois não se trata de regência, pois estamos falando de simplificações formais — que o mesmo processo se repete com alguns prefixos:
"(...) o apalpá-la nas costelas *sobre* e *subjacentes* ao coração." [CBr]
"(...) algumas faíscas de amor profano tinham entrado *ob* e *sub-repticiamente*." [CBr]
"Esperemos, e oxalá não esperemos em vão, que chegue o dia longínquo em que todos os escritores *cis* e *transatlânticos* aprendam a sua língua (...)." [MBa]

Também nas expressões comparativas podem-se encontrar simplificações ou braquilogias, como nos seguintes exemplos muito comuns: *tanto* (*tão*) *mais que*, *tanto* (*tão*) *ou menos que* (em lugar de *tanto* ou *quanto* e *mais que*, etc.):
"A gota, o reumatismo, a ciática impacientavam-no *tanto ou menos que* o desmancho das coisas políticas." [CBr]

7. Termos preposicionados e pronomes átonos

Tanto se pode dizer *não fujas **de mim*** como *não **me** fujas*.
"O corajoso major tem afrontado teu irmão (...) mas Simão teme-o e *foge-lhe* com o pretexto de desafiar primeiro quem primeiro o ofendeu." [CBr]

Assim, em vez de *pôs-se diante dele*, se pode dizer *pôs-se-lhe diante*; em vez de *aparecer diante dele, aparecer-lhe diante*.
Nunca *me* tornaria a pôr a vista *em cima*.
Pretendem cair-*nos em cima*.
Tudo *lhe* girou *em volta*.
Sentaram-se-*lhe em frente* dois guardas.

Assim, também, em equivalência com a preposição *em*:
Deu um beijo *em* Belinha. / Deu-*lhe* um beijo.

A mesma possibilidade se dá com verbos que se constroem com *de* ou *a* (*avizinhar-se, aproximar-se, acercar-se*, entre outros) e *com* (*ralhar*, por exemplo):
Avizinhou-se *dela*. / Avizinhou-se-*lhe*.
Aproximar-se *dela* (ou *a ela*). / Aproximou-se-*lhe*.
Ralhar *com o filho*. / Ralhar-*lhe*.

8. Pronomes relativos preposicionados ou não

O pronome relativo exerce função sintática na oração a que pertence:
a) *Sujeito*: O livro *que* está em cima da mesa é meu.
b) *Objeto direto*: O livro *que* eu li encerra uma bonita história.
c) *Predicativo*: Dividimos o pão como bons amigos *que* éramos.
d) *Complemento relativo*: O livro *de que* precisamos esgotou-se.
e) *Objeto indireto*: Este é o aluno *a que* dei o livro.
f) *Adjunto adverbial*: O livro *por que* aprendeste a ler é antigo. A casa *em que* moro é espaçosa.
g) *Agente da passiva*: Este é o autor *por que* a novela foi escrita.

As três primeiras funções sintáticas dispensam preposição, enquanto que as quatro últimas a exigem. Deve-se evitar, em língua literária, o emprego do relativo universal. (➚ 201)

9. Verbos a cuja regência se há de atender na língua-padrão

1) **Abraçar**: pede objeto direto.
   Eu *o* abracei pelo seu aniversário.

2) **Acudir**: pede complemento preposicionado[1] ou *lhe* quando significa 'socorrer', 'ajudar', 'lembrar', 'responder':
   O irmão sempre acudia *ao filho*.
   O médico *lhe* acudiu na hora certa.
   Não *lhe* acudia no momento o endereço da loja.
   A aluna acudirá *ao professor* quando ele a arguir.

> **Observação:**
> ➥ Nos dois primeiros empregos, pode construir-se:
> O irmão sempre acudiu *o filho* (acudiu-*o*).
> O médico *o* acudiu na hora certa.

3) **Adorar**: pede objeto direto.
   Ela *o* adorava.

4) **Agradar**: pede objeto direto, quando significa 'acariciar', 'fazer carinhos'.
   O pai *a* agradava.

No sentido de 'ser agradável' exige objeto indireto com a preposição *a*:
   A resposta não agradou *ao juiz*.
   A resposta não *lhe* agradou.

5) **Ajudar**: pede objeto direto ou indireto.
   Nós sempre *os* ajudamos nas dificuldades.
   "Tendes vossos pais; ajudai-*lhes* a levar a sua cruz." (*Colóquios Aldeões*, 24)

6) **Aspirar**: pede objeto direto, quando significa 'sorver', 'chupar', 'atrair o ar aos pulmões'.
   Aspiramos *o perfume das flores*.

---

[1] A expressão *complemento preposicionado* muitas vezes servirá aqui, por comodidade de classificação, para abranger tanto o complemento relativo quanto o objeto indireto propriamente dito, nominal ou pronominal.

No sentido de 'pretender com ardor', 'desejar' pede complemento preposicionado:
Sempre aspirava *a uma boa colocação*.
Ela aspira *a uma promoção*.

Em tal caso não admite o seu complemento preposicionado representado por pronome átono:
Jamais aspirou *a ela* (e não: *lhe aspirou*).
Todos aspiram *a vós* (e não: *vos aspiram*).

7) **Assistir**: pede complemento preposicionado iniciado pela preposição *a*, quando significa 'estar presente a', 'presenciar':
Ontem assistimos *ao jogo*.

Neste sentido não admite seu complemento representado por pronome átono:
Não pude assistir *a ele* (e não: *lhe pude assistir*).

No sentido de 'ajudar', 'prestar socorro' ou 'assistência', 'servir', 'acompanhar' pede *indiferentemente* objeto direto ou complemento preposicionado:
O médico assistiu *o doente* (objeto direto).
O médico assistiu *ao doente* (objeto indireto).

Desta maneira, o objeto pode ser substituído por pronome átono, como *o, a, os, as* (se direto) e *lhe, lhes* (se preposicionado):
O médico *o* assistiu.
O médico *lhe* assistiu.

> **Observação:**
> ➥ Este último emprego ocorre com mais frequência.
>
> No sentido de 'morar', 'residir' — emprego que é clássico e popular — constrói-se com a preposição *em*:
> "Entre os que assistiam *em* Madri..." [RS]
>
> No sentido de 'ser da competência ou atribuição de alguém' (*assistir o direito*), pede complemento preposicionado de pessoa:
> Não *lhe assiste* o direito de reclamar.
>
> **Nota:** A pouco e pouco os escritores modernos vão adotando o emprego, já vitorioso na língua coloquial, do verbo *assistir* como transitivo direto no sentido de 'presenciar'.
> "Estamos agora *assistindo alguma coisa* de semelhante à ressurreição de um grupo humano." [AAr]

8) **Atender**: pede objeto direto ou complemento preposicionado:
"... eram as duas pessoas, que o Duque de Bragança costumava consultar na capital sobre todos os assuntos graves, e *cujo voto* atendia e respeitava." [RS]
"... e ambos capitães, sem atenderem *às promessas* de Castela, partiram de Cádis." [RS]

Se o complemento é expresso por pronome átono, a tradição da língua dá preferência às formas *o, a, os, as* em vez de *lhe, lhes*:
"Não querem que el-rei *o* atenda." [AH]

9) **Atingir**: não se constrói com a preposição *a* em linguagens do tipo:
A quantia *atingiu cinco mil reais* (e não: *a cinco mil reais*).
O progresso *atingiu um ponto surpreendente*.

10) **Chamar**: no sentido de 'solicitar a presença de alguém', pede objeto direto:
Eu chamei *José*. Eu *o* chamei.

No sentido de 'dar nome', 'apelidar' pede objeto direto ou complemento preposicionado e predicativo do objeto, com ou sem preposição:
Nós *lhe* chamávamos *Caçula*.
Chamam *a isso heroísmo*.
Chamavam-*lhe tolo*.
Chamavam-*lhe de tolo*.
Nós *o* chamamos *tolo*.
Nós *o* chamamos *de tolo*.

No sentido de 'invocar pedindo auxílio ou proteção', rege objeto direto com a preposição *por* como posvérbio:
Chamava *por todos os santos*.

11) **Chegar**: pede a preposição *a* junto à expressão locativa:
Cheguei *ao colégio* com pequeno atraso.

O emprego da preposição *em*, neste caso, corre vitorioso na língua coloquial e já foi consagrado entre escritores modernos. O uso padrão continua fiel à preposição *a*.

Observação:

➨ Em *cheguei na hora exata*, a preposição *em* está usada corretamente porque indica *tempo*, e não *lugar*.

12) **Conhecer**: pede objeto direto.
Todos conheceram logo *o José*.
Ele *a* conheceu no baile.

13) **Convidar**: pede objeto direto.
Não *os* convidaram ao passeio.
Não *o* convidaram à festa.

14) **Custar**: no sentido de 'ser difícil', 'ser custoso', tem por sujeito aquilo que é difícil.
Custam-me *estas respostas*.

Se o verbo vem seguido de um sujeito oracional no infinitivo, este pode ou não vir precedido da preposição *a*:
Custou-me *resolver* estes problemas.
Custou-me *a resolver* estes problemas.

Por uma valorização da pessoa a quem o fato é difícil, a linguagem coloquial dá essa pessoa como sujeito da oração, e constrói dessa maneira:
Custei resolver (ou *a resolver*) estes problemas.

15) **Ensinar**: Constrói-se com objeto indireto de pessoa e direto da coisa ensinada:
Ensinar *o padre-nosso ao vigário*.
Quero ensinar-*lhe esse endereço*.

Acompanhando-se de infinitivo (precedido ou não da preposição), usa-se com objeto direto ou indireto:
Eu *a* ensinei a nadar (ou Eu *lhe* ensinei nadar).
Ensinou *o padre a rezar* (ou Ensinou *ao padre rezar*) o padre-nosso.

16) **Esperar**: pede objeto direto puro ou precedido da preposição *por*, como posvérbio (marcando interesse):
Todos esperavam *Antônio*.   Todos *o* esperavam.
Todos esperavam *por Antônio*.

17) **Esquecer**: pede objeto direto da coisa esquecida:
Eu esqueci *os livros* na escola.
Não *os* esquecemos.

A coisa esquecida pode aparecer como sujeito e a pessoa passa a complemento:
Esqueceram-*nos* os livros.
Esqueceu-*te* o meu aniversário.

Esquecer-se, pronominal, pede complemento preposicionado encabeçado pela preposição *de*:
Esqueci-me *dos livros*.

18) **Impedir**: constrói-se com objeto direto de pessoa e é regida da preposição *de* a coisa impedida.
Impedi-o *de sair cedo*.
Impediu os alunos *de entrar*.

Inversamente, pode construir-se com objeto indireto de pessoa e direto da coisa impedida:
Impedi *ao José* (Impedi-*lhe*) *sair cedo*.

Por cruzamento das duas sintaxes, pode aparecer assim construído:
Impedi-*lhe de sair cedo*.

Cabe observar que em construções como *A mediocridade impedia as pessoas de progredirem* admite-se uma deslocação do tipo *A mediocridade impedia de as pessoas progredirem*, o que enseja a fusão da preposição *de* com o artigo de *as pessoas*: *A mediocridade impedia das pessoas progredirem*, análogo ao que ocorre com *Está na hora da onça beber água* (↗ 492).

19) **Implicar**: no sentido de 'produzir como consequência', 'acarretar', pede objeto direto.
Tal atitude não implica *desprezo*.
São esses os benefícios *que* a recuperação implica.

> **Observação:**
> ➡ Deve-se evitar, na língua-padrão, o emprego da preposição *em* neste sentido (p.ex.: *Isso implicava em desprezo*), apesar de uso divulgado.

20) **Informar**: pede tanto objeto direto da pessoa informada e preposicionado de coisa (com *de* ou *sobre*), quanto, inversamente, objeto indireto de pessoa e direto da coisa informada:
Informei *o peticionário do andamento do processo*.
Informei-*o do* (sobre o) *andamento do processo*.
Informei *ao peticionário* (informei-lhe) *o andamento do processo*.

21) **Ir**: pede a preposição *a* ou *para* junto à expressão de lugar:
Fui *à* cidade.
Foram *para* França.

Nem sempre é indiferente o emprego de *a* ou *para* depois do verbo *ir* e outros que denotam movimento. A preposição *a* ora denota a simples direção, ora envolve a ideia de retorno. A preposição *para* lança a atenção do nosso ouvinte para o ponto terminal do movimento, ou não condiciona a ideia de volta ao local de partida. Nesta segunda acepção pode trazer *para* a ideia de transferência demorada ou definitiva para o lugar.

Evite-se a construção popular: *Fui na cidade.*

> **Observação:**
>
> ➥ Atente-se na construção *ir em alguma coisa* com o sentido de "estar interessado", "importar": "Álvaro, por Deus! não zombes comigo. Tu mal sabes quanto *nisto vai* a honra e a vida talvez." [AG]

22) **Lembrar**: pede objeto direto na acepção de 'recordar':
   As vozes lembram *o pai.*

No sentido de 'trazer algo à lembrança de alguém', constrói-se com objeto direto da coisa lembrada e indireto da pessoa:
   Lembrei-*lhe o aniversário da prima.*

Na acepção menos frequente hoje de 'algo que vem à memória', tem como sujeito a coisa que vem à memória e objeto indireto de pessoa:
   Pouco lembram *ao filho as feições do pai.* (*lhe lembram*).

Neste sentido é mais comum o emprego do verbo como pronominal:
   O filho pouco *se lembra das feições* do pai.

Deve-se evitar no nível padrão a falta do pronome:
   O filho pouco *lembra das feições* do pai.

Ou ainda a falta do pronome e da preposição:
   O filho pouco *lembra as* feições do pai.
   Quem *lembra a* última copa do mundo?

23) **Morar**: pede a preposição *em* junto à expressão de lugar:
   Atualmente mora *no Méier.*

É ainda esta preposição que se emprega com *residir, situar* e derivados. Assim, deve-se dizer:
   Joaquim é residente *na Rua do Ouvidor.*
   Prédio sito *na Rua Direita.*

24) **Obedecer**: pede complemento preposicionado:
Os alunos obedeceram *ao professor*.
Nós *lhe* obedecemos.

25) **Obstar**: pede complemento preposicionado, conforme estes exemplos citados por Mário Barreto:
"É certo que outros entendiam serem úteis os castigos materiais para *obstar ao progresso* das heresias..." [AH]
"Se tenho por muito tempo *obstado a que* Fr. Vasco viesse afligir-vos com os seus queixumes..." [AH]

Com complemento oracional pode calar-se a preposição, como neste exemplo de Machado de Assis lembrado por Antenor Nascentes:
"Pois a lembrança de tamanho obséquio não teve força para *obstar que* ele viesse a público enxovalhar o cunhado?"

26) **Pagar**: pede objeto direto do que se paga e indireto de pessoa a quem se paga.
Pagaram *as compras* (obj. dir.) *ao comerciante* (obj. ind.).
Pagamos-*lhe* a consulta.

27) **Perdoar**: pede objeto direto de coisa perdoada e indireto de pessoa a quem se perdoa. No português atual vem sendo empregado objeto direto de pessoa.
Eu *lhe* perdoei *os erros*.
Não *lhe* perdoamos.
Não *o* perdoo.

28) **Pesar**: Na expressão *em que pese a* no sentido de 'ainda que (algo) seja pesaroso, custoso ou incômodo (para alguém)', usa-se o verbo no singular seguido de preposição:
Em que pese aos meus pais, desta vez não poderei fazer o que me pedem.

E também no sentido de 'apesar de; não obstante':
Em que pese aos seus erros, vou perdoar-lhe.

Contraria a tradição da língua usar a expressão sem *a* e concordando com o substantivo, quer em referência a pessoas ou coisas:
Em que pese o engarrafamento, chegamos a tempo.
Em que pesem os seguranças presentes, houve tumulto.

Diga-se:
Em que pese ao engarrafamento...
Em que pese aos seguranças...

Diferente desta construção é o emprego da locução conjuntiva concessiva *em que* (= ainda que), seguida do verbo *pesar* no seu sentido próprio. Neste caso não temos a locução *em que pese a*, e o verbo *pesar* concorda com seu sujeito:
Em que pese o novo *argumento*, mantive a decisão.
Em que pesem os novos *argumentos*, mantive a decisão.

Por tudo isto, percebe-se que esta segunda construção não tem relação histórica com a primeira.

29) **Presidir**: pede complemento sem preposição ou indireto com a preposição *a*:
Tu presidiste *a reunião* (objeto direto).
Tu presidiste *à reunião* (complemento preposicionado).

Pode-se dizer ainda:
Tu presidiste *na reunião*.

O complemento preposicionado pode ser substituído por forma pronominal tônica ou átona:
Ninguém *lhe* presidiu.
Ninguém presidiu *a ela*.

30) **Preferir**: pede a preposição *a* junto ao seu objeto indireto:
Prefiro o cinema *ao* teatro.
Prefiro estudar *a* ficar sem fazer nada.

Erra-se empregando depois deste verbo a locução *do que*:
Prefiro estudar *do que* ficar sem fazer nada.

Os gramáticos pedem ainda que não se construa este verbo com os advérbios: *mais* e *antes*: *prefiro mais, antes prefiro*. (➚ 399)

31) **Proceder**: no sentido de 'iniciar', 'executar alguma coisa', pede complemento preposicionado com a preposição *a*:
O juiz vai proceder *ao julgamento*.

32) **Querer**: no sentido de 'desejar', pede objeto direto:
Eu quero *esse* livro.
Nós *o* queremos.

Significando 'querer bem', 'gostar', pede objeto indireto de pessoa:
Despede-se o amigo que muito *lhe* quer.

33) **Requerer**: nos seus diversos sentidos pede objeto direto da coisa requerida e objeto indireto de pessoa a quem se requer:

Requeri *minhas férias* ao diretor.
Requeri-*lhe* minhas férias.
Vou requerê-*las* ao diretor.

Em lugar da preposição *a* pode aparecer a preposição *de*:
Requeri *de todos* a devida atenção.

Neste caso é sinônimo de 'reclamar', 'exigir'.

34) **Responder**: pede, na língua-padrão, objeto indireto de pessoa ou coisa a que se responde e direto do que se responde:
Ela respondeu *aos seguidores*.
"O marido respondia *a tudo* com as necessidades políticas." [MA].
"— Viu-a, e não se lembrou de nada, observou Palha, sem responder *à pergunta*." [MA]
"Agora mesmo, custava-me responder *alguma coisa*, mas enfim contei--lhe o motivo da minha ausência..." [MA].

Observação:

➥ A construção *responder a pergunta, o* e-mail (com objeto direto) é corrente no português, especialmente entre brasileiros, apesar de condenada por alguns gramáticos.

O objeto indireto pode ser representado por pronome átono:
"Vou responder-*lhe*." [CBr]

Admite ser construído na voz passiva:
"... um violento panfleto contra o Brasil que *foi* vitoriosamente *respondido por* De Angelis." [EP]

Registram-se, entretanto, exemplos esparsos de objeto direto de pessoa ou coisa a que se responde, o que os gramáticos pedem não se imite:
"Não sabia respondê-*los*." [EC]

35) **Satisfazer**: pede objeto direto ou complemento preposicionado:
Satisfaço *o seu pedido*.
Satisfaço *ao seu pedido*.
Eu *o* satisfaço.
Eu *lhe* satisfaço.

36) **Servir**: no sentido de 'estar ao serviço de alguém', 'pôr sobre a mesa uma refeição', pede objeto direto:
Este criado há muito que *o* serve.
Ela acaba de servir *o* almoço.

No sentido de 'prestar serviço', pede complemento com a preposição *a*:
Sempre servia *aos* amigos.
Ele agora serve *ao* Exército.

No sentido de 'oferecer alguma coisa a alguém', se constrói com objeto direto de coisa oferecida e indireto de pessoa:
Serviram *doces às crianças*.
Ela *nos* (obj. ind.) serviu *gostosos bolinhos* (obj. direto).

No sentido de 'ser de utilidade', pede objeto indireto iniciado por *a* ou *para* ou representado por pronome (átono ou tônico):
Isto não *lhe* serve; só serve *para ela*.

37) **Socorrer**: no sentido de 'prestar socorro' pede objeto direto de pessoa:
Todos correram para *socorrê-lo*.

Pronominalmente, com o sentido de 'valer-se de', pede complemento iniciado pelas preposições *a* ou *de*:
Socorreu-se *ao empréstimo*.
Socorremo-nos *dos amigos* nas dificuldades.

38) **Suceder**: no sentido de 'substituir', 'ser o sucessor de', pede complemento preposicionado da pessoa substituída:
D. Pedro I sucedeu *a D. João VI*.
Nós *lhe* sucedemos na presidência do Clube.

Também ocorre, com menos frequência, acompanhado de objeto direto de pessoa:
O filho sucedeu *o pai*.
O filho *o* sucedeu.

Já no sentido de 'acontecer algo a alguém ou com alguém', teremos sujeito como a coisa acontecida e complemento de pessoa precedida de *a* ou *com*:
Sucedeu *horror a mim* (ou *comigo*).
Sucederam *horrores a mim* (ou *comigo*).
Sucederam-*lhe* horrores.

39) **Ver**: pede objeto direto:
Nós *o* vimos na cidade (e não: *lhe* vimos!).

40) **Visar**: no sentido de 'mirar', 'dar o visto em alguma coisa', pede objeto direto:
Visavam *o chefe da rebelião*.
O inspetor visou *o diploma*.

No sentido de 'pretender', 'aspirar', 'propor-se', pede de preferência complemento preposicionado iniciado pela preposição *a*:
Estas lições visam *ao estudo da linguagem.*
Estas lições visam *a estudar a linguagem.*

Modernamente já se constrói o verbo, neste sentido, sem preposição, quase sempre junto de infinitivo, sem o respaldo da norma exemplar:
Estas lições visam *o estudo da linguagem.*
Estas lições visam *estudar a linguagem.*

41) **Visitar**: pede objeto direto:
Visitamos *a exposição de arte.*
Ele *o* visitou no hospital.

Exercícios de fixação

I. **Numere convenientemente os parênteses da 1.ª relação de acordo com a 2.ª, tendo em vista a função sintática dos pronomes pessoais grifados, das seguintes máximas do Marquês de Maricá:**

1.ª relação
1) ( ) Quando a cólera ou o amor *nos* visita, a razão se despede.
2) ( ) Há enganos que *nos* deleitam, como desenganos que ( ) *nos* afligem.
3) ( ) Em vão procuramos a verdadeira felicidade fora de *nós*, se não possuímos a sua fonte dentro de nós.
4) ( ) Queremos tudo porque *nos* cremos dignos e capazes de tudo. Tal é a filáucia do nosso amor-próprio!
5) ( ) A nossa consciência desmente muitas vezes os louvores que *nos* dão.
6) ( ) Sabei escutar o supérfluo, e não *vos* faltará o necessário.
7) ( ) É problemático se os homens falam muitas vezes para *se* enganarem ou para ( ) *se* entenderem.
8) ( ) Os que reclamam para *si* maior liberdade são os que ordinariamente menos toleram e permitem nos outros.
9) ( ) Quem muito *nos* festeja alguma coisa de nós deseja.
10) ( ) O ódio e a guerra que declaramos aos outros *nos* gastam e consomem ( ) a *nós* mesmos.

2.ª relação
1) objeto direto
2) objeto indireto
3) adjunto adverbial
4) sujeito
5) complemento nominal
6) complemento relativo

2. **Preencha o espaço em branco com o pronome *o* (*a, os, as*) ou *lhe* (*lhes*), indicando ainda se os mesmos funcionam como objeto direto ou indireto. Atenção para os casos em que a preposição não é essencial:**
   1) Ele comprara *um relógio*. Ele _____ comprara.
   2) Uma forte ventania empurrava *a menina*. Uma forte ventania _____ empurrava.
   3) Explicava *aos vizinhos* alguma coisa. Explicava-_____ alguma coisa.
   4) Cumprimentou *a todos os presentes*. Cumprimentou-_____ todos.
   5) Maria nada perguntou *ao motorista*. Maria nada _____ perguntou.
   6) Naquele momento achei *o candidato* nervoso. Naquele momento achei-_____ nervoso.
   7) Censurava *a alguns amigos*. Censurava-_____.
   8) Ele levou *a encomenda* ao freguês. Ele levou-_____ ao freguês.
   9) Propôs *ao amigo* uma troca vantajosa. Propôs-_____ uma troca vantajosa.
   10) Vi *o parente* atrapalhado. Vi-_____ atrapalhado.

3. **Substitua a expressão grifada pelo pronome *o* (*a, os, as*), fazendo as alterações necessárias na forma do verbo e na do pronome: [↗ 270, 273]**
   Modelo: Lembrei-me de ver **as horas**.
             Lembrei-me de **vê-las**.
   1) Deixava-me admirar *os belos quadros*.
   2) Fez *a confissão* às autoridades.
   3) Queria vestir *a farda do soldado*.
   4) A vida tem *suas encruzilhadas*.
   5) Põe *as coisas* nos devidos lugares.
   6) Fiz *as compras* para a semana.
   7) Estudamos *a lição*.
   8) Vês *os acontecimentos* com otimismo.
   9) Embaraçavam *os candidatos*.
   10) Traz *sérias complicações*.
   11) Pus *a nota* no caderno.

4. **Ponha o pronome oblíquo indicado depois do verbo, fazendo neste a alteração de forma, quando necessário: [↗ 270]**
   1) *lhe*: A menina fez _____ um gesto de cortesia.
   2) *vos*: A vida oferece _____ boas oportunidades.
   3) *nos*: Esquecemos _____ destas emendas.
   4) *lhes*: Apresentamos _____ nossas desculpas.
   5) *te*: Lembras _____ de nossas brigas?
   6) *vos*: Vestis _____ muito elegantemente.
   7) *lhe*: Requeremos _____ tais benefícios.
   8) *nos*: Visita _____ frequentemente.
   9) *vos*: Lembrais _____ de vossos antigos alunos?

10) *lhe*: Devemos _____ tantas explicações!
11) *nos*: Separamos _____ quando entramos na faculdade.
12) *lhe*: Fomos _____ apresentados rapidamente.

5. **Empregue, no espaço em branco, *o* ou *lhe* conforme o caso, fazendo as alterações necessárias:**
    1) As sucessivas vitórias lançavam-_____ aos estudos.
    2) Ensinei-_____ a falar inglês.
    3) Fomos pedir-_____ que se retirasse da corrida.
    4) Nunca _____ paguei os benefícios prestados.
    5) Nós já _____ perdoamos a falta.
    6) Eles _____ avisaram do engano.
    7) Espero que _____ suceda na presidência do grêmio.
    8) Dedicamos-_____ a mais pura amizade.
    9) As notícias _____ escandalizaram.
    10) Ninguém _____ responsabiliza pelos danos causados.

6. **Empregue, no espaço em branco, *eu* ou *mim* conforme o caso:**
    1) Estas coisas são difíceis para _____ dizer.
    2) Para _____ estas coisas não devem ser ditas.
    3) És mais estudioso do que _____.
    4) Essas notícias chegaram até _____.
    5) José emprestou-me o livro para _____ ler.
    6) Depois de _____ chegar, você pode retirar-se.
    7) Esta mesa serve para _____ estudar.
    8) Não seja tão exigente para _____.
    9) Não seja tão exigente, para _____ poder cumprir a promessa.
    10) Entre _____ e você nada houve que viesse pôr em perigo nossa amizade.

7. **Assinale a afirmação inadmissível quanto à regência do verbo *pedir* no exemplo:** *Pedi ao José para sair mais cedo.*
    1) ( ) Pode-se considerar certa apesar do voto em contrário de alguns estudiosos.
    2) ( ) Considera-se errada porque a oração de *sair*, sendo objetiva direta, dispensa a preposição *para*.
    3) ( ) Está errada porque a preposição não pode preceder uma forma verbal no infinitivo.
    4) ( ) Apesar de certa, a construção apresenta o incômodo de poder significar duas coisas diferentes.
    5) ( ) É regência divulgada no português moderno para também indicar que *José* é quem pratica a ação de *sair*.

8. Assinale com um (X) dentro dos parênteses os exemplos em que há erro de regência:
   1) (   ) O amigo não costumava pagar o médico.
   2) (   ) Ela não perdoou ao primo os seus erros.
   3) (   ) Ela não perdoou os erros do seu primo.
   4) (   ) O prefeito visava ao bem da cidade.
   5) (   ) Foi difícil visar os passaportes.
   6) (   ) Dizia-me que quase não vira os filmes que eu assistira na juventude.
   7) (   ) Previno-o de que não haverá perdões de falta.
   8) (   ) Nunca se poupou ao trabalho de vencer na vida.
   9) (   ) O professor incumbiu-o dessa tarefa.
   10) (   ) O professor incumbiu-lhe essa tarefa.
   11) (   ) Ele não lhe perdoava o que o primo fizera.
   12) (   ) Gostava que lhe elogiasse a inteligência.

Capítulo 20
Colocação

"A colocação é um dos aspectos onde a criação individual, que pressupõe uma frase no discurso, é limitada por certos padrões sintáticos, impostos pela língua no indivíduo. É também onde a liberdade que ela deixa ao indivíduo é aproveitada amplamente para fins de estilística. Assim, há uma colocação sintático-gramatical e a seu lado uma colocação estilística, que se coordenam e complementam." [MC]

Sintaxe de colocação ou de ordem

é aquela que trata da maneira de dispor os termos dentro da oração e as orações dentro do período.

A *colocação*, dentro de um idioma, obedece a tendências variadas, quer de ordem estritamente gramatical, quer de ordem rítmica, psicológica e estilística, que se coordenam e completam. O maior responsável pela ordem favorita numa língua ou grupo de línguas parece ser a entonação oracional.

Isto nos leva a uma ordem considerada *direta, usual* ou *habitual*, que consiste em enunciar, no rosto da oração, o sujeito, depois o verbo e em seguida os seus complementos, como vimos antes.

A ordem que saia do esquema *svc (sujeito — verbo — complemento)* se diz *inversa* ou *ocasional*.

Chama-se *anástrofe* a ordem inversa da colocação do termo subordinado preposicionado antes do termo subordinante:

De teus olhos a cor vejo eu agora. (por: *A cor de teus olhos*)

Quando a colocação chega a prejudicar a clareza da mensagem, pela disposição violenta dos termos, diz-se que há um *hipérbato*, que os antigos retóricos diziam ser a expressão da paixão:

a grita se levanta ao céu da gente por
"*a grita da gente se levanta ao céu.*" [MC]

Quando a deslocação cria a ambiguidade ou mais de uma interpretação do texto, alguns autores dão à forma o nome *sínquise*.

Quase sempre essa deslocação violenta dos termos oracionais exige, para o perfeito entendimento da mensagem, nosso conhecimento sobre as coisas, e saber de ordem cultural:
Abel matou Caim.

Pela lição bíblica não se há de entender que Abel praticou a ação e Caim a sofreu, mas sim o contrário.

O ritmo ascendente predominante no português, dispondo os termos de acentuação mais fraca e menos significativos antes dos termos mais fortes, estabelece as seguintes normas válidas para as situações em que não predomine a linguagem emocional ou afetiva:

a) os artigos, os pronomes (adjuntos), os quantificadores (com exceção dos cardinais com valor de ordinais) se antepõem:
o livro, *um* livro, *este* livro, *meu* livro, *cada* livro, *três* livros

b) a preposição vem antes de um termo nominal ou pronominal:
de noite, *a* ele

c) o advérbio *não* é colocado em posição anterior ao verbo:
não quero

d) o verbo auxiliar precede seu verbo principal:
hei de ver, *quero* dizer, *costuma* falar

e) o adjetivo monossilábico modificador precede o nome de maior extensão fonética:
bom dia, *má* hora

f) o adjetivo que exprime forma ou cor vem depois do substantivo, especificando seu conceito e o opondo a outros da espécie:
rua *larga*, blusa *verde*

g) vem antes o adjetivo empregado não para designar o seu sentido próprio, mas para atribuir uma significação figurada ou explicativa:
grande homem (em vez de: homem *grande*)

h) numa sequência de dois adjetivos e um substantivo, aqueles aparecem em geral juntos: *Bons e estimados livros* ou *Livros bons e estimados*. A quebra desta disposição, pondo o substantivo no meio, é recurso comum na poesia, mas também não ausente na prosa artística:
Bons livros e estimados.
"E quando foi noite, a donzela *transida* de terror e *lagrimosa* buscou o eremita." [JR]

i) na sequência dos pronomes sujeitos *eu* e *tu*, *eu* e *ele* ou entre *eu* + pronome de tratamento ou substantivo, em geral a série começa com *eu*:
Eu e ele saímos juntos.

Todavia a inversão é possível (apesar de já ter sido apontada como francesismo), especialmente quando, por delicadeza e educação, se quer dar precedência ao interlocutor:
"Estamos no Minho, *o leitor e eu*." [CBr]
"E assim galgamos *ele e eu* o rochedo." [JR]

Colocação dos termos na oração e das orações no período

A norma sintática do português registra os seguintes casos:
1) Põe-se de ordinário o sujeito (representado por substantivo) depois do verbo, na passiva pronominal:
Alugam-se casas.

Outra posição pode mudar a análise da oração, desde que exista um termo a que nossa tendência anímica atribua a realização da oração. Note-se a diferença contextual entre *Abriu-se a porta* (voz passiva) e *A porta abriu-se* (voz ativa).
A norma já não é imperiosa se o sujeito está representado por um pronome:
"*Aquilo* nunca se vira por ali." [JL]

2) Nas orações reduzidas de gerúndio e particípio, o sujeito vem depois do verbo na língua contemporânea (Exceto com o pronome *isto*: *Isto* posto ou Posto *isto*):
Terminando o discurso, dirigiu-se ao hotel.
Terminado o discurso, dirigiu-se ao hotel.

3) O verbo vem no início das orações que indicam existência (*ser, existir, haver, fazer*), tempo, peso, medida:
Era uma vez um príncipe.
Existiam várias razões.
Houve discussão.
Faz três anos que não o vejo.
São várias horas de distância.
Faltam dois dias para a festa.

4) O verbo vem no início das subordinadas condicionais e concessivas sem transpositor:
Tivesse-me ele dito a verdade, tudo acabaria bem.
Acabasse falando comigo, mesmo assim não lhe perdoaria.

5) Nas orações intercaladas de citação, o sujeito vem de ordinário depois do verbo:
   Suma-se — ordenou o policial.

6) Nas interrogações introduzidas por pronomes e advérbios (*quem, que, o que, quanto, qual, como, quando, onde, por que*), o verbo vem em geral antes do sujeito, desde que este não seja o pronome interrogativo:
   Quem veio aqui? (*quem* sujeito)
   De quem falava você quando chegamos?
   Como foi ele passar nessa encrenca?

Usa-se ainda, neste caso, o sujeito antes do verbo ou a palavra interrogativa no fim da oração:
   De quem você falava?
   Ele comprou o quê?

> **Observação:**
> ➡ Na pergunta retórica costuma-se pôr o sujeito antes do verbo em construção do tipo: *O médico aconselhou esta dieta, e você seguiu?*

7) Nas orações exclamativas, de sentido optativo ou não, é frequente o sujeito vir depois do verbo:
   Como era verde o meu vale!
   Viva o rei! (construção fixa)

8) A oração subordinada subjetiva vem normalmente depois do verbo regente:
   Consta que o trem atrasou.
   Ficou patente que o progresso começara.
   É aconselhável que não se retirem agora.
   O certo é que tentaremos a sorte.

9) A oração subordinada adverbial causal iniciada por *como* vem em geral no início do enunciado de sua principal:
   Como o tempo melhorou, sairemos agora.

10) Numa sequência de pronomes átonos, vem em primeiro lugar o que funciona como objeto indireto seguido do objeto direto:
    Eu vo-lo darei.
    Nunca lho dissemos.

> **Observação:**
> ↪ Nas ocorrências com o pronome *se* + *me, te, lhe, nos, vos*, o *se* vem sempre em primeiro lugar:
> Não *se me* afiguram boas as soluções.
> Pouco *se nos* dá esse tipo de solução.

11) Não raro se intercala, mais na poesia, uma ou mais palavras entre o pronome átono em próclise e o verbo, fenômeno a que a gramática antiga chamava *apossínclise*.
"Eram grandes raids, entradas, como *se* então *dizia*." [AAr]
Se *me* isto o céu *concede*.

12) Diante de negação, o pronome átono pode vir antes ou depois do advérbio *não*:
Ele *não me* disse. Ele *me não* disse. (Rara entre brasileiros, mas não é impossível em texto literário. É um dos tipos de *apossínclise*.)

13) Nas orações em que entra verbo intransitivo parece haver preferência da posposição do sujeito, como indica esta passagem de Garrett:
"Assim passaram *meses*, assim correu *o Inverno* quase todo, e já as amendoeiras se toucavam de suas alvíssimas flores de esperança, já uma depois de outra iam renascendo *as plantas*, iam abrolhando *as árvores*; logo vieram *as aves* trinando seus amores pelos ramos... insensivelmente era chegado *o mês* de abril, estávamos em plena e bela Primavera." [AGa]

14) Por elegância e ênfase de expressão, pode-se deslocar para antes do pronome relativo o predicativo da oração adjetiva:
Daniel, *professor* que foi daquela escola, nunca se dispôs a mudar de cidade.

Pronomes pessoais átonos e o demonstrativo O

A colocação dos pronomes pessoais átonos e do demonstrativo *o* é questão de fonética sintática.

Daremos aqui apenas aquelas normas que, sem exagero, são observadas na linguagem escrita e falada formal. Não se infringindo os critérios expostos, o problema é questão pessoal de escolha, atendendo-se às exigências da eufonia e dos recursos estilísticos para proveito da expressividade. É urgente afastar a ideia de que a colocação brasileira é inferior à que os portugueses observam, porque:
"(...) a pronúncia brasileira diversifica da lusitana; daí resulta que a colocação pronominal em nosso falar espontâneo não coincide perfeitamente com a do falar dos portugueses." [SA]

O pronome átono pode assumir três posições em relação ao vocábulo tônico, do grupo de força a que pertence, donde a *ênclise, próclise* e *mesóclise* (ou tmese).

Ênclise é a posposição do pronome átono (vocábulo átono) ao vocábulo tônico a que se liga:
Deu-*me* a notícia.

Próclise é a anteposição ao vocábulo tônico:
Não *me* deu a notícia.

Mesóclise ou *tmese* é a interposição ao vocábulo tônico:
Dar-*me*-á a notícia.

Critérios para a colocação dos pronomes pessoais átonos e do demonstrativo O

I. Em relação a um só verbo

1.º) Não se inicia *período* por pronome átono:
"Deu-*me* as costas e voltou ao camarote." [MA]
"Sentei-*me*, enquanto Virgília, calada, fazia estalar as unhas." [MA]
"Não! *vos* digo eu!" [AH]
"Querendo parecer originais, *nos* tornamos ridículos ou extravagantes." [MM]

Observações:

➡ Ainda que não vitorioso na língua exemplar, mormente na sua modalidade escrita, este princípio é, em nosso falar espontâneo, desrespeitado, e, como diz Sousa da Silveira, em alguns exemplos literários, a próclise comunica "à expressão encantadora suavidade e beleza". [SS]

Aparece em texto literário quando não se quer quebrar a corrente contínua do pensamento, como se fora verdadeira linguagem eco, patente neste exemplo de Manuel Bandeira: "Li-o [o discurso de posse de Valéry] e me senti, ai de mim, na maior depressão moral. *Me* senti como que desamparado."

➡ Preso a critério de *oração* (e não *período*, como aqui fizemos), Rui Barbosa tem por errônea a colocação em: "Se a simulação for absoluta, sem que tenha havido intenção de prejudicar a terceiros, ou de violar disposições de lei, e for assim provado a requerimento de algum dos contratantes —, *se julgará o ato inexistente*." Os que adotam o critério de *oração*, só aceitam a posição inicial do pronome átono na intercalada de citação, como ocorre no exemplo de Herculano acima transcrito.

➡ Em expressões cristalizadas portuguesas de cunho popular aparece o pronome no início do período: "*T'esconjuro!... sai, diabo!...*" [MA]

2.º) Não se pospõe, em geral, pronome átono a verbo flexionado em oração subordinada:

"Confesso que tudo aquilo *me* pareceu obscuro." [MA]
"Se *a* visse, iria logo pedi-la ao pai." [MA]
"Tu que *me* lês, Virgília amada, não reparas na diferença entre a linguagem de hoje...?" [MA]

Observação:

➥ Quando se trata de orações subordinadas coordenadas entre si, às vezes ocorre a ênclise do pronome átono na segunda oração subordinada. Também quando na subordinada se intercalam palavras ou oração, exigindo uma pausa antes do verbo, o pronome átono pode vir enclítico: "Mas a primeira parte se trocou por intervenção do tio Cosme, que, ao ver a criança, *disse-lhe* entre outros carinhos..." [MA] Em todos estes e outros casos que se poderiam lembrar, a ação dos gramáticos se tem dirigido para a obediência ao critério exposto, considerando esporádicos e não dignos de imitação os exemplos que dele se afastam.

3.º) Não se pospõe pronome átono a verbo modificado diretamente por advérbio (isto é, sem pausa entre os dois, indicada ou não por vírgula), ou precedido de palavra de sentido negativo, bem como de pronome ou quantitativo indefinidos, enunciados sem pausa (*alguém, outrem, qualquer, muito, pouco, todo, tudo, quanto*, etc.):
"Não *me* parece; acho os versos perfeitos." [MA]
Sempre *me* recebiam bem.   Ninguém *lhe* disse a verdade.
Alguém *me* ama.   Todos *o* querem como amigo.

Se houver pausa, o pronome pode vir antes ou depois do verbo:
"Ele esteve alguns instantes de pé, a olhar para mim; depois estendeu-*me* a mão com um gesto comovido." [MA]
"O poeta muitas vezes se delicia em criar poesia, não tirando-*a* de si (...)" [MM]

Observação:

➥ O pronome átono, não inicial, pode vir antes da palavra negativa:

"(...) descia eu para Nápoles a busca de sol que *o não* havia nas terras do norte." [JR]

4.º) Não se pospõe pronome átono a verbo no futuro do presente e futuro do pretérito (condicional). Se não forem contrariados os princípios anteriores, ou se coloca o pronome átono proclítico ou mesoclítico ao verbo:
"A leitora, que ainda *se lembrará* das palavras, dado que me tenha lido com atenção [...]." [MA] (proclítico)
"Teodomiro *recordar-se-á* ainda de qual foi o desfecho do amor de Eurico..." [AH] (mesoclítico)
"Os infiéis... *contentar-se-ão*, talvez, com as riquezas..." [AH] (mesoclítico)

5.º) Não se pospõe ou intercala pronome átono a verbo flexionado em oração iniciada por palavra interrogativa ou exclamativa:
"Quantos *lhe* dá?" [MA]
"Quem *me* explicará a razão dessa diferença?" [MA]
Como *te* perseguem!

6.º) Não se antepõe pronome átono a verbo no gerúndio inicial de oração reduzida:
Encontrei-o na condução, *cumprimentando-o* cordialmente.

> **Observações:**
>
> ➡ Se o gerúndio não estiver iniciando a oração reduzida, pode ocorrer também a próclise, a qual será obrigatória se estiver precedido da preposição *em*.
>
> Ela veio a mim, *em me dizendo* novidades que eu desconhecia.
>
> Saí contente, *ela me dizendo* que não esquecera a infância feliz.
>
> ➡ Com o infinitivo preposicionado, o pronome átono pode vir anteposto ou posposto ao verbo: A maneira *de achá-los* (ou: *de os achar*).

2. Em relação a uma locução verbal

Temos de considerar dois casos:

a) Auxiliar + { infinitivo: quero falar
ou
gerúndio: estou falando

Se os princípios já expostos não forem contrariados, o pronome átono poderá aparecer:
1) Proclítico ao auxiliar:
Eu *lhe* quero falar.
Eu *lhe* estou falando.

2) Enclítico ao auxiliar (ligado por hífen).
Eu quero-*lhe* falar.
Eu estou-*lhe* falando.
"(...) e a conversação de Adrião *foi-a* lentamente acostumando à sua presença." [EQ]

> **Observação:**
>
> ➡ Não se usa a ênclise ao auxiliar da construção *haver de* + infinitivo. Neste caso se dirá *Havemos de ajudá-lo* ou *Havemos de o ajudar*.

3) Enclítico ao verbo principal (ligado por hífen):
Eu quero falar-*lhe*.
Eu estou falando-*lhe*. (mais raro)

Observações:

➥ Com mais frequência ocorre entre brasileiros, na linguagem falada ou escrita, o pronome átono proclítico ao verbo principal, sem hífen:

Eu quero *lhe* falar.

Eu estou *lhe* falando.

A Gramática, com certo exagero, ainda não aceitou tal maneira de colocar o pronome átono, salvo se o infinitivo está precedido de preposição: *Começou a lhe falar* ou *a falar-lhe*.

➥ Com o infinitivo podem-se contrariar os princípios 2.º e 3.º anteriormente formulados:

Eu não quero falar-*lhe*.

Espero que não queira falar-*lhe*.

➥ Nas construções com o verbo *haver* do tipo *há-se de* + *infinitivo* ou *há de se* + *infinitivo*, esta última é mais corrente, e a primeira, mais comum em Portugal, aparece apenas como reminiscência literária:

"(...) e *hão-me* ainda a face

De encobrir ervançais, para não ver-te." [AO]

➥ Evite-se, por antieufônica, a colocação de *o(s)*, *a(s)*, sem hífen, depois do auxiliar: *Quero o ver*; *Estamos o chamando*. Empregar-se-á: *Eu o quero ver* (Ou: *Quero vê-lo*); *Nós o estamos chamando* (Ou: *Estamos chamando-o*).

b) Auxiliar + particípio: tenho falado
Não contrariando os princípios iniciais, o pronome átono pode vir:
1) Proclítico ao auxiliar:
Eu *lhe* tenho falado.

2) Enclítico ao auxiliar (ligado por hífen):
Eu tenho-*lhe* falado.

Jamais se pospõe pronome átono a particípio. Entre brasileiros também ocorre a próclise ao particípio:
Eu tenho *lhe* falado.

Depois do particípio usamos a forma tônica do pronome oblíquo, precedida de preposição:
Eu tenho falado *a ele*.
Ela tem visitado *a nós*.

Posições fixas

A tradição fixou a próclise ainda nos seguintes casos:
1) Com o gerúndio precedido da preposição *em*:
"Ninguém, desde que entrou, *em* lhe chegando o turno, se conseguirá evadir à saída." [RB]

2) Nas orações exclamativas e optativas, com o verbo no subjuntivo e sujeito anteposto ao verbo:
Bons ventos *o* levem!
Deus *te* ajude!

Exercícios de fixação

1. **Assinale com um (X) dentro dos parênteses a oração cujos termos sintáticos estão dispostos em ordem direta:**
   1) (   ) As suas palmas mais novas abria o ouricuri.
   2) (   ) O ouricuri abria mais novas as suas palmas.
   3) (   ) Mais novas o ouricuri abria as suas palmas.
   4) (   ) O ouricuri abria as suas palmas mais novas.
   5) (   ) O ouricuri as suas palmas mais novas abria.

2. **Assinale com um (X) dentro dos parênteses o caso em que se desobedece à norma usual de colocação em português:**
   1) (   ) Alugam-se casas.
   2) (   ) Nada adianta, concluiu o interessado.
   3) (   ) Faz três anos que não o vejo.
   4) (   ) Era uma vez um rei que não tinha bom conselheiro.
   5) (   ) A ordem executada, retirou-se.

3. **Assinale a declaração falsa sobre a colocação usual dos termos sintáticos em português:**
   1) (   ) Nas interrogações introduzidas por pronomes e advérbios, o verbo vem em geral antes do sujeito, desde que este não seja o pronome interrogativo.
   2) (   ) Nas orações reduzidas de gerúndio e particípio, o sujeito vem depois do verbo.
   3) (   ) A preposição vem antes do termo que subordina.
   4) (   ) O verbo auxiliar vem depois do verbo principal.
   5) (   ) Põe-se em geral o sujeito depois do verbo que está na passiva pronominal.

4. Assinale o exemplo em que a posição do adjetivo antes e depois do substantivo não altera fundamentalmente o sentido da expressão:
   1) ( ) Corre um grande perigo. / Corre um perigo grande.
   2) ( ) É um grande homem. / É um homem grande.
   3) ( ) Amigo certo. / Certo amigo.
   4) ( ) "(...) eu não sou propriamente um autor defunto, / mas um defunto autor." [MA]
   5) ( ) Em algum tempo fiz isso. / Em tempo algum fiz isso.

5. Numere os exemplos abaixo de acordo com os princípios de próclise obrigatória do pronome átono ao verbo e assinale dentre as respostas dadas a que serve ao presente exercício:
   a) *Princípios*
   1) Oração subordinada de verbo flexionado.
   2) Verbo modificado por advérbio sem pausa.
   3) Verbo precedido de palavra de sentido negativo, que não o advérbio.
   4) Oração exclamativa e optativa, com o verbo no subjuntivo e o sujeito anteposto.
   5) Gerúndio regido da preposição *em*.
   b) *Exemplos*
   ( ) Bons ventos o levem!
   ( ) Espero se faça tudo em ordem.
   ( ) Ninguém lhe foi prejudicial.
   ( ) Em se tratando de amizade, era intransigente.
   ( ) O livro, que li e lhe indiquei muito, está esgotado.
   ( ) Talvez lhe neguem a verdade.
   ( ) Sempre se lembra das brincadeiras de criança.
   ( ) Nenhum o vira tão alegre.
   c) *Respostas sugeridas*
   1) ( ) 1 – 4 – 2 – 5 – 1 – 3 – 3 – 2   4) ( ) 4 – 1 – 3 – 5 – 1 – 2 – 2 – 3
   2) ( ) 1 – 4 – 3 – 5 – 2 – 2 – 2 – 3   5) ( ) 1 – 4 – 3 – 5 – 1 – 3 – 2 – 2
   3) ( ) 4 – 1 – 2 – 5 – 2 – 3 – 3 – 2

6. Tendo em vista os princípios formulados para a colocação de pronome átono em relação a uma locução verbal, assinale o único exemplo que está errado:
   1) ( ) Eu lhe não quero dizer.   4) ( ) Eu não quero lhe dizer.
   2) ( ) Eu não lhe quero dizer.   5) ( ) Eu não quero dizer-lhe.
   3) ( ) Eu não quero-lhe dizer.

7. Use o pronome oblíquo átono *nos* em ênclise ou próclise, segundo o caso, junto aos verbos grifados. Havendo mais de uma possibilidade de colocação, indique-as:
    1) *Tens visto*.
    2) *Está procurando*.
    3) Há muito que ele *está procurando*.
    4) *Vai escrever*.
    5) Não *vai escrever*.
    6) Ele *tem de pedir* desculpas.
    7) Não *tem visitado*.
    8) Não creio que *há de enganar*.
    9) Quando chegaste, *tínhamos apeado*.
    10) *Tens de auxiliar*.
    11) Parece que *quer perguntar* algo.
    12) Não *hás de abandonar*.

8. O mesmo exercício:
    1) Não *deseja falar*.
    2) Quando *quer agradar*, sabe fazê-lo.
    3) Nunca *tem dito* a verdade.
    4) Talvez *saiba contar* a história.
    5) Agora já *pode ver* melhor.
    6) Acredito que *vai fazer* falta.
    7) Ele *tem querido* convocar.
    8) O vizinho às vezes *tenta enganar*.
    9) A mãe *tem sabido livrar* do perigo.
    10) Parece que ela *tem sabido calar*.
    11) *Tem querido ajudar*.
    12) Não *tem querido ajudar*.

9. Assinale a colocação do pronome átono, correta como as demais, porém hoje menos usada:
    1) ( ) Você me há de ajudar.
    2) ( ) Você há de me ajudar.
    3) ( ) Você há-me de ajudar.
    4) ( ) Você há de ajudar-me.

Apêndice
Figuras de sintaxe. Vícios e anomalias de linguagem

I-Figuras de sintaxe (ou de construção)

No esforço de conseguir expressar ao nosso ouvinte, o leitor, ideias e sentimentos com maior força comunicativa ou intenção estética, a linguagem põe à nossa disposição uma série de recursos fonéticos, morfológicos, sintáticos e semânticos. Cabe lembrar que tais recursos são usados não só na prática espontânea da conversação do dia a dia, como na linguagem escrita e literária por deliberada intenção estética. Daí a necessidade de conhecermos alguns desses recursos de expressividade que passaremos a indicar.

Fenômenos de sintaxe mais importantes:

1. Elipse

Chama-se *elipse* a omissão de um termo facilmente subentendido por faltar onde normalmente aparece, ou por ter sido anteriormente enunciado ou sugerido, ou ainda por ser depreendido pela situação, ou contexto. É o que ocorre quando, diante de um quadro, uma pessoa dá sua opinião:
"*É belo!*" [MC]
São barulhentos, mas eu admiro *meus alunos*.

Assim, não se há de considerar elipse a omissão do sujeito léxico, já que ele está indicado na desinência verbal, o sujeito gramatical. A necessidade de explicitação do sujeito gramatical mediante um sujeito é ditada pelo texto; a rigor, portanto, não se trata da "elipse" do sujeito, mas do "acréscimo" de expressão que identifique ou explicite a que se refere o sujeito gramatical indicado na desinência do verbo finito ou flexionado. Em português, salvo nos casos de ênfase ou contraste, não se explicita o sujeito gramatical mediante os pronomes sujeitos de 1ª e 2ª pessoas do singular e do plural:
Sairei depois do almoço. (desnecessário: *Eu* sairei...)
Foste contemplado na crítica. (desnecessário: *Tu* foste...)

Mas:
> *Eu* sairei, e *tu* ficarás.

Entre as elipses que ocorrem com mais frequência estão:
a) a da preposição em algumas circunstâncias adverbiais depreendidas pelo contexto:
> As visitas, *pés sujos*, entraram no salão.
> O tecido custava dez reais *o metro*.
> *Domingo* irás à festa.
> Conhecem-no *uma légua* em redondo.

Observação:

➥ Também ocorre a elipse de preposição em séries coordenadas:

> "(...) eu disse a seu pai que a sustentação *de sua filha e marido*..." [CBr]
> "Deus não dá *para ócios ou desperdícios*." [CBr]

Geralmente é mais rara a elipse quando a preposição vem com artigo:

> "Estou farto das afrontas *dos nobres e dos plebeus*." [CBr]

Ou quando há ênfase:

> "(...) (duas almas) recolhidas *em si e em Deus*." [CBr]

Também é mais comum repetir-se a preposição antes dos pronomes pessoais monossilábicos e do pronome reflexivo:

> Não se lembrou *de mim e de ti*.

Nas locuções prepositivas também é comum esta praxe; entretanto, só se costuma repetir o último componente da locução:

> Através *da* história e *da* lenda o fato chegou até nós.
> Antes *de* mim e *de* ti há a justiça.

b) a da preposição antes do conectivo que introduz as orações de complemento relativo e completivas nominais:
> Preciso (*de*) que venhas aqui.
> Estou necessitado (*de*) que venhas aqui.

Observação:

➥ Pode ocorrer a elipse não só da preposição, mas também do transpositor:

> "Quis defendê-la, mas Capitu não me deixou, continuou a chamar-lhe beata e carola, em voz tão alta que tive medo *fosse ouvida dos pais*." [MA]

c) a da conjunção integrante, mormente como transpositor das subordinadas subjetivas e objetivas diretas:

É necessário (*que*) se faça tudo rapidamente.
Espero (*que*) sejam felizes.

Observação:

➥ Às vezes dois verbos seguidos vêm desacompanhados das respectivas conjunções integrantes:

"Frequentes vezes me *disse esperava* lhe arrumassem o processo." [CBr]

d) a do verbo *dizer* (e assemelhados) nos diálogos:
E *ela*: — Você está zangado comigo?

e) a do objeto direto representado por pronome átono para aludir ao substantivo anteriormente expresso:
Você recebeu *o convite*? Recebi. (por Recebi-*o*)
"Cuidas que não tem cura lançar sangue? *Tem*, meu filho, *tem*." [CBr]

Alguns autores condenaram sem razão este tipo de elipse por anáfora.

f) a da preposição *de* em construções do tipo *vestido cor de rosa* por vestido *de cor de rosa*; pode-se também omitir toda a expressão *de cor de*: *vestido rosa*.

g) a elipse de rigor da conjunção integrante *que* depois de *que* ou *do que* comparativo:
A um animal atacado de raiva é melhor que o matem do que esteja a penar. (por *do que que esteja a penar*).

h) a elipse do primeiro elemento (preposição ou advérbio) que integra a chamada locução conjuntiva (*posto que, dado que*, etc.) na oração subordinada coordenada à anterior:
Nada houve contra ela, se bem que uma voz rouca se levantou no tribunal e *que* (por: *se bem que*) dois ou três presentes a acompanharam com certo entusiasmo.

Observação:

➥ Evite-se a simples lembrança da conjunção subordinativa da 1.ª oração por um *que* na 2.ª subordinada, coordenada à anterior:

Quando ele me viu e que disse isso, acreditei na sua versão do fato.

Ou se repete o *quando* (*Quando... e quando*) ou só se usa a conjunção coordenativa (*Quando... e disse*).

2. Pleonasmo

É a repetição de um termo já expresso ou de uma ideia já sugerida, para fins de clareza ou ênfase:
Vi-*o a ele*. (pleonasmo do objeto direto)
Ao pobre não *lhe* devo. (pleonasmo do objeto indireto)
"(...) o conde atirava à mísera cantora alguns soldos que ainda *lhe* reforçavam *a ela* as cordas vocais." [JR] (pleonasmo do dativo de posse)
Subir para cima.

O grande juiz entre os pleonasmos de valor expressivo e os de valor negativo (por isso considerados erro de gramática) é o uso, e não a lógica. Se não dizemos, em geral, fora de situação especial de ênfase: *Subir para cima* ou *Descer para baixo*, não nos repugnam construções como *O leite está saindo por fora* ou *Palavra de rei não volta atrás*.
Eis alguns casos comuns de pleonasmo:
a) a série possessiva *seu... dele, sua... dela* para fugir à ambiguidade:
"Mas não esmoreceu o Sr. Conde de Laet. Ninguém melhor do que ele fez então a psicologia da maior parte dos nossos movimentos revolucionários. Não só mostrou que quase sempre a *sua* causa *deles*, 'é um segredo' (...)" [JR]

b) o emprego de dois termos de significado negativo para afirmar (não indouto = douto; não sem razão = com razão; nada anormal = muito normal; sem desconhecer = conhecendo; indesculpável = culpável). [MBa]

c) a repetição da conjunção integrante em construções do tipo:
"(...) e disse *que*, se lhe não queríamos mais nada, *que* podíamos ir à nossa vida." [CBr]

É frequente na variedade coloquial falada acompanhando transpositores de oração subordinada:
Quero saber *como que* você fez isso.
Ainda não marcamos *quando que* iremos nos casar.

Finalmente, há de se ter presente que não se usa, sempre que possível, o pleonasmo léxico que resulta do esquecimento do verdadeiro significado de certas expressões portuguesas ou estrangeiras: *decapitar* (por decepar, já que decapitar só pode referir-se a cabeça) *a cabeça, exultar de alegria, panaceia universal, esquecimento involuntário, desde ab aeterno* (*ab aeterno* é expressão latina que já indica "desde a eternidade"), *desde ab initio, tornar a repetir, prever de antemão, antídoto contra* e tantos outros. Alguns, usados pelos melhores escritores, já correm com alguma despreocupação diante da crítica mais severa, como é o caso de *suicidar-se*. Já está incorporada a repetição do prefixo e preposição de mesmo significado, como: *incorporar em, coabitar com, coincidir com, conformar-se com*, etc.

3. Anacoluto

É a quebra da estruturação gramatical da oração:
Os três reis magos, conta a lenda que um *deles* era negro.

"Resulta esta anomalia em geral do fato de não poder a linguagem acompanhar o pensamento em que as ideias se sucedem rápidas e tumultuárias. É a precipitação de começar a dizer alguma cousa sem calcular que pelo rumo escolhido não se chega diretamente a concluir o pensamento. Em meio do caminho dá-se pelo descuido, faz-se pausa, e, não convindo tornar atrás, procura-se saída em outra direção. " [SA]

O anacoluto, fora de certas situações especiais de grande efeito expressivo, é evitado no estilo formal.

Coloca-se entre as construções anacolúticas o começar o enunciado por um termo não preposicionado e depois recuperá-lo na sua função própria, como que desprezando o inicial:
A pessoa que não sabe viver em sociedade, contra *ela* se põe a lei.

A construção gramatical seria: *Contra a pessoa que (...) se põe a lei.*

Um anacoluto muito comum é o que se encontra em enunciados do tipo: *Eu parece-me* que tudo vai bem.

4. Antecipação ou prolepse

É a colocação de uma expressão fora do lugar que gramaticalmente lhe compete:
O tempo parece que vai piorar
por
Parece que o tempo vai piorar.

As antecipações são ditadas por ênfase e muitas vezes geram anacolutos, mas destes diferem porque não quebram a estrutura gramatical do enunciado. Assim há apenas antecipação do termo *irapuru* (que deve ficar na oração de *quando*), e não anacoluto, nos conhecidos versos de Humberto de Campos:
"Dizem que o irapuru quando desata
A voz — Orfeu do seringal tranquilo —
O passaredo, rápido a segui-lo
Em derredor agrupa-se na mata"

isto é: *dizem que, quando o irapuru desata a voz (...) o passaredo (...) agrupa-se na mata.*

5. Braquilogia

É o emprego de uma expressão curta equivalente a outra mais ampla ou de estruturação mais complexa:
Estudou como se fosse passar.
por
Estudou como estudaria se fosse passar.

Incluem-se nos casos de braquilogia deste tipo construções como *Entrei e saí de casa*, derivada de *Entrei em casa e daí saí* (ou *donde saí*).

É o que também ocorre naquelas em que entram graus de comparação, como: *Eles são melhores ou tão bons como nós* por *Eles são melhores do que nós ou tão bons como nós*.

Ainda há braquilogia quando se coordenam dois verbos de complementos diferentes e se simplifica a expressão dando-se a ambos o regime do verbo mais próximo: *Eu vi e gostei do filme* (por *Eu vi o filme e gostei dele*).

6. Haplologia sintática

É a omissão de uma palavra por estar em contato com outra (ou final de outra palavra) foneticamente igual ou parecida:
"Iracema *antes quer que* o sangue de Caubi tinja sua mão *que* a tua" [JA].
Isto é: *antes quer que... que quer que* a tua.

7. Contaminação sintática

"É a fusão irregular de duas construções que, em separado, são regulares." [ED]
Fiz com que Pedro viesse
(fusão de *Fiz com Pedro que viesse* e *Fiz que Pedro viesse*).
Caminhar por entre mares
(fusão de *Caminhar por mares* e *Caminhar entre mares*).
As estrelas pareciam brilharem (sintaxe que não é recomendada na língua-padrão. (➚ 483)
(fusão de *As estrelas pareciam brilhar* com *Parecia que as estrelas brilhavam*).
Fazer de conta
(fusão de *Fazer conta* = imaginar, supor, com expressões em que *fazer* é seguido da preposição *de*: *Fez de tolo, de sonso*, etc.).
Chegou de a pé
(fusão de *Chegou de pé* e *Chegou a pé*).

Estas contaminações são frequentes e ocorrem nos bons escritores quando o verbo admite uma construção com complemento direto de pessoa e preposicionado de coisa, e outra com preposicionado de pessoa e direto de coisa. É o caso, entre muitos outros, de persuadir (*persuadir alguém a fazer* ou *persuadir a alguém que faça*), fazer (*fazer que alguém e fazer com alguém que*), que admitem fusões do tipo:
    O fato lhe persuadiu a deixar o trabalho.
    Fizemos com que Pedro chegasse logo.

Também resultam de contaminações sintáticas acumulações de preposições como:
    Andar por entre espinhos (andar por espinhos + andar entre espinhos).

8. Expressão expletiva ou de realce:

É a que não exerce função gramatical:
    Nós *é que* sabemos viver.
    Aqui *é onde* a ilusão se acaba.
    Oh! Que saudades *que* tenho!
    Quanto *que* é a conta?

Há um *é* reforçativo em: "Não o vejo assim: vejo-o *é* nadando no mistério como um peixe n'água." [MB]

É frequente o aparecimento de um *que* expletivo depois de conjunções, advérbios e expressões adverbiais:
    Eu não sei *quando que* ele vem.
    Enquanto que isso acontecia, não vinha nenhum socorro.
    Desde cedo que esperavam por elas.
    Verdadeiramente que ficamos amedrontados.
    Quase que o incidente se transforma num caso de polícia.

Observação:

➥ Quando há circunstâncias de lugar, tempo, o *que* é substituído, respectivamente, por *onde* e *quando*. (➚ 366)
    No Recife *é onde* fez o primário.
    Durante a chuva *é quando* ocorrem mais acidentes de trânsito.
    Tratando de pessoa, *é quem* pode aparecer por *é que*:
    É Everaldo *quem* melhor conhecia o serviço.

É preciso distinguir o *é que* expletivo do *é que* que indica:
a) é + que (conj. integrante):
    A verdade *é que* saíram.

b) é (verbo vicário) + que (conj. integrante):
"Que quer dizer este nome? *É que* as almas..." [MBe] (*É que* = quer dizer que)

c) é (vicário) + que (conj. causal):
Por que veio? *É que* teve medo. (*É que* = veio porque)

d) é que = é o que
Este livro *é que* lemos ontem. (= é o que lemos ontem)

e) um *é que* que difere dos demais pela forte pausa que separa os dois termos, dando a impressão de se tratar de um resquício de oração seguido de conj. integrante que introduz seu antigo sujeito (= é verdade, é certo que):
"Ou *é que* o digesto não vale para os que o estudaram?" [AH]
Modernamente se usa muito desta linguagem em *será que*:
Ou *será que* eu estou errado!

9. Anáfora

Repetição da mesma palavra em começo de frases diferentes:
"*Quem* pagará o enterro e as flores/ Se eu me morrer de amores?/ *Quem*, dentre amigos, tão amigo/ Para estar no caixão comigo?/ *Quem*, em meio ao funeral/ Dirá de mim: — Nunca fez mal.../ *Quem*, bêbedo, chorará em voz alta/ De não me ter trazido nada?/ *Quem* virá despetalar pétalas/ No meu túmulo de poeta?" [VM]

Também chamamos de anáfora o processo sintático em que um termo retoma outro anteriormente citado: A *cadela* Laika foi o primeiro *animal* da Terra a ser colocado em órbita. *Ela* morreu horas depois do lançamento.

10. Anástrofe

Inversão de palavras na frase:
De repente *chegou a hora*. (Por: De repente *a hora chegou*.)

11. Assíndeto

Tipo de elipse que se aplica à ausência de conectivos:
Vim, vi, venci. [Júlio César]
"Sonha como a noite, canta como os anjos, dorme entre as flores!" [AA]
Espero sejas feliz! (Por: *Espero que sejas* feliz!)

12. Hipérbato

Inversão violenta entre termos da oração:
"Sobre o banco de pedra que ali tens/ Nasceu uma canção. (...)" [VM]

13. Polissíndeto

Repetição enfática de conectivos:
E corre, *e* chora, *e* cai sem que possamos ajudar o amigo.

14. Silepse

Discordância de gênero, de pessoa ou de número por se levar mais em conta o sentido do que a forma material da palavra:
Saímos todos desiludidos da reunião. (Por: *Saíram todos* desiludidos da reunião)

15. Sínquise

Inversão violenta de palavras na frase que dificulta a compreensão. É prática a ser evitada.

Quase sempre essa deslocação violenta dos termos oracionais exige, para o perfeito entendimento da mensagem, nosso conhecimento sobre as coisas e saber de ordem cultural:
Abel matou Caim. (Por: *Caim matou Abel.*)

16. Zeugma

Costuma-se assim chamar a elipse do verbo:
"Não *queria*, porém, ser um estorvo para ninguém. *Nem atrapalhar* a vida da casa." [AMM] (omissão do verbo *querer*)

II-Vícios e anomalias de linguagem

Entre os vícios de linguagem cabe menção aos seguintes:

1. Solecismo

É a construção (que abrange a concordância, a regência, a colocação e a má estruturação dos termos da oração) que resulta da impropriedade de fatos gramaticais ou da inadequação de se levar para uma variedade de língua a norma de outra variedade; em geral, da norma coloquial ou popular para a norma exemplar:
Eu lhe abracei. (em vez de: *Eu o abracei.*)
Eu lhe amo. (em vez de: *Eu o amo.*)
A gente vamos. (em vez de: *A gente vai.*)
Aluga-se casas. (em vez de: *Alugam-se casas.*)
Vendas à prazo. (em vez de: *Vendas a prazo.*)
Queremos fazermos tudo certo. (em vez de: *Queremos fazer tudo certo.*)

Como acertadamente frisa Mattoso Câmara, "(...) não constituem solecismos os desvios das normas sintáticas feitos com intenção estilística, em que a afetividade predomina sobre a análise intelectiva, como na silepse, na atração, no anacoluto.".

2. Barbarismo

É o erro no emprego de uma palavra, em oposição ao solecismo, que o é em referência à construção ou combinação de palavra. Inclui o erro de pronúncia (ortoepia), de prosódia, de ortografia, de flexões, de significado, de palavras inexistentes na língua, de formação irregular de palavras:

contricto	por	*contrito*
gratuíto	por	*gratuito*
rúbrica	por	*rubrica*
proesa	por	*proeza*
cidadões	por	*cidadãos*
(tu) fostes	por	*foste*
(vós) fosteis	por	*fostes*
a telefonema	por	*o telefonema*
areonáutica	por	*aeronáutica*
intemerato (= sem temor)	por	*intimorato*

Também já se empregou o termo *barbarismo* para referir-se aos erros cometidos pelos estrangeiros ao adaptar ao seu idioma palavras e expressões de outra língua.

3. Estrangeirismo

É o emprego de palavras, expressões e construções alheias ao idioma que a ele chegam por empréstimos tomados de outra língua. Os estrangeirismos léxicos entram no idioma por um processo natural de assimilação de cultura ou de contiguidade geográfica. Modernamente no mundo globalizado em que vivemos, onde os contactos de nações e de cultura são propiciados por mil modos, os estrangeirismos interpenetram-se com muita facilidade e rapidez. Para nós, brasileiros, os estrangeirismos de maior frequência são os francesismos ou galicismos (de língua francesa), anglicismos (de língua inglesa), espanholismos ou castelhanismos (de língua espanhola), italianismos (de língua italiana), chegados diretamente da fonte originária ou indiretamente, por intermédio em geral do inglês ou do francês.

De modo geral, os estrangeirismos léxicos se repartem em dois grupos: os que se assimilam de tal maneira à língua que os recebe, que só são identificados como empréstimos pelas pessoas que lhes conhecem a história (*guerra, detalhe,* etc. são "empréstimos"); e há os que facilmente mostram não ser prata da casa, e se apresentam na vestimenta estrangeira (*maillot, ballet, feedback, footing, show,* etc.) ou se mascaram de vernáculos, como *maiô, balé, abajur, tíquete,* etc. (são os "estrangeirismos"). O termo *empréstimo* abarca estas duas noções e se aplica tanto aos estrangeirismos léxicos quanto aos sintáticos e semânticos.

Os empréstimos lexicais durante muito tempo sofreram as críticas dos puristas, mas hoje vão sendo aceitos com mais facilidade, exceto aqueles comprovadamente desnecessários e sem muita repercussão em outros idiomas de cultura do mundo.

Entretanto, os de sintaxe e os de semântica continuam merecendo o reparo dos guardiães da vernaculidade, aliás de meritória atividade quando estes não se mostram extremados. Por isso, relacionaremos aqui um pequeno rol desses dois tipos de empréstimos. Começaremos pelos galicismos ou francesismos:[1]

1) Certos empregos da preposição *a* em vez de *de*:
incumbido a dizer
moinho a vento
combinação a dois
equação a duas incógnitas

2) Certos empregos da preposição *contra*:

pagar contra recibo	por	pagar com, mediante recibo
encostar a mesa contra a parede	por	encostar a mesa à parede
remete-se contra reembolso	por	remete-se a reembolso (ou *a cobrança*)

3) Certos empregos da preposição *de*:

---

[1] Seleção de muitos desses fatos são apresentados por F. J. Martins Sequeira em *Rol de estrangeirismos.*

envelhecer de dez anos	por	envelhecer dez anos
aumentar de vinte reais	por	aumentar vinte reais
aposento largo de três metros	por	aposento de (ou *com*) três metros de largura

4) Certos empregos da preposição *em*:[2]

barco *em* madeira	por	barco *de* madeira
relógio *em* ouro	por	relógio *de* ouro
chão *em* mármore	por	chão *de* mármore
capa *em* azul	por	capa azul
tingir *em* azul	por	tingir *de* azul

5) Expressões como:

estar ao fato de	por	estar ciente de
declarar a guerra	por	declarar guerra
pôr o acento nesse problema	por	enfatizar esse problema
pessoa de alguns vinte anos	por	pessoa dos seus vinte anos

6) Emprego do *que* nas orações negativas de exclusão:

a mãe nada viu que seu filho	por	a mãe só viu o filho
o egoísta não procura que o seu bem	por	o egoísta não procura senão o seu bem

7) Emprego, na coordenação de orações subordinadas adverbiais, do *que* para evitar a repetição da conjunção da subordinada anterior, quando não constituída pelas chamadas locuções conjuntivas:

Quando me viu e que me falou	por	Quando me viu e me falou

Mas já é vernácula a substituição pelo simples *que* em:
Logo que me viu e que me falou...

8) Anteposição do sujeito de orações com verbo no gerúndio e particípio:

---

[2] Lembra-nos Barbadinho que pode não se tratar de influência francesa, mas da distinção entre a ideia de "matéria", expressa por "de", e a ideia de como o objeto está reproduzido, talhado, pintado, etc: *estátua de madeira* e *estátua em madeira*.

O dia amanhecendo	por	Amanhecendo o dia
A aula terminada	por	Terminada a aula

9) Não flexão dos nomes e sobrenomes pluralizados pelo artigo:

Os Almeida	por	Os Almeidas
Os irmãos Paiva	por	Os irmãos Paivas
Os Pereira de Abreu	por	Os Pereiras de Abreu

Quanto aos anglicismos, vale chamar a atenção para o fato de que o inglês vai constantemente ao grego e ao latim buscar-lhes os tesouros, mas os usa com tal liberdade, que muitas vezes deturpa o emprego ou o significado original. Daí, não basta acalmar os ânimos dos puristas com a alegação de que se trata não imediata, mas mediatamente, da boa cepa clássica. Alguns nos chegaram pela porta da França.

São exemplos de anglicismos:

1) Léxicos:
admitir (= julgar possível, dar como provável, acreditar, crer). Quando o significado vernáculo é 'receber', 'deixar entrar', 'concordar'.

assumir por *supor, acreditar*
básico (p.ex.: *inglês básico, francês básico*, etc.)
contactar por *entrar em contacto com*
diferente por *melhor* (p.ex.: *um produto diferente*)
doméstico (voo, ala) por *nacional*
leasing (= tipo de financiamento)
marketing (= mercadologia)
politicamente correto
praticamente por *virtualmente, faltando pouco para* (p.ex.: *O tanque está praticamente cheio*)
relax (= relaxamento; descanso)

2) Sintáticos:
a) a anteposição do adjetivo ao seu substantivo, com valor meramente descritivo, como nos nomes de hotéis e estabelecimentos comerciais: Majestoso Hotel.
b) o emprego de um substantivo com função de adjetivo por vir anteposto: Rio Hotel.

c) o emprego da preposição *com* isolada do nome que deveria reger, ou da preposição *contra* no fim da oração: *capa com e sem forro; eu sou pelo povo e tu és contra.*

São exemplos de castelhanismos (léxicos):

aficionado (= afeiçoado; dedicado)
bolero (= jaqueta)
charla (= conversa de passatempo)
contestar (= responder, replicar). É vernáculo no significado de 'refutar, negar direitos'.
ensimesmar-se (= concentrar-se em si mesmo)
entretenimento (= divertimento)
frente a (= ante)
muchacho (= garoto, rapazinho)
piso (= andar, pavimento)
quefazer(es) (= ocupações)
recuerdo (= lembrança)
redatar (= redigir)
resultar (= tornar-se, ficar). É vernáculo no sentido de 'provir, proceder'.
suelto (= breve comentário de jornal, nota crítica de jornal)

São exemplos de italianismos léxicos (muito frequentes em termos de arte, música):

adágio (= andamento musical vagaroso)
allegro (= movimento alegre)
andante (= andamento moderado)
aquarela (= pintura feita com tinta diluída em água)
bambino (= criança pequena; filho)
belvedere (= mirante; terraço)
belcanto (= canto clássico da tradição italiana)
cicerone (= guia)
condottière (= capitão de soldados mercenários; aventureiro)
confete (= rodela de papel para ser atirada, usada em festas), de confetti, italiano, plural de confètto
corso (= cortejo, desfile)

diletante	(= pessoa que se dedica por gosto a uma ocupação, sem ter preparação adequada para tal)
dueto	(= composição para duas vozes ou instrumentos)
furbesco	(= velhaco)
imbroglio	(= confusão, enredo, atrapalhada)
influenza	(= doença catarral, gripe, fr.)
intermezzo	(= entreato)
libreto	(= texto ou argumento de uma peça musical ou de teatro)
Madonna	(= Nossa Senhora)
maestro	(= regente de orquestra)
nitrido	(= relincho)
nitrir	(= relinchar)
piano	(= com suavidade)
prima-dona	(= cantora principal de ópera)
raconto	(= conto, história)
sonata	(= tipo de composição musical)
soprano	(= cantora lírica de voz aguda)
espaguete	(= tipo de pasta alimentar)
estúdio	(= galeria de arte, sala de trabalho)
tarantela	(= tipo de dança popular napolitana)
terracota	(= argila cozida ou objeto modelado com essa argila)
trombone	(= tipo de instrumento de sopro)
vendeta	(= vingança)
virtuoso	(= músico, escritor ou pessoa de muito talento)

Anomalias de linguagem

Idiotismo ou *expressão idiomática* é toda a maneira de dizer que, não podendo ser analisada ou estando em choque com os princípios gerais da Gramática, é aceita no falar formal.

São idiotismos de nossa língua a expressão *é que*, o infinitivo flexionado, a preposição em *o bom do pároco*, etc.

Sobre o conceito de idiotismo nunca é demais relembrar a lição de Said Ali: "Não devemos definir o idiotismo, segundo alguns gramáticos, como construção particular de uma língua, estranha, portanto, às outras línguas, porque ninguém conhece todos os outros idiomas em todos os seus segredos e modos especiais de falar."

Assim, o infinitivo flexionado é um idiotismo não porque só exista em português (na realidade outras línguas o conhecem, como alguns dialetos do sul da Itália, e outras o conhecem com aplicação diferente da que tem em português, como em húngaro), mas porque a sua flexão contraria o conceito de forma infinita (isto é, não flexionada).

Exercícios de fixação

1. **Assinale, dos exemplos do Marquês de Maricá, aquele que encerra elipse do verbo:**
    1) (   ) "As flores e as mulheres enfeitam e guarnecem a terra."
    2) (   ) "Os que anarquizam por ambição do poder turvam a água que eles pretendem beber."
    3) (   ) "Há serviços tão subidos que só a admiração ou a glória os pode compensar."
    4) (   ) "A experiência que não dói pouco aproveita."
    5) (   ) "Perante um auditório de tolos, os velhacos tornam-se facundos, e os doutos, silenciosos."

2. **Assinale, dos exemplos do Marquês de Maricá, aquele que encerra elipse:**
    1) (   ) "A inconstância da fortuna esperança os desgraçados."
    2) (   ) "Sem a crença em uma vida futura a presente seria inexplicável."
    3) (   ) "O amor cega a muitos, a fortuna deslumbra a todos."
    4) (   ) "A morte, que na opinião dos ímpios é extinção, para o homem religioso é promoção."
    5) (   ) "Uma velhice alegre e vigorosa é de ordinário a recompensa da mocidade virtuosa."

3. **Numere convenientemente a 1.ª relação de acordo com a 2.ª, tendo em vista os casos de elipse:**

    1.ª relação
    1) (   ) O professor, livro à mão, começou a interpretar o poema.
    2) (   ) Todos esperamos seja você muito feliz.
    3) (   ) Tem-se necessidade que se façam tais requisições.
    4) (   ) "Como os sábios não adulam os povos, também estes os não movem." [MM]
    5) (   ) "A vida é um enigma, a morte não o é menor." [MM]
    6) (   ) José, satisfeito, para o irmão: — Tu saíste vitorioso!
    7) (   ) O homenzinho, chapéu à cabeça, entrou irreverente no recinto.
    8) (   ) Eles chegaram a esse lugar véspera de Reis.
    9) (   ) Ela acabou de receber uma carta em que o pai lhe pede seja mais estudiosa.

Apêndice – Figuras de sintaxe. Vícios e anomalias de linguagem 539

10) ( ) "A maledicência pode muitas vezes corrigir-nos, a lisonja quase sempre nos corrompe." [MM]
11) ( ) Ela se admirava que eu pudesse viver todas essas aventuras.
12) ( ) "O ar devora as palavras, os escritos permanecem." [MM]

2.ª relação
1) Elipse do pronome sujeito.
2) Elipse da preposição em adjuntos adverbiais.
3) Elipse da preposição junto a conjunções integrantes.
4) Elipse da conjunção integrante.
5) Elipse do verbo *dizer* (e semelhantes), nos diálogos.
6) Nenhum dos casos acima.

4. **Assinale com um (X) dentro dos parênteses os exemplos que encerram anacoluto:**
   1) ( ) Quem ama o feio bonito lhe parece.
   2) ( ) Sabe que eu tenho uma grande notícia que lhe dar?
   3) ( ) "Quem tanto vê, um só olho lhe basta." [MMe]
   4) ( ) "(...) por causa do compadre do avô, do qual compadre era primo um veterano, que com o Dr. Enes de Sousa fizera campanha de 1983." [CL]
   5) ( ) Eu parece-me que não entendemos bem o segredo da admirável sentença.
   6) ( ) Olhe que o Eduardinho já escreve e já lê manuscrito como um homem.
   7) ( ) "Vamos, filho: é necessário que por uma vez acabem essas tristezas." [AH]
   8) ( ) "Não disse mais sobre este assunto, mas provavelmente tornará a ele, até alcançar o que lhe parece. Já meu cunhado dizia que era seu costume dela, quando queria alguma coisa." [MA]
   9) ( ) "Sabe que uma pessoa que viveu toda a sua vida em um lugar, custa-lhe muito a acostumar-se em outro." [MA]
   10) ( ) "No dia seguinte, como eu estivesse a preparar-me para descer, entrou no meu quarto uma borboleta, tão negra como a outra, e muito maior do que ela." [MA]

5. **Assinale com um (X) dentro dos parênteses os exemplos nos quais ocorre pleonasmo:**
   1) ( ) "Seu marido, se a senhora o vir agora, não o conhece." [CBr]
   2) ( ) Ao pobre não devo nada, ao rico não peço emprestado.
   3) ( ) Quem me dera, poder dizer-lhe todos os meus segredos!
   4) ( ) Aluno deste colégio, já não o sou.
   5) ( ) "O juízo dava-lhe tratos amaríssimos ao coração." [CBr]

6) (   ) "O que eu antes de ontem vi foi a face do ancião lavada em lágrimas." [CBr]
7) (   ) O livro, costumava lê-lo nas férias.
8) (   ) "O inesperado remate deste diálogo figurou-se-lhe a ela a passagem de um romance." [CBr]
9) (   ) Nem ele entende a nós, nem nós a ele.
10) (   ) Quando chegou, todos os presentes tremiam de medo.

6. **Assinale com um (X) dentro dos parênteses os exemplos de antecipação:**
    1) (   ) Raro é o dia que eu não vou ao mercado.
    2) (   ) Eu é raro o dia que não vou ao mercado.
    3) (   ) Diga-me essa doença quando lhe apareceu.
    4) (   ) Já o li algumas vezes.
    5) (   ) O jogo parecia que ia terminar sem vencedor.
    6) (   ) Os filhos se pareciam muito com o pai.
    7) (   ) Maus pensamentos me parece que tens dentro da cabeça.
    8) (   ) Não sei o em que acreditas.
    9) (   ) Não sei no que acreditas.
    10) (   ) Veja aquele menino como nada bem.

7. **Assinale com um (X) dentro dos parênteses os exemplos em que ocorre expressão expletiva ou de realce:**
    1) (   ) A verdade é que nós trabalhamos sem cessar.
    2) (   ) Verdade é que nós trabalhamos sem cessar.
    3) (   ) Nós é que trabalhamos sem cessar.
    4) (   ) Se ele passou é que estudou para merecê-lo.
    5) (   ) Por que me perguntas? É que não tens certeza da tua verdade.
    6) (   ) Ele não mais é que um aluno nosso.
    7) (   ) "Oh! Que saudades que tenho da aurora da minha vida." [CA]
    8) (   ) A razão disso é que você desleixou um pouco.
    9) (   ) No colégio é onde devemos estudar com mais proveito.
    10) (   ) O meu primo é quem tinha razão.

8. **O anacoluto mais frequente apresenta antecipação de um termo oracional e pleonasmo dele. Mas não se confunde com as duas coisas, pois encerra ainda quebra da estrutura oracional, que é o elemento que o define. Com base nesses dados, numere a 1.ª coluna de acordo com a 2.ª:**
    1.ª coluna
    (   ) Vocês podem estudar na minha casa.
    (   ) A minha casa, vocês podem estudar lá.
    (   ) Na minha casa, vocês podem estudar lá.
    (   ) Na minha casa vocês podem estudar.

2.ª coluna
1 - Construção na ordem direta.
2 - Construção com antecipação, sem pleonasmo.
3 - Antecipação e pleonasmo.
4 - Anacoluto.
[José Gualda Dantas, *Testes de Português para Vestibular*]

9. **Em cada período abaixo há uma oração subordinada adjetiva (com pronome relativo). Assinale a que é considerada errada por apresentar um anacoluto evitado na língua culta:**
   a) ( ) Está aí o homem que me falou dela.
   b) ( ) Está aí o homem de quem ela me falou.
   c) ( ) Está aí o homem de que me falaram dele.
   d) ( ) Está aí o homem de cujo filho me falaram.
   e) ( ) Está aí o homem cujo filho me falou dela.
   [José Gualda Dantas, *ibid.*]

PARTE 5

ESTRUTURA DAS UNIDADES

Capítulo 21
Elementos estruturais das palavras

Capítulo 22
Renovação do léxico

Capítulo 23
Lexemática

Capítulo 21
Elementos estruturais das palavras

Morfema

Quando dizemos que *lindas* é um adjetivo feminino plural ou que *trabalhássemos* é um verbo da 1.ª conjugação que está no imperfeito do subjuntivo e na 1.ª pessoa do plural, tais declarações estão garantidas por marcas formais e gramaticais, chamadas *morfemas*.

Chama-se *morfema* a unidade mínima dotada de significação que integra a palavra.

Os diversos tipos de morfema: radical e afixos

Em *lindas*, a marca de feminino está no final *-a* e a marca de pluralização está representada pelo final *-s*. Em *trabalhássemos*, a marca de imperfeito do subjuntivo está representada por *-sse-*, e a marca de 1.ª pessoa do plural por *-mos*.

Lindas tem um significado diferente do que ocorre em *ricas, pequenas* ou *brancas*, que têm em comum com *lindas* os morfemas *-a* e *-s*, por isso que são também palavras "femininas" e "plurais".

O significado de *lindas* está determinado pelo conjunto *lind-*, que se opõe ao significado encontrado nos conjuntos *ric-, pequen-* e *branc-* das palavras *ricas, pequenas* e *brancas*.

O mesmo ocorre com o conjunto *trabalh-*, que tem significado diferente de *escrev-* (em *escrevêssemos*) e *part-* (em *partíssemos*).

Estes conjuntos *lind-, ric-, pequen-, branc-* e *trabalh-*, responsáveis pelos significados lexicais por que são conhecidas essas palavras, se chamam *radicais*.

Radical

é, portanto, o núcleo onde repousa o significado relacionado com as noções do nosso mundo (ações, estados, qualidades, ofícios, seres em geral, etc.).

Podemos, então, concluir que a palavra se constitui de dois tipos de *morfema*: o que expressa o significado das noções do mundo, chamado significado *lexical* ou *externo* (o *radical*), e outro que expressa o significado *gramatical* ou *interno* (os *afixos*, representados pelos morfemas de *flexão* e os morfemas de *derivação*).

Vogal temática: o tema

Entre o radical e os afixos pode aparecer a *vogal temática*, que tem uma missão classificatória, pois distingue os nomes e os verbos em grupos ou classes conhecidos por *grupos nominais* (*casa* / *livro* / *ponte* / *pente*) e *grupos verbais*, também chamados *conjugações*. Por isso, dizemos que *trabalh-á-sse-mos* é um verbo da 1.ª conjugação, enquanto *escrev-ê-sse-mos* e *part-í-sse-mos* são da 2.ª e 3.ª conjugações, respectivamente.

A união do radical com vogal temática chama-se *tema*. O *tema* é a parte da palavra pronta para funcionar no discurso e para receber os afixos: *casa + s, livro + s, ponte + s*. Muitas vezes, ao receber afixos, a vogal temática desaparece: *cas(a)inha*.

Nos nomes as vogais temáticas estão representadas na escrita pelos grafemas *-a, -o* e *-e* (*casa, livro, ponte*), e nos verbos por *-a, -e* e *-i* (*trabalhar, escrever, partir*).

Nos nomes as vogais temáticas *-a* e *-o*, que marcam o grupo nominal, secundariamente acumulam a função de gênero: *a casa* (feminino), *o livro* (masculino).

Também nos nomes as vogais temáticas *-o* e *-e* podem estar representadas por uma semivogal de um ditongo: *pão, pães*, enquanto *-o* pode passar à variante *-u*: *afeto* → *afetuoso* (*afeto + oso*).

Os nomes terminados por vogal tônica ou por consoante perdem sua vogal temática no singular: *fé, mar, paz, mal*. Por isso, são chamados *atemáticos*.

Nos nomes terminados em consoante, a vogal temática *-e*, latente no singular, reaparece quando vai ao plural: *mar* → *mar-e-s, paz* → *paz-e-s, mal* → *mal-e-s*.

Por fim, a vogal temática aparece num tema *simples* (*livr-o*) ou num derivado (*livr-eir-o*).

Morfemas livres e presos

Diz-se que o morfema é *livre* quando tem forma que pode aparecer com vida autônoma no discurso; em caso contrário, diz-se que é *preso*. Assim, em *agricultura*, *agri-* é um morfema preso, pois, para significar 'campo', só aparece com esta forma quando combinado com outro morfema (*agrícola, agrimensor*, etc.), ao contrário do 2.º elemento *cultura*, que tem vida independente no discurso (a *cultura* do campo).

Um radical pode ter uma variante que só aparece como forma presa; é o caso de *caber*, que tem variante presa *ceber*, que só aparece em *receber, perceber, conceber*. A variante de morfema se chama *alomorfe*.

Podem os elementos ser todos livres (*apor, compor, guarda-chuva*), ou todos presos (*agrícola, perceber*), ou, ainda, combinados os tipos (*agricultura, gasoduto*).

Por fim, uma só forma pode representar mais de um morfema: assim, *-s* é marca pluralizadora nos nomes e pronomes (*casas, livros, esses*) e marca de 2.ª pessoa do singular nos verbos (tu *amas, escreves, partes*).

Palavras indivisíveis e divisíveis

Indivisível é a palavra que só possui como elemento mórfico o radical: *mar, sol, ar, é, hoje, lápis, luz*.

Divisível é a palavra que, ao lado do radical, pode desmembrar-se em outros elementos mórficos:
   mares (*mar-e-s*), *alunas* (*alun-a-s*), *trabalhávamos* (*trabalh-á-va-mos*).

Palavras divisíveis simples e compostas

Diz-se *simples* a palavra divisível que só possui um radical. Os outros elementos mórficos que a compõem ou são de significação puramente gramatical ou acrescentam ao radical a ideia subsidiária que denotam os afixos (prefixos ou sufixos).

Por causa desta nova aplicação de significado que os afixos comunicam ao radical, as palavras simples se dividem em *primitivas* e *derivadas*.

Primitiva é a palavra simples que não resulta de outra dentro da língua portuguesa: *livro, belo, barco*.

Derivada é a palavra simples que resulta de outra fundamental: *livraria, embelezar, barquinho*.

Composta é a palavra que possui mais de um radical: *guarda-chuva, lanígero, planalto*.

Tanto as palavras simples (primitivas ou derivadas) como as compostas podem ser acrescidas de desinências que servem para exprimir uma marca gramatical (flexão) que, nos adjetivos e pronomes, traduz as noções de *gênero* e *número* e, nos verbos, *número, pessoa, tempo* e *modo*:
   a) primitivas flexionadas: *queridos, estas*
   b) derivadas flexionadas: *livrarias, meninadas*
   c) compostas flexionadas: *couves-flores, guarda-livros, planaltos*

Quando a palavra é constituída de vários elementos mórficos, cabe, antes de mais nada, estabelecer o princípio dos *constituintes imediatos*. Analisando, por exemplo, *fidalgotes*, estabeleceremos que a palavra é primeiramente constituída de *fidalgote* + desinência de pluralizador *-s*, que sai de *fidalg(o)* + diminutivo *-ote*.

Constituintes imediatos

Em toda análise linguística (já vimos isto na sintaxe) é importante ter em conta o princípio dos *constituintes imediatos* para que não se façam confusões no plano descritivo da classificação e se estabeleçam as possíveis gradações de estruturação. Assim é que, diante de uma forma como *descobrimento*, não iremos enquadrá-la no grupo das palavras chamadas *parassintéticas* (considerando *des* + *cobri* + *mento*); trata-se de um derivado secundário cujos constituintes imediatos são o radical secundário *descobr-* e o sufixo *ment(o)*. Basta a definição de *descobrimento* para se evidenciar o percurso da palavra: "ato de descobrir", em que *descobrir* (já com prefixo) existia antes de *descobrimento*. Em *arduamente* desprezaremos a desinência de feminino *-a* (válida no vocábulo *árdua*) e analisaremos os constituintes imediatos: *ardua* + *mente*, sendo *ardua-* o radical secundário.

Conceito de radical primário

Chama-se, em gramática descritiva, *radical primário* ou *irredutível* aquele a que se chega dentro da língua portuguesa e é comum a todas as palavras de uma mesma família.

Se tomarmos uma palavra como *desregularizar*[1] facilmente podemos surpreender diversos graus de radical; o primeiro, destacando-se-lhe a vogal temática e a desinência de infinitivo, é *desregulariz-* (que aparece em *desregularização*); este radical pode ser reduzido, por destaques sucessivos, a: *regulariz-* (sem o prefixo) > *regular-* (sem o sufixo) > *regul-* (cf. o latim *regu(l)a* > *reg-* (que aparece em *reger*, *régua*). Este último radical, que constitui o elemento irredutível e comum a todas as palavras do grupo, chama-se *primário*. *Regul-* é um radical secundário (ou do 2.º grau), como *regular-* é um radical terciário (ou do 3.º grau), e assim por diante.

O radical primário pode apresentar variante ou variantes; assim, *reg-* se altera em *regr-* (em *regra*, *regrar*, *desregrar*).

Palavras cognatas: família de palavras

Aludimos acima à noção de família de palavras, dizendo que *régua*, *regra*, *regular*, *irregular* pertencem a uma mesma *família*.

Chamam-se *cognatas* as palavras que pertencem a uma família de radical e significação comuns: *corpo*, *corporal*, *incorporar*, *corporação*, *corpúsculo*, *corpanzil*; *fugir* (em *foges*, temos o radical alterado), *fugaz*, *refúgio*, *subterfúgio*, *trânsfuga*. Uma só família de palavras pode ter dois radicais, um de forma erudita, outro de forma popular: *digital* e *dedal*, *parietal* e *parede*, *capilar* e *cabelo*, *auricular* e *orelha*, *acutíssimo* e *agudíssimo*, *paupérrimo* e *pobríssimo*, *sacratíssimo* e *sagradíssimo*, etc

---

[1] Mattoso Câmara Jr., *Dicionário de Filologia e Gramática*, 293.

Não se confunda aparência formal com palavras cognatas; pode tratar-se de falsos cognatos. É o caso, por exemplo, da aproximação indevida que se faz entre *faminto* 'com fome' e *famigerado* 'famoso' (do radical *fama*), ou *intemerato* 'puro', 'sem mácula' e *intimorato* 'destemido', 'sem temor' (dos radicais de *temerare* 'ultrajar' e *timerere* 'ter medo').

Não é correto estender-se a noção de falso cognato àquela palavra que, no aprendizado de línguas estrangeiras, é conhecida por *'falsos amigos'*, isto é, palavras que pertencem à mesma origem, mas que, em idiomas diferentes, têm significados diversos. É o caso do plural *parentes* que, no português, significa 'aqueles que pertencem à mesma família', mas que em francês e inglês (*parents*) significa 'pais'; ou *esquisito*, que, em português, quer dizer 'destoante', enquanto, no espanhol, *exquisito* quer dizer 'excelente'.

Base lexical real e base lexical teórica

Na análise mórfica (constitucional) torna-se importante acentuar, como já deixamos claro anteriormente, que nem sempre a unidade léxica que entra na constituição de uma forma derivada ou flexionada é a que se apresenta como básica. Muitas vezes, temos de nos socorrer de uma forma básica teórica, possível no sistema da língua, mas não vigente na sua norma. Assim é que, nos plurais dos nomes terminados em consoante, socorremo-nos de uma forma teórica integrada pela vogal temática *-e-* para depois lhe acrescentar o pluralizador *-s*: *mar* → **mare* → pl. *mares*.[2]

Afixos: sufixos e prefixos. Interfixos

Sufixos

Em palavras como *casarão, livrinho, cantor, casamento, folhagem, alemão, fertilizar, chuviscar*, onde facilmente identificamos como bases *casa, livro, cantar, casar, folha, Alemanha, fértil* e *chuva*, encontramos um elemento mórfico chamado *sufixo*, que não tem curso independente na língua (e, por isso, como vimos, é uma forma presa). A missão do sufixo é formar uma nova palavra, emprestando à base uma ideia acessória e marcando-lhe a categoria (substantivo, adjetivo, verbo, advérbio) a que pertence.

O sufixo, pois, em geral, altera a categoria gramatical do radical de que sai o derivado (*real* adj. → *realidade* substantivo; embora também possa não alternar-lhe a categoria, como *feio* adj. → *feioso* adj.). O sufixo relaciona a palavra a que se agrega aos nomes aumentativos ou diminutivos, aos nomes de agente, de ação, de instrumento, aos coletivos, aos pátrios, etc.: *casarão* (aumento), *livrinho*

---

[2] Indica-se por asterisco (*) a forma teórica ou hipotética, conforme já mencionamos.

(diminuição), *cantor, lavrador, sapateiro* (nomes de agente ou ofício), *punição, casamento, aprendizagem* (nomes de ação ou seu resultado), *folhagem, lodaçal, cardume, boiada* (nomes coletivos), *alemão, sergipano, cearense, português, minhoto, brasileiro* (nomes pátrios), *fertilizar* (ação), *chuviscar* (ação de pouca intensidade), *alvorecer* (início de ação), *mercadejar* (repetição de ação), *suavemente* (modo). Daí se distribuírem os sufixos em *nominais* (formadores de substantivos e adjetivos), *verbais* (de verbo) e o único adverbial, que é *-mente*, que se prende a adjetivos uniformes ou, quando biformes, à forma feminina: *firme* → *firmemente*; *cômoda* → *comodamente*.[3]

Prefixos

Em palavras como *reter, conter, deter*, percebe-se que se acrescenta ao início da base um elemento mórfico chamado *prefixo*, que empresta empresta ao radical uma nova significação e se relaciona semanticamente com as preposições. Os prefixos, em geral, se agregam a verbos, como nos exemplos acima, ou a adjetivos: *in-feliz, des-leal, sub-terrâneo*. São menos frequentes os derivados em que os prefixos se agregam a substantivos; os que mais ocorrem são, na realidade, deverbais, como em *des-empate*. Ao contrário dos sufixos, que assumem valor morfológico, os prefixos têm mais força significativa; podem aparecer como formas livres e não servem, como os sufixos, para determinar uma nova categoria gramatical. Nem sempre existe em português a preposição que corresponde ao prefixo empregado: *intermédio* (cf. preposição *entre*), *combater* (cf. preposição *com*), *depenar* (cf. preposição *de*), *avocar* (cf. preposição *a* = ao lado, para perto de), *sobraçar* (cf. preposição *sob*), *sobrepor* (cf. preposição *sobre*), *embainhar* (cf. preposição *em* = movimento para dentro), mas *abusar* (*ab* = afastamento, privação), *progresso* (*pro* = movimento para diante, favorecimento), *refazer* (*re* = repetição).

Do ponto de vista formal há ainda para notar que os sufixos derivativos são em geral mais longos que as desinências gramaticais, além de serem estas quase sempre átonas, enquanto aqueles são normalmente tônicos. Outra distinção consiste em que os sufixos vêm imediatamente após o núcleo, e as desinências, após os sufixos.

Interfixos

Chamam-se *interfixos* elementos formais átonos que, sem função gramatical e significativa, servem de ligação entre a base e o sufixo. Assim, em *glorificar, fumarada, fogaréu, solaréu*, os elementos *-ific-* e *-ar-* se interpõem entre as bases

---

[3] Parecem, à primeira vista, constituir exceção formas como *portuguesmente, superiormente*; mas o fato se explica porque tais adjetivos em *ês* e *or* eram uniformes no português antigo, à época dessas derivações adverbiais.

glória e o sufixo verbal *-ar* (*glor-ific-ar*), ou entre as bases *fumo, fogo, sol* e o sufixo nominal *-éu* (*fog-ar-éu, sol-ar-éu*) ou *-ada* (*fum-ar-ada*).

Alguns autores preferem, em vez de interfixos, ver aí um conglomerado de sufixos (*-ificar, -aréu*), resultado de um alongamento de sufixo, como se vê no derivado *ridicularizar,* de *ridículo,* no lugar de *ridiculizar.*

Vogais e consoantes de ligação

Também não têm função gramatical e semântica as vogais e consoantes de ligação que, na formação de novas palavras, se intercalam entre a base e o sufixo para facilitar a pronúncia ou para evitar hiatos, principalmente quando o radical termina por vogal tônica: *chá-l-eira, pau-l-ada, café-t-eira, chapéu-z-inho, pedre-g-ulho, gás-o-metro,* etc. Em português, temos duas vogais de ligação: *i* e *o*. A vogal *i* aparece na composição de elementos latinos (*lanígero, dentifrício*), e *o*, nos elementos gregos: *gasômetro.* Se o *-o* estiver sempre presente, não será vogal de ligação, mas fará parte do radical em português: *geografia* (não há *ge-* em português, como em *gás + o + metro*), *bibliografia*.

Fenômenos que ocorrem na ligação de elementos mórficos

A junção de elementos mórficos pode provocar alterações de forma. Os principais desses fenômenos são:

1) *Haplologia* ou *braquilogia*: simplificação para evitar reduplicações de sílabas: Exemplos: *caridade + oso* → *caridoso* (por *caridadoso*); *trágico + cômico* → *tragicômico.*

2) *Fusão*: origem de ditongos ou crase. Exemplos: *canal + s* → **canale + s* → *canaes* (três sílabas) → *canais* (duas sílabas, pela origem do ditongo); *funil + s* → **funile + s* → *funies* → *funiis* → *funis* (por crase).

3) *Supressão* de:
   a) segmento medial pertencente a qualquer das bases: *petrodólar, apart-hotel, cineclube.*
   b) elemento final: *narcótico* → *narcotizar, prioridade* → *priorizar, órfão* (masculino) → *órfã* (feminino).
   c) elemento final por cruzamento de bases: *motel* (motor + hotel), *brasiguaio* (brasileiro + uruguaio), *malular* (malufar + lular, de *Maluf* e *Lula*), *sofressora* (sofrer + professora), *crionça* (criança + onça), *aborrescente* (aborrecer + adolescente), *chafé* (chá + café), etc. [AS; RT]

A supressão pode ocorrer pelo processo de formação de palavras chamado *abreviação* (↗ 577) e *combinação* (↗ 578).

Morfema zero

Quando dizemos que *altos*, por exemplo, está no plural, guiamo-nos pela presença do pluralizador -*s*, que aparece na qualidade de marca da flexão de plural nos nomes. Mas, quando dizemos que *alto* está no singular, guiamo-nos pela ausência da marca do pluralizador. Dizemos, então, que em *alto* a noção do singular está indicada por *morfema zero*, em oposição à presença do morfema pluralizador.

Também na série *amo, amas, ama*, esta última tem morfema zero de pessoa (3.ª pessoa do singular), já que a 1.ª e 2.ª pessoas do singular estão marcadas pelos morfemas numeropessoais -*o* (am-o) e -*s* (ama-s).

Acumulação de elementos mórficos

A forma verbal *amo* apresenta ainda outra particularidade: enquanto o -*s* de *amas* só marca a 2.ª pessoa do singular, o -*o* de *amo* marca não só a 1.ª pessoa, mas ainda tempo presente do modo indicativo. Isto é, enquanto -*s* é, nos verbos, uma desinência numeropessoal (DNP), o -*o*, nos verbos, é uma desinência numeropessoal e também secundariamente uma desinência modotemporal (DNP + DMT) da 1ª pessoa do presente do indicativo.

A este fenômeno chama-se *acumulação*.

Neutralização e sincretismo

Oposto ao fenômeno da acumulação, há o fenômeno da *neutralização*, que consiste na suspensão de uma marca de oposição distintiva existente na língua.

Assim, no plano gramatical, temos a oposição *masculino x feminino*: *menino x menina*. Mas esta oposição pode anular-se ou neutralizar-se no plural, pois *meninos* (não ocorre a neutralização com *meninas*) pode indicar não apenas o plural de *meninos* (Daniel e Filipe), mas também o conjunto de *menino(s)* e *menina(s)* (Daniel + Clarice + Filipe + Isabel + Henrique + Eduardo + Marcelo). Referindo-se a todo esse conjunto podemos dizer: *Esses meninos são educados*.

Tal neutralização pode ocorrer, por exemplo, na oposição entre as vogais temáticas da 2.ª e 3.ª conjugações: há oposição entre *escrev-e-r* e *part-i-r*, mas já não entre *escrev-e-s* e *part-e-s*. Em vez do *i* aparece o alomorfe *e* na 3.ª conjugação, quando o *i* está em sílaba átona: *part-e-s*, mas *part-i-mos*.

Não se deve confundir a neutralização com *sincretismo*, que é a ausência de manifestação de marca material num paradigma ou numa de suas seções. Assim, no paradigma verbal do português, a 1.ª e 3.ª pessoas se distinguem em outras seções (*canto / canta*; *cantei / cantou*), mas não se distinguem, por exemplo, no imperfeito (*cantava / cantava*; *saía / saía*).

A intensidade, a quantidade, o timbre e os elementos mórficos

Muitas vezes, a intensidade, a quantidade e o timbre servem para ressaltar uma noção gramatical. O acento intensivo se mostra decisivo para distinguir o adjetivo, o verbo e o substantivo em *sábia, sabia* e *sabiá*.

A maior demora numa sílaba em regra traduz uma ênfase estilística da palavra: "Idiota! Trezentos e sessenta contos não se entregam nem à mão de Deus Padre! Idiota! *Idioota*!... *Idioooota*..." [ML]

A desinência do mais-que-perfeito do indicativo *-ra-* (variante *-re-*) difere da semelhante que ocorre no futuro do presente, porque aquela é átona e esta é tônica: *cantara* (*cant-a-ra*) e *cantará* (*cant-a-rá*), *cantaras* (*cant-a-ra-s*) e *cantarás* (*cant-a-rá-s*).

A mudança de timbre (metafonia) concorre com a desinência da palavra para caracterizar o gênero, o número ou a pessoa do verbo: *caroço* (singular com *o* tônico fechado) →*caroços* (plural com *o* tônico aberto); *esse/essa, fez/fiz,* etc.

Há três grupos de alternância de timbre da vogal tônica com funções de indicações gramaticais:
a) | ê | → | é |; | ô | → | ó |
Em alguns nomes e pronomes marca a oposição entre masculino e feminino ou singular e plural: *esse/essa; novo/nova; ovo/ovos*.
Em verbos da 2.ª conjugação marca, no presente do indicativo, a oposição entre a 1.ª pessoa do singular e as outras formas rizotônicas: *devo/deves, deve, devem; torço/torces, torce, torcem*.
b) | ê | → | i |; | ô | → | u |
Em pronomes, marca a oposição entre a referência de masculinos adjuntos e absolutos: *este, esse/isso; aquele, aquilo; todo/tudo*.
Em verbos fortes, marca a oposição entre 1.ª e 3.ª pessoas: *fez/fiz; pôs/pus*.
c) | i | → | ê |; | i | → | é |; | u | → | ô |; | u | → | ó |
Em verbos da 3.ª conjugação, marca, no presente do indicativo, a oposição entre a 1.ª pessoa e as outras rizotônicas: *minto/mentes; firo/feres, fere, ferem; sumo/somes; durmo/dormes, dorme, dormem*. [VK]

Em Portugal, em geral, é o timbre aberto ou fechado da vogal tônica que distingue a 1.ª pessoa do plural do presente do indicativo e do pretérito perfeito dos verbos da 1.ª e 2.ª conjugações: *lavamos* (â) (presente), *lavamos* (á) (pretérito), *devemos* (ê) (presente), *devemos* (é) (pretérito). No Brasil, não fazemos em regra esta distinção, que fica, em geral, a cargo do advérbio adequado: *Hoje falamos disso. Ontem falamos disso*.

Suplementação nos elementos mórficos

O ponto alto de uma irregularidade em relação ao paradigma da forma regular de determinado elemento mórfico é o processo chamado *suplementação* (ou *alternância supletiva*). A suplementação consiste em suprir uma forma com auxílio de outra oriunda de radical diferente. O nosso verbo *ser* é anômalo (➚ 234) porque, nas suas flexões, pede o concurso de mais de um radical; também *ir* está neste caso: *sou, és, é, somos, sois, são; era, eras; fui, foste,* etc.; *vou, vais, vai; ia, ias, ia; fui, foste, foi,* etc.

Procede-se também a uma suplementação na conjugação dos verbos defectivos: *acautelo-me, acautelas-te, acautela-se;* precavemo-nos, precaveis-vos, *acautelam-se,* se quisermos suprir as faltas do verbo *precaver-se* com o verbo sinônimo *acautelar-se*.

A parassíntese

Para uns, para haver parassíntese basta a presença de prefixo e de sufixo no derivado; é o caso de *descobrimento* (*des* + cobri + *mento*). Para outros, o processo consiste na entrada *simultânea* de prefixo e sufixo, de tal modo que não existirá na língua a forma ou só com prefixo ou só com sufixo; é o caso de *claro* para formar *aclarar,* em cujo processo entram concomitantemente o prefixo *a-* e o final *-ar,* elemento de flexão verbal que funciona, por acumulação, como sufixo. Como lembra Mattoso Câmara, pode dar-se ainda, na parassíntese, a adjunção de um sufixo de valor iterativo ou incoativo, o que ocorre em *entardecer* (*en* + *tard*(e) + *ec* + *er*) e *amanhecer* (*a* + *manh*(ã) + *ec* + *er*). Assim, em *descobrimento,* pelo que vimos da noção de constituintes imediatos (➚ 548), não há parassíntese.

As formações ditas parassintéticas mais comuns no português ocorrem com o concurso dos prefixos *es-, a-, en-,* e os sufixos *-ear, -ejar, -ecer, -izar: esverdear, esclarecer, apodrecer, anoitecer, enraivecer, entardecer, encolerizar, apedrejar, aterrorizar*.

Hibridismo

Entende-se por *hibridismo* o processo de formação de palavra em que entram elementos de línguas diferentes. Assim, *sociologia* é um hibridismo, porque encerra um elemento de origem latina (*socio-*: 'sociedade') e outro grego (*-logia*: 'estudo', 'tratado'); ou *caiporismo,* onde temos um elemento tupi (*caipora*) e um sufixo grego (*-ismo*).

Na realidade, todos os elementos aqui citados pertencem ao uso normal do português e, desta forma, como da língua portuguesa devem ser entendidos. Assim é que *auto, filo, fobia, macro, mania, micro, neo, pseudo, tele* e sufixos como *-ico, -ismo, -ista* se juntaram a elementos de qualquer procedência: *autocrítica, autorretrato, germanófilo, germanofobia, governista, micro-ônibus, neovencedor, pseudovencedor, retratomania, russófilo, russofobia, teleguiado.*

O *hibridismo* é, portanto, um conceito que só pertence ao plano da formação, da mudança e da história, e só aí deve ser considerado.

Exercícios de fixação

1. **Assinale com um (X) dentro dos parênteses os vocábulos indivisíveis, isto é, que só possuem um elemento mórfico:**
   a) ( ) sol
   b) ( ) lápis
   c) ( ) barquinho
   d) ( ) hoje
   e) ( ) baú
   f) ( ) cantas
   g) ( ) fé
   h) ( ) antes
   i) ( ) pôr
   j) ( ) corredor
   k) ( ) faz
   l) ( ) pé
   m) ( ) logo (adv.)
   n) ( ) mares
   o) ( ) cantor
   p) ( ) faça
   q) ( ) ontem
   r) ( ) é
   s) ( ) ônix
   t) ( ) televisão

2. **Assinale o exemplo que contém verbo com sua vogal temática alterada (VARIANTE ou ALOMORFE):**
   a) ( ) "Tudo no mundo começou com um sim."
   b) ( ) "Uma molécula disse sim a outra molécula."
   c) ( ) "E nasceu a vida."
   d) ( ) "Que ninguém se engane."
   e) ( ) "Só consigo a simplicidade através de muito trabalho."

3. **Assinale a afirmação incorreta quanto à estrutura da forma verbal "FEZ":**
   a) ( ) Apresenta desinência numeropessoal zero.
   b) ( ) Pertence à 2.ª conjugação, indicada por sua vogal temática -e-.
   c) ( ) Representa simplesmente o radical verbal.
   d) ( ) Está no pretérito perfeito e por isso não apresenta desinência modotemporal.
   e) ( ) Representa um alomorfe (variante) do radical.

4. **Assinale a opção em que não é cabível depreender-se a existência de sufixo:**
   a) ( ) ladrante
   b) ( ) amante
   c) ( ) gigante
   d) ( ) pedinte
   e) ( ) crente
   f) ( ) servente

5. **Assinale a alternativa em que há erro quanto à análise mórfica do morfema destacado dos vocábulos abaixo:**
   a) ( ) Acert*a*rou – vogal temática.
   b) ( ) Pertuba*va* – desinência modotemporal.
   c) ( ) Conta*m* – desinência numeropessoal.
   d) ( ) *Pre*parou-se – prefixo.
   e) ( ) *Manifest*avam – radical.
   f) ( ) Fala*ra* – desinência modotemporal

6. **Nas alternativas abaixo, há uma em que a análise mórfica do elemento destacado não está errada. Assinale-a:**
   a) ( ) Corrigíeis – e – desinência modotemporal.
   b) ( ) Vivamos – a – vogal temática.
   c) ( ) Acabo – o – desinência numeropessoal.
   d) ( ) Chamaram (pret. perfeito) – m – desinência numeropessoal.

7. Há um item em que todas as formas verbais são constituídas apenas por radical e desinência numeropessoal. Assinale-o:
   a) ( ) atrapalha – preenche – desconfio
   b) ( ) distraindo – renovando – corrigindo
   c) ( ) recebo – procuro – vivo
   d) ( ) acabar – ver – achar
   e) ( ) construímos – casamos – discutimos

8. Assinale a opção que apresenta erro na análise do elemento mórfico destacado:
   a) ( ) Daremos – (re) = desinência modotemporal variante.
   b) ( ) Aproveitemos – (e) = desinência modotemporal.
   c) ( ) Colocaríamos – (ria) = desinência modotemporal.
   d) ( ) Quiseram – (se) = desinência modotemporal variante.
   e) ( ) Queria – (ia) = desinência modotemporal.

9. Assinale o item em que há hibridismo:
   a) ( ) choro – corte – toque
   b) ( ) caiporismo – televisão – automóvel
   c) ( ) reco-reco – tique-taque – pingue-pongue
   d) ( ) inutilidade – intensidade – injustiça
   e) ( ) infeliz – prefixo – intenso

Capítulo 22
Renovação do léxico

"No dicionário os vocábulos estão mudos, nos livros de prosadores e poetas, falam e até cantam, na consonância da frase." [SR]

Renovação do léxico: criação de palavras

As múltiplas atividades dos falantes no convívio da vida em sociedade favorecem a criação de palavras para atender às necessidades culturais, científicas e da comunicação de um modo geral. Chamam-se *neologismos* as palavras que vêm ao encontro dessas necessidades renovadoras. Do lado oposto ao movimento criador, temos os *arcaísmos*, representados por palavras e expressões que, por diversas razões, saem de uso e acabam esquecidas por uma comunidade linguística, embora permaneçam em comunidades mais conservadoras, ou lembrados em formações deles originados.

Os neologismos ou criações novas penetram na língua por diversos caminhos. O primeiro deles é mediante os elementos (palavras, prefixos, sufixos) já existentes no idioma, quer no significado usual, quer por mudança do significado, o que já é um modo de revitalizar o léxico da língua.

Entre os procedimentos formais temos, assim, a *composição* e a *derivação* (*prefixal* e *sufixal*).

Outra fonte de revitalização lexical são os *empréstimos*, isto é, palavras e elementos gramaticais tomados (empréstimos) ou traduzidos (*calcos linguísticos*) de outra comunidade linguística dentro da mesma língua histórica (regionalismos, nomenclaturas técnicas e gírias), ou de outras línguas estrangeiras — inclusive grego e latim —, que são incorporados ao léxico da língua comum.

Uma fonte muito produtiva do neologismo vem da criação de certos produtos ou novidades que recebem o nome de seus inventores ou fabricantes, como *macadame*, *gilete*, etc. Muito próxima a esta via são os nomes criados levando em conta os sons naturais (fonossimbolismo) produzidos por seres e objetos: *Kodak*, *pipilar*, etc., são as *onomatopeias* e palavras *expressivas* (➚ 637).

De todos esses procedimentos de revitalização do léxico, merecem atenção especial para a gramática a *composição* e a *derivação*, tendo em vista a regularidade e sistematicidade com que operam na criação de novas palavras.

Conceito de composição e de lexia

Por *composição* entende-se a junção de dois ou mais radicais identificáveis pelo falante numa unidade nova de significado único e constante: *papel-moeda, boquiaberto, planalto*. Há os compostos com elementos eruditos, de origem grega e latina, que não aparecem independentes no discurso (*geônomo, lanígero*); e há os compostos com elementos vernáculos, de existência independente na língua (*papel-moeda*) ou com leves alterações formais (*planalto: plan[o]alto, boquiaberto: boqu[i]aberto*).

Um tipo especial de composição é a *lexia*, que consiste na formação de sintagmas complexos que podem ser constituídos de mais de dois elementos: *negócio da China* ('transação comercial vantajosa'), *pé de chinelo* ('diz-se da pessoa de poucos recursos'), *pé-frio* (azarento), *pé-quente* (sortudo).

A lexia, cujo resultado é sempre um substantivo ou adjetivo, tem grande vitalidade na linguagem científica e técnica.

A relação sintática nas formações por lexia é marcada normalmente pela preposição *de*, aparecendo ainda a preposição *em* ou *a*, esta última por influência estrangeira, em especial quando a unidade designa um artefato, em que o determinante indica o agente motor: *barco à vela, motor à explosão, fogão a gás*, ou uma característica distintiva: *televisão a cores / televisão em cores*.

A composição é uma transformação sintática em expressão nominal

Compostos como *papel-moeda* se prendem a uma oração de base do tipo de "papel que é moeda", o que aponta para o fato de que tais unidades léxicas são transformações de construções sintáticas.

Um dos elementos do composto pode ser já um composto, contado como um termo único, pelo princípio dos constituintes imediatos.

1) **Substantivo + substantivo:**
   a) *Coordenação* – quando há sequência de coordenação de elemento: 1– o determinante precede: *mãe-pátria, papel-moeda*; 2 – o determinante vem depois: *peixe-espada, carro-dormitório, couve-flor*.

> **Observação:**
> ➥ Quando os elementos são constituídos por substantivos que apresentam formas para os dois gêneros, o determinante vai para o gênero do determinado, por ser este o principal: *batata-rainha*. As exceções explicam-se por analogia. Se não há distinção genérica, não se dará, naturalmente, a concordância: *a cobra-cascavel, a cobra-capelo, o pau-maçã, a fruta-pão, a cólera-morbo*. Quando fica esquecida a natureza da composição, mais parecendo tratar-se de palavra simples, pode predominar o gênero do último, como ocorre com *o pontapé*. [MAg]

b) *Subordinação* – quando há subordinação de um elemento, isto é, de um determinante a outro determinado: *arco-íris, estrada de ferro, pão de ló.*

Observação:

➥ Nesse tipo de subordinação, os elementos se unem por uma relação de complemento de substantivo, do adjetivo ou do verbo. [VK] É muito natural no português a omissão da preposição *de*, como acontece com *arco-íris* (por *arco da íris, Íris* é nome mitológico). Assim, *porco-espinho* (= porco de espinho), *beira-mar* (= beira do mar), *pontapé* (= ponta do pé), etc. Observe-se que, quando o gênero ou o número do 2.º elemento diverge do do 1.º, dá-se muitas vezes a concordância por influência deste: *pedra-raia* (por pedra de raio), *bolo-rei* (por bolo de Reis [Magos]), *sete-estrelo* (por sete estrelas). [LV]

2) **Substantivo + adjetivo (ou vice-versa):**
aguardente, obra-prima, fogo-fátuo, belas-artes, baixa-mar, boquiaberto

3) **Adjetivo + adjetivo:**
surdo-mudo, luso-brasileiro, auriverde

4) **Pronome + substantivo:**
Nosso Senhor, Sua Excelência

5) **Numeral + substantivo (inclusive numeral latino):**
onze-letras (alcoviteira), *segunda-feira, bisneto, trigêmeo, sesquicentenário* (sesqui = um e meio)

6) **Advérbio (bem, mal, sempre, não) + substantivo, adjetivo ou verbo:**
benquerença, benquisto, bem-querer, malcriação (inutilmente corrigido para má-criação), *malcriado, sempre-viva, não aprovação*

7) **Substantivo verbal + substantivo:**
lança-perfume, porta-voz, busca-pé, passatempo

8) **Verbo + verbo** ou **verbo + conjunção + verbo:**
vaivém, leva e traz, corre-corre

9) **Verbo + advérbio:**
pisa-mansinho, ganha-pouco

10) **Um grupo de palavras ou uma oração inteira pode passar, pelo processo da hipotaxe (↗ 41), ao nível de palavra:**
um deus nos acuda, mais vale um toma que dois te darei, os disse me disse

A associação dos componentes das palavras compostas se pode dar por:
a) **Justaposição**: *guarda-roupa, mãe-pátria, vaivém*. Os elementos conservam certa individualidade acentual, que é indicada, em regra, na escrita, pelo hífen.
b) **Aglutinação**: *planalto, auriverde, fidalgo*. Os elementos estão ligados mais intimamente, já que um deles perde o seu acento tônico vocabular.

> **Observação:**
>
> ↦ Incluem-se no processo da aglutinação os raros casos de *incorporação nominal*, mediante os quais se incorpora ao verbo o seu complemento, nome ou pronome, que exerce a função semântica de paciente, locativo ou instrumental: *pesa-me* ↦ *pêsame*.

A derivação

A **derivação** consiste em formar palavras de outra primitiva por meio de afixos. De modo geral, especialmente na língua literária e técnica, os derivados se formam dos radicais de tipo latino em vez dos de tipo português, quando este sofreu a evolução própria da história da língua: *áureo* (e não *ouro*), *capilar* (e não *cabelo*), *aurícula* (e não *orelha*), etc.

Os afixos se dividem, em português, em *prefixos* (se vêm antes do radical) ou *sufixos* (se vêm depois). Daí a divisão em *derivação prefixal* e *sufixal*.

Derivação sufixal: *livraria, livrinho, livresco*.
Derivação prefixal: *reter, deter, conter*.

> **Observação:**
>
> ↦ Os prefixos assumem valor semântico que empresta ao radical novo significado, patenteando, assim, a sua natureza de elemento mórfico de significação externa subsidiária.
>
> Baseados nisto, a gramática antiga e vários autores modernos fazem da prefixação um processo de composição de palavras.

Os principais prefixos que ocorrem em português são de procedência latina ou grega, sendo que muitos dos primeiros correspondem a preposições portuguesas. Ainda que os prefixos latinos tenham o mesmo significado de seus correspondentes gregos, formando assim palavras sinônimas, estas em regra não se podem substituir mutuamente, porque têm esferas semânticas diferentes.

Assim é que *transformação* e *metamorfose*, *circunferência* e *periferia*, *composição* e *síntese* são equivalentes, a rigor, elemento a elemento, mas não se aplicam indistintamente: *transformação*, por exemplo, é de emprego mais amplo que *metamorfose*.

São prefixos e elementos originariamente latinos

ab-, abs-	(afastamento, separação): abstrair, abuso
ad-, a-	(movimento para; aproximação; adicionamento; passagem para outro estado; às vezes não têm significação própria): adjunto, apor

Observação:

➡ Não confundir com o *a* sem significação de certas palavras como *alevantar, assentar, atambor*.

ante-	(anterioridade; precedência — no tempo ou no espaço): antessala, antelóquio, antegozar, antevéspera
ambi-	(duplicidade): ambiguidade, ambidestro
bene-, bem-, ben-	(bem; excelência de um fato ou ação): bendizer, benfazejo
bis-, bi-, bin-	(dois; duplicidade): bisneto, biciclo, binóculo
circum-, circu-	(em roda de): circunferência, circulação
cis-	(posição aquém): cisalpino, cisatlântico, cisandino, cisplatino
cum-, com-, con-, co-, cor-	(companhia, sociedade, concomitância): cumplicidade, compadre, companheiro, condutor, colaborar, corroborar
contra-	(oposição; situação fronteira; o *a* final pode passar a *o* diante de certas derivações do verbo): contramarchar, contrapor, contramuro, controverter. Em *contra-almirante* tem-se a ideia de 'imediatamente abaixo' ao posto de *vice-almirante*.
de-	(movimento para baixo; separação; intensidade): depenar, decompor. Às vezes alterna com *des-*: decair – descair.
de(s)-, di(s)-	(negação; ação contrária; cessação de um ato ou estado; ablação; intensidade): desventura, discordância, difícil (dis + fácil), desinfeliz, desfear (= fazer muito feio), desmudar (= mudar muito)
dis-	(duplicidade; separação; diversidade de partes): dissecar ('cortar em dois'), disjungir ('separar duas coisas que estavam juntas'), dispor
ex-, es-, e-	(movimento para fora; mudança de estado; esforço): esvaziar, evadir, expatriar, expectorar, emigrar, esforçar

Observação:

➡ Às vezes alterna-se com *des-*, *dis-*: escampado — descampado; extenso — distenso; esguedelhar — desguedelhar; esmaiar — desmaiar; estripar e destripar; desapropriar e expropriar; desfiar e esfiar; desencarcerar e excarcerar; deserdar e exerdar.

| em-, en-, e-, in- | (movimento para dentro; passagem para um estado ou forma; guarnecimento; revestimento): embeber, enterrar, enevoar, ingerir |

Observação:

➥ Às vezes alterna-se a forma prefixada com outra sem prefixo: *couraçar* e *encouraçar*, *cavalgar* e *encavalgar*, *trajar* e *entrajar*, *viuvar* e *enviuvar*, *bainhar* e *embainhar*.

| extra- | (fora de, além de; superioridade; o *a* final passa, às vezes, a *o*): extradição, extralegal, extrafino, extroverter |
| in-, im-, i- | (sentido contrário; negação; privação): impenitente, incorrigível, ilegal, ignorância |

Observações:

➥ Às vezes parece atribuir ao derivado o mesmo valor semântico da forma de base: *incruento*, *incrueldade*.

➥ Algumas vezes indica no que alguma coisa se transforma, isto é, mudança de estado: *incinerar* ('reduzir a cinzas'), *inflamável* ('que se transforma em chama', 'que se transforma em fogo'), etc.

infra-	(abaixo): infra-assinado
inter-, entre-	(posição no meio; reciprocidade): entreter, interpor, intercâmbio
intra-	(posição interior; movimento para dentro; o *a* final passa, às vezes, a *o*): intramuscular, introverter, introduzir
intro-	(dentro): introduzir
justa-	(posição ao lado, perto de): justapor, justalinear (que se faz junto de cada linha)
ob-, o-	(posição em frente): obstar, opor
pene-	(quase): península (quase ilha), penúltima (quase a última, e não 'antes da última')
per-	(através de; coisa ou ação completa; intensidade): percorrer, perfazer, perdurar, persentir (sentir profundamente)
pluri-	(muito): pluricelular
pos-, post-	(posição posterior, no tempo e no espaço): postônico, pós-escrito, posfácio
pre-	(anteriormente; antecedência; superioridade): prefácio, prever, predomínio

primo-	(primeiro): primogênito
preter-, praeter-	(transposição; transferência): preterir
pro-	(movimento para a frente; em lugar de; em proveito de): progredir, projeção, prooração
re-	(movimento para trás; repetição; reciprocidade; intensidade): regredir, refazer, ressaudar (saudar mutuamente), ressaltar, rescaldar (escaldar muito)
retro-	(para trás): retroceder, retroagir
satis-	(suficiente): satisfazer
semi-	(metade de; quase; que faz as vezes de): semicírculo, semibárbaro, semivogal
so-, sob-, sub-, sus-	(embaixo de; imediatamente abaixo num cargo ou função; inferioridade; ação pouco intensa): soterrar, sobestar, submarino, sustentar, supor
sobre-	(nas formações vernáculas), **super-**, **supra-** (nas formações eruditas) (posição superior; saliência; parte final de um ato ou fenômeno; em seguida; excesso): sobrestar, superfície, supracitado, superlotado
soto-, sota-	(posição inferior; inferioridade; logo após): sota-capitão, soto-mestre, sota-voga
trans-, tras-, tres-, tra-, tre-	(além de; através de, passar de um lugar a outro; intensidade): transportar, traduzir, transladar, tresloucar, tresmalhar, tresnoitar, trespassar, tresler,[1] tresgastar

Observações:

➥ Não se há de confundir *três* (numeral) com *tres-* (de *trans*): tresdobrar (triplicar).

➥ Às vezes *trans-* é empregado como antônimo de *cis-*: *transalpino* e *transandino*, por exemplo, opõem-se a *cisalpino* e *cisandino*.

➥ Também em certas palavras se podem alternar as variantes deste prefixo: transpassar, traspassar, trespassar; transmontar, tramontar.

tris-, tri-, tres-, tre-	(três): trissílabo, triciclo
ultra-	(além de; excesso; passar além de): ultrapassar, ultrafino
un-, uni-	(unidade): uniforme
vice-, vis-	(em lugar de; imediatamente abaixo num cargo ou função): vice-presidente, visconde

---

[1] *Tresler* é ler além do que está escrito, podendo, portanto, significar 'ler mal', 'ler sem entender': "Assim, em um artigo de seis páginas, João Fernandes diz, rediz, a si próprio se contradiz, anda para trás e para diante, e de tudo só deixa apurar que leu, releu, mas só treslia ao tomar da pena." [CL]

São prefixos e elementos originariamente gregos

a-, an-	este último antes de vogal (privação; negação; insuficiência; carência; contradição): afônico, anemia, anônimo, anoxia, amoral
aná-	(inversão; mudança; reduplicação): anabatista, anacrônico, analogia, anatomia, anáfora
anfí-	(duplicidade; ao redor; dos dois lados): anfíbio, anfibologia, anfiteatro
antí-	(oposição; ação contrária): antídoto, antártico, antípodas, antiaéreo
apó-	(afastamento): apologia, apocalipse
árqui-, arce-	(superioridade hierárquica, primazia; excesso): arquiduque, arquimilionário, arcediago
catá-	(movimento para baixo): catacumba, catarata, católico
di-	(duplicidade; intensidade): dilema, dissílabo, ditongo
diá-, di-	(através de): diálogo (conversa entre pessoas), diagrama

Observação:

➡ Pensando-se que *diálogo* é conversa de dois, tem-se empregado erradamente *triálogo* para conversa de três. Para mais de uma pessoa é sempre *diálogo*.

dis-	(dificuldade): dispepsia, disenteria
ec-, ex-, exo-, ecto-	(exterioridade, movimento para fora; separação): eczema, exegese, êxodo, exônimo (nome estrangeiro aportuguesado: *Florença* por *Firenze*), exógeno, ectoderma
en-, em-, e-	(interioridade): encômio, encíclica, enciclopédia, emblema, elipse
endo-	(movimento em direção para dentro): endocarpo, endovenosa, endônimo (nome estrangeiro não aportuguesado: *Firenze*)
ento-	(interior): entófito (planta que vive dentro de outra)
epí-	(sobre, em cima de): epiderme, epitáfio
eu-	(excelência, perfeição; bondade): eufonia, euforia, eufemismo
hemi-	(metade, divisão de duas partes): hemiciclo, hemisfério
hipér-	(excesso): hipérbole, hipérbato
hipó-	(posição inferior): hipocrisia, hipótese, hipoteca
metá-	(mudança; sucessão): metamorfose, metáfora, metonímia
pará-	(proximidade, semelhança; defeito, vício; intensidade): parábola, paradigma, paralela, paramnésia
perí-	(em torno de): perímetro, período, periscópio
poli-	(multiplicidade): polissílabo, politeísmo
pró-	(anterioridade): prólogo, prognóstico, profeta

prós-	(adjunção; em adição a): prosélito, prosódia
proto-	(início, começo, anterioridade): protótipo, proto-história, protomártir
sin-, sim-, si-	(conjunto; simultaneidade): sinagoga, sinopse, simpatia, silogeu
tele-	(distância, afastamento; controle feito à distância): telégrafo, telepatia, teleguiado

Correspondência entre prefixos e elementos latinos e gregos

Latinos		Gregos	
des-, in-:[2]	desleal, infeliz	a-, an-:	amoral, anemia
contra-:	contrapor	antí-:	antipatia
ambi-:	ambiguidade	anfí-:	anfibologia
ab-:	abuso	apó-:	apogeu
bi(s)-:	bilabial	di-:	dissílabo
trans-:	transparente, transformação	diá-, metá-:	diáfano, metamorfose
in-:	ingressar	en-:	encéfalo
intra-:	intramuscular	endo-:	endovenoso
ex-:	exportar	ec-, ex-:	eczema, êxodo
super, supra-:	superfície, supralingual, superlotar	epí-, hipér-:	epiderme, hipertrofia
pre-, ante-:	preceder, anteceder	pro-:	programa, prognóstico
bene-:	benefício	eu-:	eufonia
semi-:	semicírculo	hemi-:	hemisfério
sub-:	subterrâneo	hipó-:	hipótese
ad-:	adjetivo	pará-:	paralelo
circum-:	circunferência	perí-:	periferia
de-:	depenar	catá-:	catarata
cum-:	composição	sin-:	síntese

---

[2] O prefixo *in-*, literário e erudito, ao contrário de *des-*, popular, ganhou por isso certa cortesia e polidez, e constitui, em neologismos, um recurso de eufemismos que cada vez mais se generaliza: inverdade (por mentira), inexato, indelicado, indouto, impolido, inverídico, imerecido, inativo.

> **Observação:**
> ➡ Há também sinônimos ou equivalentes semânticos greco-latinos ou dublês bilíngues.
>
> | Latinos | Gregos |
> |---|---|
> | abecedário | alfabeto |
> | florilégio | antologia |
> | sudorífico | diaforético |
> | unicórnio | monoceronte |
> | rouxinol | filomela |
> | península | quersoneso |
> | novilúnio | neomênia |
> | avareza | filargiria |
> | favônio | zéfiro |
> | ambiguidade | anfibologia |

Sufixos

Os sufixos dificilmente aparecem com uma só aplicação; em regra, revestem-se de múltiplas acepções, e empregá-los com exatidão, adequando-os às situações variadas, requer e revela completo conhecimento do idioma. A noção de aumento corre muitas vezes paralela à de coisa grotesca e se aplica às ideias pejorativas: *poetastro, mulheraça*. Os sufixos que formam nomes diminutivos traduzem ainda carinho: *mãezinha, paizinho, maninho*. Outras vezes, alguns sufixos assumem valores especiais (por exemplo *florão* não se aplica em geral a 'flor grande', mas a uma espécie de ornato de arquitetura), enquanto outros perdem o seu primitivo significado, como *carreta, camisola*. Por fim, cabe assinalar que temos sufixos de várias procedências; os latinos e gregos são os mais comuns nas formações eruditas.

Nas formações eruditas greco-latinas serão considerados nesta *Gramática* elementos sufixais, formas como *-ífic-, -ífer-, -duct-* e semelhantes, em unidades como *sudorífico, frutífero, aqueduto*, assim como são elementos prefixais formas como *anfi-, extra-, inter-, mono-, multi-, poli-*, em *anfiteatro, extrafino, monovalente, multicolor, polianteia*, etc.

I. Principais sufixos formadores de substantivos

1) Para a formação de nomes de agente, instrumento e lugar:

-tor, -dor, -sor, -or:	narrador, genitor, ascensor, cantor, corredor (= lugar por onde se anda), metralhadora
-nte:	estudante, requerente, ouvinte
-ista:	dentista, jornalista
-eira, -eiro:	lavadeira, padeiro, vendeiro
-ária, -ário:	bibliotecária, secretário

2) Para formação de nomes de ação ou resultado de ação, estado, qualidade, semelhança, composição, instrumento, lugar:

a) Derivados de verbo

-ame:	gravame
-ção, -são:	coroação, perdição, compreensão, ascensão
-mento:	casamento, descobrimento
-ura, -dura, -tura:	feitura, mordedura, formatura
-ança (-ância), -ença (-ência):	mudança, esperança, parecença, abundância, convalescença (ou convalescência)
-ata:	passeata
-ada:	estada (estadia, na norma de Portugal)
-ida:	acolhida, partida
-agem:	vadiagem
-ário:	lapidário

b) Derivados de substantivo

-ada:	laçada, braçada, pousada
-ura:	cintura
-astro:	poetastro
-estre:	silvestre, campestre
-ato:	orfanato
-aço, -aça:	vidraça
-cínio:	patrocínio (não confundir com o radical -cinio, de cánere 'cantar': galicínio 'o canto do galo')

c) Derivados de adjetivo

-ismo:	charlatanismo, civismo
-tude, -dão:	amplitude, amplidão, solidão
-ura:	doçura, brancura (concorrente vitorioso sobre -or: verdor, amargor)
-eza, -ez:	beleza, viuvez
-ácia:	audácia, falácia
-dade, -idade:[3]	dignidade, idoneidade, seriedade
-mônia:	acrimônia

3) Para significar lugar, meio, instrumento:

-douro, -doura:	bebedouro, manjedoura
-tério:	necrotério
-tório:	dormitório
-aria, -eria:	tesouraria, sorveteria
-bulo:	turíbulo
-or:	corredor
-il:	covil (relacionado a nomes de animal, para indicar onde se recolhem)
-anco:	barranco
-cro:	simulacro, ambulacro

4) Para significar abundância, aglomeração, coleção:

-aria, -ário, -eria:	cavalaria, infantaria (ou infanteria), casario
-al:	laranjal, cipoal
-edo:	arvoredo
-eira:	doenceira, desgraceira
-io:	mulherio
-ama, -ame, -ume, -um:	mourama, velame, ervum, mulherum, homum, negrume
-agem:	folhagem
-ada:	boiada
-aço:	chumaço
-alha:	parentalha

---

[3] Atenção especial merece a grafia de palavras em que só cabe *(i)dade*: *interdisciplinaridade*, e não *interdisciplinariedade*; *hilaridade* e não *hilariedade*.

-ardo:	moscardo
-ana, -aina (por alongamento):	andana, andaina
-edo:	penedo, lajedo, vinhedo, passaredo

5) Para significar causa produtora, lugar onde se encontra ou se faz a coisa denotada pela palavra primitiva:

-ário:	relicário, herbanário
-eiro, -eira:	açucareiro, chocolateira
-aria, -eria:	livraria, mercearia, borracharia, sorveteria

6) Para formar nomes de naturalidade:

-aco:	austríaco
-ano, -ão:	pernambucano, coimbrão
-ense, -ês:	cearense, português
-enho:	estremenho (da Estremadura, Portugal)
-eno:	madrileno, chileno
-eu, -éu:	caldeu, hebreu, ilhéu (fem. ilhoa)
-engo:	flamengo
-ico:	brasílico

Observação:

➡ Em *algarvio* (e não *algárvio*) não há sufixo *-io*, e a sílaba tônica recai no *i*.

-ista:	paulista
-ol:	espanhol
-oto:	minhoto (ô)
-ato:	maiato (natural de Maia)
-ino:	platino, bragantino
-eiro:	brasileiro
-eta:	lisboeta
-aico:	hebraico, caldaico

7) Para formar nomes que indicam maneira de pensar; doutrina que alguém segue; seitas; ocupação relacionada com a coisa expressa pela palavra primitiva:

-ismo:	cristianismo, classicismo
-ista:	socialista, espiritista
-ano:	maometano, anglicano

8) Para formar outros nomes técnicos usados nas ciências: [AN]

-ite:	(emprega-se para as inflamações): pleurite, rinite, bronquite
-ema:	(é utilizado nos modernos estudos de linguagem com o sentido de 'mínima unidade distintiva'): fonema (menor unidade de som); morfema (menor unidade significativa de forma), lexema, semema, estilema, etc.
-oso, -ico:	(distinguem óxidos, anídridos, ácidos e sais, reservando-se o último para os compostos que encerrem maior proporção do metaloide empregado): cloreto mercuroso, cloreto mercúrico
-ato, -eto, -ito:	(formam nomes de sais: clorato, cloreto, clorito): clorato de potássio, cloreto de sódio. Para os sais de enxofre, usa-se o radical *sulf*: sulfeto, sulfito, e não *sulfur*, que é forma latina: sulfato de quinino, hipossulfito de sódio. Para os de fósforo, usa-se o radical *fosf*, para os de flúor *flu*: fosfato, fluato. Para os de carbono, o uso vulgar aceitou as formas *carbonato*, bem derivada, e *carbureto* (em vez de *carboneto*), que denota influência francesa: bicarbonato de sódio, carbureto de cálcio
-ênio:	(caracteriza carbonetos de hidrogênio): acetilênio, etilênio, metilênio, etc.
-ílio:	(aparece em certos compostos chamados radicais químicos): amílio, metílio
-ina:	(aparece em alcaloides e álcalis artificiais): atropina (alcaloide da beladona); cafeína (do café); cocaína (da coca); codeína (do ópio); conicina (da cicuta); estricnina (a noz-vômica); morfina (do ópio); nicotina (do fumo); quinina (da quina); teína (da folha do chá), etc.; anilina, alizarina, etc.
-io:	(aparece em corpos simples): silício, telúrio, selênio, sódio, potássio, etc.
-ol:	(se encontra em derivados de hidrocarbonetos): fenol, naftol, etc.

Observações:

➥ A Mineralogia, a Geologia, a Medicina têm também sufixos tomados em sentidos particulares:

-ita (para espécies minerais): pirita

-ito (para as rochas): granito

-ite (para fósseis): amonite

-oma (designa tumor): epitelioma, mioma, carcinoma

➥ Na indústria moderna os produtos novos são marcados com finais *-ax, -ex, -ix, -ox, -ux*, que passaram a ser entendidos como verdadeiros sufixos: *ajax, tenax, paredex, pirex, atrix, inox, matox, rodox*. Em *xerox* (ou etimológico *xérox*) não temos esse final, pois se prende a um adjetivo grego, que significa 'enxuto'.

II. Principais sufixos formadores de nomes aumentativos e diminutivos, muitas vezes tomados pejorativa ou afetivamente

1) Aumentativos:

-ão, -zão:	cadeirão, homenzão
-anço:	falhanço, copianço
-arro, -arrão,	naviarra, bebarro, santarrão, coparrão,
-zarrão, arraz (arro + az):	homenzarrão, pratarraz
-aço, -aça:	ricaço, barcaça, copaço, fumaça
-astro:	poetastro, politicastro, padrasto, madrasta (nos dois últimos houve dissimilação)
-alho, -alha, -alhão:	politicalho, muralha, grandalhão
-ama:	ourama, poeirama
-anzil:	corpanzil
-ázio:	copázio
-uça:	dentuça
-eima:	guleima, guloseima, boleima
-anca:	bicanca
-asco:	penhasco
-az:	fatacaz, famanaz, famaraz
-ola:	beiçola
-orra:	cabeçorra
-eirão:	chapeirão, toleirão, vozeirão
-ento:	farturento

2) Diminutivos:

| -inho, -zinho, -im, -zim: | livrinho, livrozinho, dormindinho, florzinha, espadim, bodim, valzim[4] |

Observação:

↦ Nem sempre é indiferente a opção por -*inho* ou -*zinho*. Não toleram -*inho* (e -*ito*) mas -*zinho* (e -*zito*) os nomes terminados em nasal, ditongo e vogal tônica: *cãozinho, cãozito, irmãzinha, albunzinho, raiozinho, bonezinho, urubuzinho*. Também se incluem os terminados em -*r*, embora aí haja alguns em -*inho*, facultativamente: *serzinho, cadaverzinho, caraterzinho*; *colher* admite *colherinha*, ao lado de *colherzinha*. Os terminados em -*s* e -*z* só toleram -*inho* (-*ito*): *tenisinho, lapisinho, rapazinho*.

-ito, -zito:	copito, amorzito, passeandito
-ico:	namorico, veranico
-isco:	chuvisco, petisco
-eta, -ete, -eto:	saleta, diabrete, livreto, saberete
-eco:	livreco, padreco
-ota, -ote, -oto:	ilhota, caixote, perdigoto
-ejo:	lugarejo, animalejo
-acho:	riacho, fogacho
-el, -ela, -elo (ora com *e* aberto, ora fechado):	donzel, donzela, magricela, cabedelo
-íola:	arteríola
-ola:	camisola (também tem sentido aumentativo quando designa a camisa longa de dormir); rapazola (cf. -*íola*)
-ucho:	gorducho, papelucho
-ebre:	casebre
-ula, -ulo, -cula, -culo:	nótula, glóbulo, radícula, corpúsculo
-alho, -elho, -ilho, -olho, -ulho:	ramalho, rapazelho, pesadilho, ferrolho, bagulho
-iça, -iço:	nabiça, caniço
-el:	cordel

---

[4] Se a palavra é masculina e termina em *a*, este *a* reaparece quando se lhe acrescenta o sufixo -*inho*: *o Maia* ➜ *o Mainha*. O mesmo acontece se é singular em *s*: *Jarbas* ➜ *Jarbinhas*. (Nota que me foi fornecida por Martinz de Aguiar.) Note-se ainda que os diminutivos *inho*, *zinho* podem assumir valor patronímico, quando pais e filhos têm o mesmo nome: *Pacheco* (o pai), *Pachequinho* (o filho), *Diva* (a mãe), *Divinha* (a filha).

III. Principais sufixos para formar adjetivos

-(d)io, -(d)iço:	fugidio, movediço (todos tirados do tema do particípio)
-vel, -bil:	notável, crível, solúvel, flébil, ignóbil
-ento, -(l)ento:	cruento, corpulento
-oso, -uoso:	bondoso, primoroso, fastoso (ou fastuoso), untuoso, espirituoso
-onho:	medonho, risonho
-az:	mordaz, voraz
-udo:	barrigudo, cabeçudo
-ício, -iço:	acomodatício, enfermiço
-ário, -eiro:	diário, ordinário, verdadeiro, costumeiro
-ano:	humano
-asco:	pardavasco
-esco, -isco:	dantesco, principesco, mourisco
-ático:	problemático, aromático
-eno:	terreno
-áceo:	rosáceo, galináceo
-acho:	verdacho
-aco:	demoníaco
-ado:	barbado
-ardo:	felizardo
-al:	vital, boçal
-âneo, -anho:	sucedâneo, estranho
-átil:	portátil, volátil
-ino, -im:	bailarino, paladino, paladim (a apócope de -ino a -im ocorre mais entre substantivos: latino [adj.], latim [s.])
-bundo:	furibundo
-undo, -ondo:	fecundo, redondo
-eo:	róseo
-timo:	marítimo
-urno:	diurno
-iano:	camoniano, virgiliano

Observação:
→ Dos nomes próprios formam-se adjetivos em -*iano*, e não -*eano*: camoniano, machadiano, saussuriano, wagneriano, como já era em latim.

-ico:	público
-engo, lengo:	mulherengo, avoengo, verdoengo (verdolengo)
-al, -ar:	anual, escolar
-aico:	prosaico
-estre:	campestre
-este:	celeste
-douro:	vindouro, imorredouro
-tório:	expiatório, satisfatório
-ivo:	afirmativo, lucrativo
-ácea, -áceo:	(em família de plantas): liliáceas, papilonáceos
-ndo:	(equivalente ao particípio futuro passivo latino): graduando ('que vai ser graduado'), vitando ('que deve ser evitado'), venerando ('digno de ser venerado'), despiciendo ('digno de ser desprezado', 'desprezível'). Tem tido larga aceitação na nomenclatura de profissões universitárias, nem sempre bem-visto pelos puristas: doutorando, farmacolando, engenheirando, etc.

IV. Principais sufixos para formar verbos

1) Para indicar ação que deve ser praticada ou dar certa qualidade a uma coisa (verbo causativo):

-ant(ar):	quebrantar
-it(ar):	periclitar, debilitar
-iz(ar):	civilizar, humanizar, realizar

2) Para indicar ação repetida (verbos frequentativos):

-aç(ar):	espicaçar, adelgaçar
-ej(ar):	mercadejar, voejar

Observação:

➥ Nem sempre indicam repetição da ação; muitas vezes servem para exprimir a mesma noção, apenas por meio de forma entendida por mais sonora.

3) Para indicar ação pouco intensa (verbos diminutivos):

| -it(ar): | saltitar, dormitar |

Observação:

➡ Muitos verbos exprimem esta ideia por se formarem de nomes diminutivos: petisco + ar = petiscar; chuvisco + ar = chuviscar; cuspinho + ar = cuspinhar; namorico + ar = namoricar.

4) Para indicar início de ação ou passagem para um novo estado ou qualidade (verbos incoativos):

| -ec(er): | alvorecer, anoitecer, apodrecer, endurecer, enfurecer |
| -esc(er): | florescer |

Observação:

➡ A grafia -*escer* é própria das palavras importadas que já chegaram à língua com -*sc*-, ou devidas à analogia.

V. Sufixo para formar advérbio

O sufixo -***mente*** junta-se a adjetivo na forma feminina, quando houver: claramente, sinceramente, sossegadamente, simplesmente, horrivelmente, enormemente, primeiramente.

Por extensão, pode ainda muito expressivamente combinar-se com substantivos: *mulhermente*.

Observação:

➡ Os nomes terminados em -*ês* e alguns terminados em -*or*, porque no português antigo só tinham uma forma para os dois gêneros, não se apresentam no feminino: portuguesmente, superiormente.

Os advérbios em -*mente* podem ser distribuídos em três classes, conforme o sentido do adjetivo de que se formam [NE]:
1) exprimem uma ideia de qualidade: *claramente, sinceramente, simplesmente, horrivelmente*;
2) exprimem uma ideia de quantidade ou medida: *copiosamente, imensamente, enormemente*;

3) exprimem uma ideia de relação de dois seres independentes um do outro; entre as ideias de relação citamos as de *tempo* e *lugar*: *primeiramente, anteriormente, atualmente*.

Outros processos de formação de palavras

Além dos processos gerais típicos de formação de palavras (composição e derivação), possui o português mais os seguintes: *formação regressiva* (deverbal), *abreviação, reduplicação, conversão, intensificação* e *combinação*.

Formação regressiva (deverbal)

A *formação regressiva* consiste em criar palavras por analogia, pela subtração de algum sufixo, dando a falsa impressão de serem vocábulos derivantes: de *atrasar* tiramos *atraso*; de *embarcar, embarque*; de *pescar, pesca*; de *gritar, grito*. Assim também os vocábulos *rosmaninho* e *sarampão* foram tomados, respectivamente como diminutivo e aumentativo, marcados, portanto, com sufixos de grau, e daí se tiraram as formas regressivas *rosmano* e *sarampo*, como falsos primitivos.

Tais derivados regressivos procedem da primeira ou da terceira pessoa do singular do presente do indicativo, o que explica sua distribuição em substantivos de tema em -*o* (se provindos da 1.ª pessoa) ou de tema em -*a* ou -*e* (se provindos da 3.ª pessoa), sem que se possa prever a opção da norma para a escolha da vogal temática. Os de tema em -*o* têm maior vitalidade no português moderno, especialmente na variedade informal: *o amasso, o agito, o chego, o sufoco, o apago*. [VK]

O Prof. Said Ali distribui-os em quatro grupos, levando em conta seu gênero gramatical:

"1.º) Masculino em -*o*: atraso, assento, emprego, voo, esforço, choro, degelo, remo, mergulho, suspiro, mando, confronto, rodeio, galanteio, festejo, gargarejo, etc.

2.º) Masculino em -*e*: embarque, desembarque, combate, corte, toque, etc.

3.º) Feminino em -*a*: amarra, pesca, sobra, súplica, leva, engorda, desova, renúncia, rega, esfrega, entrega, escolha, etc.

4.º) Masculinos e femininos: pago, paga; custo, custa; troco, troca; achego, achega; grito, grita; ameaço, ameaça."

Neste processo, os substantivos tirados de verbos denotam ação, enquanto os substantivos que dão origem a verbos denotam, em geral, objeto ou substância, como *arquivo* → *arquivar, timbre* → *timbrar, apelido* → *apelidar*, e assim por diante. A vitalidade lhes garante formação de derivados: de *apago* se formou *apagão* nos blecautes, momentâneos ou demorados, das grandes cidades.

Abreviação

A *abreviação* consiste no emprego de uma parte da palavra pelo todo. É comum não só no falar coloquial, mas ainda na linguagem cuidada, por brevidade de expressão: *extra* por *extraordinário* ou *extrafino*.

A forma abreviada passa realmente a constituir uma nova palavra e, nos dicionários, tem tratamento à parte, quando sofre variação de sentido ou adquire matiz especial em relação àquela donde procede. *Fotografia* e *foto* são *sinônimos* porque designam a mesma coisa, embora a substituição não seja absoluta. *Foto*, além de ser de emprego mais corrente, ainda serve para títulos de casas do gênero, o que não se dá com o termo *fotografia*.

Pode-se incluir como caso especial da abreviação o processo de se criarem palavras, com vitalidade no léxico, mediante a leitura (isoladamente ou não) das letras que compõem siglas, como, por exemplo:
ONU (Organização das Nações Unidas)
PUC (Pontifícia Universidade Católica)
UERJ (Universidade do Estado do Rio de Janeiro)
USP (Universidade de São Paulo)
PT (Partido dos Trabalhadores)

Destas abreviaturas se derivam, mediante sufixos: *puquiano, uerjiano, uspiano, petista*, etc.

Reduplicação

A *reduplicação*, também chamada *duplicação silábica*, consiste na repetição de vogal ou consoante, acompanhada quase sempre de alternância vocálica, geralmente para formar uma palavra imitativa:
tique-taque, reco-reco, bangue-bangue, bombom, pingue-pongue (que provavelmente representa o chinês *ping-pang*, através do inglês *ping--pong*, segundo Sapir).

Este é o processo geralmente usado para formar as onomatopeias. (↗ 637)

Conversão

A *conversão* consiste no emprego de uma palavra fora de sua classe normal:
Terrível palavra é um *não*. Não consegui descobrir o *porquê* da questão.
Ele é o *benjamim* da família. Isto prova a *não* existência do erro.

Entre os casos de conversão podemos incluir a passagem, por hipertaxe, de uma unidade da palavra (geralmente a final) à palavra isolada: *Ele tem certas* **fobias**.

(*Fobia* é a parte de um grupo de palavras que designam aversão a uma coisa: *fotofobia, xenofobia, hidrofobia*, etc.). *Estamos no século dos **ismos** e das **logias**.*

Inclui-se também entre os casos frequentes de conversão o emprego do adjetivo como advérbio, tanto no registro informal quanto no formal:

Eles falam *alto*. O aluno leu *rápido*.

O emprego da forma plena do advérbio com o sufixo *-mente* (O aluno leu *rapidamente*) é mais comum no registro formal, como acentua M. Hummel, *Confluência*, 24.

> **Observação:**
> ➥ Os casos de conversão recebiam o nome de *derivação imprópria*. Como a conversão não repercute na estrutura do significante de base, muitos estudiosos não a incluem como processo especial de formação de palavras.

Intensificação

A *intensificação* é um caso especial pelo qual se deseja traduzir a intensificação ou expressividade semântica de uma palavra já existente, mediante o alargamento de sufixos, quase sempre *-izar*, ou, às vezes, por modelos franceses ou ingleses: *agilizar* por *agir*; *veiculizar* por *veicular*; *obstaculizar* por *obstar*; *protocolizar* por *protocolar*; *culpabilizar* por *culpar*; *depauperizar* por *depauperar*.

Combinação

A *combinação* é um caso especial de composição em que a nova unidade resulta da combinação de parte de cada um dos dois termos que entram na formação dela: *português + espanhol* ➙ *portunhol*; *Bahia + Vitória* ➙ *Bavi*. São comuns na linguagem jocosa: *sofrer + professor* ➙ *sofressor*; *aborrecer + adolescente* ➙ *aborrescente*.

Radicais gregos mais usados em português

Grande é o número de radicais gregos que encontramos no vocabulário português. Aberta a porta para a introdução de palavras ou elementos de empréstimo numa língua, esta pode utilizá-los como bem lhe aprouver, criando distinções até então desconhecidas na língua de origem; assim é que, em português, distinguimos *amoral* 'que não é nem contrário nem conforme a moral' e *imoral* 'contrário a moral'.

Muitas vezes não se leva em conta o significado rigoroso do termo grego. Assim se aplica *algos* à dor física em vez da moral e se diz *cefalalgia* (dor de cabeça), *odontalgia* (dor de dente), *nevralgia* (dor de um nervo); empregando-se *geo* para indicar *terra* como elemento argiloso, em vez de *argila* (uma vez que o primeiro só se poderia aplicar ao globo terrestre), se diz *geófago* ('comedor de terra') por *argilófago*, que seria o termo exato. Por fim, lembramos os casos de *esquecimento etimológico*, em que o sentimento moderno não dá conta do significado do elemento constitutivo da palavra, dizendo-se, por exemplo, *ortografia correta* (*ortos* = correta), *caligrafia bonita* (*calos* = belo). Os bem-falantes reagem contra muitos esquecimentos como *hemorragia de sangue, decapitar a cabeça, exultar de alegria*, estes dois últimos de origem latina.

Radicais gregos mais usados em português:

aér, aér-os	(ar, vapor): aeronauta, aerostato, aéreo
ángel-os, anggel-os	(enviado, mensageiro): anjo, evangelho
ag-o, agog-os	(conduzir, condutor): demagogo, pedagogo
ag-ón, on-os	(combate, luta): agonia, antagonista
agr-os	(campo): agronomia
aithér	(céu): etéreo
âtlon	(certame): atleta
aiti-a, eti-a	(causa): etiologia
ácr-on, ákr-on	(alto, extremidade): acrópole, acrobata, acróstico
alg-os	(sofrimento, dor): nevralgia, nostalgia
állos	(outro): alopatia
alpha	(a = 1.ª letra do alfabeto): alfabeto
ánem-os	(vento, sopro): anemoscópio, anêmona
ant-os, anth-os	(flor): antologia
ántrop-os, ánthrop-os	(homem): filantropo, misantropo, antropófago
arc-aios, arch-aios	(antigo): arcaico, arqueologia
arc, arkh-ê	(governo): anarquia, monarquia
arc, arch-os	(chefe que comanda): monarca
aritm-ós, arithm-ós	(número): aritmética, logaritmo
árct-os	(urso): ártico, antártico ("o nome **ártico** refere-se às constelações Grande Ursa e Pequena Ursa, em uma das quais se acha a Estrela Polar." [SA])
astér, ast(e)r-os	(estrela): asteroide, astronomia
atmós	(vapor): atmosfera
aut-ós	(si mesmo): autógrafo, autonomia
bál-o, báll-o	(projetar, lançar): balística, problema, símbolo

bár-is, bár-ys, bar-os	(pesado, grave): barítono, barômetro
bibl-íon	(livro): bibliófilo, biblioteca
bi-os	(vida): biografia, anfíbio
cianos, kyanos	(azul): cianídrico
cir, quir-os, cheir, cheir-os	(mão): quiróptero, cirurgia, quiromancia
cion, kyon	(cão): cinegética
col-é, khol-é	(bílis): melancolia
cor-os, corea, chor-os	(coro): coreia (dança em coro), coreografia
clorós, klorós	(verde): clorofila
cron-os, chron-os	(tempo): crônico, cronologia, isócrono, anacronismo
crom-a, khrom-a	(cor): cromolitografia
chiliai, chilia	(mil): quilômetro, quilograma
cris-ós, chrys-ós	(ouro): crisóstomo, crisálida, crisântemo
cratos, kratos	(força): democracia
cripto, kripto	(escondo): criptônimo, criptografia
dáctil-os, dáktyl-os	(dedo): datilografia ou dactilografia
deca, deka	(dez): decassílabo, decálogo
dem-os	(povo) democracia, epidemia
derm-a	(pele): epiderme, paquiderme
dis, di	(dois): dissílabo, ditongo
dis, dys	(dificuldade): digestão, dispepsia, dissimetria
do-ron	(dom, presente): dose, antídoto, Pandora
dox-a	(opinião): ortodoxo, paradoxo
dra-ma – atos	(ação, drama): drama, dramático, melodrama
drom-os	(corrida, curso): hipódromo, pródromo
dínam-is, dýnam-is	(força): dinâmica, dinamômetro
edr-a	(base, lado): pentaedro, poliedro
electra, elektr-on	(âmbar, eletricidade): elétrico, eletrômetro
estoma, stoma	(boca): estômago, estomatite
erg-on	(obra, trabalho), daí os sufixos -**urgo**, -**urgia**: metalurgia, dramaturgo, energia
escafe, scaphe	(barco): escafandro

énter-a	(entranhas, intestino): enterite, disenteria
estásis, stásis	(ação de estar): hipóstase
etn-os, ethn-os	(raça, nação): étnico, etnografia
étimos, étymos	(verdadeiro): etimologia
gam-os	(casamento), daí **gamo** (o que se casa): polígamo, bígamo, criptógamo
gastér, gast(e)-ros	(ventre, estômago): gastrônomo, gastralgia
gê, geo	(Terra): geografia, geologia
genes-is	(ação de gerar): gênese, hidrogênio
gén-os	(gênero, espécie): homogêneo, heterogêneo
giné, gyné	(mulher): ginecologia
giminós, gyminós	(nu): ginástica
gloss-a ou glott-a	(língua): glossário, glotologia, epiglote
gon-ía	(ângulo): polígono, diagonal
gon-ós	(formação, geração): cosmogonia, teogonia
gráf-o, gráph-o	(escrever), e daí **graph-ia** (descrição), **graph-o** (que escreve): geografia, telégrafo
gramm-a	(o que está escrito): telegrama
hágios	(sagrado): hagiologia, hagiólogo
hem-a, haim-a – atos	(sangue): anemia, hemorragia
here-o, haire-o	(tomar, escolher): heresia, herético
helios	(sol): helioscópio, heliotrópio
hemér-a	(dia): efêmero, efemérides
hemi	(metade): hemiciclo
héter-os	(outro; diferente): heterodoxo, heterogêneo
heptá	(sete): heptassílabo
hex	(seis): hexágono
hier-os	(sagrado): hierarquia, hieróglifo
híp-os, hípp-os	(cavalo): hipódromo, hipófago
hol-os	(entregue de todo, inteiramente): hológrafo, holocausto
hom-os, homeo	(semelhante, o mesmo): homogêneo, homônimo, homeopatia
hor-a	(hora): horóscopo
horáo	(vejo), **hórama** (visão): panorama
hid-or, hyd-or	(água), daí **hidro**, **hydro**, como elemento de composição: hidrogênio, hidrografia

ic-ón – eik-ón – on-os	(imagem): ícone, iconoclasta
ict-io, icht-yo, yos	(peixe): ictiologia, ictiófago
ídios	(próprio, particular): idioma, idiotismo
id-os, êid-os	(forma), donde procede **oide** (que se assemelha a): elipsoide
isos	(igual): isócrono, isotérmico
kak-ós, cac-os	(mau): cacofonia, cacografia
kall-os, cal-os	(belo), **kallos** (beleza): caligrafia
kard-ia, card-ia	(coração): cardíaco, pericárdio
karp-os, carp-os	(fruto): pericarpo, endocarpo
kephal-e, cefal-e	(cabeça): cefalalgia, encéfalo
klino, clino	(inclino): ênclise, próclise
kosm-os, cosm-os	(ordem; mundo, adorno): cosmografia, cosmopolita, cosmético
koinós, coinós	(em comum): cenobita
krat-os, crat-os	(poder): democrático, aristocrático
kykl-os, cicl-os	(círculo): hemiciclo, bicicleta
leg-o	(digo, escolho): prolegômeno, ecletismo
lepís, lepídeos	(escama): lepidóptero
lamban-o	(tomar), daí **leps-is** (ação de tomar), **lemma** (coisa tomada): epilepsia, lema, dilema
lithos, litos	(pedra): monólito, litografia
log-os	(discurso, tratado, ciência): diálogo, arqueologia, bacteriologia, epílogo
maqu-e, mach-e	(combate): logomaquia
macr-ós, makr-ós	(comprido, longo): macróbio
man-ía	(mania, loucura, gosto apaixonado por): bibliomania, monomania
manteí-a, manci-a	(adivinhação, profecia): cartomancia, quiromancia
martis, mártyros	(testemunha): mártir, martirólogo
mazós, mastós	(mama, seio): mastodonte, mastologia
mégas, megále, mega	(grande): megalomania, megalócito
mélas, mélan, mélanos	(negro): melancolia, melanésia
mélos	(música, canto): melodia, melodrama
méros	(parte): pentâmero
mésos	(meio): Mesopotâmia, mesoderme
meter, metros	(mãe): metrópole
métron	(medida): barômetro, termômetro

mikrós, micrós	(pequeno): micróbio, microscópio
mimos	(que imita): mimetismo, mímica
mis, mys, myós	(músculo): miocárdio
misos	(ódio): misantropo
mnéme, mnémon	(memória, que se lembra): amnésia, mnemotécnica
mónos	(um só): monólogo, monólito
morphé, morfé	(forma): morfologia
mythos, mitos	(fábula, mito): mitologia
myria, míria plural de myríos	(dez mil): miriâmetro, miriápode
naûs	(nau): navio, náutica
nekrós, necrós	(morto, cadáver): necrópole, necrologia
né-os	(novo): neologismo, neófito
nes-os	(ilha): micronésia, melanésia
nêuron	(nervo): nevralgia, neurastenia
nóm-os	(lei, administração; porção): astronomia, autonomia
od-e	(canto): paródia
od-ús, hodós	(caminho, via): êxodo, método, período
odus, odóntos	(dente): odontologia
októ, octó	(oito): octossílabo
ónima, ónom-a, ónyma	(nome): pseudônimo, sinônimo
ófis, ofid, óphis	(serpente): ofídio
oftalmos, ophthalmós	(olho, vista): oftalmia, oftalmoscópio
ôicos, ôikos	(casa): economia, paróquia
optikos	(que se refere a visão): miopia, autópsia
oram-a	(vista): cosmorama, panorama
órnis, órnitos, órmithos	(ave): ornitologia
óros	(montanha): orografia
ortós, orthós	(direito, reto): ortodoxo, ortografia, ortopedia
ostéon	(osso): osteologia, periósteo, osteoporose
osmós	(impulso): osmose
óxis, óxys	(ácido, agudo): oxigênio, paroxismo
paideia, pedia	(educação): enciclopédia, Ciropedia (pequeno tratado escrito por Xenofonte sobre a educação e reino de Ciro, o Velho)

pais, pes, pedos, paidós	(criança, menino): pedagogia, pedagogo, ortopedia[5]
paleos, palaiós	(antigo): paleontologia, paleografia
pas, pan, pantós	(todos): panorama, panóplia, panteísmo, pantógrafo
pátos, páthos	(afecção, doença, modo de sentir): patologia, simpatia
pente	(cinco): pentágono, pentassílabo
phago, phagêin, fag-o	(comer): antropófago, hipófago
pháino, fan-o, fen-o	(fazer aparecer, brilhar): diáfano, fenômeno
phemi, femi	(eu digo, falo): eufemismo, profeta
phéro, fero, forós	(eu levo, trago; que leva), **phor-ós** (que leva): fósforo, semáforo
phylon, filon	(folha): clorofila
philos, filos	(amigo): filarmonia, filantropo
phísis, físis	(natureza): fisionomia
phobe-os, fobeo, fobos,	(temer, fazer fugir), daí **phob-os**: hidrófobo, anglófobo, russófobo
phos, photós, fos, fotós,	(luz): fósforo, fotografia
phrásis, frasis	(ato de dizer): perífrase
plut-os, plout-os	(riqueza): plutocracia
phon-é, fon-é	(voz articulada): cacofonia
poléo	(vendo): monopólio
pólis	(cidade): acrópole, metrópole, necrópole
pépsis	(cozimento): dispepsia
polys, polis	(muito): poligamia, polígono, policromia, polinésia, policlínica
pus, podós, pous	(pé): antípoda, miriápode
pétalon	(pétala): minopétalo
protos	(primário, primeiro): protagonista, protocolo, protozoário, protoplasma
plésso	(eu bato, firo): apoplexia
pseudos	(falsidade, mentira): pseudônimo
pleurá, pleurón	(lado, flanco): pleurite
psiqué, psyché	(alma): psicologia, metempsicose
pnêuma, pnêumatos	(que respira, sopra): pneumático, dispneia
pterón	(asa): quiróptero, coleóptero
pir, pir-os, pyr, pyr-os	(fogo; febre): pirotécnico, antipirina

---

[5] Inicialmente aplicada a criança; hoje se estende a todos os humanos de qualquer idade.

poiéo	(eu faço): onomatopeia
potamós	(rio): hipopótamo
pile, pule	(porta): piloro
ptissis, ptyssis	(escarro): hemoptise
re-o, rhe-o	(eu corro, fluo): catarro, diarreia
sarx, sarkós	(carne): sarcoma, sarcófago
semion, semêion	(sinal): semiologia, semântica
sepo	(apodreço): antisséptico
síderos	(ferro): siderurgia, siderita, siderografia
sperma	(semente): esperma, espermatozoide
stéllo	(eu envio): epístola
sticos, stikos	(verso): hemistíquio, dístico
sism-os, seism-os	(estremecimento), daí **sism**, sismologia, sísmico
scopé-o, skopéo	(eu examino), daí **scópio** (que faz ver): telescópio, microscópio, osciloscópio
sofós, sophós	(sábio): filósofo
statós, estatós	(que se mantém): aeróstato, hidrostática
sphaira, esfera	(esfera): atmosfera
stilos, estilo	(coluna): peristilo
stere-ós, estere-ós	(sólido): estereótipo, estereotomia
stratos, estratos	(exército): estratégia
streph-o, estref-o	(eu viro, volto): apóstrofe, catástrofe
táfos, táphos	(túmulo): epitáfio, cenotáfio
temno	(divido): anatomia
tauto por to auto	(o mesmo): tautologia
táxis	(arranjo, ordem): sintaxe
taumatos, tháumatos	(prodígio, milagre): taumaturgo
técne, téchne	(conhecimento intuitivo): politécnico
teras, teratos	(prodígio, fenômeno; monstro): teratologia
tema, théma	(ato de colocar): anátema
têle	(longe): telégrafo, telefone, telescópio
tétara, tetra	(quatro): tetraedro
te-os, the-os	(deus): teologia, teocracia, politeísmo
termós, thermós	(calor): termômetro
tésis, thésis	(ação de pôr, ter): antítese, síntese
tréfo, trepho	(alimento): atrofia

tome	(cortadura, seção): tomo, átomo, estereotomia
trépo	(eu volto, mudo): heliotrópico
tópos	(lugar): tópico, topografia, atopia
triás, triados, tres, tria	(três): trinômio, tríade
traum-a, atos	(ferimento): traumático
tip-os, typ-os	(tipo, caráter): tipografia, arquétipo
zô-on	(animal, ser vivo): zoologia, zoófito

Radicais latinos mais usados em português:[6]

aequus, a, um	(direito, justo): adequar, equação, equidade, igual, iníquo
ager, agri	(campo): agrário, agricultor, agrícola, peregrino
ago, agis, egi, actum, ágere	(impelir, fazer): ágil, ator, coagir, exigir, indagar, pródigo
alter, a, um	(outro): alterar, alternância, altruísmo, outro
ango, angis, anxi, ángere	(apertar): angina, ângulo, angústia, ânsia, angusto
audio, audis, audivi, auditum, audire	(ouvir): auditório, audiência
bellum, i	(pugna, combate): belonave, beligerante
bos, bovis	(boi): bovino
cado, cadis, cécidi, casum, cádere	(cair): acidente, cadente, incidir, ocaso
caedo, caedis, cecidi, caesum, caédere	(cortar): cesariana, cesura, conciso, incisão, precisar. Há numerosos derivados deste radical sob a forma **cida, cidio**, cuja significação é 'matar': fratricida, homicida, infanticida, matricida, patricida, regicida, uxoricida, suicida, fratricídio, homicídio, suicídio, etc.
candeo, candes, cándui, candere	(embranquecer): cândido, candura, incandescer
cano, canis, cécini, cantantum, cantum, cánere	(cantar, celebrar, predizer [este na língua religiosa]): canoro, cântico, cantilena, acento. Há numerosos derivados em **-cínio**: vaticínio (canto do vate, no significado de profeta), galicínio (canto do galo), tirocínio.
cápio, capis, cepi, captum, cápere	(tomar): antecipar, cativo, emancipar, incipiente, mancebo
caput, cápitis	(cabeça): cabeça, capitão, capital, decapitar, precipício

---

[6] Indicamos com acento agudo os proparoxítonos e os assim considerados.

caveo, caves, cavi, cautum, cavere	(ter cuidado): cautela, incauto, precaver-se
cedo, cedis, cessi, cessum, cédere	(ceder): cessão, concessão, conceder
cerno, cernis, crevi, cretum, cérnere	(passar pelo crivo): discernir, cerne, concernir
clamo, clamas, clamavi, clamatum, clamare	(chamar): proclamar, clamador
clarus, clara, clarum	(claro): claridade, clareza
colo, colis, colui, cultum, cólere	(cultivar; habitar): agrícola, colônia, culto, íncola, inquilino, cultura (**agri-, avi-, hort-, pisci-, triti-, vini-**, etc.)
cor, cordis	(coração): acordo, discórdia, misericórdia, recordar
dico, dicis, dixi, dictum, dícere	(dizer): abdicar, bendito, dicionário, ditador, fatídico, maledicência
do, das, dedi, datum, dare	(dar): data, doação, editar, perdoar, recôndito
doceo, doces, docui, doctum, docere	(ensinar): docente, documento, doutor, doutrina, indócil
duo, duae	(dois): dobro, dual, duelo, duplicata, dúvida
duco, ducis, duxi, ductum, dúcere	(guiar, levar, dirigir, atribuir): conduto, duque, educação, dútil, produzir, tradução, viaduto. Deste radical há numerosos derivados em -*duzir* (**a-, con-, de-, intro-, pro-, re-, se-, tra-**, etc.).
edo, edis[es], edi, esum, esse, édere	(comer): comer, comida, comestível (**cum** + **edo**)
eo, is, ivi, itum, ire	(ir): comício, circuito, itinerário, transitivo, subir
facio, facis, feci, factum, fácere	(fazer): afeto, difícil, edificar, facínora, infecto, malefício, perfeito, suficiente. Há numerosos derivados em -*ficar* (**clari-, falsi-, grati-, puri-**, etc.)
fero, fers, tuli, latum, ferre	(levar, conter): ablativo, aferir, conferência, fértil, oferecer, prelado, relação
frango, frangis, fregi, fractum, frángere	(quebrar): fração, frágil, infringir, naufrágio, refratário
fundo, fundis, fudi, fusum, fúndere	(derreter): fútil, funil, refutar, fundir (**con-, di-, in-, re-**), confuso, difuso, profuso
gero, geris, gessi, gestum, gérere	(levar, gerar): beligerância, exagero, famigerado, gerúndio, registro
gigno, gignis, génui, génitum, gígnere	(produzir): genitor, genital

iáceo, iaces, iacui [part. fut. iaciturus], iacere	(jazer): jazigo, jacente, adjacente, subjacente
grádior, gráderis, gressus sum, gradi	(avançar andando): egresso, ingressar
iácio, iacis, ieci, iactum, iácere	(lançar): abjecto, jato, jeito, injeção, sujeito
lac, lactis	(leite): lácteo, lactante, lactente, leiteria, laticínio
láteo, lates, latui, latum, latere	(estar escondido): latente
lego, legis, legi, lectum, légere	(ler): florilégio, legível, leitura, lente
lóquor, lóqueris, locutus sum, loqui	(falar): colóquio, eloquência, locução, prolóquio
ludo, ludis, lusi, lusum, lúdere	(jogar): ludopédio, lúdico
mísceo, misces, miscui, mistum (e mixtum), miscere	(misturar): mexer, misturar, miscível
mitto, mittis, misi, missum, míttere	(mandar): demitir, emissão, missionário, remeter, promessa
móneo, mones, mónui, mónitum, monere	(advertir, fazer lembrar): admoestar, admonitor
méntior, mentiris, mentitus sum, mentiri	(mentir): mentir, mentira
móveo, moves, movi, motum, movere	(mover): motorista, motriz, comoção, móvel
nascor, násceris, natus sum, nasci	(nascer): natal, nativo, nascituro, renascimento
nosco, noscis, novi, notum, nóscere	(conhecer): incógnita, noção, notável
opus, óperis	(obra): obra, cooperar, operário, opereta, opúsculo
os, oris	(boca): oral, oralidade
pátior, páteris, passus sum, pati	(sofrer): compatível, paciente, paixão, passional, passivo
péndeo, pendis, pependi, pensum, pendere	(pender): suspenso
pes, pedis	(pé): pedal, pé
plico, plicas, plicavi ou plicui, plicatum ou plícitum, plicare	(fazer pregas, pregar, dobrar): aplicar, cúmplice, explicar, implícito, réplica
pono, ponis, pósui, pósitum, pónere	(colocar): aposto, dispositivo, disponível, posição, posto
quaero, quaeris, quaesivi ou quaesii, quaesitum, quaérere	(procurar): adquirir, inquirir, quesito, questão, questor

rápio, rapis, rápui, raptum, rápere	(roubar): rapto, raptar, rapinagem
rego, regis, rexi, rectum, régere	(dirigir): correto, reitor, regência, regime, reto
rumpo, rumpis, rupi, ruptum, rúmpere	(romper): corrupção, corruptela, roto, ruptura, erupção
scribo, scribis, scripsi, scriptum, scríbere	(escrever): escritor, escritura
seco, secas, secui, sectum, secare	(cortar): bissetriz, inseto, secante, seção, segador, segmento
sédeo, sedes, sedi, sessum, sedere	(estar sentado): sedestre
solvo, solvis, solvi, solutum, sólvere	(desunir): absolver, dissoluto, resolver, solução, solúvel
spécio, specis, spexi, spectum, spécere	(ver): aspecto, espetáculo, perspectiva, prospecto, respeito, suspeito
sto, stas, steti, statum, stare	(estar): estado, distância, estante, obstáculo, substância
sterno, sternis, stravi, stratum, stérnere	(estender por cima): consternar, estrada, estratificar, prostrar
sumo, sumis, sumpsi, sumptum, súmere	(tomar, apoderar-se): assumir, consumir, sumidade, sumário
tango, tangis, tétigi, tactum, tángere	(tocar): contagioso, contingência, tato, contato, atingir
tendo, tendis, tetendi, tensum ou tentum, téndere	(estender): atender, distenso, contente, extenso, pretensão
téneo, tenes, ténui, tentum, tenere	(ter, segurar): contentar, abstinência, tenaz, sustentar, tenor, detento
trado, tradis, trádidi, tráditum, trádere	(trazer): tradição, extraditar
tríbuo, tríbuis, tríbui, tributum, tribúere	(repartir): atribuir, retribuir
tórqueo, torques, torsi, tortum, torquere	(torcer): extorsão, tortura, extorquir, tortuoso, distorção
verto, vertis, verti, versum, vértere	(tornar, voltar): verter, versão
vídeo, vides, vidi, visum, videre	(ver): evidência, próvido, vidente, visionário, previdência
vénio, venis, veni, ventum, venire	(vir): vir, vinda

vivo, vivis, vixi, victum, vívere	(viver): vida, viver
volvo, volvis, volvi, volutum, vólvere	(envolver): devolver, envolto, revolução

Exercícios de fixação

1. Só não há correspondência de sentido entre os prefixos *gregos* e *latinos* nos vocábulos da opção:
    a) ( ) eufemismo – benevolência
    b) ( ) hipótese – diagnose
    c) ( ) politeísta – multinacional
    d) ( ) hipocondria – subsolo
    e) ( ) antítese – objeção
    f) ( ) hemisfério – semicírculo

2. Assinale o par de palavras cujos sufixos, respectivamente, apresentam o mesmo valor significativo que os encontrados nos vocábulos PURIFICAÇÃO e HABITUAL.
    a) ( ) franciscana – lavatório
    b) ( ) lembrança – espiritual
    c) ( ) velório – valente
    d) ( ) pungente – algodoal
    e) ( ) humildade – espiritual
    f) ( ) italiano – material

3. Assinale a opção cuja palavra recebe reforço de sufixo formador de diminutivo.
    a) ( ) pequenino
    b) ( ) varandinha
    c) ( ) motocicletazinha
    d) ( ) cordelzinho
    e) ( ) aviãozinho
    f) ( ) dedinho

4. Em uma das alternativas o prefixo destacado não está de acordo com seu significado. Assinale-o.
    a) ( ) APOgeu (= afastamento)
    b) ( ) Acéfalo (= ausência)
    c) ( ) ANFÍbio (= em volta de)
    d) ( ) EPItáfio (= em cima de)
    e) ( ) PROTOmártir (= primeiro)
    f) ( ) EUfonia (= bom)

5. Assinale o item em que o processo de formação dos vocábulos foi a derivação parassintética:
    a) ( ) feitura – beleza – rinite
    b) ( ) vaivém – passatempo – vaga-lume
    c) ( ) fidalgo – pernalta – planalto
    d) ( ) envelhecer – envilecer – ajoelhar
    e) ( ) cordel – solúvel – doçura
    f) ( ) imberbe – repor – ditongo

6. O soluço é demonstração de:
   a) ( ) aerofagia   d) ( ) aerofobia
   b) ( ) geofagia   e) ( ) geofobia
   c) ( ) acrofobia   f) ( ) hidrofobia

7. No trecho "O girassol da vida e o passatempo do tempo que passa não brincam nos lagos da Lua", encontramos:
   a) ( ) dois elementos formados por aglutinação.
   b) ( ) dois elementos formados por justaposição.
   c) ( ) um elemento formado por aglutinação e outro por prefixação.
   d) ( ) um elemento formado por justaposição e outro por interposição.

8. Na palavra BIOTIPOLOGIA encontram-se:
   a) ( ) um radical e dois prefixos gregos.
   b) ( ) três radicais gregos e sufixo.
   c) ( ) dois radicais latinos e um grego.
   d) ( ) três radicais latinos e sufixo.
   e) ( ) um prefixo grego e dois radicais latinos.

9. A opção onde há respectivamente derivação parassintética, derivação por sufixação e palavra primitiva é:
   a) ( ) enriquecer – histórico – pessoa
   b) ( ) indispensável – austeridade – transcendência
   c) ( ) incerteza – dignidade – desejos
   d) ( ) esvaziar – abdicar – consumismo
   e) ( ) supérfluo – visível – desapego

10. Os pares abaixo contêm palavras cujo radical de origem latina corresponde ao radical grego. Em apenas um deles a correlação significativa não foi mantida. Destaque-o:
    a) ( ) mão – quiromancia   d) ( ) amigo – filósofo
    b) ( ) vida – biopsia   e) ( ) sol – pirogravura
    c) ( ) flor – antologia   f) ( ) campo – agronomia

11. Nas sequências abaixo, você encontrará palavras agrupadas duas a duas. Reconheça a(s) alternativa(s) em que as duas palavras foram formadas por diferentes processos:
    a) ( ) agorinha – melado   d) ( ) repor – luminosos
    b) ( ) mal-encarado – encantamento   e) ( ) descansadamente – calçamento
    c) ( ) leitosos – sardento   f) ( ) o combate – a pesca

12. "(...) ou o nada, o não ser apenas..." Idêntico processo de formação de palavras está presente em:
    a) (   ) "(...) recém-saído do xilindró..."
    b) (   ) "(...) na pouco recomendável companhia..."
    c) (   ) "(...) com sua mesquinha pneumonia..."
    d) (   ) "(...) íntimo de políticos e ricaços, um fidalgo, meus senhores..."
    e) (   ) "Quem morreu, piolho-de-cobra?"

13. Numere as palavras da primeira coluna conforme os processos de formação numerados à direita. Em seguida, marque a alternativa que corresponda à sequência encontrada:
    (   ) pernalta   (1) parassíntese
    (   ) passatempo   (2) justaposição
    (   ) infeliz   (3) aglutinação
    (   ) o corte   (4) formação regressiva
    (   ) contrassenso   (5) derivação prefixal
    (   ) esvaziar

    a) (   ) 2 – 1 – 5 – 4 – 2 – 3   d) (   ) 2 – 3 – 5 – 4 – 2 – 5
    b) (   ) 3 – 5 – 1 – 4 – 2 – 5   e) (   ) 5 – 2 – 5 – 2 – 4 – 1
    c) (   ) 3 – 2 – 5 – 4 – 5 – 1

14. Assinale a relação A de acordo com a relação B, tendo em vista a presença de nomes de número:

    Relação A   Relação B
    a) (   ) anfíbio   g) (   ) primevo   1 - um   7 - quatro
    b) (   ) quadriênio   h) (   ) quartã   2 - primeiro 8 - quarto
    c) (   ) hendíadis   i) (   ) tritóxido   3 - dois   9 - cinco
    d) (   ) tetraedro   j) (   ) dicéfalo   4 - segundo   10 - quinto
    e) (   ) pentágono   k) (   ) quinquenal   5 - três   11 - seis
    f) (   ) tridáctilo   l) (   ) quintilha   6 - terceiro 12 - sexto

15. Assinale a relação A de acordo com a relação B, tendo em vista a presença de nomes de número:
    Relação A
    a) (   ) tetraneto   g) (   ) sexênio
    b) (   ) terciário   h) (   ) anfibologia
    c) (   ) protofonia   i) (   ) quartola
    d) (   ) quadricolor   j) (   ) pentateuco
    e) (   ) hexaedro   k) (   ) dístico
    f) (   ) sextante   l) (   ) deuterógamo

Relação B
1 - um
2 - primeiro
3 - dois
4 - segundo
5 - três
6 - terceiro
7 - quatro
8 - quarto
9 - cinco
10 - quinto
11 - seis
12 - sexto

Capítulo 23
Lexemática

Significação e designação

No estudo da estrutura do conteúdo (significado) importa distinguir as *relações de significação* das *relações de designação*. As relações de significação manifestam-se entre significados dos signos linguísticos, enquanto as de designação são relações entre os signos linguísticos e as realidades extralinguísticas por eles designadas e representadas no discurso.

Assim, em *A porta está fechada* e *A porta não está aberta*, ambas as orações designam uma mesma realidade extralinguística. Mas não *significam* a mesma coisa, porque *fechada* não é o mesmo que *aberta*, nem uma oração declarativa afirmativa expressa o mesmo significado de uma oração negativa.

Portanto, *A porta está aberta* e *A porta não está fechada* não são orações *sinônimas*, porque não têm o mesmo significado. São orações *equivalentes na designação*, porque apontam para a mesma realidade extralinguística.

A disciplina que estuda a estruturação das relações de significação recebe o nome de *lexemática*.[1]

A lexemática e as palavras lexemáticas

Não são todas as palavras da língua que constituem objeto de estudo da lexemática. Só os lexemas ou palavras lexemáticas entram nesse campo, porque só elas são "estruturáveis", isto é, só elas, em geral, se manifestam sob a forma de substantivos, adjetivos, verbos e alguns advérbios.

Cabe explicar a expressão "estruturáveis". Diz-se que duas ou mais unidades são estruturáveis quando se opõem por traços distintivos. Assim, *navio*, *mesa* e *cadeira* não constituem uma série estruturável entre si; mas se colocarmos *navio* na série *navio – barco – rebocador – baleeira – transatlântico – barca*, já poderemos dizer que todas se referem a "meios de transporte marítimo", tendo cada um traço

---

[1] A denominação é do linguista Eugenio Coseriu.

ou traços distintivos que diferenciam umas das outras, por poderem ser alinhados pelos traços 'movimentados a remo', 'a motor', 'esportivos', 'tamanho', etc.

O mesmo com *mesa, escrivaninha, balcão* ou *cadeira, banco, poltrona, sofá, banquinho, divã*.

Procedemos do mesmo modo na fonologia (não misturando vogais com consoantes), como na gramática não misturamos gênero com número, voz, modo, etc.

Estruturas paradigmáticas

As estruturas lexemáticas que podem ser identificadas no léxico ou são *paradigmáticas* ou *sintagmáticas*. Vejamos primeiro as paradigmáticas.

Chamam-se *estruturas paradigmáticas* no léxico as estruturas constituídas por unidades que se encontram em oposição no eixo da seleção. Assim, "bom – mau", "casa – casinha", "morrer – mortal" são oposições que manifestam estruturas paradigmáticas.

Diz-se *estrutura primária* se seus termos se implicam reciprocamente, sem que um deles seja primário em relação aos outros; "jovem" implica "velho" e "velho" implica "jovem", mas nenhum deles é primário em relação ao outro.

Diz-se *estrutura secundária* se a implicação entre seus termos é de "direção única". Assim "casa" – "casinha", "morrer" – "mortal", "trabalhar" – "trabalhador" são estruturas secundárias, porque o primeiro termo de cada par está implicado pelo segundo, mas não o inverso, pois a definição do conteúdo "casa" é independente do conteúdo "casinha", mas a definição do conteúdo "casinha" inclui necessariamente o conteúdo "casa": *casa pequena*, por exemplo.

Os dois tipos de estruturas primárias

Há dois tipos de estruturas paradigmáticas primárias: o *campo léxico* e a *classe léxica*.

Campo léxico é uma estrutura paradigmática constituída por unidades léxicas que se repartem numa zona de significação comum e que se encontram em oposição imediata umas com as outras.

Por exemplo, podemos preencher a lacuna em:
Estive três _____ *em Fortaleza,*

selecionando um dos seguintes lexemas do paradigma relativo ao campo léxico 'espaço de tempo': *segundos, minutos, horas, dias, semanas, meses, anos*, ficando excluídos termos como: *árvores, casas, rios, cadeiras*.

Em *O muro é verde*, *verde* exclui imediatamente *azul, branco, cinza*, etc., que pertencem ao mesmo campo léxico (o das cores), mas não termos como *muito, pouco, bastante, menos*, etc., que pertencem a outros campos.

Cada unidade de conteúdo léxico expresso no sistema linguístico é um *lexema*. Nos exemplos acima, *segundos, minutos, horas*, etc. são lexemas.

Uma unidade cujo conteúdo é idêntico ao conteúdo comum de duas ou mais unidades de um campo é um *arquilexema*. Os traços distintivos que caracterizam os lexemas chamam-se *semas*, como os designa o linguista B. Pottier.

Tomemos, para simples exemplo, o campo lexical de "assento", estudado pelo citado Pottier, em que "assento" é o arquilexema desse campo, que tem como lexemas, em português, entre outros que deixaremos de lado: *cadeira, poltrona, sofá, canapé, banco* e *divã*.

Como traços distintivos dos lexemas, proporemos os seguintes *semas* ou *traços distintivos*:
S1: 'objeto construído para a gente se sentar'
S2: 'com encosto'
S3: 'para uma pessoa'
S4: 'com braços'
S5: 'com pés'
S6: 'feito de material rijo'

Levando-se em conta que a presença do sema será indicado por + e sua ausência ou presença opcional por – , teremos:

	S1	S2	S3	S4	S5	S6
banco	+	–	–	–	+	+
cadeira	+	+	+	–	+	+
poltrona	+	+	+	+	+	–
sofá	+	+	–	+	+	–
divã	+	–	+	–	+	–
canapé	+	+	–	+	+	+

Pelo exposto, vê-se que não basta dizer, por exemplo, que "*banco* é um objeto construído para a pessoa se sentar", pois tal definição se aplicaria indistintamente a todos os lexemas incluídos no campo léxico, isto é, ao arquilexema *assento*. Com base nos semas, isto é, nos traços distintivos que separam os lexemas arrolados no exemplo, diremos que "banco é um objeto construído para a pessoa se sentar, com material rijo (madeira, ferro, cimento), dotado de pés, em geral sem encosto".

Se se tratasse de *cadeira*, definiríamos "objeto construído para a pessoa se sentar, com encosto, para uma pessoa, dotado de pés e feito de material rijo".

Um lexema pode funcionar em vários campos; é o caso do adjetivo *fresco*, que funciona no campo dos adjetivos como *novo, velho*, etc. (cf. *queijo fresco, fruta fresca*), ou no campo dos adjetivos *frio, quente, morno*, etc. (*manhã fresca, brisa fresca*).

Classe léxica

Chama-se *classe léxica* a uma classe de lexemas determinados por um *classema*. *Classema* é um traço distintivo comum que define uma classe, independentemente dos campos léxicos. Assim, *jovem, inteligente, gago* pertencem a campos léxicos distintos, mas podem estar incluídos na mesma classe pelo classema "ser humano", já que podemos dizer de uma pessoa que ela é *jovem*, ou *inteligente* ou, finalmente, *gaga*. [ECs; MV]

Para os substantivos, podem-se estabelecer, por exemplo, classes como: "seres vivos", "coisas" e, dentro da classe "seres vivos", por exemplo, "seres humanos", "seres não humanos", etc.

Para os adjetivos, pode haver classes como "positivo", "negativo", que justificam coordenações aditivas do tipo *"bom e inteligente"*, ou coordenações adversativas do tipo *"bom mas brigão"*.

Para os verbos podem-se também constituir várias classes, como as já conhecidas "transitivo e intransitivo" (com possibilidades de subtipos, como "transitivos que não admitem voz passiva" e "transitivos que a admitem"), ou ainda, com base no classema "direção" (em relação ao agente da ação), os verbos "adlativos", isto é, em direção de proximidade do agente (do tipo de *comprar, ganhar, receber, recolher*, etc.) e os "ablativos", isto é, em direção de afastamento do agente (do tipo de *vender, dar, entregar, soltar, devolver*, etc.).

Há lexemas que se apresentam na intersecção de duas classes quanto ao seu significante, mostrando-se insensível à diferença classemática, cujo significado em uso só se pode depreender no contexto.

É o que ocorre com substantivos como *hóspede* ('aquele que dá ou recebe hospedagem'), com verbos como *alugar* ('aquele que dá ou recebe de aluguel'), em orações do tipo: *Enildo é meu hóspede*; *Zélia alugou o apartamento*.

Entram neste rol palavras como *saudoso* ('que sente ou causa saudade'), *temeroso* ('que sente ou causa temor'), *arrendar* ('que dá ou toma de renda'), *esmolar* ('que dá ou pede esmola'). [MBa]

É o caso também de substantivos e adjetivos que podem ser tomados à boa e à má parte, como *sucesso, fortuna* (= destino), *êxito, ventura*, e que foram depois especializados no bom sentido, pois sempre são bons o sucesso, a fortuna, o êxito, a aventura. Quando se empregam hoje diferentemente, requerem um adjetivo da classe "negativo": *mau sucesso, triste fortuna, mau êxito, pobre ventura*, etc.

Às vezes, a língua desfaz a duplicidade de conteúdo com o recurso a novas palavras; assim *hóspede* se especializa ou pode-se especializar em 'aquele que recebe a hospedagem', e se cria a palavra *hospedeiro* para o que dá hospedagem. Outras vezes, a especialização da classe, como ocorre com *hóspede* (especializado modernamente para 'aquele que recebe hospedagem'), não ocorre, entretanto, com o verbo *hospedar* (= dar ou receber hospedagem; neste último significado, aparece como pronominal: *Eu me hospedei num hotel barato*).

Estruturas secundárias

As estruturas paradigmáticas secundárias correspondem ao domínio da formação de palavras e podem manifestar-se por estruturas de *derivação* e de *composição*, que implicam sempre a transformação irreversível de um termo primário existente como lexema de conteúdo (significado) e de expressão (significante) na língua. Consumada a transformação, o termo — agora secundário — pode receber determinações gramaticais explícitas próprias dos termos primários, como a pluralização:

casa ↠ *casas*; *casa* ↠ *casinha* ↠ *casinhas*.

Estruturas sintagmáticas: as solidariedades

As *estruturas sintagmáticas* são *solidariedades*, isto é, relações entre dois lexemas pertencentes a campos diferentes dos quais um está compreendido, em parte ou totalmente, no outro, como traço distintivo (sema), que limita sua combinação.

Distinguem-se três tipos de solidariedade: *afinidade*, *seleção* e *implicação*.

Na *afinidade*, o classema do primeiro lexema funciona como traço distintivo no segundo. Assim, *pé* e *pata* têm como traços distintivos do conteúdo 'membro de sustentação do corpo' a classe "pessoa" (*pé*: 'membro de sustentação de pessoa') e "animal" (*pata*: 'pé de animal'). O mesmo com *grávida* e *prenhe*; os traços distintivos do conteúdo 'fecundação' são a classe "pessoa" (*grávida*: 'fecundada em relação a pessoas') e "animal" (*prenhe*: 'fecundada em relação a animal'). [ECs; MV]

Na *seleção*, é o arquilexema do primeiro lexema que funciona como traço distintivo no segundo. Os lexemas *pelo* e *pena*, quanto ao conteúdo 'sistema piloso' incluem como traço distintivo o arquilexema *mamífero* e *ave*: *pelo* ('sistema piloso dito de mamíferos') e *pena* ('sistema piloso dito de aves').

Na *implicação*, é todo o primeiro lexema que funciona como traço distintivo no segundo. Por exemplo, a cor *baio* tem como traço distintivo o lexema "cavalo", pois *baio* só se diz dos cavalos. Outro bom exemplo de implicação são as chamadas vozes dos animais, pois os lexemas *relinchar, mugir, zurrar, balir, grunhir, ladrar, miar, cacarejar, regougar* são o grito relativo, respectivamente, a cavalo, vaca, burro, cabra, porco, cão, gato, galinha e raposa.

Alterações semânticas

I) Figuras de palavras

No decorrer de sua história nem sempre a palavra guarda seu significado *etimológico*, isto é, *originário*. Por motivos variadíssimos, ultrapassa os limites de sua primitiva "esfera semântica" e assume valores novos.

Entre as causas que motivam a mudança de significação das palavras, as principais são:

a) **Metáfora** – mudança de significado motivada pelo emprego em solidariedades, em que os termos implicados pertencem a categorias diferentes, mas, pela combinação, se percebem também como assimilados:

*cabelos **de neve**, **pesar** as razões, **doces** sonhos, **boca** do estômago, **dentes** do garfo, **costas** da cadeira, **braços** do sofá, gastar **rios** de dinheiro, **vale** de lágrimas, o **sol** da liberdade, os dias **correm**, a noite **caiu**, etc.*

Observação:

➥ Assim, a metáfora não resulta — como tradicionalmente se diz — de uma comparação abreviada; ao contrário, a comparação é que é uma metáfora explicitada:

Cabelos brancos como a neve.

b) **Metonímia** – mudança de significado pela proximidade de ideias:

1 – causa pelo efeito ou vice-versa ou o produtor pelo objeto produzido:

   um **Rafael** (por um *quadro de Rafael*), as **pálidas** doenças (por *doenças que produzem palidez*), **ganhar** a vida (por *meios que permitam viver*), ler **Machado de Assis** (isto é, *um livro escrito por Machado de Assis*).

2 – o tempo ou o lugar pelos seres que se acham no tempo ou lugar:

   a **posteridade** (isto é, *as pessoas do futuro*), a **nação** (isto é, *os componentes da nação*).

3 – o continente pelo conteúdo ou vice-versa:

   *passe-me a **farinha*** (isto é, *a farinheira*), *comi **dois pratos*** (isto é, *a porção da comida que dois pratos continham*).

4 – o todo pela parte ou vice-versa:

   *diz a **Escritura*** (isto é, *um versículo da Escritura*), *encontrar um **teto amigo*** (isto é, *uma casa*).

5 – a matéria pelo objeto:

   um **níquel** (isto é, *moeda de níquel*), uma **prata** (isto é, *moeda de prata*).

6 – o lugar pelo produto ou características ou vice-versa:

   jérsei (= *tecido da cidade Jersey*), **gaza** (= *tecido da cidade de Gaza*), **havana** (= *charutos da cidade de Havana*), **greve** (= *as reuniões feitas na Place de la Grève*).

7 – o abstrato pelo concreto:
*a **virtude** vence o **crime** (isto é, as pessoas virtuosas vencem os criminosos); praticar a **caridade** (isto é, atos de caridade).*

8 – o sinal pela coisa significada ou vice-versa:
*o **trono** (= o rei), o **rei** (= a realeza).*

9 – a característica pela coisa:
*"Pelas faces vermelhas caíam-lhe **os crespos louros** (...)."* [AA] (isto é, *cabelos crespos louros*).

c) **Catacrese** – mudança do significado por esquecimento do significado original:
panaceia universal (panaceia 'remédio para todos os males' já tem no elemento pan- a ideia de universalidade, generalidade), etimologia verdadeira, abismo sem fundo, anedota inédita, correta ortografia, bela caligrafia, caldo quente, homicida do homem, hecatombe de almas, hemorragia de sangue, embarcar no trem, calçar as luvas. [MBa]

Produtos correntes da translação de significado, as catacreses são fatos normais que só devem ser evitados quando a noção primitiva ainda estiver patente para o falante.

d) **Braquilogia ou abreviação** – as diversas acepções de uma palavra devidas à elipse do determinante ou vice-versa:
dou-lhe a minha palavra (isto é, palavra de honra), vamos à cidade (isto é, ao centro da cidade), um possesso (isto é, pessoa possuída do demônio), aproveitar a ocasião (isto é, a boa ocasião), a festa da Ascensão (isto é, da Ascensão de Jesus Cristo).

e) **Eufemismo** – mudança de sentido pela suavização da ideia:
1 – para a morte:
finar-se, falecer, entregar a alma a Deus, dar o último suspiro (literários), *passar desta a melhor, ir para a cidade dos pés juntos, dizer adeus ao mundo, esticar as canelas, desocupar o beco, bater as botas,* etc. (estes populares).

2 – para a bebida:
abrideira, água que gato (passarinho) não bebe, januária.

O tabu linguístico pode favorecer o aparecimento de expressões eufemísticas. O medo de proferir palavras como *diabo, demônio, satanás* nos leva a usar desfigurações voluntárias como *diacho, diogo, demo, satã.* [MG] O contrário do eufemismo é o *disfemismo*, e não a *hipérbole*.

f) **Antonomásia** – substituição de um nome próprio por um comum ou vice-
-versa, com intuito explicativo, elogioso, irônico, etc.:
    a cidade luz (em referência a Paris); o *Salvador* (em referência a Jesus
    Cristo), etc.

g) **Sinestesia** – translação semântica que implica uma transposição sensorial
em diferentes campos de sensação corporal:
    uma mentira fria (tato) e *amarga* (paladar); *uma gargalhada* (audi-
    ção) *luminosa* (visão).

h) **Hipálage** – inversão das relações naturais entre palavras em um enunciado:
    "Jorge *enfiou a rédea no braço* e colocou-se ao lado dela; Iaiá tomou-
    -lhe afoutamente o outro braço." [MA]. (por: *enfiou o braço na rédea*)
    "Ao som do mar e à luz do céu *profundo* (...)" [Joaquim Osório
    Duque Estrada, Hino Nacional]. (A *profundidade*, que é a distância
    da superfície ao fundo, refere-se ao mar, e não ao céu).

i) *Alterações semânticas por influência de um fato de civilização*:
    pagão (= indivíduo que não foi batizado) se prende à época inicial do
    Cristianismo, pois a Igreja fez uso especial do termo que tinha curso
    na linguagem militar: *paganus*, "o civil", em oposição ao "soldado"
    (*castrensis*), passou a ser o oposto a *christianus*. [EG; RH]
    cor (saber, guardar, ter de *cor* = de memória) relembra-nos a época
    em que a anatomia antiga fazia do coração a sede dos sentimentos,
    da inteligência, da memória.

A maneira aristocrática de ver as coisas é responsável pela mudança de significado de algumas palavras:
    vilão (saído do latim *villa* = quinta, aldeia), de 'camponês' passou a
    designar 'homem grosseiro', 'perverso', 'infame'.

j) *Etimologia popular ou associativa*
É a tendência que o falante — culto ou inculto — revela em aproximar uma palavra a um determinado significado, com o qual verdadeiramente não se relaciona. Às vezes a palavra recebe novo matiz semântico sem que altere sua forma. *Famigerado*, por exemplo, que significa 'célebre', 'notável',[2] influenciado pela ideia e semelhança morfológica de *faminto*, passa, na linguagem popular, a este último significado. *Intemerato* (= sem mancha, puro), graças a *temer*, é considerado como sinônimo de *intimorato*; *inconteste* (= sem testemunho) passa a sinônimo de *incontestável*; *falaz* (= falso, enganador) é aproximado de *falador*.

---

[2] A palavra *famigerado* pode aplicar-se à pessoa notável pelos seus dotes positivos ou negativos; todavia, no uso mais geral, a palavra se aplica às qualidades negativas.

2) **Figuras de pensamento**

   a) ***Antítese*** – oposição de palavras ou ideias: *um riso de tormenta; uma alegria dolorosa; tinha um olhar angelical e uma mente diabólica.*
   b) ***Apóstrofe*** – invocação a seres reais ou imaginários: *Oh, tu que tens de humano o gesto e o peito; Meu Deus, mostre-me um caminho.*
   c) ***Hipérbole*** – expressão que envolve um exagero: *Ela é um poço de vaidade.*
   d) ***Ironia*** – dizer algo por expressão às avessas (por exemplo: "Bonito!" como expressão de reprovação).
   e) ***Oximoro*** – figura em que se combinam palavras de sentido oposto que parecem excluir-se mutuamente, mas que, no contexto, reforçam a expressão: *obscura claridade, silêncio ensurdecedor.*
   f) ***Paradoxo*** – consiste na expressão de pensamentos antitéticos aparentemente absurdos: *Vivo sem viver em mim.*
   g) ***Prosopopeia*** (**também chamada *personificação***) – figura que consiste em dar vida a coisa inanimada, ou atribuir características humanas a objetos, animais ou mortos: *Minha experiência diz o contrário do que me dizem; O relógio cansou de trabalhar;* "*As estrelas,* grandes olhos curiosos, *espreitavam* através da folhagem." [EQ].

Além dessas figuras ocorrem expressões e termos usados em algumas ciências da linguagem, como os seguintes:

   a) ***Eu lírico*** – primeira pessoa gramatical fictícia não identificável com o autor.
   b) ***Função fática*** (**ou *de contato***) – função da linguagem que interrompe, enlaça ou dá novos aspectos à mensagem. A função fática está centrada na eficiência do canal de comunicação e faz uso de palavras ou expressões (p.ex.: *Alô!, Entenderam?, Veja bem..., Está me ouvindo?*) que buscam checar e prolongar o contato entre emissor e destinatário.
   "João Grilo: Quem não tem cão caça com gato.
   Mulher: Como é?
   João Grilo: Quem não tem cão caça com gato e eu arranjei um gato que é uma beleza para a senhora." [ASu]

   c) ***Função referencial*** – função da linguagem que consiste em o emissor se restringir a assinalar os fatos de um modo objetivo. A mensagem está centrada naquilo de que se fala, normalmente com o uso da 3ª. pessoa.
   d) ***Hiperônimo*** – vocábulo de sentido mais genérico em relação a outro, com o qual tem traços semânticos comuns. Por exemplo: *assento* é hiperônimo de *cadeira*, de *poltrona*, etc.; *animal* é hiperônimo de *leão*; *flor* é hiperônimo de *malmequer*, de *rosa*, etc.
   e) ***Hipônimo*** – vocábulo de sentido mais específico em relação a outro, com o qual tem traços semânticos comuns. Por exemplo: *cadeira* é hipônimo de *assento*; *leão* é hipônimo de *animal*, etc.
   f) ***Metalinguagem*** – utilização da linguagem para falar da própria linguagem (por exemplo, um texto que fale de como devemos escrever).

Pequena nomenclatura de outros aspectos semânticos

1. Polissemia

É o fato de haver uma só forma (significante) com mais de um significado unitário pertencente a campos semânticos diferentes. Portanto, não se pode ver a polissemia como "significados imprecisos e indeterminados", porque cada um desses significados é preciso e determinado:

pregar (um sermão) – *pregar* (= preguear uma bainha da roupa) – *pregar* (um prego)
manga (de camisa ou de candeeiro) – *manga* (fruto) – *manga* (= bando, ajuntamento) – *manga* (parede)
cabo (cabeça, extremidade, posto na hierarquia militar) – *cabo* (= parte de instrumento por onde esse se impunha ou utiliza: *cabo* da faca)

É preciso não confundir a polissemia léxica ou *homofonia*[3] com variação semântica ou polivalência no falar (ato de fala), que consiste na diversidade de acepções (sentidos) de um mesmo significado da língua segundo os valores contextuais, ou pela designação, isto é, graças ao conhecimento dos "estados de coisas" extralinguísticos.

pensar { um assunto
um ferimento

ponto { em geometria: um ponto no espaço
em gramática: sinal de pontuação
em teatro: auxiliar de atores
em transporte público: parada de táxi, de ônibus
em locais de parada de táxi: ponto de táxi
em gíria escolar: o professor deu *ponto* novo (= matéria);
o aluno precisa de dois *pontos* (= grau)

2. Homonímia

Por *homonímia* entende a tradição: "propriedade de duas ou mais formas, inteiramente distintas pela significação ou função, terem a mesma estrutura fonológica, os mesmos fonemas, dispostos na mesma ordem e subordinados ao mesmo tipo de acentuação"; como exemplo: um homem *são*; *São* Jorge; *são* várias as circunstâncias.

---

[3] Pode haver *homofonia* dentro de um mesmo paradigma ("sincretismo"), como em *cantava*, 1.ª e 3.ª pess. sing. do imperfeito, ou *s* morfema pluralizador nos nomes e de 2.ª pess. sing. nos verbos.

Ela é possível sem prejuízo da comunicação em virtude do papel do contexto na significação de uma forma, como sucede com *são* nos exemplos dados. [MC]

Dentro da homonímia, alude-se, em relação à língua escrita, aos *homófonos* distinguidos por ter cada qual um grafema diferente, de acordo com o sistema ortográfico: *coser* 'costurar', *cozer* 'cozinhar'; *expiar* 'sofrer', *espiar* 'olhar sorrateiramente'; *seção* 'divisão', *sessão* 'reunião', 'espaço de tempo durante o qual se dá uma atividade, um espetáculo', *cessão* 'ato de ceder' [MC].

Mattoso Câmara também aponta o artificialismo do conceito de homógrafos, "formas que se escrevem com as mesmas letras mas correspondendo elas a fonemas distintos, pois já não se trata evidentemente de homônimos da língua, cuja essência são as formas orais".

Todos apontam a dificuldade de nem sempre se poder distinguir a polissemia da homonímia. Têm sido propostos alguns critérios para aclarar se se trata de uma mesma palavra com dois ou mais significados diferentes (polissemia) ou de duas palavras distintas com idênticos fonemas (homonímia):

a) critério histórico-etimológico – é o que fazem, em geral, os nossos dicionários;
b) a consciência linguística do falante;
c) critério das relações associativas;
d) critério dos campos léxicos.

3. Sinonímia

É o fato de haver mais de uma palavra com semelhante significação, podendo uma estar em lugar da outra em determinado contexto, apesar dos diferentes matizes de sentido ou de carga estilística.

casa, lar, morada, residência, mansão

Um exame detido nos mostrará que a identidade dos sinônimos é muito relativa; no uso (quer literário, quer popular), eles assumem sentidos "ocasionais" que, no contexto, um não pode ser empregado pelo outro sem que se quebre um pouco o matiz da expressão. Uma série sinonímica apresenta-se-nos com pequenas gradações semânticas quanto a diversos domínios: o sentido abstrato ou concreto (*cátedra / cadeira*); o valor literário ou popular (*fenecer / morrer*); a maior ou menor intensidade de significação (*chamar / clamar / bradar / berrar*); o aspecto cultural (*escutar / auscultar*), e tantas outras.

4. Antonímia

É o fato de haver palavras que entre si estabelecem uma oposição *contraditória* (*vida; morte*), *contrária* (*chegar; partir*) ou *correlativa* (*irmão; irmã*).

Quanto à sua manifestação constitucional, Mattoso cita três aspectos diferentes:
a) mediante palavras de radicais diferentes: *bom – mau*;
b) com auxílio de um prefixo negativo em palavras do mesmo radical: *feliz – infeliz; legal – ilegal; político – apolítico*;
c) palavras com auxílio de prefixos de significação contrária, em palavras de mesmo radical: *excluir – incluir; progredir – regredir; superpor – sotopor*.

Às vezes, a negação serve para atenuar a oração afirmativa: *Pedro não está bem – Pedro está mal*.

5. Paronímia

É o fato de haver palavras parecidas na sua estrutura fonológica e diferentes no significado.

Os parônimos dão margem a frequentes erros de impropriedade lexical:

descrição: ato de descrever	**discrição:** qualidade de quem é discreto
emergir: ir de dentro para fora ou para a superfície	**imergir:** ir de fora para dentro, para o fundo
iminente: pendente, próximo para acontecer	**eminente:** ilustre
infringir: transgredir, violar	**infligir:** aplicar pena, castigo
intimorato: destemido, intrépido	**intemerato:** puro, imaculado
matilha: grupo de cães	**mantilha:** pequena manta
proscrever: proibir	**prescrever:** aconselhar
ratificar: confirmar	**retificar:** corrigir
tráfego: trânsito	**tráfico:** comércio

Em geral diferem na base de prefixos ao mesmo radical (*proscrever / prescrever*), ou de radicais diferentes (*matilha / mantilha*).

Exercícios de fixação

I. Assinale com (CL) dentro dos parênteses os conjuntos que pertencem ao mesmo campo léxico:
1) ( ) antigo - moderno - recente - fresco - arcaico
2) ( ) velho - idoso - novo - vivo - jovem
3) ( ) caridade - humanidade - casticidade - adesão - filantropia
4) ( ) rio - afluente - ribeira - lago - arroio
5) ( ) gelado - glacial - tépido - morno - fresco
6) ( ) via - rua - estrada - correio - avenida

2. Assinale, no quadro a seguir, com + os semas que distinguem os lexemas do mesmo campo léxico: *rio, afluente, ribeira, filete, arroio*.

lexemas	curso d'água	volume d'água		desaguadouro		curso
		grande	pequeno	rio	rio ou mar	margens
rio						
afluente						
ribeira						
filete						
arroio						

3. Numere dentro dos parênteses os exemplos da coluna A de acordo com os fenômenos semânticos relacionados na coluna B:

Coluna A
( ) Não gostava de caldo quente.
( ) Ele demorou a pedir a mão da namorada em casamento.
( ) Comprou várias cabeças de gado.
( ) "O último ouro do sol morre na cerração." [OB]
( ) A vizinha ficou para titia.
( ) Aquele menino tinha futuro.
( ) És um cabeça de alfinete.
( ) No local moravam seis almas.
( ) Era homem de coragem.
( ) A vitória lhe custou muito suor e lágrima.

Coluna B
1 - Metáfora
2 - Metonímia
3 - Catacrese
4 - Braquiologia
5 - Eufemismo

4. Forme antônimos das seguintes palavras utilizando apenas a mudança de prefixo:
   1) antepor
   2) emigrar
   3) transalpino
   4) regressão
   5) soterrar
   6) implosão
   7) apor
   8) introverter

5. Numere dentro dos parênteses a coluna A de acordo com a coluna B, levando em conta a correspondência dos elementos latinos e gregos:

Coluna A (elementos latinos)
( ) in (negação)   ( ) bi(s)
( ) contra   ( ) super
( ) in (para dentro) ( ) trans
( ) ab   ( ) bene
( ) ambi   ( ) cum

Coluna B (elementos gregos)
1 - apó   6 - sin
2 - di   7 - a, an
3 - anti   8 - anfi
4 - hiper   9 - en
5 - meta   10 - eu

6. **Preencha o espaço em branco usando adequadamente o parônimo:**
   1) A pesquisa ainda está muito _____. (incipiente/insipiente)
   2) _____ o tempo, teremos de viajar. (mau grado/malgrado)
   3) Está _____ a homenagem ao _____ professor. (eminente/iminente)
   4) O médico acaba de _____ rigorosa dieta para começar amanhã. (proscrever/prescrever)
   5) O motorista foi multado por _____ uma regra do trânsito. (infligir/infringir)
   6) Para esse móvel não há _____. (conserto/concerto)
   7) A polícia transferiu o preso de _____. (cela/sela)
   8) A _____ da diretoria que reuniu a _____ financeira terminou sem que fosse aprovada a _____ de empréstimo ao empresário. (seção/sessão/cessão)
   9) O réu foi condenado a _____ seu crime. (espiar/expiar)
   10) Castro Alves condenou, em versos flamantes, o _____ dos escravos. (tráfego/tráfico)

7. **Preencha o espaço em branco usando adequadamente o parônimo:**
   1) Acaba de ser anulado o _____ de prisão porque o _____ da comissão já se tinha expirado. (mandato/mandado)
   2) O ladrão foi preso em _____. (fragrante/flagrante)
   3) O advogado só ganhava na 1.ª _____. (estância/instância)
   4) A jovem falava com muita _____. (descrição/discrição)
   5) A aposentadoria lhe permitirá _____ uma velhice tranquila. (fluir/fruir)
   6) O guarda de _____ tinha perfeita noção do seu dever: não punia, orientava. (tráfico/tráfego)
   7) O submarino _____ sem deixar rastro. (imergir/emergir - pret. perf. ind.)
   8) Ao avançar o sinal de trânsito, o motorista cometeu uma _____. (inflação/infração)
   9) O sinônimo de confirmar é _____. (retificar/ratificar)
   10) Ao encalço do foragido saiu uma _____ de cães amestrados pela polícia. (matilha/mantilha)

PARTE 6

FONEMAS: VALORES E REPRESENTAÇÕES. ORTOGRAFIA

Capítulo 24
Fonética e Fonologia

Apêndice
Fonética expressiva ou Fonoestilística

Capítulo 25
Ortoepia

Capítulo 26
Prosódia

Capítulo 27
Ortografia

Apêndice 1
Algumas normas para abreviaturas, símbolos e siglas usuais

Apêndice 2
Grafia certa de certas palavras

Capítulo 28
Pontuação

Capítulo 24
Fonética e Fonologia

A) PRODUÇÃO DOS SONS E CLASSIFICAÇÃO DOS FONEMAS

Fonema, fone e alofone

Chamam-se *fonemas* as unidades que pertencem ao sistema de sons de uma língua, dotados de valor distintivo, nas palavras que o homem produz para expressar e comunicar ideias e sentimentos. A realização física do fonema, mediante emissão de ondas sonoras pelo aparelho fonador, denomina-se *fone*. Há casos em que um determinado fonema é realizado fisicamente por mais de um fone, de que decorre falar-se em *alofones* de um só fonema.

Os fonemas de uma língua caracterizam-se por estar em *oposição fonológica pertinente* ou *distintiva*. Este é o caso, por exemplo, da oposição entre /a/ e /i/ em português: o /a/ tônico de *fala* não pode ser trocado pela vogal /i/, pois da troca resultaria outra palavra, *fila*. Conclui-se, assim, que /a/ e /i/ são dois fonemas do português. Se, entretanto, em vez de pronunciarmos a palavra *carta* com um [R] vibrante, optarmos por um [ɻ] retroflexo, típico do interior paulista, ou um [h] fricativo, típico do falar carioca, concluiremos que há entre esses sons *oposição fonológica impertinente*, pois o efeito das mudanças físicas se restringe a pronúncias diferentes da mesma palavra. Conclui-se, assim, que [R], [ɻ] e [h] são alofones do fonema /R/.[1]

Fonemas não são letras

Desde logo uma distinção se impõe: não se há de confundir *fonema* ou *fone* com *letra*. Fonema, conforme já observamos, é uma unidade fonológica que existe no plano abstrato, ao passo que o fone é sua realização articulatória, percebida pelo nosso aparelho auditivo. *Letra* é o sinal empregado para representar na escrita o sistema sonoro de uma língua. Não há identidade perfeita, muitas vezes, entre os

---

[1] Por convenção, transcrevem-se os fonemas entre barras inclinadas e os alofones entre colchetes.

fonemas e a maneira de representá-los na escrita, o que nos leva facilmente a perceber a impossibilidade de uma *ortografia* ideal, entendida como a representação gráfica de um fonema por uma só e única letra. Temos, no português do Brasil, como veremos mais adiante, *sete* vogais orais tônicas: /a/, /e/, /ɛ/, /i/, /o/, /ɔ/, /u/; no entanto, tais fonemas são representados graficamente por apenas *cinco* letras: *a, e, i, o, u*. Quando queremos distinguir um /e/ (fechado) de um /ɛ/ (aberto), geralmente utilizamos sinais gráficos subsidiários: o acento agudo (*fé*) ou o circunflexo (*vê*). Há letras que se escrevem por várias razões, mas que não se pronunciam, e portanto não representam a vestimenta gráfica do fonema; é o caso do *h* em *homem* ou em *oh!*. Por outro lado, há fonemas que não se acham registrados na escrita; assim, no final de *cantavam*, há um ditongo em -*am* cuja semivogal não vem assinalada na escrita: [aˈmavãw̃]. A escrita, graças ao seu convencionalismo tradicional, nem sempre espelha a evolução fonética, como também não traça distinção entre os alofones de um fonema.

Representação na escrita do fonema, fone e alofone

Quando falamos de fonema, fone e alofone, devemos representá-los na escrita de maneira diferente utilizando os símbolos fonéticos entre barras inclinadas (/ /) para registrar os fonemas, e entre colchetes ([ ]) para registrar os fones e alofones. A exigência se deve a uma técnica de transcrição fonética ou fonológica usada nos manuais especializados de fonética. O critério, de modo geral, é o seguinte: transcreve-se o fonema usando-se o respectivo símbolo fonético entre barras, como, por exemplo, /a/, /b/, /p/. Já para a indicação do fone usa-se o colchete, como, por exemplo, [a], [b], [p]. Também ficam entre colchetes as cadeias fônicas; para a indicação da sílaba tônica, usamos um apóstrofo antes dela: [ˈkaʀta].

Fonética e fonologia

Na atividade linguística, o importante para os falantes é o fonema, e não a série de movimentos articulatórios que o determina. Assim sendo, enquanto a análise fonética se preocupa tão somente com a articulação, a fonológica atenta apenas para o fonema que, reunindo um feixe de traços que o distingue de outro fonema, permite a adequada comunicação linguística. A fonética pode reconhecer, e realmente o faz, diversas realizações para o /t/ da série [ta] [te] [tɛ] [ti] [to] [tɔ] [tu]; a fonologia não leva em conta as variações, ou seja, os alofones, porque delas não tomam conhecimento os falantes de língua portuguesa. Um fonema pode admitir uma gama variada de realizações fonéticas que vai até a conservação da integridade-limite do vocábulo: já quando isto não ocorre, diz-se que houve mudança de fonema. O /l/ admite várias realizações no Brasil – seus alofones – de norte a sul, e estas variantes não interessam à análise fonológica, análise que deve ter primazia em nosso estudo de língua.

Portanto, fonologia não se opõe a fonética: a primeira estuda o número de oposições utilizadas e suas realizações mútuas, enquanto a fonética experimental determina a natureza física e fisiológica das distinções observadas [BM]. Ambas as disciplinas pertencem ao nível biológico do falar condicionado psicofisicamente.

Aparelho fonador

[Figura: diagrama do aparelho fonador, com as seguintes legendas: DENTES, LÍNGUA, CARNE DA LARINGE, CORDAS VOCAIS, FOSSAS NASAIS, POSIÇÃO NORMAL, POSIÇÃO PARA AS NASAIS } VÉU PALATINO, EPIGLOTE, FARINGE]

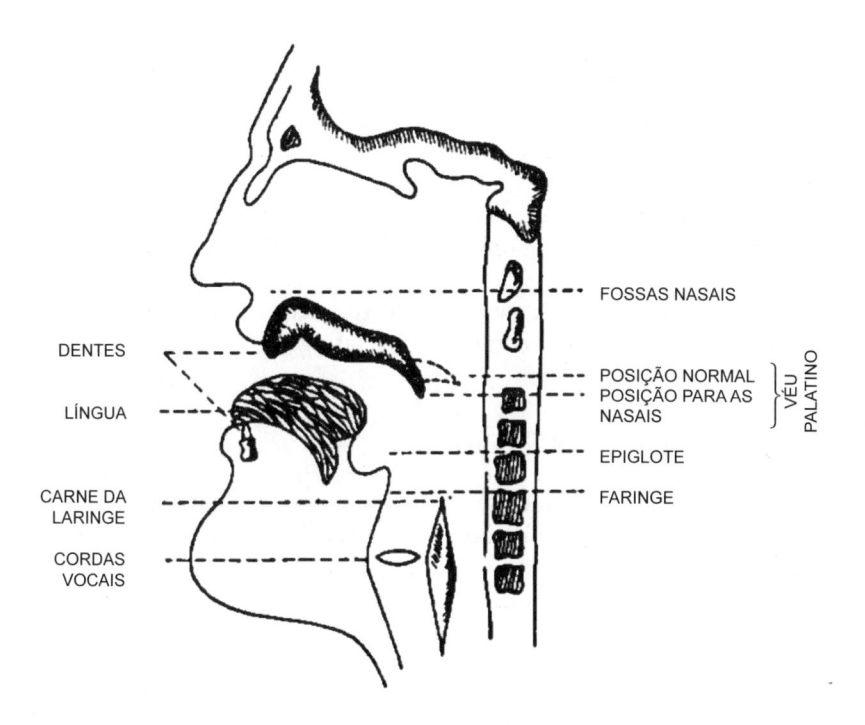

Nós não temos um aparelho especial para a fala; produzimos os fonemas servindo-nos de órgãos do aparelho respiratório e da parte superior do aparelho digestivo, que só secundariamente se adaptaram às exigências da comunicação, numa aquisição lenta do homem. A esses órgãos da fala, constitutivos do aparelho fonador, pertencem, além de músculos e nervos: os *brônquios*, a *traqueia*, a *laringe* (com as cordas vocais), a *faringe*, as *fossas nasais* e a *boca* com a *língua* (dividida em ápice, dorso e raiz), as *bochechas*, o *palato duro* (ou céu da boca), o *palato mole* (ou véu palatino) com a *úvula* ou *campainha*, os *dentes* (somente os superiores), os *alvéolos* e os *lábios*.

Em português, como na maioria dos idiomas, os fonemas são produzidos graças à modificação que esses órgãos da fala impõem à *corrente de ar que sai dos pulmões*. Línguas há, entretanto, que se servem da corrente inspiratória (entrando o ar nos pulmões) para produzir fonemas, que são conhecidos pelo nome de *cliques*.

Produzimos cliques quando fazemos os movimentos bucais, acompanhados da sucção de ar na boca, para o beijo, o muxoxo e certos estalidos, como o que serve para animar a caminhada dos cavalos; mas não os utilizamos como sons da fala em português.

Como se produzem os fonemas

A corrente de ar que vem dos pulmões passa pela *traqueia* e chega à sua parte superior que se chama *laringe*, conhecida vulgarmente como *pomo de adão*. Na laringe, a parte mais valiosa e mais complexa do aparelho fonador, se acham, horizontalmente, duas membranas mucosas elásticas, à maneira de lábios: as *cordas vocais*, por cujo estreito intervalo, denominado *glote*, a corrente de ar tem de passar para ganhar a *faringe*, e daí, ou totalmente pela *boca (fonemas orais)*, ou parte pela boca e parte pelas fossas nasais *(fonemas nasais)*, chegar à atmosfera. É esta corrente expiratória que, modificada pelos órgãos da fala, é responsável pela produção dos fonemas.

As diferenças que se notam entre vozes diversas dos sexos, das idades e das pessoas baseiam-se em geral nas dimensões da laringe.

Tipologia dos sons linguísticos

Considerando as modalidades de articulação, os sons que integram o sistema fonético-fonológico do português podem ser identificados segundo o *modo de articulação*, o *ponto de articulação*, o *fluxo do ar* e o *vozeamento*.

1) Quanto ao modo de articulação, assim se classificam os sons linguísticos do português:

a) **sons livres** – são os que se articulam mediante passagem livre do fluxo de ar pela cavidade bucal, como ocorre no caso típico das vogais;

b) **sons oclusivos** – articulam-se mediante obstrução total da passagem do ar, quase sempre provocada pelo toque da língua em um determinado ponto da cavidade bucal, como ocorre no /t/ em *tatu*;

c) **sons fricativos** – são os que se produzem mediante aproximação da língua a um dado ponto da cavidade, de que resulta um chiamento semelhante à fricção, como o presente no início da palavra *seda*;

d) **sons africados** – caracterizam-se por uma breve oclusão seguida de fricção, caso do alofone do fonema /t/ perante a vogal /i/,[2] como em *tipo*;

---

[2] Os alofones africados dos fonemas /t/ e /d/, transcritos, respectivamente, como [tʃ] e [dʒ], são comumente identificados como típicos da pronúncia do Rio de Janeiro, embora já se tenham disseminado por várias regiões linguísticas brasileiras.

e) **sons laterais** – produzem-se mediante toque do dorso da língua no palato duro, de que resulta a passagem do fluxo de ar pelas paredes da cavidade bucal, caso, por exemplo, do fonema /l/ em *lata*;
f) **sons vibrantes** – são assim denominados pelo fato de sua articulação implicar uma alta frequência de toques da língua em dado ponto da cavidade bucal, conforme se observa na pronúncia sulista da consoante inicial de *roda, rua*, etc.;
g) **sons retroflexos** – caracterizam-se pela flexão da ponta da língua para trás, mediante aproximação do palato duro. A rigor, temos apenas um som retroflexo, transcrito pelo símbolo /ɻ/, que se realiza como um alofone de /ʀ/ em áreas linguísticas do interior de São Paulo e sul de Minas Gerais;
h) **o tepe (ou flape)** – identifica-se atualmente como tepe o som que a tradição gramatical do português vem denominando *vibrante simples* ou *vibrante alveolar*, como o *r* intervocálico em *aro, hora, ira*, etc. A denominação de tepe justifica-se pelo fato de que efetivamente não se trata de um fonema vibrante, mas de um som decorrente de um único e rápido toque da língua na região dos alvéolos, à semelhança de uma "chicotada".

2) Quanto ao ponto de articulação, os sons linguísticos do português seguem a seguinte classificação:

a) **sons bilabiais** – articulados mediante toque dos dois lábios, como o /p/ de *pai*;
b) **sons labiodentais** – produzidos pelo toque do lábio inferior na arcada dentária superior, como no /f/ de *fazer*;
c) **sons alveolares** – resultam da aproximação do ápice da língua à região dos alvéolos, conforme se observa no /s/ inicial de *seda*;
d) **sons linguodentais** – produzidos mediante toque do ápice da língua na arcada dentária superior, como no caso do /t/ em *teto* e do /d/ em *dado*;[3]
e) **sons palatais** – são assim denominados por serem articulados mediante aproximação do dorso da língua ao palato duro (céu da boca), caso do /ʃ/ em *chuva, xícara*, etc.;
f) **sons velares** – articulados mediante toque da raiz da língua no véu palatino, como na consoante inicial de *gato, queda*, etc.

3) Quanto à via do fluxo de ar, os sons do português basicamente se classificam em *orais*, caso em que o ar passa exclusivamente pela cavidade bucal, e *nasais*, caso em que o ar flui simultaneamente pelas fossas nasais e pela cavidade bucal.

4) Quanto ao vozeamento, os sons linguísticos são ditos *vozeados* (*sonoros*), se produzidos mediante vibração das cordas vocais, e *desvozeados* (*surdos*), se produzidos sem vibração das cordas vocais. Em muitos casos, podemos perceber

---

[3] Muitos falantes articulam tais sons na região dos alvéolos, do que resulta considerá-los alveolares.

a vibração das cordas vocais, pondo de leve a ponta do dedo no pomo de adão e proferindo um fonema sonoro, como /z/, /v/, /ʒ/, tendo o cuidado de não acompanhá-lo de vogal. Sentimos nitidamente um tremular que denota a vibração das cordas vocais. Se proferimos um fonema surdo, como /s/, /f/, /ʃ/, com o cuidado apontado acima, não sentimos o tremular. Podemos ainda repetir a experiência tapando os ouvidos. Só com os fonemas sonoros ouvimos um zumbido característico da vibração das cordas vocais.

A oposição entre um traço vozeado e um traço desvozeado é suficiente para distinguir dois fonemas em português, como ocorre no par opositivo *pato* e *bato*, em que /p/ e /b/ só se distinguem devido ao fato de /p/ ser um fonema desvozeado e /b/ ser vozeado.

Quando nos referimos a um dado som linguístico, devemos fazê-lo mediante identificação de suas características articulatórias vistas anteriormente. Assim, referimo-nos ao /p/ de *pote* como consoante oclusiva bilabial desvozeada oral; já o /z/ em *zebra* é identificado como uma consoante fricativa alveolar vozeada oral, e o /m/ de *mãe* como uma consoante oclusiva bilabial vozeada nasal.

Transcrição fonética

A tarefa de representar na escrita a exata pronúncia de um dado som linguístico impõe ao analista o emprego de um *alfabeto fonético*, que se caracteriza por estabelecer uma relação biunívoca entre o som e o símbolo que o representa, isto é, um dado som é representado por apenas um símbolo, e um símbolo só representa um único som. Na transcrição fonética, procura-se a maior fidelidade possível da representação gráfica dos sons, razão por que os símbolos fonéticos dizem respeito aos fones, não aos fonemas.

Se, por exemplo, transcrevemos foneticamente a palavra *tipo*, o resultado será [ˈtipʊ], se pronunciada por um falante pernambucano, ou [ˈtʃipʊ], se pronunciada por um carioca. Nas duas transcrições, os alofones [t] e [tʃ] são realizações do fonema /t/. Convém não confundir o alfabeto fonético com o *alfabeto ortográfico*, aquele que usamos ordinariamente no texto escrito. Optamos, entre vários modelos, por utilizar os símbolos fonéticos do *Alfabeto Fonético Internacional* com algumas adaptações e na medida em que interesse ao estudo descritivo dos sons do português.

Eis os símbolos adotados:

[a] – p**á**, m**á**
[ɑ] – c**a**sa, v**a**la
[e] – v**ê**, c**e**do
[ɛ] – p**é**, n**e**to
[i] – v**i**, p**i**lha
[ɪ] – f**i**car, av**e**
[o] – av**ô**, **o**vo

[ɔ] – pó, nó
[u] – uva, luta
[ʊ] – pular, lado
[y] – pai, vai
[w] – mau, pau
[b] – boi, bola
[d] – dado, dia
[dʒ] – consoante africada, perante a vogal /i/ em algumas regiões linguísticas do Brasil, como em dia
[g] – gato, guia
[p] – pai, pele
[t] – tu, tipo
[tʃ] – consoante africada, perante a vogal /i/ em algumas regiões linguísticas do Brasil, como em tipo
[k] – casa, queda
[m] – mãe, mato
[n] – não, nada
[ɲ] – ninho, unha
[l] – luta, lei
[ʟ] – consoante lateral velar, em regiões do sul do Brasil, como em mal, mel
[ʎ] – calha, olho
[ɾ] – aro, hora
[ʀ] – rio, rota
[ɻ] – consoante retroflexa, em dadas regiões do Brasil, como em mar, parte
[h] – consoante fricativa velar, comum no Rio de Janeiro, como em par, marca
[f] – faca, fila
[v] – vela, vida
[s] – cedo, seda
[z] – asa, zebra
[ʃ] – xícara, chuva
[ʒ] – jarro, agir

Observação:

➥ Os sons acima listados são, no plano fonético, fones que correspondem a fonemas no plano fonológico, sendo que alguns desses sons são alofones de um único fonema. Assim, [a] e [ɑ] são alofones de /a/; [t] e [tʃ] são alofones de /t/; [ʀ], [ɻ] e [h] são alofones de /ʀ/; [l] e [ʟ] são alofones de /l/, etc. Tais fatos serão mais detidamente cuidados ao descrevermos as vogais e as consoantes do português.

Vogais e consoantes

A voz humana se compõe de *tons* (sons musicais) e *ruídos,* que o nosso ouvido distingue com perfeição. Caracterizam-se os tons, quanto às condições acústicas, por suas vibrações periódicas. Esta divisão corresponde, em suas linhas gerais, às vogais (= tons) e às consoantes (= ruídos). As consoantes podem ser ruídos puros, isto é, sem vibrações regulares (correspondem às consoantes surdas), ou ruídos combinados com um tom laríngeo (consoantes sonoras) [BM].

Quanto às condições fisiológicas de produção, as vogais são fonemas durante cuja articulação a cavidade bucal se acha completamente livre para a passagem do ar. As consoantes são fonemas durante cuja produção a cavidade bucal está total ou parcialmente fechada, constituindo, assim, num ponto qualquer, um obstáculo à saída da corrente expiratória.

Observação:

➥ Só por suas condições acústicas e fisiológicas de produção é que se distinguem as vogais das consoantes. Por imitação dos gregos, os antigos gramáticos definiam a vogal pela sua função na sílaba: elemento necessário e suficiente para formar uma sílaba. E daí chegavam à conceituação deficiente de consoante: fonema sem existência independente, que só se profere com uma vogal. Sabemos de idiomas em que há sílabas constituídas apenas de consoantes, e em que uma consoante pode fazer as vezes de vogal [LR].

Na língua portuguesa a *base da sílaba* ou o *elemento silábico* é a vogal; os elementos *assilábicos* são a consoante e a semivogal, que estudaremos mais adiante.

Classificação das vogais

A tarefa de classificar as vogais portuguesas impõe algumas considerações preliminares. Primeiro, convém observar que o traço de intensidade, tradicionalmente atribuído à articulação das vogais, é, a rigor, um traço silábico, razão por que não se deve falar em *vogal tônica* e *vogal átona*,[4] senão em *sílaba tônica* e *sílaba átona*. Em segundo lugar, o *timbre* e a *altura*, previstos na proposta de classificação da *Nomenclatura Gramatical Brasileira* (NGB), são, na realidade, desdobramentos do mesmo traço articulatório, pois ambos levam em conta a elevação da língua na cavidade bucal.

Tais considerações levam-nos a uma proposta de classificação que descreve as vogais em posições silábicas distintas, pois, conforme veremos adiante, tanto no plano fonético quanto no plano fonológico, o quadro vocálico em sílaba tônica não corresponde totalmente ao quadro das sílabas pretônicas e postônicas.

---

[4] Entretanto, do ponto de vista didático, as denominações *vogal tônica* e *vogal átona* cumprem relevante papel simplificador no ensino do português em nível básico.

Por outro lado, também as vogais orais e nasais devem ser descritas em quadros distintos, visto que sua natureza fonológica, mesmo em sílaba tônica, vai além do que pressupõe uma mera atribuição de traço de oralidade ou nasalidade a um dado fonema vocálico.

Vogais orais em sílaba tônica

Em posição tônica, as vogais portuguesas classificam-se segundo dois traços articulatórios: a *zona de articulação* e a *altura*. Com a boca ligeiramente aberta e a língua na posição quase de repouso, proferimos o fonema /a/, que é o que exige menor esforço e constitui a vogal *central*. Se daí passarmos à /ɛ/ /e/ /i/ /ɔ/ /o/ /u/, notaremos que a ponta da língua se eleva, avançando em direção ao palato duro, o que determina uma diminuição da abertura bucal e um aumento da abertura da faringe. A série /ɛ/ /e/ /i/ constitui as vogais *anteriores*. Se passarmos da vogal média /a/ para a série /ɔ/ /o/ /u/, notaremos que o dorso da língua se eleva, recuando em direção ao véu do paladar, o que provoca uma diminuição da abertura bucal e um arredondamento[5] progressivo dos lábios. A série /ɔ/ /o/ /u/ forma as vogais *posteriores*.

A progressiva elevação da língua de /a/ a /i/, na zona anterior, e de /a/ a /u/, na zona posterior, revela as quatro alturas que caracterizam o quadro vocálico em sílaba tônica, de que resulta a seguinte classificação: /a/ vogal *baixa*, / ɛ / / ɔ/, vogais *médias* de 1.º grau, /e/ /o/ vogais *médias* de 2.º grau, /i/ /u/, vogais *altas*.

> **Observação:**
> ↪ Não temos no Brasil a oitava vogal dos portugueses, o /ɐ/ fechado oral tônico, como em *cada, para, mas*. Desta diferença resultam alguns fatos fonéticos que vão repercutir na sintaxe e na fonética sintática.

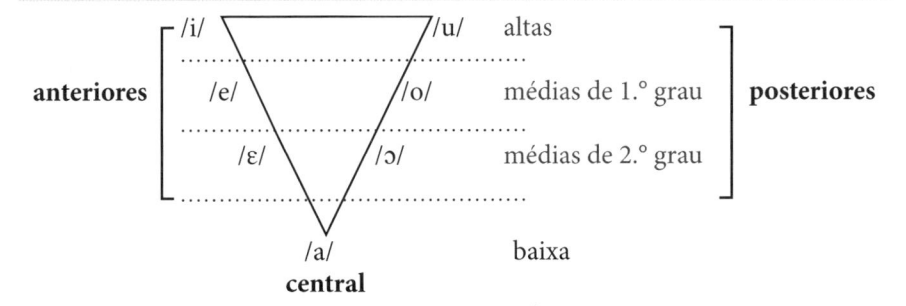

anteriores ⎡ /i/   /u/   altas   ⎤ **posteriores**
                     /e/   /o/   médias de 1.º grau
                     /ɛ/   /ɔ/   médias de 2.º grau
                         /a/   baixa
                     central

Quadro 1: Vogais orais em sílaba tônica

---

[5] Torna-se dispensável a classificação das vogais em arredondadas e não arredondadas, visto que, em português, somente as vogais posteriores são arredondadas. Em outros termos, não há em português pares mínimos (= duas sequências fônicas que se distinguem por apenas um fonema) decorrentes do traço de arredondamento dos lábios.

Vogais orais em sílaba pretônica

Em posição átona pretônica, o quadro de vogais orais do português reduz-se, do ponto de vista fonológico, visto que as vogais médias anteriores /e/ e / ɛ/ e as médias posteriores /o/ e /ɔ/ perdem diferenciação entre si, ou seja, sofrem *neutralização de traços distintivos*. Assim, não há oposição distintiva entre [peˈgadɐ] e [pɛˈgadɐ], [leˈvadʊ] e [lɛˈvadʊ], [koˈbɾah] e [kɔˈbɾah], [moˈɾah] e [mɔˈɾah], etc., razão por que, nestes casos, só se pode falar em *oposição fonética*, típica da variação de pronúncias que caracteriza os usos linguísticos, mas não em *oposição fonológica*.

No plano teórico, verifica-se que, da neutralização entre /e/ e /ɛ/, decorre um arquifonema[6] /E/. Semelhantemente, da neutralização entre /o/ e /ɔ/, decorre um arquifonema /O/ [MC]. Chega-se, assim, ao seguinte quadro de vogais orais em posição pretônica:

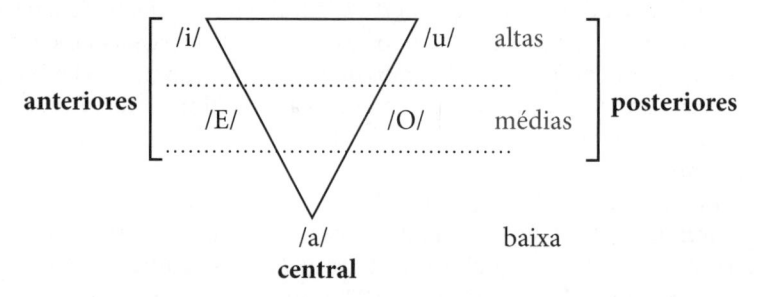

anteriores ⎡ /i/   /u/   altas   ⎤ **posteriores**
               ⎣ /E/   /O/   médias   ⎦
                    /a/   baixa
                   central

Quadro 2: Vogais orais em sílaba pretônica

Observações:

➡ Note-se que o comportamento das vogais médias orais pretônicas difere em palavras derivadas com sufixo *-inho*, *-issimo* e *-mente*. A palavra *terreno*, por exemplo, admite pronúncia de /e/ ou /ɛ/ pretônicos, mas em *terrinha* a norma prosódica só admite /ɛ/. Também em *somente* a pronúncia da vogal oral pretônica é obrigatoriamente /ɔ/. A explicação está em que, nessas sufixações, há uma força prosódica que vincula o timbre da vogal pretônica do nome derivado à vogal tônica do nome primitivo, a que a teoria de Mattoso Câmara Jr. denomina *memória morfológica* [MC].

➡ No português do Brasil, a variação de pronúncia pode provocar perda de distinção entre vogais orais pretônicas médias e altas da mesma zona de articulação: *menino* pronuncia-se [meˈninʊ] ou [mɪˈninʊ]; *poleiro* pronuncia-se [poˈleɾʊ] ou [pʊˈleɾʊ]. Nestes casos, entretanto, não se pode falar em neutralização de traços distintivos, pois o fato não é sistêmico. Basta notar que, em outras duplas vocabulares, a distinção se mantém: *pecar* [peˈkah] e *picar* [pɪˈkah], *polar* [poˈlah] e *pular* [puˈlah], etc. Melhor se identificam estes casos como de *alçamento vocálico* (= pronúncia de uma vogal alta em lugar da média correspondente quanto à zona articulatória, de que decorre admitir-se que a vogal média "alçou-se" para a posição superior), cuja repercussão na

---

[6] Chamamos de *arquifonema* a abstração decorrente da neutralização entre dois ou mais fonemas, com permanência apenas dos traços distintivos comuns.

língua escrita provoca muitas dúvidas ortográficas quanto ao emprego das letras *e* ou *i* e *o* ou *u*.

Vogais orais em sílaba postônica

O estudo das vogais em sílabas postônicas revela um quadro ainda menor do que o verificado em posição pretônica, pois aqui as vogais médias e altas da mesma zona articulatória sofrem neutralização de traços distintivos, conforme se especifica a seguir.

a) **Vogais orais postônicas internas** – Situam-se em sílaba postônica não final, típica das palavras proparoxítonas, como *âmago*, *cálice*, *ápice*, *fôlego*, etc. Nas variantes prosódicas brasileiras, observa-se que, nesta posição, as vogais anteriores /ɛ/ /e/ e /i/ perdem distinção entre si: *número* pronuncia-se [ˈnumɛrʊ], [ˈnumerʊ] ou [ˈnumɪrʊ]; o mesmo ocorre entre as vogais posteriores /ɔ/ /o/ e /u/: *pérola* pronuncia-se [ˈpɛrɔlɑ], [ˈpɛrolɑ] ou [ˈpɛrʊlɑ]. No plano teórico, diz-se que o quadro vocálico em posição postônica interna tem uma vogal baixa /a/ e dois arquifonemas /I/ e /U/.

Observações:

→ A vogal em posição postônica interna é suscetível de síncope na pronúncia distensa do português, fato que se testemunha historicamente em formas como calidu > caldo, polivu > polvo, etc. Na língua contemporânea surgem exemplos como abóbora > abobra (de que deriva *abobrinha*), xícara > xicra, córrego > corgo, etc.

→ Quando a pronúncia canônica da palavra pede a vogal alta /i/ e /u/, a pronúncia com as vogais médias costuma ser rejeitada pelo falante do português, e só se realiza, a rigor, em casos de hipercorreção ou ultracorreção (= equívoco de uma forma no intuito de falar melhor). Por exemplo, *vítima* não se pronuncia "vítema", *ápice* não se diz "ápece", e *cúpula* não se pronuncia "cúpola".

b) **Vogais postônicas finais** – Nesta posição silábica, repete-se o quadro das vogais postônicas internas, de tal sorte que as vogais médias e a alta de mesma zona de articulação sofrem perda de distinção, ou seja, ocorre neutralização de traços distintivos entre /ɛ/, /e/ e /i/, que no plano teórico se expressa pelo arquifonema /I/, e entre /ɔ/, /o/ e /u/, que no plano teórico se expressa pelo arquifonema /U/. Os dois arquifonemas são representados, respectivamente, pelas letras *e* e *o*. Assim *carro* pronuncia-se [ˈkaʀo] ou [ˈkaˈʀu] e *vale* pronuncia-se [ˈvale] ou [ˈvalɪ], tendo em vista a variação prosódica em plano diatópico, isto é, regional. A realização de /ɛ/ e /ɔ/ em sílaba postônica final só se observa hodiernamente em palavras eruditas, de pouco emprego na língua corrente, tais como *prócer*, *éter*, *sóror*, etc.

Chega-se, assim, ao quadro vocálico em sílaba postônica que se resume a uma vogal central baixa e a dois arquifonemas altos, resultantes da neutralização entre as vogais médias e altas de cada uma das zonas articulatórias.

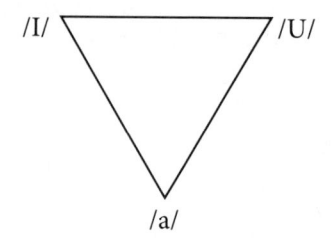

```
/I/ \‾‾‾‾‾‾‾‾‾‾/ /U/
     \        /
      \      /
       \    /
        \  /
         \/
        /a/
```

Quadro 3: Vogais orais em sílaba postônica

Vogais nasais

São *nasais* as vogais que, em sua produção, *ressoam nas fossas nasais*. Há cinco vogais nasais (/ã/, /ẽ/, /ĩ/, /õ/ e /ũ/): *lã, canto, campina, vento, ventania, límpido, vizinhança, conde, condessa, tunda, pronunciamos*. É o fenômeno da ressonância, e não da saída do ar, o que opõe os fonemas orais aos nasais.[7]

> **Observações:**
>
> ➥ Na pronúncia normal brasileira, soam quase sempre como nasais as vogais seguidas de *m, n* e principalmente *nh*: *cama, cana, banha, cena, fina, homem, Antônio, úmido, unha*. Em outros casos, a pronúncia é hesitante, com ou sem o traço nasal, em face da variação diatópica, isto é, regional: *caniço, panela, janela*, etc. Por este motivo, não distinguimos as formas verbais terminadas em *-amos* e *-emos* do presente e do pretérito do indicativo: *agora cantamos, ontem cantamos*; *agora lemos, ontem lemos*. Tais casos, que a teoria fonológica vem denominando *nasalação* [MC], distinguem-se dos casos de *nasalidade*, em que o traço nasal tem efetivo valor distintivo em relação ao traço oral: *canto* em oposição a *cato, conto* em oposição a *coto, minto* em oposição a *mito*, etc.
>
> ➥ No plano fonético, percebe-se no Brasil uma tendência para ditongação das vogais nasais /ẽ/ e /õ/ que passam, assim, a pronunciar-se [ẽỹ] e [õw̃]: *pente* [ˈpẽỹtʃɪ], *bom* [ˈbõw̃]. Por outro lado, em sílaba pretônica, há uma tendência de substituir-se a vogal /ẽ/ por sua correspondente alta /ĩ/, mormente quando está sozinha na sílaba, de que decorrem as pronúncias [ẽˈpadɐ] ou [ĩˈpadɐ] para *empada*, [ẽlɐˈtadʊ] ou [ĩlɐˈtadʊ] para *enlatado*, etc.

---

[7] Segundo Mattoso Câmara Jr., o português não tem propriamente vogal nasal, senão uma vogal oral "fechada por consoante nasal" /m/, /n/ ou /ɲ/ que se neutralizam fonologicamente. A neutralização é representada pelo arquifonema nasal /N/ [MC].

Chega-se, assim, ao seguinte quadro de vogais nasais:

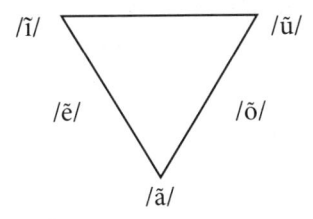

```
      /ĩ/  ╲        ╱  /ũ/
            ╲      ╱
       /ẽ/   ╲    ╱   /õ/
              ╲  ╱
              /ã/
```

Quadro 4: Vogais nasais

Semivogais. Encontros vocálicos: ditongos, tritongos e hiatos

Chamam-se *semivogais* os fonemas vocálicos /y/ e /w/ (orais ou nasais) que acompanham a vogal numa mesma sílaba. Os encontros de vogais e semivogais dão origem aos *ditongos* e *tritongos*, ao passo que o encontro de vogais dá origem aos *hiatos*. Graficamente, a semivogal /y/ é representada pelas letras *i* (*cai, lei, fui, Uruguai*, etc.) nos ditongos e tritongos orais, e pela letra *e* (*mãe, pães*, etc.) nos ditongos nasais; a semivogal /w/ é representada pela letra *u* (*pau, céu, viu, guaucá*) nos ditongos e tritongos orais, e pela letra *o* (*pão, mão, saguão*, etc.) nos ditongos e tritongos nasais.

DITONGO é o encontro de uma vogal e de uma semivogal, ou vice-versa, na mesma sílaba: *pai, mãe, água, cárie, mágoa, rei*.

Sendo a vogal a base da sílaba ou o elemento silábico, é ela o som vocálico que, no ditongo, se ouve mais distintamente. Nos exemplos dados, são vogais: p*a*i, m*ã*e, águ*a*, cári*e*, mágo*a*, r*e*i.

> **Observação:**
> ➡ Os ditongos, como os demais encontros vocálicos, podem ocorrer no interior da palavra (dizem-se *intraverbais*: *pai, vaidade*), ou pela aproximação, por fonética sintática, de duas ou mais palavras (dizem-se *interverbais*): *Porto Alegre* [pohtwa'lɛgrɪ], *parte amarga* [pahtya'mahgɑ].

Os ditongos podem ser:

a) crescentes ou decrescentes
b) orais ou nasais

Crescente é o ditongo em que a semivogal vem antes da vogal: á*gua*, cá*rie*, má*goa*.

Decrescente é o ditongo em que a vogal vem antes da semivogal: *pai, mãe, rei*.

Como as vogais, os ditongos são *orais* (*pai, água, cárie, mágoa, rei*) ou *nasais* (*mãe*).

Os ditongos nasais são sempre fechados, enquanto os orais podem ser *abertos* (*pai, céu, rói, ideia*) ou *fechados* (*meu, doido, veia*).

Nos ditongos nasais, são nasais a vogal e a semivogal, mas só se coloca o til sobre a vogal: *mãe*.

Principais ditongos crescentes:

Orais:
1) [ya]: *glória, pátria, diabo, área, nívea*
2) [ye]: (= yi): *cárie, calvície*
3) [yɛ]: *dieta*
4) [yo]: *vário, médio, áureo, níveo*
5) [yɔ]: *mandioca*
6) [yo]: *piolho*
7) [yu]: *miudeza*
8) [wa]: *água, quase, dual, mágoa, nódoa*
9) [wi]: *linguiça, tênue*
10) [wɔ]: *quiproquó*
11) [wo]: *aquoso, oblíquo*
12) [we]: *coelho*
13) [wɛ]: *equestre, goela*

Observação:

➥ Em muitos destes casos pode ser discutível a existência de ditongos crescentes "por ser indecisa e variável a sonoridade que se dá ao primeiro fonema. Certo é que tais ditongos se observam mais facilmente na hodierna pronúncia lusitana do que na brasileira, em que a vogal [hoje semivogal], embora fraca, costuma conservar sonoridade bastante sensível" [SA]. De qualquer maneira registre-se o descompasso entre a realidade fonética (ora hiato, ora ditongo) e a maneira invariável de grafar *miúdo* com acento agudo no *u*, quer seja proferido como dissílabo (e ditongo, portanto) ou como trissílabo (e hiato). Também palavras como *série, glória*, que podem ser proferidas como dissílabas (mais usual) ou trissílabas, não têm os encontros vocálicos separados na divisão silábica: *sé-rie, gló-ria*, em ambos os casos de pronúncia. No plano fonético, o ditongo [ye] pode pronunciar-se como [yi], devido à neutralização entre /e/ e /i/ em sílaba átona final: *série* ['sɛryi]. O mesmo fenômeno ocorre com o ditongo [wo], que pode pronunciar-se como [wu] devido à neutralização entre /o/ e /u/ em sílaba átona final: *oblíquo* [o'blikwu].

Nasais:
1) [ỹã]: *criança*
2) [ỹẽ]: *paciência*
3) [ỹõ]: *biombo*
4) [ỹũ]: *médium*
5) [wã]: *quando*
6) [wẽ]: *frequente, quinquênio, depoente*

7) [w̃ĩ]: *arguindo, quinquênio, moinho*

Os principais ditongos decrescentes são:

Orais:
1) [ay]: *pai, baixo*
2) [aw]: *pau, cacaus, ao*
3) [ɛy]: *réis, coronéis*
4) [ey]: *lei, jeito, fiquei*
5) [ɛw]: *céu, chapéu*
6) [ew]: *leu, cometeu*
7) [iw]: *viu, partiu*
8) [ɔy]: *herói, anzóis*
9) [oy]: *boi, foice*
10) [ow] *vou, roubo, estouro*
11) [uy] *fui, azuis*

Observações:

➡ O ditongo [ay], diante de sílaba iniciada por consoante nasal, pode assimilar o traço de nasalidade em algumas regiões linguísticas do Brasil, de cujo fato decorre uma pronúncia [ãy)], como em *faina, paina, andaime*, etc.

➡ No plano fonético, devido ao processo da monotongação, o ditongo [ow] perde a semivogal na linguagem coloquial, vindo a pronunciar-se /o/: *pouco* diz-se ['powkʊ] ou ['pokʊ]. Também os ditongos [ay] e [ey] podem sofrer monotongação para /a/ e /e/ na pronúncia coloquial, o primeiro perante /ʒ/ ou /ʃ/, e o segundo perante /ʒ/, /ʃ/ ou /ɾ/: *caixa, baixo, queijo, freira*, etc.

➡ Devido ao processo de vocalização do /l/ na maior parte das regiões linguísticas do Brasil, verifica-se, no plano fonético, a ocorrência dos ditongos [ɔw], como em *sol, anzol, atol,* e [uw], como em *azul, sul, culpa*, etc.

Nasais:
1) [ãỹ]: *alemães, cãibra*
2) [ãw̃]: *pão, amaram*
3) [ẽỹ]: *bem, ontem*
4) [õỹ]: *põe, senões*
5) [ũỹ]: *mui, muito*

Nota: Nos ditongos nasais decrescentes [ẽỹ], [ãỹ] e [ãw̃] (cf SS.3, 320. 18, onde *vãs* rima com *mães*), a semivogal pode não vir representada na escrita. Escrevemos a interjeição *hem!* ou *hein!*, sendo que, a rigor, a primeira grafia é mais recomendável.

TRITONGO é o encontro vocálico em que uma vogal se situa entre duas semivogais numa mesma sílaba. Os tritongos podem ser *orais* e *nasais*.

Orais:
1) [way]: *quais, paraguaio*
2) [wey]: *enxaguei, averigueis*
3) [wiw]: *delinquiu*
4) [wow]: *apaziguou*

Nasais:
1) [w̃ãw̃]: *mínguam, saguão, quão*
2) [w̃ẽỹ]: *delinquem, enxáguem*
3) [w̃õỹ]: *saguões*

> **Observações:**
>
> ➡ Nos tritongos nasais [w̃ãw̃] e [w̃ẽỹ] a última semivogal pode não vir representada graficamente: *mínguam, enxáguem*.
>
> ➡ Entre portugueses, por não haver o maior relevo da primeira vogal – fato que se observa entre brasileiros –, o grupo de vogal seguida de um ditongo pode constituir-se num tritongo: *fiéis, poeira, pião*.

HIATO é o encontro de duas vogais em sílabas diferentes por guardarem sua individualidade fonética: *saída, caatinga, moinho*. Isto se dá porque a passagem da primeira para a segunda se faz mediante um movimento brusco, com interrupção da voz [MN].

Em português, como em muitas outras línguas, nota-se uma tendência para evitar o hiato, pela presença da ditongação ou da crase.

> **Observações:**
>
> ➡ Desenvolvem-se uma semivogal /y/ e uma semivogal /w/ nos encontros formados por ditongo decrescente seguido de vogal final ou ditongo átono: praia ['prayɑ], cheia [ʃeyyɑ], tuxaua [tu'ʃawwɑ], goiaba [goy'yabɑ].
>
> ➡ Nos hiatos cuja primeira vogal for *u* e cuja segunda vogal for final de vocábulo (seguida ou não de *s* gráfico), o desenvolvimento de /w/ variará de acordo com as necessidades expressionais ou as peculiaridades individuais: nua = ['nua] ou ['nuwa]; recue = [ʀe'kue] ou [ʀe'kuwe]; amuo = [a'muo] ou [a'muwo].
>
> ➡ Os encontros *ia, ie, io, ua, ue, uo* finais, átonos, seguidos ou não de *s*, classificam-se quer como ditongos, quer como hiatos, uma vez que ambas as emissões existem no domínio da língua portuguesa: histó-ri-a e histó-ria; sé-ri-e e sé-rie; pá-ti-o e pá-tio; ár-du-a e ár-dua; tê-nu-e e tê-nue; vá-cu-o e vá-cuo. Lembrando que, para efeito de divisão silábica, esses encontros finais não se separam.

Nos encontros vocálicos costumam ocorrer dois fenômenos: a *diérese* e a *sinérese*.

Chama-se diérese à passagem de semivogal a vogal, transformando, assim, o ditongo num hiato: *trai-ção = tra-i-ção; vai-da-de = va-i-da-de; cai = ca-i*.

Chama-se sinérese à passagem de duas vogais de um hiato a um ditongo crescente: *su-a-ve = sua-ve; pi-e-do-so = pie-do-so; lu-ar = luar*.

A sinérese é fenômeno bem mais frequente que a diérese. A poesia antiga dava preferência ao hiatismo, enquanto, a partir do século XVI, se nota acentuada predominância do ditonguismo (sinérese). É claro que os poetas modernos continuaram a usar a diérese, mormente como efeito estilístico-fônico para a ênfase, a ideia de grandeza, etc. No conhecido verso de Machado de Assis, do soneto "Círculo vicioso", *auréola* com quatro sílabas acentua o tamanho descomunal ressaltado pela leitura lenta: "Pesa-me esta brilhante *auréola* de nume..."

Consoantes

Denominam-se consoantes os fonemas que se articulam mediante obstrução total ou parcial do fluxo de ar que sai dos pulmões e passa pela cavidade bucal. Em português, diz-se que as consoantes são fonemas *assilábicos*, visto que não há sílaba constituída apenas por sons consonantais.

Classificação das consoantes

Classificam-se as consoantes segundo os seguintes critérios:

a) modo de articulação – comportamento dos órgãos do aparelho fonador na articulação da consoante;
b) zona de articulação – lugar da cavidade bucal em que se articula a consoante;
c) vozeamento[8] – ocorrência ou não ocorrência de vibração das cordas vocais;
d) fluxo do ar[9] – modo pelo qual o ar flui para o exterior na articulação da consoante.

Quanto ao MODO DE ARTICULAÇÃO, as consoantes podem ser *oclusivas, fricativas, africadas, laterais, vibrantes*, além do *tepe* e da *retroflexa*.

O obstáculo que, na cavidade bucal, os órgãos impõem à corrente expiratória pode ser de dois tipos: ou os órgãos da boca estão dispostos de tal modo que impedem *completamente* a saída do ar, ou permitem *parcialmente* que a corrente expiratória chegue à atmosfera. No primeiro caso, dizemos que as consoantes são *oclusivas*: [p] em *pato*, [k] em *casa*; no segundo, são *fricativas* quando a corrente expiratória, passando por entre os órgãos que formam o obstáculo parcial, produz um atrito à maneira de fricção: [f] em *faca*, [s] em *saia*, etc. As *africadas* caracterizam-se por uma articulação complexa, em que uma leve oclusão é acompanhada de fricção, caso do [tʃ] pronunciado pelos falantes do Rio de Janeiro junto à vogal /i/: *tia, tipo*, etc. São *laterais* quando a passagem da corrente expiratória, obstruída pela aproximação do ápice ou dorso da língua aos alvéolos da arcada dentária superior

---

[8] A tradição gramatical denomina "papel das cordas vocais".
[9] A tradição gramatical denomina "papel das cavidades bucal e nasal".

ou ao palato, escapa pelos lados da cavidade bucal: [l] em *lata*, [ʎ] em *lhe*. São *vibrantes* quando a raiz da língua contra o véu do paladar executa movimento vibratório rápido, abrindo e fechando a passagem à corrente expiratória: /R / em *rua*.

Ainda quanto ao modo de articulação, o português brasileiro apresenta o *tepe*,[10] caracterizado por um "chicotear" da língua na região pré-palatal, cuja ocorrência se faz em ambiente intervocálico: *hora, ira, ara*, etc. Por fim, há também no português brasileiro uma consoante *retroflexa*, representada pelo símbolo [ɻ] e grafada com a letra *r*, cuja articulação implica a flexão da ponta da língua em direção à garganta.[11]

Quanto à ZONA DE ARTICULAÇÃO, as consoantes podem ser:
1) *bilabiais* (lábio contra lábio): [p], [b], [m];
2) *labiodentais* (lábio inferior e arcada dentária superior): [f], [v];
3) *linguodentais* (língua contra a arcada dentária superior): [t], [d], [n];
4) *alveolares* (língua em direção ou contra os alvéolos): [s], [z], [l];
5) *alveolopalatais* (língua em direção à região pré-palatal): [tʃ], [dʒ], [ɾ];
6) *palatais* (dorso da língua contra o palato duro): [ʃ], [ʒ], [ʎ], [ɲ];
7) *velares* (raiz da língua contra o véu do paladar): [k], [g], [R], [h], [L].

Quanto ao VOZEAMENTO, as consoantes podem ser *vozeadas*, também denominadas *sonoras*, e *desvozeadas*, também denominadas *surdas*. As consoantes que se distinguem apenas pelo traço de vozeamento são denominadas *homorgânicas*.
1) desvozeadas: [p], [f], [t], [s], [tʃ], [ʃ], [k], [h];
2) vozeadas: [b], [m], [v], [d], [n], [z], [l], [dʒ], [ɾ], [ʒ], [ʎ], [ɲ], [g], [R],[L].

Quanto ao FLUXO DE AR, as consoantes podem ser *orais*, se o ar passa apenas pela cavidade bucal, ou *nasais*, se o ar passa pela cavidade bucal com ressonância nas fossas nasais.

Tendo em vista estes critérios, chega-se ao seguinte quadro de consoantes:

Consoante	Classificação	Exemplos
[p]	oclusiva bilabial desvozeada oral	**p**ai
[b]	oclusiva bilabial vozeada oral	**b**ala
[t]	oclusiva linguodental desvozeada oral[12]	**t**apa, **t**ipo[13]
[d]	oclusiva linguodental vozeada oral	**d**ata, **d**ia[14]

---

[10] A tradição gramatical refere-se a este som como *vibrante simples* ou *vibrante alveolar*. A rigor, não há vibração no tepe, pois sua articulação implica um único e rápido toque do ápice da língua na região alveolopalatal.
[11] A consoante retroflexa é conhecida popularmente como "r caipira". Sua ocorrência é típica das regiões interioranas do Sudeste, do Sul e do Centro-Oeste.
[12] Muitos falantes articulam este fone com traço alveolar.
[13] Perante qualquer vogal, inclusive /i/, nos estados do Nordeste brasileiro.
[14] Idem.

Consoante	Classificação	Exemplos
[k]	oclusiva velar desvozeada oral	cola, **qu**eda
[g]	oclusiva velar vozeada oral	**g**ato, **gu**ia
[tʃ]	africada alveolopalatal desvozeada oral	**t**ipo[15]
[dʒ]	africada alveolopalatal vozeada oral	**d**ia[16]
[f]	fricativa labiodental desvozeada oral	**f**aca
[v]	fricativa labiodental vozeada oral	**v**aca
[s]	fricativa alveolar desvozeada oral	**s**eda, mi**ss**a
[z]	fricativa alveolar vozeada oral	**z**elo, a**s**a
[ʃ]	fricativa palatal desvozeada oral	**x**ícara, **ch**uva
[ʒ]	fricativa palatal vozeada oral	**j**arra, **g**elo
[x]	fricativa velar desvozeada oral	**r**ua, ma**r**[17]
[m]	oclusiva bilabial vozeada nasal	**m**ão
[n]	oclusiva linguodental vozeada nasal	**n**ada[18]
[ɲ]	fricativa palatal vozeada nasal	ba**nh**o
[ɾ]	tepe alveolopalatar vozeado oral	a**r**o
[R]	vibrante velar vozeada oral	**r**ua, ma**r**[19]
[ɻ]	retroflexa palatal vozeada oral	ma**r**[20]
[l]	lateral alveolar vozeada oral	**l**ata, cana**l**
[ʟ]	lateral velar vozeada oral	cana**l**
[ʎ]	lateral palatal vozeada oral	**lh**e, a**lh**o

Quadro 5: Classificação das consoantes.

Observações:

➡ A classificação das consoantes se faz no plano fonético, em que se discriminam suas especificidades articulatórias. Em outras palavras, classificam-se *fones* consonantais, não *fonemas* consonantais, já que estes últimos só existem no plano abstrato. Como observado no Quadro 5, há sons consonantais que, por não terem diferenciação entre si, figuram como *alofones* de um só fonema. Deste modo, diz-se que o fonema /t/ em *tipo* pode realizar-se foneticamente pelo alofone oclusivo [t], comum

---

[15] Apenas perante /i/ na maior parte das regiões linguísticas brasileiras.
[16] Idem.
[17] Típica da pronúncia do Rio de Janeiro. Em travamento silábico, ocorre mais comumente no Rio de Janeiro uma consoante fricativa glotal desvozeada – também denominada "rótico aspirado" – que se transcreve foneticamente com o símbolo [h].
[18] Muitos falantes articulam este fone com traço alveolar.
[19] Predominante no interior dos estados do Sul.
[20] Típico das regiões interioranas do Sudeste, do Sul e do Centro-Oeste.

em estados da região Nordeste, ou pelo alofone africado [tʃ], mais presente na região Sudeste. Já o fonema /l/ manifesta-se pelo alofone [l] em início de sílaba, como em *lata, livro*, mas pode manifestar-se pelos alofones [l] ou [ʟ] em travamento de sílaba,[21] como em *sinal, sul*, etc.

➥ O estudo das consoantes deve conferir especial atenção ao fonema /R/, que se realiza foneticamente por, pelo menos, três alofones: [R] vibrante velar vozeado oral, [x] fricativo velar desvozeado oral e [ɻ] retroflexo palatal vozeado oral. A distribuição desses alofones indica maior incidência de [R] no interior sulista, predominância de [x] no Sudeste – com incidência da glotal desvozeada [h] sobretudo em travamento de sílaba – e presença expressiva de [ɻ] nas regiões interioranas do Sudeste, do Sul e do Centro-Oeste.

➥ As consoantes vibrantes e laterais têm excepcional traço de vozeamento, razão por que se aproximam acusticamente das vogais. Por tal motivo, muitos linguistas as denominam *soantes* [CCh].

➥ Em travamento silábico, as consoantes /s/, /z/, /ʃ/ e /ʒ/ perdem diferenciação entre si, de que resulta a presença de um arquifonema sibilante [MC], transcrito pelo símbolo /S/.

➥ Em português, algumas consoantes são grafadas com a mesma letra, fato que provoca dúvidas ortográficas: /ʒ/ aparece em **j**arro e **g**elo; /z/ aparece em **z**elo e a**s**a, etc. Por outro lado, há letras que representam mais de um fonema: **x** representa /z/ em *exame*, /ʃ/ em *enxada*, [ks] em *óxido*, etc.

➥ Conforme já referido na Observação 3 do estudo sobre os ditongos decrescentes orais, em várias regiões linguísticas do Brasil ocorre perda de diferenciação entre a consoante /l/ e a semivogal /w/ em travamento silábico, de que resulta a homofonia entre *alto* e *auto*, *mal* e *mau*, etc.

Encontro consonantal

Assim se chama o seguimento imediato de duas ou mais consoantes de um mesmo vocábulo. Há encontros consonânticos pertencentes a uma sílaba, ou a sílabas diferentes: *li-vro*; *blu-sa*; *pro-sa*; *cla-mor*; *rit-mo*; *pac-to*; *af-ta*, *ad-mi-tir*. O encontro consonantal /ks/ é representado graficamente pela letra *x*: *anexo, fixo*. A esta representação se dá o nome de *dífono*. São mais raros em nossa língua os seguintes encontros consonânticos existentes em vocábulos eruditos. Estes encontros são separáveis, salvo os que aparecem no início de vocábulos:

---

[21] O português, como tantas outras línguas, apresenta, quanto à estrutura, **sílabas abertas**, cujo último elemento é vocálico, e **sílabas travadas**, cujo último elemento é consonantal. Assim, em *calor*, a primeira sílaba é aberta, porque termina no [ɑ] pretônico, e a segunda é travada, pois é cerrada pela consoante /R/.

[bd]: lamb-da
[bs]: ab-so-lu-to
[kk]: sec-ção
[dm]: ad-mi-tir
[gn]: dig-no
[mn]: mne-mô-ni-co

[ft]: af-ta
[pn]: pneu, pneu-má-ti-co
[ps]: psi-co-lo-gi-a
[pt]: ap-to
[stm]: ist-mo
[tn]: ét-ni-co
[st]: pis-ta

No português brasileiro, há tendência para inclusão de uma vogal epentética[22] entre as consoantes desses encontros, de que decorrem as pronúncias "abisoluto", "adimitir", "díguino", "adivogado", etc. Cumpre atentar para a pronúncia padrão quando mais adequada à situação discursiva.

O desejo de corrigir o engano leva muitas vezes à omissão indevida da vogal de certos vocábulos: *adivinhar* e não *advinhar*, *subentender* e não *subtender*.

Sílaba

Define-se a sílaba, do ponto de vista articulatório, como uma sequência sonora, produzida mediante expulsão do ar dos pulmões, conjugada com segmentos de maior ou menor tensão muscular, de que decorre um efeito acústico discreto, isto é, descontínuo [RCa]. Nas palavras portuguesas, a sílaba apresenta um ápice de sonoridade, limitado por um declive anterior e outro posterior que constituem as chamadas *fronteiras silábicas*. O ápice da sílaba é a vogal, razão por que este fonema se denomina *elemento silábico*. Já as consoantes e as semivogais, que não podem situar-se no ápice da sílaba, são denominadas *elementos assilábicos*.

Padrões silábicos

Se representarmos por V o *elemento silábico*, isto é, a vogal, e por C os *elementos assilábicos*, isto é, as consoantes e as semivogais, chegaremos aos seguintes padrões estruturais básicos da sílaba na língua portuguesa: V (sílaba simples); CV (sílaba complexa crescente); VC (sílaba complexa decrescente); CVC (sílaba complexa equilibrada). Mais raramente, há palavras com padrões silábicos CCV, VCC, CCVC e CVCC.

Eis os exemplos:
Padrão V : *a*|mo, cri|*a*|va, ca|*í*
Padrão CV: *ca*|*la*|*da*, *vi*|*la*
Padrão VC: *ai*|po, A|*ir*|ton, te|*or*

---

[22] Chamamos de *epêntese* o desenvolvimento de um fonema no interior de um vocábulo. Por exemplo: peneu – pneu (trata-se aqui de uma vogal epentética).

Padrão CVC: ***mer*|gu|lho, en|***tor***|no, su|é|***ter***
Padrão CCV: ***gre***|go, a|***cri***|a|no, des|ca|la|***bro***
Padrão VCC: ***aus***|te|ro
Padrão CCVC: ***cris***|par, in|***crus***|tar, a|ves|***truz***
Padrão CVCC: ***pers***|pi|caz, e|***xaus***|to

Posição da consoante na sílaba

O estudo da sílaba revela que a presença das consoantes sofre significativas restrições. No tocante aos padrões silábicos básicos, temos a seguinte distribuição:
a) Sílaba CV – destaca-se por admitir quase todas as consoantes, excetuando-se o tepe /ɾ/, que não ocorre em sílaba inicial.

> **Observação:**
>
> → Em sílaba CV inicial, o fonema /ɲ/ aparece apenas em nomes de origem tupi, tais como *nhambi, nhanduguaçu, nhandiroba*; já o fonema /ʎ/, que figura no pronome *lhe*, também fica restrito a certos espanholismos, tais como *lhama, lhano* e *lhanura*. O tepe /ɾ/ só ocorre em sílaba medial ou final, em ambiente intervocálico, como em *hora, ira, arado* e *Irene*.

b) Sílaba CCV – o primeiro elemento é obrigatoriamente uma consoante oclusiva, excetuadas as nasais, ou uma consoante fricativa labiodental; o segundo elemento fica restrito às consoantes /l/ e /ɾ/, não sendo poucos os pares mínimos decorrentes: *fluir, fruir; clave, crave*, etc.
c) Sílaba VC – nesta posição encontra-se o arquifonema sibilante /S/, que se realiza foneticamente pelas fricativas alveolares e palatais /s/, /z/, /ʃ/ e /ʒ/: *pás, cartaz, misto*, etc.[23] Também ocorre a lateral /l/ (que se realiza foneticamente pelos alofones [l] e [ʟ]: *mal, farol*[24] e a consoante /R/ (que se realiza foneticamente pelos alofones [R], [x], [h] e [ɻ], caso de *mar, falar, dizer, ferir*, etc.) Pelo exposto, as consoantes pós-vocálicas no português do Brasil resumem-se a /S/, /l/ e /R/.[25]

---

[23] A realização fonética dessas consoantes condiciona-se à variação de uso linguístico em plano diatópico.
[24] Conforme visto no estudo dos ditongos, a lateral /l/, em posição pós-vocálica, sofre vocalização para /w/ na maior parte das regiões linguísticas do Brasil.
[25] Se, acompanhando a proposta de Mattoso Câmara Jr., acatarmos a tese do arquifonema nasal, haveremos de incluir no grupo o arquifonema /N/.

Exercícios de fixação

1. **Com o auxílio do dicionário, substitua cada fonema das seguintes palavras até formar duas palavras diferentes. Note-se que só pode mudar um fonema de cada vez:**

   1) para
   2) tina
   3) vela
   4) bota
   5) carro
   6) tinha
   7) apagado
   8) lata
   9) fato
   10) tira

   Modelo:
   1) para
   Substituindo o 1.º fonema
     1) Iara
     2) vara
     3) tara
   Substituindo o 2.º fonema
     1) pera
     2) pira
     3) pura
   Substituindo o 3.º fonema
     1) palha
     2) pata
     3) paca
   Substituindo o 4.º fonema
     1) Pará
     2) paro
     3) pare

2. **Separe, quando possível, as sílabas das seguintes palavras:**
   1) substantivo
   2) ritmo
   3) iate
   4) moeda
   5) psiu
   6) istmo
   7) rítmico
   8) apoio
   9) caiu
   10) joia

3. **O mesmo exercício:**
   1) folha
   2) disciplina
   3) glória
   4) feldspato
   5) Piauí
   6) cumeeira
   7) exsudação
   8) secção
   9) pauis
   10) ruim

4. **Indique o número de letras e de fonemas nas palavras abaixo:**
   1) leite
   2) língua
   3) consequência
   4) queixa

5) calha
6) imposição
7) hemoglobina
8) rachadura
9) coordenação
10) permissão
11) conhecimento
12) super-homem
13) habitação
14) oxidação
15) luxúria
16) desilusão

5. **Indique o fonema representado pela letra s em:**
   1) sapo
   2) corsário
   3) uso
   4) insipiente
   5) bolsa
   6) usurário

6. **Indique o fonema representado pela letra x em:**
   1) exame
   2) óxido
   3) máximo
   4) xadrez
   5) enxada
   6) exatidão
   7) axila

7. **Em algumas palavras, a variante de pronúncia pode acusar um ditongo que não se registra graficamente. Reconheça os possíveis ditongos nas palavras abaixo:**
   1) alguém
   2) salto
   3) pás
   4) bem
   5) gol
   6) volta
   7) mel

8. Levando em conta o primeiro fonema de cada palavra, estabeleça a correspondência correta entre as duas colunas abaixo:
   (a) consoante bilabial
   (b) consoante alveolar
   (c) consoante palatal
   (d) consoante velar
   (e) consoante linguodental

   ( ) seda
   ( ) chamado
   ( ) queda
   ( ) pedido
   ( ) contagem
   ( ) despedir
   ( ) zebra
   ( ) jarro
   ( ) mão

9. Assinale, entre as palavras abaixo, aquelas cuja pronúncia implica alçamento da vogal pretônica – *e>i* e *o>u* – segundo sua variante de pronúncia:
   ( ) corrida
   ( ) pegada
   ( ) polar
   ( ) comprido
   ( ) enfermo
   ( ) rentável
   ( ) seguir
   ( ) lotada

10. Dígrafo é a sequência de duas letras que representam, na palavra, um único fonema. Assinale as palavras que apresentam dígrafo em:
    ( ) queda
    ( ) ombro
    ( ) clave
    ( ) chuva
    ( ) arreio
    ( ) pente
    ( ) guia
    ( ) aguar
    ( ) equino
    ( ) junto

II. Assinale com o número 1 as palavras iniciadas por consoante oclusiva, com número 2 as palavras iniciadas por consoante fricativa e com número 3 as palavras iniciadas por consoante lateral:
   ( ) lei
   ( ) pâncreas
   ( ) meio
   ( ) surdo
   ( ) zumbi
   ( ) bloco
   ( ) lhe
   ( ) tempo

Apêndice
Fonética Expressiva ou Fonoestilística

Os fonemas com objetivos simbólicos

Muitas vezes utilizamos os fonemas para melhor evocar certas representações. É deste emprego que surgem as *aliterações*, as *onomatopeias* e os *vocábulos expressivos*.

Aliteração

É a repetição de fonema, vocálico ou consonântico, igual ou parecido, para descrever ou sugerir acusticamente o que temos em mente e expressar, quer por meio de uma só palavra, quer por unidades mais extensas.

O sossego do vento ou o barulho ensurdecedor do mar ganham maior vivacidade através da aliteração dos seguintes versos:
  "As asas ao sereno e sossegado vento" (utilização do fonema fricativo alveolar sonoro e surdo).
  "Bramindo o negro mar de longe brada" (utilização principal dos fonemas *b*, *r* e *d*).

A aliteração tanto pode servir ao estilo solene e culto, como nos exemplos referidos, como pode estar presente nas manifestações de espontânea expressividade popular, conforme se vê nos provérbios, nas frases feitas, nos modos de dizer populares: *são e salvo*, *cara ou coroa*, *de cabo a rabo*, etc. O que importa acentuar é que a aliteração mais ocorre na exteriorização psíquica e no apelo do que na comunicação intelectiva (↗ 558).

Onomatopeia

É o emprego de fonema em vocábulo para descrever acusticamente um objeto pela ação que exprime.

São frequentes as onomatopeias que traduzem as vozes dos animais e os sons das coisas:
> O *tique-taque* do relógio, o *marulho* das ondas, o *zunzunar* da abelha, o *arrulhar* dos pombos.

Vocábulo expressivo

É o que não imita um ruído, mas sugere a ideia do ser que se quer designar com a ajuda do valor psicológico de seus fonemas: *romper, tagarelar, tremeluzir, jururu, ziriguidum, borogodó*.

Encontros de fonemas que produzem efeito desagradável ao ouvido

Muitas vezes, certos encontros de fonemas produzem efeito desagradável que repugna o ouvido e, por isso, cumpre evitar, sempre que possível. Esses defeitos são mais perceptíveis nos textos escritos porque a pessoa que os lê nem sempre faz as pausas e as entonações que o autor utilizou, com as quais diminui ou até anula os encontros de fonema que geram sons desagradáveis.

Entre os efeitos acústicos condenados estão: a *colisão*, o *eco*, o *hiato* e a *cacofonia*.

Colisão

É o encontro de consoantes que produz desagradável efeito acústico:
> "Se eu tenho de morrer na flor dos anos,
> Meu Deus! não *seja já*." [CA]

Às vezes a omissão de um substantivo aproxima duas preposições de que resulta colisão, fato que os escritores não se esforçam por evitar:
> "Tenho ali na parede o retrato dela, ao lado *do do* marido, tais quais na outra casa." [MA]
> "A voz da nova mestra era doce, não daquela doçura *da de* sua mãe, um canto de pássaro mais que uma voz humana." [JL]

Também quase sempre não se evita a colisão do tipo de *no número, na nave, na noite, na nossa vida*, etc. Pode-se, sem ser obrigatório, fugir à colisão mediante substituição de *no, na, num*, etc. por *em o, em a, em um*, etc.: *em o* número, *em a* nave.

Eco

É a repetição, com pequeno intervalo, de palavras que terminam de modo idêntico:
> Estas palavras subordinam frases em que se exprime condi*ção* necessária à realiza*ção* ou n*ão* realiza*ção* da a*ção* principal.

Hiato

O hiato de vogais tônicas torna-se desagradável principalmente quando formado pela sucessão de palavras:
Hoje há aula.
Ou eu ou outro ouviria a campainha.

Cacofonia ou cacófato

É o encontro de sílabas de duas ou mais palavras que forma um novo termo de sentido inconveniente ou ridículo em relação ao contexto:
"Ora veja como ela está estendendo as mãozinhas inexperientes para a chama das velas..." [CBr]
herói da nação, nosso hino, boca dela, nunca que estuda

Deve-se evitar, tanto quanto possível, que uma palavra comece pela mesma sílaba com que a anterior acabe: *torre redonda, por razão, por respeito, pouca cautela, nunca casavam, ignora-se se se trata disso.*

Cuidado maior há de se ter se a junção lembra palavra pouco delicada: o Tijuca ganhou, o jogador marca gol, tão comuns na imprensa falada e escrita.

A leitura do texto em voz alta, antes de sua divulgação, surpreenderá muitos casos de cacófatos.

É oportuna a lição de Said Ali:

"Repara-se, hoje, com certo exagero, na cacofonia resultante da junção da sílaba terminal de um vocábulo com a palavra ou parte da palavra imediata. Não se liga, entretanto, maior importância à cacofonia quando esta se acha dentro de um mesmo vocábulo, sendo formada por algumas das suas sílabas componentes. O mal aqui é irremediável, pois que expressões não se dispensam, nem se substituem. Muitas vezes, parece a cacofonia menos ridícula do que a vontade de percebê-la... O estudante evite, sempre que puder, semelhantes combinações de palavras, assim como quaisquer outras de onde possam nascer uns longes de cacofonia, e não se preocupe com descobri-los nos outros." [SA]

Capítulo 25
Ortoepia

Ortoepia

Ortoepia ou *ortoépia* é a parte da gramática que trata de correta pronúncia dos fonemas.

Preocupa-se não apenas com o conhecimento exato dos valores fonéticos dos fonemas, mas ainda com o ritmo, a entoação e expressão convenientes à boa elocução. A leitura em voz alta é excelente exercício para desenvolver tais competências.

Vogais

Quanto à emissão das vogais, na pronúncia normal brasileira, observemos que:
a) São fechadas as vogais nasais; por isso não distinguimos as formas verbais terminadas em *-amos* e *-emos* do pres. e pret. perf. do indicativo da 1.ª e 2.ª conjugações: *Ontem trabalhamos* e *agora trabalhamos*.
b) Soam muitas vezes como nasais as vogais seguidas de *m, n* e principalmente *nh*: c*a*ma, c*a*na, b*a*nha, c*e*na, f*i*na, Antônio, *u*nha.

> **Observação:**
> ➡ Sem nasalidade proferem-se as vogais desses e de vários outros vocábulos: *emitir, emissário, eminente, energia, enaltecer, Enaldo,* etc.

c) Soam quase sempre como orais as vogais precedidas de *m, n* ou *nh*: m*a*ta, n*a*ta, m*i*lho. Não é geral a pronúncia nasalada do *mas* [mãs]. Entretanto, *mui* e *muito* se proferem [mũỹ] ou [muy] e [mũỹtu] ou [muytu].
d) Soam igualmente o *a* artigo, *a* preposição, *a* pronome e o *à* resultante da crase. Não se alonga o *à*, "salvo, muito excepcionalmente, se houver necessidade imperativa, para a inteligência da frase, caso em que o resultante da

crase poderá ser pronunciado com certa tonicidade e ênfase" (*Normas*,[1] 481).

e) São oscilantes /e/ - /i/, /ẽ/ - /ĩ /, /o/ - /u/, /õ/ - /ũ/, átonos pretônicos em numerosos vocábulos, fenômeno chamado *harmonização vocálica* [MC], tendo em vista o nivelamento da vogal pretônica com a vogal tônica alta: menino, "minino"; pedir, "pidir", sentir, "sintir"; estudo, "istudu", corrida, "currida", etc. Quando o mesmo fato ocorre em palavras com vogal tônica média ou baixa, dá-se a denominação de *debordamento* [MC]: compadre, "cumpadre", empada, "impada", etc. Os dois casos são genericamente denominados *alçamento vocálico* [RCa].

f) Em linguagem cuidada, evita-se a oscilação de que anteriormente se falou, quando tem valor opositivo, isto é, serve para distinguir palavras de significado diferente: *eminente / iminente*; *emigrar / imigrar*; *descrição / discrição*.

g) O *u* depois de *g* ou *q* ora é vogal ou semivogal (e aí se profere), ora é componente de dígrafo (e aí não se pronuncia).

Entre outras deve ser proferido nas seguintes palavras depois do *g*: *aguentar, ambiguidade, apaziguar, arguição, arguir, bilíngue, consanguíneo, contiguidade, ensanguentado, exiguidade, lingueta, linguista, redarguir, sagui* ou *saguim, unguento, unguiforme*.

Não se deve proferir o *u* depois do *g* em: *distinguir, exangue, extinguir, langue, pingue* (= gordo, fértil, rendoso).

É facultativo pronunciá-lo em: *antiguidade* (gui *ou* güi); *sanguíneo* (gui *ou* güi); *sanguinário* (gui *ou* güi); *sanguinoso* (gui *ou* güi).

Profere-se o *u* depois do *q* em: *aquícola, consequência, delinquência, delinquir, equestre, equevo, equidistante, equino* (= cavalar), *equitativo, equipolente* (também /ki/), *frequência, iniquidade, loquela, obliquidade, quingentésimo, quinquênio, quiproquó, sequência, Tarquínio, tranquilo, ubiquidade*.

Não se profere o *u* depois do *q* em: *adquirir, aniquilar, aqueduto, equilíbrio, equinócio, equipar, equiparar, equitação, equívoco, extorquir, inquérito, inquirir, sequioso, quérulo, quibebe*.

É facultativo pronunciá-lo em: *antiquíssimo, equidade, equivalente, equivaler, liquidação, liquidar, líquido, liquidificador, retorquir*.

Grafa-se *quatorze* [kwa'toRzi] ou *catorze* [ka'toRzi].

h) Em muitos vocábulos há dúvidas quanto ao timbre das vogais. Recomendamos timbre aberto para o *e* em: *acerbo, Aulete, anelo, badejo* (também fechado), *benesse, blefe* (também fechado), *caterva, cedro, cerdo* (também fechado), *cetro, cerne, cervo* (também fechado), *coeso* (também fechado), *coevo, coleta, cogumelo, confesso, corbelha, duelo, espectro, equevo,*

---

[1] *Normas aprovadas pelo Primeiro Congresso Brasileiro de Língua Falada no Teatro*. Anais do Primeiro Congresso Brasileiro de Língua Falada no Teatro, realizado em Salvador de 5 a 12 de setembro de 1956. Rio de Janeiro: Ministério da Educação e Cultura, 1958, p. 479-495.

flagelo, ileso (também fechado), *indefesso, besta* ('arma'), *doesto, lerdo, medievo, elmo, obsoleto* (também fechado), *paredro, prelo, primevo, septo, servo, Tejo, terso*.

É fechado em: *acervo* (também com *e* aberto), *achega, adejo, adrede, alameda, amuleto, anacoreta, arabesco, aselha, bacelo, besta* ('animal de carga'), *bissexto, bofete, caminhoneta, cerebelo, cateto, cerda, destra, destro, devesa, defeso, dueto, entrevero, escaravelho, efebo, extra, fechar* (e suas formas *fecho, fechas, feche*, etc.), *ginete, grumete, indefeso, interesse* (s.), *ledo, lampejo, labareda, magneto, palimpsesto, panfleto, pez, quibebe, reses, retreta, roquete, sobejo, veneta, vereda, vinheta, versalete, vespa, vedeta, verbete, xerez, xepa*. As autoridades recomendam o timbre fechado em *pese* (na expressão *em que pese a*), *centopeia* e *colmeia* (mas a pronúncia com timbre aberto é generalizada entre nós). Diz-se *topete* com *e* aberto ou fechado; *vedete* é mais proferido com *e* aberto no Brasil.

Apresentam timbre aberto ou fechado: sapé/sapê, bebé/bebê, Tieté/Tietê, ipé/ipê, suor (/ɔ/ ou /o/).

Tem timbre aberto o *o* tônico de: *amorfo, canoro, coldre*, (de) *envolta, dolo, foro* ('praça pública'), *hissope, imoto, inodoro, manopla, meteoro, molho* ('feixe'), *noto* ('vento sul'), *opa* ('capa'), *piloro, probo, sinagoga, troço* ('coisa'), *trombose, tropo*.

Tem timbre fechado o *o* tônico de: *aboio, alcova, apodo, boda, bodas, cochicholo, chope, cachopa, choldra, ciclope* (também aberto), *corça, desporto, escolho, filantropo, foro* ('jurisdição, tribunal, juízo'), *loa, logro, lorpa, loto* ('jogo' também aberto), *Mausolo, malogro, mirolho, misantropo, molosso, odre, serôdio, teor, torpe, torso, torvo, transbordo, troço* ('parte'), *trolha, volvo, zarolho, zorro*.

i) Quanto aos ditongos, cumpre notar: *ai, ei* e *ou* devem guardar, na pronúncia cultivada, sua integridade, não se exagerando o valor do *i* ou *u*, nem os eliminando, como o faz a modalidade distensa: *caixa, queijo, ouro*.

Soa como ditongo nasal [ãw̃] a sílaba átona final *-am: amam*.

Soam como ditongo nasal [ẽỹ] as sílabas finais *-em, -ém, -en, -ens* de muitos vocábulos: *bem, vem*; *vintém, ninguém*; *vens, homens*; *armazéns, parabéns*.

Normalmente ditongamos, pelo acréscimo de um /y/, as vogais tônicas finais seguidas de *-z* ou *-s*. Assim não fazemos a diferença entre *pás, paz* e *pais*; *más* e *mais*; *rapaz* e *jamais*; *vãs* e *mães*. Os poetas brasileiros nos dão bons exemplos destas ditongações.

Soam como ditongo, e não como hiato: *gratuito, fluido* (diferente de *fluído*, particípio de *fluir*), *fortuito, arraigar*, entre outros.

j) Quanto aos hiatos observemos que se desenvolve um /y/ ou /w/ semivogais nos encontros formados por ditongo decrescente seguido de vogal final ou ditongo átono: *praia: prai-(i)a; tuxaua: tuxau-(u)a; goiaba: goi-(i)aba; boiem: boi-(i)em*. (*Normas*, 486).

O mesmo desenvolvimento das referidas semivogais nos hiatos cuja primeira vogal seja *i* ou *u* tônicos e cuja segunda vogal seja final de vocábulo, "variará de acordo com as necessidades expressionais ou as peculiaridades individuais" (*Normas*, 485-6): via: *vi-a* ou *vi-(i)a*; lua: *lu-a* ou *lu-(u)a*.

Consoantes

Soam levemente as consoantes *b, c, d, f, g, s, t* quando finais de vocábulos: *sob, Moab, Isaac, Cid, Uf, Gog, fórceps, Garrett, Laet*.

Nos vocábulos eruditos, as terminações átonas *-ar, -er, -en, -ex* e *-on* devem guardar sua integridade em pronúncia: *aljôfar, certâmen* (também *certame*), *esfíncter, índex, cólon, númen* (também *nume*), *regímen* (também *regime*).

O *l* final de sílaba é proferido relaxado, quase velar, mas tendo-se o cuidado de não fazê-lo igual a /w/: *nacional*. Na língua literária dos românticos, mais em poesia, registra-se a troca do /l/ por /ɾ/ nos grupos *bl, cl, fl, pl*, de algumas palavras: *neblina / nebrina; clina / crina; flauta / frauta; plantar / prantar*, etc.

Na palavra *sublinhar* e derivados o *l* deve ser pronunciado separadamente do *b*. Entre portugueses ouve-se como *sublime*.

O *r* múltiplo alveolar pode ser proferido como velar, graças ao maior recuo da língua, e até com articulação dorso-uvular (portanto mais carregado ainda), embora as *Normas* não a recomendem na pronúncia cuidada: *mar, avermelhar*. Nas palavras *ab-rupto, ab-rogar, ad-rogar, sub-rogar*, e derivados, o *r* deve ser pronunciado múltiplo e separado, isto é, sem fazer grupo com a consoante anterior.

O *m* final pode guardar sua integridade de pronúncia, não nasalizando o *e* anterior, no vocábulo *totem*, admitindo a grafia *tóteme*. Em *bem-amado* e *bem-aventurado*, nasaliza o *e* anterior, e não se liga ao *a* seguinte. Diz-se *infligir*, e não *inflingir*. Em *mancheia*, na sílaba inicial ouve-se [mã]; em *mão-cheia* ouve-se, naturalmente, [mã]. Em outros casos, temos facultativa a nasalização: *Roraima, Jaime, paina*.

As linguodentais /d/ e /t/, seguidas de /i/, podem palatizar-se, evitando-se, entretanto, o exagero (articulação africada linguopalatal): *dia, tia*.

O /s/ pode palatalizar-se a /ʒ/, mas sem exagero, antes de /b/, /d/, /g/, /ʒ/, /l/, /m/, /ʀ/ e /v/: *desjejum, deslizar, esmo, asno, esbarrar, esdrúxulo, engasgar, asno, desregrar, desvão*. Como bem acentua Antenor Nascentes, em outros pontos do país o /s/, nestes casos, dá lugar ao /z/.

Antes de /k/, /f/, /p/, /t/, /ʃ/ e ainda no fim de vocábulo que não se ligue ao seguinte, a letra *s* representa o fonema /S/: *descampado, esfregar, respeito, esquivo, deste, desxadrezar*. Em outros pontos do país, segundo o autor anteriormente citado, a letra *s* nestas circunstâncias representa o fonema /ʃ/, como na palavra *selva*.

O *s* tem o som de /z/ entre vogais, nos compostos do prefixo *trans* (*transatlântico, transação, transitivo*, etc.) e na palavra *obséquio* e derivados. Em *transe* (que se grafa também *trance*), *subsídio, subsidiar, subsistir, subsistência* e outros da mesma família, o *s* pode soar como sibilante (como em *selva*) ou como /z/. Se o elemento a que se prefixa *trans-* começa por *s*, não se duplica esta consoante que será proferida como sibilante: *Transilvânia* e derivados, *transiberiano*. Com o prefixo *ob* seguido a elemento começado por *s*, este soa como sibilante: *obsessão, obsidiar*, etc. No final *-simo* (de *vigésimo, trigésimo*, etc.) soa como /z/.

Escrevendo-se *aritmética* (com *t*), é mais usual proferir esta consoante. Pode-se ainda grafar *arimética*.

O *x* tem quatro valores: 1) fricativo palatal como em *xarope*; 2) fricativo alveolar sonoro como em *exame*; 3) fricativo alveolar surdo (= ss) como em *auxílio*; 4) vale por /ks/ e /kz/ como em *anexo* e *hexâmetro*.

O *x* soa /z/ nas palavras: *exação, exagero, exalar, exaltar, exame, exangue, exarar, exasperar, exato, exautorar, executar, êxedra, exegese, exegeta, exemplo, exéquias, exequível, exercer, exercício, exército, exaurir, exibir, exigir, exilar, exílio, exímio, existir, êxito, êxodo, exógeno, exonerar, exorar, exorbitar, exorcismo, exórdio, exornar, exótico, exuberar, exuberante, exultar, exumar, inexorável*.

Soa como /s/ em: *auxílio, máxima, Maximiliano, Maximino, máximo, próximo, sintaxe, trouxe, trouxera, trouxer*.

Soa como /ks/ ou /kz/, conforme o caso, em: *afluxo, anexo, axila, áxis, axiômetro, complexo, convexo, crucifixo, doxologia, fixo, flexão, fluxo, hexâmetro* (também soa como /z/), *hexaedro, hexágono* (também soa como /z/), *hexassílabo, índex, intoxicar, léxico, maxilar, nexo, máxime, ônix, ortodoxo, óxido, oximoro, prolixo, oxigênio, paradoxo, reflexo, sexagenário, sexagésimo, sexo, sílex, tórax, tóxico*.

É proferido indiferentemente como /ks/ ou /s/ em: *apoplexia, axioma* e *defluxo*.

Vale por /s/ no final de: *cálix*.

O *z* em fim de palavra que não se ligue à seguinte, soa levemente chiado: *luz, conduz*.

Entre os casos particulares, são de notar:

– o *ch* em *Anchieta* e derivados soa chiado;

– o *cz* de *czar* (que também pode se escrever *tzar*) deve ser proferido como /ts/; o *lh* de *Alhambra* não constitui dígrafo como em *malha*; deve-se proferir o vocábulo como se não houvesse o *h*.

– o *w* do nome *Darwin* e dos derivados (*darwinismo, darwinista*, etc.) soa como /w/,[2] o que explica a grafia com *u* nos derivados *daruinismo, daruinista*.

O *sc, xs* e *xc* soam como /s/ em palavras como *nascer, descer, crescer, excelência, exceto, excelso, excídio, excisão, excita, exsudar*.

Os encontros consonânticos devem ser pronunciados com valores fonéticos próprios, sem intercalação de /e/ ou /i/: *pseudônimo, pneumático, mnemônico, apto, elipse, absoluto, admissão, adjetivo, ritmo, afta, indigno, recepção, advogado, accessível* (ao lado de *acessível*), *secção* (ao lado de *seção*), *samnita, sublinhar* (b-li), *subliminar* (b-li). *Ectlipse* pronuncia-se /ek'tlipse/.

Dígrafo

Não se há de confundir *dígrafo* ou *digrama* com encontro consonantal. *Dígrafo* é o emprego de duas letras para a representação gráfica de um só fonema já que uma delas é letra diacrítica: pa*ss*o (cf. paço), *ch*á (cf. xá), ma*nh*ã, pa*lh*a, e*nv*iar,

---

[2] Esta pronúncia é preferível à com /v/, embora muito pouco divulgada no Brasil.

ma*n*dar. Há dígrafos para representar consoantes e vogais nasais.³ Os dígrafos para consoantes são os seguintes, todos inseparáveis, com exceção de *rr* e *ss*, *sc*, *sç*, *xc*:

ch: chá
lh: malha
nh: banha
sc: nascer
sç: nasça
xc: exceto

xs: exsudar ('transpirar')
rr: carro
ss: passo
qu: quero
gu: guerra

Para as vogais nasais:

am ou *an*: campo, canto
em ou *en*: tempo, vento
im ou *in*: limbo, lindo
om ou *on*: ombro, onda
um ou *un*: tumba, tunda

Letra diacrítica

É aquela que se junta a outra para lhe dar valor fonético especial e constituir um dígrafo. Em português as letras diacríticas são *h*, *r*, *s*, *c*, *ç*, *u* para os dígrafos consonantais e *m* e *n* para os dígrafos vocálicos: c*h*á, ca*r*ro, pa*s*so, q*u*ero; ca*m*po, o*n*da. Portanto, na palavra *hora* não há dígrafo.

> **Observação:**
>
> ↪ Daí se tiram as seguintes conclusões aplicáveis à análise fonética:
>
> 1.ª) Não há ditongo em q*u*ero.
>
> 2.ª) *M* e *n* não são aqui fonemas consonânticos nasais em ca*M*po, o*N*da, mas há autores que os classificam como consoantes, por não aceitarem a existência de vogais nasais (Mattoso Câmara).
>
> 3.ª) *Qu* e *gu* se classificam como /k/ e /g/, respectivamente

Ortografia e ortoepia

Certos hábitos de grafia tendentes a preservar letras gregas e latinas que não constituem fonemas em português acabaram levando a que tais letras passassem a ser incorretamente proferidas. Já vimos o caso do dígrafo *sc* de *nascer*, *piscina*,

---

³ Destas últimas não exemplifica a *NGB*.

etc. É o que ocorre também com o latim *phlegma* que passou ao português *fleuma*, *fleima*. Por motivo etimológico, persistem as grafias errôneas *fleugma*, *fleugmático*, onde o *g* não deve ser proferido, por influência da grafia.

Outras grafias do sistema oficial favorecem novas pronúncias que alteram a divisão silábica tradicional, como em *sublinhar* e *abrupto*, que também já se ouvem como se neles tivéssemos os grupos consonantais *-bl-* e *-br-*: su-bli-nhar e a-brup-to. No caso desta última teremos duas grafias: *ab-rupto* e *abrupto*, e no caso de *sublinhar*, duas divisões silábicas: sub-li-nhar e su-bli-nhar.

Exercícios de fixação

1. **Proferir os seguintes trechos, atentando para a boa articulação dos encontros consonânticos e dígrafos:**
    1) O advogado não admite fórmulas indignas para a questão proposta.
    2) A admissão dos candidatos foi procedida no mais absoluto grau de rigor e honestidade.
    3) Admirou-se o médico de ver o estrago que as aftas causaram no seu cliente.
    4) O ritmo apressado da vida moderna tira-nos o encanto de viver.
    5) O pneu estourou no pior trecho da estrada.
    6) Os candidatos aptos mostraram grande sagacidade e perspicácia nos testes mnemônicos.
    7) O istmo é uma faixa de terra que une a península ao continente.
    8) Eu me indigno quando não vejo ressaltada a admiração aos prosadores e poetas brasileiros.
    9) A pneumonia deve ser tratada com absoluto cuidado para que o paciente tenha existência mais longa e confortável.
    10) Não se admitirão novos alunos este ano; as matrículas de admissão para o próximo exame serão reabertas em dezembro vindouro.
    11) Os discípulos aprenderam a subentender os substantivos ocultos em todas as frases propostas pelo professor.
    12) Os adjetivos e os advérbios são classes de palavras que muitas vezes admitem pontos de contacto.
    13) Nascem as esperanças com o nosso crescimento.
    14) O Renascimento foi um movimento cultural a que devemos excelentes produções do engenho humano.

2. **Corrigir, quando necessário, a grafia das seguintes palavras, atentando-se para os encontros consonânticos:**
    advinhação, admissão, peneu, admitir, áfita, eu me indiguino, subtender (= estender por baixo), adivinhar, ritmo, psiu.

3. **Proferir os seguintes trechos, atentando para o timbre correto (aberto ou fechado) da vogal tônica:**
   1) No Fórum os advogados travam o duelo em prol da Justiça.
   2) Os patriotas indefesos devem estar coesos contra os flagelos que porventura assolem seu país.
   3) Os prelos obsoletos de outrora estão hoje substituídos por máquinas de extraordinária perfeição.
   4) O Tejo é o maior rio da península ibérica.
   5) O grumete respondeu com um acervo de tolices às perguntas adrede preparadas pelos dois estudantes.
   6) Os nossos vaqueiros guiam, ao som do plangente aboio, o gado que marcha lerdo.
   7) Os panfletos com lampejos de ideias revolucionárias nem sempre deixam ilesos os seus autores, em que pese aos bons propósitos e anelos de salvação da pátria.
   8) Apesar de probo, o homem tem sempre de enfrentar as mentiras torpes dos seus inimigos gratuitos.
   9) O desporto é melhor caminho para o obeso.
   10) O filantropo dá ao semelhante a esperança de viver; o misantropo, entretanto, é o algoz da humanidade.
   11) O ledo casal comemorou domingo suas bodas de ouro, entre as loas dos parentes e amigos.
   12) Sabemos de sobejo que, se não cortarmos pelo cerne os nossos vícios e paixões, seremos sempre servos de nós mesmos.
   13) Num feliz tropo ou imagem, Humberto de Campos disse, certa vez, que o intelectual tira do miolo da cabeça para comprar o miolo do pão.
   14) Quando o vaqueiro conseguiu pôr as mãos nas reses, elas estavam banhadas de suor.

4. **O mesmo exercício, atentando para a pronúncia da vogal tônica *o*:**
   1) Depois de vencidos os transtornos, abriram-se os postos de socorros.
   2) Os impostos vão ajudar os reforços à educação.
   3) Os cachorros foram vacinados nestes postos.
   4) Os contornos têm belos adornos.
   5) Os abrolhos são perigos à navegação.
   6) Os tijolos malfeitos são responsáveis por esses caroços no muro.
   7) Os coros do teatro grego são ainda hoje imitados.
   8) Os forros das roupas eram bem-feitos, exceto nos bolsos.
   9) Os destroços foram removidos.
   10) Nas praias nordestinas há muitos cocos.

5. **O mesmo exercício:**
   1) Os sogros e os esposos atenderam aos rogos dos presentes.
   2) No ônibus não havia trocos.
   3) De manhã os fornos elétricos não funcionaram.
   4) Tinha os bolsos vazios.
   5) A instrução livra-nos de antolhos.
   6) Esta expressão já tem foros de cidade.
   7) Celebraram-se as bodas de prata dos Raposos.
   8) Os riscos tortos denunciavam falta de segurança.
   9) Haverá almoços a partir de amanhã.
   10) Os topos dos morros ofereciam belíssimo panorama.
   11) A corça é a fêmea do corço.
   12) São Paulo foi constituído por esses advogados para foro das questões legais.

6. **Assinale com um (X) dentro dos parênteses os casos em que NÃO há dígrafo:**
   1) ( ) pensei   6) ( ) questão
   2) ( ) ainda   7) ( ) chave
   3) ( ) quase   8) ( ) russo
   4) ( ) nasce   9) ( ) trato
   5) ( ) quis   10) ( ) dlim

Capítulo 26
Prosódia

Prosódia

Prosódia é a parte da fonética que trata do correto conhecimento da sílaba *predominante*, chamada *sílaba tônica*.

Sílaba

Sílaba é um fonema ou grupo de fonemas emitido num só impulso expiratório.
Em português, o elemento essencial da sílaba é a *vogal*.
Quanto à sua *constituição*, a sílaba pode ser *simples* ou *composta*, e esta última *aberta* (ou *livre*) ou *fechada* (ou *travada*).
Diz-se que a sílaba é *simples* quando é constituída apenas por uma vogal: *a, há, ah!*
Sílaba *composta* é a que encerra mais de um fonema: *ar* (vogal + consoante), *lei* (consoante + vogal + semivogal), *vi* (consoante + vogal), *ou* (vogal + semivogal), *mas* (consoante + vogal + consoante), *lãs* (consoante + vogal nasal + consoante).
A sílaba composta é aberta (ou livre) se termina em vogal ou semivogal: *vi*; é fechada (ou travada) em caso contrário, incluindo-se a vogal nasal, porque a nasalidade também vale por um travamento de sílaba: *ar, mas, um, vãs*.
Quanto ao número de sílabas, dividem-se os vocábulos em:
a) *monossílabos* (se têm uma sílaba): *é, há, mar, de, dê*;
b) *dissílabos* (se têm duas sílabas): *casa, amor, darás, você*;
c) *trissílabos* (se têm três sílabas): *cadeira, átomo, rápido, cômodo*;
d) *polissílabos* (se têm mais de três sílabas): *fonética, satisfeito, camaradagem, inconvenientemente*.

Quanto à posição, a sílaba pode ser *inicial, medial* e *final,* conforme apareça no início, no interior ou no final do vocábulo:

fo	*né*	*ti*	*ca*
inicial	*medial*	*medial*	*final*

Acentuação

É o modo de proferir um som ou grupo de sons com mais relevo do que outros, com maior intensidade.

O acento de intensidade se manifesta no vocábulo considerado isoladamente (*acento vocabular*) ou ligado na enunciação da oração (*acento frásico*).

Acento de intensidade

Numa palavra nem todas as sílabas são proferidas com a mesma intensidade e clareza. Em *sólida, barro, poderoso, material*, há uma sílaba que se sobressai às demais por ser proferida com mais esforço muscular e mais nitidez e, por isso, se chama tônica: **só**lida, **ba**rro, pode**ro**so, mater**ial**. As outras sílabas se dizem *átonas* e podem estar antes (*pretônicas*) ou depois (*postônicas*) da tônica:

po	–	de	–	ro	–	so
átona		átona		tônica		átona
pretônica		pretônica		—		postônica

Dizemos que nas sílabas fortes repousa o *acento tônico* do vocábulo (*acento da palavra* ou *acento vocabular*).

Existem ainda as sílabas semifortes chamadas *subtônicas* que, por questões rítmicas, compensam o seu maior afastamento da sílaba tônica, fazendo que se desenvolva um acento de menor intensidade – *acento secundário*.

Geralmente ocorre o acento secundário na sílaba inicial dos vocábulos polissilábicos derivados, cujos primitivos possuam acento principal: rápido – rapidamente. Há de se prestar atenção em certos enganos de pronúncia de vocábulos com acento secundário: por exemplo, respeita-se o hiato de *tardiamente*, e não se acentue fortemente a sílaba inicial: *tárdiamente*.

Posição do acento tônico

Em português, quanto à posição do acento tônico, os vocábulos de duas ou mais sílabas podem ser:
 a) *oxítonos*: o acento tônico recai na *última* sílaba: ma**ter**ial, princ**ipal**, ca**fé**;
 b) *paroxítonos*: o acento recai na *penúltima* sílaba: **ba**rro, pode**ro**so, **Pe**dro;
 c) *proparoxítonos*: o acento tônico recai na *antepenúltima* sílaba: **só**lida, feli**cís**simo.

> **Observação:**
> ➥ Os monossílabos átonos formam um todo com o vocábulo a que se ligam foneticamente. É por isso que *fá-lo* é paroxítono e *admiras-te*, proparoxítono. Já para efeito da ortografia, considerados os elementos isoladamente, quanto à acentuação gráfica, *fá* (de *fá-lo*) é considerado oxítono, e *admiras* (de *admiras-te*) um paroxítono terminado em sílaba átona e, assim, sem necessidade de acentuação gráfica.

Em português, geralmente a sílaba tônica coincide com a sílaba tônica da palavra latina de que se origina; daí ter importância o conhecimento da etimologia.

Há vocábulos, como os que vimos até agora, que têm individualidade fonética e, portanto, acento próprio, ao lado de outros sem essa individualidade. Ao serem proferidos acostam-se ou ao vocábulo que vem antes ou ao que os segue. Por isso, são chamados *clíticos* (que se inclinam).

A tonicidade ou atonicidade de monossílabos e de alguns dissílabos *depende sempre do acento da frase*.

Acento de intensidade e significado da palavra

O acento de intensidade desempenha importante papel linguístico, decisivo para a significação da palavra. Assim, *sábia* é adjetivo, sinônimo de *erudita*; *sabia* é forma do pret. imperfeito do indicativo do verbo *saber*; *sabiá* é substantivo designativo de conhecido pássaro. *Retifica* é verbo e *retífica*, substantivo.

Acento de insistência e emocional

O português também faz emprego do *acento de intensidade* para obter, com o chamado *acento de insistência*, notáveis efeitos. Entra em jogo ainda a duração da vogal e da consoante, pois, quando se quer enfatizar uma palavra, insiste-se mais demoradamente na sílaba tônica. Os escritores costumam indicar na grafia este alongamento enfático repetindo a vogal da sílaba tônica:
"Os dois garotos, porém, esperneiam com a mudança de mãe:
– Mentira!... Mentiiiiira!... Mentiiiiiiiiira! – berra cada um para seu lado."
[HC]
"Encasqueta-se-lhes na cabeça que o *amor*, o *amoor*, o *amooor* é tudo na vida e adeus." [ML]

O acento de insistência pode cair noutra sílaba, diferente da tônica:
maravilhosa, **for**midável, **in**teligente, **mi**serável, **bar**baridade.

Este acento de insistência não tem apenas caráter emocional; adquire valor intelectual e ocorre ainda para ressaltar uma distinção, principalmente com palavras derivadas por prefixação ou expressões com preposições de significados opostos.

*São fatos **sub**jetivos e não **ob**jetivos.*
*Os problemas de **im**portação e de **ex**portação.*
***Com** dinheiro ou **sem** dinheiro.*

Diz Bally que a entoação expressiva e a mímica são para quem fala um permanente comentário de suas palavras.

Acento de intensidade na frase

Isoladas, as palavras regulam sua sílaba tônica pela etimologia, isto é, pela sua origem; mas, na sucessão de vocábulos, deixa de prevalecer o acento da palavra para entrar em cena o *acento da oração* ou *oracional* ou *frásico*, pertencente a cada *grupo de força*.

Chama-se *grupo de força* à sucessão de dois ou mais vocábulos que constituem um conjunto fonético subordinado a um acento tônico predominante: *A casa de Pedro / é muito grande.* Notamos aqui, naturalmente, dois grupos de força que se acham indicados por barra. No primeiro, as palavras *a* e *de* se incorporam *a casa* e *Pedro*, ficando o conjunto subordinado a um acento principal na sílaba inicial de *Pedro*, e um acento secundário na sílaba inicial de *casa*. No segundo grupo de força, as palavras *é* e *muito* se incorporam foneticamente a *grande*, ficando o conjunto subordinado a um acento principal na sílaba inicial de *grande* e outro secundário, mais fraco, na sílaba inicial de *muito*.

A distribuição dos grupos de força e a alternância de sílabas proferidas mais rápidas ou mais demoradas, mais fracas ou mais fortes, conforme o que temos em mente expressar, determinam certa cadência do contexto à qual chamamos *ritmo*. *Prosa* e *verso* possuem ritmo. No verso o ritmo é essencial e específico; na prosa apresenta-se livre, variando pela iniciativa de quem fala ou escreve.

Vocábulos tônicos e átonos: os clíticos

Nestes grupos de força certos vocábulos perdem seu acento próprio para unir-se a outro que os segue ou que os precede. Dizemos que tais vocábulos são *clíticos* (que se inclinam) ou *átonos* (porque se acham destituídos de seu acento vocabular). Aquele vocábulo que, no grupo de força, mantém sua individualidade fonética é chamado *tônico*. Ao conjunto se dá o nome de *vocábulo fonético*: *o rei* /urrey/; *deve estar* /devistar/.

Os clíticos, em geral monossílabos, se dizem *proclíticos* se precedem o vocábulo tônico a que se incorporam para constituir o grupo de força:

o‿rei // ele‿disse // bom‿livro // deve‿estar

Dizem *enclíticos* se vêm depois do vocábulo tônico:
disseme // eilo // falarlhe

Em português são geralmente átonas e proclíticas as seguintes classes de palavras ligadas sem pausa ao vocábulo tônico:
1) artigos (definidos ou indefinidos, combinados ou não com preposição): *o homem // um homem // do livro;*
2) numerais: *um livro // três velas // cem homens;*
3) pronomes adjuntos antepostos (demonstrativos, possessivos, indefinidos, interrogativos): *este livro // meu livro // cada dia // que fazer?;*
4) pronomes pessoais antepostos: *ele vem // eu disse;*
5) pronomes relativos: *que livro // qual pergunta;*
6) verbos auxiliares: *quero crer // tenho dito;*
7) advérbios: *já vi, não posso,* etc.;
8) preposições: *a, de, em, com, por, sem, sob, para;*
9) conjunções: *e, nem, ou, mas, que, se, como, porque,* etc.

São enclíticas as formas pronominais *me, te, se, nos, vos, o, a, os, as, lhe, lhes,* quando pospostas ao vocábulo tônico.

Muitas vezes, uma palavra pode ser átona ou tônica, conforme sua posição no grupo de força a que pertence. Em *o arco desaparece,* o substantivo *arco* é tônico; em *o arco-íris,*[1] passou a átono proclítico.

Em *grande homem, alto mar,* os adjetivos são átonos; em *homem grande, mar alto,* já são os substantivos que se atonizam. Em *eu lhe disse,* os dois pronomes pessoais são átonos proclíticos; em *disse-lhe eu,* o pronome *eu* conserva seu acento próprio. Todo este conjunto de fatos são devidos a fenômenos de *fonética sintática.*

Consequência da próclise

Os vocábulos átonos proclíticos, perdendo seu acento próprio para se subordinarem ao do tônico seguinte, resistem menos à pressa com que são proferidos, e acabam por sofrer reduções na sua extensão fonética. Dentre os numerosos exemplos de próclise lembraremos aqui:
a) a passagem de hiato a ditongo, em virtude de uma vogal passar a semivogal (sinérese):

Tuas, normalmente dissilábico, tem de ser proferido com uma sílaba nos seguintes versos de Gonçalves Dias, graças à próclise:
"E à noite, quando o céu é puro e limpo,
Teu chão tinges de azul, – *tuas* ondas correm."

Boa (ou *boas*), em próclise, transforma a vogal *o* em semivogal, que chega, na língua popular, a desaparecer:
Outros suas terras em *boa* paz regeram.

---

[1] Por isso, nos compostos, para determinação da posição em termos fonéticos do acento tônico, leva-se em consideração a última palavra. Assim, é oxítono *couve-flor* e paroxítono *arco-íris* ou *fá-lo.*

"Armando-as com *boas* leis, e bons preceitos." [AF]
"(...) *bas* noite nhozinho." [LCa][2]

b) O desaparecimento da vogal da primeira sílaba de um dissílabo; para > pra: Isto é *pra* mim.

c) O desaparecimento da sílaba final de um dissílabo:
1) *santo* > *são* (diante dos nomes começados por consoante, exceto *h*): São Paulo, São Pedro; São Jorge, São Sebastião (mas Santo Henrique, Santo Heriberto, Santo Hermenegildo, Santo Hilário de Poitiers);[3]
2) *cento* > *cem*: cem páginas;
3) *grande* > *grã, grão*: Grã-Bretanha, *grão*-vizir;
4) *tanto* > *tão*: tão grande;
5) *quanto* > *quão*: quão belo.

d) outras reduções como *senhor* > *seu*: seu João; *está* > *tá* (coloquial).

Palavras que oferecem dúvidas quanto à posição da sílaba tônica

Silabada é o erro de prosódia que consiste na deslocação do acento tônico de uma palavra. Ignorar qual é a sílaba tônica de uma palavra, diz Gonçalves Viana, é ficar na impossibilidade de proferi-la.
Numerosas palavras existem que oferecem dúvidas quanto à posição da sílaba tônica.

São oxítonas:

aloés	Gulbenkian	recém
cateter	masseter	refém
Cister	mister (ser mister = ser necessário)	ruim
harém	Nobel	sutil
Gibraltar	novel	ureter

---

[2] Exemplos extraídos de [SS].
[3] Conhecem-se poucas exceções, entre outras: Santo Tirso, Santo Tomás de Cori, Santo Cristo, Santo Deus. Se entre *santo* e o nome próprio se interpõe uma palavra, não ocorrerá a redução: S. Frei Gil ler-se-á Santo Frei Gil.
Observação: Em se tratando de plural alusivo a santos diferentes, usa-se apenas a forma *santos*: Santos Cosme e Damião (ou São Cosme e São Damião).

São paroxítonas:

acórdão
alanos
alcácer, alcáçar
Alcmena
algaravia
âmbar
ambrosia (doce)
Andronico
Antioquia
arcediago
arrátel
avaro
avito
aziago
azimute

barbaria
batavo
berbere
cânon
caracteres
cartomancia
cenobita

ciclope
Ciropedia
clímax
cromossomo
decano
dúctil

edito (lei, decreto)
efebo
Epifania (Festa dos Reis Magos)
Epiteto (cf. epíteto)
erudito
esquilo (cf. Ésquilo)
estalido

Eufrates

exegese
êxul
filantropo
flébil
fluido (*ui* ditongo)
fórceps (tb. fórcipe)
fortuito (*ui* ditongo)

Ganimedes
grácil
gólfão
gratuito (*ui* ditongo)
gúmex

harpia
hissope
homizio
hosana
húmus
Hungria

ibero
ímpar
impio (cruel)
inaudito
índex

látex
leucemia
levedo (subst. e verbo)
libido
Lombardia

maquinaria
médão (duna)
matula (súcia; farnel)
Mileto

misantropo
Mitridates

necropsia
néctar
nenúfar
Normandia

opimo
orégão
oximoro (tb. oximóron)

Pandora
pegada
pletora
policromo
Pólux
Priapo
pudico

Quéops (tb. Quéope)
quiromancia

refrega

Salonica
Samaria
Sardanapalo
simulacro
sótão
subida honra

talassa
Tentúgal
Tessalonica
têxtil
tétum
Tibulo
tulipa

São proparoxítonas (incluindo-se os vocábulos terminados por ditongo crescente):

acônito	boêmio (adj.)	monólito
ádvena	bólido (tb. bólide)	
aeródromo	brâmane	Nêmesis
aerólito		Niágara
ágape	cáfila	númida
álacre	cáspite	
álcali	cânhamo	ômicro
álcool	Cárpatos	Órcadas
alcíone	cérbero	orquídea
alcoólatra	Centímano	
álibi (tb. lat. *alibi*)	cizânia	pântano
alvíssaras	Cleópatra	páramo
âmago	condômino	Pégaso
amálgama	cotilédone	Péricles
ambrósia (planta)	crástino	périplo
anátema	crisântemo	plêiade (-a)
Ândrocles		polígono
andrógino	Dâmocles	Praxíteles
anélito	década	polígono
anêmona	díptero	prístino
anódino	écloga	prófugo
antídoto	édito (ordem judicial)	pródromo
antífona	Éfeso	protótipo
antífrase	égide	
antístrofe	êmbolo	quadrúmano
ápode		Quíloa
áptero	Idólatra	quírie
areópago	Ímpio (sem fé)	
aríete	ímprobo	réquiem
arquétipo	iníquo	resfôlego (s.)
assédio	ínterim	revérbero
autóctone	invólucro	
ávido		sátrapa
azáfama	Ládoga	Semíramis
azêmola	Láquesis	sinonímia
	Leucótoe	Sísifo
barbárie	leucócito	síndrome
bátega	lêvedo (adj.)	Sófia
bávaro		
bígamo	máxime ou *maxime* (lat.)	Tâmisa
bímano	Mérope	Termópilas

trânsfuga úmbrico vândalo	végeto zéfiro zênite	Zópiro Zósimo

Palavras que admitem dupla prosódia

Ájax	ou	Ajax
acróbata	ou	acrobata
álea	ou	aleia
alópata	ou	alopata
anídrido	ou	anidrido
bênção	ou	benção
biópsia	ou	biopsia
boêmia (subst.)	ou	boemia (subst., Brasil)
Cloe (ó)	ou	Cloé
Dário	ou	Dario
Gândavo	ou	Gandavo
geodésia	ou	geodesia
hieróglifo	ou	hieroglifo
homília	ou	homilia
Madagáscar	ou	Madagascar (mais geral)
nefelíbata	ou	nefelibata
Oceânia	ou	Oceania
ômega	ou	omega
ônagro	ou	onagro
ortoépia	ou	ortoepia
oxímoro	ou	oximoro
projétil	ou	projetil
réptil	ou	reptil
reseda (ê)	ou	resedá
sóror	ou	soror
zângão	ou	zangão
zênite	ou	zenite

Exercícios de fixação

1. **Acentue, quando necessário, as seguintes palavras:**
   1) harem
   2) alcoolatra
   3) refem
   4) ureter
   5) recem
   6) Gibraltar
   7) sutil (= fino, delgado)
   8) boemia
   9) alacre
   10) gratuito
   11) avaro
   12) tulipa
   13) cafila
   14) avido
   15) azafama

2. **Assinale, com (O), (P) ou (Pp) dentro dos parênteses, os vocábulos *oxítonos*, *paroxítonos* ou *proparoxítonos*, respectivamente. Acentue-os, quando necessário:**
   1) (   ) barbaria
   2) (   ) alibi
   3) (   ) decano
   4) (   ) rubrica
   5) (   ) antidoto
   6) (   ) arquetipo
   7) (   ) caracteres
   8) (   ) aziago
   9) (   ) fortuito
   10) (   ) ibero
   11) (   ) pudico
   12) (   ) quiromancia

3. **O mesmo exercício:**
   1) (   ) gumex
   2) (   ) arcediago
   3) (   ) bavaro
   4) (   ) batavo
   5) (   ) Androcles
   6) (   ) cotiledone
   7) (   ) anatema
   8) (   ) alvissaras
   9) (   ) agape
   10) (   ) refrega
   11) (   ) sotão
   12) (   ) pegada

4. **O mesmo exercício:**
   1) (   ) inaudito
   2) (   ) maquinaria
   3) (   ) barbarie
   4) (   ) crisantemo
   5) (   ) subida (honra)
   6) (   ) cenobita
   7) (   ) fluido
   8) (   ) omega
   9) (   ) resfolego (s.)
   10) (   ) hegira
   11) (   ) exodo
   12) (   ) filantropo

5. **O mesmo exercício:**
   1) (   ) interim
   2) (   ) hosana
   3) (   ) erudito
   4) (   ) ingreme
   5) (   ) cister
   6) (   ) algaravia
   7) (   ) hissope
   8) (   ) Nobel
   9) (   ) (faz-se) mister
   10) (   ) ambrosia
   11) (   ) acolito
   12) (   ) impio (= cruel)

6. **Assinale com um (X) dentro dos parênteses o vocábulo que admite a possibilidade de prosódia diferente. Acentue-se, quando necessário:**
   1) ( ) hieroglifo
   2) ( ) ariete
   3) ( ) Oceania
   4) ( ) projetil
   5) ( ) advena
   6) ( ) Tamisa
   7) ( ) azimute
   8) ( ) reptil
   9) ( ) masseter
   10) ( ) vegeto
   11) ( ) acrobata
   12) ( ) zenite

7. **Acentue os vocábulos, quando se fizer necessário. Depois leia cada trecho em voz alta:**
   1) Anchieta esteve refem dos indios.
   2) A sua resposta foi muito sutil.
   3) Aquele moço é um advogado recem-saido da faculdade.
   4) O premio Nobel é uma instituição norueguesa.
   5) Faz-se mister que tenha cuidado com a saude.
   6) O padre dirigiu-se ao arcediago.
   7) O avaro economiza dinheiro, mas perde a beleza da vida.
   8) O estalido na escuridão denunciou a fuga.
   9) A vida de boemia traz prejuizos graves.
   10) O professor analisou os caracteres tipograficos do texto antigo.

8. **O mesmo exercício. Se houver mais de uma solução, use-as:**
   1) O alcoolatra paga com a vida o seu vicio.
   2) A cachoeira de Niagara é uma beleza para os olhos.
   3) O exodo foi enorme.
   4) O decano da faculdade despediu-se de seus colegas.
   5) É uma opinião gratuita que não merece discussão.
   6) A quiromancia procura fazer interpretações baseadas nas linhas das mãos.
   7) Foi um acontecimento fortuito.
   8) Os iberos habitavam a antiga Iberia.
   9) É famosa a historia da espada de Damocles.
   10) Foi emocionante minha visita ao Tamisa, num barco que me levou de Londres a Greenwich.

9. **O mesmo exercício:**
   1) O tempo tem estado ruim.
   2) Os egipcios utilizavam na escrita os hieroglifos.
   3) Nesse interim ouviu-se o estampido do projetil.
   4) O erudito era um filantropo.
   5) O Brasil progride com as novas maquinarias.
   6) A policia seguiu as pegadas do ladrão.
   7) Ponha aqui sua rubrica.
   8) Temos a subida honra de convida-lo para padrinho da turma.

9) Acabou-se o fluido do isqueiro.
10) A sua estrategia era antiga.

10. Acentue, quando necessário, os seguintes vocábulos:
1) sutil (= fino)
2) pegada
3) rubrica
4) (faz-se) mister
5) harem
6) refem
7) recem
8) aziago
9) conjuge
10) misantropo
11) erudito
12) ruim
13) avaro
14) maquinaria
15) interim

11. O mesmo exercício:
1) subida (honra)
2) filantropo
3) tulipa
4) caracteres
5) climax
6) fortuito
7) recem-chegado
8) califa
9) alcaçar
10) ambar
11) alcacer
12) miope
13) gratuito
14) refrega
15) Gibraltar

12. O mesmo exercício:
1) Nobel
2) novel
3) Hungria
4) masseter
5) arcediago
6) decano
7) fluido
8) latex
9) crisantemo
10) avido
11) ibero
12) perito
13) boemia
14) omega
15) alibi

13. O mesmo exercício:
1) autopsia (subst.)
2) reptil
3) pantano
4) zenite
5) batavo
6) barbaria
7) alcoolatra
8) alcali
9) azafama
10) quiromancia
11) projetil
12) etiope
13) ingreme
14) prototipo
15) Oceania

14. O mesmo exercício:
1) xiita
2) duunviro
3) Gandavo
4) proton
5) incubo (adj.)
6) incude
7) cateter
8) ureter
9) celtibero
10) avito
11) Ele cre.
12) Eles creem.
13) Ele tem.
14) Eles tem.
15) Ele detem.

15) O mesmo exercício:
1) Eles detem.
2) ariete
3) batavo
4) bavaro
5) califa
6) inaudito
7) inedito
8) fortuito
9) avaro
10) biopsia
11) gratuito
12) refrega (subst.)
13) fluido
14) erudito
15) azafama (subst.)

Capítulo 27
Ortografia

Conceito e princípios norteadores

Ortografia
É um sistema oficial convencional pelo qual se representa na escrita uma língua. Diz-se *convencional*, porque, na realidade, não há identidade perfeita entre os fonemas e sua representação na escrita mediante as letras do alfabeto, auxiliadas por sinais diacríticos (os acentos) e certos sinais gráficos e de pontuação.

Diz-se *oficial*, porque instituições credenciadas (por exemplo, as Academias de Letras) por atos oficiais do Governo aprovam o sistema de grafia. Como tal sistema pretende representar "corretamente" a grafia das palavras, daí o termo *ortografia*, composta de dois elementos gregos, *orthós* 'correta (mente)' e *graphein* 'escrever'.

Em geral, nas línguas modernas, o sistema de grafia oficial regula-se por princípios gerais que procuram, além do uso, estabelecer um razoável compromisso entre a *pronúncia* e a *etimologia*, isto é, a tradição oral e a origem e história das palavras.

Quando predomina a pronúncia, a ortografia chama-se *fonética*; quando a etimologia, chama-se *etimológica*. Em geral, como na ortografia do Português, usa-se o sistema *misto*. Assim, *hoje*, se escreve com *h-* inicial, porque procede do advérbio latino *hodie*, e *farmácia* com *f-* inicial e não *ph* (*pharmacia*), porque o *ph-* grego se pronuncia como /f/.

O sistema ortográfico oficial praticado no Brasil é o que foi estabelecido nas Bases do novo Acordo Ortográfico da Língua Portuguesa, aprovado em 1990, em Lisboa, pela Academia das Ciências de Lisboa, Academia Brasileira de Letras e delegações de Angola, Cabo Verde, Guiné-Bissau, Moçambique, São Tomé e Príncipe, com a adesão da delegação de observadores da Galiza (sendo posteriormente autorizada pela CPLP a adesão do Timor-Leste).

Ortografia única não significa pronúncia única; cada país continuará a seguir seus hábitos fixados pela tradição histórica. *Menino*, no Brasil, conhece a possibilidade de mais de uma pronúncia, mas só uma grafia: *menino*. É por isso que se diz que o sistema ortográfico é *convencional*.

Há vários casos de línguas faladas oficialmente e diferentemente por mais de uma nação (inglês, francês, espanhol, alemão, árabe, russo, por exemplo), mas usando todas um único sistema gráfico. Da mesma forma a língua portuguesa no sistema ortográfico comum aos países lusófonos (Brasil, Portugal, São Tomé e Príncipe, Guiné-Bissau, Cabo Verde, Angola, Moçambique e Timor-Leste).

Sistema ortográfico vigente no Brasil[1]

I. O alfabeto e os nomes próprios estrangeiros e seus derivados

1.º) O alfabeto da língua portuguesa é formado por vinte e seis letras, cada uma delas com uma forma minúscula e outra maiúscula:

a A (á)   j J (jota)   s S (esse)
b B (bê)   k K (capa ou cá)   t T (tê)
c C (cê)   l L (ele)   u U (u)
d D (dê)   m M (eme)   v V (vê)
e E (é ou ê)   n N (ene)   w W (dáblio)
f F (efe)   o O (ó)   x X (xis)
g G (gê ou guê) p P (pê)   y Y (ípsilon)
h H (agá)   q Q (quê)   z Z (zê)
i I (i)   r R (erre)

Os nomes de letras sugeridos aqui não excluem outras formas de as designar.

Escrita à mão, cada letra apresenta um aspecto que integra o sistema de caligrafia ("bom talhe de letra"), com maiúsculas e minúsculas. No ensino, cabe atenção especial a esse sistema, infelizmente hoje muito descurado, mormente no curso fundamental.

a A (á)   j J (jota)   s S (esse)
b B (bê)   k K (capa ou cá)   t T (tê)
c C (cê)   l L (ele)   u U (u)
d D (dê)   m M (eme)   v V (vê)
e E (é)   n N (ene)   w W (dáblio)
f F (efe)   o O (ó)   x X (xis)
g G (gê ou guê) p P (pê)   y Y (ípsilon)
h H (agá)   q Q (quê)   z Z (zê)
i I (i)   r R (erre)

O guerreiro ergueu o troféu.   Desceu o morro correndo.   Roberto foi ao cinema.

---

[1] Baseamo-nos no sistema ortográfico proposto pelo Acordo Ortográfico da Língua Portuguesa, de 16 de dezembro de 1990, da Academia Brasileira de Letras e da Academia das Ciências de Lisboa, na vertente brasileira. Nosso trabalho está rigorosamente agasalhado no VOLP de 2009, 5.ª edição.

Observações:

➥ Além dessas letras, usam-se o *ç* (cê cedilhado ou cê cedilha) e os seguintes dígrafos: *rr* (erre duplo), *ss* (esse duplo), *ch* (cê-agá), *lh* (ele-agá), *nh* (ene-agá), *gu* (guê-u), *qu* (quê-u), *sc* (esse-cê), *sç* (esse-cê cedilha), *xc* (xis-cê), *xs* (xis-esse).

➥ Escrevem-se *rr* e *ss* quando, entre vogais, representam os sons simples de *r* e *s* iniciais; e *cc* ou *cç* quando o primeiro soa distintamente do segundo: *carro, farra, massa, passo; convicção, occipital*, etc.

> Duplica-se o *r* e o *s* todas as vezes que a um elemento terminado em vogal se segue, sem interposição do hífen, palavra começada por uma daquelas letras: *albirrosado, arritmia, altíssono, derrogar, prerrogativa, pressentir, ressentimento, sacrossanto*, etc.

➥ Os nomes das letras aqui adotados não excluem outras formas de as designar.

2.º) As letras *k*, *w* e *y* usam-se nos seguintes casos especiais:
a) Em antropônimos originários de outras línguas e seus derivados: *Franklin, frankliniano; Kant, kantismo; Darwin, darwinismo; Wagner, wagneriano; Byron, byroniano; Taylor, taylorista*.
b) Em topônimos originários de outras línguas e seus derivados: *Kwanza; Kuwait, kuwaitiano; Malawi, malawiano*.
c) Em abreviaturas, siglas, símbolos e mesmo em palavras adotadas como unidades de medida de curso internacional: *TWA, KLM; K – potássio (de kalium); W – oeste (West); kg – quilograma; km – quilômetro; kw – kilowatt; yd – jarda (yard); Watt*.

3.º) Mantêm-se nos vocábulos derivados de nomes próprios estrangeiros quaisquer combinações gráficas ou sinais diacríticos não peculiares à nossa escrita que figurem nesses nomes: *comtista*, de *Comte; garrettiano*, de *Garrett; jeffersônia*, de *Jefferson; mülleriano*, de *Müller; shakespeariano*, de *Shakespeare*.

4.º) É mais correto evitar o uso dos dígrafos finais *ch, ph* e *th* em formas onomásticas, como *Baruch, Loth, Moloch, Ziph*; prefira-se simplificá-las: *Baruc, Lot, Moloc, Zif*. Se qualquer um desses dígrafos em formas do mesmo tipo for invariavelmente mudo, elimina-se: *José, Nazaré*, em vez de *Joseph, Nazareth*; e se algum deles, por força do uso, permite adaptação, substitui-se, recebendo uma adição vocálica: *Judite*, em vez de *Judith*.

5.º) As consoantes finais grafadas *b, c, d, g* e *t* mantêm-se, quer sejam mudas quer proferidas nas formas onomásticas em que o uso as consagrou, nomeadamente antropônimos e topônimos da tradição bíblica: *Jacob; Job; Moab; Isaac; David; Gad; Gog; Magog; Bensabat; Josafat*.

Incluem-se também nesse caso: *Cid*, em que o *d* é sempre pronunciado; *Madrid* e *Valhadolid*, em que o *d* ora é pronunciado ora não; *Calecut* ou *Calicut* que têm o *t* facultativamente proferido.

Nada impede, entretanto, que os termos em apreço sejam usados sem a consoante final: *Jó, Davi, Jacó, Madri, Calecu*.

6.º) Recomenda-se que os topônimos de línguas estrangeiras se substituam, tanto quanto possível, por formas vernáculas, quando essas sejam antigas e ainda vivas em português ou quando entram, ou possam entrar, no uso corrente. Exemplo: *Anvers* substituído por *Antuérpia*; *Cherbourg*, por *Cherburgo*; *Garonne*, por *Garona*; *Genève*, por *Genebra*; *Jutland*, por *Jutlândia*; *Milano*, por *Milão*; *München*, por *Munique*; *Torino*, por *Turim*; *Zürich*, por *Zurique*, etc.

a) Quando os nomes não têm formas vernáculas, transcrevem-se conforme as normas estatuídas pela Conferência de Geografia de 1926 que não contrariem os princípios estabelecidos nestas Instruções.
b) Os topônimos de tradição histórica secular não sofrem alteração alguma na sua grafia, quando já esteja consagrada pelo consenso diuturno dos brasileiros. Sirva de exemplo o topônimo *Bahia*, que conservará esta forma quando se aplicar em referência ao estado e à cidade que têm esse nome.

Observação:

➥ Os compostos e derivados desses topônimos obedecerão às normas gerais do vocabulário comum; portanto, *baiano*.

2. O *h* inicial e final

1.º) Esta letra não é propriamente consoante, mas um símbolo que, em razão da etimologia e da tradição escrita do nosso idioma, se conserva no princípio de várias palavras e no fim de algumas interjeições: *haver, hélice, hidrogênio, hóstia, humildade; hã!, hem?, puh!, ah!, ih!, oh!*, etc.

Observação:

➥ Não se escreve com *h* final a interjeição de chamamento ou apelo *ó*:
Ó José, vem aqui!; *Ó Laura, pare com isso!*

2.º) No interior do vocábulo, só se emprega em dois casos: quando faz parte do *ch*, do *lh* e do *nh*, que representam fonemas palatais, e nos compostos em que o segundo elemento, com *h* inicial etimológico, se une ao primeiro por meio do hífen: *chave, malho, rebanho, anti-higiênico, contra-haste, pré-histórico, sobre-humano*, etc.

Observações:

➥ Nos compostos sem hífen, elimina-se o *h* do segundo elemento:

anarmônico, coabitar, coonestar, desarmonia, exausto, inabilitar, lobisomem, reaver, etc.

➥ Nos casos em que não houver perda do som da vogal final do 1º elemento, e o elemento seguinte começar com *h*, serão usadas as duas formas gráficas: *bi-hebdomadário* e *biebdomadário; carbo-hidrato* e *carboidrato; zoo-hematina* e *zooematina; geo-história* e *geoistória*. Já quando houver perda do som da vogal final do 1º elemento, consideraremos que a grafia consagrada deve ser mantida: *cloridrato, cloridria, clorídrico, quinidrona, sulfidrila, xilarmônica, xilarmônico*. Devem ficar como estão as palavras que já são de uso consagrado, como *reidratar, reumanizar, reabituar, reabitar, reabilitar* e *reaver*.

3º) No futuro do indicativo e no condicional, não se usa o *h* no último elemento, quando há pronome intercalado: *amá-lo-ei, dir-se-ia*, etc.

4º) Quando a etimologia o não justifica, não se emprega: *arpejo* (substantivo), *ombro, ontem*, etc. E mesmo que o justifique, não se escreve no fim de substantivos nem no começo de alguns vocábulos que o uso consagrou sem este símbolo, *andorinha, erva, felá, inverno*, etc.

5º) Não se escreve *h* depois de *c* (salvo o disposto no item 2) nem depois de *p, r* e *t*: o *ph* é substituído por *f*; o *ch* (gutural) por *qu* antes de *e* ou *i*, e por *c* antes de outra qualquer letra: *corografia, cristão; querubim, química; farmácia, fósforo; retórica, ruibarbo; teatro, turíbulo*, etc.

3. A homofonia de certos grafemas consonânticos

Dada a homofonia, torna-se necessário diferençar os seus empregos, que fundamentalmente se regulam pela história das palavras.

Nessa conformidade, importa notar, principalmente, os seguintes casos:

1.º) Distinção gráfica entre o *s* de fim de sílaba e *x* e *z* com idêntico valor fônico:
   a) Escrevem-se com *s*: *adestrar, Calisto, destra, destreza, escavar, escusar, esdrúxulo, esgotar, espetáculo, espectador* ('observador ou quem assiste a espetáculo'), *esplanada, esplêndido, esplendor, espontâneo, espremer, esquisito, estender, estrangeiro, estranho, estrato* ('camada'), *Estremadura, Estremoz, inesgotável, misto, misturar*.
   b) Escrevem-se com *x*: *contexto, expectador* ('aquele que está na expectativa, aguardando a ocorrência, ou possível ocorrência de algo'), *expectativa, expectorar, explicar, extensão, extinção, extintor, extraordinário, extrato* ('coisa extraída'), *flux, inextricável, inexperto, pretexto, sextante, sexto, sêxtuplo, têxtil, texto, textual*.
   c) Escrevem-se com *z*: *atrozmente, capazmente, infelizmente, velozmente*.

De acordo com essa distinção, convém notar dois casos:
a) Em final de sílaba que não seja final de palavra, o *x* (= *s*) muda para *s* sempre que está precedido de *i* ou *u*: *justapor, justalinear, misto, sistino* (cf. *Capela Sistina*), *Sisto* (topônimo português).
b) Só nos advérbios em *-mente* se admite *z*, com valor fônico de *s*, em final de sílaba seguida de outra consoante: *capazmente*; do contrário, o *s* toma sempre o lugar do *z*: *Biscaia* (e não *Bizcaia), *Guipúscoa, Mascate*.

2.º) Distinção gráfica entre *s* final de palavra e *x* e *z* com idêntico valor fônico:
a) Escrevem-se com *s*: *aguarrás, aliás, anis, após, atrás, através, Avis, Brás, cortês, freguês, Dinis, Garcês, gás, gerês, Inês, Íris, Jesus, jus, lápis, Luís, país, português, Queirós, quis, retrós, revés, Tomás, Valdês*.
b) Escrevem-se com *x*: *cálix, Félix, Fênix, flux*.
c) Escrevem-se com *z*: *arroz, assaz, avestruz, dez, diz, Estremoz, fez, giz, jaez, matiz, petiz, Queluz, Romariz, triz,* [Arcos de] *Valderez, Vaz*.

Observação:
➡ Escreve-se com *s*, e não com *z* final, palavra não oxítona: *Cádis* (e não *Cádiz*).

3.º) Distinção gráfica entre os grafemas interiores *s*, *x* e *z*, com valor fônico de sibilante sonora:
a) Escrevem-se com *s*: *abuso, aceso, agasalho, alisar* (verbo), *amnésia, analisar, anestesia, apesar, apoteose, arrasar, arrevesar, artesão, asa, asilo, atrasar, aviso, Baltasar, besouro, besuntar, bisonho, blusa, brasa, brasão, Brasil, brisa* ('vento leve'; cf. *briza*, 'planta'), *catequese* (mas *catequizar*), *coliseu, conciso, coser* ('costurar'), *crase, defesa, despesa, duquesa, Elisa, empresa, Ermesinde* (topônimo português), *Esposende* (topônimo português), *evasão, freguesia, frenesi* (ou *frenesim*), *frisa, guisa, improviso, isenção, jusante, lesar, liso, lousa, luso, Matosinhos, Meneses, narciso, Nise* (topônimo português), *obséquio, ousar, paralisar, pêsame, pesquisa, portuguesa, presa, rasa, represa, represália, Resende, sacerdotisa, Sesimbra* (topônimo português), *siso, Sousa, surpresa, tisana, transe, trânsito, vaso*.
b) Escrevem-se com *x*: *exação, exagero, exalar, exaltar, exame, exânime, exarar, exasperar, exato, exaurir, executar, execrar, exegese, exemplo, exéquias, exequível, exercer, exercício, exército, exibir, exigir, exílio, exímio, existir, êxito, êxodo, exonerar, exorbitar, exótico, exuberante, exultar, exumar, inexato, inexorável*.
c) Escrevem-se com *z*: *abalizado, aduzir, agonizar, alazão, alfazema, algazarra, alizar* ('guarnição de portas e janelas'), *alteza, amazona, amizade, Andaluzia* (topônimo espanhol), *aprazível, Arcozelo* (topônimo português e brasileiro), *autorizar, azar, azedo, azeviche, azo, azorrague, baliza, bazar, bazófia, beleza, buzina, búzio, cafezal, catequizar* (mas *catequese*), *cerzir, comezinho, cozer* ('cozinhar'), *deslizar, deslize, desprezo, destreza, esfuziar, espezinhar, esvaziar, Ezequiel, fuzileiro, Galiza, gaze, gazeta, gozar, granizo, guizo, helenizar,*

lambuzar, lezíria, luzidio, matizar, mazorca, mazurca, Mouzinho, prazo, prezado, proeza, reza, rizotônico, sazão, sazonado, sozinho, trazer, urze, vazado, vazar, vazio, Veneza (topônimo italiano), *Vizela* (topônimo português), *vizir, Vouzela* (topônimo português).

4.º) Distinção gráfica entre os grafemas interiores *s, ss, c, ç, x* (*sc, xc, xs*) com valor fônico de sibilante surda:

a) Escrevem-se com *s*: *anseio, ânsia, ansioso, ascensão, aspersão, aversão, avulso, balsa, cansar, censo* ('dados estatísticos demográficos'), *consenso, consertar* ('endireitar'), *conversão, convulsão, corso* ('da Córsega'), *descanso, despretensioso, dispersão, dissensão, entorse, extensão, extorsão, estrumadura, farsa, ganso, imenso, imersão, incenso, incursão, inserção, insipiente* ('ignorante, insensato'), *insosso, interseção, inversão, mansão, mansarda, manso, obsessão, precursor, pretensão, remanso, salsicha, senso* ('entendimento, percepção'), *sensual, tarso, terso* ('puro, limpo'), *valsa.*

Observação:

➥ Escrevem-se com *s* inicial: *seara, seda* ('tecido'), *sela* ('assento para montaria'), *serralheiro, sertanejo, sidra* ('vinho de maçã'), *Sintra* (topônimo português), *siso*.

b) Escrevem-se com *ss*: *abadessa, acossar, abscesso, admissão, alvíssaras, amassar, antisséptico* ('que promove a desinfecção'), *apressar* ('tornar rápido, ágil'), *arremessar, arremesso, assanhar, assar, asseado, asseio, assentimento, assento* ('móvel sobre o qual se senta; registro'), *asserção, assomo, atassalhar, atravessar, avesso, benesse, bossa, bússola, carrossel, cassar* ('tornar nulo; retirar'), *Cássia, cessão* (do verbo *ceder*), *compressão, concessão, cossaco, crasso, demissão, dissensão, dissertação, dissídio, dossel, egresso, endossar, escassez, essa* ('estrado'), *fosso, gesso, ingresso, insosso, intercessão* (do verbo *interceder*), *lasso* ('cansado; gasto, frouxo'), *massa* ('pasta'), *mossa, musselina, necessário, obsessão, pêssego, possesso, presságio, remessa, repercussão, sossego.*

c) Escrevem-se com *c*: *aborrecer, acém, acento* ('sinal'), *acervo, alicerce, amaciar, ancião, anticéptico* ('incrédulo; cf. antisséptico, 'desinfetante'), *concerto* ('certo tipo de obra musical e sua execução; harmonia'), *concessão, conciliação, corcel, disfarce, Escócia, facínora, Gumercindo, incenso, incipiente* ('em começo'), *incitar, intercessão* (de *interceder*), *Macedo, maciço, necessário, obcecação, obcecar, percevejo, sucinto.*

Observação:

➥ Escrevem-se com *c* inicial: *cebola, cediço, ceia, Ceide* (S. Miguel de), *cela* ('pequeno quarto ou alcova; cárcere'), *cenho, cereal, Cernache* (topônimo português), *cerração, cerro, cessão* (do verbo *ceder*), *cetim, cidra* ('fruto da cidreira; laranja-toranja'), *Cingapura* (ou *Singapura*), *cínico.*

d) Escrevem-se com ç: *açafata, açafate, açafrão, açambarcar, aço, açodar, açúcar, açucena, adereço, almaço, apreçar* ('indagar ou avaliar o preço de algo'), *asserção, baço, balça* ('matagal'), *berço, Buçaco* (Mata do Buçaco, topônimo português), *caça e caçar, caçanje, caçoar, caçula, camurça, cansaço, caraça, carcaça, cediço, cerração, coerção, conciliação, contorção, corça, dança, desavença, deserção, Eça, laço* ('nó; vínculo'), *linguiça, maçada, maçaroca, maciço, maço, miçanga, Moçambique, moçárabe, monção, muçarela, muçulmano, murça, negaça, paço* ('palácio'), *pança, pançudo, peça, presunção, retenção* (do verbo *reter*), *ruço* ('pardacento'), *Seiça* (topônimo português), *soçobrar, Suíça, sumiço, terço* ('a terça parte do rosário'), *terçol* ('abscesso na pálpebra'), *traça, trapaça, tremoço.*
e) Escrevem-se com *x*: *auxílio, defluxo* (/cs/ ou /ss/), *máxima, Maximino, Maximiliano, Maximiano, máximo, próximo, sintaxe, trouxe* (do verbo *trazer*).

> **Observação:**
>
> ➥ Alguns outros dígrafos (*sc, xc, xs,* todos separáveis na divisão silábica) geralmente soam entre nós com valor fônico de sibilante surda, e oferecem dúvidas de grafia:
>
> a) Escrevem-se com *sc*: *abscesso, acrescentar, adolescente, aquiescer, ascendente, ascensão, condescender, consciência, cônscio, convalescer* (mas *prevalecer*), *crescer, descendência, descer, discente, discernir, disciplina, discípulo, efervescência, encrudescer, fascículo, fascinante, fascismo, fescenino, florescer, imprescindível, incandescer, intumescer, nascer, néscio, obsceno, oscilar, pascer, piscina, remanescente, renascença, rescindir, rescisão, ressuscitar, suscetível, suscitar, víscera.*
>
> b) Escrevem-se com *xc*: *exceção, exceder, excelente, excelso, excepcional, excessivo, excesso, exceto, excisão, excitar.*
>
> c) Escrevem-se com *xs*: *exsangue, exsicação, exsicar, exsolução, exsolver, exspuição* (u-i), *exstante, exsudar, exsucar, exsudação, exsurgir.*

5.º) Distinção gráfica entre os grafemas iniciais e internos *j* e *g* com valor fônico de palatal sonora:
  a) Escrevem-se com *j*: *adjetivo, alfanje, alforja, alforje, berinjela, caçanje, canjerê, canjica, cerejeira, enjeitar, enrijecer, gorjeta, granjear, hoje, injeção, intrujice, jeira, jeito, jejuar, jenipapo, Jeová, jequitibá, Jeremias, Jericó, jerimum, Jerônimo, Jesus, jérsei, jiboia, jiló, jirau, laje, laranjeira, lisonjear, lojista, majestade, manjedoura, manjerico, manjerona, pajé, pajem, pegajento, projeto, rejeitar, rijeza, sabujice, sarjeta, sujeitar, sujeito, sujidade, traje, trejeito, ultraje, varejista, viajem* (verbo).
  b) Escrevem-se com *g*: *adágio, agenda, ágio, agiota, agir, alfageme* (melhor que *alfajeme*), *álgebra, algema, Algés, algibebe, algibeira, álgido, Almagesta, angelical, angina, apanágio, aspergir, auge, bugigangas, bugio, caligem, contágio, coragem, dígito, doge, Diógenes, efígie, Egeu, égide, egrégio, esfinge, estrangeiro, Eugênio, falange, faringe, ferrugem, frigir, fugir, garagem, geada, gedeão, gelo,*

gelosia, gêmeo, gengibre, gengiva, genitivo, Gênova, gerânio, geratriz, gergelim, geringonça, gesso, gesto, Gibraltar, giesta, ginete, gingar, ginja, girafa, gíria, giro, giz, herege, heterogêneo, hégira, higiene, lanígero, lanugem, lógica, logística, monge, mugir, ogiva, passagem, rabugem, rabugice, reagir, regurgitar, relógio, sege, sigilo, singelo, tangente, Tânger, tangerina, tigela, vagem, vergel, viagem (substantivo), *vigilância, virgem*.

6.º) Distinção gráfica entre os grafemas *x* e *ch* iniciais e internos com valor fônico de palatal surda:

a) Escrevem-se com *x*: *abexim, Aleixo, almoxarife, ameixa, anexim, atarraxar, baixel, baixela, baixio, baixo, bexiga, broxa* ('pincel'), *bruxa, bruxulear, buxo* ('certo arbusto'), *caixilho, cambaxirra, cartuxo* ('religioso'), *Caxambu, coaxar, coxa, coxia, coxo* ('manco'), *debuxar, deixar, desenxabido, desleixo, eixo, elixir, embaixada, engraxar, enxada, enxaguar, enxame, enxaqueca, enxergão, enxerto, enxofre, enxotar, enxoval, enxovalhar, enxugar, enxurrada, enxuto, faixa, faxina* ('limpeza'), *feixe, frouxo, graxa, lagartixa, laxante, lixa, lixo, luxação, luxo, luxuriante, macaxeira, madeixa, maxixe* ('certa planta; tipo de dança'), *mexer, mexerico, mexilhão* ('marisco'), *moxinifada, mixórdia, muximbento, muxoxo, pexote* (melhor que *pixote*), *pixé* ('mau cheiro'), *oxalá, paxá, praxe, puxar, Quixote, relaxar, repuxo, rixa, rouxinol, roxo, seixo, taxa* ('preço'), *taxativo, trouxa, trouxe* (de *trouxe-mouxe*), *vexame, vexar, xá* ('soberano'), *xácara* ('poesia'), *xadrez, xale, Xangai, xará, xarope, xaveco, Xavier, xenofobia, xeque* ('lance do jogo de xadrez'), *Xerazade, xerife, xibio* ('diamante pequeno'), *xibolete, xícara, xifoide, xilogravura* ('gravura em madeira'), *xingar, Xingu, xiquexique* ('planta'), *xisto, xodó, xucro*.

b) Escrevem-se com *ch*: *achar, achincalhar, agachar, alcachofra, ancho, anchova, apetrecho, archote, azeviche, Belchior, bochecha, borracha, brecha, bucha, bucho* ('estômago'), *cachimbo, cacho, capacho, cachoeira, cambalacho, cachorro, capricho, capuchinho, cartucheira, cartucho* (de espingarda), *chácara* ('fazenda'), *chacina, chacota, chalaça, chamar, chaminé, chato, chefe, cheque, Chico, chicote, chimpanzé, chiste, choça, chorar, chorume, chuchu, churrasco, coche, cocheiro, cochichar, cochilar, cocho* ('vasilha'), *colcha, colchão, colchete, desabrochar, embuchar, encher, endiche, estrebuchar, facho, ficha, flecha, frincha, gancho, iídiche* (também *ídiche*), *inchar, macho, mancha, mecha, Melchior, mocho* ('ave noturna'), *murchar, nicho, pachorrento, pecha, pechincha, penacho, Peniche, piche* ('alcatrão'), *ponche, quíchua, rancho, rocha, salsicha, tacha* ('prego; mancha, imperfeição'), *tachar* ('pregar; classificar, criticar'), *tacho* (substantivo), *tocha, trecho, trinchar, troncho, vulgacho*.

4. As sequências consonânticas

1.º) O *c*, com valor de oclusiva velar, das sequências interiores *cc* (o segundo *c* com valor de sibilante), *cç* e *ct* e o *p* das sequências interiores *pc* (*c* com valor de sibilante), *pç* e *pt*, ora se conservam, ora se eliminam:

Assim:
a) Conservam-se nos casos em que são invariavelmente proferidos nas pronúncias cultas da língua: *compacto, convicção, convicto, ficção, friccionar, pacto, pictural; adepto, apto, díptico, erupção, eucalipto, inepto, núpcias, rapto.*
b) Eliminam-se nos casos em que são invariavelmente mudos nas pronúncias cultas da língua: *ação, acionar, afetivo, aflição, aflito, ato, coleção, coletivo, direção, diretor, exato, objeção, adoção, adotar, batizar, Egito, ótimo.*
c) Conservam-se ou eliminam-se, facultativamente, quando se proferem numa pronúncia culta, quer geral quer restritamente, ou então quando oscilam entre serem pronunciados ou não: *aspeto* e *aspecto, caracteres* e *carateres, dicção* e *dição, ceptro* e *cetro, concepção* e *conceção, corrupto* e *corruto.*

Observação:
➥ Diz-se *contrito*, e não *contricto*, com *c* pronunciado.

d) Quando, nas sequências interiores *mpc, mpç* e *mpt* se eliminar o *p* de acordo com o determinado nos parágrafos precedentes, o *m* passa a *n*, escrevendo-se, respectivamente *nc, nç* e *nt*: *assumpcionista* e *assuncionista; assumpção* e *assunção; assumptível* e *assuntível; peremptório* e *perentório; sumptuoso* e *suntuoso; sumptuosidade* e *suntuosidade.*

2.º) Conservam-se ou eliminam-se, facultativamente, quando se proferem numa pronúncia culta, quer geral, quer restritamente, ou então quando oscilam entre a pronúncia e o emudecimento: o *b* da sequência *bd*, em *súbdito*; o *b* da sequência *bt*, em *subtil* e seus derivados; o *g* da sequência *gd*, em *amígdala, amigdalácea, amigdalar, amigdalato, amigdalite, amigdaloide, amigdalopatia, amigdalotomia*; o *m* da sequência *mn*, em *amnistia, amnistiar, indemne, indemnidade, indemnizar, omnímodo, omnipotente, omnisciente*, etc.; o *t* da sequência *tm*, em *aritmética, aritmético.*

5. As vogais átonas

1.º) O emprego do *e* e do *i*, assim como o do *o* e do *u*, em sílaba átona, regula-se fundamentalmente pela etimologia e pela história das palavras.
a) Escrevem-se com *e*: *aborígene* (também *aborígine*), *aéreo, afear* ('tornar feio'), *alardear, alínea, amealhar, antecipar, apear, área* ('superfície'), *areeiro, arrear* ('pôr arreios'), *arrepio, balneário, beneficência* (e não: beneficiência), *boreal, campeão, cardeal* ('prelado; ave'), *cadeado, candeeiro, cárie, Ceará, cereal, cetáceo, côdea, coletânea, creolina, cumeada, cumeeira, deferir* ('conceder'), *delação* ('denúncia'), *delinear, denegrir, desequilíbrio, desfrutar, desfrute, despautério, despender, despensa* ('depósito; copa'), *disenteria, empeicilho, encarnado, encubar, engelhar, enseada, enteado, errôneo, escrevinhar, estrear,*

estreia, fêmea, gêmeo, leal, leão, lêndea, Leonardo, Leonel, Leonor, Leodegário, Leopoldo, linear, lumeeiro (de lume), *meado* ('referente a metade; meio'), *mealheiro, meão, melhor, mercearia, miscelânea, nomear, óleo, orfeão, ósseo, pâncreas, panteão, peão, Pireneus, plúmbeo, quase, quesito, real, rédea, róseo, semear, semelhante, teatino, Teodoro, térreo, umedecer, várzea.*

b) Escrevem-se com *i*: *adiante, adivinhar, adquirir, afiar* ('amolar'), *aluvião, ária* ('certo tipo de canção musical'), *arriar* ('abaixar'), *arrieiro, artifício, artilharia, bastião, bílis, camoniano, capitânia, casimira, civismo, cordial* (adjetivo e substantivo), *corrimão, corriola, crânio, criar, criado, criação, crioulo, dentifrício, diante, difamação, diferir* ('diferençar'), *digladiar, dilapidar, diminuir, Dinis, discorrer, dispensa* ('desobrigação'), *dispepsia, erisipela, escárnio, estiar* ('parar de chover'), *estropiar, feminino, fatiota, fiambre, Filipe, franquiar, gavião, gerânio, idade, igreja, igual, Ilídio, iminência* ('imediato, próximo'), *imiscuir-se, incumbência, inigualável, inquirir, invés, itinerário, lampião, lenitivo, limiar, lumieiro* (de lúmia), *macieira, meritíssimo, miasma, ócio, oxigênio, pálio, pátio, pião* ('certo tipo de brinquedo'), *pilão, piolho, pior, pontiagudo, privilégio, réstia, serôdio, Simeão, tiara, tigela, tijolo, verídico, verossimilhança, Vimioso* (topônimo português), *Virgílio, vizinho.*

c) Escrevem-se com *o*: *Aboim, abolição, abolir, Aloísio, amontoar, Arcozelo, assoar, boato, borboleta, brochura, bússola, caos, carvoeiro, coalhar, coaxar, cobiça, coentro, consoada* ('refeição à noite'), *costume, demolir, doesto, embolar, êmbolo, engolir, epístola, esbaforir, farândola, femoral, girândola, goela, Indostão* (ou Hindustão; antiga denominação da região sul da Ásia), *jocoso, joeira, mágoa, medíocre, moela, moto* (usado na locução *de moto próprio*), *névoa, nódoa, Noêmia, óbolo, oeste, parábola, Páscoa, Pascoal, poeira, polir, roído* (de roer), *romeno, soalho, sorrateiro, sortir* ('prover'), *távola, toada, toalha, tômbola, torquês, torvelinho, tossir, tribo, trovão, trovejar, veio* (substantivo e flexão do verbo vir).

d) Escrevem-se com *u*: *acentuar, açular, água, alucinação, aluvião, anuviar, assumir, automóvel, bruxulear, bugiganga, bulir, burburinho, buzina, corrupio, crápula, cúpula, curtir, curtume, embutir, entabular, entupir, escapulir, espórtula, estábulo, fêmur, fístula, frágua, glândula, guapo, guloseima, íngua, ingurgitar, insular* ('referente a ilha'), *jucundo, légua, locupletar, Luanda, lucubração, lugar, mangual, Manuel, míngua, mortuário, muleta, peculato, pirueta, pontual, puder* (do verbo *poder*), *pudor, puir, régua, regurgitar, ritual, Romualdo, Rômulo, rótulo, Rufino, Samuel, samurai, sinusite, supetão, surtir* ('produzir'), *sutura, tábua, tabuada, tabuleta, tintureiro, titubear, tonitruante, trégua, tremular, turbilhão, turbulento, turíbulo, urdir, urticária, urtiga, usufruir, vesícula, vestíbulo, virulento, vitualha, vocábulo, vulcão.*

2.º) Sendo muito variadas as condições etimológicas e histórico-fonéticas em que se fixam graficamente *e* e *i* ou *o* e *u* em sílaba átona, é evidente que só a consulta aos vocabulários ou dicionários pode indicar, muitas vezes, se deve empregar-se

e ou *i*, se *o* ou *u*. Há, todavia, alguns casos em que o uso dessas vogais pode ser facilmente sistematizado. Convém fixar os seguintes:
a) Escrevem-se com *e*, e não com *i*, antes da sílaba tônica, os substantivos e adjetivos que procedem de substantivos terminados em *-eio* e *-eia*, ou que com eles estão em relação direta. Assim se regulam: *aldeão, aldeola, aldeota* por *aldeia*; *areal, areeiro, areento, Areosa* por *areia*; *aveal* por *aveia*; *baleal* por *baleia*; *cadeado* por *cadeia*; *candeeiro* por *candeia*; *centeeira* e *centeeiro* por *centeio*; *colmeal* e *colmeeiro* por *colmeia*; *correada* e *correame* por *correia*;
b) Escrevem-se igualmente com *e*, antes de vogal ou ditongo da sílaba tônica, os derivados de palavras que terminam em *e* acentuado (o qual pode representar um antigo hiato: *ea, ee*): *galeão, galeota, galeote*, de *galé*; *daomeano*, de *Daomé*; *guineense*, de *Guiné*; *poleame* e *poleeiro*, de *polé*;
c) Escrevem-se com *i*, e não com *e*, antes da sílaba tônica, os adjetivos e substantivos derivados em que entram os sufixos mistos de formação vernácula *-iano* e *-iense*, os quais são o resultado da combinação dos sufixos *-ano* e *-ense* com um *i* de origem analógica (baseado em palavras onde *-ano* e *-ense* estão precedidos de *i* pertencente ao tema): *açoriano* (de *Açores*), *acriano* (de *Acre*), *camoniano* (de *Camões*), *duriense* (de *Douro*), *flaviense* (de *Aquis Flaviis*, atual cidade de Chaves, em Portugal), *goisiano* (relativo a Damião de *Góis*), *horaciano* (de *Horácio*), *italiano* (da *Itália*), *siniense* (de *Sines*, cidade litorânea portuguesa), *sofocliano* (de *Sófocles*), *torriano, torriense* [de *Torre(s)*];
d) Uniformizam-se com as terminações *-io* e *-ia* (átonas), em vez de *-eo* e *-ea*, os substantivos que constituem variações, obtidas por ampliação, de outros substantivos terminados em vogal: *hástia*, de *haste*; *réstia*, do antigo *reste*; *véstia*, de *veste*;
e) Os verbos em *-ear* podem distinguir-se praticamente — grande número de vezes — dos verbos em *-iar*, quer pela formação, quer pela conjugação e formação ao mesmo tempo.

Estão no primeiro caso todos os verbos que se prendem a substantivos em *-eio* ou *-eia* (sejam formados em português ou venham já do latim); assim se regulam: *aldear*, por *aldeia*; *alhear*, por *alheio*; *cear*, por *ceia*; *encadear*, por *cadeia*; *pear*, por *peia*, etc. Estão no segundo caso todos os verbos que têm normalmente flexões rizotônicas em *-eio, -eias*, etc.: *clarear, delinear, devanear, falsear, granjear, guerrear, hastear, nomear, semear*, etc. Existem, no entanto, verbos em *-iar*, ligados a substantivos com as terminações átonas *-ia* ou *-io*, que admitem variantes na conjugação: *negoceio* ou *negocio* (cf. *negócio*); *premeio* ou *premio* (cf. *prêmio*), etc.;

f) Não é lícito o emprego do *u* final átono em palavras de origem latina. Escreve-se, por isso: *moto*, em vez de **mótu* (por exemplo, na expressão *de moto próprio*); *tribo*, em vez de **tríbu*;

g) Os verbos em -*oar* distinguem-se praticamente dos verbos em -*uar* pela sua conjugação nas formas rizotônicas, que têm sempre *o* na sílaba tônica: *abençoar* com *o*, como *abençoo, abençoas*, etc.; *destoar*, com *o*, como *destoo, destoas*, etc.; mas *acentuar*, com *u*, como *acentuo, acentuas*, etc.

6. As vogais nasais

1.º) As vogais nasais são representadas no fim dos vocábulos por *ã* (*ãs*), *im* (*ins*), *om* (*ons*), *um* (*uns*): *afã, cãs, flautim, folhetins, semitom, tons, tutum, zum-zuns*, etc.

2.º) O *ã* pode figurar na sílaba tônica, pretônica ou átona: *ãatá, cristãmente, irmãmente, maçã, manhãzinha, órfã, romãzeira*, etc.

3.º) Quando aquelas vogais são iniciais ou mediais, a nasalidade é expressa por *m* antes do *b* e *p*, e por *n* antes de outra qualquer consoante: *ambos, campo; contudo, enfim, enquanto, homenzinho, nuvenzinha, vintenzinho*, etc.

7. Os ditongos

1.º) Os ditongos orais distribuem-se por dois grupos gráficos principais, conforme o segundo elemento do ditongo seja representado por *i* ou *u*: *ai, ei, éi, oi, ói, ui; au, eu, éu, iu, ou: braçais, caixote, deveis, eirado, farnéis* (mas *farneizinhos*), *goivo, goivar, lençóis,* (mas *lençoizinhos*), *constitui, constituis, tafuis, uivar, cacau, cacaueiro, deu, endeusar, ilhéu* (mas *ilheuzito*), *mediu, passou, regougar*.

> **Observação:**
> ➡ Admitem-se, todavia, excepcionalmente, à parte desses dois grupos, os ditongos grafados *ae* e *ao*: o primeiro, nos antropônimos *Caetano* e *Caetana*, assim como nos respectivos derivados e compostos (*caetaninha, são-caetano*, etc.): o segundo, representado nas combinações da preposição *a* com as formas masculinas do artigo *o*, ou seja, *ao* e *aos*.

2.º) Os ditongos nasais pertencem graficamente a dois tipos fundamentais:
a) Os ditongos representados por vogal com til e semivogal são quatro, considerando-se apenas a língua-padrão contemporânea: *ãe* (usado em vocábulos oxítonos e derivados), *ãi* (usado em vocábulos anoxítonos [aqueles cuja sílaba tônica não é a última] e derivados), *ão* e *õe*. Exemplos: *cães, Guimarães, mãe, mãezinha; cãibas, cãibeiro, cãibra* (tb. *câimbra*), *zãibo* (tb. *zâimbro*); *mão, mãozinha, não, sótão, sotãozinho, tão; Camões, orações, oraçõezinhas, põe, repões*. Ao lado de tais ditongos pode, por exemplo, colocar-se o ditongo *u* ➡ *i*; mas este, embora se exemplifique numa forma popular como *ru* ➡ *i* = *ruim*, representa-se sem o til nas formas *muito* e *mui*, por obediência à tradição.

b) Os ditongos representados por *am* e *em*. Divergem, porém, nos seus empregos:

I) *am* (sempre átono) só se emprega em flexões verbais: *amam, deviam, escreveram, puseram*.

II) *em* (tônico ou átono) emprega-se em palavras de categorias morfológicas diversas, incluindo flexões verbais, e pode apresentar variantes gráficas determinadas pela posição, pela acentuação, ou, simultaneamente, pela posição e pela acentuação: *bem, Bembom, Bemposta, bem-vindo, cem, devem, nem, quem, sem, tem, virgem; Bencanta, benfeito* ('benfeitoria'), *bem-feito* ('feito com capricho; elegante'), *Benfica, benquisto, bens; enfim, enquanto, homenzarrão, homenzinho, nuvenzinha, tens, virgens, amém* (variação de *ámen*), *armazém, convém, mantém, ninguém, porém, Santarém, também; convêm, mantêm, têm* (3.ªs pessoas do plural); *armazéns, desdéns, convéns, reténs; Belenzada, vintenzinho*.

8. Os hiatos

1.º) A 1.ª, 2.ª, 3.ª pess. do sing. do pres. do subj. e a 3.ª pess. do sing. do imper. dos verbos em *oar* escrevem-se com *oe* e não *oi*: *abençoe, amaldiçoes, perdoe*, etc.

2.º) As três pessoas do sing. do pres. do subj. e a 3.ª do sing. do imper. dos verbos em *uar* escrevem-se com *ue*, e não *ui*: *cultue, habitues, sue* (suar), etc.

9. Acentuação gráfica

A – Monossílabos
Levam acento agudo ou circunflexo os monossílabos terminados em:
   a) -a, -as: *já, lá, vás*;
   b) -e, -es: *fé, lê, pés*;
   c) -o, -os: *pó, dó, pós, sós*.

B – Vocábulos de mais de uma sílaba
1) OXÍTONOS (ou agudos)
Levam acento agudo ou circunflexo os oxítonos terminados em:
   a) -a, -as: *cajás, vatapá, ananás, carajás*;
   b) -e, -es: *você, café, pontapés*;
   c) -o, -os: *cipó, jiló, avô, carijós*;
   d) -em, -ens: *também, ninguém, vinténs, armazéns*.
Daí sem acento: *aqui, caqui, poti, caju, urubus*.

2) PAROXÍTONOS (ou graves)
Levam acento agudo ou circunflexo os paroxítonos terminados em:
   a) -i, -is: *júri, cáqui, beribéri, lápis, tênis*;

b) -us: *vênus, vírus, bônus*.
c) -r: *caráter, revólver, éter*;
d) -l: *útil, amável, nível, têxtil* (não *téxtil*);
e) -x: *tórax, fênix, ônix*;
f) -n: *éden, hífen* (mas: *edens, hifens*, sem acento);
g) -um, -uns: *álbum, álbuns, médium*;
h) -ão, -ãos: *órgão, órfão, órgãos, órfãos*;
i) -ã, -ãs: *órfã, imã, órfãs, imãs*;
j) -ps: *bíceps, fórceps*;
k) -on, -ons: *rádon, rádons*.

Observação:

➥ Devem ser acentuados os nomes técnicos terminados em *-om*: *iândom, rádom* (variante de *rádon*).

3) PROPAROXÍTONOS (ou esdrúxulos)
Levam acento agudo ou circunflexo todos os proparoxítonos: *cálido, tépido, cátedra, sólido, límpido, cômodo.*

C – Casos especiais

a) São sempre acentuadas as palavras oxítonas com os ditongos abertos grafados *-éis, -éu(s)* ou *-ói(s)*: *anéis, batéis, fiéis, papéis; céu(s), chapéu(s), ilhéu(s), véu(s); corrói(s)* (flexão de *corroer*), *herói(s), remói(s)* (flexão de *remoer*), *sói(s)* (flexão de *soer*), *sóis* (pl. de *sol*).

b) Não são acentuadas as palavras paroxítonas com os ditongos abertos *-ei* e *-oi*, uma vez que existe oscilação em muitos casos entre a pronúncia aberta e fechada: *assembleia, boleia, ideia*, tal como *aldeia, baleia, cadeia, cheia, meia; coreico, epopeico, onomatopeico, proteico; alcaloide, apoio* (do verbo *apoiar*), tal como *apoio* (substantivo), *Azoia, boia, boina, comboio* (substantivo), tal como *comboio, comboias*, etc. (do verbo *comboiar*), *dezoito, estroina, heroico, introito, jiboia, moina, paranoico, zoina*.

Observação:

➥ Receberá acento gráfico a palavra que, mesmo incluída neste caso, se enquadrar em regra geral de acentuação, como ocorre com *blêizer, contêiner, destróier, gêiser, Méier*, etc., porque são paroxítonas terminadas em *-r*.

c) Não se acentuam os encontros vocálicos fechados: *pessoa, patroa, coroa, boa, canoa; teu, judeu, camafeu; voo, enjoo, perdoo, coroo*.

> **Observação:**
>
> ➥ Será acentuada a palavra que, mesmo incluída neste caso, se enquadrar em regra geral de acentuação gráfica, como ocorre com *herôon* (Br.)/ *heróon* (Port.), paroxítona terminada em -*n*.

d) Não levam acento gráfico as palavras paroxítonas que, tendo respectivamente vogal tônica aberta ou fechada, são homógrafas de artigos, contrações, preposições e conjunções átonas. Assim, não se distinguem pelo acento gráfico: *para* (á) [flexão de *parar*] e *para* [preposição]; *pela(s)* (é) [substantivo e flexão de *pelar*] e *pela(s)* [combinação de *per* e *la(s)*]; *pelo* (é) [flexão de *pelar*] e *pelo(s)* (ê) [substantivo e combinação de *per* e *lo(s)*]; *pera* (ê) [substantivo] e *pera* (é) [preposição antiga]; *polo(s)* (ó) [substantivo] e *polo(s)* [combinação antiga e popular de *por* e *lo(s)*]; etc.

> **Observação:**
>
> ➥ Seguindo esta regra, também perde o acento gráfico a forma *para* (do verbo *parar*) quando entra num composto separado por hífen: *para-balas, para-brisa(s), para-choque(s), para-lama(s)*, etc.

e) Levam acento agudo o *i* e *u*, quando representam a segunda vogal tônica de um hiato, desde que não formem sílaba com *r, l, m, n, z* ou não estejam seguidos de *nh*: *saúde, viúva, saída, caído, faísca, aí, Grajaú; raiz* (mas *raízes*), *paul, ruim, ruins, rainha, moinho*.

f) Não leva acento a vogal tônica dos ditongos *iu* e *ui*: *caiu, retribuiu, tafuis, pauis*.

g) Não serão acentuadas as vogais tônicas *i* e *u* das palavras paroxítonas, quando estas vogais estiverem precedidas de ditongo decrescente: *baiuca, bocaiuva, boiuno, cauila* (var. *cauira*), *cheiinho* (de *cheio*), *feiinho* (de *feio*), *feiura, feiudo, maoismo, maoista, saiinha* (de *saia*), *taoismo, tauismo*.

> **Observações:**
>
> ➥ Na palavra *eoípo* (= denominação dos primeiros ancestrais dos cavalos), a pronúncia normal assinala hiato (e-o), razão por que tem acento gráfico.
>
> ➥ A palavra paroxítona *guaíba* não perde o acento agudo porque a vogal tônica *i* está precedida de ditongo crescente.

h) Serão acentuadas as vogais tônicas *i* e *u* das palavras oxítonas, quando mesmo precedidas de ditongo decrescente estão em posição final, sozinhas na sílaba, ou seguidas de *s*: *Piauí, teiú, teiús, tuiuiú, tuiuiús*.

> **Observação:**
>
> ➥ Se, neste caso, a consoante final for diferente de *s*, tais vogais **não serão acentuadas**: *cauim, cauins*.

i) A 3.ª pessoa de alguns verbos se grafa da seguinte maneira:

1) quando termina em *-em* (monossílabos):
3.ª pess. sing.	3.ª pess. pl.
-em	-êm
ele tem	*eles têm*
ele vem	*eles vêm*

2) quando termina em *-ém*:
3.ª pess. sing.	3.ª pess. pl.
-ém	-êm
ele contém	*eles contêm*
ele convém	*eles convêm*

3) quando termina em *-ê* (*crê, dê, lê, vê* e derivados):
3.ª pess. sing.	3.ª pess. pl.
-ê	-eem
ele crê	*eles creem*
ele revê	*eles reveem*

j) Levam acento agudo ou circunflexo os vocábulos terminados por ditongo oral átono, quer decrescente ou crescente: *ágeis, devêreis, jóquei, túneis, área, espontâneo, ignorância, imundície, lírio, mágoa, régua, tênue.*

k) Leva acento agudo ou circunflexo a forma verbal terminada em *a, e, o* tônicos, seguida de *lo, la, los, las*: *fá-lo, fá-los, movê-lo-ia, sabê-lo-emos, trá-lo-ás.*

Observação:

➡ Pelo último exemplo, vemos que se o verbo estiver no futuro poderá haver dois acentos: *amá-lo-íeis, pô-lo-ás, fá-lo-íamos.*

l) Também leva acento agudo a vogal tônica *i* das formas verbais oxítonas terminadas em *-air* e *-uir*, quando seguidas de *-lo(s), -la(s)*, caso em que perdem o *r* final, como em: *atraí-lo(s)* [de *atrair-lo(s)*]; *atraí-lo(s)-ia* [de *atrair-lo(s)-ia*]; *possuí-la(s)* [de *possuir-la(s)*]; *possuí-la(s)-ia* [de *possuir-la(s)-ia*].

Observação:

➡ Tradicionalmente na imprensa, as formas paroxítonas e oxítonas com duplicação da vogal *i* são grafadas sem acento gráfico: *xiita, tapiira, tapii.*

m) Não levam acento os prefixos paroxítonos terminados em *-r* e *-i*: *inter-helênico, super-homem, semi-histórico.*

> **Observações:**
>
> ➡ Os verbos *arguir e redarguir* não levam acento agudo na vogal tônica *u* nas formas rizotônicas (aquelas cuja sílaba tônica está no radical): *arguo, arguis, argui, arguem; argua, arguas*, etc.
>
> ➡ Os verbos do tipo de *aguar, apaniguar, apaziguar, apropinquar, averiguar, desaguar, enxaguar, obliquar, delinquir* e afins podem ser conjugados de duas formas: ou têm as formas rizotônicas (cuja sílaba tônica recai no radical) com o *u* do radical tônico, mas sem acento agudo; ou têm as formas rizotônicas com *a* ou *i* do radical com acento agudo: *averiguo* (ou *averíguo*), *averiguas* (ou *averíguas*), *averigua* (ou *averígua*), etc.; *averigue* (ou *averígue*), *averigues* (ou *averígues*), etc.; *delinquo* (ou *delínquo*), *delinques* (ou *delínques*), etc.; *delinqua* (ou *delínqua*), *delinquas* (ou *delínquas*), etc.
>
> ➡ O verbo *delinquir*, tradicionalmente dado como defectivo (ou seja, verbo que não é conjugado em todas as pessoas), é tratado como verbo que tem todas as suas formas. O Acordo também aceita duas possibilidades de pronúncia, quando a tradição padrão brasileira na gramática para este verbo só aceitava sua conjugação nas formas arrizotônicas.
>
> ➡ Em conexão com os casos citados acima, é importante mencionar que os verbos em *-ingir* (*atingir, cingir, constringir, infringir, tingir*, etc.) e os verbos em *-inguir* sem a pronúncia do *u* (*distinguir, extinguir*, etc.) têm grafias absolutamente regulares (*atinjo, atinja, atinge, atingimos*, etc.; *distingo, distinga, distingue, dis*tinguimos, etc.)

n) Não leva trema o *u* dos grupos *gue, gui, que, qui*, mesmo quando for pronunciado e átono: *aguentar, arguição, eloquência, frequência, tranquilo*.

o) Leva acento cincunflexo diferencial a sílaba tônica da 3.ª pess. do sing. do pret. perf. *pôde*, para distinguir-se de *pode*, forma da mesma pessoa do pres. do ind.

p) Não se usa acento gráfico para distinguir as palavras oxítonas homógrafas (que possuem a mesma grafia), mas heterofônicas (pronunciadas de formas diferentes), do tipo de *cor* (ô) (substantivo) e *cor* (ó) (elemento da locução *de cor*); *colher* (ê) (verbo) e *colher* (é) (substantivo).

> **Observação:**
>
> ➡ A forma verbal *pôr* continuará a ser grafada com acento circunflexo para se distinguir da preposição átona *por*.

q) Não é acentuada nem recebe apóstrofo a forma monossilábica *pra*, redução de *para*. Ou seja, são **incorretas** as grafias *prá* e *p'ra*.

r) Pode ser ou não acentuada a palavra *fôrma* (substantivo), distinta de *forma* (substantivo; 3.ª pess. do sing. do pres. do ind. ou 2.ª pess. do sing. do imper. do verbo *formar*). A grafia *fôrma* (com acento gráfico) deve ser usada apenas nos casos em que houver ambiguidade, como nos versos do poema "Os sapos": "Reduzi sem danos/ A fôrmas a forma." [MB]

10. O emprego do acento grave

Emprega-se o acento grave nos casos de crase e aqueles indicados nas páginas 338 e 339.

a) Na contração da preposição *a* com as formas femininas do artigo ou pronome demonstrativo *a*: *à* (de *a* + *a*), *às* (de *a* + *as*).

b) Na contração da preposição *a* com o *a* inicial dos demonstrativos *aquele, aquela, aqueles, aquelas* e *aquilo* ou ainda da mesma preposição com os compostos *aqueloutro* e suas flexões: *àquele(s), àquela(s), àquilo; àqueloutro(s), àqueloutra(s)*.

c) Na contração da preposição *a* com os pronomes relativos *a qual, as quais*: *à qual, às quais*.

11. A supressão dos acentos em palavras derivadas

1.º) Nos advérbios em -*mente*, oriundos de adjetivos com acento agudo ou circunflexo: *avidamente* (de *ávido*), *debilmente* (de *débil*), *facilmente* (de *fácil*), *habilmente* (de *hábil*), *ingenuamente* (de *ingênuo*), *lucidamente* (de *lúcido*), *mamente* (de *má*), *somente* (de *só*), *unicamente* (de *único*), etc.; *candidamente* (de *cândido*), *cortesmente* (de *cortês*), *dinamicamente* (de *dinâmico*), *espontaneamente* (de *espontâneo*), *portuguesmente* (de *português*), *romanticamente* (de *romântico*).

2.º) Nas palavras que têm sufixos iniciados por *z* e cujas formas de base apresentam vogal tônica com acento agudo ou circunflexo: *aneizinhos* (de *anéis*), *avozinha* (de *avó*), *bebezito* (de *bebê*), *cafezada* (de *café*), *chapeuzinho* (de *chapéu*), *chazeiro* (de *chá*), *heroizito* (de *herói*), *ilheuzito* (de *ilhéu*), *mazinha* (de *má*), *orfãozinho* (de *órfão*), *vintenzinho* (de *vintém*), etc.; *avozinho* (de *avô*), *bençãozinha* (de *bênção*), *lampadazita* (de *lâmpada*), *pessegozito* (de *pêssego*).

12. O trema

O trema não é usado em palavras portuguesas ou aportuguesadas, como: *aguentar, anguiforme, arguir, bilíngue, lingueta, linguista, linguístico, cinquenta, equestre, frequentar, tranquilo, ubiquidade.*

> **Observações:**
>
> ➥ O trema ocorre em palavras derivadas de nomes próprios estrangeiros que o possuem: *hübneriano*, de *Hübner*; *mülleriano*, de *Müller*, etc.
>
> ➥ O trema poderá ser usado para indicar, quando for necessário, a pronúncia do *u* em vocabulários ortográficos e dicionários: *lingueta* (gü), *líquido* (qü ou qu), *linguiça* (gü), *equidistante* (qü ou qu).
>
> ➥ Com o fim do trema em palavras portuguesas ou aportuguesadas, não houve modificação na pronúncia dessas palavras.

13. O hífen

A- Nos compostos:

1.º) Emprega-se o hífen nos compostos sem elemento de ligação quando o 1.º termo, por extenso ou reduzido, está representado por forma substantiva, adjetiva, numeral ou verbal:
> *ano-luz, arco-íris, decreto-lei, és-sueste, joão-ninguém, médico-cirurgião, mesa-redonda, rainha-cláudia, tenente-coronel, tio-avô, zé-povinho, afro-asiático, afro-luso-brasileiro, azul-escuro, amor-perfeito, boa-fé, forma-piloto, guarda-noturno, luso-brasileiro, má-fé, mato-grossense, norte-americano, seu-vizinho* (dedo anelar), *social-democracia, sul-africano, primeiro-ministro, segunda-feira, conta-gotas, finca-pé, guarda-chuva, vaga-lume, porta-aviões, porta-retrato.*

> **Observações:**
>
> ➥ As formas empregadas adjetivamente do tipo *afro-, anglo-, euro-, franco-, indo-, luso-, sino-* e assemelhadas continuarão a ser grafadas **sem hífen** em empregos em que só há uma etnia: *afrodescendente, anglofalante, anglomania, eurocêntrico, eurodeputado, lusofonia, sinologia,* etc. Porém escreve-se com hífen quando houver mais de uma etnia: *afro-brasileiro, anglo-saxão, euro-asiático,* etc.
>
> ➥ Com o passar do tempo, alguns compostos perderam a noção de composição e passaram a se escrever aglutinadamente, como é o caso de: *girassol, madressilva, pontapé,* etc. Já se escrevem aglutinados: *paraquedas, paraquedistas* (e afins, *paraquedismo, paraquedístico*) e *mandachuva*.
>
> ➥ Os outros compostos com a forma verbal *para-* seguirão sendo separados por hífen conforme a tradição lexicográfica: *para-brisa(s), para-choque, para-lama(s),* etc.
>
> ➥ Os outros compostos com a forma verbal *manda-* seguirão sendo separados por hífen conforme a tradição lexicográfica: *manda-lua, manda-tudo.*
>
> ➥ A tradição ortográfica também usa o hífen em outras combinações vocabulares: *abaixo-assinado, assim-assim, ave-maria, salve-rainha.*
>
> ➥ Os compostos formados com elementos repetidos, com ou sem alternância vocálica ou consonântica, por serem compostos representados por formas substantivas

sem elemento de ligação, ficarão: *blá-blá-blá, lenga-lenga, reco-reco, tico-tico, zum--zum-zum, pingue-pongue, tique-taque, trouxe-mouxe, xique-xique* (= chocalho; cf. *xiquexique* = planta), *zás-trás, zigue-zague*, etc. Os derivados, entretanto, não serão hifenados: *lengalengar, ronronar, zunzunar*, etc.

➥ Não se separam por hífen as palavras com sílaba reduplicativa oriundas da linguagem infantil: *babá, titio, vovó, xixi*, etc.

➥ Serão escritos *com hífen* os compostos entre cujos elementos há o emprego do apóstrofo: *cobra-d'água, mãe-d'água, mestre-d'armas, olho-d'água*, etc.

2.º) Emprega-se o hífen nos compostos sem elemento de ligação quando o 1.º elemento está representado pelas formas *além, aquém, recém, bem* e *sem*: *além--Atlântico, além-mar, aquém-Pireneus, recém-casado, recém-nascido, bem-estar, bem-humorado, bem-dito, bem-dizer, bem-vestido, bem-vindo, sem-cerimônia, sem-vergonha, sem-terra.*

Observação:

➥ Em muitos compostos o advérbio *bem* aparece aglutinado ao segundo elemento, quer este tenha ou não vida à parte, quando o significado dos termos é alterado: *bendito* (= abençoado), *benfazejo, benfeito* [subst.] (= benefício); cf. *bem-feito* [adj.] = feito com capricho, harmonioso, e *bem feito!* [interj.], *benfeitor, benquerença* e afins: *benfazer, benfeitoria, benquerer, benquisto, benquistar.*

3.º) Emprega-se o hífen nos compostos sem elemento de ligação quando o 1.º elemento está representado pela forma *mal* e o 2.º elemento começa por *vogal, h* ou *l*: *mal-afortunado, mal-entendido, mal-estar, mal-humorado, mal-informado, mal-limpo*. Porém: *malcriado, malgrado, malvisto*, etc.

Observação:

➥ *Mal* com o significado de 'doença' grafa-se com hífen: *mal-caduco* (= epilepsia), *mal-francês* (= sífilis), desde que não haja elemento de ligação. Se houver, não se usará hífen: *mal de Alzheimer.*

4.º) Emprega-se o hífen nos nomes geográficos compostos pelas formas *grã, grão*, ou por forma verbal ou, ainda, naqueles ligados por artigo: *Grã-Bretanha, Abre-Campo, Passa-Quatro, Quebra-Costas, Traga-Mouro, Baía de Todos-os-Santos, Entre-os-Rios, Montemor-o-Novo, Trás-os-Montes.*

Observações:

➥ Os outros nomes geográficos compostos escrevem-se com os elementos separados, sem o hífen: *América do Sul, Belo Horizonte, Cabo Verde, Castelo Branco, Freixo de Espada à Cinta*, etc. Os topônimos *Guiné-Bissau* e *Timor-Leste* são, contudo, exceções consagradas.

➨ Serão hifenizados os adjetivos gentílicos (ou seja, adjetivos que se referem ao lugar onde se nasce) derivados de nomes geográficos compostos que contenham ou não elementos de ligação: *belo-horizontino, mato-grossense-do-sul, juiz-forano, cruzeirense-do-sul, alto-rio-docense.*

➨ Escreve-se com hífen *indo-chinês*, quando se referir à Índia e à China, ou aos indianos e chineses, diferentemente de *indochinês* (sem hífen), que se refere à Indochina.

5.º) Emprega-se o hífen nos compostos que designam espécies botânicas (planta e fruto) e zoológicas, estejam ou não ligadas por preposição ou qualquer outro elemento: *abóbora-menina, andorinha-do-mar, andorinha-grande, bem-me-quer* (mas *malmequer*), *bem-te-vi, bênção-de-deus, cobra-capelo, couve-flor, dente-de-cão, erva-doce, erva-do-chá, ervilha-de-cheiro, feijão-verde, formiga-branca, joão-de-barro, lesma-de-conchinha.*

Observação:

➨ Os compostos que designam espécies botânicas e zoológicas grafados com hífen pela norma acima não serão hifenizados quando tiverem aplicação diferente dessas espécies. Por exemplo: *bola-de-neve* (com hífen) com o significado de 'arbusto europeu', e *bola de neve* (sem hífen) significando 'aquilo que toma vulto rapidamente'; *bico-de-papagaio* (com hífen) referindo-se à planta e *bico de papagaio* (sem hífen) com o significado de 'nariz adunco' ou 'formação óssea anormal'; *não-me-toques* (com hífen) quando se refere a certas espécies de plantas, e *não me toques* (sem hífen) com o significado de 'melindres'.

B- Nas locuções:

Não se emprega o hífen nas locuções, sejam elas substantivas, adjetivas, pronominais, adverbiais, prepositivas ou conjuncionais, salvo algumas exceções já consagradas pelo uso (como é o caso de *água-de-colônia, arco-da-velha, cor-de-rosa, mais-que-perfeito, pé-de-meia, ao deus-dará, à queima-roupa*). Vale lembrar que, se na locução há algum elemento que já tenha hífen, será conservado este sinal: *à trouxe-mouxe, cara de mamão-macho, bem-te-vi de igreja.* Sirvam, pois, de exemplo de emprego **sem hífen** as seguintes locuções:

a) Locuções substantivas:
   cão de guarda, fim de semana, fim de século, sala de jantar;

b) Locuções adjetivas:
   cor de açafrão, cor de café com leite, cor de vinho;

c) Locuções pronominais:
   cada um, ele próprio, nós mesmos, quem quer que seja;

d) Locuções adverbiais:
à parte (diferentemente do substantivo *aparte*), *à vontade, de mais* (locução que se contrapõe a *de menos*; escreve-se junto *demais* quando é advérbio ou pronome), *depois de amanhã, em cima, por isso*;

e) Locuções prepositivas:
abaixo de, acerca de, acima de, a fim de, a par de, à parte de, apesar de, aquando de, debaixo de, enquanto a, por baixo de, por cima de, quanto a;

f) Locuções conjuncionais:
a fim de que, ao passo que, contanto que, logo que, visto que.

Observações:

➥ Expressões com valor de substantivo, do tipo *deus nos acuda, salve-se quem puder,* um *faz de contas,* um *disse me disse,* um *maria vai com as outras, bumba meu boi, tomara que caia, aqui del rei,* devem ser grafadas sem hífen. Da mesma forma serão usadas sem hífen locuções como: *à toa* (adjetivo e advérbio), *dia a dia* (substantivo e advérbio), *arco e flecha, calcanhar de aquiles, comum de dois, general de divisão, tão somente, ponto e vírgula.*

➥ Não se emprega o hífen nas locuções latinas usadas como tais, não substantivadas ou aportuguesadas: *ab initio, ab ovo, ad immortalitatem, ad hoc, data venia, de cujus, carpe diem, causa mortis, habeas corpus, in octavo, pari passu, ex libris.* Mas: o *ex-libris,* o *habeas-corpus, in-oitavo,* etc.

C- Nas sequências de palavras:
Emprega-se o hífen para ligar duas ou mais palavras que ocasionalmente se combinam, formando não propriamente vocábulos, mas encadeamentos vocabulares, tipo: a divisa *Liberdade-Igualdade-Fraternidade,* a ponte *Rio-Niterói,* o percurso *Lisboa-Coimbra-Porto,* a ligação *Angola-Moçambique,* e nas combinações históricas ou até mesmo ocasionais de topônimos, tipo: *Áustria-Hungria, Alsácia-Lorena, Angola-Brasil, Tóquio-Rio de Janeiro,* etc.

D- Nas formações com prefixos:
1.º) Emprega-se o hífen quando o 1.º elemento termina por vogal igual à que inicia o 2.º elemento: *anti-infeccioso, anti-inflamatório, contra-almirante, eletro-ótica, entre-eixo, infra-axilar, micro-onda, neo-ortodoxo, semi-interno, sobre-elevar, sobre-estadia, supra-auricular.*

Observações:

➥ Incluem-se neste princípio geral todos os prefixos terminados por vogal: *agro-* (= terra), *albi-, alfa-, ante-, anti-, ântero-, arqui-, áudio-, auto-, bi-, beta-, bio-, contra-, eletro-, euro-, ínfero-, infra-, íntero-, iso-, macro-, mega-, multi-, poli-, póstero-, pseudo-, súpero-, neuro-, orto-, sócio-,* etc.

Então, se o 1.º elemento terminar por vogal diferente daquela que inicia o 2.º elemento, escreve-se junto, sem hífen: *anteaurora, antiaéreo, aeroespacial, agroindustrial, autoajuda, autoaprendizagem, autoestrada, contraescritura, contraindicação, contraofensiva, extraescolar, extraoficial, extrauterino, hidroelétrico* (ou *hidrelétrico*), *infraestrutura, infraordem, intrauterino, neoafricano, neoimperialista, plurianual, protoariano, pseudoalucinação, pseudoepígrafe, retroalimentação, semiárido, sobreaquecer, socioeconômico, supraesofágico, supraocular, ultraelevado.*

➥ O encontro de vogais diferentes tem facilitado a supressão da vogal final do 1.º elemento ou da vogal inicial do 2.º: *eletra*cústico, ao lado de *eletro*acústico, e *arterio*sclerose. Recomendamos que se evitem essas supressões, a não ser nos casos já correntes ou dicionarizados.

➥ O encontro de vogais iguais tem facilitado o aparecimento de formas reais ou potencialmente possíveis com a fusão dessas vogais, do tipo de *alfaglutinação,* ao lado de *alfa-aglutinação; ovadoblongo,* ao lado de *ovado-oblongo.* Para atender à regra geral de hifenizar o encontro de vogais iguais, é preferível evitar estas fusões no uso corrente, a não ser nos casos em que elas se mostram naturais, e não forçadas, como ocorre em *telespectador* (e não *tele-espectador*), *radiouvinte* (e não *rádio-ouvinte*).

➥ Nas formações com os prefixos *co-, pro-, pre-* e *re-*, estes unem-se ao segundo elemento, mesmo quando iniciado por *o* ou *e*: *coabitar, coautor, coedição, coerdeiro, coobrigação, coocupante, coordenar, cooperação, cooperar, coemitente, coenzima, cofator, cogerente, cogestão, coirmão, comandante; proativo* (ou *pró-ativo*), *procônsul, propor, proembrião, proeminente; preeleito* (ou *pré-eleito*), *preembrião* (ou *pré-embrião*), *preeminência, preenchido, preesclerose* (ou *pré-esclerose*), *preestabelecer, preexistir; reedição, reedificar, reeducação, reelaborar, reeleição, reenovelar, reentrar, reescrita, refazer, remarcar.*

2.º) Emprega-se o hífen quando o 1.º elemento termina por consoante igual à que inicia o 2.º elemento: *ad-digital, inter-racial, sub-base, super-revista,* etc.

Observação:

➥ Formas como *abbevilliano, addisoniano, addisonismo, addisonista* se prendem a nomes próprios estrangeiros: *Abbeville, Addison.*

3.º) Emprega-se o hífen quando o 1.º elemento termina acentuado graficamente, *pós-, pré-, pró-: pós-graduação, pós-tônico; pré-datado, pré-escolar, pré-história, pré-natal, pré-requisito; pró-africano, pró-europeu.*

Observação:

➥ Pode haver, em certos usos, alternância entre *pre-* e *pré, pos-* e *pós-*; neste último caso, deve-se usar o hífen: *preesclerótico/ pré-esclerótico, preesclerose/ pré-esclerose, preeleito/ pré-eleito, prerrequisito/ pré-requisito; postônico/ pós-tônico.*

4.º) Emprega-se o hífen quando o 1.º elemento termina por *m* ou *n* e o 2.º elemento começa por *vogal, h, m* ou *n*: *circum-escolar, circum-hospitalar, circum--murado, circum-navegação, pan-africano, pan-americano, pan-harmônico, pan--hispânico, pan-mágico, pan-negritude.*

5.º) Emprega-se o hífen quando o 1.º elemento é um dos seguintes prefixos que indicam anterioridade ou cessação: *ex-, sota-, soto-, vice-, vizo-*: *ex-almirante, ex--diretor, ex-presidente; sota-almirante, sota-capitão; soto-almirante; vice-presidente, vice-reitor; vizo-rei.*

Observação:

➥ Em *sotavento* e *sotopor*, os prefixos não têm o mesmo significado de *vice-, vizo-*, daí não se enquadrarem na regra anterior.

6.º) Emprega-se o hífen quando o 1.º elemento termina por *vogal, r* ou *b* e o 2.º elemento se inicia por *h*: *adeno-hipófise, abdômino-histerectomia, anti-herói, anti-hemorrágico, arqui-hipérbole, auto-hipnose, beta-hemolítico, bi-hidroquinona, bio-histórico, contra-haste, di-hibridismo, entre-hostil, foto-heliografia, geo-história, giga-hertz, hétero-hemorragia, hiper-hidrose, infra-hepático, inter-hemisférico, poli--hídrico, semi-histórico, sobre-humano, sub-hepático, sub-humano, super-homem, tri-hídrico.*

Observações:

➥ Nos casos em que não houver perda do som da vogal final do 1.º elemento, e o elemento seguinte começar com *h*, serão usadas as duas formas gráficas: *carbo-hidrato* e *carboidrato*; *zoo-hematina* e *zooematina*. Já quando houver perda do som da vogal final do 1.º elemento, consideraremos que a grafia consagrada deve ser mantida: *cloridrato, cloridria, clorídrico, quinidrona, sulfidrila, xilarmônica, xilarmônico.*

Devem ficar como estão as palavras que, fugindo a este princípio, já são de uso consagrado, como *reidratar, reumanizar, reabituar, reabitar, reabilitar* e *reaver*.

➥ Não se emprega o hífen com prefixos *des-* e *in-* quando o 2.º elemento perde o *h* inicial: *desumano, inábil, inumano*, etc.

➥ Embora não tratado no Acordo, pode-se incluir neste caso o prefixo *an-* (p.ex.: *anistórico, anepático, anidrido*). Na sua forma reduzida *a-*, quando seguido de *h*, a tradição manda hifenizar e conservar o *h* (p.ex.: *a-histórico, a-historicidade*).

➥ Não se emprega o hífen com as palavras *não* e *quase* com função prefixal: *não agressão, não beligerante, não fumante; quase delito, quase equilíbrio, quase domicílio*, etc.

➥ Não há razão plausível que defenda a grafia *biidroquinona* ao lado de *bi-iodeto*, por este não ter *h* inicial. Foi o mesmo princípio que nos fez optar por *poli-hídrico* (em vez de *poliídrico*) e *poli-hidrite* (em vez de *poliidrite*).

7.º) Emprega-se o hífen quando o 1.º elemento termina por *b* (*ab-*, *ob-*, *sob-*, *sub-*) ou *d* (*ad-*) e o 2.º elemento começa por *r*: *ab-rupto, ad-renal, ad-referendar, ob-rogar, sob-roda, sub-reitor, sub-reptício, sub-rogar*.

> **Observação:**
>
> ➡ *Adrenalina, adrenalite* e afins já são exceções consagradas pelo uso. *Ab-rupto* é preferível a *abrupto*, mas ambos são possíveis, e o último até mais corrente, facilitando a pronúncia com o grupo consonantal /a-brup-to/.

8.º) Quando o 1.º elemento termina por vogal e o 2.º elemento começa por *r* ou *s*, não se usa hífen, e estas consoantes devem duplicar-se, prática já adotada também em palavras deste tipo pertencentes aos domínios científico e técnico: *antessala, antirreligioso, antissocial, autorregulamentação, biorritmo, biossatélite, contrarregra, contrassenha, cosseno, eletrossiderurgia, extrarregular, infrassom, macrorregião, microssistema, minissaia, multissegmentado, neorromano, protossatélite, pseudossigla, semirrígido, sobressaia, suprarrenal, ultrassonografia*.

> **Observação:**
>
> ➡ Excepcionalmente, para garantir a integridade do nome próprio usado como tal, recomenda-se a grafia com hífen em casos como *anti-Stalin, anti-Iraque, anti-Estados Unidos*, usos frequentes na imprensa, mas não lembrados no texto do Acordo. As formas derivadas seguem a regra dos prefixos, como em: *antistalinismo/ antiestalinismo, desestalinização*.

E- Nas formações com sufixo:

Emprega-se hífen apenas nas palavras terminadas por sufixos de origem tupi-guarani que representam formas adjetivas, como -*açu* (= grande), -*guaçu* (= grande), -*mirim* (= pequeno), quando o 1.º elemento termina por vogal acentuada graficamente ou quando a pronúncia exige a distinção gráfica dos dois elementos: *amoré-guaçu, anajá-mirim, andá-açu, capim-açu, Ceará-Mirim*.

F- O hífen nos casos de ênclise, mesóclise (tmese) e com o verbo haver:

1.º) Emprega-se o hífen na ênclise e na mesóclise: *amá-lo, dá-se, deixa-o, partir-lhe; amá-lo-ei, enviar-lhe-emos*.

2.º) Não se emprega o hífen nas ligações da preposição *de* às formas monossilábicas do presente do indicativo do verbo *haver: hei de, hás de, hão de*, etc.

> **Observações:**
>
> ➡ Embora estejam consagradas pelo uso as formas verbais *quer* e *requer*, dos verbos *querer* e *requerer*, ao lado de *quere* e *requere*, estas últimas formas conservam-se, no entanto, nos casos de ênclise: *quere-o(s), requere-o(s)*. Nestes contextos, as formas

(legítimas, aliás) *qué-lo* e *requé-lo* são pouco usadas. *Quere* e *requere* são formas correntes entre portugueses; a primeira, a partir de 1904.

➥ Usa-se também o hífen nas ligações de formas pronominais enclíticas ao advérbio *eis* (*eis-me, ei-lo*) e ainda nas combinações de formas pronominais do tipo *no-lo* (nos + o), *no-las* (nos + as), quando em próclise ao verbo (por exemplo: Esperamos que no-lo comprem).

14. O apóstrofo

1.º) São os seguintes os casos de emprego do apóstrofo:

A- Faz-se uso do apóstrofo para cindir graficamente uma contração ou aglutinação vocabular, quando um elemento ou fração respectiva pertence propriamente a um conjunto vocabular distinto: *d'Os Lusíadas, d'Os Sertões; n'Os Lusíadas, n'Os Sertões; pel'Os Lusíadas, pel'Os Sertões*. Nada obsta, contudo, a que estas escritas sejam substituídas por empregos de preposições íntegras, se o exigir razão especial de clareza, expressividade ou ênfase: *de Os Lusíadas, em Os Lusíadas, por Os Lusíadas*, etc.

As cisões indicadas são análogas às dissoluções gráficas que se fazem, embora sem emprego do apóstrofo, em combinações da preposição *a* com palavras pertencentes a conjuntos vocabulares imediatos: *a A Relíquia, a Os Lusíadas* (exemplos: Importância atribuída a *A Relíquia*; Recorro a *Os Lusíadas*). Em tais casos, como é óbvio, entende-se que a dissolução gráfica nunca impede na leitura a combinação fonética: *a A = à, a Os = aos*, etc.

B- Pode cindir-se por meio do apóstrofo uma contração ou aglutinação vocabular, quando um elemento ou fração respectiva é forma pronominal e se lhe quer dar realce com o uso da maiúscula: *d'Ele, n'Ele, d'Aquele, n'Aquele, d'O, n'O, pel'O, m'O, t'O, lh'O,* casos em que a segunda parte, forma masculina, é aplicável a Deus, a Jesus, etc.; *d'Ela, n'Ela, d'Aquela, n'Aquela, d'A, n'A, pel'A, m'A, t'A, lh'A,* casos em que a segunda parte, forma feminina, é aplicável à mãe de Jesus, à Providência, etc. Exemplos frásicos: *Confiamos n'O que nos salvou; Esse milagre revelou-m'O; Está n'Ela a nossa esperança; Pugnemos pel'A que é nossa padroeira*. À semelhança das cisões indicadas, pode dissolver-se graficamente, posto que sem uso do apóstrofo, uma combinação da preposição *a* com uma forma pronominal realçada pela maiúscula: *a O, a Aquele, a Aquela* (entendendo-se que a dissolução gráfica nunca impede na leitura a combinação fonética: *a O = ao, a Aquela = àquela*, etc.). Exemplos frásicos: *A O que tudo pode, A Aquela que nos protege*.

C- Emprega-se o apóstrofo nas ligações das formas *santo* e *santa* a nomes do hagiológio, quando importa representar a elisão das vogais finais *o* e *a*: *Sant'Ana, Sant'Iago,* etc. É, pois, correto escrever: *Calçada de Sant'Ana, Rua de Sant'Ana; culto de Sant'Iago, Ordem de Sant'Iago*. Mas, se as ligações deste gênero, como é o caso destas mesmas palavras *Sant'Ana* e *Sant'Iago*, se tornam perfeitas unidades mórficas, aglutinam-se os dois elementos: *Fulano de Santana, ilhéu de Santana, Santana de Parnaíba; Fulano de Santiago, ilha de Santiago, Santiago do Cacém*.

Em paralelo com a grafia *Sant'Ana* e congêneres, emprega-se também o apóstrofo nas ligações de duas formas antroponímicas, quando é necessário indicar que na primeira se elide um *o* final: *Nun'Álvares*, *Pedr'Eanes*.

Note-se que nos casos referidos as escritas com apóstrofo, indicativas de elisão, não impedem, de modo algum, as escritas sem apóstrofo: *Santa Ana, Nuno Álvares, Pedro Eanes*, etc.

D- Emprega-se o apóstrofo para assinalar, no interior de certas formações, a elisão do *e* da preposição *de*, em combinação com substantivos: *borda-d'água, cobra-d'água, copo-d'água* (= certo tipo de planta; espécie de lanche), *estrela-d'alva, galinha-d'água, mãe-d'água, pau-d'água* (= certa árvore; bêbado), *pau-d'alho, pau--d'arco, pau-d'óleo*.

E- O apóstrofo é usado para indicar a supressão de uma letra ou letras no verso, por exigência da metrificação: *c'roa, esp'rança, of'recer, 'star*, etc.

F- Também para reproduzir certas pronúncias populares: *'tá, 'teve*, etc.

2.º) Restringindo-se o emprego do apóstrofo a esses casos, cumpre não se use dele em nenhuma outra hipótese. Assim, não será empregado:

A- Nas combinações das preposições *de* e *em* com as formas do artigo definido, com formas pronominais diversas e com formas adverbiais [excetuando o que se estabelece no artigo 1.º, A e 1.º, B]. Tais combinações são representadas:

a) Por uma só forma vocabular, se constituem, de modo fixo, uniões perfeitas: i) *do, da, dos, das; dele, dela, deles, delas; deste, desta, destes, destas, disto; desse, dessa, desses, dessas, disso; daquele, daquela, daqueles, daquelas, daquilo; destoutro, destoutra, destoutros, destoutras; dessoutro, dessoutra, dessoutros, dessoutras; daqueloutro, daqueloutra, daqueloutros, daqueloutras; daqui; daí; dali; dacolá; donde; dantes* (= antigamente); ii) *no, na, nos, nas; nele, nela, neles, nelas; neste, nesta, nestes, nestas, nisto; nesse, nessa, nesses, nessas, nisso; naquele, naquela, naqueles, naquelas, naquilo; nestoutro, nestoutra, nestoutros, nestoutras; nessoutro, nessoutra, nessoutros, nessoutras; naqueloutro, naqueloutra, naqueloutros, naqueloutras; num, numa, nuns, numas; noutro, noutra, noutros, noutras, noutrem; nalgum, nalguma, nalguns, nalgumas, nalguém*;

b) Por uma ou duas formas vocabulares, se não constituem, de modo fixo, uniões perfeitas (apesar de serem correntes com esta feição em algumas pronúncias): *de um, de uma, de uns, de umas*, ou *dum, duma, duns, dumas; de algum, de alguma, de alguns, de algumas, de alguém, de algo, de algures, de alhures*, ou *dalgum, dalguma, dalguns, dalgumas, dalguém, dalgo, dalgures, dalhures; de outro, de outra, de outros, de outras, de outrem, de outrora*, ou *doutro, doutra, doutros, doutras, doutrem, doutrora; de aquém* ou *daquém; de além* ou *dalém; de entre* ou *dentre*.

De acordo com os exemplos deste último tipo, tanto se admite o uso da locução adverbial *de ora avante* como do advérbio que representa a contração dos seus três elementos: *doravante*.

B- Nas combinações dos pronomes pessoais: *mo, ma, mos, mas, to, ta, tos, tas, lho, lha, lhos, lhas, no-lo, no-los, no-la, no-las, vo-lo, vo-la, vo-los, vo-las.*

C- Nas expressões vocabulares que se tornaram unidades fonéticas e semânticas: *dessarte, destarte, homessa, tarrenego, tesconjuro, vivalma,* etc.

D- Nas expressões de uso constante e geral na linguagem coloquial: *co, coa, ca, cos, cas, coas* (= com o, com a, com os, com as), *plo, pla, plos, plas* (= pelo, pela, pelos, pelas), *pra* (= para), *pro, pra, pros, pras* (= para o, para a, para os, para as), etc.

Observações:

➡ Evite-se a repetição do artigo: *por O Globo* (em vez de pelo *O Globo*), em *A Ordem*, em vez de na *A Ordem*, etc.

➡ Deve-se evitar a prática *dos Lusíadas, na Ordem*, porque altera o título da obra ou da publicação.

➡ Os tratados de ortografia, bem como alguns gramáticos modernos, têm condenado o emprego da combinação de preposição, especialmente *de*, com artigo, pronome e vocábulo iniciado por vogal pertencente a sujeito, em construções do tipo sintático *Está na hora da onça beber água*. A discussão disto se acha na página 492.

15. Divisão silábica

A divisão de qualquer vocábulo, assinalada pelo hífen, em regra se faz pela soletração, e não pelos seus elementos constitutivos segundo a etimologia.

Fundadas neste princípio geral, cumpre respeitar as seguintes normas:

1.º) A consoante inicial não seguida de vogal permanece na sílaba que a segue: *cni-do-se, dze-ta, gno-mo, mne-mô-ni-ca, pneu-má-ti-co,* etc.

2.º) No interior do vocábulo, sempre se conserva na sílaba que a precede a consoante não seguida de vogal: *ab-di-car, ac-ne, bet-sa-mi-ta, daf-ne, drac-ma, ét-ni-co, nup-ci-al, ob-fir-mar, op-ção, sig-ma-tis-mo, sub-por, sub-ju-gar,* etc.

3.º) Não se separam os elementos dos grupos consonânticos iniciais de sílabas nem os dos dígrafos *ch, lh, nh: a-blu-ção, a-bra-sar, a-che-gar, fi-lho, ma-nhã,* etc.

Observação:

➡ Nem sempre formam grupos as consonâncias *bl* e *br*; nalguns casos o *l* e o *r* se pronunciam separadamente, e a isso se atenderá na partição do vocábulo; e as consoantes *dl*, a não ser no termo onomatopeico *dlim*, proferem-se desligadamente, e na divisão silábica ficarão separadas. Exemplos: *sub-lin-gual, sub-ro-gar, ad-le-ga-ção,* etc.

4.º) O *sc*, bem como *sç, xc* e *xs* no interior do vocábulo bipartem-se: *a-do-les--cen-te, con-va-les-cer, des-cer, ins-ci-en-te, pres-cin-dir, res-ci-são, cres-ça, ex-ce-to, ex-su-dar,* etc.

> **Observação:**
>
> ➥ Forma sílaba com o prefixo antecedente o *s* que precede consoantes: *abs-tra-ir, ads-cre-ver, ins-cri-ção, ins-pe-tor, ins-tru-ir, in-ters-tí-cio, pers-pi-caz, subs-cre-ver, subs-ta-be-le-cer*, etc.

5.º) O *s* dos prefixos *bis-, cis-, des-, dis-, trans-* e o *x* do prefixo *ex-* não se separam quando a sílaba seguinte começa por consoante; mas, se principia por vogal, formam sílaba com esta e separam-se do elemento prefixal: *bis-ne-to, cis-pla-ti-no, des-li-gar, dis-tra-ção, trans-por-tar, ex-tra-ir; bi-sa-vô, ci-san-di-no, de-ses-pe-rar, di-sen-té-ri-co, tran-sa-tlân-ti-co, ê-xo-do*, etc.

6.º) As vogais idênticas e as letras *cc, cç, rr* e *ss* separam-se: *ca-a-tin-ga, co-or--de-nar, du-ún-vi-ro, fri-ís-si-mo, ge-e-na, in-te-lec-ção, oc-ci-pi-tal, pror-ro-gar, res-sur-gir*, etc.

> **Observação:**
>
> ➥ As vogais de hiatos, ainda que diferentes, também se separam: *a-ta-ú-de, cai-ais, ca-í-eis, ca-ir, do-er, du-e-lo, fi-el, flu-iu, fru-ir, gra-ú-na, je-su-í-ta, le-al, mi-ú-do, po--ei-ra, ra-i-nha, sa-ú-de, vi-ví-eis, vo-ar*, etc.

7.º) Não se separam as vogais dos ditongos — crescentes e decrescentes — nem as dos tritongos: *ai-ro-so, a-ni-mais, au-ro-ra, a-ve-ri-gueis, ca-iu, cru-éis, en-jei--tar, fo-ga-réu, fu-giu, gló-ria, guai-ar, i-guais, ja-mais, joi-as, ó-dio, quais, sá-bio, sa-guão, sa-guões, su-bor-nou, ta-fuis, vá-rio*, etc.

> **Observação:**
>
> ➥ Não se separa do *u* precedido de *g* ou *q* a vogal que o segue, acompanhada, ou não, de consoante: *am-bí-guo, e-qui-va-ler, lin-gue-ta, u-bí-quo*, etc.

8.º) Na translineação (ou seja, na passagem para a linha seguinte quando se está escrevendo um texto) de uma palavra composta ou de uma combinação de palavras em que há um hífen, ou mais, se a partição coincide com o final de um dos elementos ou membros, por clareza gráfica, se deve repetir o hífen no início da linha seguinte: vice--almirante.

16. Emprego das iniciais maiúsculas e minúsculas

Emprega-se letra inicial maiúscula:
1.º) No começo do período, verso ou citação direta.
   Disse o Padre Antônio Vieira: "*Estar com Cristo em qualquer lugar, ainda que seja no Inferno, é estar no Paraíso.*"
   "Auriverde pendão de minha terra

Que a brisa do Brasil beija e balança
Estandarte que a luz do sol encerra
E as promessas divinas da Esperança..." [CAv]

Observação:

➥ Alguns poetas usam, à espanhola, a minúscula no princípio de cada verso, quando a pontuação o permite; como se vê em Castilho:

"Aqui, sim, no meu cantinho,

vendo rir-me o candeeiro,

gozo o bem de estar sozinho

e esquecer o mundo inteiro."

2.º) Nos substantivos próprios de qualquer espécie, bem como os cognomes e alcunhas: *José, Maria, Macedo, Freitas, Brasil, América, Guanabara, Tietê, Atlântico, Antoninos, Afonsinhos, Conquistador, Magnânimo, Coração de Leão, Sem Pavor, Deus, Jeová, Alá, Assunção, Ressurreição, Júpiter, Baco, Cérbero, Via Láctea, Canopo, Vênus, Tiradentes,* o Mártir da Independência, etc.

Observações:

➥ As formas onomásticas que entram na formação de palavras do vocabulário comum escrevem-se com inicial minúscula quando se afastam de seu significado primitivo, excetuando-se os casos em que esse afastamento não ocorre: *água-de-colônia, joão-de-barro, erva-de-santa-maria, folha de flandres*; mas: *além-Brasil, aquém-Atlântico, doença de Chagas, mal de Alzheimer, sistema Didot, anel de Saturno.*

➥ Os nomes de povos escrevem-se com inicial minúscula, não só quando designam habitantes ou naturais de um estado, província, cidade, vila ou distrito, ainda quando representam coletivamente uma nação: *amazonenses, baianos, estremenhos, fluminenses, paulistas, romenos, russos, suíços, uruguaios,* etc.

➥ Os nomes comuns que acompanham os nomes próprios designativos de estados, províncias, cidades, etc. e de acidentes geográficos são escritos com minúsculas: *estado* do Rio de Janeiro; *rio* Parnaíba; a *baía* de Sepetiba; a *ilha* de São Luís.

3.º) Nos nomes próprios de eras históricas e épocas notáveis: *Hégira, Idade Média, Quinhentos* (o século XVI), *Seiscentos* (o século XVII), etc.

Observação:

➥ Os nomes dos meses devem escrever-se com inicial minúscula: *janeiro, fevereiro, março, abril, maio, junho, julho, agosto, setembro, outubro, novembro, dezembro.*

4.º) Nos nomes de vias e lugares públicos: *Avenida de Rio Branco, Beco do Carmo, Largo da Carioca, Praia do Flamengo, Praça da Bandeira, Travessa do Comércio, Túnel Noel Rosa*, etc.

5.º) Nos nomes que designam altos conceitos religiosos, políticos ou nacionalistas: *Igreja* (Católica, Apostólica, Romana), *Nação, Estado, Pátria, Raça*, etc.

> Observação:
>
> ➡ Esses nomes se escrevem com inicial minúscula quando são empregados em sentido geral ou indeterminado.

6.º) Nos nomes que designam artes, ciências, ou disciplinas, bem como nos que sintetizam, em sentido elevado, as manifestações do engenho e do saber: *Agricultura, Arquitetura, Filologia Portuguesa, Direito, Medicina, Matemática, Pintura, Arte, Ciência, Cultura*, etc.

> Observação:
>
> ➡ Os nomes *idioma, idioma pátrio, língua, língua portuguesa, vernáculo* e outros análogos escrevem-se com inicial maiúscula quando empregados com especial relevo.

7.º) Nos nomes que designam altos cargos, dignidades ou postos: *Papa, Cardeal, Arcebispo, Bispo, Patriarca, Vigário, Vigário-Geral, Presidente da República, Ministro da Educação, Governador do Estado, Embaixador, Almirante, Secretário de Estado*, etc.

8.º) Nos nomes de repartições, corporações ou agremiações, edifícios e estabelecimentos públicos ou particulares: *Diretoria Geral do Ensino, Ministério das Relações Exteriores, Academia Paranaense de Letras, Círculo de Estudos "Bandeirantes", Presidência da República, Instituto Brasileiro de Geografia e Estatística, Tesouro do Estado, Departamento Administrativo do Serviço Público, Banco do Brasil, Imprensa Nacional, Teatro de São José, Tipografia Rolandiana, Museu de Arte Moderna*, etc.

9.º) Nos títulos de livros, jornais, revistas, produções artísticas, literárias e científicas: *Imitação de Cristo, Horas Marianas, Correio da Manhã, Revista Filológica, Transfiguração* (de Rafael), *Norma* (de Bellini), *O Guarani* (de Carlos Gomes), *O Espírito das Leis* (de Montesquieu), etc.

> Observações:
>
> ➡ Não se escrevem com maiúscula inicial as partículas monossilábicas que se acham no interior de vocábulos compostos ou de locuções ou expressões que têm iniciais maiúsculas: *Queda do Império, O Crepúsculo dos Deuses, História sem Data, A Mão e a Luva, Festas e Tradições Populares do Brasil*, etc.
>
> ➡ Nos bibliônimos, após o primeiro elemento, que é com maiúscula, os demais vocábulos podem ser escritos com minúscula, salvo nos nomes próprios nele contidos, tudo em grifo: *Memórias póstumas de Brás Cubas*.

10.º) Nos nomes de fatos históricos e importantes, de atos solenes e de grandes empreendimentos públicos: *Centenário da Independência do Brasil, Descobrimento da América, Reforma Ortográfica, Acordo Luso-Brasileiro, Exposição Nacional, Festas das Mães, Dia do Município, Glorificação da Língua Portuguesa*, etc.

Observação:

➥ Os nomes de festas pagãs ou populares escrevem-se com inicial minúscula: *carnaval, entrudo, saturnais*, etc.

11.º) Nos nomes de escolas de qualquer espécie ou grau de ensino: *Faculdade de Filosofia, Escola Superior de Comércio, Colégio de Pedro II, Instituto de Educação*, etc.

12.º) Nos nomes comuns, quando personificados ou individuados, e de seres morais ou fictícios: *A Capital da República, a Transbrasiliana, moro na Capital, o Natal de Jesus, o Poeta* (Camões), *a ciência da Antiguidade, os habitantes da Península, a Bondade, o Amor, a Ira, o Lobo, o Cordeiro, a Cigarra, a Formiga*, etc.

Observação:

➥ Incluem-se nesta norma os nomes que designam atos das autoridades da República, quando empregados em correspondência ou documentos oficiais: *A Lei de 13 de maio, o Decreto-Lei n.º 292, o Decreto-Lei n.º 20.108, a Portaria de 15 de junho, o Regulamento n.º 737, o Acórdão de 3 de agosto*, etc.

13.º) Nos nomes dos pontos cardeais, ou equivalentes, quando designam regiões: *os povos do Oriente; o falar do Norte é diferente do falar do Sul; a guerra do Ocidente*, etc.

Observação:

➥ Os nomes dos pontos cardeais escrevem-se com iniciais minúsculas quando designam direções ou limites geográficos: *Percorri o país de norte a sul e de leste a oeste.*

14.º) Nos nomes, adjetivos, pronomes e expressões de tratamento ou reverência: *D.* (Dom ou Dona), *Sr.* (Senhor), *Sr.ª* (Senhora), *DD.* ou *Dig.^{mo}* (Digníssimo), *MM.* ou *M.^{mo}* (Meritíssimo), *Rev.^{mo}* (Reverendíssimo), *V.Rev.ª* (Vossa Reverência), *S.Em.ª* (Sua Eminência), *V.M.* (Vossa Majestade), *V.A.* (Vossa Alteza), *V.S.ª* (Vossa Senhoria), *V.Ex.ª* (Vossa Excelência), *V.Ex.ª Rev.ma* (Vossa Excelência Reverendíssima), *V.Ex.^{as}* (Vossas Excelências), etc.

Observação:

➥ As formas que se acham ligadas a essas expressões de tratamento devem ser também escritas com iniciais maiúsculas: *D. Abade, Ex.ma Sr.ª Diretora, Sr. Almirante, Sr. Capitão de Mar e Guerra, MM. Juiz de Direito, Exmo e Rev.^{mo} Sr. Arcebispo Primaz,*

> *Magnífico Reitor, Excelentíssimo Senhor Presidente da República, Eminentíssimo Senhor Cardeal, Sua Alteza Real*, etc.

15.º) Nas palavras que, no estilo epistolar, se dirigem a um amigo, a um colega, a uma pessoa respeitável, as quais, por deferência, consideração ou respeito, se queira realçar por esta maneira: *meu bom Amigo, caro Colega, meu prezado Mestre, estimado Professor, meu querido Pai, minha amorável Mãe, meu bom Padre, minha distinta Diretora, caro Dr., prezado Capitão*, etc.

Observação:

➨ Para os itens 4.º, 6.º, 7.º e 14.º usa-se opcionalmente inicial minúscula (exceto para as formas abreviadas do item 14.º).

17. Nomes próprios

1.º) Os nomes próprios personativos, locativos e de qualquer natureza, sendo portugueses ou aportuguesados, estão sujeitos às mesmas regras estabelecidas para os nomes comuns.

2.º) Para salvaguardar direitos individuais, quem o quiser manterá em sua assinatura a forma consuetudinária. Poderá também ser mantida a grafia original de quaisquer firmas, sociedades, títulos e marcas que se achem inscritos em registro público.

Observação:

➨ Não sendo o próprio que assine o nome com a grafia e a acentuação do modo como foi registrado, a indicação do seu nome obedecerá às regras estabelecidas pelo sistema ortográfico vigente para os nomes comuns: *Fundação Casa de Rui Barbosa* (o notável jurista baiano assinava *Ruy*).

3.º) Os topônimos de origem estrangeira devem ser usados com as formas vernáculas de uso vulgar; e quando não têm formas vernáculas, transcrevem-se consoante as normas estatuídas pela Conferência de Geografia de 1926 que não contrariarem os princípios estabelecidos aqui.

4.º) Os topônimos de tradição histórica secular não sofrem alteração alguma na sua grafia, quando já esteja consagrada pelo consenso diuturno dos brasileiros. Sirva de exemplo o topônimo *Bahia*, que conservará esta forma quando se aplicar em referência ao estado e à cidade que têm esse nome.

Observação:

➨ Os compostos e derivados desses topônimos obedecerão às normas gerais do vocabulário comum.

18. Sinais de pontuação: algumas particularidades

Aspas

Quando a pausa coincide com o final da expressão ou sentença que se acha entre aspas, coloca-se o competente sinal de pontuação depois delas, se encerram apenas uma parte da proposição; quando, porém, as aspas abrangem todo o período, sentença, frase ou expressão, a respectiva notação fica abrangida por elas:

"Aí temos a lei", dizia o Florentino. "Mas quem as há de segurar? Ninguém." [RB]
"Mísera! tivesse eu aquela enorme, aquela
Claridade imortal, que toda a luz resume!"
"Por que não nasci eu um simples vaga-lume?" [MA]

Parênteses

Quando uma pausa coincide com o final da construção parentética, o respectivo sinal de pontuação deve ficar depois dos parênteses, mas, estando a proposição ou a frase inteira encerrada pelos parênteses, dentro deles se põe a competente notação:

"Não, filhos meus (deixai-me experimentar, uma vez que seja, convosco, este suavíssimo nome); não: o coração não é tão frívolo, tão exterior, tão carnal, quanto se cuida." [RB]
"A imprensa (quem o contesta?) é o mais poderoso meio que se tem inventado para a divulgação do pensamento." (Carta inscrita nos Anais da Biblioteca Nacional, vol. I) [CL]

Ponto final

Quando o período, oração ou frase termina por abreviatura, não se coloca o ponto final adiante do ponto abreviativo, pois este, quando coincide com aquele, tem dupla serventia. Exemplo: "O ponto abreviativo põe-se depois das palavras indicadas abreviadamente por suas iniciais ou por algumas das letras com que se representam, v.g.: *V. S.ª; Il.ᵐᵒ; Ex.ª*; etc." [CR]

19. Asterisco[2]

O asterisco (*) é colocado depois e em cima de uma palavra do trecho para se fazer uma citação ou comentário qualquer sobre o termo ou o que é tratado no trecho (neste caso o asterisco se põe no fim do período).

Nas obras sobre linguagem, o asterisco, colocado antes e no alto da palavra, apresenta-a como forma reconstituída ou hipotética, isto é, de provável existência, mas até então não documentada: *sol(e)s. Deve-se ao linguista alemão Augusto Schleicher (1821-1868) esta aplicação do sinal.

---

[2] Costuma-se ouvir este vocábulo deturpado para *asterístico*. *Asterisco* quer dizer estrelinha, nome devido à sua forma.

Emprega-se ainda um ou mais asteriscos depois de uma inicial para indicar uma pessoa cujo nome não se quer ou não se pode declinar: o Dr.*, B.**, L.***

> **Observação:**
>
> ➡ No estilo moderno, em geral, em que os parágrafos são curtos, as possibilidades de sinais de pontuação ficam muito reduzidas. Parece que um tipo de redação moderna, como troca de mensagens eletrônicas, faz ressurgir a necessidade de emprego desse aparato de sinais de pontuação. Eis aí um campo fértil de pesquisa dos futuros trabalhos universitários.

Exercícios de fixação

Emprego de vogais átonas e do *h*.

1. **Empregue, no espaço em branco, E ou I, conforme o caso:**
   1) Trajava um terno de cas___mira.
   2) Os amigos alard___aram a vitória antes do tempo.
   3) As respostas não foram ___gua___s.
   4) Os qu___sitos foram quas___ todos resolvidos.
   5) Tiradentes foi vítima de d___lação.
   6) Gostei da blusa ___ncarnada.
   7) O professor comparava o crân___ o humano com o dos outros animais.
   8) O carro queimava bastante ól___o.
   9) O criado pediu d___spensa do serviço.
   10) Sentia arr___pios de frio.

2. **O mesmo exercício:**
   1) Sábado haverá festa de cum___eira.
   2) Tinham arr___ado a bandeira às seis horas.
   3) Admirava a primeira ár___a da ópera.
   4) O secretário d___f___riu o abaixo-assinado.
   5) As opiniões pouco d___feriam do que eu havia prenunciado.
   6) O elogio foi um escárn___o à opinião pública.
   7) O Correio Aér___o muito tem trabalhado para a pátria.
   8) Os garotos brincavam no corr___mão da escada enquanto eu os esperava no pát___o.
   9) Inaugurou-se outro baln___ár___o.
   10) Tais ideias ainda estavam ___ncubadas.

3. **O mesmo exercício:**
   1) O caso foi de arr___piar os cabelos.
   2) O chefe não deu a d___spensa do funcionário.
   3) Onde está a chave da d___spensa?

4) A c___r___mônia foi belíssima.
5) A um___dade fez um___decer a parede.
6) Os exercícios estão quas___ prontos, mas não a d___scrição.
7) Bem podia d___scorrer sobre outros assuntos.
8) Os comentários não passaram de uma d___famação criminosa.
9) Desempenhou-se bem da ___ncumbência.

4. **Empregue, no espaço em branco, E ou I, conforme o caso:**
    1) O tenor estava excelente na ár___a.
    2) O professor mandou calcular a ár___a do quadrado.
    3) As roupas estavam secando na ár___a.
    4) O candidato vai d___sfrutar de excelente bolsa de estudos.
    5) Nem todos os qu___sitos da prova foram fáceis.
    6) Morava no andar térr___o.
    7) O resfriado estava ___ncubado.
    8) A missa foi celebrada pelo card___al.
    9) Domingo haverá a festa da cum___eira da casa.

5. **Empregue, no espaço em branco, O ou U, conforme o caso:**
    1) A notícia ainda não vei___.
    2) Dizem que o garoto eng___li___ o botão.
    3) Nas feiras há muita b___giganga.
    4) O inseto pir___etou e foi cair adiante.
    5) No inverno atacava-lhe a sin___site.
    6) A praça reg___rgitava de gente.
    7) A búss___la foi uma notável invenção.
    8) A Igreja pedia ób___l___ para terminar sua construção.
    9) A criança começou a t___ssir.
    10) O guerreiro voltou à trib___.

6. **O mesmo exercício:**
    1) Por morar na ilha tinha o apelido de ins___lano.
    2) Ainda não ficara bom da ___rticária.
    3) Quis emb___tir a televisão na parede.
    4) Man___el feriu-se com a táb___a.
    5) Ficou doente à míng___a de recursos.
    6) Não pôde eng___lir a píl___la.
    7) Quando bebia água, ouvia-se um r___ído na g___ela.
    8) O carv___eiro andara meia lég___a.
    9) Não tit___beou na resposta.
    10) Vendiam-se t___mb___las nas esquinas.

7. **Empregue, no espaço em branco, quando necessário, o H:**
    1) ___ontem começou a estudar ___arpa.
    2) Ó___ José, cuidado com o teu ___ombro.
    3) Sobrava-lhe ___ombridade nas atitudes.
    4) A noite estava muito ___úmida.
    5) O ___espanhol estudava assuntos ___ispânicos.
    6) Nos dias de sol passeava no ___iate.
    7) Fazíamos uso de pedra-___ume.
    8) Não ___esitou em defender a ___umanidade.
    9) Os egípcios utilizavam ___ieróglifos na escrita.
    10) Nos tempos ___odiernos os ___espanhóis progridem a passos largos.

8. **O mesmo exercício:**
    1) A toalha ___umedeceu o móvel.
    2) A ___alucinação acabou em ___ilaridade.
    3) A bandeira fora ___asteada.
    4) Não ___auriu tantos conhecimentos.
    5) A ___erva-mate é medicinal.
    6) Gostavam de ___ombrear-se conosco.
    7) O ___ermitão entrou na ___ermida.
    8) Gritaram ___urra! quando as equipes entraram em campo.
    9) Não fizera operação de ___érnia.
    10) Os ditongos são mais comuns que os ___iatos neste trecho.

9. **O mesmo exercício:**
    1) Era um des___umano.
    2) Diante do caso, encolhe os ___ombros.
    3) A ___umidade era prejudicial à sua sinusite.
    4) Por ___ora só restava esperar.
    5) De ___ora em ___ora Deus melhora.
    6) ___ora bolas!
    7) A casa estava des___abitada.
    8) Aquele era um ato in___umano.
    9) Gostava de ler as histórias do Super-___omem.
    10) Palavra de ___onra que a coisa é assim.

10. **Empregue, no espaço em branco, quando necessário, a letra H:**
    1) O bicho soltava grun___idos.
    2) Faltava-lhe a ___ombridade para tal iniciativa.
    3) ___em? Que dizes?
    4) Recebeu de ___erança uma grande ___erdade.
    5) Travou-se um ren___ido combate entre o homem e a fera.
    6) O sítio estava ___ermo e solitário.
    7) Quem só come ___ervas chama-se ___erbívoro.

8) Aquele camarada é um ___erege, por isso não conhece a sublimidade da ___óstia.
9) O ___indu é o natural da Índia.
10) Todos cantaram o ___ino nacional.

11. **O mesmo exercício:**
    1) A ___igiene protege a saúde.
    2) ___á cinco anos que cheguei aqui.
    3) Daqui ___a cinco anos será realizada a construção.
    4) A cidade fica ___a trezentos quilômetros daqui.
    5) Ele ficou ___esitante quanto ao ___êxito da fábrica.
    6) Via-se nele aquela ___abitual ___umildade.
    7) As paredes da geladeira ___umedeceram rápido.
    8) Há que obedecer-se à ___ierarquia.
    9) ___ui! gritou a moça.
    10) Acenderam-se os ___olofotes dos carros e ouviu-se uma gargalhada ___omérica.

Emprego de consoantes

12. **Empregue, no espaço em branco, S, SS, C, Ç ou X, conforme o caso:**
    1) Entrou dan___ando, piruetou na sala com uma gra___a inimitável.
    2) O espetáculo grandioso impre___ionou aquela imaginação vivaz.
    3) Ela ficou absorta no meio da harmonia grave do órgão con___ertando divinas composições.
    4) A fronte calva do pregador a___omou no púlpito; a voz po___ante encheu o vasto âmbito do templo.
    5) A palavra inspirada do apóstolo de Cristo caiu como a chuva de fogo no monte ___inai.
    6) Minguaram as po___es; foi-se a abastân___ia.
    7) Santo fervor brotava-lhe do coração opre___o.
    8) Prouve___e a Deus!
    9) Estes sinais não lhe ficaram na can___ada reminiscência.
    10) À tarde ela sentou-se no terra___o, descan___ando, refazendo-se do can___a___o.
    11) A última badalada do sino re___oava ainda pelo espa___o.

13. **Empregue, no espaço em branco, S, SS, C, Ç ou X, conforme o caso:**
    1) Havia nele a obstina___ão heroica das grandes paixões.
    2) Sentia minguar-lhe a vida à propor___ão que essa voz desfalecia.
    3) A menina trave___a era agora uma dama séria e prudente.
    4) O rapaz pensava nos embara___os que daí podiam surgir.

5) Que via ele nesse pre___entimento?
6) A sua ambi___ão iria deva___ar mundos ignotos.
7) Havia nos seus lábios um esca___o sorriso de ternura.
8) Para que, do___ura minha, trou___este o presente?
9) ___ingiu com o bra___o a ___intura da donzela.
10) Para que este disfar___e, se não estou disfar___ando?
11) Um vulto embu___ado apare___eu no terreiro e avan___ou a pa___o e pa___o.

14. O mesmo exercício:
1) O resultado lhe trou___e alegria.
2) Quando a comida está sem sal diz-se in___o___a.
3) Ele ficava ___ismado com tudo o que eu dizia.
4) Só precisava de muita compreen___ão.
5) Era grande a exten___ão de seu erro.
6) Tal con___e___ão foi-nos de grande valia.
7) Na se___ão de segunda-feira da Câmara votou-se uma ce___ão de empréstimo.
8) A a___istência social deve expandir-se.
9) Apre___aram-se em conhecer as inten___ões dele.
10) Era perito na arte de di___imula___ão.
11) Era de ver-se como o an___ião estava an___ioso.
12) O rapaz seguia um tanto re___abiado do que ouvira.
13) A tia Eufrásia o escutava com aten___ão religiosa, descrevendo uma elip___e.

15. Empregue, no espaço em branco, C ou SC conforme o caso:
1) Pulava o galho o la___ivo passarinho.
2) Ainda não amanhe___eu.
3) Com a chegada da primavera flore___em os campos.
4) Restam remini___ências desse fato.
5) Sua resposta foi muito su___inta.
6) O fato su___itou muitos comentários.
7) O su___edido a todos entriste___eu.
8) Seus olhos eram um fa___ínio.
9) Ele é um homem de muita con___iência.

16. Empregue, no espaço em branco, C ou SC, conforme o caso:
1) Este romance foi inicialmente publicado em fa___ículos.
2) O alferes fez um sinal de aquie___ência para a pergunta su___itada.
3) Com a queda, ficou uns segundos incon___iente.
4) A sala deitava para o na___ente.
5) As estatísticas provam o cre___imento e a a___endência do Brasil.
6) Houve coin___idência na flore___ência daqueles sentimentos.

7) Estava presente o corpo do___ente e o di___ente.
8) Ainda não na___eu quem fosse displi___ente.
9) O fa___ínora foi preso ontem, quando de___ia a ladeira.
10) O quo___iente é oito.

17. **Empregue, no espaço em branco, S, Z ou X, conforme o caso, na representação do fonema /z/:**
    1) Conhecia todas as sutile___as e disfarces.
    2) Espero que me ajudareis com o vosso avi___ado parecer.
    3) A juí___a lia e e___aminava todos os documentos.
    4) Os seis je___uítas inclinaram-se em sinal de assentimento.
    5) Era natural que todos ficassem surpre___os.
    6) Tudo era de ouro e prata e de proporções desme___uradas.
    7) Os vastos salões ficaram completamente de___ertos.
    8) Havia seis anos que redu___ira os fero___es Aimorés da capitania.
    9) Qui___estes guardar segredo.
    10) Elvira fi___era Cristóvão sentar-se.
    11) Uma lu___inha interior bruxuleou, aparecendo e de___aparecendo, percorreu qua___e toda a ca___a até parar em uma sala.

18. **Empregue, no espaço em branco, S, Z ou X, conforme o caso, na representação do fonema /z/:**
    1) Nunca tinha re___ado re___as tão comoventes.
    2) Acudiu a tia Eufrá___ia arrastando uma saia de fa___enda desbotada, fa___endo uma me___ura ao te___oureiro da fa___enda pública.
    3) O acidente de___agradável era produ___ido, naquela oca___ião, por vo___es furio___as e volumo___as.
    4) A gente ameaçava esmagar o e___íguo talhe do jurista.
    5) Tinha as faces crestadas de nódoas e co___idas de cicatri___es; o nariz vermelho disforme revelava o longo u___o do perigo___o álcool.
    6) Os juí___es interpu___eram sua autoridade e finali___aram o de___afio.
    7) Tudo está apra___ado para reali___ar-se antes de terminar sua curta e___istência.
    8) Não seja descortês; a descorte___ia provoca um e___ército de queixas.
    9) Uma sombra desli___ava pela fronte dando-lhe um cunho misterio___o.
    10) A espora ligeira que mordia o salto do bor___eguim e a cruz da espada eram de aço.

19. **O mesmo exercício:**
    1) E___aminou minucio___amente a letra e o selo.
    2) Foi com alga___arra que receberam o chefe do ba___ar.
    3) A ami___ade deve ser cultivada como as flores.
    4) O arroz foi destruído com a chuva de grani___o.
    5) A proe___a dos nossos jogadores assombrou os paí___es vi___inhos.

6) Chegara o pra___o de destruir a bali___a.
7) Não dão cami___a a ninguém os jogos de a___ar.
8) Depois do e___ame, passou a e___ercer melhores funções.
9) Queria vencer so___inho o e___ército inimigo.
10) E___ibiu com ê___ito a ra___ão da defe___a lu___itana.

20. **Empregue, no espaço em branco, X, CH, S, conforme o caso, na representação dos fonemas /x/ e /s/:**
    1) A pergunta não era de pra___e.
    2) Ouviu-se na multidão um mu___o___o indelicado.
    3) Bru___uleavam as luzes do pátio.
    4) Fora tida na conta de bru___a.
    5) As pai___ões incontidas en___em a pessoa de ve___ames.
    6) Nunca dei___ou de pu___ar a brasa para sua sardinha.
    7) O e___plendor daquele rosto iluminava-se e___pontaneamente.
    8) Todos estavam na e___pectativa do começo do e___petáculo.
    9) E___piou no jejum e penitência os erros da mocidade desregrada.

21. **Empregue, no espaço em branco, X, CH, S, conforme o caso, na representação dos fonemas /x/ e /s/:**
    1) A natureza, por uma misteriosa coincidência, capri___ara em reproduzir a grande e___tensão de seu talhe.
    2) Aproveito para enviar-lhe meu abraço saudoso, e___tensivo a toda a família.
    3) O e___tremecimento en___eu a pessoa de ve___ames.
    4) A comi___ão da noite fê-lo acordar e___tremunhado.
    5) Suas opiniões e___tremadas e___pontavam a todo instante.
    6) E___primia-se com certo lu___o de linguagem.
    7) Na hora e___trema dava-se a e___trema-unção.
    8) A carta e___traviou-se.
    9) Nóbrega e An___ieta plantaram a Cruz nos desertos brasileiros.

22. **O mesmo exercício:**
    1) No outro dia havia um buraco na mo___ila.
    2) Apenas me era possível en___ergar o a___teca.
    3) Os músculos frou___os me pu___avam.
    4) Nas en___ergas não havia col___ões.
    5) O ___erife quis fi___ar os presos.
    6) Os co___i___os ___iavam pelo corredor.
    7) Estava de cabeça bai___a, segurando o ar___ote.
    8) Sem lu___o, o ___á visitou o ___adrez.
    9) O ___eque foi depositado no banco, na agência de Ca___ambu.

23. **Empregue, no espaço em branco, J ou G, conforme o caso, na representação do fonema /j/:**
    1) Havia no quintal um pé de laran___eira.
    2) É monumental a construção de Ribeirão das La___es.
    3) Dava de presente umas bu___igangas.
    4) As gor___etas estão tabeladas em 10%.
    5) É importante o conhecimento da ___íria.
    6) O pa___é não estava presente à cerimônia.
    7) As aves que aqui gor___eiam não gor___eiam como lá.
    8) A ma___estade do rei resplandecia.
    9) A praça regur___itava de espectadores.
    10) O hábito não faz o mon___e.

24. **Empregue, no espaço em branco, J ou G, conforme o caso, na representação do fonema /j/:**
    1) Suas respostas gran___earam várias amizades.
    2) A sin___eleza de seus atos encantava todos.
    3) O banheiro é todo la___eado.
    4) A ___iboia alcança tamanhos colossais.
    5) Com o suco do ___enipapo muitos índios enegreciam o rosto e o corpo.
    6) Comprou uma blusa de ___érsei.
    7) Não há ___eito de fazer isso?
    8) Pegue o ___iz e escreva.
    9) O pa___em havia fu___ido.
    10) Tinha um ___esto gracioso.

25. **O mesmo exercício:**
    1) Deixe de fazer tre___eitos.
    2) A construção obedecia a rigoroso pro___eto.
    3) A in___eção doía pouco, quando in___etada lentamente.
    4) Com um ramo molhado asper___ia os crentes.
    5) Mantinham-na em constante vi___ilância.
    6) O reló___io do estran___eiro era valioso.
    7) Ninguém tolerava mais suas rabu___ices.
    8) Não tu___iu nem mu___iu.
    9) O adá___io dizia que o a___iota não metia mão na al___ibeira.
    10) Ainda que via___em bem, sempre a via___em é cansativa.

26. **Complete o espaço em branco com j ou g, conforme o caso:**
    1) Há muitos dicionários de ___íria brasileira.
    2) O palhaço fazia tre___eitos e esgares.
    3) Conseguiu a___eitar uma camisa de ___érsei.
    4) A rabu___ice do pa___em não lhe permitiu ganhar boa gor___eta.

5) Os reló___ios de al___ibeira foram substituídos com vanta___em pelos de pulso.
6) Fizemos excelente via___em; desejamos que vocês via___em bem.
7) O mon___e rea___iu às críticas do here___e.
8) A in___eção foi aplicada com pouco ___eito no lo___ista.
9) O pro___eto de ___eremias era reforçar a la___e.
10) Na feira as bu___igangas e as ti___elas estavam su___as.

27. **Complete o espaço em branco com J ou G, conforme o caso:**
    1) O si___ilo e a discrição de ___estos são lison___eados pelos filósofos.
    2) Na ma___estosa passa___em do castelo via-se uma dama de an___elical fisionomia.
    3) O estran___eiro usava um tra___e que denunciava sua ori___em antes mesmo de falar.
    4) A criança re___eitava qualquer noção de hi___iene.
    5) O ___iló e a berin___ela e a va___em não agradam a todos os paladares.
    6) O a___iota dera uma risada frenética.
    7) O adá___io ensinava a evitar o contá___io com pessoas de educação hetero___ênea.
    8) A população re___eitou o ultra___e.
    9) O ___e___um não gran___eia adeptos entre os doentes.
    10) O ___inete se chamava Pa___é.

28. **Complete o espaço em branco com X ou CH, conforme o caso:**
    1) Não dei___e me___er na ___ícara!
    2) ___ingava de trou___a a todos que condenavam seu deslei___o.
    3) Com a en___ada traga o li___o para essa fai___a.
    4) Pu___ava a ta___a que há pouco segurava o quadro.
    5) Meu ___ará en___otou os animais e foi falar com o dono da ___ácara imensa.
    6) Gostava de ta___ar os outros de incompetentes.
    7) O capu___inho tomou do ar___ote e foi prendê-lo numa bre___a da parede.
    8) Assinou o talão de ___eques, comprou fi___as e foi, finalmente, adquirir pe___in___as.
    9) Co___i___ou ao ouvido do pa___orrento almo___arife, evitando uma ri___a provocada por me___ericos e ___istes de engraçadinhos.
    10) As frou___as e desen___abidas respostas fizeram-no passar por um grande ve___ame.

29. **O mesmo exercício:**
    1) Quando rela___ava a limpeza, o escritório ficava numa mi___órdia.
    2) O___alá as pró___imas en___urradas não en___am a cidade.
    3) O rou___inol trou___e alegria àquele frou___o pôr do sol.

4) A pra___e era tomar o eli___ir ou o ___arope para não mur___ar a esperança de uma saúde de ferro.
5) Foi com ___iste que respondeu à pe___a de pa___orrento.
6) A ta___a do telegrama foi tão alta que teve de preencher um ___eque.
7) O ___alá leia o Dom Qui___ote.
8) Aga___ou-se para apanhar a fi___a que lhe caíra das mãos quando tentava abrir uma bre___a para saltar do ônibus.
9) O co___eiro, depois da fa___ina, levou os fei___es de capim para o estábulo.
10) Chegando ao ___adrez, o policial rela___ou a prisão do jovem.

30. **Complete o espaço em branco com S ou X, conforme o caso:**
    1) A fazenda se e___tendia por grande e___tensão do Estado.
    2) O e___tranho caso impressionou deveras o e___trangeiro.
    3) Achavam-se e___gotadas as edições do e___plêndido livro.
    4) As empresas tê___teis e___pontaneamente deram o aumento a seus empregados.
    5) A sal___icha estava com um gosto e___quisito.
    6) Havia em tudo um mi___to de alegria e tristeza.
    7) Com de___treza o aluno terminou a tradução ju___talinear.
    8) Aquela era a se___ta vez que o homem se e___cusava.
    9) A prete___to de colaboração, propôs uma ju___ta medida para e___tinção dos aborrecimentos.
    10) Essas foram as suas palavras te___tuais.
    11) A educação proporciona às pessoas que se integrem no conte___to social a que aspiram.
    12) A e___pectativa aumentava à medida que se aproximava o início do e___petáculo.

31. **Complete o espaço em branco com C, S, Ç, SS, SC, X, conforme o caso, para a representação do fonema /s/:**
    1) Os pa___arinhos cantavam in___e___antemente.
    2) Quase abusava da autoridade, ca___ando-lhe a palavra.
    3) A prome___a tinha de ser cumprida.
    4) A ginástica sem métodos provocava a contor___ão dos músculos.
    5) Parecia que havia uma intromi___ão de sua parte.
    6) A desaven___a ficou logo desfeita.
    7) O can___a___o provoca uma irrita___ão natural.
    8) O a___anhamento demonstrava a inten___ão.
    9) Os navios so___obraram por lhes faltar o au___ílio ne___e___ário.
    10) O an___ião descan___ava com o a___entimento do profi___ional.
    11) Depois ado___ou a expre___ão de severidade do seu rosto.

Acentuação tônica

32. Acentue quando for necessário. Se houver dupla pronúncia, assinale-as:
1) avaro
2) recem
3) pegada
4) decano
5) gratuito
6) masseter
7) cotiledone
8) reptil
9) refem
10) batavo
11) Dario
12) batega
13) crisantemo
14) cafila
15) interim
16) bavaro
17) ibero
18) erudito
19) Niagara
20) levedo (adj.)

33. Acentue, quando necessário, os seguintes vocábulos:
1) urubu
2) ves
3) hifen
4) imã (o que atrai)
5) caju
6) armazem
7) hifens
8) item
9) vez
10) vintens
11) juri
12) orfãs

34. O mesmo exercício:
1) album
2) bonus
3) rubrica
4) orgão
5) perito
6) torax
7) rispido
8) taxis
9) recem
10) pegada
11) orgãos
12) alcool

35. O mesmo exercício:
1) eter
2) textil
3) magoa (subst.)
4) ve-lo-emos
5) carater
6) virus
7) filantropo
8) sotão
9) caracteres
10) joquei
11) ama-lo-as
12) forceps

36. O mesmo exercício:
1) pu-lo
2) vende-lo-ieis
3) biceps
4) Cristovão
5) fi-lo
6) po-lo-ia
7) beriberi
8) onus
9) fa-lo
10) eden
11) lapis
12) sonambulo

37. Assinale com (D), (T) ou (H) dentro dos parênteses as palavras que contêm, respectivamente, ditongo, tritongo ou hiato. Se houver mais de uma resposta, indicá-las. Não havendo tais encontros, coloque X:
1) (   ) dois
2) (   ) contínua
3) (   ) compreendo
4) (   ) desconfio
5) (   ) quando
6) (   ) quero
7) (   ) que
8) (   ) quanto
9) (   ) perseguidas
10) (   ) duendes
11) (   ) enquanto
12) (   ) fogueirinhas
13) (   ) saía
14) (   ) daqueles
15) (   ) diurna
16) (   ) rios
17) (   ) chegou
18) (   ) quem
19) (   ) quis
20) (   ) prosseguiu
21) (   ) Paraguai

38. Acentue graficamente, quando necessário:
1) ja (advérbio)
2) sabias (adjetivo)
3) filosofia
4) America
5) saci
6) Ele o ve.
7) saia (verbo: pret. imperf.)
8) sabias (substantivo)
9) As borboletas vem.
10) Isto não tem conta.
11) agua (substantivo)
12) via
13) Eles o veem.
14) ruido
15) sabias (verbo)
16) A borboleta vem.
17) sacis
18) misterio
19) voces
20) ia
21) saiu

39. O mesmo exercício:
1) ideia
2) quis
3) Xingu
4) heroi
5) sauva
6) hifen
7) raizes
8) patroa
9) frequencia
10) Grajau
11) apoio (substantivo)
12) coroa
13) hifens
14) moinho
15) perseguem
16) virus
17) enjoo
18) apoio (verbo)
19) heroina
20) raiz
21) egoismo

40. O mesmo exercício:
1) ve-lo-emos
2) linguiça
3) arguo
4) arguimos (presente)
5) quociente
6) ruim
7) perdoo
8) fa-lo-ei
9) enguiça
10) sai (presente)
11) arguis (pres. 2.ª p. s.)
12) pauis
13) caiu
14) Ele contem.
15) retribuiu
16) quinquenio
17) argui (pres. 3.ª p. s.)
18) arguem
19) faixa
20) ruins
21) Eles contem.

41. Assinale com (O), (P) ou (Pp) dentro dos parênteses as palavras oxítonas, paroxítonas e proparoxítonas, respectivamente:
1) ( ) dândi
2) ( ) júri
3) ( ) refém
4) ( ) caracteres
5) ( ) ibero
6) ( ) êxodo
7) ( ) quiromancia
8) ( ) obus
9) ( ) rubrica
10) ( ) gratuito
11) ( ) avaro
12) ( ) álcool
13) ( ) sutil
14) ( ) invólucro
15) ( ) beribéri
16) ( ) Niágara
17) ( ) tulipa
18) ( ) recém
19) ( ) pegada
20) ( ) boêmia
21) ( ) cateter

42. Acentue, quando necessário, os seguintes vocábulos:
1) abotoo
2) Raul
3) vendeu
4) coroa
5) Uai!
6) saiu
7) ideia
8) apropinque
9) tainha
10) corroi (pres. ind.)
11) patroa
12) apoio (subst.)

43. O mesmo exercício:
1) Ele tem.
2) Eles detem
3) po-lo-as
4) indica-lo-ieis
5) Eles tem.
6) Ele ve.
7) indica-lo-iamos
8) burguesmente
9) Ele detem.
10) Eles reveem.
11) indica-lo-eis
12) fa-lo-emos

44. No seguinte trecho a palavra *duvida* foi empregada como substantivo e como verbo. Interpretando-o corretamente, acentue a palavra como convém:
"Não lhe peçam [ao moralista] filosofia, pois que esta duvida, e o gosto moral não consente duvida." [MAl]

Emprego do hífen

45. Empregue o hífen, quando necessário. Quando os elementos forem escritos juntos, faça a junção:
1) couve flor
2) galinha d'angola
3) el rei
4) pão de ló
5) pé de moleque
6) pé de meia (= economias)
7) a desoras
8) arco íris
9) guarda roupa
10) bel prazer
11) a fim de
12) passa tempo

46. O mesmo exercício:
1) luso brasileiro
2) anajá mirim
3) auto educação
4) ante histórico
5) greco romano
6) fio dental
7) extra oficial
8) extra ordinário
9) telégrafo postal
10) fins de semana
11) contra almirante
12) ultra sonografia

47. O mesmo exercício:
1) vice diretor
2) ab rogar
3) pan brasileiro
4) sem vergonha
5) pré escolar
6) super humano
7) pan americano
8) micro organismo
9) ex reitor
10) sub rogar
11) sem cerimônia
12) intra uterino

48. O mesmo exercício:
1) pré anunciar
2) mal humorado
3) além túmulo
4) neo latino
5) co proprietário
6) pré escola
7) pró helênico
8) pro cônsul
9) neo republicano
10) co irmão
11) bem humorado
12) supra renal
13) arqui milionário
14) contra almirante
15) pré vestibular

Divisão silábica

49. Separe as sílabas dos seguintes vocábulos:
1) coordenar
2) saída
3) inepto
4) pneu
5) passageiro
6) ressurgir
7) sublingual
8) substantivo
9) manha
10) apto
11) dlim
12) repugnância

50. O mesmo exercício:
1) abnegar
2) nupcial
3) caiu
4) quaisquer
5) elipse
6) restritivo
7) caíram
8) enxaguavam
9) eclipse
10) abscesso
11) discípulo
12) paiol

51. Separe as sílabas dos seguintes vocábulos:
1) poeira
2) magnânimo
3) etimologia
4) bisavô
5) subtender
6) ritmo
7) adquirir
8) espectro
9) sublinhar
10) etnia
11) istmo
12) joias

52. O mesmo exercício:
1) czarina
2) abrupto
3) substância
4) solstício
5) secção
6) psicose
7) sublinhar
8) adepto
9) dispneia
10) subjugar
11) sublime
12) rítmico

53. O mesmo exercício:
1) psiu
2) afta
3) cefalalgia
4) apanhei
5) eczema
6) Piauí
7) carrossel
8) desçamos
9) Magda
10) transparência
11) rainha
12) cafeeiro

Emprego de maiúsculas e minúsculas

54. Quanto ao emprego de iniciais maiúsculas, assinale a alternativa em que não há erro de grafia:
a) (   ) A Baía de Guanabara é uma grande obra de arte da Natureza.
b) (   ) Na idade média, os povos da América do Sul não tinham laços de amizade com a Europa.
c) (   ) Diz um provérbio Árabe: "a agulha veste os outros e vive nua."
d) (   ) Os três reis magos chegam do Oriente com suas dádivas: ouro, incenso e mirra.
e) (   ) A Avenida Afonso Pena, em Belo Horizonte, foi ornamentada na época de natal.

55. **Assinale as sequências em que TODAS as palavras estejam CORRETAS quanto ao emprego de iniciais MAIÚSCULAS:**
   (   ) A Segunda Grande Guerra desenrolou-se de 1939 a 1945.
   (   ) As abelhas alvoroçaram-se: foi um Deus nos acuda!
   (   ) Já estamos em pleno mês de Dezembro.
   (   ) Os Americanos também cultuam a memória de seus vultos históricos.
   (   ) Lembra-se de nosso professor de Geografia.
   (   ) Percorremos o país de Norte a Sul.

56. **Assinale as sequências em que TODAS as palavras estejam CORRETAS quanto ao emprego de iniciais MAIÚSCULAS:**
   (   ) Toda a história do homem sobre a Terra constitui permanente esforço de comunicação.
   (   ) A Primavera, o Verão, o Outono e o Inverno têm durações diferentes.
   (   ) No hemisfério Sul, as estações são opostas às do hemisfério Norte.
   (   ) O Brasil assinou a Convenção de Genebra, oficializando-a pelo Decreto n.º 57.595, de 7 de Janeiro de 1966.
   (   ) A Fundação de Estudos do Mar tem sede própria na Rua Marquês de Olinda, n.º 18, Botafogo, Rio de Janeiro.
   (   ) A primeira ferrovia Brasileira foi inaugurada em 1854, pelo Visconde de Mauá.

57. **O mesmo exercício:**
   (   ) Quem nasce em D. Pedro (Maranhão) é dom-Pedrense.
   (   ) Existe uma planta com o nome de espinho-de-São-João.
   (   ) O espinafre-da-Guiana pode ser cultivado em jardineiras.
   (   ) Olímpio nasceu no Estado da Paraíba.
   (   ) Olímpio e Macabéa são Nordestinos.
   (   ) A Rádio Guaíba é ouvida em quase todo o país.

Apêndice I
Algumas normas para abreviaturas, símbolos e siglas usuais

Abreviatura é a forma convencional para, na escrita, representar parte da palavra como equivalente ao todo. Em geral, termina pelo ponto abreviativo. Distingue-se da *sigla* e do *símbolo*.

Entende-se por *sigla* a abreviatura formada pelas letras iniciais de expressões referidas a países, instituições, etc.
ABNT = Associação Brasileira de Normas Técnicas.

Às vezes, há intercolocação de letra para facilitar a criação da integridade vocabular:
VARIG = Viação Aérea Rio-Grandense (do Sul).

Entende-se por *símbolo* a abreviatura de nomenclaturas científicas internacionalmente adotadas:
Km = quilômetro(s)

> **Observação:**
> ➥ A rigor, o símbolo difere da abreviatura, porque esta leva ponto. Assim *km* é o símbolo e *km.* é a abreviatura.

1.º) No caso de haver necessidade de abreviatura, recomenda-se que termine por consoante: fil. ou filos. para filosofia; gram. para gramática; ling. para linguística, etc. Se a palavra contiver um grupo consonantal, dever-se-á mantê-lo: depr. para depreciativo; antr. para antropônimo, etc.

2.º) O acento existente na palavra deve permanecer na abreviatura: pág. (página), págs. (páginas), fís. (física), séc. (século), sécs. (séculos).

3.º) Usam-se abreviadamente os títulos Dr., Dr.ª, D. (Dom e Dona), S. (São, Santo, Santa), V.Ex.ª (Vossa Excelência), S.Ex.ª (Sua Excelência), Prof. (Professor), Gen. (General), etc.: Sr. Dr. João Ribeiro, Prof. Odeval Machado, S. José, S. Antônio, S. Isabel.

> **Observação:**
> ➡ Em documentos oficiais não se abrevia quando se dirige ao Presidente da República.

4.º) Os nomes dos estados são abreviados com duas letras apenas, ambas maiúsculas e sem ponto: PE (Pernambuco), RJ (Rio de Janeiro), SP (São Paulo), CE (Ceará), RN (Rio Grande do Norte), RS (Rio Grande do Sul), GO (Goiás), AC (Acre), MT (Mato Grosso), MS (Mato Grosso do Sul), MG (Minas Gerais), PA (Pará), PR (Paraná), etc.

5.º) Os nomes dos meses são abreviados com as três letras iniciais com o final em consoante e ponto, com exceção de agosto, que deve ser representado por ag., para não terminar em vogal. Maio não admite abreviação: jan., fev., mar., abr., maio, jun., jul., ag., set., out., nov., dez.

6.º) Os símbolos químicos são representados por uma ou por duas letras. No primeiro caso, usa-se de maiúscula; no segundo, a segunda letra é minúscula sem ponto: P (fósforo), I (iodo), K (potássio), N (nitrogênio), Ag (prata), Ca (cálcio), Zn (zinco), etc.

7.º) Também sem ponto e sem plural são as abreviaturas do sistema métrico e unidades de tempo: 1km (quilômetro), 6km (quilômetros), 1h (hora), 5h (horas), 30t (toneladas), 10h16min 14 s (horas, minutos, segundos), etc.

8.º) Em geral não se separam por ponto as letras de muitas abreviaturas e siglas: ABNT, CEP, CPF, CNPJ, EMFA, ICMS, ONU, PMDB, PT, SUS, etc.

9.º) Formam o plural com *s* as abreviaturas obtidas pela redução de palavras e as que representam títulos ou formas de tratamento: págs., sécs., Drs., V.Ex.^{as} (Vossas Excelências), V.S.^{as} (Vossas Senhorias), etc.

10.º) Formam também o plural com *s* as siglas: dois PMs, vários CPFs, algumas TVs, etc. Observe-se que não se deve usar o apóstrofo: PMs e não PM's.

11.º) Em algumas abreviaturas o plural é indicado pela duplicação das letras: AA. (autores), EE. (editores).

> **Observação:**
> ➡ Em alguns casos a duplicação marca o superlativo: D. (Digno), DD. (Digníssimo), MM. (Meritíssimo), SS. (Santíssimo), etc.

Apêndice 2
Grafia certa de certas palavras

1. Abaixo / A baixo
   a) Abaixo:
   1) interjeição; grito de indignação ou reprovação.
   Abaixo o orador!

   2) advérbio = embaixo; em categoria inferior; depois.
   Abaixo de Deus, os pais. Pegue lá abaixo.

   b) A baixo – contrário a "de alto".
   Rasgou as roupas de alto a baixo.

2. Acerca de / Cerca de / A cerca de / Há cerca de
   a) Acerca de – a respeito de.
   Falamos acerca de futebol.

   b) Cerca de – durante; aproximadamente.
   Falamos cerca de duas horas.

   c) A cerca de – ideia de distância.
   Fiquei a cerca de três metros de distância.

   d) Há cerca de – existe aproximadamente; aproximadamente no passado.
   Há cerca de mil alunos lá fora. Falamos há cerca de uma hora.

3. Acima / A cima
   a) Acima:
   1) atrás.
   Exemplo citado acima.

   2) em grau ou categoria superior.
   De quinze anos acima.

3) em graduação superior a.
   Muito acima dos bens materiais, a paz do espírito.

4) de preferência; em lugar superior; por cima; sobre.
   Buscamos, acima de tudo, o reino de Deus.

5) de cima (interjeição).
   Eia! Acima, coração!

b) A cima – contrário a "de baixo".
   Costurou a roupa de baixo a cima.

4. Afim / A fim de
a) Afim – semelhança; parentesco; afinidade.
   São duas pessoas afins.

b) A fim de – com o propósito de; com o objetivo de; com a finalidade de.
   Estudou a fim de passar no vestibular. (Ou: *Estudou a fim de que passasse no vestibular.*)

5. Afora / A fora
a) Afora – o mesmo que "fora"; à exceção de; exceto.
   Todos irão, afora você.

b) A fora – com a ideia de "para fora". Também se usa apenas *fora*.
   Pela vida a fora. (Ou: *Pela vida fora.*)

6. Aparte / À parte
a) Aparte
1) verbo = separar.
   Não aparte os animais.

2) substantivo = interrupção.
   O orador recebeu um aparte.

b) À parte – locução adverbial = de lado.
   Isso será marcado à parte.

7. À toa
a) locução adjetiva = ordinário; desprezível; sem valor.
   Ele é um homem à toa.

b) locução adverbial = ao acaso; sem rumo; sem razão.
   Andava à toa na rua. / *Ele é um homem que reclama à toa.*

8. À vontade
a) locução substantiva = informalidade; sem-cerimônia.
   Não me agrada esse à vontade com que você fala.

b) locução adverbial = sem preocupação; livremente; à larga.
   Fique à vontade. Sirva-se à vontade.

9. Apedido / A pedido
a) Apedido – substantivo = publicação especial em jornal.
   Li, no jornal, violento apedido do candidato.

b) A pedido – locução adverbial = rogo.
   Aceite o cargo a pedido do diretor.

10. Bem-feito / Benfeito / Bem feito!
a) Bem-feito – adjetivo = feito com capricho; elegante.
   Foi um trabalho bem-feito.
   A modelo tinha um corpo bem-feito.

b) Benfeito – substantivo = benfeitoria.
   Fizeram benfeitos no apartamento.

c) Bem feito! – interjeição = expressa contentamento diante de algo negativo acontecido a alguém.
   O gato a arranhou? Bem feito! Não devia tê-lo maltratado.

11. Bem-posto / Bem posto
a) Bem-posto– elegante.
   O noivo apresentou-se muito bem-posto.

b) Bem posto – posto corretamente.
   O botão está bem posto.

12. Boa-vida / Boa vida
a) Boa-vida – pessoa que não tem o hábito de trabalhar e busca viver bem sem se esforçar, ou aquele que tem uma vida tranquila, sem precisar se preocupar com nada.
   Acorda sempre ao meio-dia? Você é um boa-vida!

b) Boa vida – vida tranquila; vida boa.
   Aposentado, o empresário passou a ter boa vida.

13. Abaixo-assinado / Abaixo assinado
a) Abaixo-assinado – documento coletivo.
   Os alunos entregaram o abaixo-assinado ao diretor.

b) Abaixo assinado – que apôs, embaixo, a sua assinatura; que assinou um documento coletivo.
   Os moradores abaixo assinados solicitam um efetivo da polícia.

14. Conquanto / Com quanto
a) Conquanto – embora; se bem que; ainda que.
   Li tudo, conquanto não me interessasse o assunto.

b) Com quanto – indica quantidade.
   Com quanto dinheiro você veio?
   Não sabe com quanto amigo conta.

15. Contanto / Com tanto
a) Contanto – dado que; sob condição de que; uma vez que.
   Contanto que você chegue cedo, fico feliz.

b) Com tanto – indica quantidade.
   Já não posso com tanto barulho.

16. Contudo / Com tudo
a) Contudo – não obstante; porém; todavia.
   Poderia falar, contudo preferi ficar calado.

b) Com tudo – preposição + pronome = total.
   Fui embora, e ele ficou com tudo.

17. Dantes / De antes
a) Dantes – advérbio = antigamente.
   Dantes se vivia melhor.

b) De antes – preposição + advérbio = em tempo anterior.
   Os problemas já vêm de antes da guerra.

18. Debaixo / De baixo
a) Debaixo
1) em situação inferior.
   Será bom que caia quando ninguém estiver debaixo.

2) na dependência; em decadência.
   Ficamos debaixo e tivemos que entregar-nos.

3) sob.
> *Jaz agora debaixo da terra.*

4) no tempo de; por ocasião de.
> *Caíram estes sucessos debaixo de outro governo.*

5) em situação inferior a.
> *Escondem-se debaixo da cama.*

b) De baixo
1) a parte inferior.
> *Comprei camisa de baixo.*

2) contrário a "a cima".
> *Olhou-o de baixo a cima.*

19. Demais / De mais
a) Demais
1) pronome indefinido = outros.
> *Chame os demais alunos.*

2) advérbio de intensidade = excessivamente.
> *Ele fala demais.*

3) palavra continuativa = além disso.
> *Demais, quem trabalhou fui eu.*

b) De mais – locução adjetiva = muito. (Opõe-se a *de menos*.)
> *Comi pão de mais. Não tem nada de mais sair cedo.*

20. Detrás / De trás
a) Detrás – na parte posterior; em seguida, depois.
> *Ali fica a casa; detrás, a piscina. Chegaram um detrás do outro.*
> (Por detrás — pela retaguarda: *Não diga mal de alguém por detrás.*)

b) De trás – atrás.
> *Boa educação vem de trás.*
> *O brincalhão cutucou o colega da frente e o de trás.*

21. Devagar / De vagar
a) Devagar – lentamente; sem pressa.
> *Devagar se vai ao longe.*

b) De vagar – de descanso.
   Pinto nos momentos de vagar.

22. Dia a dia
a) locução substantiva = a vida cotidiana.
   O dia a dia é que preocupa.

b) locução adverbial = dia após dia.
   Fazemos tarefas dia a dia.
   A planta crescia dia a dia.

23. Em vez de / Ao invés de
a) Em vez de – em lugar de.
   Em vez de comprar um sítio, comprou três.

b) Ao invés de – ao contrário de.
   O elevador, ao invés de subir, desceu.

24. Enfim / Em fim
a) Enfim – afinal; finalmente.
   Enfim você chegou.

b) Em fim – no fim.
   Ele está em fim de carreira.

25. Enquanto / Em quanto
a) Enquanto – conjunção = ao passo que.
   Tu dormes, enquanto ele trabalha.

b) Em quanto – preposição + pronome = qual; por quanto.
   Em quanto tempo você vai? Em quanto pode ficar o conserto?

26. Malcriado / Mal criado
a) Malcriado – sem educação.
   A criança malcriada disse vários palavrões.

b) Mal criado – tratado mal.
   É um cafezal mal criado.

27. Malgrado / Mau grado
a) Malgrado – apesar de (se **não** estiver seguido de preposição).
   Malgrado o edital, passei.

b) Mau grado
1) contra a vontade.
   Ele trabalha de mau grado.

2) apesar de (se estiver seguido de preposição).
   Mau grado ao tempo, sairei.

28. Nenhum / Nem um
a) Nenhum – pronome indefinido usado para reforçar a negativa *não*, podendo ser substituído pelo indefinido *algum* posposto:
   Não tínhamos nenhuma dívida até aquele momento. (= Não tínhamos dívida *alguma* até aquele momento).

Sem ênfase, *nenhum* vem geralmente anteposto ao substantivo:
   Você não tem nenhum parente na polícia?

b) Nem um – um só que fosse.
   Não fabricamos, ainda, nem um carro.

29. Porquanto / Por quanto
a) Porquanto – conjunção = visto que.
   Apresso-me, porquanto o tempo voa.

b) Por quanto = que total de; por que preço.
   Não sei por quanto tempo posso contar com sua ajuda. Por quanto venderam a casa?

30. Porquê / Porque / Por quê / Por que
a) Porquê – substantivo = equivalente a "o motivo"; "a causa".
   Sei o porquê do choro.

b) Porque – conjunção = a oração equivale a "por esta razão".
   Faltei porque estava doente.

c) Por quê – no fim de período ou seguido de pausa.
   Você faltou por quê? Se não entendeste por quê, a obrigação era perguntar.

d) Por que
1) nas interrogativas diretas.
   Por que faltaste à aula ontem?

2) nas interrogativas indiretas.
   Perguntaram por que faltaste à aula ontem.

3) quando igual a 'motivo pelo qual'; 'por qual razão'.
   Bem sabes por que não compareci.
   A avaliação é negativa em todas as áreas e não há por que esperar qualquer reversão.
   Por que praticar esportes.

4) quando igual a 'por qual'.
   Bem sabes por que motivo não compareci.

5) quando ocorre preposição mais conjunção integrante.
   Anseio por que venhas logo.

Observação:
➥ Os melhores estudiosos da língua e a tradição dos escritores anteriores ao sistema ortográfico de 1943 sempre escreveram sem separação a conjunção causal e final e o advérbio de causa ainda nas interrogações diretas e indiretas, ficando o *porque* separado quando for preposição seguida de pronome relativo e indefinido, com o valor de *pelo qual*, ou conjunção integrante. Esta simplificação usam hoje os portugueses e deveria ser seguida pelos brasileiros também.

31. Portanto / Por tanto
a) Portanto – por conseguinte.
   Nada fazes, portanto nada podes esperar.

b) Por tanto – por este preço; designa quantidade.
   Compro, mas por tanto. Fique com o livro por tanto tempo quanto necessário.

32. Porventura / Por ventura
a) Porventura – por acaso.
   Avise-me se porventura sair.

b) Por ventura – por sorte.
   Não estudei; passei por ventura feliz!

33. Sem-cerimônia / Sem cerimônia
a) Sem-cerimônia – descortesia.
   A sua sem-cerimônia foi excessiva.

b) Sem cerimônia – à vontade.
   Sirva-se sem cerimônia.

34. Sem-fim / Sem fim
a) Sem-fim – número ou quantidade indeterminada.
Foi um sem-fim de bebidas e doces.

b) Sem fim – sem término.
É uma estrada sem fim.

35. Sem-número / Sem número
a) Sem-número – inumerável; sem conta.
Tenho um sem-número de novidades.

b) Sem número – ausência de numeração.
Esta folha está sem número.

36. Se não / Senão
a) Se não
1) conjunção + advérbio = caso não.
Se não pagas, não entras.
Lia diariamente dois jornais, se não [lia] três.

2) pronome + advérbio: se não = não se.
O que se não deve dizer.

b) Senão
1) substantivo = defeito.
Ela não tem um senão de que possa falar.

2) conjunção = mas também.
Era a melhor da turma, senão de toda a escola.

3) preposição (palavra de exclusão) = exceto.
A quem, senão a meu pai, devo recorrer?

4) depois de palavra negativa ou como segundo elemento dos pares aditivos não... senão, não só... senão (também).
Nada me dói, senão procuraria um médico.
Ninguém te viu, senão todos já saberiam.
Não me amoles senão eu grito.
Não só me ajudou, senão também me hospedou.

5) conjunção = caso contrário.
Estude, senão não passará no concurso.

37. Sobretudo / Sobre tudo
a) Sobretudo
1) especialmente; principalmente.
   Estudei muito, sobretudo porque estou querendo passar no colégio.

2) casacão, capa.
   O frio nos obrigou a usar sobretudo.

b) Sobre tudo – a respeito de tudo.
   Eles conversam sobre tudo.

38. Tampouco / Tão pouco
a) Tampouco – também não; nem.
   Ele não estuda tampouco trabalha.

b) Tão pouco – muito pouco.
   Ele estudou tão pouco que não passou.

Cuidado com as seguintes expressões
1) Ao nível de (= à altura de; no mesmo plano de)/ Em nível de (= no nível de; indica uma esfera de ação ou pensamento e pode ser substituída pelas expressões "em termos de", "no que diz respeito a")
   O barco estava ao nível do mar.
   Isso foi resolvido em nível de governo estadual.
   "Algo para se lidar no nível da intuição apenas, da aceitação sem perguntas." [AMM]

> **Observação:**
> ➥ Nestes usos, a expressão "a nível de" não atende à norma-padrão da língua.

2) Ao encontro de (= em favor de; indica aproximação)/ De encontro a (= em oposição a; indica posição contrária)
   As minhas ideias vão ao encontro das suas.
   As minhas ideias, infelizmente, vão de encontro às suas.

3) Em princípio (= de maneira geral, sem entrar em particularidades)/ A princípio (= no início)
   Em princípio, concordo com tudo isso.
   A princípio, eu lecionava inglês; agora, leciono francês.

4) Através de (= por dentro de, por entre; de um lado a outro; no decorrer de)
Só use *através de*, e não *através a*:
   A luz do sol passou através da vidraça.
   Através dos séculos, dos anos.

Capítulo 28
Pontuação

Os diversos tipos de sinais de pontuação

Pontuação é um "sistema de reforço da escrita, constituído de sinais *sintáticos*, destinados a organizar as relações e a proporção das partes do discurso e das pausas orais e escritas. Estes sinais também participam de todas as funções da sintaxe: gramaticais, entonacionais e semânticas". [NC]

Pode-se entender a pontuação de duas maneiras: numa acepção larga e noutra restrita. A primeira abarca não só os sinais de pontuação propriamente ditos, mas de realce e valorização do texto: títulos, rubricas, margens, escolha de espaços e de caracteres e, indo mais além, a disposição dos capítulos e o modo de confecção do livro.

Segundo a concepção restrita, a que nos interessa aqui, a pontuação é constituída por uns tantos sinais gráficos assim distribuídos: os essencialmente *separadores* (vírgula [,], ponto e vírgula [;], ponto final [.], ponto de interrogação [?], ponto de exclamação [!], reticências [...]), e os sinais de *comunicação* ou *mensagem* (dois-pontos [:], aspas simples ['], aspas duplas [" "], o travessão simples [-], o travessão duplo [—], os parênteses [( )], os colchetes ou parênteses retos [[ ]], a chave aberta [{], a chave fechada [}]). Alguns destes dois tipos de sinais admitem ainda uma subdivisão em sinais de *pausa que conclui* (fundamentalmente o ponto, e depois ponto e vírgula, o ponto de interrogação, o ponto de exclamação, as reticências, quando em função conclusa) e de *pausa inconclusa* (fundamentalmente pela vírgula, mas também por dois-pontos, parênteses, travessão, colchetes, quando em função inconclusa, isto é, quando as orações estão articuladas entre si).

A primeira palavra depois de um sinal de pausa conclusa é escrita com letra inicial maiúscula; se a oração seguinte constitui novo conjunto de ideias, ou mudança de interlocutor de diálogo, será escrita na outra linha e terá o seu final marcado pelo ponto-parágrafo.

A pontuação e o entendimento do texto

O enunciado não se constrói como um amontoado de palavras e orações. Elas se organizam segundo princípios gerais de dependência e independência sintática e semântica, recobertos por unidades melódicas e rítmicas que sedimentam estes princípios. Proferidas as palavras e orações sem tais aspectos melódicos e rítmicos, o enunciado estaria prejudicado na sua função comunicativa. Por isso, uma pontuação errônea produz efeitos tão desastrosos à comunicação quanto o desconhecimento dessa solidariedade a que nos referimos.

Várias situações incômodas já foram criadas pelo mau emprego dos sinais de pontuação. Notem-se as diferenças entre as seguintes ordens de comando:

Não podem atirar!
Não, podem atirar!

Há numerosos jogos, bem mais divertidos e inocentes do que as situações da ordem anterior, cuja integridade comunicativa depende do bom emprego desses sinais.
Vejamos um exemplo:
Levar uma pedra para Europa uma andorinha não faz verão.

Ou
Um fazendeiro tinha um bezerro e a mãe do fazendeiro era também o pai do bezerro.

Ou ainda
Maria toma banho porque sua mãe disse ela pegue a toalha.

Para integridade da mensagem, no primeiro basta uma vírgula depois de *faz*, sendo *verão* a forma de futuro do verbo *ver*. No segundo, basta colocar vírgula ou ponto e vírgula depois de *mãe*. Já no último exemplo, coloque-se um ponto e vírgula depois de *sua* (do verbo *suar*), vírgula depois de *mãe* (vocativo) e vírgula depois de *ela*, para separar a oração intercalada.

Ponto

O ponto simples final, que é dos sinais o que denota maior pausa, serve para encerrar períodos que terminem por qualquer tipo de oração que não seja a interrogativa direta, a exclamativa e as reticências.

É empregado ainda, sem ter relação com a pausa oracional, para acompanhar muitas palavras abreviadas: *p., 2.ª, etc.*

Com frequência, aproxima-se das funções do ponto e vírgula e do travessão, que podem aparecer em seu lugar.

Ponto parágrafo

Um grupo de períodos cujas orações se prendem pelo mesmo centro de interesse é separado por ponto. Quando se passa de um para outro centro de interesse, impõe-se-nos o emprego do ponto parágrafo, iniciando-se a escrever, na outra linha, com a mesma distância da margem com que começamos o escrito.
Na linguagem oficial dos artigos de lei, o parágrafo é indicado por um sinal especial (§).

Ponto de interrogação

Põe-se no fim da oração enunciada com entonação interrogativa ou de incerteza, real ou fingida, também chamada *interrogação retórica*.
Enquanto a interrogação conclusa de final de enunciado requer maiúscula inicial da palavra seguinte, a interrogação interna, quase sempre fictícia, não exige essa inicial maiúscula da palavra seguinte:
"Pensas que eu e meus avós ganhamos o dinheiro em casas de jogos ou a vadiar pelas ruas? pelintra!" [MA]
"— Nhonhô, diga a estes senhores como é que se chama seu padrinho?
— Meu padrinho? é o Excelentíssimo Senhor coronel Paulo Vaz Lobo Cesar de Andrade e Sousa Rodrigues de Matos." [MA]

O ponto de interrogação, à semelhança dos outros sinais, não pede que a oração termine por ponto final, exceto, naturalmente, se for interna:
"— Esqueceu alguma cousa? perguntou Marcela de pé, no patamar." [MA]

A interrogação indireta, não sendo enunciada com entonação especial, dispensa ponto de interrogação (p.ex.: Gostaria de saber se você esqueceu alguma coisa.). No nosso sistema gráfico, o ponto de interrogação da pergunta cuja resposta seria "sim" ou "não" é o mesmo usado na pergunta de resposta completa.
No diálogo pode aparecer sozinho ou acompanhado do ponto de exclamação para indicar o estado de dúvida do personagem diante do fato:
"— Esteve cá o homem da casa e disse que do próximo mês em diante são mais cinquenta...
— ? !..." [ML]

Ponto de exclamação

Põe-se no fim da oração enunciada com entonação exclamativa:
"Que gentil que estava a espanhola!" [MA]
"Mas, na morte, que diferença! Que liberdade!" [MA]

Põe-se o ponto de exclamação depois de uma interjeição:
"Olé! exclamei." [MA]
"Ah! brejeiro." [MA]

Aplicam-se ao ponto de exclamação as mesmas observações feitas ao ponto de interrogação, no que se refere ao emprego do ponto final e ao uso da maiúscula ou minúscula inicial da palavra seguinte.

Há escritores que denotam a gradação da surpresa através da narração com aumento progressivo do ponto de exclamação ou de interrogação:
"E será assim até que um senhor Darwin surja e prove a verdadeira origem do *Homo sapiens*...
— ?!
— Sim. Eles nomear-se-ão *Homo sapiens* apesar do teu sorriso, Gabriel, e ter-se-ão como feitos por mim de um barro especial e à minha imagem e semelhança.
— ?!!" [ML]

Reticências

Denotam interrupção ou incompletude do pensamento, ou hesitação em enunciá-lo:
"Ao proferir estas palavras havia um tremor de alegria na voz de Marcela: e no rosto como que se lhe espraiou uma onda de ventura..." [MA]
"Não imagina o que ela é lá em casa: fala na senhora a todos os instantes, e aqui parece uma pamonha. Ainda ontem... Digo, Maricota?" [MA]
"— Moro na rua...
— Não quero saber onde mora, atalhou Quincas Borba." [MA]

Postas no fim do enunciado, as reticências dispensam o ponto final, como se pode ver nos exemplos acima.

Se as reticências servem para indicar uma enumeração inconclusa, podem ser substituídas por *etc.*

Na transcrição de um diálogo, as reticências indicam a não resposta do interlocutor.

Numa citação as reticências podem ser colocadas no início, no meio ou no fim, para indicar supressão no texto transcrito, em cada uma dessas partes. Quando há supressão de um trecho de certa extensão, costuma-se usar uma linha pontilhada. Depois de um ponto de interrogação ou exclamação podem aparecer as reticências.

Vírgula

Emprega-se a vírgula:
a) para separar termos coordenados, ainda quando ligados por conjunção (no caso de haver pausa):
"Sim, eu era esse garção bonito, airoso, abastado." [MA]
"— Ah! brejeiro! Contanto que não te deixes ficar aí inútil, obscuro, e triste." [MA]

Observações:

➥ Na série de sujeitos seguidos imediatamente de verbo, o último sujeito da série não é separado do verbo por vírgula:

Carlos Gomes, Vítor Meireles, Pedro Américo, José de Alencar tinham-nas começado. [CL]

➥ Não se usa vírgula na enunciação de numerais por extenso:

Trezentos e cinquenta e três mil quatrocentos e oitenta e cinco. (353.485)

b) para separar orações coordenadas aditivas ainda que sejam iniciadas pela conjunção *e*, proferidas com pausa:
"Gostava muito das nossas antigas dobras de ouro, e eu levava-lhe quanta podia obter." [CL]
"No fim da meia hora, ninguém diria que ele não era o mais afortunado dos homens; conversava, chasqueava, e ria, e riam todos." [CL]

c) para separar orações coordenadas alternativas (*ou*, *quer*, etc.), quando proferidas com pausa:
Ele sairá daqui logo, *ou eu me desligarei do grupo*.

Observação:

➥ Vigora esta norma quando *ou* exprimir retificação:

"Teve duas fases a nossa paixão, *ou* ligação, *ou* qualquer outro nome, que eu de nome não curo." [MA]

Se denota equivalência, não se separa por vírgula o *ou* posto entre dois termos: Solteiro *ou* solitário se prende ao mesmo termo latino.

d) nas aposições, exceto no especificativo, principalmente quando o aposto está representado por uma expressão de certa extensão:
"(...) ora enfim de uma casa que ele meditava construir, para residência própria, *casa de feitio moderno*, porque a dele era das antigas (...)." [MA]
Pedro II, *imperador do Brasil*, teria gostado de ser professor.

Mas
> Pedro *o Cru* passou para a história como um grande apaixonado.

e) para separar as repetições (quando não têm efeito superlativante):
"*Nunca, nunca*, meu amor!" [MA]

Mas
> A casa é *linda linda*. (= lindíssima)

Observação:

→ É facultativo o emprego da vírgula para marcar o complemento verbal transposto (topicalizado) quando aparece repetido por pronome oblíquo:

O lobo, viu-o o caçador.	Ao rico não lhe devo.
ou	ou
O lobo viu-o o caçador.	Ao rico, não lhe devo.

f) para separar ou intercalar vocativos; em cartas, e-mails e documentos não oficiais a pontuação é vária (em geral, vírgula)[1] e na redação oficial usam-se dois pontos.
João, onde comprou esse livro?
Prezado contribuinte:
A Receita Federal informa...

g) para separar as orações adjetivas de valor explicativo:
"(...) perguntava a mim mesmo por que não seria melhor deputado e melhor marquês do que o Lobo Neves, – eu, *que valia mais*, muito mais do que ele, e dizia isto a olhar para a ponta do nariz..." [MA]

h) para separar, quase sempre, as orações adjetivas restritivas de certa extensão, principalmente quando os verbos de duas orações diferentes se juntam:
"No meio da confusão *que produzira por toda a parte este acontecimento inesperado e cujo motivo e circunstâncias inteiramente se ignoravam*, ninguém reparou nos dois cavaleiros..." [AH]

Observação:

→ Esta pontuação pode ocorrer ainda que separe por vírgula o sujeito expandido pela oração adjetiva:

---

[1] Não se põe vírgula nas expressões enfáticas *sim senhor, não senhor*: "A infelicidade deu um pulo medonho: notei que Madalena namorava os caboclos da lavoura. Os caboclos, *sim senhor*." [GR]

> "Os que falam em matérias que não entendem, parecem fazer gala da sua própria ignorância." [MM]
> Embora nas expressões de maior número de elementos possa haver uma pausa de enunciação, é preferível, em respeito à norma-padrão, estender mesmo nestes casos o não emprego da vírgula entre termos sintaticamente complementares (p. ex.: sujeito e predicado, verbo e complemento).

i) para separar o pronome relativo de oração adjetiva restritiva do termo mais próximo já que seu antecedente é o termo mais distante:
"O juiz tem de ser pontual no exame dos dados da informação, que [isto é, *os dados*] não lhe permitam erro ao aplicar a sentença." [MAl]

j) para separar as orações intercaladas:
"Não lhe posso dizer com certeza, respondi eu." [MA]

k) para separar, em geral, adjuntos adverbiais que precedem o verbo e as orações adverbiais que vêm antes ou no meio da sua principal:
"Eu mesmo, até então, tinha-vos em má conta..." [MA]
"(...) mas, como as pestanas eram rótulas, o olhar continuava o seu ofício..." [MA]

l) para separar, nas datas, o nome do lugar:
Rio de Janeiro, 8 de agosto de 1961.

m) para separar as partículas e expressões de explicação, correção, continuação, conclusão, concessão:
"(...) e, *não obstante*, havia certa lógica, certa dedução." [MA]
Sairá amanhã, *aliás*, depois de amanhã.

n) para separar as conjunções e advérbios adversativos (*porém, todavia, contudo, entretanto*), principalmente quando pospostos:
"A proposta, *porém*, desdizia tanto das minhas sensações últimas..." [MA]

o) para indicar, às vezes, a elipse do verbo:
Ele sai agora: eu, logo mais.

p) para assinalar a interrupção de um seguimento natural das ideias e se intercalar um juízo de valor ou uma reflexão subsidiária:
"Estava tão agastado, *e eu não menos*, que entendi oferecer um meio de conciliação; dividir a prata." [MA]

q) para desfazer possível má interpretação resultante da distribuição irregular dos termos da oração, separa-se por vírgula a expressão deslocada:
"De todas as revoluções, para o homem, a morte é a maior e a derradeira." [MM]

Dois-pontos

Usam-se dois-pontos:
a) na enumeração, explicação, notícia subsidiária:[2]
Comprou dois presentes: um livro e uma caneta.
"(Viegas) padecia de um reumatismo teimoso, de uma asma não menos teimosa e de uma lesão de coração: era um hospital concentrado." [MA]
"Queremos governos perfeitos com homens imperfeitos: disparate." [MM]

b) nas expressões que se seguem aos verbos *dizer, retrucar, responder* (e semelhantes) e que encerram a declaração textual, ou que assim julgamos, de outra pessoa:
"Não me quis dizer o que era; mas, como eu instasse muito:
— Creio que o Damião desconfia alguma coisa." [MA]

Às vezes, para caracterizar textualmente o discurso do interlocutor, vem acompanhada de aspas a transcrição, e raras vezes de travessão:
"Ao cabo de alguns anos de peregrinação, atendi às súplicas de meu pai:
— Vem, dizia ele na última carta; se não vieres depressa, acharás tua mãe morta!" [MA]

c) nas expressões que, enunciadas com entonação especial, sugerem, pelo contexto, causa, explicação ou consequência:
"Explico-me: o diploma era uma carta de alforria." [MA]

d) nas expressões que apresentam quebra da sequência das ideias:
"Sacudiu o vestido, ainda molhado, e caminhou.
Não! bradei eu; não hás de entrar... não quero... Ia a lançar-lhe as mãos: era tarde; ela entrara e fechara-se." [MA]
"Senti que empalidecia; minhas mãos estavam geladas. Quis falar: não pude." [MA]

---

[2] A imprensa moderna usa e abusa dos dois-pontos para resumir, às vezes numa síntese de pensamento difícil de ser acompanhada, certas notícias em geral com presença de frases nominais. *Verão: cidade desprotegida das chuvas.*

Observação:

➥ Não configura erro o uso sequencial de dois-pontos, desde que justificado o emprego: "O pirata fugia: a corveta deu-lhe caça: as descargas trocaram-se então mais fortes de ambos os lados. [AA]

Ponto e vírgula

Representa uma pausa mais forte que a vírgula e menos que o ponto, e é empregado:
a) num trecho longo, onde já existam vírgulas, para enunciar pausa mais forte:
"Enfim, cheguei-me a Virgília, que estava sentada, e travei-lhe da mão; D. Plácida foi à janela." [MA]

b) na separação de adversativas em que se quer ressaltar o contraste:
"Não se disse mais nada; mas de noite Lobo Neves insistiu no projeto." [MA]

c) na separação, na redação oficial, dos diversos itens de um considerando, lei ou outro documento.

Travessão

Não confundir o travessão com o traço de união ou hífen empregado na separação de elementos de palavras derivadas e compostas, bem como na partição de sílabas (*ab-so-lu-ta-men-te*) e de palavras no fim de linha. O travessão pode substituir vírgulas, parênteses, colchetes, dois-pontos, para assinalar uma expressão intercalada:
"(...) e eu falava-lhe de mil cousas diferentes — do último baile, da discussão das câmaras, berlindas e cavalos, de tudo, menos dos seus versos ou prosas." [MA]

Usa-se simples se a intercalação termina o texto; em caso contrário, usa-se o travessão duplo:
"Duas, três vezes por semana, havia de lhe deixar na algibeira das calças — umas largas calças de enfiar —, ou na gaveta da mesa, ou ao pé do tinteiro, uma barata morta." [MA]

Observação:

➥ Como se vê pelo exemplo, pode haver vírgula depois de travessão.

Pode denotar uma pausa mais forte:
"(...) e se estabelece uma cousa que poderemos chamar — solidariedade do aborrecimento humano." [MA]

Pode indicar ainda a mudança de interlocutor, na transcrição de um diálogo, com ou sem aspas:
"— Ah! respirou Lobo Neves, sentando-se preguiçosamente no sofá.
— Cansado? perguntei eu.
— Muito; aturei duas maçadas de primeira ordem (...)." [MA]
Neste caso, pode, ou não, combinar-se com as aspas.

Parênteses e colchetes

Acerca dos parênteses, além do que disse o *Formulário Ortográfico* (↗ 695), vale lembrar, como fez Catach, que assinalam um isolamento sintático e semântico mais completo dentro do enunciado, além de estabelecerem maior intimidade entre o autor e o seu leitor. Em geral, a inserção dos parênteses é assinalada por uma entonação especial.

Intimamente ligados aos parênteses pela sua função discursiva, os colchetes são utilizados quando já se acham empregados os parênteses, para introduzirem uma nova inserção.

Também se usam para preencher lacunas de textos ou ainda para introduzir, principalmente em citações, adendos ou explicações que facilitam o entendimento do texto. Nos dicionários e gramáticas explicitam informações como a ortoepia, a prosódia, etc. e, neste tipo de informações, também podem ser usados os parênteses.

Aspas

De modo geral, usamos como aspas o sinal [" "]; mas pode haver, para empregos diferentes, as aspas simples [' '], ou invertidas (simples ou duplas) ['], [" "]. Nos trabalhos científicos sobre línguas, as aspas simples referem-se a significados ou sentidos: *amare* lat., 'amar' port. Às vezes, usa-se nesta aplicação o sublinhado (cada vez menos frequente no texto impresso) ou o itálico. As aspas também são empregadas para abrir e fechar citações, indicar ironia, citar título de poema ou conto, dar a certa expressão sentido particular (na linguagem falada é em geral proferida com entoação especial), ressaltar uma expressão dentro do contexto ou para apontar uma palavra como estrangeirismo ou gíria.

> **Observação:**
> ➡ Escrevendo, ressaltamos a expressão também com o sublinhado, o que, nos textos impressos, corresponde ao emprego de tipo diferente:
> "— Sim, mas percebo-o agora, porque só agora nos surgiu a ocasião de enriquecer. Foi uma sorte grande que Deus nos mandou.
> — Deus...
> — Deus sim, e você o ofendeu afastando-a com o pé." [ML]
> "Você já reparou Miloca na *ganja* da Sinhazinha? Disse uma sirigaita de *beleza* na testa." [ML]

Alínea

Tem a mesma função do parágrafo, pois denota diversos centros de assuntos e, como este, exige mudança de linha. Geralmente vem indicada por número ou letra seguida de um traço curvo, semelhante ao que fecha parêntese, para assinalar enumeração ou subdivisão da matéria tratada:

Os substantivos podem ser:
a) *próprios*
b) *comuns*.

> **Observação:**
> ➡ É de todo despropositado classificar as letras empregadas nas alíneas como numeral (➚ 215).

Chave

A chave [{ }] tem aplicação maior em obras de caráter científico, como pode exemplificar sua utilização neste livro.

Exercícios de fixação

I. **Assinale a única alternativa corretamente pontuada:**
   a) ( ) Temos guerra com a Espanha Senhor, e vamos enfrentá-la.
   b) ( ) Aos amigos, tudo; aos inimigos, a lei.
   c) ( ) Quem vem lá perguntou, atenta a sentinela.
   d) ( ) Aos amigos tudo, aos inimigos a lei.
   e) ( ) Quem vem lá perguntou atenta, a sentinela.

2. "E, aos pés do sofá-cama, fez a oração da noite: Padre-Nosso..."
   No trecho acima, os dois-pontos indicam que, a seguir, vem:
   a) ( ) um esclarecimento.
   b) ( ) uma enumeração.
   c) ( ) uma pausa.
   d) ( ) um discurso direto.
   e) ( ) um discurso indireto.

3. Justificando o emprego da vírgula, numere a segunda coluna de acordo com a primeira e indique a opção que apresenta a numeração adequada:
   (1) Caminhai, jovem, pela estrada do ideal!   ( ) caso de assíndeto
   (2) "A cachoeira, alucinada, gritava atrozmente."   ( ) coordenadas com sujeito diferente
   (3) "Veio a noite do baile, e a baronesa vestiu-se."   ( ) separa adjunto adverbial
   (4) O velho voltou, inesperadamente, a casa.   ( ) vocativo
   (5) O rapaz vende livros, revistas, jornais, etc.   ( ) predicativo

   a) ( ) 3 – 5 – 4 – 1 – 2
   b) ( ) 5 – 3 – 4 – 1 – 2
   c) ( ) 5 – 3 – 4 – 2 – 1
   d) ( ) 4 – 3 – 5 – 1 – 2
   e) ( ) 4 – 3 – 5 – 2 – 1

4. Na frase: "Estava reduzido a simples madeiro – eu, o rei dos vegetais de toda aquela redondeza...", o autor usou reticências para indicar:
   a) ( ) que o sentido da frase vai além do que ficou dito.
   b) ( ) uma transcrição.
   c) ( ) que a interrupção mostra uma hesitação.
   d) ( ) que a frase não está gramaticalmente completa.
   e) ( ) uma interrogação indireta.

5. Assinale a opção em que a supressão das vírgulas alteraria o sentido do enunciado:
   a) ( ) Os países menos desenvolvidos vêm buscando, ultimamente, soluções para seus problemas no acervo cultural dos países avançados.
   b) ( ) Nossos pesquisadores, que se encontram comprometidos com as culturas dos países avançados, acabam se tornando menos criativos.
   c) ( ) Torna-se, portanto, imperativa uma revisão do modelo presente de processo de desenvolvimento tecnológico.
   d) ( ) A atividade científica, nos países desenvolvidos, é tão natural quanto qualquer outra atividade econômica.
   e) ( ) Por duas razões diferentes podem surgir, da interação de uma comunidade com outra, mecanismos de dependência.

6. Na frase "Voltei-me inteiro para a máquina ...", o Autor não colocou o termo INTEIRO entre vírgulas porque:
   a) ( ) não se separa sujeito de predicado por vírgula.
   b) ( ) não se separa verbo de complemento por vírgula.
   c) ( ) no predicativo não se usa vírgula.
   d) ( ) é proibitivo o uso da vírgula nos adjuntos adverbiais.
   e) ( ) é facultativo o emprego da vírgula em construções como essa.

7. "Ignoram que a coisa bela é simples por depuração, e não originariamente." O uso da vírgula antes da conjunção E:
   a) ( ) parece um erro tipográfico e não propriamente do autor.
   b) ( ) é inadequado, pois deveria vir depois da conjunção.
   c) ( ) não é adequado, porque a oração aditiva é muito curta.
   d) ( ) está correto, porque o sujeito da oração aditiva é diferente do sujeito da oração anterior.
   e) ( ) serve para salientar a oposição de ideias.

8. Assinale a frase em que a pontuação (falta ou emprego da vírgula) é inadequada:
   a) ( ) "Acostumou até com o marido, com o seu silêncio pesado, com os seus repentes de sensualidade, com as suas fúrias..."
   b) ( ) "Só quando ele voltou as negras acenderam as lâmpadas de querosene."
   c) ( ) "Só não se acostumara com a mata e com a noite da mata."
   d) ( ) "Ester tem sempre a impressão de que as cobras terminarão um dia por subirem na varanda, penetrarem na casa e chegarem, numa noite de temporal, ao seu pescoço e ao da criança, nos quais se enroscarão como um colar."
   e) ( ) "Havia uma coisa que sempre voltava à sua memória nessas noites."

9. Na oração: "Pássaro e lesma, o homem oscila entre o desejo de voar e de arrastar", Gustavo Corção empregou a vírgula:
   a) ( ) por tratar-se de antítese.
   b) ( ) para indicar a elipse de um termo.
   c) ( ) para separar vocativo.
   d) ( ) para separar uma oração adjetiva de valor restritivo.
   e) ( ) para separar aposto.

10. **Numere convenientemente os diversos dados da 1.ª coluna de acordo com as informações da 2.ª coluna:**

1.ª coluna
a) ( ) Princípios convencionais adotados para a representação de uma língua.
b) ( ) Emprego de duas letras para representação de um fonema.
c) ( ) Para distinguir fonema de letras.
d) ( ) Dezembro de 1990.
e) ( ) Maior esforço com que se profere uma sílaba de um vocábulo.
f) ( ) Atenta para o ouvido.
g) ( ) Atenta para a vista.
h) ( ) Acento tônico na última sílaba.
i) ( ) Acento tônico na penúltima sílaba.
j) ( ) Acento tônico na antepenúltima sílaba.

2.ª coluna
1) acento tônico
2) fonema
3) dígrafo
4) oxítono
5) ortografia
6) pronome oblíquo
7) emprego de barras como /K/
8) paroxítono
9) sistema oficial ortográfico usado no Brasil
10) proparoxítono
11) ditongo crescente
12) letra

PARTE 7

PARA ALÉM DA GRAMÁTICA

Capítulo 29
Noções elementares de Estilística

Capítulo 30
Noções elementares de versificação

Capítulo 31
Breve história externa da língua portuguesa

Capítulo 32
Compreensão e interpretação de textos

Capítulo 29
Noções Elementares de Estilística

Estilística

Estilística é a parte dos estudos da linguagem que se preocupa com o *estilo*.

Que é estilo nesta conceituação

Entende-se por *estilo* o conjunto de processos que fazem da língua representativa um meio de exteriorização da linguagem afetiva.

Estilística e Gramática

A compreensão deste conceito de *estilo* se fundamenta na lição de Charles Bally, segundo a qual o que caracteriza o estilo não é a oposição entre o *individual* e o *coletivo*, mas o contraste entre o *emocional* e o *intelectivo*. É neste sentido que diferem *Estilística* (que estuda a língua na manifestação da afetividade) e *Gramática* (que trabalha no campo da língua intelectiva).

Uma não é a negação da outra, nem uma tem por missão destruir o que a outra, com orientação científica, tem podido construir. Ambas se completam.

Traço estilístico e erro gramatical

Não se há de entender que o estilo seja sempre uma deformação da norma linguística. Isto nos leva à distinção entre *traço estilístico* e *erro gramatical*.

O traço estilístico pode ser um desvio ocasional de norma gramatical vigente, mas se impõe pela sua intenção estético-expressiva de querer dizer algo mais.

O erro gramatical é o desvio sem intenção estética, por desconhecimento da tradição idiomática vigente.

Campo da Estilística

O estudo da Estilística abarca, semelhante à Gramática, todos os domínios do idioma.
Teremos assim os seguintes campos da Estilística:

Estilística
1) fônica
2) morfológica
3) sintática
4) semântica

A *Estilística Fônica* procura indagar o emprego do valor expressivo dos sons: a harmonia imitativa, no amplo sentido do termo. É a *fonética expressiva* de que falamos na parte de Fonética e Fonologia deste livro (➚ 611).

A *Estilística Morfológica* sonda o uso expressivo das formas gramaticais. Entre os usos expressivos deste campo lembraremos:

1) *o plural de convite*: põe-se o verbo no plural como que se quisesse incentivar uma pessoa a praticar uma ação trabalhosa ou desagradável. É o caso da mãe que diz à filhinha que insiste em não tomar o remédio:
Olha, filhinha, *vamos* tomar o remedinho.

2) *o plural de modéstia*: o autor, falando de si mesmo, poderá dizer:
Nós, ao *escrevermos* este livro, *tivemos* em mira dar novos horizontes ao ensino do idioma.

3) *o emprego expressivo dos sufixos* (mormente os de gradação):
pai*zinho*, mãe*zinha*, poet*astro*, padr*eco*, polit*icalha*

4) o emprego de tempos e modos verbais, como, por exemplo:
a) o presente pelo futuro para indicar desejo firme, fato categórico:
Amanhã eu *vou* ao cinema.

b) o imperfeito para traduzir pedido:
Eu *queria* um quilo de queijo (em vez do categórico e, às vezes, ameaçador *quero*).

c) o presente pelo pretérito para emprestar à narração o ar de novidade e poder comover o ouvinte:
Aí César *invade* a Gália.

5) a *mudança de tratamento*, de um período para outro, para indicar mudança da situação psicológica entre falante e ouvinte, ou entre escritor e leitor. No soneto *Última Folha*, Casimiro de Abreu chama a Deus por *Meu Pai* e ora o trata por *tu*, ora por *vós*. É que em *Meu Pai* o poeta vê Deus como seu íntimo, ligado a ele tão familiarmente que lhe cabe o tratamento *tu*. Mas ao poeta Deus se apresenta

também como o criador de todas as coisas, o poder supremo a quem só pode caber a fórmula respeitosa e cerimoniosa assumida por *vós*:
"Feliz *serás* se como eu *sofreres*,
Dar-*te*-ei o céu em recompensa ao pranto"
Vós o dissestes. — E eu padeço tanto!...
Que novos trances preparar me *queres*? [CA]

6) a criação de neologismos expressivos com aproveitamento de todos os recursos do sistema morfológico da língua, como comprovam as formações lexicais do laboratório, por exemplo, de Guimarães Rosa e Mia Couto.

A *Estilística Sintática* procura explicar o valor expressivo das construções:
1) na regência, como, por exemplo, o emprego do posvérbio;
2) na concordância, como, por exemplo, na *atração*, na *silepse*, no infinitivo flexionado para realce da pessoa sobre a ação mesma;
3) na colocação dos termos na oração, na colocação de pronomes, etc.
4) no emprego expressivo das chamadas *figuras de sintaxe*, do anacoluto.

A *Estilística Semântica* pesquisa:
1) a significação ocasional e expressiva de certas palavras:
Você é um *abacaxi*.
Aquele detetive é uma *águia*.
Essa aluna é *fera*.
Ele tem uns *bons* sessenta anos.

2) o emprego expressivo das chamadas figuras de palavras ou *tropos* (metáfora, metonímia, etc.) e figuras de pensamento e sentimento (antítese, eufemismo, hipérbole, etc.).

Exercícios de fixação

1. **Dos pares de sinônimos indicados, escolha o termo que mais convém ao substantivo entre parênteses:**
    1) reger / gerir (negócio)
    2) reger / gerir (orquestras)
    3) singular / particular (inteligência)
    4) singular / particular (residência)
    5) forte / robusta (adesão)
    6) fração / fragmento (de minuto)
    7) principal / capital (cidade)
    8) fundamento / fundação (de opinião)
    9) inusitado / insólito (palavras)
    10) impotente / inválido (esforço)

2. **Assinale com (A) dentro dos parênteses os exemplos de aliteração em versos de Olavo Bilac:**
    1) ( ) No galope impetuoso da corrente.
    2) ( ) Plantas, curvas ramadas rumorosas.
    3) ( ) Tu, que humilde nasceste.
    4) ( ) É grande, é largo, é forte.

5) ( ) Que, para ouvi-las, muita vez desperto.
6) ( ) Ao sólio excelso do esplendor da Glória!

3. Numere convenientemente os exemplos da coluna A de acordo com os fatos de Estilística Morfológica relacionados na coluna B:

Coluna A
( ) Eu falo amanhã pelo telefone.
( ) E aí ele se prende ao tema e dá um banho de informação ao espectador.
( ) Meus jovens, vamos estudar mais.
( ) Eu queria comprar essas frutas, disse a jovem empregada.
( ) As promessas não passavam de manobras politiqueiras.
( ) Entrai, senhora. És tu, minha flor?!
( ) Leia esse livro, pois estamos certos de que gostará.

Coluna B
1 - plural de convite
2 - plural de modéstia
3 - emprego expressivo de sufixo
4 - presente pelo futuro
5 - imperfeito de súplica
6 - presente pelo pretérito
7 - mudança de tratamento

4. Numere convenientemente os exemplos da coluna A de acordo com os fatos de Estilística Sintática relacionados na coluna B:

Coluna A
( ) Os seus amigos desejamos oferecer-lhe este presente.
( ) Possas tu, descendente maldito, seres presa de vis aimorés.
( ) Os três Reis Magos, conta a lenda que um deles era negro.
( ) A vida parece que não para de oferecer surpresas.
( ) As frutas já caíam meias maduras.
( ) Na aflição chamei por Nossa Senhora.

Coluna B
1 - infinitivo enfático
2 - anacoluto
3 - emprego de posvérbio
4 - colocação de palavras por antecipação
5 - concordância por atração
6 - silepse de pessoa

5. Numere convenientemente os exemplos da coluna A de acordo com os fatos de Estilística Semântica relacionados na coluna B:

Coluna A
( ) Pesa-me dizer-lhe que este antigo vizinho já foi desta para melhor.
( ) O coração da vila bate as horas.
( ) Precisa-se de dois metros de azulejos brancos.
( ) Gostava de ler Machado de Assis.
( ) Minha mãe tem sido a âncora dos meus momentos difíceis.

Coluna B
1 - metáfora
2 - metonímia
3 - eufemismo
4 - sinestesia
5 - catacrese
6 - comparação

6. **Uma variedade da aliteração é a *coliteração*, que, como recurso expressivo de Estilística Fônica, consiste na repetição de consoantes homorgânicas (= fonemas que são articulados com a participação dos mesmos órgãos do chamado aparelho fonador: por exemplo, /t/ e /d/), normalmente iniciais e em vocábulos sucessivos. Entre os versos abaixo, assinale o que apresenta coliteração:**
    1) (   ) "É fria, fluente, frouxa claridade."
    2) (   ) "Crótalos claros de metal cantavam."
    3) (   ) "Vozes veladas, veludosas vozes."
    4) (   ) "Ó amado meigo e branco das baladas impossíveis."
    5) (   ) "Minha terra tem palmeiras."
    6) (   ) "Meu canto de morte, / Guerreiros ouvi."

Capítulo 30
Noções elementares de versificação

Poesia e prosa

Em sentido formal, chama-se *poesia* à forma de expressão ordenada segundo certas regras e dividida em unidades rítmicas.

Prosa é a forma de expressão continuada. Embora a prosa também possa ter ritmo, aqui ele é menos rigoroso que na poesia.

Verso é o conjunto de palavras que formam, dentro de qualquer número de sílabas, uma unidade fônica sujeita a um determinado ritmo, que se repete e forma séries.

Ritmo é a divisão do tempo em períodos uniformes repetidos mediante os apoios sucessivos da intensidade.

Metro é o verso que, além de atender ao ritmo, se apresenta dentro de uma norma regular de medida silábica.

Além do ritmo acentual, conta o verso com a participação da rima e da estrofe, da harmonia vocálica, da aliteração de consoantes, do paralelismo, da anáfora, da ordem das palavras e da valorização semântica de uma palavra ou expressão.

Por melhor que seja o verso, perderá muito de seu valor se proferido por um leitor — e até mesmo pelo seu autor — que não saiba pôr em evidência as características de sua estrutura rítmica, métrica e de seus apoios fônicos.

Recitação ou declamação

"A recitação do verso, além dos requisitos exigidos para a da prosa, exige uma gesticulação adequada, sem exageros, um jogo fisionômico apropriado e que o recitalista não faça sentir demais a rima nem a cesura. No caso dos versos livres modernos é preciso descobrir o ritmo e a intenção que o poeta lhes quis dar." [AN]

Pausa final. Cavalgamento

Na leitura de um poema, marca-se o final de cada verso ou final de cada unidade de verso composto (*hemistíquio*) com uma pausa, a chamada *pausa métrica*. Esta pausa métrica não passa de uma pequena interrupção, que não chega a confundir-se com a pausa mais demorada, resultante da entoação da oração, marcada em geral por vírgula ou outro sinal de pontuação.

Não levar na devida conta a pausa métrica, além de atentar contra o ritmo, pode converter o verso em falsa prosa.

A pausa métrica é transferida para a primeira sílaba tônica do verso seguinte, quando a unidade sintática excede o limite de um verso e, para completar-se, "cavalga" ou "monta" no verso a seguir, patenteando, assim, um desacordo entre a unidade sintática e a unidade métrica. Este fenômeno é conhecido pela denominação francesa "*enjambement*", que se pode traduzir, como fez Said Ali, por *cavalgamento*. Também se usa o termo *encavalgamento*:
"Sonho profundo, ó Sonho doloroso,
Doloroso e profundo Sentimento!
Vai, vai nas harpas trêmulas do vento
Chorar o teu mistério tenebroso." [CS]

Versificação

É a técnica de fazer versos ou de estudar-lhes os expedientes rítmicos de que se constituem.

"Não se há de confundir *versificação* com *poesia*. A poesia é um *dom*: nasce-se poeta. A versificação é uma arte: torna-se um versejador. Grandes poetas, como Vigny, foram medíocres versejadores. Hábeis versejadores, como Teodoro de Banville, não podem jamais ser chamados poetas." [BH]

O **ritmo poético**, que na essência não difere das outras modalidades de ritmo, se caracteriza pela repetição. Quando a poesia se constitui de unidades rítmicas iguais, diz-se que a versificação é *regular*; quando isto não ocorre, a versificação é *irregular* ou *livre*.

Em português o ritmo poético é assegurado pela utilização dos seguintes expedientes, que se podem combinar de maneira variadíssima:
1) número fixo de sílabas;
2) distribuição das sílabas fortes (ou tônicas) e fracas (ou átonas);
3) cesura;
4) rima;
5) aliteração;
6) encadeamento;
7) paralelismo.

O número fixo de sílabas coordenado com a distribuição das sílabas fortes e fracas constitui um *metro poético* e o seu estudo recebe o nome de *métrica*.

I. Número fixo de sílabas

Como se contam as sílabas de um verso

Na recitação, a contagem das sílabas se processa diferentemente da análise gramatical; nesta se atenta para a sua representação na escrita, enquanto naquela se busca a realidade auditiva. No verso:
"É toda um hino: — esperança!" [CA],

há sete sílabas para o poeta (este só conta até a última tônica) e dez sílabas para o gramático; aquele pode ou não proferir o *a* final de *toda*, ligar a consoante *d* a *um*, omitir o *o* final de *hino* e juntar o *n* à sílaba inicial de *esperança*:

É / to / d(a)um / hi / n(o): — es / pe / ran / ça
1   2   3   4   5   6   7

Só se conta até a última sílaba tônica: versos agudos, graves e esdrúxulos

Uma das orientações que distinguem a contagem das sílabas entre o poeta e o gramático, é que o primeiro só leva em conta até a última sílaba tônica, desprezando a átona ou as átonas finais. Daí a divisão dos versos em *agudos, graves* ou *esdrúxulos*, conforme terminarem, respectivamente, por vocábulos oxítonos, paroxítonos, ou proparoxítonos, como nos seguintes versos, todos de dez sílabas:
"O padre não falou — mostrou-lhe o céu!" [CA] Agudo.
"Eu vi-a lacrimosa sobre as pedras." [CA] Grave.
"Estátua da aflição aos pés dum túmulo!" [CA] Esdrúxulo.

Neste livro indicaremos a sílaba métrica pelo símbolo ∪; quando for tônica poremos nele um acento tônico: Ú.

Fenômenos fonéticos correntes na leitura dos versos

Na leitura dos versos proferimos as palavras com as junções e as pausas que o falar de todos os momentos conhece; por exagero, entretanto, tais fenômenos fonéticos costumam ser explicados como "exigência da técnica versificatória".

Estes fenômenos são: 1) sinérese; 2) diérese; 3) sinalefa; 4) elisão; 5) crase; 6) ectlipse; e podem ocorrer uns dentro do mesmo vocábulo (*intraverbais* ou *internos*) e outros pela junção de dois vocábulos (*interverbais* ou *externos*).

Sinérese ou ditongação é a junção de vogais contínuas numa só sílaba em virtude de uma das vogais passar a semivogal, no interior da palavra.

Diérese é a dissolução de um ditongo em hiato no interior da palavra.

A diérese, que é sempre interna, é fenômeno hoje raro em poesia, geralmente usado apenas para certos fins expressivos ou como expediente para dar ao verso o número de sílabas exigidas:

"Pe / sa / -me es / ta / bri / lhan / te au / ré / o / la / de / nu / me..." [MA]
1   2   3   4   5   6   7   8   9 10 11 12

O movimento lento, proferindo *auréola* (*au-ré-o-la*) como vocábulo de quatro sílabas, parece emprestar à situação o colosso do tamanho que tem o sol, em relação à simplicidade do vaga-lume.

Sinalefa é a perda de autonomia de uma vogal para tornar-se semivogal e, assim, constituir um ditongo ou tritongo com a vogal seguinte:

"E triste, e triste e fatigado‿eu vinha" [OB] (lido como tritongo: /wew/).

Elisão é o desaparecimento de uma vogal quando pronunciada junto de outra vogal diferente:

e fatigad(o)‿eu vinha (lido: /dew/).

A pronúncia rápida dos portugueses leva mais frequentemente à realização de elisões do que a pronúncia mais lenta dos brasileiros. Nem sempre, como no exemplo acima, a elisão é indicada graficamente, como no seguinte verso, mediante apóstrofo:

"Mas se forçoso t'é deixar a pátria." [CA]

Note-se também que a elisão pode abarcar mais de duas vogais.

Crase é a fusão de dois ou mais sons iguais num só:

"Teu pensamento, como‿o sol que morre,
Há de cismando mergulhar-se‿em mágoas." [CA]
"Durante a noite quando‿orvalho desce." [CA]

Ectlipse (ek'tlipse) é a supressão da ressonância nasal de uma vogal final de vocábulo para facilitar a sinérese ou a crase com a vogal contígua. Ocorre com mais frequência a ectlipse no final *-em* (homem, essa ➜ homessa) e na preposição com (coa, coas, co, cos).

O ritmo e a pontuação do verso

Já acentuamos que nem sempre a unidade de sentido do poema coincide com os limites de sua linha, o que nos mostra o erro daqueles que leem verso fazendo longa pausa no fim de cada um deles. Esta longa pausa só é lícita quando a unidade sintática o exigir ou permitir:

"Meus Amigos, Adeus — Verei fulgindo
A lua em campo azul, e o sol no ocaso
Tingir de fogo a implacidez das águas;
Verei hórridas trevas lento e lento
Descerem, como um crepe funerário
Em negro esquife, onde repoisa a morte." [GD]

Às vezes se podem ligar fonemas de palavras separadas por algum sinal de pontuação ou, ao contrário, pode haver uma pausa sem que seja indicada por sinal gráfico adequado, como nestes versos de dez sílabas:

"E eu, fitando-a, abençoava a vida" [CA], lido:

E / eu / fi / tan / do-a‿a / ben / ço / a / va‿a / vi / da
1   2   3   4   5   6   7   8   9   10
"Ama-se a vida — a mocidade é crença." [CA]
A / ma / se‿a / vi / da‿a / mo / ci / da / de é / cren / ça
1   2   3   4   5   6   7   8   9   10

Expedientes mais raros na contagem das sílabas

Ao lado dos casos até aqui apontados, há outros de menos incidência, mas que merecem nossa atenção. Lembraremos a seguir a dissolução de um encontro consonântico pela intercalação de uma vogal (/ *i* / ou / *e* /), não indicada na escrita, fazendo da primeira consoante uma sílaba à parte, o que revela uma tendência da pronúncia brasileira corrente:

"Ninguém mais *observa* o tratado" [GD] – *observa* deve ser lido com quatro sílabas.

"Contudo os olhos *d'ignóbil* pranto" [GD] – *ignóbil* deve ser lido também com quatro sílabas.

2. Número fixo de sílabas e pausas

O número fixo de sílabas e pausas é o principal dos apoios rítmicos do verso. O poeta tem a liberdade de não ficar, em todo o poema, preso ao mesmo metro.

Na poesia *A Tempestade*, G. Dias varia a medida da estrofe; a estrofe começa por duas sílabas até chegar a onze, quando retorna, num movimento decrescente, para voltar ao de duas sílabas. Com isto o poeta quis-nos indicar mais vivamente, conforme análise de Manuel Bandeira, uma aproximação gradual da tempestade, cuja maior fúria estoura na décima estrofe, para depois afastar-se aos poucos.

Os versos em português variam, em geral, de uma a doze sílabas, sendo raros os que ultrapassam este número. Para sua designação empregam-se os nomes gregos denotativos de número prefixados ao elemento -*sílabo*: *mono-* (um só), *dis-* (dois), *tri-* (três), *tetra-* (quatro), *penta-* (cinco), *hexa-* (seis), *hepta-* (sete), *octo-* (oito), *enea-* (nove), *deca-* (dez), *hendeca-* (onze), *dodeca-* (doze): *monossílabo, dissílabo, trissílabo, tetrassílabo* (também chamado *quadrissílabo*), *pentassílabo* (também dito de *redondilha menor*), *hexassílabo, heptassílabo* (também dito de *redondilha maior* ou só *redondilha*), *octossílabo, eneassílabo, decassílabo* (também chamado *heroico*), *hendecassílabo* (também chamado de *arte maior*) e *dodecassílabo* (ou também *alexandrino*), nome tirado das numerosas composições medievais que cantavam os feitos do guerreiro Alexandre, mormente o *Poema de Alexandre*, composto no séc. XII, por Alexandre de Bernay e Lambert Licor.

Cesura

Os versos longos, de ordinário a partir dos de dez sílabas, apresentam uma pausa interna, chamada *cesura*, para ressaltar o movimento rítmico, dividindo o verso em duas partes, nem sempre iguais, conhecidas pelo nome de *hemistíquios*.

A *cesura* pode ser uma pausa menor (não indicada por sinal de pontuação), ou mais acentuada (indicada na escrita por sinal de pontuação). Como assinala Navarro Tomás, "em qualquer ponto do verso pode ocorrer uma interrupção requerida pela sintaxe ou pela necessidade de destacar o significado de uma palavra. Estas paradas ocasionais não têm a função métrica da cesura ou da pausa". [NT]

Versos de uma a doze sílabas

Os versos de uma, duas e três sílabas só têm uma sílaba forte (não esquecer que só se conta até a última sílaba tônica):

a) Monossílabos (raríssimos), como no seguinte exemplo:
"Vagas
Plagas,
Fragas,
Soltam
Cantos;
Cobrem
Montes,
Fontes,
Tíbios
Mantos." [FV]

b) Dissílabos:
"Um raio
Fulgura
No espaço
Esparso
De luz." [GD]

c) Trissílabos:
"Vem a aurora
Pressurosa,
Cor de rosa,
Que se cora
De carmim." [GD]

d) Tetrassílabos:
"O sol desponta." [GD]
"Que entre verdores." [GD]

e) Pentassílabos:
"Gados que pasceis." [LC]
"Um ponto aparece." [GD]

f) Hexassílabos:
"Não solta a voz canora." [GD]
"Que um canto d'inspirado." [GD]
"Como é fundo o sentir." [CA]

g) Heptassílabos – são os versos mais usados e populares em português:
"Cresce a chuva, os rios crescem." [GD]
"Fogem do vento que ruge." [GD]
"Ardendo na usada sanha." [GD]
"Como ovelhas assustadas." [GD]

h) Octossílabos:
"Demônios mil, que, ouvindo-as, digam." [RC]
"Sabes tu de um poeta enorme." [MA]
"Roxas, brancas, rajadas, pretas." [MA]
"Deixando a palhoça singela." [MA]

i) Eneassílabos:
"E no túrgido ocaso se avista." [GD]
"Além, nos mares tremulamente." [RC]
"Da cor de uma menina sem vida." [AG]
"Pobres de pobres são pobrezinhos." [GJ]

j) Decassílabos:
"Um som longínquo cavernoso e oco." [GD]
"Eis outro inda mais perto, inda mais rouco." [GD]
"Troveja, estoura, atroa; e dentro em pouco." [GD]
"Rasga-se o negro bojo carregado." [GD]

k) Hendecassílabos:
"Nos últimos cimos dos montes erguidos
Ai! há quantos anos que eu parti chorando." [GJ]

l) Dodecassílabos:
"Já não fala Tupã no ulular da procela." [OB]
"E espalham tanto brilho as asas infinitas." [OB]
"Como a faixa de luz que o povo hebreu guiava." [OB]
"Teu pé também deixou um sinal neste solo." [OB]

"A lei orgânica do alexandrino pode ser expressa em dois artigos: 1.º) quando a última palavra do primeiro verso de seis sílabas é grave (1.º hemistíquio), a primeira palavra do segundo deve começar por uma vogal ou por um *h*; 2.º) a última palavra do primeiro verso nunca pode ser esdrúxula. Claro está que, quando a última palavra do primeiro verso é aguda, a primeira do segundo pode indiferentemente começar por qualquer letra, vogal ou consoante.

Alguns poetas modernos, desprezando essa regra essencial, têm abolido a tirania da cesura. Mas o alexandrino clássico, o verdadeiro, o legítimo, é o que obedece a esses preceitos".[1]

3. Rima: perfeita e imperfeita[2]

Chama-se *rima* a igualdade ou semelhança de sons pertencentes ao fim das palavras, a partir da sua última vogal tônica.

As palavras em rima podem estar no fim (*rima final*, a mais usual) ou no interior do verso (*rima interna*), podendo, neste último caso, uma das palavras ocupar a posição final.

Em *Aventura Meridiana* (*Os Amores* de P. Ovídio Nasão, 63 e ss), A. F. de Castilho, compondo quartetos de versos alternados, de 12 e 6 sílabas, rima o 1.º verso com a 2.ª sílaba do 2.º; o 2.º com o 4.º; o 3.º com a 2.ª sílaba do 4.º; finalmente variando o verso: ora grave, ora agudo:

"Era na estiva quadra! Intenso meio dia
Pedia um respirar;
No meio do meu peito
Me deito a descansar.
Janela entreaberta, esquiva ao sol fogoso,
Repouso ali mantém;
Luz como a de espessura
Escura ao quarto vem".

A rima pode ser *perfeita* (ou com *homofonia*) ou *imperfeita* (ou com *semi-homofonia*). Diz-se *perfeita* quando é completa a identidade dos fonemas finais, a partir da última vogal tônica:

"És engraçada e formosa
Como a rosa,
Como a rosa em mês d'abril;
És como a nuvem doirada
Deslizada,
Deslizada em céus d'anil." [GD]

Na rima perfeita pode haver ainda identidade da(s) consoante(s) anterior(es) à vogal tônica.

---

[1] O. Bilac – G. Passos, *Tratado de Versificação*, 68-69.
[2] Os versos que não rimam chamam-se *soltos* ou *brancos*. Branco aqui é "uma tradução falsa, tradicionalmente aceita, do inglês *blank* 'pálido', 'sem brilho'. [MC]

Diz-se *imperfeita* aquela em que a identidade de fonemas finais não é completa, insistindo-se apenas naqueles fonemas que se diferenciam fundamentalmente dos demais [CCh]. Ocorre a rima imperfeita quando:
a) se rima uma vogal de timbre semiaberto com outra de timbre semifechado:
"Bailando no ar, gemia inquieto vaga-lume:
— "Quem me dera que fosse aquela loura *estrela*,
Que arde no eterno azul, como eterna *vela*!"
Mas a estrela, fitando a lua, com ciúme." [MA]

b) um dos finais tem um som que o outro não tem:
"Nessa *vertigem*
Amara a *virgem*." [CA]
"As vagas *murmuram*...
As folhas *sussurram*." [AA]

> **Observação:**
>
> ➡ Muitas vezes a perfeição ou imperfeição da rima é relativa, conforme a pronúncia padrão. No Brasil, por exemplo, constituem rimas perfeitas as que se fazem entre certas vogais e ditongos (*desejos* com *beijos*; *luz* com *azuis*; *atroz* com *heróis*; *vãs* com *mães*; *espirais* com *Satanás*; *bondoso* com *repouso*). Em Portugal é perfeita a rima entre *mãe* e *também* (ou *tem*, etc.), prática que, por imitação literária, ocorre entre alguns de nossos poetas românticos.

c) se rima uma vogal oral com uma vogal nasal:
"De que ele, o sol, inunda
O mar, quando se *põe*,
Imagem moribunda
De um coração que *foi*." [JD]

d) se rimam vocábulos com só identidade das vogais tônicas (rima *toante* ou *assonante*):
"Além, além nas árvores tranquilas
Uma voz acordou como um suspiro." [AA]

Rimas consoantes e toantes

A rima se diz *consoante* quando é perfeita, isto é, tem os mesmos fonemas a partir da última vogal tônica do verso: *vaga-lume* / *ciúme*.

Toante (também *assonante*, de *assonância*) é a rima imperfeita, em que há apenas identidade nas vogais tônicas:
calma / *cada*; *terra* / *pedra*.

Disposição das rimas

Quanto à maneira por que se dispõem nos versos, as rimas podem ser *emparelhadas, alternadas* (ou *cruzadas*), *opostas* (ou *entrelaçadas* ou *enlaçadas*), *interpoladas* e *misturadas*.

Cada rima de uma estrofe é designada por uma letra maiúscula ou minúscula do alfabeto, de modo que a sucessão de letras indica a sucessão das rimas. Assim no exemplo:

"Moços, quero, entre vós, falar à nossa terra...
Somos sua esperança e o seu último amparo;
Em nosso corpo e em nosso espírito se encerra
O que ela agora tem de mais certo e mais caro." [JO]

A distribuição das rimas é representada pelo esquema *abab* (ou ABAB) onde *a* indica a rima *-erra* (terra / encerra) e *b* a rima *-aro* (amparo / caro).

Emparelhadas são as que se sucedem duas a duas (o esquema é *aabbcc*, etc.):

"Numa vida anterior, fui um xeque macilento
E pobre... Eu galopava, o albornoz solto ao vento,
Na soalheira candente; e, herói de vida obscura,
Possuía tudo: o espaço, um cavalo, e a bravura." [OB]

Alternadas (ou *cruzadas*) são as que, num grupo de quatro versos, se alternam, fazendo que o 1.º verso rime com o 3.º (e os demais ímpares) e o 2.º com o 4.º (e os demais pares). Correspondem ao esquema *abab*:

"Ora (direis) ouvir estrelas! Certo
Perdeste o senso!" E eu vos direi, no entanto,
Que, para ouvi-las, muita vez desperto
E abro as janelas, pálido de espanto..." [OB]

Opostas (ou *entrelaçadas* ou *enlaçadas*) são as que se verificam em dois versos entre os quais medeiam dois outros também rimados. Correspondem ao esquema *abba*:

"Vai-se a primeira pomba despertada.
Vai-se outra mais... Mais outra... E enfim dezenas
De pombas vão-se dos pombais apenas
Raia, sanguínea e fresca, a madrugada." [RC]

Interpoladas são aquelas em que, num grupo de seis versos, o terceiro rima com o sexto, enquanto o primeiro rima com o segundo, e o quarto com o quinto. Correspondem ao esquema *aabccb*:

"Eu nasci além dos mares
Os meus lares,
Meus amores ficam lá!
— Onde canta nos retiros

Seus suspiros,
Seus suspiros o sabiá!" [CA]

 Misturadas são aquelas em que a distribuição é livre. As rimas misturadas, para lograrem êxito, requerem constância, vivacidade e sonoridade:
"É meia-noite... e rugindo
Passa triste a ventania,
Como um verbo de desgraça,
Como um grito de agonia.
E eu digo ao vento, que passa
Por meus cabelos fugaz:
'Vento frio do deserto,
Onde ela está? Longe ou perto?'
Mas, como um hálito incerto,
Responde-me o eco ao longe:
'Oh! minh'amante, onde estás?...'" [CAv]

4. Aliteração

 É o apoio rítmico que consiste em repetir fonemas em palavras simetricamente dispostas. A aliteração nasce, em geral, do desejo de harmonia imitativa.
"A juruti suspira sobre as folhas secas." [CA]
"É a perda dura dum futuro inteiro." [CA]
"Vozes veladas, veludosas vozes,
 Volúpia dos violões, vozes veladas,
 Vagam nos velhos vórtices velozes
 Dos ventos, vivas, vãs, vulcanizadas." [CS]

5. Encadeamento

 Consiste na repetição simetricamente disposta de fonemas, palavras, expressões ou um verso inteiro.
 Foi recurso rítmico muitíssimo usado na poesia medieval e é frequente na poesia moderna em versos livres. Exemplos colhidos em Augusto Frederico Schmidt:
"No entanto este *motivo escolhido existe*.
Não *vejo*, esta *tristeza*, da saudade da que é *sempre* a *Ausente*
Nem da sua graça desaparecida..." (repetição de fonema)
"*Pensei* em mortos que morreram entre indiferentes.
Pensei nas velhas mulheres..." (repetição de palavra)
"No princípio foi um balanço contínuo e vagaroso,
 Depois foi descendo uma sombra indistinta,
 Um grande leito surgiu e lençóis brancos como espuma

No princípio foi um balanço contínuo e vagaroso" (repetição de verso).

6. Paralelismo

É a repetição de ideias mediante expressões aproximadas:
"O mostrengo que está no fim do mar
Na noite de breu ergueu-se a voar;
À roda da nau voou três vezes,
Voou três vezes a chiar,
E disse: *Quem é que ousou entrar*
Nas minhas cavernas que não desvendo,
Meus tetos negros do fim do mundo?
E o homem do leme disse, tremendo:
'El-Rei Dom João Segundo!'

'De quem são as velas onde me roço?
De quem as quilhas que vejo e ouço?'
Disse o monstrengo, e rodou três vezes,
Três vezes rodou imundo e grosso:
'Quem vem poder o que eu só posso,
Que moro onde nunca ninguém me visse
E escorro os medos do mar sem fundo?'
E o homem do leme tremeu, e disse:
'El-Rei Dom João Segundo!'"[FP]

7. Estrofação

O poema pode conter dois ou mais versos os quais se agrupam para formar uma *estrofe*.

O costume tradicional é iniciar cada verso com letra maiúscula, qualquer que seja a sua relação sintática. Pode-se, entretanto, pôr, no início, letra minúscula, conforme a sua relação sintática com o verso precedente.

As estrofes podem ser *simples, compostas* e *livres*.
Simples são as estrofes formadas de versos com a mesma medida.
Compostas são as que encerram versos de diferentes medidas.
Livres são as que admitem versos de qualquer medida.

As estrofes de dois, três, quatro, cinco, seis, oito e dez versos recebem respectivamente os seguintes nomes especiais: *dísticos* ou *parelhas, tercetos, quadras* (ou *quartetos*), *quintilhas* (*quintetos*), *sextilhas* (*sextetos*), *oitavas* e *décimas*. As estrofes de sete e nove versos não têm nome especial; alguns autores usam para elas *setilhas* e *nonas*.

8. Verso de ritmo livre

"O que chamamos impropriamente *versos livres* é uma série irregular de versos que tomados em separado são regulares." [BH]

O verso de ritmo livre não tem número regular de sílabas, versos e estrofes, nem são uniformes e coincidentes o número e a distribuição das sílabas átonas e tônicas responsáveis pelo movimento rítmico.

O verso de ritmo livre exige do poeta uma realização tão completa quanto o verso regular.

Exercícios de fixação

1. **Assinale o único decassílabo:**
   ( ) "Fazem no vento que ruge."   ( ) "Rasga-se o negro bojo carregado."
   ( ) "Além dos mares tremulantes."   ( ) "Deste meu saudoso, carinhoso lar!..."

2. **Numere os versos da coluna A de acordo com as classificações relacionadas na coluna B:**
   Coluna A
   ( ) "E no túrbido ocaso se avista."
   ( ) "Deste meu saudoso, carinhoso lar!..."
   ( ) "Aqui nestas redondezas."
   ( ) "Troveja, estoura, atroa; e dentro em pouco..."
   ( ) "Eu não sou tão tola."
   ( ) "Em torno a cada ninho anda bailando uma asa."

   Coluna B
   1 - pentassílabo
   2 - decassílabo
   3 - eneassílabo
   4 - heptassílabo
   5 - dodecassílabo
   6 - hendecassílabo
   7 - tetrassílabo

3. **Numere os versos heptassílabos da coluna A de acordo com os fenômenos fonéticos relacionados na coluna B:**
   Coluna A
   ( ) "Da minha infância querida."
   ( ) "Mas o seu olhar magoado."
   ( ) "Que os anos não trazem mais."
   ( ) "Cá tudo muda com os anos."
   ( ) "Que se chama saudade."
   ( ) "Da aurora da minha vida."

   Coluna B
   1 - ectlipse
   2 - crase
   3 - elisão
   4 - sinérese
   5 - sinalefa
   6 - diérese

4. **Assinale com (P) ou (I) as rimas perfeitas e imperfeitas, respectivamente, nos seguintes exemplos:**
   ( ) puras / doçuras   ( ) luz / azuis   ( ) aragem / margem
   ( ) vela / estrela(s)   ( ) compõe / dói   ( ) amá-la / tala

5. Assinale dentro dos parênteses com (C) as rimas consoantes e com (T) as toantes, dos seguintes exemplos:
   ( ) puras / doçuras   ( ) vaga-lume / ciúme
   ( ) leva / terra   ( ) aurora / vitória

6. Numere a coluna A de acordo com a coluna B, relacionando as diferentes disposições das rimas nos versos à sua respectiva classificação:
   Coluna A   Coluna B
   ( ) abba   ( ) aabccb   1 - emparelhadas   4 - interpoladas
   ( ) abcbcd   ( ) aabb   2 - alternadas   5 - misturadas
   ( ) abab   3 - opostas

Capítulo 31
Breve história externa da língua portuguesa

"As armas e padrões portugueses postos em África e em Ásia e em tantas mil ilhas fora da repartiçam das três partes da Terra, materiaes sam, e pode-as o tempo gastar: peró nã gastará doutrina, costumes, linguagem, que os portugueses nestas terras leixarem."
(João de Barros, *Diálogo em louvor da nossa linguagem*)

Língua portuguesa
Olavo Bilac

Última flor do Lácio, inculta e bela,
És, a um tempo, esplendor e sepultura:
Ouro nativo, que na ganga impura
A bruta mina entre os cascalhos vela...

Amo-te assim, desconhecida e obscura,
Tuba de alto clangor, lira singela,
Que tens o trom e o silvo da procela,
E o arrolo da saudade e da ternura!

Amo o teu viço agreste e o teu aroma
De virgens selvas e de oceano largo!
Amo-te, ó rude e doloroso idioma,

Em que da voz materna ouvi: "meu filho!"
E em que Camões chorou, no exílio amargo,
O gênio sem ventura e o amor sem brilho!

(*Poesias*)

A língua portuguesa é a continuação ininterrupta, no tempo e no espaço, do latim levado à Península Ibérica pela expansão do império romano, no início do séc. III a.c. Particularmente está na raiz do processo de romanização dos povos do oeste e noroeste (lusitanos e galaicos), processo que encontrou tenaz resistência dos habitantes originários dessas regiões.

Depois do movimento de romanização, sofreu a Península a invasão dos bárbaros germânicos, em diversos momentos e com diversidade de influências, que muito contribuíram para a fragmentação linguística da Hispânia: em 409 foi a vez dos alanos, vândalos e suevos; em 416, dos visigodos. Deste contacto encontramos como resultado a visível influência germânica, especialmente dos visigodos, no léxico e na onomástica.

No século VIII, em 711, voltou a Península a ser invadida pelos árabes, consumando a série de fatores externos que viriam a explicar a diferenciação linguística do português no mosaico dialetal que hoje conhecemos. Apesar do largo contributo na cultura e na língua — especialmente no léxico —, a permanência muçulmana não teve força suficiente para apagar as indeléveis marcas de romanidade das línguas peninsulares (português, galego, castelhano, catalão).

O longo movimento de Reconquista, começado em 718, prolongou-se por séculos.

Em 1095, Afonso VI concedeu autonomia à Província Portucalense e em 1139 Afonso Henriques se proclamou o primeiro rei de Portugal.

O processo de Reconquista propagou este falar comum à Galiza e ao território portugalense em direção ao sul, sobrepondo-se aos dialetos moçárabes aí correntes. Já com a ajuda de cruzados ingleses, alemães, franceses e flamengos, e sob a bandeira portuguesa, prosseguiu a reconquista de novas cidades do sul, tomadas aos muçulmanos: Santarém, em março de 1147, e Lisboa, em outubro do mesmo ano. Até o séc. XV, segundo Orlando Ribeiro, o Minho ainda não constituía limite linguístico entre o galego e o português.

O português, na sua feição originária galega, surgirá entre os séculos IX-XII, mas seus primeiros documentos datados só aparecerão nos séculos XII e XIII: *A Notícia de Fiadores* (1175), o *Testamento de Afonso II* e a *Notícia de torto*. Curiosamente, a denominação "língua portuguesa" para substituir os antigos títulos "romance" ("romanço"), "linguagem", só passou a correr durante os escritores da Casa de Avis, com D. João I. Foi D. Dinis que oficializou o português como língua veicular dos documentos administrativos, substituindo o latim.

Entre os séculos XV e XVI Portugal ocupou lugar de relevo no ciclo das grandes navegações, e a língua, "companheira do império", se espraiou pelas regiões incógnitas, indo até o fim do mundo, e, na voz do Poeta, "se mais mundo houvera lá chegara". (*Os Lusíadas*, VII, 14)

Depois da expansão interna que, literária e culturalmente, exerce ação unificadora na diversidade dos falares regionais, mas que não elimina de todo essas diferenças refletidas nos dialetos, o português se arrojou, na palavra de indômitos marinheiros, pelos mares nunca d'antes navegados, a fim de ser o porta-voz da fé e do império. São passos dessa gigantesca expansão colonial e religiosa, cujos efeitos, além da abertura dos mares (especialmente o Atlântico e o Índico), foram, segundo afirmação de Humboldt, uma duplicação do globo terrestre.

Tomado o século XII como início da fase a que Leite de Vasconcelos chamou *português histórico*, isto é, documentado historicamente, podemos dividi-lo em períodos linguísticos.

Adotaremos aqui a seguinte proposta, incluindo na primeira fase a realidade galego-portuguesa:

a) *português arcaico*: do séc. XII ao final do XIV;
b) *português arcaico médio*: da 1.ª metade do séc. XV à 1.ª metade do séc. XVI;
c) *português moderno*: da 2.ª metade do séc. XVI ao final do XVII (podendo-se estender aos inícios do séc. XVIII);
d) *português contemporâneo*: do séc. XVIII aos nossos dias.

Ao primeiro período pertencem, além dos textos administrativos de leis, forais e ordenações, a poesia palaciana encerrada nos Cancioneiros medievais (Ajuda, Vaticana e Biblioteca Nacional, antigo Colocci Brancuti), as *Cantigas de Santa Maria*, algumas vidas de santos (Barlaão e Josafá, S. Aleixo, etc., traduções, em geral, de textos latinos, que chegaram até nós, quase sempre, em cópias mais modernas), o *Livro das Aves*, o *Fabulário de Esopo*, a *Demanda do Santo Graal*, *Corte Imperial*, entre muitas.

Ao segundo período pertencem o *Livro da Montaria*, de D. João I, *Leal Conselheiro* e *Livro da Ensinança de Bem Cavalgar toda Sela*, de D. Duarte, as crônicas de Fernão Lopes (*D. João I, D. Pedro, D. Fernando*), de Zurara (*Crônica dos Feitos da Guiné, Crônica da Tomada de Ceuta*), a *Crônica dos Frades Menores*, as crônicas de Rui Pina, entre muitas outras obras.

Ao terceiro período pertencem as obras históricas e literárias de João de Barros, Diogo do Couto, Fernão Lopes de Castanheda, Damião de Góis, Gaspar Correia, o *Palmeirim de Inglaterra* de Francisco de Morais, a *Etiópia Oriental* de Frei João dos Santos, a obra literária de Sá de Miranda e o teatro clássico de Antônio Ferreira, a prosa mística da *Imagem da Vida Cristã* de Heitor Pinto, os *Diálogos* de Amador Arrais, os *Trabalhos de Jesus* de Tomé de Jesus e a *Consolação às Tribulações de Israel*, de Samuel Usque, a *Peregrinação* de Fernão Mendes Pinto, Pero Magalhães de Gandavo, mas a todos excede Luís de Camões que, não sendo "propriamente o criador do português moderno (...), libertou-o de alguns arcaísmos e foi um artista consumado e sem rival em burilar a frase portuguesa, descobrindo e aproveitando todos os recursos de que dispunha o idioma para representar as ideias de modo elegante, enérgico e expressivo. Reconhecida a superioridade da linguagem camoniana, a sua influência fez-se sentir na literatura de então em diante até os nossos dias". [SA]

Com muita razão, concede Said Ali, do ponto de vista linguístico, um lugar à parte, na literatura quinhentista, às comédias, autos e farsas do chamado teatro de medida velha que tem em Gil Vicente seu principal representante, produções de grande importância para o conhecimento da variedade coloquial e popular da época. Pertencem a este gênero especial os *Autos* de Antônio Prestes, de Chiado, de Jerônimo Ribeiro, a *Eufrosina* e *Ulissipo* de Jorge Ferreira de Vasconcelos, sobrelevando-se a todos eles as obras deste genial pintor da sociedade e dos costumes do séc. XVI em Portugal, que foi Gil Vicente.

No século XVII assistimos ao aperfeiçoamento da prosa artística com Frei Luís de Sousa, cuja linguagem representa uma fase de transição entre os dois momentos do português moderno. É o período em que ressaltam os *Sermões* do Padre Antônio Vieira, os *Apólogos Dialogais* de Francisco Manuel de Melo, a prosa religiosa do Padre Manuel Bernardes, os quadros bucólicos de *Corte na Aldeia* de Rodrigues Lobo, além dos representantes da historiografia de Alcobaça.

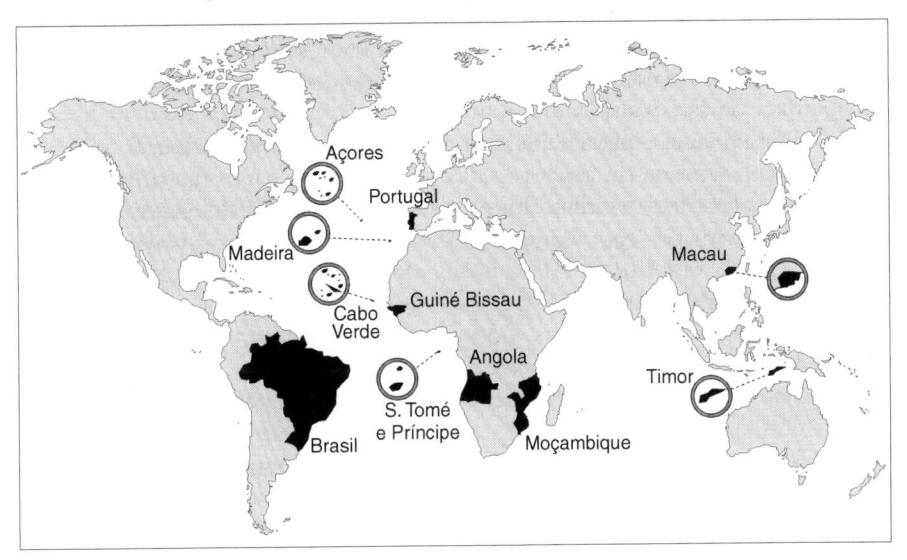

Fig. – O mundo da lusofonia

O século XVIII não é só o século das academias literárias, mas de todo um esforço na renovação da cultura e da instrução pública, sob o influxo dos ideais do neoclassicismo francês, esforço que culminou na reforma pombalina da Universidade, em 1772. Assiste-se a um reflorescimento da poesia com Pedro Antônio Correia Garção, Antônio Dinis da Cruz e Silva, Filinto Elísio, Tomás Antônio Gonzaga e os poetas árcades brasileiros, e Barbosa du Bocage.

Do ponto de vista linguístico, o português contemporâneo, fixado no decorrer do séc. XVIII, chega ao século seguinte sob o influxo de novas ideias estéticas, mas sem sofrer mudanças no sistema gramatical que lhe garantam, neste sentido, nova feição e nova fase histórica.

Expansão da língua portuguesa

Chegando ao Brasil em 1500 com nossos descobridores, praticamente só em 1534 foi introduzida a língua portuguesa com início efetivo da colonização, com o regime das capitanias hereditárias. Conclui-se que a língua que chegou ao Brasil pertence à fase de transição entre a arcaica e a moderna, já alicerçada literalmente.

No Brasil dessa época encontraram os descobridores e colonizadores portugueses uma variedade de falares indígenas, no cômputo aproximado de trezentos, hoje reduzidos a cerca de 170, na opinião de um dos seus mais categorizados conhecedores, Aryon Dall'Igna Rodrigues. Grande extensão territorial da nova terra era ocupada pela família Tupi-Guarani, que apresentava pouca diferenciação nas línguas que a integram.

Veio depois a contribuição das línguas africanas em suas duas principais correntes para o Brasil: ao Norte, de procedência sudanesa, e ao Sul, de procedência banto; temos, assim, no Norte, na Bahia, a língua nagô ou iorubá; no Sul, no Rio de Janeiro e Minas Gerais, o quimbundo.

A pouco e pouco, à medida que se ia impondo, pela cultura superior dos europeus, o desenvolvimento e progresso da colônia e do país independente, a língua portuguesa foi predominando sobre a "língua geral" de base indígena e dos falares africanos, a partir da segunda metade do século XVIII. É bem verdade que no século XVI tínhamos tido no Brasil um Bento Teixeira em Pernambuco, um Frei Vicente do Salvador e um Gregório de Matos na Bahia, e um Padre Antônio Vieira, todos pela ação benfazeja dos colégios religiosos.

Cremos que a consciência do português como língua nacional e língua materna, como disse bem o historiador José Honório Rodrigues citado por Sílvio Elia, está patente no trabalho do povo.

A lusofonia e seu futuro

Os escritores dos séculos XIX e XX de todos os quadrantes da Lusofonia souberam garantir este patrimônio linguístico herdado de tanta tradição literária.

Em Portugal, no Brasil, em Angola, Cabo Verde, Guiné-Bissau, Moçambique, São Tomé e Príncipe, acrescido recentemente de Timor, a língua portuguesa, patrimônio cultural de todas estas nações, tem sido, e esperamos seja por muito tempo, expressão da sensibilidade e da razão, do sonho e das grandes realizações.

Patrimônio de todos e elo fraterno da lusofonia de cerca de 280 milhões de falantes espalhados por todos os continentes, continuemos a formular os votos de Antônio Ferreira, no século XVI:

> **Floresça, fale, cante, ouça-se e viva**
> **A portuguesa língua, e já onde for,**
> **Senhora vá de si, soberba e altiva!**

Capítulo 32
Compreensão e interpretação de textos

Fechando o círculo

No início deste livro chamamos sua atenção para o fato de que o falar em geral do plano *universal* da linguagem (↗42) implica falar segundo as regras elementares do pensar em conformidade com o conhecimento geral que o homem tem do mundo e das coisas nele existentes. Enfim, as pessoas têm de ser *congruentes* no falar e no entender os outros. Bom exercício desta atividade é a *interpretação* e a *compreensão* de textos escritos. Por isso, esta *Gramática* não poderia terminar sem chamar a sua atenção para tão importante assunto.

Os dez mandamentos para análise de textos

1. Ler duas vezes o texto. A primeira para tomar contacto com o assunto; a segunda para observar como o texto está articulado; desenvolvido.
2. Observar que um parágrafo em relação ao outro pode indicar uma continuação ou uma conclusão ou, ainda, uma falsa oposição.
3. Sublinhar, em cada parágrafo, a ideia mais importante (tópico frasal).
4. Ler com muito cuidado os enunciados das questões para entender direito a intenção do que foi pedido.
5. Sublinhar palavras como: erro, incorreto, correto, etc., para não se confundir no momento de responder à questão.
6. Escrever, ao lado de cada parágrafo ou de cada estrofe, a ideia mais importante contida neles.
7. Não levar em consideração o que o autor quis dizer, mas sim o que ele disse; escreveu.
8. Se o enunciado mencionar *tema* ou *ideia principal*, deve-se examinar com atenção a introdução e/ou a conclusão.
9. Se o enunciado mencionar *argumentação*, deve preocupar-se com o desenvolvimento.
10. Tomar cuidado com os vocábulos relatores (os que remetem a outros vocábulos do texto: pronomes relativos, pronomes pessoais, pronomes demonstrativos, etc.).

Compreensão (ou intelecção) e interpretação de texto

Compreensão ou **intelecção de texto** – consiste em analisar o que realmente está escrito, ou seja, coletar dados do texto. O enunciado normalmente assim se apresenta:

As considerações do autor se voltam para...
Segundo o texto, está correta...
De acordo com o texto, está incorreta...
Tendo em vista o texto, é incorreto...
O autor sugere ainda que...
De acordo com o texto, é certo...
O autor afirma que...

Interpretação de texto – consiste em saber o que se infere (conclui) do que está escrito. O enunciado normalmente é encontrado da seguinte maneira:

O texto possibilita o entendimento de que...
Com apoio no texto, infere-se que...
O texto encaminha o leitor para...
Pretende o texto mostrar que o leitor...
O texto possibilita deduzir-se que...

Três erros capitais na análise de textos

1. Extrapolação

É o fato de se fugir do texto. Ocorre quando se interpreta o que não está escrito. Muitas vezes são fatos reais, mas que não estão expressos no texto. Deve-se ater somente ao que está relatado.

2. Redução

É o fato de se valorizar uma parte do contexto, deixando de lado a sua totalidade. Deixa-se de considerar o texto como um todo para se ater apenas à parte dele.

3. Contradição

É o fato de se entender justamente o contrário do que está escrito. É bom que se tome cuidado com algumas palavras, como: "pode"; "deve"; "não"; verbo "ser"; etc.

Linguística textual

Para não se ser ludibriado pela articulação do contexto, é necessário que se esteja atento à *coesão* e à *coerência* textuais.

Coesão textual é o que permite a ligação entre as diversas partes de um texto. Pode-se dividir em três segmentos: *coesão referencial, coesão sequencial* e *coesão recorrencial*.

1. Coesão referencial – é a que se refere a outro(s) elemento(s) do mundo textual.
Exemplos:
a) O presidente George W. Bush ficou indignado com o atentado no World Trade Center. *Ele* afirmou que "castigará" os culpados. (retomada de uma palavra gramatical → referente "Ele" = "Presidente George W. Bush")
b) De você só quero *isto*: a sua amizade (antecipação de uma palavra gramatical → "isto" = "a sua amizade")
c) O homem acordou feliz naquele dia. *O felizardo* ganhou um bom dinheiro na loteria. (retomada por palavra lexical → "o felizardo" = "o homem")

2. Coesão sequencial – é feita por conectores ou operadores discursivos, isto é, palavras ou expressões responsáveis pela criação de relações semânticas (causa, condição, finalidade, etc). São exemplos de conectores: mas, dessa forma, portanto, então, etc.
Exemplo:
Ele é rico, *mas* não paga as suas dívidas.

Observe-se que o vocábulo "mas" não faz referência a outro vocábulo; apenas conecta (liga) uma ideia a outra, transmitindo a ideia de *compensação*.

3. Coesão recorrencial – é realizada pela repetição de vocábulos ou de estruturas frasais semelhantes.
Exemplos:
Os carros *corriam, corriam, corriam.*
O aluno *finge que lê, finge que ouve, finge que estuda.*

Coerência textual é a relação que se estabelece entre as diversas partes do texto, criando uma unidade de sentido. Está ligada ao entendimento, à possibilidade de interpretação daquilo que se ouve ou lê.
Um fato normal é a coesão textual levar à coerência; porém pode haver texto com a presença de elementos coesivos, e não apresentar coerência.
Veja o texto abaixo:
O presidente George W. Bush está descontente com o grupo Talibã. Estes eram estudantes da escola fundamentalista. Eles, hoje, governam

o Afeganistão. Os afegãos apoiam o líder Osama Bin Laden. Este foi aliado dos Estados Unidos quando da invasão da União Soviética ao Afeganistão.

Comentário:
Ninguém pode dizer que falta coesão a este parágrafo. Mas de que se trata mesmo? Do descontentamento do Presidente dos Estados Unidos? Do grupo Talibã? Do povo afegão? Do Osama Bin Laden?
Embora o parágrafo tenha coesão, não apresenta coerência, entendimento.
Pode ainda um texto apresentar coerência, e não apresentar elementos coesivos.

Intertextualidade ou polifonia

Consiste em apresentar a fala de outra pessoa, ou do próprio autor em outro texto. Pode ser expressa por meio de paráfrases, ou paródias, ou citações.

No poema *Escapulário*, de Oswald de Andrade ("No Pão de Açúcar/ De cada dia/ Dai-nos Senhor [...]"), observa-se que a intertextualidade aparece sob a forma de paródia do discurso religioso.

No seguinte exemplo, verifica-se que a intertextualidade aparece sob a forma de paráfrase do texto de Camões.

"Deseje a insegurança, pois isso é desejar a vida. Busque a insegurança e a mudança. Procure os caminhos ainda não trilhados e *navegue por mares ainda não navegados*, porque esse é o caminho da vida." (Revista *Motivação & Sucesso*, Empresa Anthropos Consulting)

Tipologia textual

Pode-se dizer que existem basicamente três tipos de texto: o *descritivo*, o *narrativo* e o *dissertativo*.

Texto descritivo

A descrição assemelha-se ao retrato. Num retrato observam-se detalhes. Numa descrição, é preciso que o autor chame a atenção para determinadas características do ser.

A descrição procura transmitir ao leitor a imagem que se tem de um ser mediante a percepção dos cinco sentidos: tato, gustação, olfato, visão e audição.

Exemplo:
"Eram sapatos de homem, de bico fino, sem cadarço, de couro marrom. Ainda novos. Porém recobertos de uma poeira fina, parecendo açúcar de confeiteiro." (Heloisa Seixas, *Revista de Domingo, Jornal do Brasil,* 21/10/2001)

Texto narrativo

A narração é a forma de composição que consiste no relato de um fato real ou imaginário. É como se acabássemos de assistir a um filme e contássemos a história sem colocar a nossa opinião.

O texto narrativo compõe-se de exposição, enredo e desfecho; e os elementos centrais são as personagens, as ações e as ideias.

Exemplo:
"Há coisas que só acontecem nos Estados Unidos. A *Federal Aviation Association*, FAA, investiga como um porco — isso mesmo, um porco — de 135 kg conseguiu embarcar na primeira classe de um Boeing 757. E mais, nele viajou por seis horas. Segundo os relatos, o animal foi embarcado no dia 17 de outubro no voo 107 sem escalas da companhia *US Airways* que saiu da Filadélfia para Seatle." (*Jornal do Brasil,* 1/11/2000)

Texto dissertativo

A dissertação é a forma de composição que consiste na posição pessoal sobre determinado assunto.

Quanto à formulação dos textos, o discurso dissertativo pode ser:

a) *expositivo*: consiste numa apresentação, explicação, sem o propósito de convencer o leitor. Não há intenção expressa de criar debate, pela contestação de posições contrárias às nossas.

Exemplo:
"Eu, se tivesse um filho, não me meteria a chefiá-lo como se ele fosse um soldado de chumbo. Teria que lhe dar uma certa autonomia, para que pudesse livremente escolher o seu clube de futebol, procurar os seus livros, opinar à mesa, sem que esta aparência de liberdade fosse além dos limites. Não queria que parecesse um ditador, nem tampouco um escravo. Os meninos mandões e os meninos passivos são duas deformações desagradáveis." (Edições *O Cruzeiro – O Vulcão e a Fonte*)

b) *argumentativo*: consiste numa opinião que tenta convencer o leitor de que a razão está do lado de quem escreveu o texto. Para isso, lança-se mão de um raciocínio lógico, coerente, baseado na evidência de provas.

Exemplo:
"Em geral as pessoas morrem em torno dos trinta anos e são sepultadas por volta dos setenta. Leva quarenta anos para os outros perceberem que aquela pessoa está morta. Lembre-se: a vida é sempre uma incerteza. Somente o que é morto é certo, fixo, sólido." (Revista *Motivação & Sucesso*, Empresa Anthropos Consulting)

Análise de textos fragmentados

Exercício 1
Assinale a opção que mantém o mesmo sentido do trecho destacado a seguir.
"Uma das grandes dificuldades operacionais encontradas em planos de estabilização é o conflito entre perdedores e ganhadores. *Às vezes reais, outras fictícios, estes conflitos geram confrontos e polêmicas que, com frequência, podem pressionar os formuladores da política de estabilização a tomar decisões erradas e, com isto, comprometer o sucesso das estratégias anti-inflacionárias.*" (Folha de São Paulo, 7/5/94).

a) Os formuladores da política de estabilização podem tomar decisões erradas se os conflitos, gerados por confrontos e polêmicas, os pressionarem; o sucesso das estratégias anti-inflacionárias fica, com isto, comprometido.
A afirmação é falsa.

1.º – Os conflitos é que geram confrontos e polêmicas.
2.º – Os confrontos e polêmicas, por sua vez, é que podem pressionar os formuladores da política de estabilização a tomar decisões erradas.

b) Estes conflitos, reais ou fictícios, geram confrontos e polêmicas que, frequentemente, podem pressionar os formuladores da política de estabilização a tomar decisões erradas, sem, com isso, comprometer o sucesso das estratégias anti-inflacionárias.
A afirmação é falsa.
"sem, com isso, comprometer" não tem apoio no texto que diz justamente o contrário: "e, com isto, comprometer".

c) O sucesso das estratégias anti-inflacionárias pode ficar comprometido se, pressionados por conflitos, reais ou fictícios, os formuladores da política de estabilização gerarem confrontos e polêmicas ao tomarem as decisões erradas.
A afirmação é falsa.

1.º – O sucesso das estratégias anti-inflacionárias pode ficar comprometido se os formuladores da política de estabilização tomarem decisões erradas.

2.º – Os formuladores da política de estabilização podem ser pressionados por confrontos e polêmicas decorrentes de conflitos.

d) Os conflitos, às vezes reais, outras fictícios, que podem pressionar os formuladores da política de estabilização a confrontos e polêmicas, comprometem o sucesso das estratégias anti-inflacionárias, se as decisões tomadas forem erradas.
A afirmação é falsa.

1.º – Os conflitos geram confrontos e polêmicas.
2.º – Os confrontos e polêmicas podem pressionar os formuladores da política de estabilização a tomar decisões erradas.

e) O sucesso das estratégias anti-inflacionárias pode ficar comprometido se os formuladores da política de estabilização, pressionados por confrontos e polêmicas decorrentes de conflitos, tomarem decisões erradas.
A afirmação é verdadeira.
Tal paráfrase (mesma ideia do texto escrita de outra forma) atende ao sentido do texto.

Exercício 2
Leia o trecho abaixo para responder à questão seguinte.
"O mais difícil Osíris conseguiu. Acordou uma parte da sociedade para o desmanche de um argumento segundo o qual é razoável que uma pessoa sonegue impostos, visto que o governo é um mau administrador. Se essa lorota fosse sincera, as pessoas doariam o dinheiro sonegado para as obras de Madre Teresa de Calcutá. Como o embolsam, felizmente apareceu um servidor público, correndo-lhes atrás." (*Veja*, 26/1/94, p.81)

O entendimento correto para o fato conseguido pelo secretário da Receita Federal, Osíris Lopes Filho, é:
a) Despertou um segmento da sociedade para a desmontagem da lógica de que a sonegação de impostos é prática consentânea à má administração governamental dos recursos oriundos do contribuinte. (consetânea = adequada)
A afirmação é verdadeira. As ideias da opção estão de acordo com as do texto.

b) Convenceu grande parcela de brasileiros acerca da razoabilidade da sonegação de impostos, desde que esses valores fossem doados a obras de caridade, reconhecidamente filantrópicas, como as de Madre Teresa de Calcutá.
A afirmação é falsa. Em nenhuma parte do texto, o autor afirma que a sonegação de impostos é razoável.

c) Fez com que parte significativa dos sonegadores acordasse para a veracidade da lorota de que a sonegação pode ser corolária da má aplicação dos

recursos públicos, visto ser o governo um mau administrador. (corolária = consequência)
A afirmação é falsa. O articulista não escreveu que os sonegadores ou parte deles tivessem despertado para nada. Além disso, há incoerência em "veracidade da lorota" (verdade da mentira).

d) Alertou grande parte da sociedade para a ilação falaciosa segundo a qual o perdão da dívida está em relação diretamente proporcional às doações a obras filantrópicas. (ilação = conclusão)
A afirmação é falsa. O autor, em nenhum momento, fala em "perdão da dívida".

e) Mudou a visão da sociedade brasileira para referendar o silogismo da permissibilidade da sonegação, desde que condicionada à doação do montante sonegado para as obras de Madre Teresa de Calcutá. (silogismo = conclusão)
A afirmação é falsa. Em parte alguma do texto, infere-se que a sonegação seja permitida.

Exercício 3
"Na Idade Média, ao contrário da festa oficial, o carnaval era o triunfo de uma espécie de liberação temporária da verdade dominante e do regime vigente, da abolição provisória de todas as relações hierárquicas, privilégios e tabus." (M. Bakhtin, *A cultura popular na Idade Média e no Renascimento*, São Paulo, Hucitec; Brasília, Ed. da UnB, 1987)

Indique o item em que as *festas oficiais* da Idade Média são caracterizadas de acordo com o que se depreende do texto.

a) Nessas festas, elaboravam-se formas especiais de comunicação, francas e irrestritas, impregnadas de uma simbologia da alegre relatividade das verdades e autoridades no poder.
A afirmação é falsa. Todo tipo de liberdade ou consagração da igualdade ocorria no carnaval.

b) Essas festas tinham por finalidade a consagração da desigualdade; nelas, as distinções hierárquicas destacavam-se intencionalmente.
A afirmação é verdadeira. Nas festas oficiais, não havia nenhum tipo de liberdade e, muito menos, as pessoas eram colocadas no mesmo plano.

c) Eram autênticas festas do tempo futuro, das alternâncias e renovações.
A afirmação é falsa. No carnaval é que havia perspectivas de mudanças.

d) Essas festas opunham-se a toda perpetuação, a toda regulamentação e aperfeiçoamento, apontavam para um ideal utópico.
A afirmação é falsa. O carnaval é que se opunha à perpetuação e à regulamentação.

e) Contrastando com a excepcional segmentação em estados e corporações da vida diária, essas festividades sustavam a aplicação dos códigos correntes de etiqueta e comportamento.
A afirmação é falsa. O carnaval interrompia a aplicação dos códigos correntes de etiqueta e comportamento.

Lista de abreviaturas (autores)

[AA]   Álvares de Azevedo
[AAr]   Afonso Arinos
[AAz]   Aluísio Azevedo
[AC]   Antônio Feliciano de Castilho
[ACo]   Adolfo Coelho
[ACor]   Dom Aquino Correia
[ACou]   Afrânio Coutinho
[ACt]   Armando Cortesão
[AD]   Autran Dourado
[AF]   Antônio Ferreira
[AFg]   Antero de Figueiredo
[AG]   A. Guimarães
[AGa]   Almeida Garrett
[AGr]   Antoine Grégoire
[AGu]   Alcindo Guanabara
[AH]   Alexandre Herculano
[AK]   Adriano da Gama Kury
[AL]   Emilio Alarcos Llorach
[AM]   Aníbal Machado
[AMB]   Artur de Magalhães Basto
[AMM]   Ana Maria Machado
[AN]   Antenor Nascentes
[ANb]   Antônio Nobre
[AO]   Alberto de Oliveira
[AP]   Afonso Pena Jr.
[AR]   Aquilino Ribeiro
[AS]   Antônio Sandmann
[ASu]   Ariano Suassuna
[AV]   Pe. Antônio Vieira
[BBo]   José M. Barbosa du Bocage
[BG]   Bernardo Guimarães
[BH]   Ch. Bruneau-M. Heulluy

[BLS]	Barbosa Lima Sobrinho
[BM]	Bertil Malmberg
[BP]	Bernard Pottier
[CA]	Casimiro de Abreu
[CAl]	Cesar H. Alonso
[CAv]	Castro Alves
[CAz]	José Carlos Azeredo
[CB]	Charles Bally
[CBr]	Camilo Castelo Branco
[CC]	Luís da Câmara Cascudo
[CCh]	Celso Cunha e Lindley Cintra
[CCo]	Carlos Heitor Cony
[CF]	Cândido de Figueiredo
[CG]	Carlos Góis
[CJ]	Cândido Jucá (filho)
[CL]	Carlos de Laet
[CLi]	Clarice Lispector
[CLu]	Celso Pedro Luft
[CN]	Coelho Neto
[CP]	Eduardo Carlos Pereira
[CPi]	José Cardoso Pires
[CR]	Ernesto Carneiro Ribeiro
[CS]	Cruz e Sousa
[CSi]	Alberto da Costa e Silva
[DG]	Francisco Dias Gomes
[DR]	Darcy Ribeiro
[EBm]	Eneida Bonfim
[EBv]	Émile Benveniste
[EC]	Euclides da Cunha
[ECs]	Eugenio Coseriu
[ED]	Epifânio Dias
[EG]	Ernst Gamillscheg
[EM]	Alfred Ernout-Antoine Meillet
[EMa]	Eduardo Martins
[EN]	Eugene Nida
[EP]	Eduardo Prado
[EQ]	Eça de Queirós
[ER]	Elise Richter
[ES]	Eduard Sapir
[FB]	Fausto Barreto
[FBl]	Franz Blatt
[FBr]	Ferdinand Brunot
[FC]	Firmino Costa
[FDz]	Friedrich Diez

[FE]	Filinto Elísio
[FF]	Francisco José Freire
[FH]	Frederico Hanssen
[FP]	Fernando Pessoa
[FT]	Franklin Távaro
[FV]	Fagundes Varela
[GA]	Graça Aranha
[GB]	Gustavo Barroso
[GD]	Gonçalves Dias
[GG]	Samuel Gili Gaya
[GGh]	Georges Gougenheim
[GJ]	Guerra Junqueiro
[GM]	Gladstone Chaves de Melo
[GR]	J. Guimarães Rosa
[GrR]	Graciliano Ramos
[HB]	Mª Lluísa Hernanz-José Mª Brucart
[HC]	Humberto de Campos
[HCv]	J. G. Herculano de Carvalho
[HG]	Heráclito Graça
[HGe]	Horst Geckeler
[HM]	Harri Meier
[HP]	Frei Heitor Pinto
[HR]	Horácio Rolim de Freitas
[HS]	Holger Stein
[JA]	José de Alencar
[JCo]	Jacinto de Prado Coelho
[JCR]	Jacinto Corte-Real
[JD]	João de Deus
[JDi]	Julio Dinis
[JDe]	J. Deely
[JF]	Jackson de Figueiredo
[JG]	José Geralda Dantas
[JJN]	José Joaquim Nunes
[JL]	José Lins do Rego
[JLy]	John Lyons
[JM]	Júlio Moreira
[JMa]	Johan Nicolau Madvig
[JMt]	Josué Montello
[JN]	Joaquim Nabuco
[JO]	José Oiticica
[JR]	João Ribeiro
[JRi]	Júlio Ribeiro
[JU]	João Ubaldo Ribeiro
[JV]	Jules Vendryes

[KB]	Karl Brugmann
[KN]	Kristoffer Nyrop
[LB]	Lima Barreto
[LBl]	Leonard Bloomfield
[LC]	Luís de Camões
[LCa]	Lúcio Cardoso
[LCi]	Luís Felipe Lindley Cintra
[LCo]	Latino Coelho
[LCr]	F. Lázaro Carreter
[LG]	Luís Guimarães Jr.
[LM]	Leonardo Mota
[LMen]	Lúcio de Mendonça
[LR]	Léonce Roudet
[LS]	Frei Luís de Sousa
[LSo]	Luiz Eduardo Soares, Claudio Ferraz, Andre Batista, Rodrigo Pimentel
[LSp]	Leo Spitzer
[LV]	José Leite de Vasconcelos
[MA]	Machado de Assis
[MAg]	Martinz de Aguiar
[MAi]	Matias Aires
[MAl]	Mário de Alencar
[MAn]	Mário de Andrade
[MB]	Manuel Bandeira
[MBa]	Mário Barreto
[MBe]	Pe. Manuel Bernardes
[MBr]	Michel Bréal
[MBs]	Margarida Basílio
[MC]	J. Mattoso Câmara Jr.
[MG]	R. F. Mansur Guérios
[ML]	Monteiro Lobato
[MLe]	Mendes Leal
[MLk]	W. Meyer-Lübke
[MM]	Marquês de Maricá
[MMa]	Maximino Maciel
[MMc]	Aires da Mata Machado Filho
[MMe]	Francisco Manuel de Mello
[MN]	Max Niedermann
[MP]	Martins Pena
[MPz]	Marcial Morera Perez
[MR]	Moritz Regula
[MV]	Mário Vilela
[NC]	Nina Catach
[NE]	Hans Nilsson-Ehle
[NR]	Nelson Rodrigues

[NT]	T. Navarro Tomás
[OB]	Olavo Bilac
[OG]	Othon Moacir Garcia
[OJ]	Otto Jespersen
[OM]	Manuel Odorico Mendes
[PA]	Manuel de Araújo Porto-Alegre
[PAd]	Pedro Adrião
[PC]	Pinheiro Chagas
[PD]	Porto Dapena
[PDo]	Conde Pinheiro Domingues
[PL]	Pacheco da Silva Jr. e Lameira de Andrade
[PJ]	Pacheco da Silva Júnior
[PP]	Pedro Augusto Pinto
[PR]	Ernesto de Paiva Raposo
[PS]	Paulino de Sousa
[RB]	Rui Barbosa
[RBa]	Raimundo Barbadinho Neto
[RC]	Raimundo Correia
[RCa]	Ricardo Cavaliere
[RCo]	Ribeiro Couto
[RD]	Santa Rita Durão
[RF]	Rubem Fonseca
[RG]	F. Rebelo Gonçalves
[RL]	C. Henrique da Rocha Lima
[RLb]	Rodrigues Lobo
[RLp]	Manuel Rodrigues Lapa
[RLz]	Rodolfo Lenz
[RP]	Raul Pompeia
[RQ]	Rachel de Queiroz
[RS]	Augusto Rebelo da Silva
[RT]	Graça Maria Rio-Torto
[RV]	A. G. Ribeiro de Vasconcelos
[SA]	Manuel Said Ali
[SL]	Mário Pereira de Sousa Lima
[SLn]	Simão Lopes Neto
[SR]	Silva Ramos
[SS]	Álvaro F. de Sousa da Silveira
[SU]	S. Ulmann
[TG]	Tomás Antônio Gonzaga
[TJ]	Frei Tomé de Jesus
[TM]	Theodoro Henrique Maurer
[TV]	Teixeira de Vasconcelos
[VB]	Vittório E. Bergo
[VBr]	Viggo Brøndal

[VC]   Vicente de Carvalho
[VK]   Valter Kehdi
[VM]   Vinicius de Moraes
[VV]   Veikko Väänänen
[WZ]   Walther von Wartburg-Paul Zumthor
[YM]   Yakov Malkiel

Índice de Assuntos

A

abraçar 497
abreviação 577
abreviaturas, símbolos e siglas 711
acento 650
acento de insistência e emocional 651
acento frásico 650
z grave 679
   emprego 337
acento principal 650, 652
acento secundário 650, 652
acentuação 650, 674, 706
acerca de / cerca de / a cerca de / há cerca de 405, 713
acudir 497
   conjugação 254, 283
acumulação de elementos mórficos 552
acúmulo de preposições 330
adaptar
   conjugação 257
aderir
   conjugação 235, 252, 286
à distância 338
a distinção de verbos nocionais e relacionais 226
adjetivação de orações
      originariamente substantivas 380

adjetivo 136
   flexões 138
   formação do feminino 140
   formação do plural 138
   gênero 140
   gradação 141
   número 138
   substantivação 138
adjetivos diminutivos 147
adjunto adnominal 80, 82, 85, 87, 325
adjunto adverbial 83, 84, 182
adjunto adverbial de instrumento 395
advérbio e preposição 311
advérbios de base nominal e pronominal 315
advertência (oração intercalada) 389
advertir
   conjugação 252, 286
advir
   conjugação 235, 287
a e à (crase) 331, 337, 338, 339, 341
a e há
   emprego 341
aferir
   conjugação 252, 286
afinidade (solidariedade) 598
afixos 545
   prefixos e sufixos. interfixos 549
agente da passiva 73, 350
aglutinação 560, 687

agradar 67, 497
agredir
  conjugação 252, 286
aguar
  conjugação 250, 255, 678
ajudar 66
alfabeto 616, 662
alfabeto e os nomes próprios
    estrangeiros e seus derivados
    662
alfabeto fonético 616
algo
  emprego 194
alínea 733
aliteração 637, 744, 745, 754
alofone 611, 612
alomorfe 243, 547
alterações gráficas no superlativo
    absoluto 143
alterações semânticas 598
alterações semânticas por influência
    de um fato de civilização 601
alternância entre adjetivo e advérbio
    465
alternância supletiva 554
alternância vocálica ou metafonia
    250
altura 618, 619
a maioria de 474
amiudar
  conjugação 259
anacoluto 527
anáfora 190, 530, 744
análise estilística 739
anástrofe 511, 530
anexo, apenso e incluso
  concordância 461
anglicismos 533, 535
anomalias de linguagem 532, 537
antecipação ou prolepse 527
antever
  conjugação 263, 282
antitaxe (substituição) 40, 42
antítese 602, 741

antonímia 604
antônimos 604
antonomásia 601
antropônimos 98, 131, 663
a olhos vistos 463
ao mesmo tempo que 365, 405
apaniguar
  conjugação 256, 678
aparelho fonador 613
aparte / à parte 683, 714
apaziguar
  conjugação 250, 256
apelido 98
apenso
  concordância 461
apiedar-se
  conjugação 270
apoiar 258
aposto referido a uma oração 87
apóstrofe 602
apóstrofo 687
a (prep.) 61, 65, 146, 181, 203, 220,
    241, 336, 337
apropinquar
  conjugação 256, 678
à que, às que 397
arcaísmos 557
arguir
  conjugação 254
arquifonema 620
arquilexema 596, 598
arrizotônica 249
artigo
  classificação 152
artigo definido 152
  emprego 153
artigo indefinido 152
  emprego 157
aspecto 136
aspectos do verbo 239
aspergir
  conjugação 253, 286
assíndeto 530
assistir 61, 66, 299

até
  emprego 341
à toa 714
através de 329, 722
aumentativo 571
aumentativos e diminutivos 130
auxiliares causativos 242
auxiliares modais 241
auxiliares sensitivos 242
averiguar
  conjugação 250, 256, 678
avir-se
  conjugação 287
avir-se e haver-se 264
avisar 67
à vontade 715

B

barbarismo 532
base lexical real 549
base lexical teórica 549
bem-feito / benfeito / bem feito! 715
bem haja
  concordância 488
bem-posto / bem posto 715
bilhão 217
braquilogia 551
braquilogia ou abreviação 600

C

caber
  conjugação 277
cacofonia ou cacófato 638, 639
cada
  emprego 195
cada um de, nem um de, nenhum de 474
cair
  conjugação 283
calcos linguísticos 557

campo léxico v. classe léxica 595, 597
cantar
  conjugação 232, 246
cardinais 218, 219
castelhanismos 533
catacrese 600
catáfora 190
categorias gramaticais 103, 550
categorias verbais 226, 227
cavalgamento 745
cavidade bucal 627
cavidade bucal 614, 615, 618, 627, 628
cerca de 405
certo
  emprego 196
cerzir
  conjugação 252, 259, 286
cesura 745, 748, 751
circunstâncias adverbiais 313
citação (oração intercalada) 388
clareza 330
classe léxica v. campo léxico 595
classema 597, 598
classes de palavras 80, 89
classificação das consoantes 627, 629
classificação das vogais 618, 619
classificação dos pronomes 163
cláusula 39
clique 614
cobrir
  conjugação 284
colchete 612, 723, 731, 732
coletivos 99
  para animais 101
  para coisas 102
  para pessoas 100
colisão 638
colocação
  sintaxe 36
colocação de pronomes 741
colocação dos termos na oração e das orações no período 513

com
  emprego 342
combinação de processos de formação de palavras 576
combinação de pronomes átonos 180
combinação e contração da preposição com outras palavras 331
combinações com advérbios 311
comentário 40
comparativo 141
comparativos e superlativos irregulares 145
compelir
  conjugação 235, 252, 286
competência linguística geral 45
competir
  conjugação 252, 286
complemento direto 60, 529
complemento nominal 80, 84
complemento predicativo 173
complemento relativo 60, 65, 66, 67, 72, 83
complemento relativo e adjunto adverbial 83
complementos de termos de regências diferentes 495
complementos verbais preposicionados 64, 65, 66
composição 557
composição do enunciado 411
composição e lexia 558
composição (estruturas secundárias) 598
comprazer
  conjugação 236, 277
co(m) (prep.) 333
conceito de composição e de lexia 558
concernir
  conjugação 286
concordância
  sintaxe 35
concordância com adjetivos compostos 467
concordância com a expressão *que dirá* 487
concordância com a expressão *que é de* 487
concordância com *dar* (e sinônimos) aplicado a horas 481
concordância com *haja vista* 484
concordância com *mais de um* 477
concordância com numerais 217, 466
concordância com os pronomes relativos 478
concordância com o verbo na reflexiva de sentido passivo 481
concordância com *quais de vós* 478
concordância com *que de* 478
concordância com títulos no plural 483
concordância com verbos impessoais 480
concordância do pronome 465
concordância do verbo com sujeito oracional 484
concordância do verbo ser 475
concordância ideológica ad sensum 456
concordância na locução verbal 482
concordância nas expressões de porcentagem 485
concordância nas expressões *perto de, cerca de* e equivalentes 487
concordância no aposto 484
concordância nominal 457
concordância verbal 47, 455, 470
concorrência de si e ele na reflexividade 179
concorrência de subordinadas: equipolência interoracional 408
concorrência de termo + oração subordinada 410
conectores ou conjunções coordenativas 357
conferir
  conjugação 252, 286
congruência 43

conhecimento das coisas 38
conjugação de um verbo pronominal
　apiedar-se 270
conjugação de verbo na voz passiva
　299, 392
conjugação de verbos 232, 233, 265,
　270, 273, 276, 392
conjugação dos verbos irregulares 276
conjunção 356
conjunção condicional 361
conjunção integrante 360, 391, 393,
　524
conjunções aditivas 357
conjunções adversativas 359
conjunções alternativas 358
conjunções coordenadas 525
conjunções e expressões enfáticas 367
conjunções subordinativas 42, 360
conseguir
　conjugação 252, 260
consequência da próclise 653
consoante retroflexa 628
consoantes 551, 618, 627, 628, 630,
　632, 643
consoantes africadas 627
consoantes alveolares 628
consoantes alveolopalatais 628
consoantes bilabiais 628
consoantes de ligação 551
consoantes desvozeadas 628
consoantes fricativas 627, 632
consoantes homorgânicas 628
consoantes labiodentais 628
consoantes laterais 627, 630
consoantes linguodentais 628, 643
consoantes mudas 663
consoantes nasais 628
consoantes oclusivas 627
consoantes orais 628
consoantes palatais 628
consoantes sonoras 618, 628
consoantes surdas 618, 628
consoantes velares 628
consoantes vibrantes 627, 630

consoantes vozeadas 628
construção reflexa 177
contagem das sílabas do verso 746
contaminação sintática 528
contraposição 365
contra (prep.)
　emprego 343
convergir
　conjugação 252, 286
convir
　conjugação 287, 392
coordenação distributiva 388
coordenação (parataxe) 40
correto v. exemplar 44
crase 331, 338, 339, 341, 679, 746, 747
crase facultativa 341
crer
　conjugação 277
criação de palavras 557
cujo(s), cuja(s)
　emprego 202

D

daqui a 341, 405
dar
　concordância 481
　conjugação 276
dar-se ao trabalho 181
dativos livres 68
decorrência de subordinadas 407
deferir
　conjugação 252, 286
degradação do significado
　pejorativos 130
de há 405
dêixis 162
　anafórica 162
　catafórica 163
dêixis anafórica 216
delinquir
　conjugação 235, 256, 641, 678
denegrir

conjugação 252, 670
de (prep.)
   emprego 343, 533
dequeísmo 346
derivação 560
derivação prefixal 560
derivação v. flexão 130
desaguar
   conjugação 250
desavir
   conjugação 287
desavir-se
   conjugação 264
descrição 35
desdobramento das orações reduzidas 431
desejo (oração intercalada) 389
designação 314, 594
desinência modotemporal 243
desinência numeropessoal 245
desinência pessoal 244
desinências 243, 245, 550
desinências pessoais 244
desinências temporais 243
desinências verbais 523
despir
   conjugação 252, 286
determinante circunstancial 383
determinantes 81
detrás / de trás 717
deverbal 576
devido a 435
dialeto 44, 759
diatópica (variedade) 622
dicendi 390
diérese 626, 746
digerir
   conjugação 252, 286
dignar-se
   conjugação 257
dígrafo ou digrama 644
diminutivo 130, 572
diminutivo com valor superlativo 147
discurso 162

discurso direto 390
discurso indireto 390
discurso indireto livre 390
disposição das rimas 753
distribuição das sílabas 745, 756
ditongo crescente 623, 624, 626
ditongo decrescente 623, 625
ditongos 623
divertir
   conjugação 252, 286
dizer
   conjugação 277
dois-pontos
   emprego 730, 731
dormir
   conjugação 284

E

-ear ou -iar 261
eco 638
ectlipse 746, 747
elementos assilábicos 618, 631
elementos estruturais do verbo
   desinências e sufixos verbais 242
elementos gregos 551, 565
elementos latinos 551, 565
elementos mórficos 547, 551, 552, 553
elisão 746, 747
em (prep.)
   emprego 346, 347, 405, 499
embainhar 259, 550, 562
emergir 286
   conjugação 235, 253
emprego da preposição 335
emprego das iniciais maiúsculas e minúsculas 690
emprego de pronome tônico pelo átono 69, 174
emprego de tempos e modos 740
emprego do à acentuado 337
emprego do pronome 165
emprego do relativo 497

emprego e omissão do pronome
    pessoal 175
empréstimos lexicais 533
em vez de / ao invés de 718
encadeamento 754
ênclise 270, 516, 518
encontro consonantal 630, 644
encontros de fonemas e eufonia 201
é necessário, é bom, é preciso 463
é necessário paciência 463
enfileirar
    conjugação 258
enfim / em fim 718
ensinar 67, 500
entupir
    conjugação 237, 254, 283
enunciado 33, 34
enxaguar
    conjugação 250, 255, 669, 678
epíteto 379
é que 477
equipolência interoracional 408
erros frequentes na conjugação 262
escrevem-se com ç 668
escrevem-se com ss 667
escusa (oração intercalada) 389
especialização do significado 597
especificação 40
esperar 500
esquecer 68, 500
    regência 500, 501
esquecimento etimológico 579
estar
    conjugação 276
estar + particípio 229
estilística 739, 740
estilística e gramática 739
estilística semântica 741
estilística sintática 741
estratégias para a identificação do
    objeto direto 62
estrutura primária 595
estrutura secundária 595
estruturas paradigmáticas 595

etimologia 601, 652, 661, 670
etiquetas e rótulos 451
eufemismo 600
eu lírico 602
exceto 493
exemplar 45
exemplar v. correto 44
expelir
    conjugação 252, 286
expressão expletiva ou de realce 529
expressão idiomática 537
expressões de porcentagem
    concordância 485
extensão do significado 575

F

família de palavras 548
famílias etimológicas de radical latino
    586
fazer
    conjugação 278
fêmea 127
feminino 121
    formação 123
fenômenos fonéticos interverbais 746
fenômenos fonéticos intraverbais 746
fenômenos na ligação de elementos
    mórficos 551
figuras de palavras 598
figuras de pensamento 602
figuras de sintaxe 741
flexões do adjetivo 138
flexões do substantivo 104
fonema e letra 611
fonemas
    como se produzem 611, 614
fonemas nasais 614
fonemas sonoros 616
fonemas surdos 615
fonética e fonologia 611, 612
fonética expressiva 637, 740
fonética sintática 515, 653

fonoestilística 637
fonologia 611
formação de palavras 576
formação deverbal 576
formação do feminino 123
formação do feminino dos adjetivos 140
formação do plural dos adjetivos 138
formação regressiva (deverbal) 576
forma presa 549
formas arrizotônicas 249
formas nominais do verbo 430
formas rizotônicas 235, 253, 255
fracionários 215, 216, 221
frase e oração 449
fricativas, laterais e vibrantes 627
frigir
  conjugação 255, 284
fronteiras silábicas 631
função fática 602
função predicativa 89, 456
função referencial 602
função sintática do substantivo 131
funções sintáticas e classes de palavras 89
futuro 228

G

gênero de compostos 128
gênero do adjetivo 140
gênero do substantivo 121
gênero estabelecido por palavra oculta 127
gênero nas profissões femininas 122
gêneros que podem oferecer dúvida 129
gerúndio 231, 232, 240, 241
gírias 557
gradação do adjetivo 141
grafema 604, 665
grafia dos nomes próprios estrangeiros 131

gramática descritiva 45
gramática histórica 109
gramática normativa 45
grupo de força 652
grupo de palavras 39, 40, 42
grupos oracionais
  a coordenação 386

H

h
  emprego 370, 612
há, havia 406
haja vista
  concordância 484
haplologia (braquilogia) 551
haver
  conjugação 278
haver de + infinitivo 241, 518
haver que + infinitivo 241
heteronímia 126
heterônimos 126
hiato 623, 626, 638, 639
hífen 680, 681, 682, 683, 685
hipálage 601
hipérbato 511, 531
hipérbole 600, 602, 741
hiperônimo 602
hipertaxe ou superordenação 41
hipônimo 602
hipotaxe ou subordinação 41
história da língua 66
história externa da língua 758
homógrafos 604
homonímia 603
homônimos 603

I

imergir
  conjugação 235, 253, 286
impedir 501

impelir
    conjugação 252, 286
imperfeito v. presente 289
implicação (solidariedade) 598
implicar 501
impugnar
    conjugação 257
incluso
    concordância 461
inconsistência do gênero gramatical 121
índice preposicional 379
indignar-se
    conjugação 257
infinitivo 231
infinitivo flexionado e sem flexão 296
infinitivo fora da locução verbal 298
infinitivo histórico 296
informar 68, 501
inserir
    conjugação 286
inteirar
    conjugação 258
intensificação (formação de palavras) 578
intensificação gradual dos advérbios 317
interjeição 89, 450
intervir
    conjugação 287
ir 501
    conjugação 237, 284
ironia 602
italianismos 533, 536

J

já vão, já vai
    concordância 488
jazer
    conjugação 278
juízos de valor 42, 43
justaposição 407, 560
justaposição ou assindetismo 387

K

k
    emprego 663

L

langue 641
lembrar 68
ler
    conjugação 279
letra 114, 129, 611
letra diacrítica 645
lexemática 594
lexia v. composição 558
lexicologia 38
    seus campos 38
língua comum 44
língua corrente 621
língua escrita 203, 456
língua exemplar ou padrão 44
língua falada 61, 379
língua funcional 43, 44, 45
língua histórica 43, 44
língua literária 112, 139, 494
linguística do texto 390
locução adjetiva 136
locução adverbial 312
locução conjuntiva 366, 410
locução interjetiva 371
locução prepositiva 329
locuções conjuntivas 361

M

macho 127
magoar
    conjugação 256
mais bem / melhor; mais mal / pior 146, 318
mais de um
    concordância 477

maiúsculas
  emprego 690
masculino 121
medir
  conjugação 284
meio
  concordância 462
mentir
  conjugação 252, 285
mesmo, próprio, só 460
mesóclise 516, 686
metafonia 109, 250
metáfora 599
metalinguagem 602
metonímia 599
migração de preposição 201, 493
milhão 217, 220, 221
minúsculas
  emprego 690
mobiliar
  conjugação 250, 257
modalidades de articulação 614
modificação (estruturas secundárias) 598
modo de articulação das consoantes 618
modo verbal 228
morfema
  radical e afixos 545
morfema subtrativo 124
morfemática (palavra) 41
morfofonêmica 103
morfossintaxe 45
moscar/muscar
  conjugação 258
mudança de gênero 128

N

não (nunca)... senão 482
não ocorrência de crase 339
nem... nem 367
  concordância 473

nenhum
  emprego 196
neutralização v. sincretismo 552
noção de adjunto e adjunto adnominal 80
noivar 258
nomenclaturas técnicas 557
nomes atemáticos 546
nomes compostos 117
nomes de cores
  concordância 467
nomes em aposição 112
nomes próprios 99, 112, 131, 573, 662, 691, 694
norma da congruência 43
norma da correção 43
norma de adequação 43
no tempo que (ou em que) 405
núcleo 47
numerais cardinais 217
número do adjetivo 138
número do substantivo 103
número fixo de sílabas 745, 746
número fixo de sílabas e pausas no verso 748
número plural 103
número singular 103

O

obliquar
  conjugação 256, 678
obstar
  conjugação 257, 264, 276
obstar 503
obviar
  conjugação 257
omissão do pronome átono 445
onomástica 663, 691
opinião (oração intercalada) 389
oposição 40, 41
oposição fonológica distintiva 611
optar

conjugação 257
o qual
  emprego 200
oração 34, 35
oração e frase 449
oração predicativa 391, 392
oração subjetiva 391, 392
oração subordinada 375, 376
orações adjetivas reduzidas 433
orações adjetivas restritivas 380
orações complexas de transposição adjetiva 378
orações complexas de transposição adverbial 383
orações complexas de transposição substantiva 377
orações coordenadas 387
  aditivas 387
  adversativas 387
  alternativas 387
orações exclamativas 377
orações intercaladas 388
orações interrogativas 377
orações justapostas 387, 388, 407
orações reduzidas
  desdobramento 431
  posição do sujeito 445
orações reduzidas de gerúndio 430, 433, 438, 445, 513
orações reduzidas de infinitivo 430, 434, 442
orações reduzidas de particípio 434, 439, 513
orações reduzidas fixas 440
orações reduzidas no infinitivo 432
orações sem sujeito 46, 50
orações subordinadas adverbiais 383, 385, 534
orações subordinadas causais 397
orações subordinadas comparativas 385, 397
orações subordinadas condicionais 400
orações subordinadas conformativas 401
orações subordinadas consecutivas 385, 401
orações subordinadas finais 403
orações subordinadas locativas 403
orações subordinadas modais 404
orações subordinadas proporcionais 404
orações subordinadas resultantes de substantivação 377
orações subordinadas temporais 404
orações transpostas adjetivas 394
orações transpostas substantivas 391
ortoepia 38, 532, 640
ortoepia, prosódia e ortografia 38
ortografia 38, 645, 661
ortografia e ortoepia 645
ou seja, como seja
  concordância 486
ouvir
  conjugação 285
oximoro 602
oxítonas 654
oxítonos 650, 674

P

padrões silábicos 631, 632
palavra 357
palavras compostas 41
palavras derivadas 679, 680
palavras divisíveis simples e compostas 547
palavras indivisíveis e divisíveis 547
palavras lexemáticas 594
palavras primitivas 569, 570
palavras que não possuem marca de número 109
palavras que oferecem dúvidas quanto à posição da sílaba tônica 654
palavras só usadas no plural (*pluralia tantum*) 112

para, 349
para (prep.) 330, 502
paradoxo 602
paralelismo 745, 755
parassíntese 554
parataxe (coordenação) 40, 42, 376
parênteses 695, 723, 731, 732
parir
  conjugação 285
paronímia 605
parônimos 605
paroxítonas 655
paroxítonos 650, 674, 746
particípio 238
particípios que passaram a preposição e advérbios 466
passagem da voz ativa à passiva e vice-versa 299
passagem de nomes próprios a comuns 99
passividade v. voz passiva 230
pausa final 745
pedir
  conjugação 285
per (prep.) 62, 73, 327, 329
perder
  conjugação 279
período 376, 411, 412, 513, 516
permissão (oração intercalada) 389
perseguir
  conjugação 286
pessoas do discurso 162
pessoas do verbo 227
plano 289
plano "transfrástico" e os advérbios 314
plano universal 763
plenitude do significado 449
pleonasmos da conjunção integrante 526
plural com deslocação do acento tônico 111
plural com metafonia 109
plural dos nomes em -ão tônico 105

plural dos nomes estrangeiros não assimilados 113
plural dos nomes terminados em -x 108
plural dos substantivos 104
plural indevido 117
plural nos etnônimos 116
poder
  conjugação 279
poesia e prosa 744
polir
  conjugação 285
polissíndeto 531
polivalência no falar 603
pô-lo 274
ponto de articulação (fonemas) 615
ponto de exclamação
  emprego 725, 726
ponto de interrogação
  emprego 725
ponto e vírgula 731
ponto parágrafo 725
pontos de contato entre sujeito e objeto direto 61
pontuação 723, 747
pontuação do verso 747
pôr 678
  conjugação 264
por (e per) (prep.)
  emprego 349
porquê / porque / por quê / por que 719
portar-se
  conjugação 264
pós-determinantes 81
posição da consoante na sílaba 632
posição do acento tônico 650
posição do predicado e do sujeito 48
posição dos pronomes demonstrativos 167
posição dos pronomes possessivos 167
posição do sujeito nas orações reduzidas 445

Índice de assuntos

positivo 141
possível
   concordância 463
posvérbio 64, 499
prazer
   conjugação 279
precaver-se
   conjugação 263
predeterminantes 81
predicado 49, 59, 89, 226
   posição 48
predicado complexo 59, 60
predicado nominal 226
predicado simples 59
predicado verbal 226
preferir 399
   conjugação 252, 286
prenome 131
preposição 64, 89, 201
preposição e sua posição 333
preposições acidentais 330
preposições essenciais 329
presente 228
preterir
   conjugação 252, 286
pretérito 228
pretérito mais-que-perfeito 290
pretérito perfeito 290
prevenir
   conjugação 252, 286
processos de formação de palavras 576
próclise 270, 516, 653
progredir
   conjugação 252, 286
pronome átono 69, 175, 181, 182
pronome e classificação 163
pronome oblíquo reflexivo 165
pronome oblíquo reflexivo recíproco 165
pronome pessoal 163
pronome pessoal átono 182
pronome pessoal átono e adjunto adverbial 182

pronome pessoal oblíquo 164
pronome pessoal reto 164
pronomes de tratamento 165
pronome *se* na construção reflexa 177
pronomes relativos preposicionados ou não 496
prooração 563
proparoxítonas 656
proparoxítonos 650, 675, 746
próprio 459, 460
prosódia 38, 532, 649
prosopopeia (ou personificação) 602
protexto 314
provir
   conjugação 287
pseudo e todo
   concordância 462
pugnar
   conjugação 257

Q

quais de vós
   concordância 478
qualificação 341
quantificador 81, 153
que
   emprego 357, 360
que de 478
que e locuções conjuntivas 361
que excessivo 366
querer 280, 295
   conjugação 237

R

radicais gregos 579
radical 546
radical primário 548
raiz 613
raptar
   conjugação 257

realce 314, 529
reaver
  conjugação 263
recitação 744
redarguir
  conjugação 254, 256, 678
reduplicação 577
reflexiva de sentido passivo 230, 392, 481
regência 492
  sintaxe 36
regionalismos 557
regras de acentuação 650, 674
regredir
  conjugação 252, 286
remir 235
  conjugação 252, 286
renovação do léxico
  criação de palavras 557
repelir
  conjugação 252
repetição 147, 186, 530
repetição de prefixo e preposição 494
repetição imprópria 202
requerer 68, 280, 504
  conjugação 237
resfolegar
  conjugação 250, 257
responder 505
ressalva (oração intercalada) 389
restrição do significado 86
reticências 726
retórica 514, 725
rever
  conjugação 235, 263, 282
rima 745, 751, 753
rima imperfeita 752
rima perfeita 751
rimas opostas (ou entrelaçadas ou enlaçadas) 753
rir
  conjugação 286
ritmar
  conjugação 257

ritmo 747
rizotônica 235, 249, 250, 253, 255
roubar
  conjugação 258

S

saber elocutivo 38, 39, 43
saberes da competência linguística 38
saber expressivo 38, 39, 43
saber idiomático 38, 39, 43
saber (s.) 38
saber (v.)
  conjugação 281
santiguar
  conjugação 256
santo, são 654
satisfazer 66, 278, 505
sc
  grafia 644, 667, 668
se
  empregos e funções 52, 177, 179
seguir
  conjugação 252
seleção (solidariedade) 598
sema 596, 598
semântica v. lexemática 598
sem-cerimônia / sem cerimônia 720
sem-número / sem número 721
sem que 364
se não / senão 721
sendo que
  emprego 439
sentido pejorativo 130
sentiendi 390
sequências consonânticas 669
ser
  concordância 475
  conjugação 281, 554
servidão gramatical 326
servir
  conjugação 286
si e ele

emprego 179
siglas 577, 663, 711, 712
significação e designação 594
significação externa 560
significado 594
significado da palavra 651
significado instrumental 226
significado lexical 178, 226, 242, 326, 486
significado ôntico 315
signo 82, 103, 594
sílaba 249, 649
sílaba 631, 748
sílaba aberta (livre) 649
sílaba átona 618, 670
sílaba composta 649
silabada 654
sílaba fechada (travada) 649
sílaba simples 649
sílaba subtônica 650
sílaba tônica 249, 618, 619, 649, 654
silepse 531, 741
símbolo 616, 628, 663, 664, 711
sinais de pontuação 695, 696, 723
sinalefa 746, 747
sincretismo v. neutralização 552
sinérese 626, 653, 746, 747
sinestesia 601
sinonímia 604
sinônimos 604
sínquise 511, 531
sintaxe 35, 511, 523
sintaxe de colocação 36
sintaxe de concordância 35
sistema 661
sistema gráfico 661, 725
só 460
sobre e sob (prep.) 351
sobrestar
  conjugação 264, 276
sobrevir
  conjugação 287
socorrer 66, 506
solidariedades 598

somenos
  concordância 139, 461
subjuntivo (conjuntivo) 228, 244, 246, 266, 291
submergir
  conjugação 286
subordinação 375
subordinação (hipotaxe) 40
substantivação de oração adjetiva 381
substantivação do adjetivo 138
substantivo 89
  função sintática 131
substantivo contável 99
substantivo epiceno 121, 127
substantivo não contável 99
substantivo próprio 98
substantivos sobrecomuns 127
substituição (antitaxe) 40, 42, 378
substituição do possessivo pelo artigo definido 186
sufixo nominal 121
sufixo verbal 243
sugerir
  conjugação 286
sujeito
  posição 48
sujeito constituído por pronomes pessoais 472
sujeito ligado por série aditiva enfática 472
sujeito oracional 484
sujeito representado por *cada um de* + plural 474
sujeito representado por expressão como *a maioria de, a maior parte de* + nome no plural 474
superlativo 142
superordenação (hipertaxe) 40
suplementação nos elementos mórficos 553

T

tal e qual
  concordância 462
tampouco / tão pouco 722
táxis 585
tema 546
tempo e aspecto segundo coseriu 226, 290
teoria gramatical 33
tepe 615, 627
ter 185, 241, 264, 519
  conjugação 268
ter + particípio 430
ter de + infinitivo 241
termos não argumentais 386
termos oracionais 173
ter que + infinitivo 241
texto 39, 40, 375
timbre 618
tipologia dos sons linguísticos 614
todas as vezes que 365, 405
todo
  emprego e concordância 197, 462
topônimos 98
traço estilístico e erro gramatical 739
traços semânticos 328
transformação sintática 558
transgredir
  conjugação 252, 286
transposição adjetiva 378
transposição substantiva 377
transpositor ou conjunção subordinativa 360
travessão 731
trazer
  conjugação 282
tritongos 623, 626
tudo 169
  emprego 199

U

um e outro, nem um nem outro, um ou outro
  concordância 459
um ou outro
  concordância 460
unidades adverbiais que não são conjunções coordenativas 359
unidades convertidas em preposições 328
unidades textuais 358

V

valer
  conjugação 237, 282
valores afetivos do possessivo 184
variação semântica 103, 603
variações gráficas na conjugação 259
vender
  conjugação 246, 247
ver
  conjugação 282
verbo 226
verbos abundantes 234, 283
verbos a cuja regência se há de atender na língua-padrão 497
verbos anômalos 233
verbos auxiliares 239, 240, 653
verbos defectivos 234
verbos em -ear e -iar 260
verbos em -zer e -zir 259
verbos intransitivos 60, 597
verbos irregulares 233, 276
verbos nocionais 226
verbos regulares 233
verbos transitivos 60, 597
verbos unipessoais 234
versificação 744, 745
versos esdrúxulos 746
versos graves 746
verso solto ou branco 751

vestir
  conjugação 252
vícios de linguagem 532
vir
  conjugação 262, 287
vírgula 49, 727
visão 766
vivam os campeões!
  concordância 486
vocábulo expressivo 638
vocábulos átonos 652
vocábulos clíticos 651, 652
vocábulos expressivos 637
vocábulos proclíticos 652
vocábulos tônicos e átonos 652
vocativo 80, 88
vogais átonas 670
vogais e consoantes de ligação 551
vogais nasais 622, 623, 645, 673
vogais orais 619, 620, 621
vogais orais em sílaba tônica 619
vogais tônicas 619
vogal aberta 141, 250
vogal temática 242
  o tema 546
voz ativa 73, 229

vozeamento (fonemas) 614, 615, 627, 628
vozes do verbo 229
voz passiva 73, 229, 230
voz passiva e passividade 230
voz reflexiva 230

W

w
  emprego 663

Y

y
  emprego 663

Z

zeugma 531
zona de articulação das consoantes 627, 628

Gabarito dos exercícios

Capítulo 1
1. 2-X, 5-X, 8-X, 9-X, 10-X, 11-X, 12-X

2. Sujeito — **Predicado**
1) Os homens cor do dia — saíram de dentro do pássaro marinho
2) Os tucanos — tinham fugido do caderno escolar
3) Cada qual — tinha o seu sol de plumas à cabeça
4) Guerreiros — agora se debruçam, ombro a ombro, sobre a Serra do Mar
5) Eles — espiam, com assombro, o dia português
6) O marinheiro branco — ouve, no gorjeio do pássaro, o idioma semelhante ao seu
7) Os dois povos — tinham marcado encontro à sombra de tal Serra, nessa manhã sem-par
8) Um — seguiu a lei do Sol em busca de um tesouro
9) O outro — veio da Terra à procura da Noite
10) Ninguém — deve descuidar-se do estudo do seu idioma

3. Sujeito — **Predicado** (sugestões de resposta)
1) O Brasil — era o nome da terra
2) Vera Cruz — foi seu primeiro nome
3) Santa Cruz — foi o segundo nome
4) Guerreiros — usavam tanga
5) A terra — era cheia de graça
6) Onças — saudavam o nascer do dia
7) Pajés — dançavam batendo os pés

4. 1) a) O seu sol de plumas cada qual tinha à cabeça.
b) Tinha cada qual à cabeça o seu sol de plumas.
c) À cabeça tinha cada qual o seu sol de plumas.
2) a) O dia português eles, com assombro, espiam.
b) Com assombro, o dia português eles espiam.
c) Com assombro, eles espiam o dia português.
3) a) De dentro do pássaro marinho, saíram os homens cor do dia.
b) Saíram de dentro do pássaro marinho os homens cor do dia.
c) Os homens cor do dia, de dentro do pássaro marinho, saíram.
4) a) Em busca de um tesouro, um seguiu a lei do Sol.
b) A lei do Sol um seguiu em busca de um tesouro.
c) Um, em busca de um tesouro, seguiu a lei do Sol.
5) a) À procura da Noite, o outro veio da Terra.
b) O outro, à procura da Noite, veio da Terra.
c) À procura da Noite, veio da Terra o outro.

5. 1) Guerreiros agora se debruçam, ombro a ombro, sobre a Serra do Mar.

6. Sujeito — **Predicado**
1) O dono da casa — vem
2) A noite — estaria no fundo das águas
3) O homem — não dá conta do tamanho da terra descoberta
4) O marinheiro branco — no gorjeio do pássaro ouve o idioma
5) O poeta Cassiano Ricardo — em *Martim-Cererê* conta-nos a história do Brasil à luz da imaginação do artista

7. Sujeito — **Núcleo do sujeito** — **Predicado**
1) O vulto de minha mãe — vulto — apareceu à pequena distância
2) Dois passarinhos — passarinhos — brincavam em um ramo de ateira
3) Aqueles pobres filhos de pescadores — filhos — acabaram aterrorizados
4) A água — água — em Miritiba, era colhida em fontes naturais
5) Os filhos mais novos filhos — filhos — foram entregues aos padrinhos

6) Os três outros irmãos vivos	irmãos	tiveram vida própria
7) Feliciano Gomes de Farias Veras	Feliciano G. de F. Veras	estivera, antes, no Maranhão, no comércio
8) O seu tormento de toda a vida	tormento	foi o conflito entre os parentes
9) Ele	ele	reclamava contra tudo
10) O professor de primeiras letras	professor	acabara de chegar

8. 1-S, 2-C, 3-C, 4-S, 5-C, 6-C, 7-C, 8-S, 9-C, 10-C, 11-C, 12-C, 13-C, 14-C, 15-C
9. 1-X, 4-X, 7-X
10. Nas orações 2, 4, 7, 10 e 11 a elipse do sujeito explícito provoca confusão de entendimento.
11. 2-X, 3-X, 5-X, 10-X
12. 4-X, 7-X, 9-X, 10-X
13. 2-X, 3-X, 7-X, 9-X, 10-X
14. 3-X
15. 1) havia; 2) Deve; 3) houve; 4) fez; 5) Haverá; 6) fazem; 7) Há; 8) houvesse, haveria; 9) Havia; 10) pôde; 11) eram
16. 1) Era/Eram; 2) havia; 3) fomos; 4) poderão/podereis, se agradarão/vos agradareis; 5) Passava/Passavam; 6) passavam; 7) deve; 8) combatem, quebra, doma, vence, abatem; 9) absorvíamos; 10) Fazia; 11) Era
17. 1) Houve; 2) existem; 3) Faz; 4) Deverá; 5) Eram/Era; 6) farão; 7) houvesse; 8) houve
18. 1) Hoje há aula; 6) Houve ontem uma festinha lá em casa; 8) Nesta redação há dois erros graves; 10) Não haverá distribuição de prêmios se o diretor chegar atrasado.

Capítulo 2

1. Sugestões de resposta: 1) o livro; 2) a exposição; 3) os parentes; 4) de ajuda; 5) o cãozinho; 6) o farol; 7) a força; 8) ao vizinho; 9) dos inimigos; 10) do fumo; 11) solução; 12) a professora; 13) a surpresa; 14) ao barulho; 15) da ajuda alheia
2. 1-NP, 2-NP, 3-NP, 4-P, 5-NP, 6-NP, 7-NP, 8-P, 9-P, 10-P, 11-NP, 12-NP, 13-NP, 14-P, 15-P
3. 1-VT, 2-VT, 3-VI, 4-VT, 5-VT, 6-VT, 7-VT, 8-VI, 9-VT, 10-VI, 11-VT, 12-VT, 13-VI, 14-VT, 15-VT (Vide NOTA 1, no final deste gabarito)
4. 1-V, 2-V, 3-V, 4-N, 5-N, 6-V, 7-V, 8-N, 9-V, 10-N

5.

Sujeito	Predicado	Predicativo
1) Os dois	longamente filosofaram	
2) A floresta	tinha uma vida noturna muito intensa	
3) A vida	continua na floresta pela noite adentro	
4) Pedrinho	andava desconfiado da existência do medo	desconfiado da existência do medo
5) Isto	é um pesadelo	um pesadelo
6) —	Há coisas horríveis?	
7) O coração de Pedrinho	diversas vezes pulava de medo	
8) A mãe do medo	é a incerteza	a incerteza
9) Aquela filosofia do saci	já estava dando dor de cabeça no menino	
10) Os medrosos	são os maiores criador de coisas	os maiores criadores de coisas

6. 1-SS, 2-I, 3-O, 4-SS, 5-O, 6-O, 7-I, 8-I
7. 1) havia; 2) poderá; 3) Existem, há; 4) Fazia; 5) houver, haverá; 6) podem, existem, existem; 7) há, deve; 8) serão; 9) Faltavam
8. 1, 1, 1, 2, 2, 3, 1, 1, 2, 2, 1, 1
9. 1-T, 2-L, 3-T, 4-T, 5-L, 6-I, 7-T, 8-L, 9-T, 10-T
10. 1-S, 2-S, 3-S, 4-S, 5-O, 6-O, 7-O, 8-S, 9-O, 10-O, 11-O, 12-S, 13-S, 14-O, 15-S
11. 1) desamparados; 2) embaraçados; 3) ilesos; 4) irremediáveis; 5) duvidosos; 6) breves/efêmeras; 7) inermes/desarmados; 8) desanimados; 9) utilíssimos; 10) impune; 11) desengraçadas; 12) alvoroçados; 13) inconsciente/desfalecida; 14) extemporânea/anacrônica; 15) silencioso; 16) nossos contemporâneos; 17) inúmeros; 18) inertes/parados; 19) muda; 20) importantíssimas
12. 1) Assim o ministro era punidor da barbaridade do circo.
2) Eu sou devedor de tudo aos meus pais.
3) A inveja é a cobiça dos bens.
4) As flores são o enfeite da terra.

5) Os maus livros são a perdição da mocidade.
6) Colombo foi o descobridor da América.
7) O povo é eleitor de seus representantes.
8) Os importunos são roubadores (ladrões) de nosso tempo.
9) A lisonja é corruptora dos bons.
10) A audácia é ilimitada.

13. 1-CV, 2-CV, 3--, 4-CV, 5-CV, 6-CV, 7-CV, 8-CV, 9-CV, 10--
14. 1-B, 2-C, 3-B, 4-B, 5-B, 6-C, 7-C, 8-B, 9-C, 10-B
15. 1) Nós lhe observamos o defeito.
2) O convidado nos apertou as mãos.
3) Os policiais vos protegem as residências.
4) O cenário florido da primavera encanta-nos os olhos.
5) Não tivemos oportunidade de observar-lhes os inventos.
6) O professor corrigiu-me as redações.
7) O trabalho excessivo lhe roubou a mocidade.
8) A música deleita-nos os ouvidos.
9) Pintava constantemente a casa para garantir-lhe a conservação.
10) O médico te tomou o pulso.

16. 1-A, 2-A, 3-A, 4-A, 5-A, 6-A, 7-P, 8-A, 9-P, 10-P, 11-A, 12-P, 13-P, 14-A, 15-P
17. 1-Pr, 2-P, 3-P, 4-Pr, 5-Pr, 6-P, 7-P, 8-Pr, 9-Pr, 10-Pr

Capítulo 3

1.

Sujeito	Núcleo	Predicado	Núcleo
1) Cesária	Cesária	principiou a história do papagaio	principiou
2) O caso da novilha	caso	se espalhou de repente	se espalhou
3) Alexandre	Alexandre	num instante virou major	virou
4) Todo o mundo	mundo	por aquelas bandas queria casar comigo	queria casar
5) A festa do nosso casamento	festa	durou uma semana	durou
6) Peru nem porco	Peru porco	não ficou para semente	ficou
7) Os derradeiros convidados	convidados	se retiraram	se retiraram
8) Ninguém	Ninguém	presta atenção a ele	presta

2. 1) Não há adjunto adnominal; 2) o: artigo definido, da novilha: loc. adjetiva; 3) Não há adjunto adnominal; 4) todo: pron. indefinido, o: artigo definido; 5) a: artigo definido, do nosso casamento: loc. adjetiva; 6) Não há adjunto adnominal; 7) os: artigo definido, derradeiros: adjetivo; 8) Não há adjunto adnominal

3. 1) de repente: modo/tempo; 2) num instante: tempo; 3) por aquelas bandas: lugar; 4) uma semana: tempo; 5) não: negação

4. (sugestões de resposta)
1) Gil os espreitava. [com os amigos; toda segunda-feira; dentro do quarto; durante o passeio; por excesso de cuidado]
2) O moço enxugou a lágrima. [na camisa; depois da discussão; com o lenço; antes da saída; junto à mãe]
3) Peri saltou. [dentro da jaula; com outro (?); de contente; com medo do leão; à vista do perigo]

5. (sugestões de resposta)
1) O Brasil foi descoberto em 1500.
2) Com meu irmão dirijo-me ao centro da cidade.
3) Desisti do emprego porque o horário não me permitia continuar os estudos.
4) Eu consegui chegar sem ser visto.
5) Meus pais estão morando em Belém.

6. 1) então: tempo; aqui: lugar
2) nessa noite: tempo; no salão: lugar
3) durante o Império: tempo; nunca: tempo/negação
4) aí: lugar; na tipografia: lugar

5) ao fim da terceira semana: tempo
6) mais: intensidade; rapidamente: modo
7) a trinta ou quarenta metros: distância
8) pouco a pouco: modo
9) da esquina da rua: lugar; ainda: tempo; por cima da cerca: lugar; mais: intensidade
10) agora: tempo; com olhos cheios d'água: modo

7. 1) ávido/avidamente; 2) prazerosos/prazerosamente; 3) interessada/interessadamente; 4) inconsciente/inconscientemente; 5) discretos/discretamente; 6) desordenado/desordenadamente; 7) abundantes/abundantemente; 8) medrosos/medrosamente; 9) rápidas/rapidamente; 10) fervorosos/fervorosamente

8. 1) com a mão direita; 2) com os olhos; 3) durante/pela manhã; 4) de/com armas; 5) com as mãos, com o coração, com os olhos, com o pensamento; 6) de/com olhos, de testa, de/com nariz, de/com boca, de/com beiços

9. 1) Jamais nos apareças diante.
2) Sentaram-se-lhe em frente.
3) Os inimigos vos caíram em cima.
4) Os pais deram-lhe um beijo.
5) Os guardas atiraram-lhe.
6) O jovem pegava-lhe com cerimônia.
7) O automóvel rapidamente avizinhava-se-lhe.
8) O malvado aplicou-lhe um desleal pontapé.
9) O carro bateu-lhe.
10) Tudo nos girou em volta.

10. 1) vosso antigo capitão; 2) luz da sua alma e ufania de suas cãs; 3) a virgem dos lábios de mel; 4) um anel e um relógio; 5) cinema, rádio, televisão; 6) essa; 7) os representantes da turma; 8) um de automóvel, outro de bonde; 9) oito e nove; 10) a febre, a inapetência e a palidez do rosto

11. 1) Nós, representantes desta classe, pedimos a vossa atenção.
2) Disse-me duas palavras amargas: ruim e traidor.
3) Camões, o grande poeta português, cantou as glórias lusitanas.
4) O médico atendeu bem aos clientes, salvação daquelas pobres criaturas.
5) Deram-nos dois convites, a saber,(:) um para o baile de máscaras e o outro para o desfile na avenida.
6) Pedro II, imperador do Brasil, cativou muitos corações graças à sua bondade.
7) Havia na bolsa excelentes frutas, por exemplo: pêssego, maçã, morango e pera.
8) Um dos grandes livros de Machado de Assis, *Memorial de Aires*, revela-nos muito da vida do grande autor brasileiro.
9) Em 15 de novembro, dia consagrado à nossa República, sempre há numerosos festejos.
10) O filho, esperança dos pais, deve honrá-los e estimá-los.
11) Fiz-lhe um pecúlio de cinco contos, os cinco contos achados em Botafogo, como um pão para a velhice.

12. 1-X, 4-X, 6-X, 7-X, 9-X, 10-X, 11-X, 12-X, 13-X, 14-X

13. 1) Ó palmeira da serra; 2) Senhor; 3) ó frágil criatura; 4) minha harpa; 5) Esposa querida, minha harpa; 6) Ó mar; 7) majestoso oceano; 8) meu filho; 9) Ó guerreiros; 10) senhor

14. 1-X, 2-X, 3-X, 5-X, 6-X, 8-X

Capítulo 4

1. 1) vantagens-C; 2) casa-C, professor-C, subúrbio-C; 3) palavras-C; 4) chegada-C, verão-C, praias-C; 5) vida-C; 6) Everaldo-P, presente-C; 7) coração-C, colega-C, força-C, capítulo-C, novela-C; 8) vizinha-C, chão-C; 9) volta-C, colégio-C, Eduardo-P, banco-C, praça-C, tarde-C; 10) Eduardo-P, colégio-C, colegas-C

2. Leve: leveza; Escuro: escuridão; Forte: fortaleza; Fraco: fraqueza; Inteligente: inteligência; Rico: riqueza; Pobre: pobreza; Alto: altura; Altivo: altivez; Constante: constância; Justo: justiça; Sóbrio: sobriedade; Divino: divindade; Célebre: celebridade; Difícil: dificuldade; Legal: legalidade; Pálido: palidez; Branco: brancura; Preto: pretidão/pretura; Distinto: distinção; Apto: aptidão; Ágil: agilidade; Sutil: sutileza; Tímido: timidez; Dócil: docilidade

3. Coragem: corajoso; Preguiça: preguiçoso; Ódio: odioso/odiento; Essência: essencial; Ira: irado; Desdém: desdenhoso

4. Caçar: caça; Voltar: volta; Estudar: estudo; Sair: saída; Parar: parada/paragem; Dar: dádiva; Ir: ida; Ajudar: ajuda; Sossegar: sossego; Cumprimentar: cumprimento; Nadar: natação; Redigir: redação; Escrever: escrita; Ler: leitura; Resolver: resolução; Morar: moradia/morada; Falar: fala/falação; Pagar: paga/pagamento; Governar: governo/governança; Dirigir: direção

5. 1-C, 2-A, 3-C, 4-C, 5-A, 6-A, 7-C, 8-C, 9-A

6. Artistas: elenco; Médicos: equipe/turma/junta; Estudantes: turma/classe; Aves: bando/revoada; Peixes: cardume; Camelos: cáfila; Cantigas: cancioneiro; Professores: congregação; Animais próprios de uma região: fauna; Vegetações próprias de uma região: flora

7. Freguês: fregueses; Irmã: irmãs; Irmão: irmãos; Bênção: bênçãos; Ás: ases; Ônix: ônix; Cós: cós/coses; Revólver: revólveres; Abdômen: abdomens/abdômenes; Hífen: hifens/hífenes; Éden: edens; Tórax: tórax; Leão: leões; Coração: corações; Melão: melões; Desvão: desvãos; Mão: mãos; Chapéu: chapéus; Cidadão: cidadãos; Cirurgião: cirurgiões; Capitão: capitães; Pão: pães; Escrivão: escrivães; Mamão: mamões; Alemão: alemães; Papel: papéis; Cônsul: cônsules; Fóssil: fósseis; Funil: funis; Degrau: degraus

8. (ó) abrolhos; (ó) almoços; (ô) bojos; (ó) fogos; (ô) portos; (ó) moços; (ó) tremoços; (ó) chocos; (ó) fornos; (ô) gostos; (ó) despojos; (ó) caroços; (ó) corpos; (ó) cachorros; (ó) esboços; (ô) sogros; (ó) tornos; (ó) adornos; (ô) bodas; (ó) contornos; (ó) forros; (ó) esforços; (ó) tijolos; (ó) postos; (ó) bolsos

9. 1- (ô) mochos; 2- (ô) gafanhotos, (ô) morros; 3- (ô) choros; 4- (ó) gostos, (ó) povos; 5- (ó) forros, (ó) novos; 6- (ó) destroços, (ô) moços, (ó) rostos; 7- (ó) contornos, (ô) polvos; 8- (ó) portos; 9- (ó) encostos, (ó) dorsos; 10- (ó) esforços, (ó) tijolos; 11- (ó) povos, (ó) impostos; 12- (ó) cocos; 13- (ó) cornos; 14- (ó) porcos, (ô) repolhos; 15- (ó) postos, (ó) socorros; 16- (ó) fornos; 17- (ó) caroços

10. Kart: karts; Corpus: corpora; Campus: campi; Lady: ladies; Lied: lieder; Sportman: sportmen; Blitz: blitze; Dandy: dandies

11. Papelzinho: papeizinhos; Coraçãozinho: coraçõezinhos; Colherzinha: colherezinhas; Florzinha: florezinhas; Mãozinha: mãozinhas; Mulherzinha: mulherezinhas; Fiozinho: fiozinhos; Narizinho: narizezinhos; Irmãzinha: irmãzinhas; Anelzinho: aneizinhos; Farolzinho: faroizinhos; Irmãozinho: irmãozinhos

12. Zum-zum: zum-zuns; Bel-prazer: bel-prazeres; Beija-flor: beija-flores; Vice-rei: vice-reis; Guarda-civil: guardas-civis; Ex-chefe: ex-chefes; Ave-Maria: ave-marias; Malmequer: malmequeres; Bem-te-vi: bem-te-vis; Pé de moleque: pés de moleque; Grã-cruz: grã-cruzes; Navio-escola: navios-escola/navios-escolas; Público-alvo: públicos-alvo/públicos-alvos; Salário-família: salários-família/salários-famílias; Decreto-lei: decretos-leis/decretos-lei; Bumba meu boi: os bumba meu boi; Fruta-pão: frutas-pão/frutas-pães; Padre-nosso: padres-nossos/padre-nossos; Ruge-ruge: ruges-ruges/ruge-ruges; Guarda-marinha: guardas-marinha/guardas-marinhas/guarda-marinhas; Ganha-pouco: os ganha-pouco; Segunda-feira: segundas-feiras; Corre-corre: corres-corres/corre-corres; Cachorro-quente: cachorros-quentes.

13. Irmão: irmã; Ator: atriz; Barão: baronesa; Elefante: elefanta; Hóspede: a hóspede/hóspeda; Abade: abadessa; Perdigão: perdiz; Cavalo: égua; Carneiro: ovelha; O mártir: a mártir; Juiz: juíza; Professor: professora; O ouvinte: a ouvinte; Ateu: ateia; O intérprete: a intérprete; Judeu: judia; Europeu: europeia; Genro: nora; Compadre: comadre; Padrinho: madrinha; Cavaleiro: amazona; Cavalheiro: dama; Padrasto: madrasta; Frade: freira; Rico-homem: rica-dona

14. 1) sapata; 2) poço, poça; 3) lenho, lenha; 4) madeiro, madeira; 5) veios, veias; 6) espinho, espinha; 7) cinto, cinta; 8) horto, horta; 9) saio, saia

15. (F) alface; (M) hosana; (M/F) diabete; (F) tíbia; (M) eclipse; (F) elipse; (F) cal; (M/F) cólera-morbo; (M) lança-perfume; (F) fruta-pão; (M) milhar; (M) grama [peso]; (M/F) dengue [doença]; (F) análise; (M) telefonema; (M) sanduíche; (F) libido; (M/F) sabiá; (F) grama [planta]; (M/F) sósia; (M/F) suéter

16. Sábio: sabichão; Nariz: narigão; Casa: casarão; Corpo: corpanzil; Vaga: vagalhão; Mulher: mulheraça/mulherona; Homem: homenzarrão; Rico: ricaço; Esperto: espertalhão; Muro: muralha; Boca: bocarra; Chapéu: chapelão; Festa: festança; Voz: vozeirão; Fogo: fogaréu.

17. Flauta: flautim; Questão: questiúncula; Raiz: radícula/radicela; Corpo: corpúsculo; Parte: partícula; Monte: montículo; Homem: homúnculo; Grão: grânulo; Pele: película; Animal: animálculo; Espada: espadim; Mala: maleta; Saco: sacola; Vila: vilarejo; Perna: pernil

Capítulo 5
1. 1) solares; 2) leonina; 3) juvenil; 4) colorida; 5) popular; 6) angelical; 7) histórica; 8) doutoral; 9) divina; 10) áureo/dourado; 11) celeste; 12) sepulcral; 13) desarrazoada; 14) impiedosa; 15) desamparada; 16) amanteigado; 17) aquilinos; 18) inodoro; 19) insossa; 20) irrecuperável
2. 2) sem razão; 3) sem remédio; 4) sem graça; 5) sem fruto(s); 6) sem falha; 7) sem mácula; 8) de lagoa; 9) sem temor; 10) em pedra(s)
3. 1) opinião: pública, corrente, controversa, original, alheia, etc.; 2) escritor: correto, original, medíocre, estrangeiro, nacional, etc.; 3) vento: brando, forte, contrário, boreal, alíseo, etc.; 4) fruta: madura, temporã, azeda, verde, tropical, etc.; 5) educação: fundamental, doméstica, inovadora, livre, física, etc.; 6) livro: recente, esgotado, best-seller, colorido, proibido, etc.
4. 1) irrefutável; 2) categóricas; 3) sobejas; 4) decisiva; 5) indissolúveis; 6) atroz; 7) profunda; 8) vivo; 9) exorbitante; 10) divergente
5. 2) a autenticidade do documento; 3) a discrição da jovem; 4) a espessidão da floresta; 5) a espessura da madeira; 6) a sutileza da resposta; 7) o rigor (a rigorosidade) do castigo; 8) a ufania do soldado; 9) a modicidade do preço; 10) a generalidade da norma
6. 1) incorrigível (A); 2) pública (A), tolo (A), sábio (A); 3) velhos (AS), pretérito (AS), moços (AS), futuro (AS); 4) fraco (AS), ofendido (A); 5) sábio (A), rico (A); 6) tolos (AS), velhacos (A), doidos (AS), sagazes (A); 7) bom (A), maus (A); 8) supérfluo (AS), necessário (AS); 9) ignorante (AS), sábio (AS); 10) passível (A), independente (A)
7. 1) ações civis; 2) pagodes chineses; 3) questões assim; 4) soluções simples; 5) costumes pagãos; 6) esforços (ó) vãos; 7) cidadãos alemães; 8) soluções fáceis; 9) discussões pueris; 10) papéis azuis; 11) saraus literomusicais; 12) amizades luso-brasileiras; 13) saias verde-escuras; 14) painéis verde-claros
8. 1) uns acórdãos justos; 2) os tradicionais beija-mãos; 3) os longos corrimãos (corrimões); 4) os sábios alemães; 5) os diligentes escrivães; 6) os simples cidadãos; 7) as últimas demãos; 8) os fracos alçapões; 9) os lindos cães; 10) os hábeis cirurgiões (cirurgiães); 11) os quentes verões; 12) os extintos vulcões (vulcãos)
9. 1) mulher chã; 2) judia cortês; 3) senhora má; 4) cidadã sandia; 5) jovem hebreia; 6) servidora plebeia; 7) atriz ilhoa; 8) poetisa bonacheirona; 9) cabra montês/montesa; 10) professora europeia
10. 1) O chumbo é mais pesado (do) que o ferro. O ferro é menos pesado (do) que o chumbo. O ferro não é tão pesado como (quanto) o chumbo. O chumbo é o mais pesado dos dois metais. O ferro é o menos pesado dos dois metais; 2) A águia é mais forte (do) que o abutre. O abutre é menos forte (do) que a águia. O abutre não é tão forte como (quanto) a águia. A águia é a mais forte das duas aves. O abutre é a menos forte das duas aves; 3) O ouro é um metal mais precioso (do) que a prata. A prata é um metal menos precioso (do) que o ouro. A prata não é um metal tão precioso como (quanto) o ouro. O ouro é o mais precioso dos dois metais. A prata é o menos precioso dos dois metais; 4) O ferro é mais duro (do) que a pedra. A pedra é menos dura (do) que o ferro. A pedra não é tão dura como (quanto) o ferro. O ferro é o mais duro dos dois. A pedra é a menos dura dos dois; 5) A torre é mais alta (do) que a casa. A casa é menos alta (do) que a torre. A casa não é tão alta como (quanto) a torre. A torre é a mais alta das duas. A casa é a menos alta das duas.
11. 1-C, 2-S, 3-C, 4-C, 5-S, 6-S, 7-S, 8-C, 9-S, 10-S
12. 1) dificílimo; 2) estreitíssima; 3) inabilíssima; 4) benevolentíssimo; 5) amicíssima; 6) aspérrimo; 7) propriíssima; 8) feiíssimo; 9) cristianíssima; 10) seriíssimas; 11) sapientíssimo; 12) tenacíssima; 13) terribilíssimas; 14) paupérrima/pobríssima; 15) salubérrimo; 16) boníssimos; 17) antiquíssimo/antiguíssimo; 18) malíssimas/péssimas; 19) precariíssimas; 20) acérrima; 21) boníssima/ótima; 22) humílima/humildíssima; 23) sagacíssima; 24) crudelíssima
13. 1) D–C, 2) D–C, 3) C–D, 4) D–C, 5) D–C, 6) D–C, 7) C–D, 8) C–D, 9) C–D, 10) D–C

Capítulo 6
1. 1-X, 3-X, 8-X   **2.** 3-X   **3.** 3-X   **4.** 2-X   **5.** 1-a, 3-a, 5-o
6. 1) todo;   2) todo o;   3) toda a;   4) toda;   5) todo;   6) todo o;   7) toda, toda
7. 2-X, 3-X, 5-X, 9-X   **8.** 2-X, 3-X, 4-X, 5-X, 6-X, 8-X

Capítulo 7
1. 1) tu (2ª pess. sing.); 2) ele/ela (3ª pess. sing.); 3) Vossa Excelência (2ª pess. indireta); 4) vós (2ª pess. plural); 5) ela (3ª pess. sing.); 6) nós (1ª pess. plural); 7) tu (2ª pess. sing.); 8) você (2ª pess. indireta); 9) o senhor (2ª pess. indireta); 10) o amigo (2ª pess. indireta) 11) o estudo (3ª pess. sing.); 12) ele (3ª pess. sing.); 13) Vossa Santidade (2ª pess. indireta); 14) a senhora (2ª pess. indireta); 15) nós (1ª pess. plural)

2. 1) deixe; 2) pode; 3) possa; 4) estivesse, traria; 5) traga, fará
3. 1) Você/ Vossa Excelência/ Vossa Senhoria fala com muita razão; 2) Você/ Vossa Excelência/ Vossa Senhoria ouviu o pedido do réu; 3) Você/ Vossa Excelência/ Vossa Senhoria perdoa nossos erros; 4) Você/ Vossa Excelência/ Vossa Senhoria não fale alto; 5) Você/ Vossa Excelência/ Vossa Senhoria foi a nossa maior esperança; 6) Diga você/ Vossa Excelência/ Vossa Senhoria agora a proposta; 7) Não saia você/ Vossa Excelência/ Vossa Senhoria agora desse carro; 8) Você/ Vossa Excelência/ Vossa Senhoria irá ao nosso encontro; 9) Não espere você/ Vossa Excelência/ Vossa Senhoria as notícias.
4. 1) Vossa, Sua, Vossa, Sua, Vossa; 2) Vossa, Sua, Vossa
5. 1-X, 6-X (se), 7-X, 8-X, 9-X (te), 10-X
6. 1) Enviei-lhe e ao pai o documento; 2) O dinheiro foi-lhe entregue; 3) Sempre se nos dirigia; 4) Recorreu-te em última instância; 5) Nós lhe dissemos que poderia vir aqui; 6) Restava-me uma só esperança; 7) Nós lhe daremos as joias; 8) Nunca te digas nunca; 9) Desejo-vos contar um segredo.
7. 1-OD, 2-CV, 3-OD, 4-CV, 5-OD, 6-CV, 7-CV, 8-OD, 9-CV, 10-OD
8. 1) o, 2) lhe, 3) o, 4) lhe, 5) o, 6) o, 7) o, 8) o, 9) o, 10) o
9. 1-3, 2-2, 3-4, 4-3, 5-3, 6-3, 7-2, 8-2, 9-2, 10-2
10. 1-1, 2-2, 3-3, 4-1, 5-1, 6-3
11. 1-1, 2-1, 3-3, 4-1, 5-1, 6-1, 7-4, 8-2, 9-2, 10-2
12. 1) A pátria, defende-a o soldado; 2) O trabalho, receia-o o preguiçoso; 3) O ar, perfumam-no as flores (ou *O ar, as flores o perfumam*); 4) O sol, encobrem-no as nuvens; 5) O corpo, fortifica-o o exercício; 6) Causas, advogam-nas os advogados; 7) Chapéus, fá-los o chapeleiro; 8) As mercadorias, vendem-nas os negociantes; 9) Livros, compõe-nos o escritor
13. 1) lhe + a; 2) te + o; 3) vos + a; 4) lhe + os; 5) me + o; 6) me + os; 7) nos + o; 8) nos + os; 9) vos + a
14. 1) A morte cortou-lhe rapidamente a vida; 2) Eu te juro o episódio; 3) Eu vos dei a vitória por prêmio; 4) ...e beijou-lhe os pés; 5) Agradeceu-me o auxílio, sorrindo; 6) ...e sacudiu-me os títulos na cara; 7) Ela nos disse o ocorrido; 8) ...para nos confundir os resultados; 9) Entrego-vos de coração esta joia
15. 1) Os colegas lhos ofereceram; 2) Os vizinhos no-la contaram; 3) A vida mos concedeu; 4) Os policiais lhos relataram; 5) Nem sempre os pais lhos podem explicar; 6) O juiz propôs-lha (ou *O juiz lha propôs*); 7) A diretora lhas fez (ou *A diretora fez-lhas*); 8) Os rastros denunciaram-lho (ou *Os rastros lho denunciaram*); 9) O sol lhos ofereceu (ou *O sol ofereceu-lhos*)
16. 1) Jamais apareceram-nos diante; 2) Sentaram-se-lhe em frente; 3) Os inimigos caíram-vos em cima; 4) Os pais deram-lhe um beijo; 5) Os guardas atiraram-lhe
17. 1) Todos lhe/ lhes respeitam as razões; 2) O vizinho tomou-me a palavra; 3) O professor admira-te a inteligência; 4) Os colegas não lhe/ lhes conhecem as desculpas; 5) Nem todos os convidados nos apertaram as mãos; 6) O juiz não vos escutou as razões; 7) Não foi fácil esquecer-lhe a traição; 8) O médico tomou-me o pulso; 9) Não te queremos os préstimos.
18. Sem o acréscimo de *delas* (que se refere a *algumas*), *seu* poderia aludir à mãe e à própria personagem que fala.
19. 1-PP, 2-PD, 3-AD, 4-PD, 5-AD, 6-AD, 7-PD, 8-PP, 9-AD, 10-PP (Vide NOTA 2 no final deste gabarito)
20. 1) este, essa; 2) essa; 3) essa; 4) este; 5) essa; 6) Este; 7) Esta; 8) esta; 9) esta, essa; 10) este, esse; 11) estas
21. 1) mesmo, tal; 2) naquele; 3) mesma; 4) semelhantes; 5) mesmos; 6) mesmos
22. 1) ninguém; 2) tudo; 3) nada; 4) cada um; 5) alguns; 6) toda; 7) todos; 8) certa (manhã); 9) nada; 10) cada, cada; 11) todo, algo
23. 1-X, 2-X, 5-X, 9-X
24. 1-1, 2-2, 3-2, 4-1, 5-4, 6-4 (ou 7), 7-6, 8-3, 9-1, 10-1
25. 1) Gutenberg teve um amigo muito importante, que se chamava Fust.
  2) A lebre é um animal herbívoro que, em geral, aparece nas histórias de animais como animal tímido.
  3) Machado de Assis, a quem foi concedida a honra de primeiro presidente da ABL, é o mais completo dos escritores brasileiros.
  4) O nadador que ganhou várias medalhas começou desde jovem.
  5) Os heróis da pátria em quem (em que) os jovens devem ver modelos de inspiração devem ser cultuados.
  6) O cultivo da língua materna, que os falantes precisam preservar, é necessário.
  7) O Brasil integra o Mercosul, em que os brasileiros precisam exercer influência e prestígio.
  8) A língua portuguesa continuou o latim que era falado na Lusitânia.
  9) Os nossos índios que guardam a cultura dos antepassados merecem respeito.
  10) Cada estação do ano, que nem sempre é bem marcada pelas várias regiões do Brasil, tem seu encanto.
26. 1) —; 2) a; 3) de/com; 4) de; 5) —; 6) a/para; 7) em; 8) em/por; 9) —; 10) por

27. 1) a/para; 2) –; 3) segundo/conforme/pelo qual; 4) em; 5) a; 6) a; 7) em; 8) –/por; 9) em; 10) a

28. 1) A companhia está se expandindo muito pelo país, e seus empregados foram agora admitidos.

2) Nem sempre as notícias trazem maiores benefícios, e às suas repercussões damos tanto crédito.

3) As pessoas gostam de ser conhecidas, e de seu empenho eles dependem.

4) As crianças são a esperança de dias melhores, e por seus futuros tanto lutais.

5) Foram muitas as palavras, e com seus significados os leitores não atinaram.

6) As estradas deviam ser mais bem sinalizadas, e em suas curvas tem havido acidentes.

7) Essas janelas foram fabricadas em Porto Alegre, e por suas vidraças passam os raios solares.

8) Estes corredores não mudaram pelo tempo afora, e em seus cantos encontro tantas recordações.

29. 1) O bairro cuja rua principal eu visitei é muito populoso/É muito populoso o bairro cuja rua principal eu visitei.

2) Foi perdida a oportunidade em cujo sucesso depositávamos a melhor das esperanças.

3) O avião cujos passageiros se dirigiam a Natal decolou com bom tempo.

4) O time com cujos jogadores vai representar o país no exterior saiu-se bem na temporada.

5) É passageira a vida por cujos momentos de alegria devemos graças ao Senhor.

6) Precisam ser recuperadas as paredes dentro de cujas fendas cresceram plantas.

7) É muito útil este livro para cuja leitura precisas de bastante atenção.

8) Era implacável o inimigo de cujo jugo eles conseguiram libertar-se.

9) Tinha bom clima a cidade por cujas redondezas a vegetação era riquíssima.

30. 1) O ganso, com cujas penas já se encheram travesseiros, pertence às aves aquáticas. (E não: encheram-se!) / Pertence às aves aquáticas o ganso com cujas penas já se encheram travesseiros.

2) Cumpre a sua palavra aquele homem em cuja probidade se pode confiar.

3) É útil e agradável o livro para cuja leitura são necessários alguns dias.

4) Foi fazer uma longa viagem meu amigo de cuja companhia eu fiquei privado.

5) Está fora da terra o meu protetor com cujo auxílio eu conto.

6) Deve ser um bom empregado o rapaz por cujas qualidades eu respondo.

7) Era muito extensa a cidade dentro de cujos muros havia belos edifícios.

8) Promete ser brilhante a festa a cuja realização nada obsta.

9) Era muito alta a ponte por baixo de cujos arcos passavam as grandes embarcações.

10) Tudo gasta o tempo a cujas injúrias não pôde resistir aquele velho castelo.

31. 1) onde; 2) aonde; 3) onde; 4) onde; 5) donde; 6) aonde; 7) donde, aonde, onde; 8) onde; 9) aonde; 10) onde, onde

Capítulo 8

1. um, dois, três, quatro, cinco, seis, sete, oito, nove, dez, onze, doze, treze, catorze/quatorze, quinze, dezesseis, dezessete, dezoito, dezenove, vinte.

2. 112 - cento e doze; 226 - duzentos e vinte e seis; 395 - trezentos e noventa e cinco; 463 - quatrocentos e sessenta e três; 541 - quinhentos e quarenta e um; 674 - seiscentos e setenta e quatro; 757 - setecentos e cinquenta e sete (não: cincoenta); 808 - oitocentos e oito; 959 - novecentos e cinquenta e nove.

3. 1.351 – (um) mil trezentos e cinquenta e um; 3.022 - três mil e vinte e dois; 4.563 - quatro mil quinhentos e sessenta e três; 6.244 - seis mil duzentos e quarenta e quatro; 7.666 - sete mil seiscentos e sessenta e seis; 8.513 - oito mil quinhentos e treze; 1.328.651 - um milhão trezentos e vinte e oito mil seiscentos e cinquenta e um; 425.386.567 - quatrocentos e vinte e cinco milhões trezentos e oitenta e seis mil quinhentos e sessenta e sete.

4. 1-AI, 2-AI, 3-AI, 4-PI, 5-N, 6-PI, 7-AI, 8-AI, 9-N, 10-PI, 11-N, 12-PI

5. 1) na; 2) no; 3) os; 4) os; 5) às; 6) aos; 7) as, as, as, os; 8) pelos

6. 123 – centésimo vigésimo terceiro; 236 – ducentésimo trigésimo sexto; 304 – trecentésimo/tricentésimo quarto; 415 – quadringentésimo décimo quinto; 547 – quingentésimo quadragésimo sétimo; 698 – seiscentésimo/sexcentésimo nonagésimo oitavo; 789 – setingentésimo/septingentésimo octogésimo nono; 846 – octingentésimo quadragésimo sexto; 924 – nongentésimo/noningentésimo vigésimo quarto; 1343 – milésimo trecentésimo/tricentésimo quadragésimo terceiro; 2475 – dois milésimos quadringentésimo septuagésimo quinto.

7. 1) primeiro; 2) segundo, primeiro, sexto; 3) quinze; 4) dezesseis; 5) oitavo; 6) décimo terceiro; 7) seis; 8) décimo; 9) primeiro/um; 10) dois, vinte e seis

8. 1,8 milhão: um milhão e oitocentos mil reais; 2,7 bilhões: dois bilhões e setecentos milhões de dólares; 2,9 mil: duas mil e novecentas pessoas; 4,5 bilhões: quatro bilhões e quinhentos milhões de espécies/quatro bilhões e meio de espécies; 3,1 milhões: três milhões e cem mil processos

9. 1) triplo/tríplice; 2) quádruplo; 3) quíntuplo; 4) sêxtuplo; 5) séptuplo/sétuplo; 6) óctuplo; 7) nônuplo; 8) décuplo; 9) duodécuplo; 10) cêntuplo

10. 1) terço; 2) quarto; 3) quinto; 4) sexto; 5) sétimo; 6) oitavo; 7) nono; 8) décimo; 9) centésimo; 10) milésimo

11. 1) sete; 2) dos noves; 3) quatros, zeros; 4) dos noves; 5) oitos, onzes; 6) dez/dezes (este menos usual); 7) dos Setenta

Capítulo 9

1. 1-1s, 2-2s, 3-1p, 4-2p, 5-2p, 6-2s, 7-3p, 8-2s, 9-2p, 10-3s, 11-2p, 12-2s
2. 1-Pr, 2-Pt, 3-F, 4-Pr, 5-F, 6-Pt, 7-Pt, 8-F, 9-Pr, 10-Pr, 11-Pt, 12-Pr
3. 1-1, 2-2, 3-3, 4-1, 5-1, 6-2, 7-1, 8-5, 9-4, 10-3, 11-2, 12-1, 13-5, 14-1, 15-1
4. 1-VA, 2-VR, 3-VA, 4-VP, 5-VA, 6-VA, 7-VA, 8-VP, 9-VR, 10-VR, 11-VP ou VR
5. 1-VA, 2-VM, 3-VP, 4-VP, 5-VA, 6-VP, 7-VM, 8-VM, 9-VA, 10-VM, 11-VP, 12-VA, 13-VM (Vide NOTA 3 no final deste gabarito)
6. 1-P, 2-I, 3-G, 4-I, 5-P, 6-G, 7-I, 8-G, 9-P, 10-I, 11-G, 12-I, 13-I, 14-P, 15-P
7. 1-R, 2-A, 3-R, 4-R, 5-A, 6-I, 7-R, 8-I, 9-R, 10-I, 11-I, 12-R, 13-I, 14-I, 15-I
8. 1-A, 2-A, 3-A, 4-D, 5-D, 6-A, 7-A, 8-D, 9-A, 10-D, 11-A, 12-D, 13-D, 14-A, 15-D
9. 1-X, 3-X, 4-X, 5-X, 6-X, 7-X, 8-X, 9-X, 10-X
10. 1-2, 2-1, 3-5, 4-3, 5-4, 6-3, 7-4, 8-3, 9-4, 10-3, 11-3, 12-6, 13-4, 14-7, 15-2
11. 2-X **12.** 3-X, 4-X, 5-X, 7-X **13.** 3-X
14. Enxaguar: enxáguo/enxaguo, enxáguas/enxaguas, enxágua/enxagua, enxaguamos, enxaguais, enxáguam/enxaguam; Averiguar: averíguo/averiguo, averíguas/averiguas, averígua/averigua, averiguamos, averiguais, averíguam/averiguam
15. Optar: opto(ó), optas(ó), opta(ó), optamos, optais, optam(ó); Impugnar: impugno(ú), impugnas(ú), impugna(ú), impugnamos, impugnais, impugnam(ú)
16. Apiedar: me apiedo, te apiedas, se apieda, nos apiedamos, vos apiedais, se apiedam; ou: apiedo-me, apiedas-te, apieda-se, apiedamo-nos, apiedais-vos, apiedam-se.
17. Roubar: roubo, roubas, rouba, roubamos, roubais, roubam; Inteirar: inteiro, inteiras, inteira, inteiramos, inteirais, inteiram
18. Saudar: saúdo, saúdas, saúda, saudamos(a-u), saudais(a-u), saúdam; Embainhar: embainho(í), embainhas(í), embainha(í), embainhamos(a-i), embainhais(a-i), embainham(í)
19. Saciar: sacio, sacias, sacia, saciamos, saciais, saciam; Sortear: sorteio, sorteias, sorteia, sorteamos, sorteais, sorteiam; Remediar: remedeio, remedeias, remedeia, remediamos, remediais, remedeiam
20. a) Presente – Ver: vejo, vês, vê, vemos, vedes, veem; Rever: revejo, revês, revê, revemos, revedes, reveem; Prover: provejo, provês, provê, provemos, provedes, proveem; Vir: venho, vens, vem, vimos, vindes, vêm.
b) Pret. Perf. – Ver: vi, viste, viu, vimos, vistes, viram; Rever: revi, reviste, reviu, revimos, revistes, reviram; Prover: provi, proveste, proveu, provemos, provestes, proveram; Vir: vim, vieste, veio, viemos, viestes, vieram.
21. Ver: vir, vires, vir, virmos, virdes, virem; Vir: vier, vieres, vier, viermos, vierdes, vierem
22. Precaver: –, –, –, precavemos, precaveis, –; Reaver: –, –, –, reavemos, reaveis, –.
23. 1) intervierdes; 2) previrdes; 3) proverdes; 4) preterirdes; 5) ativerdes; 6) sustardes; 7) contradisserdes; 8) compuserdes; 9) precaverdes; 10) reouverdes
24. "O trabalho, pois, te(lhe) há de bater à porta dia e noite; e nunca te negues(se negue) às suas visitas, se queres(quer) honrar tua(sua) vocação, e estás(está) disposto a cavar nos veios de tua(sua) natureza, até dares(dar) com os tesouros, que aí te(lhe) haja reservado, com ânimo benigno, a dadivosa Providência. Ouviste(ouviu) o aldrabar da mão oculta, que te(o) chama ao estudo? Abre(abra), abre(abra), sem detença. Nem, por vir muito cedo, lho leves(leve) a mal, lho tenhas(tenha) à conta de importuna. Quanto mais matutinas essas interrupções do teu(seu) dormir, mais lhas deves(deve) agradecer." [Rui Barbosa, *Oração aos Moços*, 39-40]
25. Presente do indicativo: estimo-o, estima-lo, estima-o, estimamo-lo, estimai-lo, estimam-no; Futuro do presente do indicativo: estimá-lo-ei, estimá-lo-ás, estimá-lo-á, estimá-lo-emos, estimá-lo-eis, estimá-lo-ão

26. Se o parecer tivesse sido aprovado pelo presidente da comissão, eu teria sido avisado pelo secretário.
27. 1) faze-o/fá-lo; 2) receeis, persigais; 3) esqueça; 4) leve, ponha-a
28. 1) cries, crieis; 2) ladeies, ladeeis; 3) licencies, licencieis; 4) franqueies, franqueeis
29. 1) Não se anotavam as faltas; 2) Observem-se as instruções; 3) Não se ouvira ruído algum
30. 1) intervimos, interviemos; 2) detemos, detivemos; 3) sobrestamos, sobrestivemos; 4) obstamos, obstamos; 5) compomos, compusemos
31. 1) incendeie, incendiemos; 2) negocie, negociemos; 3) premie, premiemos; 4) remedeie, remediemos
32. 1) doas, does; 2) does, doas; 3) aderes, adiras
33. 1) Têm-me admoestado; 2) É necessário que criem outras esperanças; 3) João, você tem sido elogiado por mim; 4) Não diga/ digam que sou preguiçoso; 5) O chefe escrevera a carta; 6) Urge admitam novos funcionários
34. 1) vires; 2) vir; 3) mantiverem; 4) galgares; 5) desaviermos; 6) prover; 7) reouvermos
35. Pô-lo: ponho-o, põe-lo, põe-no, pomo-lo, ponde-lo, põem-no
36. 1) Muitos jornais não têm sido lidos por nós; 2) Muitas palestras terão sido realizadas por eles; 3) Os móveis tinham sido comidos pelos bichos; 4) Alguns enganos têm sido cometidos pelos homens; 5) Seus lares tinham sido destruídos pela guerra; 6) Uma grande lição haverá sido aprendida pelas crianças; 7) Terão sido os doentes curados pelo remédio?; 8) As preces das mães teriam sido ouvidas por Deus; 9) Frágeis embarcações teriam sido aproveitadas pelos primeiros navegantes; 10) Muitas novidades pelo mundo têm sido vistas por vós
37. 1) vimos; 2) Vimos, viemos; 3) vimos; 4) Requeiro; 5) cabe, caibo; 6) Valha; 7) leem; 8) vindo; 9) Vindo; 10) Provido
38. 1) acautelo/precato; 2) acautelem/precatem; 3) precavemos; 4) reouve; 5) colore; 6) remimos; 7) falimos; 8) precaveram; 9) aderes; 10) extorque
39. 1) anseio; 2) ansiamos; 3) premia; 4) remedeia; 5) remedeio; 6) nos odeia, o odiamos; 7) penteia; 8) estreia, estreamos; 9) medeia, mediou; 10) nomeia, nomeou
40. 2) Remetemo-lo ao diretor; 3) Enviamo-lo ao tintureiro; 4) Tem-lo ainda?; 5) Vejo-as no parque; 6) Escreveram-nos mal; 7) Ele põe-nas no filho; 8) Tu põe-la em fatos duvidosos; 9) Vamos-lhes escrever/Vamos lhes escrever; 10) Tenho-lhe/Tenho lhe dito muitas verdades. (nunca: Tenho dito-lhes!)
41. 1) dar; 2) fugir (fugirem, menos frequente, mas correto); 3) cair; 4) serem; 5) estar; 6) dizer/dizerem; 7) estarem; 8) desistir; 9) teres; 10) caber
42. 1) ficar; 2) esquecer; 3) ladrar/ladrarem; 4) conseguir; 5) cair; 6) responderes; 7) cantar, entrar/entrarem; 8) vingar/vingarem; 9) taxarem; 10) suportar/suportarmos; 11) suportarmos

Capítulo 10

1. 2-X, 3-X, 4-X, 5-X, 6-X, 7-X, 8-X, 9-X, 11-X, 12-X
2. 1) sempre: tempo; em companhia: modo; 2) mais: intensidade; ordinariamente: tempo; menos: intensidade; 3) nunca: tempo; bem: modo; 4) talvez: dúvida; no abuso das outras liberdades: fim; 5) de algum modo: modo; 6) muito: intensidade; pouco: intensidade; mais: intensidade; 7) tanto: intensidade; mais: intensidade; 8) não: negação; 9) de maneira: modo; não: negação; 10) sem susto: modo; pouco: intensidade; pouco tempo: tempo
3. 1) ligeira/ ligeiro ou ligeiramente; 2) silenciosa/silenciosamente; 3) atento/atentamente; 4) brando/brandamente; 5) abundantes/abundantemente; 6) cuidadoso/cuidadosamente; 7) alegre/alegremente; 8) miserável/miseravelmente; 9) fervorosos/ fervorosamente; 10) impassível/impassivelmente
4. 1) veloz/velozmente; 2) ávido/avidamente; 3) desordenado e violento/desordenada e violentamente; 4) apressado/apressadamente; 5) resignado/resignadamente
5. 1) com preguiça; 2) de contentamento; 3) de/com espanto; 4) de/com fome; 5) em silêncio; 6) sem proteção; 7) com prazer; 8) com medo; 9) sem atenção
6. 1) com melodia; 2) com alegria; 3) com ferocidade; 4) sem reflexão; 5) com imparcialidade; 6) com atenção; 7) com ternura; 8) com cortesia; 9) com leviandade; 10) com fidelidade; 11) com franqueza; 12) em silêncio e com energia
7. 2) educadamente; 3) atenta e dedicadamente/ atentamente e dedicadamente; 4) incomodamente; 5) semanalmente; 6) diariamente; 7) desumanamente; 8) silenciosamente; 9) francamente; 10) mensalmente; 11) bimestralmente; 12) quinzenalmente; 13) eloquentemente; 14) ingenuamente; 15) imprevisivelmente; 16) fervorosamente

8. 1) anteriormente; 2) portuguesmente; 3) brevemente; 4) pessimamente; 5) superiormente; 6) burguesmente; 7) pacientemente; 8) melhormente; 9) francesmente

9. (10) a ferro e fogo; (13) à espreita; (4) a sete chaves; (5) a desoras; (2) a granel; (8) a trouxe-mouxe; (1) a prazo; (3) a soldo; (11) a salvo; (6) a seu bel-prazer; (7) neste ínterim; (14) a miúdo; (12) por um triz; (9) à destra; (15) de oitiva

10. (8) paulatinamente; (10) avidamente; (11) impreterivelmente; (3) involuntariamente; (7) salutarmente; (2) acintosamente; (1) adredemente; (5) implacavelmente; (4) imparcialmente; (6) subsidiariamente; (9) inelutavelmente; (12) contemporaneamente

11. 1) daqui; 2) lá; 3) de lá/dali; 4) aqui, lá; 5) ali/acolá; 6) ali; 7) Acolá/Lá; 8) aqui; 9) aí; 10) Acolá/Lá, aqui

12. 1) para onde; 2) Aonde/Para onde; 3) donde; 4) onde; 5) aonde; 6) por onde; 7) onde; 8) donde; 9) aonde; 10) donde; 11) donde

13. 1) tranquilas/tranquilo; 2) —/alto; 3) rápidas/rápido; 4) distraídas/distraído; 5) atrasados/atrasado; 6) furiosos/furioso; 7) famintos/—; 8) contentes/contente; 9) cara/caro; 10) —/meio

14. 3-X, 7-X

15. 1) melhor; 2) mais mal/ pior ou mais bem/ melhor; 3) mais bem/ melhor; 4) mais bem/ melhor ou mais mal/ pior; 5) mais bem/ melhor, mais mal/ pior; 6) melhor; 7) melhor; 8) melhor ou pior

Capítulo 11

1. 1) de; 2) —; 3) das/com; 4) —; 5) em/nessas; 6) dele, dos; 7) a; 8) a, a/aos; 9) dele, nas; 10) a
2. 1) por; 2) de; 3) a (à); 4) —; 5) com; 6) a (ao); 7) de, a (aos); 8) a (à); 9) em; 10) a (ao)
3. 1) a; 2) em; 3) a; 4) a; 5) a; 6) —; 7) a; 8) —; 9) a (aos); 10) —.
4. 1) à; 2) à; 3) à; 4) A; 5) à, a; 6) a; 7) a; 8) às, as; 9) A, as/às; 10) a/às
5. 1) a; 2) às, a, às, às; 3) a; 4) a/à; 5) a, a; 6) a, a; 7) a, a; 8) À, a/à, a, à; 9) a; 10) a, a
6. 1) a, a, a, as; 2) à, a, à, à, à; 3) àquela, —, àquilo; 4) à, a, à; 5) a; 6) a, a; 7) às; 8) à, à, a, as; 9) à; 10) a, a
7. 1) a; 2) a; 3) a, à; 4) a, as; 5) a, a; 6) a; 7) a; 8) a, a; 9) à; 10) a
8. 1) à; 2) à; 3) às; 4) a; 5) a; 6) a; 7) à; 8) à; 9) a; 10) às; 11) a; 12) a; 13) a; 14) à; 15) a; 16) à; 17) à; 18) à; 19) à; 20) a; 21) a; 22) a; 23) a; 24) a
9. 1) ti; 2) a ti (tu); 3) eu; 4) mim; 5) a ti; 6) mim; 7) mim, ti; 8) eu; 9) mim; 10) eu, tu, mim
10. 2) X
11. 1) Há; 2) a, a; 3) há; 4) há; 5) a; 6) a; 7) Há; 8) a; 9) à; 10) a

Capítulo 12

1. 1) De dia brilha o sol e de noite...; 2) ... seu canto e elas exterminam muitos insetos; 3) ... não é potável nem se pode empregar na cozinha; 4) ... no seu exterior nem deve desprezá-lo
2. 1) ..., mas/porém a infelicidade experimenta-os; 2) ..., mas/porém as suas margens são mais lindas; 3) ... mas/porém o seu canto é excelente
3. 1) O carneiro não só nos dá lã, mas também nos fornece uma carne saborosa; 2) O ouro não só se emprega na moeda, mas também se fazem dele objetos de ornato
4. 1-a; 2-b; 3-c
5. 1-d; 2-c; 3-a; 4-b; 5-e; 6-d; 7-f; 8-e; 9-b
6. 1-b; 2-b; 3-e; 4-d; 5-b; 6-g; 7-c; 8-b; 9-b
7. 1-c; 2-a; 3-b; 4-d; 5-g; 6-f; 7-a; 8-e; 9-c; 10-h

Capítulo 13

1. a) 4; b) 11; c) 9; d) 12; e) 3; f) 1; g) 7; h) 10; i) 5; j) 2; k) 6; l) 8
2. a) Santo Deus; b) Psiu; c) Ah; d) Hum; e) ufa; f) Arre; g) Upa; h) Ó

Capítulo 14

1. 1-S; 2-S; 3-OC; 4-C; 5-S; 6-S; 7-OC; 8-S; 9-S; 10-C
2. 1) Assindéticas e coordenada sindética aditiva; 2) Assindéticas; 3) Coordenada adversativa; 4) Coordenada aditiva e adversativa; 5) Assindética; 6) Coordenada alternativa; 7) Coordenada adversativa; 8) Coordenada aditiva; 9) Coordenada adversativa; 10) Coordenada aditiva

3. 1) Urge que venças; 2) É bom que aconselhemos; 3) Não convém que me entristeça; 4) Cumpre que atenteis a esse problema; 5) Admira-me que te pacientes; 6) Ficou claro que nos desgostamos; 7) Não se compreende que não se suceda bem/que não tenha tido sucesso; 8) Importa que respondamos; 9) Não se viu que tínhamos inteligência/que éramos inteligentes; 10) Nota-se que a plateia se desinteressa.

4. 1) Ele alcançou que seus serviços fossem premiados; 2) O professor assentou que a prova fosse adiada; 3) Todos conseguiram que se realizassem as promessas; 4) Nós obtivemos que os presentes nos estimassem/que fôssemos estimados pelos presentes; 5) O aluno demonstrou que ignorava a matéria; 6) Os amigos revelaram que eram falsas aquelas declarações; 7) O policial evitou que o trânsito fosse interrompido; 8) Eles não tinham permitido que as obras continuassem; 9) O escritor conseguiu que a crítica o aplaudisse; 10) Espero ansiosamente que me respondas

5. 1) O pai insistiu em que permanecesse em casa; 2) Todos desconfiavam de que não realizasse as promessas; 3) Os pais precisavam de que os filhos os apoiassem; 4) O exercício consistia em que traduzisse os autores gregos; 5) Os vizinhos necessitaram de que todos os estranhos os ajudassem; 6) Queixam-se os políticos de que o povo pouco os considere; 7) Os candidatos aspiravam a que fossem aprovados no concurso; 8) Todos os dias se convencia de que progredia no estudo do piano; 9) Os jurados não duvidaram de que o réu se emocionou

6. 1) O melhor fora que se separasse; 2) A verdade será que voltaremos; 3) O menos provável é que saias; 4) O lógico seria que vos revoltásseis; 5) A causa do fracasso foi que o líder era incompetente

7. 1) O policial tinha a consciência de que cumpriu o dever; 2) Estou acorde em que estudeis Medicina; 3) Temos a certeza de que abandonaste os livros; 4) O chefe tivera desconfiança de que aplicaram o dinheiro; 5) Ele estava necessitado de que o ajudasses; 6) O padre fizera insistência de/em que o auditório errara; 7) A diretora estaria certa de que os colegas enganaram-se/se tivessem enganado; 8) Ela sentiu necessidade de que todos a socorressem; 9) O receio de que o prisioneiro fugisse deixava o soldado inquieto; 10) A certeza de que a tripulação morrera emocionou o mundo

8. 1) que se enfraqueçem; 2) que se escalda; 3) que são severos; 4) que se dá; 5) que nos pertence; 6) que se inutiliza; 7) que se acautela; 8) que são mal-educadas; 9) que lhe pertence; 10) que não tem azeite

9. 1) Estabelecem-se escolas para que instruam a mocidade; 2) Muitos frutos caem antes que amadureçam; 3) Reconheci o meu antigo companheiro ainda que estivessem alteradas suas feições; 4) O ouro tem mais valor do que a prata porque é raro; 5) Para que se multipliquem certas árvores, basta cortar-lhes os ramos e plantá-los na terra; 6) Muitas aves deixam-nos quando entra o outono e só voltam quando principia a primavera; 7) Ainda que seja pobre é homem honrado; 8) O azeite nada sobre a água porque é leve; 9) Regam-se os jardins para que a vegetação se desenvolva; 10) Os delitos raras vezes se cometem sem que sejam punidos.

10. 1) Não sei onde mora; 2) Não conheço quem seja aquele senhor; 3) Ignoro que projetos tens; 4) Não sei como se chama/ Não sei qual é o seu nome; 5) A autoridade sabe onde se esconde o criminoso; 6) Ignoro qual seja sua naturalidade; 7) Diga-me qual é a sua ocupação; 8) Perguntei-lhe qual é a hora da partida; 9) Nenhum homem sabe qual será a hora da morte/ Nenhum homem sabe a que hora morrerá; 10) Gostaríamos de saber por que é importante

11. 1) Cumpre que estudemos as lições.
Período composto [ou complexo] por subordinação constituído de duas orações
1ª oração: principal: cumpre
2ª oração: subordinada substantiva subjetiva: que estudemos as lições
   2) Espero que os reprovados aprendam esta amarga lição.
Período composto por subordinação constituído de duas orações
1ª oração: principal: espero
2ª oração: subordinada substantiva objetiva direta: que os reprovados aprendam esta amarga lição
   3) Diz-se que este ano haverá muitas festas.
Período composto por subordinação constituído de duas orações
1ª oração: principal: diz-se
2ª oração: subordinada substantiva subjetiva [diz-se está na medial passiva]: que este ano haverá muitas festas
   4) É verdade que nem tudo nos agrada.
Período composto por subordinação constituído de duas orações
1ª oração: principal: é verdade
2ª oração: subordinada substantiva subjetiva: que nem tudo nos agrada

5) A verdade é que poucos compreendem o valor da virtude.
Período composto por subordinação constituído de duas orações
1ª oração: principal: a verdade é
2ª oração: subordinada substantiva predicativa: que poucos compreendem o valor da virtude
   6) Espera-se que tudo termine bem.
Período composto por subordinação constituído de duas orações
1ª oração principal: espera-se
2ª oração: subordinada substantiva subjetiva (o verbo está na medial passiva): que tudo termine bem
   7) Parece que o tempo vai melhorar.
Período composto por subordinação constituído de duas orações
1ª oração: principal: parece
2ª oração: subordinada substantiva subjetiva: que o tempo vai melhorar
   8) O certo é que a vitória pertence aos fortes.
Período composto por subordinação constituído de duas orações
1ª oração: principal: o certo é
2ª oração: subordinada substantiva predicativa: que a vitória pertence aos fortes
12. 1-S; 2-OD; 3-S; 4-S; 5-OD; 6-P; 7-OD; 8-S; 9-OD; 10-OD
13. 1-CR; 2-CN; 3-CR; 4-CN; 5-CR; 6-CN; 7-CR; 8-CN; 9-CR; 10-CN
14. 1-OI; 2-CN; 3-CN; 4-OI; 5-CN; 6-CR; 7-CN; 8-CN; 9-CR; 10-CR; 11-OD ou CR; 12-CN
15.
   1) Todavia, esperou com rosto seguro a chegada dos cavaleiros que subiam a encosta.
1ª oração: principal: todavia, esperou com o rosto seguro a chegada dos cavaleiros
2ª oração: subordinada adjetiva restritiva: que subiam a encosta
   2) Ele buscara na piedade de Deus o amparo que mal podia esperar das muralhas do forte edifício.
1ª oração: principal: ele buscara na piedade de Deus o amparo
2ª oração: subordinada adjetiva restritiva: que mal podia esperar das muralhas do forte edifício
   3) O quinquagenário, em cujas faces pálidas passara um relâmpago de vermelhidão, recuou.
1ª oração: principal: o quinquagenário recuou
2ª oração: subordinada adjetiva explicativa: em cujas faces pálidas passara um relâmpago
   4) A abadessa aproximou-se das reixas douradas que a separavam do guerreiro.
1ª oração: principal: a abadessa aproximou-se das reixas douradas [reixa = grade de janela]
2ª oração: subordinada adjetiva restritiva: que a separavam do guerreiro
   5) A mulher procurou dar às palavras que proferia um tom de firmeza.
1ª oração: principal: a mulher procurou dar às palavras um tom de firmeza
2ª oração: subordinada adjetiva restritiva: que proferia
   6) O incêndio que reverberava ao longe e o ruído de um grande combate davam prova da crueza da luta.
1ª oração: principal: o incêndio e o ruído de um grande combate davam prova da crueza da luta (sujeito composto)
2ª oração: subordinada adjetiva restritiva: que (= o incêndio) reverberava ao longe
   7) Não tardam os cavaleiros que vêm juntar-se aos nossos.
1ª oração: principal: não tardam os cavaleiros
2ª oração: subordinada adjetiva restritiva: que vêm juntar-se aos nossos
   8) Cumprirei o que ordenas.
1ª oração: principal: cumprirei o (= aquilo)
2ª oração: subordinada adjetiva restritiva: que ordenas
   9) Os três, que já iam longe, ouviram os gritos de socorro.
1ª oração: principal: os três ouviram os gritos de socorro
2ª oração: subordinada adjetiva explicativa: que já iam longe
   10) Esta foi a primeira coisa que lhe feriu a vista.
1ª oração: principal: esta foi a primeira coisa

2ª oração: subordinada adjetiva restritiva: que lhe feriu a vista
11) O sussurro que se ouvia entre tantos milhares de homens era cada vez mais acentuado.
1ª oração: principal: o sussurro era cada vez mais acentuado
2ª oração: subordinada adjetiva restritiva: que se ouvia entre tantos milhares de homens
12) Os jovens caminhavam para a orla do bosque onde havia muitas flores.
1ª oração principal: os jovens caminhavam para a orla do bosque
2ª oração: subordinada adjetiva restritiva: onde (= no qual bosque) havia muitas flores

16. 1) A mocidade, que é a mais bela época da vida, passa depressa; 2) A Lua, que é um satélite da Terra, recebe a luz do Sol; 3) O Mondego, que é um dos rios principais de Portugal, desemboca no Atlântico; 4) Sintra, que é o mais belo sítio de Portugal, é visitada por nacionais e estrangeiros; 5) A cicuta, que é conhecida pelas suas flores pequenas e brancas, é uma planta aquática; 6) Aqueles cães que ladram muito não mordem; 7) Aqueles livros que me foram oferecidos pelo professor são muito instrutivos; 8) O Tejo, que é o maior rio de Portugal, banha Lisboa; 9) A mocidade, que é incauta, diz o que intenta fazer; 10) Aqueles homens que são maus cidadãos não querem submeter-se às leis; 11) A ventoinha, que vira com todos os ventos, é a imagem do homem inconstante.

17. 1) sujeito; 2) objeto indireto; 3) sujeito; 4) sujeito; 5) objeto direto; 6) adjunto adverbial (de companhia); 7) objeto direto; 8) objeto direto; 9) adjunto adnominal; 10) predicativo

18. 1) pronome relativo/adjunto adverbial (de tempo); conjunção integrante; 2) pronome relativo/sujeito; 3) pron. relativo/sujeito; pronome relativo/sujeito; 4) conjunção integrante; pron. relativo/sujeito; 5) conjunção integrante; conjunção comparativa; 6) pronome relativo/adjunto adverbial (de instrumento); pron. relativo/sujeito; 7) pron. relativo/sujeito; pron. relativo/objeto direto; 8) pron. relativo/sujeito; conjunção comparativa; 9) pron. relativo/objeto direto; conjunção consecutiva; 10) pron. interrogativo/sujeito; pron. relativo/adjunto adverbial (de lugar); pron. relativo/objeto direto; pron. relativo/sujeito; pron. relativo/sujeito.

19. 1) É o livro que precisamos consultar quando temos dúvidas; 2) Já saíram todas as pessoas que você procurava; 3) Recitou ontem a poesia que o professor me mandou ler; 4) São vários os erros de redação que devemos evitar; 5) Já se venderam os livros que o professor nos recomendou; 6) Muitas vezes o livro possui uma bonita capa, que impressiona os olhos, mas que nem por sonho deveríamos ler; 7) Encerra coisas que jamais podemos deixar de conhecer

20. 1) que; 2) a que/ao qual; 3) a que/ao qual; 4) de que/de quem, que; 5) a que/à qual; 6) a que/às quais; 7) a que/às quais; 8) a que/aos quais; 9) por quem; 10) em que/na qual/onde; 11) a que/aos quais; 12) de cujos

21. 1) a cujo; 2) a que/aos quais; 3) a que/aos quais; 4) a que/às quais; 5) cujas; 6) a que/aos quais; 7) de cujos; 8) a que/às quais; 9) a que/às quais; 10) que/as quais

22. 1) por que/pelos quais; 2) que; 3) a que/ao qual; 4) em cujo; 5) por que/pelas quais; 6) por que/pelos quais; 7) com quem/com que/com as quais; 8) a que/à qual; 9) sobre(de) cujos; 10) sobre que/sobre o qual

23. 1) adjetiva explicativa; 2) adjetiva restritiva; 3) adjetiva explicativa; 4) adjetiva restritiva; 5) adjetiva restritiva; 6) adjetiva explicativa; 7) adjetiva explicativa; 8) adjetiva explicativa; 9) adjetiva explicativa; 10) adjetiva explicativa; 11) adjetiva restritiva; 12) adjetiva restritiva; 13) adjetiva explicativa

24. 1) O Tejo, o maior rio de Portugal, nasce em Espanha; 2) O nosso parente, residente em Lisboa, é rico; 3) A Rússia, o maior país da Europa, confina ao poente com a Alemanha e a Áustria; 4) José, meu primo, vem hoje aqui; 5) Lisboa, capital de Portugal, tem um porto excelente; 6) Gutenberg, inventor da imprensa, era natural de Mogúncia; 7) A baleia, o maior de todos os animais, habita principalmente o mar glacial do norte; 8) Cipião, destruidor de Cartago, era cognominado o Africano; 9) Carlos Magno, fundador de muitas escolas, foi também guerreiro e legislador.

25. 1) O leão, que é o rei dos animais, habita de preferência as regiões desertas; 2) Alexandre Magno, que era filho de Filipe, que reinava a Macedônia, cortou o nó górdio; 3) Roma, onde residia o rei da Itália, é edificada sobre sete colinas; 4) Do elefante, que é o maior dos animais terrestres, obtém-se o marfim; 5) A pele do boi, que é o mais útil animal doméstico, é empregada em sola; 6) Alexandre Magno, que fundou Alexandria, foi grande conquistador; 7) Das Índias Orientais, que é a região mais fértil da Terra, recebemos nós a maior parte das especiarias; 8) Os chineses, que são/ é o povo mais numeroso da terra, habitam a parte oriental da Ásia.

26. (Na prática da análise sintática seria suficiente limitarmo-nos a caracterizar a natureza adverbial da oração subordinada, sem alusão ao valor semântico da circunstância, que nasce da relação textual. Se marcada pelas chamadas "conjunções adverbiais",

a tarefa mostra-se, em geral, mais fácil; todavia, com as orações reduzidas a tarefa revela-se como não pertencendo ao estrito limite da gramática, invadindo-se o domínio da análise textual.)
1) O.s.a. final: para que outros (...) ocidental
2) O.s.a. comparativa: que (= do que) as demais (...) teutônicas
3) O.s.a. comparativa: como os lacedemônios entre os gregos (tiveram)
4) O.s.a. temporal: até que principiam (...) americana
5) O.s.a. conformativa: como diz Jeremias
6) O.s.a. causal: porque todas favorecem o meu estado
7) O.s.a. temporal: antes que de novo fosse alterada (...) da noite
8) a) O.s.a. temporal: enquanto a cidade dormia tranquilizada pela vigilância tremenda do Governo Provisório
   b) O.s.a. comparativa: quanto foi simples e breve
9) O.s.a. final: para que nada faltasse ao taciturno hóspede
10) O.s.a. temporal: quando el-rei se erguera

27.
1) O.s.a. concessiva: por mais fortes que sejam os laços
Explica-se a vírgula pela antecipação da oração subordinada à principal.
2) O.s.a. consecutiva: que pôs nos corações um grande medo
Explica-se a vírgula por separar a oração subordinada consecutiva do advérbio intensivo (tão) da oração principal e pela pausa existente entre elas.
3) O.s.a. condicional hipotética: se junto ao Guadalete se desmoronou o império dos godos
Explica-se a vírgula pela antecipação da subordinada à principal.
4) O.s.a. causal: que hoje, pobre escrava, só te resta obedecer à voz do teu senhor
Explica-se o ponto e vírgula para assinalar a maior pausa da oração subordinada causal.
5) O.s.a. concessiva: embora eu te não veja neste ermo pedestal
Explica-se a vírgula pela antecipação da subordinada à principal.
6) O.s.a. temporal: apenas o gardingo proferira estas derradeiras palavras
A vírgula marca a precedência da subordinada à principal.
7) O.s.a. condicional hipotética: se as viagens simplesmente instruíssem os homens
A vírgula marca a precedência da subordinada à principal.
8) O.s.a. causal: porque o seu arquivo é muito extenso
A falta da vírgula justifica-se pela posposição da oração subordinada à principal e pela falta de pausa entre ambas.
9) O.s.a. concessiva: ainda que perdoemos aos maus
A vírgula explica-se pela precedência da subordinada à oração principal.
10) O.s.a. temporal: quando saímos da nossa esfera
A vírgula explica-se pela precedência da subordinada à oração principal.

28. 1) (...) sem que fossem esperados; 2) (...) sem que os policiais resistissem; 3) (...) depois que conclua o curso secundário; 4) (...) sem que sejamos úteis; 5) Porque a última noite foi um sucesso (...); 6) (...) quando a chuva iniciou; 7) (...) para que se arrumasse o colégio; 8) (...) porque são loucos ou muito sábios; 9) (...) mais porque somos fracos do que somos virtuosos; 10) Depois que Bezerra morreu, (...); 11) (...) ainda que estivesse com febre; 12) (...) ainda que fosse temerária, (...)

29.
1) Marcílio Dias, ainda que seja simples marinheiro, eterniza (...)
2) Como se fosse Hércules, o atleta reflete o aspecto de herói grego.
3) Só ela (a palavra), como se fosse Pigmalião prodigioso, esculpe estátuas (...)
4) Como se fosse artista – corta o mármore de Carrara; como se fosse poetisa – tange os sinos de Ferrara, no glorioso afã!
5) Stamos em pleno mar... Doudo no espaço, brinca o luar, como se fora dourada borboleta.
6) Depois vi minha prole desgraçada pelas garras d'Europa arrebatada, como se fosse amestrado falcão.
7) Quando era moço, admirava os homens; agora que estou velho, admiro somente a Deus.
8) E foi por diante o mágico, a agitar diante de mim um chocalho, como me faziam, quando pequeno, para eu andar depressa.
9) Como se fosse ator profundo, realiza (Aristarco) ao pé da letra, a valer, o papel diáfano (...) instituto.

30.
1) Período composto por subordinação e coordenação constituído de quatro orações.
   a) oração principal: estas sociedades é em verdade espetáculo espantoso
   b) oração subordinada adjetiva explicativa: que se agitam
   c) oração subordinada adjetiva explicativa e coordenada à anterior (equipolente à anterior): e [que] tumultuam sem uma fé
   d) oração subordinada adjetiva restritiva: que [= a fé] as ligue à moral
2) Período composto por subordinação e coordenação constituído de três orações:
   a) oração principal: este era um dos (= daqueles)
   b) oração subordinada adjetiva restritiva: que mais se doíam do procedimento de D. Leonor
   c) oração subordinada adjetiva restritiva e coordenada à anterior (equipolente à anterior): e que mais desejavam a morte do conde de Ourém
3) Período composto por subordinação e coordenação constituído de quatro orações:
   a) oração principal: D. Rodrigo acreditou
   b) oração subordinada substantiva objetiva direta: que tanto mistério atribuído àquele edifício era sinal
   c) oração subordinada substantiva completiva nominal: de que ali estavam encerradas extraordinárias riquezas
   d) oração substantiva objetiva direta coordenada à segunda oração: e que os fundadores da torre só tinham querido resguardá-la das tentativas de cobiçosos
4) Período composto por subordinação e coordenação constituído por três orações:
   a) oração principal: não sei
   b) oração subordinada substantiva objetiva direta: a que horas chegamos a São Luís
   c) oração subordinada substantiva objetiva direta coordenada à anterior: nem em que dia, precisamente
5) Período composto por subordinação e coordenação constituído por quatro orações:
   a) oração principal: não praguejeis
   b) oração subordinada adverbial final: para que se não diga
   c) oração subordinada substantiva subjetiva: que sois rapazes malcriados
   d) oração subordinada adverbial final coordenada à 2.ª oração: e [para que] vos não desprezem todos
6) Período composto por subordinação e coordenação constituído por sete orações:
   a) oração subordinada adverbial temporal: desde que entendo
   b) oração subordinada adverbial temporal coordenada à anterior: que leio
   c) oração subordinada adverbial temporal coordenada à anterior: que admiro Os Lusíadas
   d) oração principal: enterneço-me
   e) oração coordenada assindética à anterior: choro
   f) oração coordenada assindética à anterior e principal da seguinte: ensoberbeço-me com a maior obra de engenho
   g) oração subordinada adjetiva restritiva: que ainda apareceu no mundo desde a Divina Comédia até o Fausto
7) Período composto por subordinação e coordenação constituído por três orações:
   a) oração principal: a Estremadura e parte da Beira davam suas tropas ao Alentejo
   b) oração subordinada adverbial causal: porque tinha de sustentar muito maior número de praças de guerra
   c) oração subordinada adverbial causal coordenada à anterior por expressão aditiva intensiva tanto ... como: porque os exércitos operavam ali continuamente

31.
1) a) vi: coordenada assindética
   b) venci: coordenada assindética
2) a vaidade os deslustra: coordenada assindética
3) a) os moços antecipam: coordenada assindética
   b) e devoram o futuro: coordenada sindética aditiva
4) mas o vício [é] contagioso: coordenada sindética adversativa
5) os homens experientes e maduros [apaixonam-se] pelo belo: coordenada assindética
6) e nos consomem a paciência: coordenada sindética aditiva
7) a morte desfigura tudo: coordenada assindética

8) a) coordena: coordenada assindética
b) e senhoreia muita força: coordenada sindética aditiva
9) a) não disputes: coordenada assindética
b) não maldigas: coordenada assindética
c) e não terás de arrepender-te: coordenada sindética aditiva
10) a) e obriga: coordenada sindética aditiva
b) mas não convence: coordenada sindética adversativa

32.
1) O trabalhador encontra em toda parte meios de subsistência.
2) O avarento (O avaro) nunca tem bastante.
3) O pensador (pensante) sabe escrever.
4) O sadio pode trabalhar.
5) O ignorante nada duvida.
6) O sadio não precisa de médico.
7) O ledor / leitor da gazeta não sou eu.

33. Modelo: Sujeito: quem crê de leve; 1) Sujeito: quem trabalha; 2) Sujeito: quem é avarento; 3) Sujeito: quem sabe pensar; 4) Sujeito: quem goza saúde; 5) Sujeito: quem nada sabe; 6) Sujeito: quem tem saúde; 7) Predicativo: quem lê a gazeta (não o sou; sujeito eu; predicativo o)

34.
1) Ele conhece perfeitamente em que sociedade vive: OD
2) Desconheço que virtude esse remédio possa ter: OD
3) Ele sabe de que meios pode dispor: OD
4) Ele não conhecia que belezas a obra tinha: OD
5) Ele compreende que entusiasmo as suas palavras possam produzir: OD
6) Mentor referia-me muitas vezes que glória Ulisses tinha alcançado entre os gregos: OD
7) Ele sabe que (quais os) deveres que tem de cumprir: OD
8) Ele não sabia que (qual) história havia de contar: OD
9) Ele já sabia que (qual) gente era: OD

35.
1) a) quem não espera na vida futura: oração subordinada substantiva subjetiva
b) desespera na presente: oração principal
2) a) para quem ama a Deus: oração subordinada substantiva objetiva indireta
b) não há neste mundo completa desgraça: oração principal
3) a) quem muito nos festeja: oração subordinada substantiva subjetiva
b) alguma coisa de nós deseja: oração principal
4) a) o sol doura: oração principal da 2.ª oração
b) a quem o vê: oração subordinada substantiva objetiva direta
c) o sábio ilumina: coordenada assindética e principal da 4.ª oração
d) a quem o ouve: oração subordinada substantiva objetiva direta (Obs.: O **a** que precede os pronomes quem das orações justapostas é preposição expletiva, isto é, não tira à oração subordinada uma função de objeto direto, complemento dos verbos transitivos diretos **vê** e **ouve**.)
5) a) com trabalho, inteligência e economia, só é pobre: oração principal
b) quem não quer ser rico: oração subordinada substantiva subjetiva
6) a) nunca falta força: oração principal
b) a quem sobeja inteligência: oração subordinada substantiva objetiva indireta
7) a) não interrompemos: oração principal da 2.ª oração
b) a quem nos louva: oração subordinada substantiva objetiva direta
c) mas aos (= àqueles) [interrompemos]: oração coordenada sindética adversativa à 1.ª oração e principal da 4.ª
d) que nos censuram: oração subordinada adjetiva restritiva

8) a) a vida é sempre curta: oração principal
   b) para quem desperdiça o tempo: oração subordinada substantiva objetiva indireta de opinião ou adverbial de proveito ou benefício
9) a) Deus ajuda: oração principal
   b) a quem cedo madruga: oração subordinada substantiva objetiva direta (se a preposição a for considerada expletiva) ou indireta (já que o verbo ajudar pode pedir objeto direto ou indireto)
10) a) para quem não tem juízo: oração subordinada substantiva objetiva indireta de opinião ou adverbial de proveito ou benefício
    b) os maiores bens da vida se convertem em gravíssimos males: oração principal

36.
1) Vieira disse: O chorar é consequência de ver.
2) Alexandre Herculano disse: A preponderância é ... economia.
3) Rebelo da Silva disse: É mais para invejar o varão que se faz grande ... brasões herdados.
4) Schiller disse: A variedade é o sal do prazer.
5) Goethe disse: O perigo tira ao homem toda a presença de espírito.
6) Tieck disse: Aquele que não sabe obedecer não deve comandar.
7) Goethe disse: A maior parte dos homens não aprecia(m) senão o reflexo do merecimento.
8) Krummacher disse: A língua alemã é a mais rica em vogais depois da língua grega.
9) O filósofo grego Antístenes disse: É preciso adquirir bens que nadem conosco quando nós naufragamos (naufragarmos).

37.
1) O Visconde de Almeida Garrett disse que o remorso era o bom pensamento dos maus.
2) Vieira disse que as ações generosas, e não os pais ilustres, eram as que faziam fidalgos.
3) Kant disse que o tambor era o emblema do falador; soava porque estava oco.
4) Gellert disse que a Natureza era o melhor médico.
5) Hufeland disse que quanto mais inativo era o corpo, tanto mais acessível era às doenças.
6) Schiller disse que a mentira era a arma do inferno.
7) Raupach disse que o receio era o irmão da esperança.
8) Hamann disse que o dia da morte valia mais que o dia do nascimento.
9) Gellert disse que a dificuldade não dispensava nenhum dever.
10) Schiller disse que todo elogio, por merecido que fosse, era lisonja quando se dirigia aos grandes.
11) Goethe disse que o talento se formava na solidão; o caráter, na torrente do mundo.
12) Jean Paul Richter disse que a mulher retinha tão dificilmente o título dos livros, como o seu ilustrado marido, o nome das modas.
13) Pope disse que o talento de um autor consistia em agradar.
14) Milton, sendo perguntado sobre se ensinaria diferentes línguas a suas filhas, respondeu que não, dizendo que uma língua era bastante para uma mulher.

38.
1) a) a beneficência alegra ao mesmo tempo o coração: oração principal
   b) de quem dá: oração subordinada adjetiva restritiva
   c) e de quem recebe: oração subordinada adjetiva restritiva e coordenada à anterior
2) a) o coração anda sempre aos pulos: oração principal
   b) de quem rouba: oração subordinada adjetiva restritiva
3) a) a vitória tem pouco valor: oração principal
   b) de quem não luta: oração subordinada adjetiva restritiva
4) a) se quereis saber as misérias: oração subordinada adverbial condicional e principal da 2.ª
   b) de quantos vivem à nossa roda: oração subordinada adjetiva restritiva
   c) eu vo-lo direi: oração principal
5) a) ficou desanimado com a ingratidão: oração principal
   b) de quem tanto teve a sua ajuda: oração subordinada adjetiva restritiva

6) a) o professor distribuiu as notas: oração principal
   b) de quantos fizeram provas: oração subordinada adjetiva restritiva
7) a) a cruz é sempre mais leve: oração principal
   b) de quem trabalha: oração subordinada adjetiva restritiva
   c) do que a (= aquela) [é leve]: oração subordinada adverbial comparativa e principal da 4.ª
   d) de quem desperdiça o tempo: oração subordinada adjetiva restritiva
39. 1-AT; 2-A; 3-A, A; 4-AT; 5-AT; 6-A
40.
1) a) a beleza é uma harmonia: oração principal
   b) qualquer que seja o seu objeto: oração subordinada adverbial concessiva (justaposta)
2) a) a ordem pública periga: oração principal
   b) onde se não castiga: oração subordinada adverbial locativa (justaposta)
3) a) onde não se preza a honra: oração subordinada adverbial locativa
   b) se desprezam as honras: oração principal
4) a) aconteceu um fato: oração principal
   b) que pode, até certo ponto, dar uma ideia das primeiras cenas do negro drama: oração subordinada adjetiva restritiva (conectiva) e principal da 3ª
   c) que começou a passar ante os olhos daqueles: oração subordinada adjetiva restritiva (conectiva) e principal da 5.ª
   d) há oito anos: oração subordinada adverbial temporal (justaposta)
   e) que ainda não abnegaram de todo a humanidade e o pudor: oração subordinada adjetiva restritiva (conectiva)
5) a) chegaremos hoje à cidade: oração principal
   b) aconteça o que acontecer: oração subordinada adverbial concessiva (justaposta)
6) a) devemos pôr as nossas esperanças: oração principal
   b) onde mais tivermos fé: oração subordinada adverbial locativa (justaposta)
7) a) não o via: oração principal
   b) fazia seis anos: oração subordinada adverbial temporal (justaposta)
8) a) os jovens se dirigiram: oração principal
   b) para onde estavam seus pais: oração subordinada adverbial de lugar (justaposta)
9) a) farei: oração principal
   b) o que eu disse: oração subordinada substantiva objetiva direta
   c) custe o que custar: oração subordinada adverbial concessiva (justaposta)
10) a) há mais de sessenta anos: oração principal
    b) que nasci detrás daquele penedo: oração subordinada adverbial temporal
    c) que daqui aparece ao alto da serra: oração subordinada adjetiva restritiva
41.
1) a) o programa da festividade externa também sofreu modificações: oração principal
   b) que a grande massa dos crentes não aprovou: oração subordinada adjetiva restritiva
   c) diga-se a verdade: oração justaposta, intercalada de ressalva
2) a) daqui a um crime distava apenas um breve espaço: 1.ª oração
   b) e ela o transpôs: oração coordenada sindética aditiva
   c) ao que parece: oração justaposta intercalada de ressalva
3) a) lembrai-vos, cavaleiro: oração principal da 3.ª
   b) disse ele: oração justaposta intercalada de citação
   c) de que falais com D. João I: oração subordinada substantiva objetiva indireta
4) a) tio Feliciano – Feliciano Gomes de Farias Veras – foi o princípio da família: oração principal
   b) a quem conheci em Parnaíba: oração subordinada adjetiva explicativa
   c) parece: oração justaposta intercalada de opinião
   d) que ali aportou: oração subordinada adjetiva restritiva
5) a) e cai logo de cócoras: oração principal

b) se na marcha estaca pelo motivo mais vulgar: oração subordinada adverbial condicional
c) cai, é o termo: justaposta intercalada de opinião
6) a) José foi: oração principal
b) quem conseguiu convencer a todos os presentes: oração subordinada substantiva predicativa
c) que eu saiba: oração justaposta intercalada de ressalva
7) a) ah! isto é outra coisa: 1.ª oração
b) continuou o negociante, agora amável: oração justaposta intercalada de citação.
8) a) os complementos indiretos do verbo preferir, esses excluem a preposição por: oração principal da 3.ª
b) não há dúvida nenhuma: oração justaposta intercalada de opinião
c) exigindo a preposição a: oração subordinada adverbial de causa (exigindo = porque exigem) reduzida de gerúndio (tipo sintático que veremos adiante)
9) a) os compatriotas serviram à verdadeira causa nacional com a deposição do governo: oração principal da 2.ª
b) que já não era mais a república, mas outra forma ditatorial, essencialmente distinta: oração subordinada adjetiva explicativa (o predicativo é composto)
c) note-se bem: oração justaposta intercalada de advertência
10) a) ela se encarregava do chapéu de sol: 1.ª oração
b) o chapéu de sol de minha mãe era mais alto do que nós: período justaposto intercalado de advertência
11) a) minha professora primária é mãe do meu mestre de Matemática: 1.ª oração
b) que Deus a conserve por muitos anos: oração justaposta intercalada de desejo

Capítulo 15
1. 1-(X) se atreveu a sair; 6-(X) não pôde levantar-se; 7-(X) saiu a farpeá-lo; 8-(X) sem querer ouvir; 9-(X) (e eu) vou morrer
2. 1) É útil que se estudem as lições: or.s.s.subjetiva
2) É preciso que se respeite a velhice: or.s.s.subjetiva
3) É mister que se previnam os abusos: or.s.s.subjetiva
4) É proveitoso que se empregue bem o tempo: or.s.s.subjetiva
5) Convém que se reguem as flores: or.s.s.subjetiva
6) É indispensável que se cultivem os campos: or.s.s.subjetiva
7) Cumpre que se saúdem as pessoas conhecidas: or.s.s.subjetiva
8) É forçoso que se observem as leis: or.s.s.subjetiva
9) Importa que se vençam as paixões: or.s.s.subjetiva
10) É necessário que se diga a verdade: or.s.s.subjetiva
3.
1) a) A severidade, se for demasiada, erra o intento: or.s.a.condicional
b) A severidade, a ser demasiada, erra o intento.
2) a) A raposa, porque excede em astúcia todos os animais, tem dado assunto para muitas fábulas: or.s.a.causal
b) A raposa, por exceder em astúcia todos os animais, tem dado assunto para muitas fábulas.
3) a) O sol, quando nasce, doura a terra com os seus raios: or.s.a.temporal
b) O sol, ao nascer, doura a terra com os seus raios.
4) a) O próprio veneno pode ser um excelente remédio se for empregado com circunspeção: or.s.a.condicional
b) O próprio veneno pode ser um excelente remédio a ser (ao ser) empregado com circunspeção.
5) a) Se se vence sem perigo, triunfa-se sem glória: or.s.a.condicional
b) Ao se vencer sem perigo, triunfa-se sem glória.
6) a) Quando se leem e se estudam os bons autores, aprende-se a escrever bem: or.s.a.temporal (seria condicional se optássemos por Se se leem e se estudam...)
b) Ao se lerem e se estudarem os bons autores, aprende-se a escrever bem.
7) a) Embora todos conheçam quanto vale o tempo, bem poucos o aproveitam: or.s.a.concessiva
b) Apesar de todos conhecerem quanto vale o tempo, bem poucos o aproveitam.

8) a) O criminoso, porque o atormentou o remorso (ou: porque foi atormentado pelo remorso), confessou a sua culpa: or.s.a.causal
   b) O criminoso, por ser atormentado pelo remorso, confessou a sua culpa.
9) a) A lebre, porque era perseguida pelos cães, fugia apressada: or.s.a.causal
   b) A lebre, por ser perseguida pelos cães, fugia apressada.
10) a) Logo que proferiu aquelas palavras, desceu as escadas da torre: or.s.a.temporal
    b) Ao (Após) proferir aquelas palavras, desceu as escadas da torre.

4.

1) a) tenho o consolo: oração principal
   b) de haver dado a meu país tudo: or. s. substantiva completiva nominal
   c) que me estava ao alcance: or. s. adjetiva restritiva
2) a) tudo envidei: oração principal
   b) por inculcar ao povo os costumes da liberdade: or. s. adverbial final reduzida de infinitivo
   c) e [por inculcar] à república as leis do bom governo: or. s. adverbial final e coordenada à anterior
3) a) chegou o momento: oração principal
   b) de vos assentardes, mão por mão, com os vossos sentimentos: or. s. substantiva completiva nominal reduzida de infinitivo
   c) de vos pordes à fala com a vossa consciência: or. s. substantiva completiva nominal coordenada à anterior
   d) de praticardes familiarmente com os vossos afetos, esperanças e propósitos: or. s. substantiva completiva nominal coordenada à anterior
4) a) não cabia em um velho catecúmeno: oração principal
   b) vir ensinar a religião aos seus bispos e pontífices: or. s. substantiva subjetiva reduzida de infinitivo
   c) nem [vir ensinar] aos (= àqueles): or. s. substantiva subjetiva coordenada à anterior
   d) que agora nela recebem ordens do seu sacerdócio: or. s. adjetiva restritiva
5) a) ninguém se poderá furtar à entrada: oração principal
   b) cabendo-lhe a vez: or. s. adverbial temporal (quando lhe cabe) ou condicional (se lhe cabe), reduzida de gerúndio
6) a) ninguém se conseguirá evadir à saída: oração principal
   b) desde que entrou: or. s. adverbial temporal
   c) em lhe chegando o turno: or. s. adverbial temporal ou condicional reduzida de gerúndio
7) a) ninguém desanime, pois: oração principal da 2.ª
   b) de que o berço lhe não fosse generoso: or. s. substantiva objetiva indireta
   c) ninguém se creia malfadado: oração coordenada à 1.ª e principal da 4.ª
   d) por lhe minguarem de nascença haveres e qualidades: or. s. adverbial causal reduzida de infinitivo
8) a) Gutierrez animou-o: oração principal
   b) a orar: or. s. substantiva objetiva indireta ou or. s. adverbial final reduzida de infinitivo
   c) persistir: oração equipolente à anterior (classificação por brevidade)
   d) e esperar: oração equipolente à anterior (classificação por brevidade)
9) a) nem lho leveis a mal: oração principal
   b) por vir muito cedo: or. s. adverbial causal reduzida de infinitivo
   c) lho tenhais à conta de importuna: oração coordenada à 1.ª
10) a) dirão: oração principal
    b) que tais trivialidades, cediças e corriqueiras, não são: or. s. substantiva objetiva direta
    c) para [serem] contempladas num discurso acadêmico: or. s. substantiva predicativa (= contempláveis) reduzida de infinitivo (É corrente entre os escritores clássicos essa omissão do auxiliar junto ao particípio, construção que R. Barbosa utilizou)
    d) nem para [serem] escutadas entre doutores, lentes e sábios: oração equipolente à anterior

5.

1) a) Deixe-me: oração principal
   b) passar: oração subordinada substantiva predicativa (referida ao obj. direto *me*)
   c) e diga isto: oração coordenada sindética aditiva
2) a) D. José vira o marquês: oração principal

b) levantar-se: oração subordinada substantiva predicativa (referida ao objeto direto *o marquês*)
c) e percebera a sua resolução: coordenada sindética aditiva
3) a) Deixai-o, ao velho fidalgo: oração principal
b) ir: oração subordinada substantiva predicativa (referida ao objeto direto *o*)
4) a) Emílio fez os dois meninos: oração principal
b) subir: oração subordinada substantiva predicativa (referida ao objeto direto *os dois meninos*)
c) e assentou-se defronte deles: oração coordenada sindética aditiva
5) a) nada é mais surpreendente: oração principal
b) do que vê-la: oração subordinada adverbial comparativa
c) desaparecer de improviso: oração subordinada substantiva predicativa (referida ao objeto direto *la*)

Capítulo 17

1. 1-B, 2-A, 3-B, 4-D, 5-C, 6-C, 7-D, 8-D, 9-C, 10-E, 11-E
2. 1) demasiada(s); 2) clara/claros; 3) esperada/esperados; 4) Os mesmos; 5) demasiado(s); 6) Sereno(s); 7) Arranhados; 8) Arranhada/Arranhados; 9) arranhada/arranhados; 10) arranhados
3. 1) língua/línguas; 2) língua; 3) vistos; 4) vistos/visto; 5) vistos/vista; 6) mesmas; 7) próprios; 8) sós; 9) bom/boa; 10) anexa; 11) anexos; 12) lesa-confiança; 13) fato, vem/vêm; 14) fato, vem

Capítulo 18

1. 1) supus; 2) farão/fareis; 3) disseram; 4) dera; 5) havia, poderiam; 6) foi há; 7) dissemos; 8) sentiríeis; 9) andava/andavam; 10) se foram
2. 1) são/é; 2) visitam; 3) conseguiram/conseguiu; 4) se reflete; 5) for, irá; 6) podem; 7) Fazem; 8) Precisa; 9) tinham; 10) viram
3. 1) houve/houvera; 2) Havia; 3) tinha havido; 4) Houve; 5) Havia; 6) Haverá; 7) Houve/Houvera; 8) Ter-se-á havido; 9) Houve/Houvera; 10) haverá
4. 1) Houve/Houvera; 2) Haverá; 3) Houve/Houvera; 4) Tem havido; 5) Havia; 6) Houve/Houvera; 7) haja; 8) houvesse; 9) haja; 10) tenha havido
5. 1) Sujeito composto com presença da 1ª pessoa; 2) Sujeito composto com presença da 1ª pessoa; 3) Sujeito composto com 2ª e 3ª pessoas; 4) Sujeito composto com *ou* alternativo; 5) Concordância por atração com o sujeito mais próximo; 6) Sujeito composto com sinônimos; 7) Sujeito composto com sinônimos, concordância normal; 8) Verbo no singular, concordando com *mais de um*; 9) Concordância com predicativo; 10) Concordância no plural com *um e outro*
6. 1) Alugam; 2) Venderam; 3) Precisava; 4) verão; 5) consertavam; 6) dessem; 7) assistia; 8) cometem; 9) gosta; 10) Esperou
7. 1-X, 5-X, 6-X, 10-X
8. 2-X, 5-X, 6-X, 7-X, 9-X, 10-X
9. 1) tínhamos, visto(s), enfrentávamos; 2) poderão/podereis, propostos/proposta; 3) Sereno(s), demonstraram/demonstrou; 4) vestem-se, negro(s); 5) apresentaram, enérgico(s); 6) vimos, esmerada(s); 7) viemos, esmerada(s); 8) Passou/Passaram, dignos/dignas; 9) demonstrado(s), fez/fizeram

Capítulo 19

1. 1-1; 2-1,1; 3-3; 4-1; 5-2; 6-2; 7-1,1; 8-2; 9-1; 10-1,1
2. 1) o -OD, 2) a -OD, 3) lhes -OI, 4) os -OD, 5) lhe -OI, 6) o -OD, 7) os -OD, 8) a -OD, 9) lhe -OI, 10) o -OD
3. 1) admirá-los; 2) fê-la; 3) vesti-la; 4) tem-nas; 5) põe-nas; 6) fi-las; 7) estudamo-la; 8) vê-los; 9) embaraçavam-nos; 10) trá-las; 11) pu-la
4. 1) fez-lhe; 2) oferece-vos; 3) esquecemo-nos; 4) apresentamos-lhes; 5) lembras-te; 6) vestis-vos; 7) requeremos-lhe; 8) visita-nos; 9) lembrais-vos; 10) devemos-lhe; 11) separamo-nos; 12) fomos-lhe
5. 1) no; 2) o; 3) lhe; 4) lhe; 5) lhe; 6) o; 7) lhe; 8) lhe; 9) o; 10) o
6. 1) eu; 2) mim; 3) eu; 4) mim; 5) eu; 6) eu; 7) eu; 8) mim; 9) eu; 10) mim
7. 3-X
8. 1-X, 6-X

Capítulo 20
1. 4-X
2. 5-X
3. 4-X
4. 1-X
5. 4-X
6. 3-X
7. 1) Tens-nos visto/Tens nos visto; 2) Está-nos procurando/ Está nos procurando / Está procurando-nos; 3) (...) que ele nos está procurando / que ele está nos procurando; 4) Vai-nos escrever / Vai nos escrever / Vai escrever-nos; 5) Não nos vai escrever / Não vai nos escrever / Não vai escrever-nos; 6) Ele tem de nos pedir desculpas / Ele tem de pedir-nos desculpas / Ele nos tem de pedir desculpas / Ele tem-nos de pedir desculpas; 7) Não nos tem visitado / Não tem nos visitado; 8) (...) que há de nos enganar / que há de enganar-nos / que nos há de enganar; 9) (...) nos tínhamos apeado / tínhamos nos apeado / tínhamo-nos apeado; 10) Tens de nos auxiliar / Tens de auxiliar-nos / Tens-nos de auxiliar; 11) (...) que nos quer perguntar algo / que quer nos perguntar algo/ que quer perguntar-nos algo; 12) Não hás de nos abandonar/ Não hás de abandonar-nos / Não nos hás de abandonar.
8. 1) Não nos deseja falar / Não deseja nos falar / Não deseja falar-nos; 2) Quando quer agradar-nos, (...) / Quando nos quer agradar, / Quando quer nos agradar; 3) Nunca nos tem dito a verdade / Nunca tem nos dito a verdade; 4) Talvez saiba contar--nos a história / Talvez nos saiba contar a história / Talvez saiba nos contar a história; 5) Agora já nos pode ver melhor / pode ver-nos melhor / pode nos ver melhor; 6) (...) que vai fazer-nos falta / que nos vai fazer falta / que vai nos fazer falta; 7) Ele nos tem querido convocar / Ele tem-nos querido convocar / Ele tem nos querido convocar; 8) (...) nos tenta enganar / tenta enganar-nos / tenta nos enganar / tenta-nos enganar; 9) (...) nos tem sabido livrar do perigo / tem-nos sabido livrar do perigo / tem sabido livrar-nos do perigo / tem nos sabido livrar do perigo; 10) (...) nos tem sabido calar / tem sabido calar-nos / tem nos sabido calar; 11) Tem-nos querido ajudar / Tem nos querido ajudar / Tem querido ajudar-nos; 12) Não nos tem querido ajudar / Não tem nos querido ajudar / Não tem querido ajudar-nos
9. 3-X

Apêndice
1. 5-X
2. 2-X
3. 1-2, 2-4, 3-3, 4-6, 5-6, 6-5, 7-2, 8-2, 9-4, 10-6, 11-3, 12-6
4. 1-X, 3-X, 5-X, 9-X
5. 1-X, 4-X, 5-X, 7-X, 8-X
6. 2-X, 3-X, 5-X, 7-X, 9-X, 10-X
7. 3-X, 7-X, 9-X, 10-X
8. (1); (4); (3); (2)
9. c-X

Capítulo 21
1. a-X, b-X, d-X, e-X, g-X, h-X, k-X, l-X, m-X, q-X, r-X, s-X
2. a-X
3. b-X
4. c-X
5. b-X
6. c-X
7. c-X
8. d-X
9. b-X

Capítulo 22
1. b-X
2. b-X
3. d-X
4. c-X
5. d-X
6. a-X
7. b-X
8. b-X
9. a-X
10. e-X
11. d-X (Vide NOTA 4 no final deste gabarito)
12. d-X
13. c) 3-2-5-4-5-1
14. a-3, b-7, c-1, d-7, e-9, f-5, g-2, h-8, i-6, j-3, k-9, l-10
15. a-7, b-6, c-2, d-7, e-11, f-12, g-11, h-3, i-8, j-9, k-3, l-4

Capítulo 23
1. 1-CL, 2-CL, 4-CL, 5-CL
2.

lexemas	curso d'água	volume d'água		desaguadouro		curso
		grande	pequeno	rio	rio ou mar	margens
rio	+	+			+	+
afluente	+	+			+	+
ribeira	+		+			+
filete	+	+				
arroio	+	+				

3. (3); (2); (2); (1); (5); (4); (1); (2); (4); (2)
4. 1) pospor; 2) imigrar; 3) cisalpino; 4) progressão; 5) desterrar; 6) explosão; 7) contrapor; 8) extroverter
5. (7) in (negação); (2) bi(s); (3) contra; (4) super; (9) in (para dentro); (5) trans; (1) ab; (10) bene; (8) ambi; (6) cum
6. 1) incipiente; 2) Malgrado; 3) iminente, eminente; 4) prescrever; 5) infringir; 6) conserto; 7) cela; 8) sessão, seção, cessão; 9) expiar; 10) tráfico
7. 1) mandado, mandato; 2) flagrante; 3) instância; 4) discrição; 5) fruir; 6) tráfego; 7) imergiu; 8) infração; 9) ratificar; 10) matilha

Capítulo 24
1. Respostas como sugestões:
   1) para: Iara, vara, mala, tara, sara, pera, pira, pura, pala, palha, passa, Pará, paro, pari
   2) tina: fina, sina, mina, tona, tuna, tilha, tira, tino, Tiné
   3) vela: cela, bela, gela, vala, vila, vera, velha, vele, velo
   4) bota: cota, nota, sota, benta, bita, bossa, bote
   5) carro: jarro, sarro, cerro, caro, cacho
   6) tinha: pinha, vinha, minha, tenha, tira, tida
   7) apagado: alagado, afagado, apegado, aparado, apanhado
   8) lata: pata, nata, rata, luta, lenta, laça, lassa, late
   9) fato: lato, bato, mato, fito, feto, falho, faro, favo
   10) tira: lira, vira, pira, tora, tiro
2. 1) subs-tan-ti-vo; 2) rit-mo; 3) i-a-te; 4) mo-e-da; 5) psiu; 6) ist-mo; 7) rít-mi-co; 8) a-poi-o; 9) ca-iu; 10) joi-a
3. 1) fo-lha; 2) dis-ci-pli-na; 3) gló-ria; 4) felds-pa-to; 5) Pi-au-í; 6) cu-me-ei-ra; 7) ex-su-da-ção; 8) sec-ção; 9) pa-uis; 10) ru-im

4.
1) leite – 5 letras e 5 fonemas
2) língua – 6 letras e 5 fonemas
3) consequência – 12 letras e 10 fonemas (com a pronúncia de um tritongo na sílaba *quen* serão 11 fonemas)
4) queixa – 6 letras e 5 fonemas
5) calha – 5 letras e 4 fonemas
6) imposição – 9 letras e 8 fonemas
7) hemoglobina – 11 letras e 10 fonemas
8) rachadura – 9 letras e 8 fonemas
9) coordenação – 11 letras e 11 fonemas
10) permissão – 9 letras e 8 fonemas
11) conhecimento – 12 letras e 10 fonemas
12) super-homem – 10 letras e 8 fonemas (com a pronúncia do ditongo na sílaba *men* serão 9 fonemas)
13) habitação – 9 letras e 8 fonemas
14) oxidação – 8 letras e 9 fonemas
15) luxúria – 7 letras e 7 fonemas
16) desilusão – 9 letras e 9 fonemas

5.
1) sapo - /s/
2) corsário - /s/
3) uso - /z/
4) insipiente - /s/
5) bolsa - /s/
6) usurário - /z/

6.
1) exame - /z/
2) óxido – [ks]
3) máximo - /s/
4) xadrez - /ʃ/
5) enxada - /ʃ/
6) exatidão - /z/
7) axila – [ks]

7. Nota: As respostas levam em conta a pronúncia predominante no Brasil. Em algumas regiões linguísticas pode haver diferença fonética.
1) alguém – [aw] e [ẽy]
2) salto – [aw]
3) pás – [ay]
4) bem – [ẽỹ]
5) gol – [ow]
6) volta – [ɔw]
7) mel - [ɛw]

8.
(b) seda
(c) chamado
(d) queda
(a) pedido
(d) contagem
(e) despedir
(b) zebra

(c) jarro
(a) mão
9. Nota: As respostas levam em conta a pronúncia predominante na região Sudeste. Em algumas regiões linguísticas pode haver diferença fonética.
Corrida, comprido, enfermo, seguir.
10. Queda, ombro, chuva, arreio, pente, guia, junto.
11.
(3) lei
(1) pâncreas
(1) meio
(2) surdo
(2) zumbi
(1) bloco
(3) lhe
(1) tempo

Capítulo 25
1. Orientação para possíveis dúvidas no exercício: no português brasileiro, há tendência para inclusão de uma vogal epentética[1] entre as consoantes de alguns encontros consonantais, de que decorrem as pronúncias "abisoluto", adimitir", "díguino", "adivogado", etc. Cumpre atentar para a pronúncia padrão quando mais adequada à situação discursiva. O desejo de corrigir o engano leva muitas vezes à omissão indevida da vogal de certos vocábulos: escreve-se adivinhar (e não advinhar), subentender (e não subtender).
2. adivinhação, pneu, afta, indigno
3. Respostas para possíveis dúvidas no exercício:
1) duelo (é)
2) indefesos (ê), coesos (ê) ou (é), flagelos (é), assolem (ó)
3) prelos (é), obsoletos (ê) ou (é), outrora (ó)
4) Tejo (é)
5) grumete (é) ou (ê), acervo (é) ou (ê), adrede (ê)
6) aboio (ô)
7) panfleto (ê), lampejo (ê), ileso (ê), anelos (é)
8) probo (ó), torpe (ó)
9) desporto (ô) ou (ó), obeso (ê) ou (é)
10) filantropo (ô), misantropo (ô)
11) ledo (ê), bodas (ó), loas (ô)
12) sobejo (ê), cerne (é), servos (é)
13) tropo (ô), miolo (ô)
14) reses (ê), suor (ó) ou (ô)
4. Respostas para possíveis dúvidas no exercício:
1) transtornos (ô), postos (ó)
2) impostos (ó), reforços (ó)
3) cachorros (ô), postos (ó)
4) contornos (ô), adornos (ô)
5) abrolhos (ó)
6) tijolos (ó), caroços (ó)

---

[1] Chamamos de *epêntese* o desenvolvimento de um fonema no interior de um vocábulo. Por exemplo: pneu e não peneu (trata-se aqui de uma vogal epentética).

7) coros (ô)
8) forros (ô) ou (ó), bolsos (ô)
9) destroços (ó)
10) cocos (ô)
5. Respostas para possíveis dúvidas no exercício:
1) sogros (ô) ou (ó), esposos (ô), rogos (ô)
2) trocos (ô) ou (ó)
3) fornos (ó)
4) bolsos (ô)
5) antolhos (ó)
6) foros (ó)
7) bodas (ô), Raposos (ô)
8) tortos (ó)
9) almoços (ô) ou (ó)
10) topos (ô)
11) corça (ô), corço (ô)
12) foro (ô)
6. 3 -X, 9 -X

Capítulo 26
1. 1) harém; 2) alcoólatra; 3) refém; 5) recém; 8) boêmia/boemia; 9) álacre; 13) cáfila; 14) ávido; 15) azáfama
2. 1-P; 2-Pp (álibi); 3-P; 4-P; 5-Pp (antídoto); 6-Pp (arquétipo); 7-P; 8-P; 9-P; 10-P; 11-P; 12-P
3. 1-P (gúmex); 2-P; 3-Pp (bávaro); 4-P; 5-Pp (Ândrocles); 6-Pp (cotilédone); 7-Pp (anátema); 8-Pp (alvíssaras); 9-Pp (ágape); 10-P; 11-P (sótão); 12-P
4. 1-P; 2-P; 3-Pp (barbárie); 4-Pp (crisântemo); 5-P; 6-P; 7-P; 8-Pp (ômega) / P (omega); 9-Pp (resfôlego); 10-Pp (hégira); 11-Pp (êxodo); 12-P
5. 1-Pp (ínterim); 2-P; 3-P; 4-Pp (íngreme); 5-O; 6-P; 7-P; 8-O; 9-O; 10-P (ambrosia = alimento) / Pp (ambrósia = certa planta); 11-Pp (acólito); 12-P
6. 1-X (hieroglifo/hieróglifo), 2- aríete, 3-X (Oceania/Oceânia), 4-X (projetil/projétil), 5- ádvena, 6- Tâmisa, 8-X (reptil/réptil), 10- végeto, 11-X (acrobata/acróbata), 12- zênite
7. 1) Anchieta esteve refém dos índios.
   3) Aquele moço é um advogado recém-saído da faculdade.
   4) O prêmio Nobel é uma instituição norueguesa.
   5) Faz-se mister que tenha cuidado com a saúde.
   9) A vida de boêmia/boemia traz prejuízos graves.
   10) O professor analisou os caracteres tipográficos do texto antigo.
8. 1) O alcoólatra paga com a vida o seu vício.
   2) A cachoeira de Niágara é uma beleza para os olhos.
   3) O êxodo foi enorme.
   8) Os iberos habitavam a antiga Ibéria.
   9) É famosa a história da espada de Dâmocles.
   10) Foi emocionante minha visita ao Tâmisa, num barco que me levou de Londres a Greenwich.
9. 2) Os egípcios utilizavam na escrita os hieróglifos/hieroglifos.
   3) Nesse ínterim ouviu-se o estampido do projétil/projetil.
   6) A polícia seguiu as pegadas do ladrão.
   8) Temos a subida honra de convidá-lo para padrinho da turma.
   10) A sua estratégia era antiga.
10. 5) harém; 6) refém; 7) recém; 9) cônjuge; 15) ínterim
11. 5) clímax; 7) recém-chegado; 9) alcáçar; 10) âmbar; 11) alcácer; 12) míope

12. 8) látex; 9) crisântemo; 10) ávido; 13) boêmia/boemia; 14) ômega/omega; 15) álibi
13. 1) autópsia/autopsia; 2) réptil/reptil; 3) pântano; 4) zênite; 7) alcoólatra; 8) álcali; 9) azáfama; 11) projétil/projetil; 12) etíope; 13) íngreme; 14) protótipo; 15) Oceânia/Oceania
14. 2) duúnviro; 3) Gândavo/Gandavo; 4) próton; 5) íncubo (adj.); 11) Ele crê; 14) Eles têm; 15) Ele detém
15. 1) Eles detêm; 2) aríete; 4) bávaro; 7) inédito; 10) biópsia/biopsia; 15) azáfama (s.)

Capítulo 27

1. 1) casimira; 2) alardearam; 3) iguais; 4) quesitos, quase; 5) delação; 6) encarnada; 7) crânio; 8) óleo; 9) dispensa; 10) arrepios
2. 1) cumeeira; 2) arriado; 3) ária; 4) deferiu; 5) diferiam; 6) escárnio; 7) Aéreo; 8) corrimão, pátio; 9) balneário; 10) incubadas
3. 1) arrepiar; 2) dispensa; 3) despensa; 4) cerimônia; 5) umidade, umedecer; 6) quase, descrição; 7) discorrer; 8) difamação; 9) incumbência
4. 1) ária; 2) área; 3) área; 4) desfrutar; 5) quesitos; 6) térreo; 7) incubado; 8) cardeal; 9) cumeeira
5. 1) veio; 2) engoliu; 3) buginganga; 4) piruetou; 5) sinusite; 6) regurgitava; 7) bússola; 8) óbolo; 9) tossir; 10) tribo
6. 1) insulano; 2) urticária; 3) embutir; 4) Manuel, tábua; 5) míngua; 6) engolir, pílula; 7) ruído, goela; 8) carvoeiro, légua; 9) titubeou; 10) tômbolas
7. 1) —, harpa; 2) —, —; 3) hombridade; 4) —; 5) —, hispânicos; 6) —; 7) —; 8) hesitou, humanidade; 9) hieróglifos; 10) hodiernos, —
8. 1) —; 2) —, hilaridade; 3) hasteada; 4) hauriu; 5) —; 6) —; 7) —, —; 8) hurra; 9) hérnia; 10) hiatos
9. 1) —; 2) —; 3) —; 4) —; 5) hora, hora; 6) —; 7) —; 8) —; 9) Super-homem; 10) honra
10. 1) grunhidos; 2) hombridade; 3) Hem; 4) herança, herdade; 5) renhido; 6) —; 7) —, herbívoro; 8) herege, hóstia; 9) hindu; 10) hino
11. 1) higiene; 2) Há; 3) —; 4) —; 5) hesitante, —; 6) habitual, humildade; 7) —; 8) hierarquia; 9) —; 10) holofotes, homérica
12. 1) dançando, graça; 2) impressionou; 3) concertando; 4) assomou, possante; 5) Sinai; 6) posses, abastância; 7) opresso; 8) prouvesse; 9) cansada; 10) terraço, descansando, cansaço; 11) ressoava, espaço
13. 1) obstinação; 2) proporção; 3) travessa; 4) embaraços; 5) pressentimento; 6) ambição, devassar; 7) escasso; 8) doçura, trouxeste; 9) Cingiu, braço, cintura; 10) disfarce, disfarçando; 11) embuçado, apareceu, avançou, passo, passo
14. 1) trouxe; 2) insossa; 3) cismado; 4) compreensão; 5) extensão; 6) concessão; 7) sessão, cessão; 8) assistência; 9) apressaram-se, intenções; 10) dissimulação; 11) ancião, ansioso; 12) ressabiado; 13) atenção, elipse
15. 1) lascivo; 2) amanheceu; 3) florescem; 4) reminiscências; 5) sucinta; 6) suscitou; 7) sucedido, entristeceu; 8) fascínio; 9) consciência
16. 1) fascículos; 2) aquiescência, suscitada; 3) inconsciente; 4) nascente; 5) crescimento, ascendência; 6) coincidência, florescência; 7) docente, discente; 8) nasceu, displicente; 9) facínora, descia; 10) quociente
17. 1) sutilezas; 2) avisado; 3) juíza, examinava; 4) jesuítas; 5) surpresos; 6) desmesuradas; 7) desertos; 8) reduzira, ferozes; 9) Quisestes; 10) fizera; 11) luzinha, desaparecendo, quase, casa
18. 1) rezado, rezas; 2) Eufrásia, fazenda, fazendo, mesura, tesoureiro, fazenda; 3) desagradável, produzido, ocasião, vozes, furiosas, volumosas; 4) exíguo; 5) cosidas, cicatrizes, uso, perigoso; 6) juízes, interpuseram, finalizaram, desafio; 7) aprazado, realizar-se, existência; 8) descortesia, exército; 9) deslizava, misterioso; 10) borzeguim
19. 1) Examinou, minuciosamente; 2) algazarra, bazar; 3) amizade; 4) granizo; 5) proeza, países, vizinhos; 6) prazo, baliza; 7) camisa, azar; 8) exame, exercer; 9) sozinho, exército; 10) Exibiu, êxito, razão, defesa, lusitana
20. 1) praxe; 2) muxoxo; 3) bruxuleavam; 4) bruxa; 5) paixões, enchem, vexames; 6) deixou, puxar; 7) esplendor, espontaneamente; 8) expectativa, espetáculo; 9) Expiou
21. 1) caprichara, extensão; 2) extensivo; 3) estremecimento, encheu, vexames; 4) comichão, estremunhado; 5) extremadas, espontavam; 6) Exprimia-se, luxo; 7) extrema, extrema-unção; 8) extraviou-se; 9) Anchieta
22. 1) mochila; 2) enxergar, asteca; 3) frouxos, puxavam; 4) enxergas, colchões; 5) xerife, fichar; 6) cochichos, chiavam; 7) baixa, archote; 8) luxo, Xá, xadrez; 9) cheque, Caxambu
23. 1) laranjeira; 2) Lajes; 3) bugigangas; 4) gorjetas; 5) gíria; 6) pajé; 7) gorjeiam, gorjeiam; 8) majestade; 9) regurgitava; 10) monge
24. 1) granjearam; 2) singeleza; 3) lajeado; 4) jiboia; 5) jenipapo; 6) jérsei; 7) jeito; 8) giz; 9) pajem, fugido; 10) gesto

25. 1) trejeitos; 2) projeto; 3) injeção, injetada; 4) aspergia; 5) vigilância; 6) relógio, estrangeiro; 7) rabugices; 8) tugiu, mugiu; 9) adágio, agiota, algibeira; 10) viajem, viagem

26. 1) gíria; 2) trejeitos; 3) ajeitar, jérsei; 4) rabugice, pajem, gorjeta; 5) relógios, algibeira, vantagem; 6) viagem, viajem; 7) monge, reagiu, herege; 8) injeção, jeito, lojista; 9) projeto, Jeremias, laje; 10) bugigangas, tigelas, sujas

27. 1) sigilo, gestos, lisonjeados; 2) majestosa, passagem, angelical; 3) estrangeiro, traje, origem; 4) rejeitava, higiene; 5) jiló, berinjela, vagem; 6) agiota; 7) adágio, contágio, heterogênea; 8) rejeitou, ultraje; 9) jejum, granjeia; 10) ginete, Pajé

28. 1) deixe, mexer, xícara; 2) Xingava, trouxa, desleixo; 3) enxada, lixo, faixa; 4) Puxava, tacha; 5) xará, enxotou, chácara; 6) tachar; 7) capuchinho, archote, brecha; 8) cheques, fichas, pechinchas; 9) cochichou, pachorrento, almoxarife, rixa, mexericos, chistes; 10) frouxas, desenxabidas, vexame

29. 1) relaxava, mixórdia; 2) Oxalá, próximas, enxurradas, encham; 3) rouxinol, trouxe, frouxo; 4) praxe, elixir, xarope, murchar; 5) chiste, pecha, pachorrento; 6) taxa, cheque; 7) Oxalá, Quixote; 8) Agachou-se, ficha, brecha; 9) cocheiro, faxina, feixes; 10) xadrez, relaxou

30. 1) estendia, extensão; 2) estranho, estrangeiro; 3) esgotadas, esplêndido; 4) têxteis, espontaneamente; 5) salsicha, esquisito; 6) misto; 7) destreza, justalinear; 8) sexta, escusava; 9) pretexto, justa, extinção; 10) textuais; 11) contexto; 12) expectativa, espetáculo

31. 1) passarinhos, incessantemente; 2) cassando-lhe; 3) promessa; 4) contorção; 5) intromissão; 6) desavença; 7) cansaço, irritação; 8) assanhamento, intenção; 9) soçobraram, auxílio, necessário; 10) ancião, descansava, assentimento, profissional; 11) adoçou, expressão

32. 2) recém; 7) cotilédone; 8) réptil/reptil; 9) refém; 11) Dário/ Dario; 12) bátega; 13) crisântemo; 14) cáfila; 15) ínterim; 16) bávaro; 19) Niágara; 20) lêvedo

33. 2) vês; 3) hífen; 4) ímã; 6) armazém; 10) vinténs; 11) júri; 12) órfãs

34. 1) álbum; 2) bônus; 4) órgão; 6) tórax; 7) ríspido; 8) táxis; 9) recém; 11) órgãos; 12) álcool

35. 1) éter; 2) têxtil; 3) mágoa; 4) vê-lo-emos; 5) caráter; 6) vírus; 8) sótão; 10) jóquei; 11) amá-lo-ás; 12) fórceps

36. 2) vendê-lo-íeis; 3) bíceps; 4) Cristóvão; 6) pô-lo-ia; 7) beribéri; 8) ônus; 9) fá-lo; 10) éden; 11) lápis; 12) sonâmbulo

37. 1) D, 2) D, 3) H, 4) H, 5) D, 6) X, 7) X, 8) D, 9) X, 10) D/H, 11) D, 12) D, 13) H, 14) X, 15) D/H, 16) H, 17) D, 18) D, 19) X, 20) D, 21) T

38. 1) já; 2) sábias; 4) América; 6) vê; 7) saía; 8) sabiás; 9) vêm; 11) água; 14) ruído; 18) mistério; 19) vocês

39. 4) herói; 5) saúva; 6) hífen; 7) raízes; 9) frequência; 10) Grajaú; 16) vírus; 19) heroína; 21) egoísmo

40. 1) Vê-lo-emos; 4) arguímos; 8) fá-lo-ei; 14) contém; 16) quinquênio; 21) contêm

41. 1) P, 2) P, 3) O, 4) P, 5) P, 6) Pp, 7) P, 8) P, 9) P, 10) P, 11) P, 12) Pp, 13) O, 14) Pp, 15) P, 16) Pp, 17) P, 18) O, 19) P, 20) P, 21) O

42. 8) apropinque/apropínque; 10) corrói

43. 2) detêm; 3) pô-lo-ás; 4) indicá-lo-íeis; 5) têm; 6) vê; 7) indicá-lo-íamos; 9) detém; 11) indicá-lo-eis; 12) fá-lo-emos

44. "Não lhe peçam [ao moralista] filosofia, pois que esta duvida, e o gosto moral não consente dúvida." [MAI]

45. 1) couve-flor; 2) galinha-d'angola; 3) el-rei; 6) pé-de-meia; 8) arco-íris; 9) guarda-roupa; 10) bel-prazer; 12) passatempo

46. 1) luso-brasileiro; 2) anajá-mirim; 3) autoeducação; 4) ante-histórico; 5) greco-romano; 7) extraoficial; 8) extraordinário; 11) contra-almirante; 12) ultrassonografia

47. 1) vice-diretor; 2) ab-rogar; 3) pambrasileiro; 4) sem-vergonha; 5) pré-escolar; 6) super-humano; 7) pan-americano; 8) micro-organismo; 9) ex-reitor; 10) sub-rogar; 11) sem-cerimônia; 12) intrauterino

48. 1) preanunciar; 2) mal-humorado; 3) além-túmulo; 4) neolatino; 5) coproprietário; 6) pré-escola; 7) pró-helênico; 8) procônsul; 9) neorrepublicano; 10) coirmão; 11) bem-humorado; 12) suprarrenal; 13) arquimilionário; 14) contra-almirante; 15) pré-vestibular

49. 1) co-or-de-nar; 2) sa-í-da; 3) i-nep-to; 4) pneu; 5) pas-sa-gei-ro; 6) res-sur-gir; 7) sub-lin-gual; 8) subs-tan-ti-vo; 9) ma-nha; 10) ap-to; 11) dlim; 12) re-pug-nân-cia

50. 1) ab-ne-gar; 2) nup-ci-al; 3) ca-iu; 4) quais-quer; 5) e-lip-se; 6) res-tri-ti-vo; 7) ca-í-ram; 8) en-xa-gua-vam; 9) e-clip-se; 10) abs-ces-so; 11) dis-cí-pu-lo; 12) pai-ol

51. 1) po-ei-ra; 2) mag-nâ-ni-mo; 3) e-ti-mo-lo-gi-a; 4) bi-sa-vô; 5) sub-ten-der; 6) rit-mo; 7) ad-qui-rir; 8) es-pec-tro; 9) sub-li-nhar; 10) et-ni-a; 11) ist-mo; 12) joi-as

52. 1) cza-ri-na; 2) ab-rup-to; 3) subs-tân-cia; 4) sols-tí-cio; 5) sec-ção; 6) psi-co-se; 7) sub-li-nhar; 8) a-dep-to; 9) disp-nei-a; 10) sub-ju-gar; 11) su-bli-me; 12) rít-mi-co

53. 1) psiu; 2) af-ta; 3) ce-fa-lal-gi-a; 4) a-pa-nhei; 5) ec-ze-ma; 6) Pi-au-í; 7) car-ros-sel; 8) des-ça-mos; 9) Mag-da; 10) trans-pa-rên-cia; 11) ra-i-nha; 12) ca-fe-ei-ro
54. d-X
55. (X) A Segunda Grande Guerra desenrolou-se de 1939 a 1945.
(X) Lembra-se de nosso professor de Geografia.
56. (X) Toda a história do homem sobre a Terra constitui permanente esforço de comunicação.
(X) A Fundação de Estudos do Mar tem sede própria na rua Marquês de Olinda, n.º 18, Botafogo, Rio de Janeiro.
57. (X) A Rádio Guaíba é ouvida em quase todo o país.

Capítulo 28
1. b-X
2. d-X
3. b-X
4. a-X
5. b-X
6. e-X
7. e-X
8. b-X
9. e-X
10. a-5, b-3, c-7, d-9, e-1, f-2, g-12, h-4, i-8, j-10

Capítulo 29
1. 1) gerir, 2) reger, 3) singular, 4) particular, 5) forte, 6) fração, 7) capital, 8) fundamento, 9) insólito, 10) impotente
2. 1-A, 2-A, 4-A, 6-A
3. 4, 6, 1, 5, 3, 7, 2
4. 6, 1, 2, 4, 5, 3
5. 3, 1, 5, 2, 1
6. 4-X

Capítulo 30
1. (X) Rasga-se o negro bojo carregado.
2. 3, 6, 4, 2, 1, 5
3. 3, 4, 5, 1, 6, 2
4. (P) puras/doçuras; (P) luz/azuis; (I) aragem/margem; (I) vela/estrela(s.); (I) compõe/dói; (P) amá-la/tala
5. (C) puras/doçuras(s.); (C) vaga-lume/ciúme; (T) leva/terra; (T) aurora/vitória
6. (3) abba; (4) aabccb; (5) abcbcd; (1) aabb; (2) abab

Notas para o professor

NOTA 1: Verbo transitivo (exercício n.º 3 - cap. 2)
A tradição gramatical chama *transitivo* ao verbo que se acompanha de complemento direto, e *intransitivo* em caso contrário. Mais modernamente, partindo da ideia de que um verbo será transitivo ou intransitivo somente pelo seu emprego, já que este depende da vontade ou intenção comunicativa do falante: *Ele escreveu cartas / Ele não escreve; Chove / Chovem reclamações*, adotamos o critério de *predicação complexa* para o que se acompanha de um limitador da aplicação designativa do verbo que lhe serve de núcleo. Assim, em *O pai levou os filhos ao cinema pela tarde*, *ao cinema* tem função tão limitadora do conteúdo designativo de *levou*, quanto *os filhos*. Já *pela tarde*, no exemplo, não tem o mesmo papel e, por isso, pode ser dispensável à constituição da predicação, o que não ocorre com *ao cinema*. Daí, estendermos a exemplos como *Voltou o padre para casa* o caráter da *transitividade*, funcionando *para casa* como complemento relativo.

NOTA 2: *O* – artigo ou pronome demonstrativo (exercício n.º 19 - cap. 7)
A tradição gramatical tem tratado incoerentemente a forma *o* (*a, os, as*) em empregos do tipo:
a) *O paletó preto e o cinza.*
b) *O livro do Pedro e o de Paulo.*
c) *O menino que estuda e o que trabalha merecem nossos aplausos.*
No exemplo a), é unânime a classificação como *artigo definido*. No segundo, já há divergências: a maioria classifica *o* como pronome demonstrativo (= aquele), enquanto outros autores continuam considerando o *o* artigo definido. No terceiro exemplo, os autores em geral classificam o *o* como pronome demonstrativo. E tal classificação decorre do fato da comparação, por exemplo, com o francês, sob cujo modelo, ao lado do inglês, se construiu a moderna gramática portuguesa, no século XIX. Na verdade, onde o francês emprega, nestes casos, o demonstrativo *celui* (como o italiano *quello*), o português e o espanhol empregam o artigo definido: *o* e *el*, respectivamente. É esta lição moderna que adotamos: em todos os casos estamos diante de artigo definido: é uma descrição mais científica, mais coerente e mais simplificadora. Assim, no exemplo c), a oração, primitivamente adjetiva com pronome relativo *que*, se substantiva com o artigo *o* e funciona como o 2.º núcleo do sujeito composto de *merecem nossos aplausos.*

NOTA 3: Vozes verbais (exercício n.º 5 - cap. 9)
Feita a distinção das vozes verbais em *ativa, passiva* e *medial*, estabelecemos que esta última, no contexto, pode admitir, *sem deixar de ser medial*, sentidos diferentes:
a) **reflexivo**: *Ele se veste.* (= a si mesmo)
b) **recíproco**: *Eles se gostam.* (= um gosta do outro)
c) **dinâmico**: *Ela sentou-se. Ele zangou-se.*
d) **passivo**: *Vendem-se casas.*
e) **indeterminado**: *Precisa-se de empregados. Assistiu-se à festa. É-se feliz.*
Assim, em *Ele zangou-se comigo, Vendem-se apartamentos, Precisa-se de novos empregados* temos exemplos da voz medial ou reflexiva.

NOTA 4: Constituintes imediatos (ver exercício n.º 11 - cap. 22)
O exercício 11 do capítulo 22 foi extraído de uma prova de concurso cujo gabarito asinala como respostas as letras d) *recomendação – luminosos* e e) *descansadamente – calçamento*, por considerar *recomendação* e *descansadamente formados pelo mesmo processo de parassíntese, enquanto luminosos (da letra d) e calçamento (da letra e) são formados pelo processo de sufixação. Todavia, pelo conceito dos constituintes imediatos, tanto recomendação (do verbo recomendar) quanto descansadamente (do adjetivo descansada) devem ser considerados formados pelo processo de sufixação, uma vez que os prefixos re e des já estavam anexados aos respectivos radicais (recomendar + ação), (descansada + mente). E como luminosos e calçamento, das letras d) e e), são também derivados por sufixação, não haveria nas alternativas nenhuma que fosse formada por diferente processo; por isso, substituímos, nesta reimpressão, recomendação por repor (re + pôr) para conservarmos a letra d) como a única resposta possível, isto é: repor (derivado prefixal) e luminosos (derivado sufixal).*

Outros livros do autor

Moderna Gramática Portuguesa, 39.ª edição

Bechara para concursos: Enem, vestibular e todo tipo de prova de Língua Portuguesa

Lições de Português pela análise sintática, 19.ª edição revista e ampliada com exercícios resolvidos

Novo dicionário de dúvidas da Língua Portuguesa

Direção editorial
Daniele Cajueiro

Editoras responsáveis
Janaina Senna
Shahira Mahmud

Produção editorial
Adriana Torres
Mariana Bard
Laiane Flores

Revisão
Fatima Amendoeira Maciel
Fernanda Moura
Júlia Ribeiro
Nina Soares
Perla Serafim
Rita Godoy

Indexação
Marília Lamas

Diagramação
Filigrana

Este livro foi impresso em 2024, pela Vozes, para a Nova Fronteira.
O papel do miolo é offset 75g/m2 e o da capa é cartão 250g/m2.